B.A.C.

Historia de la Iglesia en España

BIBLIOTECA

DE

AUTORES CRISTIANOS

Declarada de interés nacional

─────────────MAIOR 22─────────────

LA EDITORIAL CATOLICA, S.A. — APARTADO 466

MADRID ● MCMLXXXII

Historia de la Iglesia en España

DIRIGIDA POR

RICARDO GARCIA-VILLOSLADA

COMITE DE DIRECCION

VICENTE CARCEL ORTI
JAVIER FERNANDEZ CONDE
JOSE LUIS GONZALEZ NOVALIN
ANTONIO MESTRE SANCHIS

Historia de la Iglesia en España

II-2.º

La Iglesia en la España de los siglos VIII al XIV

DIRIGIDO POR

JAVIER FERNANDEZ CONDE

COLABORADORES:

Isidro Bango Torviso ● Javier Faci Lacasta ● Javier Fernández Conde ● Ramón Gonzálvez ● Antonio Linage Conde ● Demetrio Mansilla Reoyo ● Antonio Oliver

BIBLIOTECA DE AUTORES CRISTIANOS

MADRID ● MCMLXXXII

DATOS BIOGRAFICOS DE LOS COLABORADORES

Isidro G. Bango Torviso
Nació en El Ferrol (La Coruña) en 1946. Licenciado en Historia, doctor en Arqueología. Profesor numerario de «Arte Antiguo y Medieval» en la Universidad Autónoma de Madrid. Entre sus publicaciones destacan: *La prosquinesis en la epifanía a los Magos; Atrio y pórtico en el románico español; Neovisigotismo artístico del siglo X: la restauración de ciudades y templos* y *Arquitectura románica en Pontevedra.*

Javier Faci Lacasta
Nacido en 1945 en Pamplona. Es doctor en Filosofía y Letras (sección de Historia) y profesor adjunto de Historia medieval en la Facultad de Geografía e Historia de la Universidad Complutense de Madrid, así como en el Colegio Universitario de San Pablo (CEU). Ha publicado trabajos relativos a historia socio-económica y política de la alta Edad Media.

Francisco Javier Fernández Conde
Nació en Pillarno (Oviedo) en 1937. Ordenado sacerdote en 1960. Doctor en Historia de la Iglesia por la Pontificia Universidad Gregoriana de Roma en 1970. Doctor en Historia Civil por la Universidad de Oviedo el año 1976. Profesor del Seminario Metropolitano de Oviedo desde 1965, en la Facultad de Teología del Norte de España de 1970 a 1973 y en la Facultad de Historia de la Universidad de Oviedo desde 1973. Rector del Seminario Metropolitano de Oviedo de 1973 a 1978 y fundador de la revista de investigación de este centro: *Studium Ovetense.* Sus obras principales: *El Libro de los Testamentos de la Catedral de Oviedo* (Roma 1971); *Gutierre de Toledo, obispo de Oviedo (1377-1389). Reforma eclesiástica en la Asturias bajomedieval* (Oviedo 1978); *El Medievo asturiano (siglos X-XII)* (Salinas/ Asturias 1979). Sus artículos y colaboraciones en obras colectivas de Historia medieval tratan temas de índole eclesiástica y civil indistintamente.

Ramón Gonzálvez Ruiz
Nació en Puebla de Alcocer (Badajoz) en 1928. Ordenado sacerdote en 1952. Canónigo archivero bibliotecario de la catedral de Toledo y profesor de Historia Eclesiástica del Estudio Teológico de San Ildefonso, de la misma ciudad. Cursó estudios de Teología e Historia de la Iglesia en la Universidad Gregoriana (Roma) y Archivística en el Archivo Secreto Vaticano. Después ha realizado estudios de Historia Civil en las Universidades de Oviedo y Madrid (Complutense), en la especialidad de Historia medieval. Profesor del Colegio Universitario de Toledo. Ha publicado más de 40 trabajos monográficos sobre codicología, cultura medieval y minorías étnico-religiosas (conversos, judíos y mozárabes). Coautor de dos catálogos de códices: *Catálogo de los manuscritos jurídicos medievales de la Catedral de Toledo* (Roma-Madrid 1970) y *Catálogo de los manuscritos litúrgicos de la Catedral de Toledo* (Toledo 1977). Ha dado conferencias en Estados Unidos (Fordham University, 1980) y Canadá (Carleton University, Ottawa 1978 y 1980).

Antonio Linage Conde
Nació en Sepúlveda (Segovia) el 9 de octubre de 1931. Notario desde 1955, actualmente con ejercicio en Madrid. Doctor en Derecho por Valencia (tesis sobre

la personalidad internacional de la Santa Sede y el Estado Vaticano) y en Letras por Salamanca. Ex profesor de Historia de la Edad Media en la última. Académico correspondiente de la Real de la Historia, de la de Buenas Letras de Barcelona y de la de San Quirce de Segovia. Cronista de Sepúlveda. Representante de España en el CERCOM (Centre Européen de Recherches sur les Congrégations et Ordres Monastiques). Principales obras: *Los orígenes del monacato benedictino en la Península Ibérica* (León 1973); *Una regla monástica riojana femenina del siglo X: el «Libellus a Regula Sancti Benedicti subtractus* (Salamanca 1973); *El monacato en España e Hispanoamérica* (Salamanca 1977); *Hacia una biografía de la villa de Sepúlveda* (Segovia 1972). Premio Menéndez Pelayo por el primero; y «Puente Colgante» de novela por la histórica *El arcángel de Montecasino* (Bilbao 1977). Cofundador de la revista *Regulae Benedicti Studia* (Hildesheim). Colaborador regular de *Scriptorium* (Bruselas) e *Indice Histórico Español* (Barcelona).

Demetrio Mansilla Reoyo

Nació en Los Ausines (Burgos) en 1910. Doctor en Historia Eclesiástica por la Universidad Pontificia Gregoriana (Roma). Estudios de Paleografía y Archivística en la Escuela del Vaticano. Durante veinte años profesor de Historia de la Iglesia, Patrología, Liturgia doctrinal y Arte Sacro en el Seminario Metropolitano de Burgos. Canónigo archivero de la catedral de Burgos (1947-1958). Obispo auxiliar de Burgos (1958-1963). Obispo de Ciudad Rodrigo (1964). Entre sus publicaciones: *Iglesia castellano-leonesa y Curia Romana en tiempos del rey San Fernando* (Madrid 1945), *La documentación pontificia hasta Inocencio III (965-1216), La documentación pontificia de Honorio III (1216-1227), Catálogo documental del archivo catedral de Burgos (804-1416)* (Madrid 1971). Numerosos artículos de carácter histórico eclesiástico en las revistas *Historia Sacra* y *Anthologica Annua,* así como diversas colaboraciones en Diccionarios y Enciclopedias, destacando la colaboración en el «Diccionario de Historia Eclesiástica de España», publicado por el Instituto E. Flórez del C.S.I.C. (Madrid).

Antonio Oliver Monserrat

Nacido en Vilafranca (Mallorca) en 1926. Teatino, ordenado sacerdote en Roma en 1950. Doctor en Historia de la Iglesia (sección Edad Media) por la Pontificia Universidad Gregoriana. Diplomado en Biblioteconomía y Archivística por la Escuela Vaticana. *Professor* de la Maioricensis Schola Lullistica; miembro del Consejo Rector del Estudio General de Palma de Mallorca; profesor de Historia de la Iglesia en el Seminario Diocesano de Palma; colaborador en la edición crítica de la obra latina de Ramón Llull (ROL) del *Raimundus-Lullus-Institut,* de la Universidad de Freiburg (Alemania Occidental). Se dedica a la investigación de las ideas y de la religiosidad en los siglos XII-XIV. Colabora en diversas revistas de Europa. Sus principales estudios: *Táctica de propaganda y motivos literarios en las cartas antiheréticas de Inocencio III* (Roma 1957); *Filosofía y heterodoxia en Mallorca (siglos XIII-XV)* (Palma 1963); *El Beato Ramón Llull en sus relaciones con la escuela franciscana de los siglos XIII-XIV* (Palma 1965-69); *Gerbert, un savi d'Europa fet a Catalunya,* a punto de aparecer en Roma.

INDICE GENERAL

CAPÍTULO VI

RELIGIOSIDAD POPULAR Y PIEDAD CULTA

Por **J. Fernández Conde**

CAPÍTULO VII

LA CORTE PONTIFICIA DE AVIÑON Y LA IGLESIA
ESPAÑOLA

Por **J. Fernández Conde** y **A. Oliver**

CAPÍTULO VIII

DECADENCIA DE LA IGLESIA ESPAÑOLA BAJOMEDIEVAL
Y PROYECTOS DE REFORMA

Por **J. Fernández Conde**

CAPÍTULO IX

EL CISMA DE OCCIDENTE Y LOS REINOS PENINSULARES

Por **J. Fernández Conde** y **A. Oliver**

CAPÍTULO X

*LAS MINORIAS ETNICO-RELIGIOSAS EN LA EDAD MEDIA
ESPAÑOLA*

Por **R. Gonzálvez**

HISTORIA DEL ARTE CRISTIANO EN ESPAÑA
(Siglos XIII y XIV)

Por J. Bango Torviso

PANORAMA HISTORICO-GEOGRAFICO DE LA IGLESIA ESPAÑOLA
(*Siglos VIII al XIV*)

Por Mons. **Demetrio Mansilla**

La Iglesia en la España de los siglos VIII al XIV

CAPÍTULO I

LA EPOCA DE LAS GRANDES CONQUISTAS

Por ANTONIO OLIVER y JAVIER FERNÁNDEZ CONDE

BIBLIOGRAFIA

JAIME I EL CONQUISTADOR Y LA IGLESIA

J. E. MARTÍNEZ FERRANDO, *La tràgica història dels reis de Mallorca* (Barcelona 1960); A. OLIVER, *Táctica de propaganda y motivos literarios en las cartas antiheréticas de Inocencio III* (Roma 1957); J. M. POU I MARTÍ, *Conflictos entre el pontificado y los reyes de Aragón en el siglo XIII:* Miscel. Histor. Pont. XVIII: «Sacerdozio e Regno da Gregorio VII a Bonifacio VIII» (Roma 1954) p.139-160; F. SOLDEVILLA, *Jaume I, Pere el Gran* (Barcelona 1961); ID., *Història de Catalunya* (Barcelona 1963).

LAS CAMPAÑAS DE FERNANDO III

L. F. DE RETANA, *San Fernando III y su época* (Madrid 1941); J. GONZÁLEZ, *Las conquistas de Fernando III en Andalucía:* H 6 (1946) 515-631; ID., *Repartimiento de Sevilla,* 2 vols. (Madrid 1951); ID., *Reconquista y repoblación de Castilla, León, Extremadura y Andalucía (siglos XI-XIII):* «La reconquista española y la repoblación del país» (Zaragoza 1951) p.163-206; ID., *Reinado y diplomas de Fernando III. I: Estudio* (Córdoba 1980); M. A. LADERO QUESADA, *Historia de Sevilla: La ciudad medieval (1248-1492)* (Sevilla 1976); J. TORRES FONTES, *Repartimiento de Murcia* (Madrid 1960); ID., *Repartimiento de la huerta y campo de Murcia en el siglo XIII* (Murcia 1971); S. DE MOXÓ, *Repoblación y sociedad en la España cristiana medieval* (Madrid 1979).

LA SANTA SEDE Y LA RECONQUISTA

D. MANSILLA REOYO, *Iglesia castellano-leonesa y curia romana en los tiempos del rey San Fernando* (Madrid 1945); J. GOÑI GAZTAMBIDE, *Historia de la Bula de la Cruzada en España* (Vitoria 1958); J. GOROSTERRATZU, *Don Rodrigo Jiménez de Rada, gran estadista, escritor y prelado* (Pamplona 1925); E. ESTELLA ZALAYA, *El fundador de la catedral de Toledo: estudio histórico del pontificado de D. Rodrigo Ximénez de Rada* (Toledo 1926); M. BALLESTEROS GAIBROIS, *Don Rodrigo Jiménez de Rada* (Barcelona 1936); ID., *Don Rodrigo Ximénez de Rada, coordinador de España:* Príncipe de Viana 2 (1941) 66-73; H. GRASSOTTI, *Don Rodrigo Ximénez de Rada, gran señor y hombre de negocios en la Castilla del siglo XIII:* CHE 55/56 (1972) 1-302; F. M. DELORNE, *Les Espagnols à la bataille de Damiètte:* Archivum Franciscanum Historicum 16 (1923) 245-246; J. P. DONOVAN, *Pelagius and the firth Crusade* (Filadelfia 1950); D. MANSILLA REOYO, *El cardenal hispano Pelayo Gaitán (1206-1230):* AA 1 (1953) 11-66; E. BENITO RUANO, *Balduino II de Constantinopla y la Orden de Santiago: un proyecto de* defensa del Imperio latino de Oriente: H 12 (1952) 3-36, y en Estudios Santiaguistas (León 1978) p.29-52; ID., La Iglesia española ante la caída del Imperio latino de Constantinopla: HS 11 (1958) 5-20; P. A. LINEHAN, The Gravamina of the Castilian Church in 1262-3: English Historical Review 85 (1970) 730-54; ID., Una apología papal de mediados del siglo XIII: HS 24 (1971) 235-8; T. DOMÍNGUEZ ARÉVALO, Los Teobaldos de Navarra. Ensayo de crítica histórica (Madrid 1909); R. RÖHRICHT, Die Kreuzzüge des Grafen Theobald von Navarra und Richard von Cornwallis nach dem heiligen Lande: Forschungen zur deutschen Geschichte 26 (1886) 67-102; ID., Der Kreuzzug des Königs Jacob I von Aragonien (1269): Mitteilungen des Instituts für Österreische Geschichtsforschung 11 (1890) 372-395; F. SOLDEVILLA, Els grans reis del segle XIII: Jaume I, Pere el Gran (Barcelona 1955); ID., Vida de Jaume I el Conqueridor (Barcelona ²1968); V. SALAVERT Y ROCA, El tratado de Anagni y la expansión mediterránea de la Corona de Aragón: EEMCA 5 (1952) 209-306; A. LÓPEZ, Los obispos de Marruecos desde el siglo XIII: Archivo Ibérico-Americano 14 (1920) 399-502; ID., o.c. (Tánger 1941); J. MENÉNDEZ PIDAL, Noticias acerca de la orden militar de Santa María de España instituida por Alfonso X: RABM 11 (1907) 161-180; J. PÉREZ VILLAMIL, Origen e instituto de la orden militar de Santa Maria de España: BH 74 (1919) 243-52.

CRISIS ADMINISTRATIVA Y ECONÓMICA DE LA IGLESIA PENINSULAR

P. LINEHAN, The Spanish Church and the Papacy in the Thirteenth Century (Cambrige 1971); trad. esp. (Salamanca 1975) (con infinidad de noticias sobre esta crisis de la Iglesia, de la castellana, especialmente); J. VINCKE, Estado e Iglesia en la historia de la Corona de Aragón de los siglos XII, XIII y XIV, en Congreso de H. de la C. de Aragón I: Crónica y Ponencias (Barcelona 1968) p.267-285; E. BENITO RUANO, La Iglesia española ante la caída del Imperio latino de Constantinopa: HS 11 (1958) 8-13; ID., La banca toscana y la orden de Santiago durante el siglo XIII (Valladolid 1961) y en Estudios Santiaguistas (León 1978) p.61-153; ID., Las deudas y pagos del maestre de Santiago D. Pelay Pérez Correa: H 22 (1962) 23-37 y en Estudios Santiaguistas p.155-172; J. GONZÁLEZ, La clerecía de Salamanca durante la Edad Media: H 3 (1943) 409-30; A. SIERRA CORELLA, El cabildo de párrocos de Toledo: RABM 49 (1928) 97-114; P. HERRERO MESA, La Universidad de clérigos de Córdoba en la baja Edad Media: Cuadernos de Estudios Medievales 1 (1973) 133-45.

LA APLICACIÓN DE LA REFORMA DEL LATERANENSE IV EN LA IGLESIA ESPAÑOLA

L. SERRANO, Don Mauricio obispo de Burgos y fundador de su catedral (Madrid 1922); J. F. RIVERA RECIO, Personajes hispanos asistentes al concilio IV de Letrán. Revisión y aportación de nuevos documentos. Datos biográficos: HS 4 (1951) 335-55; D. MANSILLA REOYO, Episcopologio de Burgos. Siglo XIII: HS 4 (1951) 313-333; J. GOÑI GAZTAMBIDE, Los obispos de Pamplona en el siglo XIII: Príncipe de Viana 18 (1957) 41-237; también: Historia de los obispos de Pamplona, s. IV-XIII (Pamplona 1979); D. W. LOMAX, The Lateran Reforms and Spanish Literature: Iberomania 1 (1969) 299-313; P. A. LINEHAN, Pedro de Albalat, arzobispo de Tarragona, y su «Summa septem Sacramentorum»: HS 22 (1969) 9-30; del mismo autor: Councils and Synods in Thirteenth-Century Castile and Aragon, en Studies in Church History VII (Cambridge 1971) p.101-11; The Spanish Church and the Papacy in the Thirteenth Century (Cambridge 1971); trad. esp. (Salamanca 1975); La Iglesia de León a mediados del siglo XIII, en Fuentes y estudios de historia leonesa XV (León 1975) p.11-76; A. GARCÍA GARCÍA, La Iglesia Española y el Pontificado Romano en el siglo XIII: Salmanticensis 19 (1972) 355-63; ID., Primeros reflejos del concilio Lateranense en Castilla: Studia Histórico-Ecclesiastica, Festgabe für prof. Luchesius G. Spätling, O.F.M. (Roma 1977) p.249-82.

LOS ORÍGENES DEL PATRONATO REGIO

M. GÓMEZ ZAMORA, *Regio Patronato español e indiano* (Madrid 1897); D. MANSI-LLA REOYO, *Iglesia castellana...* p.87-90; J. VINCKE, *Die Anfänge der päpstlichen Provisionen in Spanien:* Römische Quartalschrift 48 (1953) 195-210; ID., *Das Patronatsrecht der aragonischen Krone:* Gesammelte Aufsätze zur Kulturgeschichte Spaniens 10 (1955) 55-95; C. BAUER, *Studien zur spanischen Konkordatsgeschichte des späten Mittelalters. Das spanische Konkordat von 1482:* Gesammelte Aufsätze... 11 (1955) 43-97; Q. ALDEA, *Patronato real de España:* DHEE 3 (1973) 1944-48.

I. JAIME I EL CONQUISTADOR Y LA IGLESIA

Por A. OLIVER

A la imprevista muerte de Pedro el Católico en Muret se creaba una extraña situación en su reino: sus tierras eran feudales del papa; su hijo Jaime, de pocos años, había sido puesto bajo la tutela del papa por su madre, María de Montpellier, que moría en Roma aquel mismo año, 1213, y, además, el mismo príncipe Jaime había sido puesto como rehén en las manos del vencedor de Muret, Simón de Montfort, por el propio Pedro.

Ante la enérgica conminación de Inocencio III y en presencia del legado Pedro de Benevento, Simón entregó a Jaime, en mayo de 1214, a los barones catalanes que habían acudido a Narbona, y, en agosto del mismo año, fue jurado rey por los tres estamentos de catalanes y aragoneses en Lérida [1]. El príncipe fue entregado para su formación al maestre del Temple Guillem de Montrodon, mientras el viejo conde Sancho —hijo de Ramón Berenguer IV— cuidaba de la regencia. En Montsó, bajo la custodia de los templarios, Jaime recibió una educación y una influencia que marcará en muchos aspectos su vida. Sin tradición familiar, la mente de Jaime se abrió a la idea de grandes empresas, como las que se ventilaban entre aquellos caballeros, pertenecientes a una milicia destinada a luchar contra los infieles: la recuperación del santo sepulcro y el proseguimiento de la reconquista. Y, por otra parte, los templarios, al inculcarle la reverencia a la memoria de su padre, no debieron de dejar de hacerle ver el desastre de Muret como un castigo de una postura injustificable a los ojos de Dios.

En los años de la minoría de edad del rey, la nobleza feudal tuvo tiempo de crecer en una soberbia e indisciplina que retoñará intermitentemente a lo largo de todo su reinado y que será su constante tormento. Era la evolución del feudalismo: los caballeros eran los enemigos del rey. «Al món no hi ha tan sobrer poble com són cavallers»; «los cavallers se lleven pus tost contra senyoria que no els altres» [2], y por eso aconsejaba a Alfonso el Sabio que apoyara su autoridad en *los eclesiásticos y en el pueblo.*

En la cuestión de Tolosa, el papa Honorio III mandaba a Jaime que retirara sus tropas de aquellas tierras. La carta del papa es de diciembre de 1217. Catalanes y aragoneses estaban empeñados en vengar la muerte del

---

[1] *Llibre dels Feits* (Barcelona 1923) § 11: SOLDEVILA, *Jaume I, Pere el Gran* (Barcelona 1961) p.13.
[2] *Llibre dels Feits* § 237 y 498.

rey Pedro y, unidos al conde de Tolosa, derrotaban al jefe de los cruzados y reconquistaban la ciudad. Pero, a partir de la amonestación papal, el rey Jaime se esforzó siempre para mantenerse al margen de aquel envenenado problema.

Llegado al trono de San Pedro el papa Gregorio IX, en 1227, Jaime solicitó de él la coronación en Roma, tal como lo había hecho su padre. Alegando las críticas circunstancias por las que atravesaba entonces la Iglesia, tiranizada por el emperador Federico II, el papa no accedió a la petición. La causa verdadera pudo ser la cuestión del divorcio suscitada por el rey con su esposa Leonor de Castilla —hija de Alfonso VIII—, con la que se había casado, sin dispensa de parentesco, en 1221. El tema disgustaba seriamente al papa. Al final, el cardenal Halgrin, reunido en Tarragona con varios obispos, dio sentencia de nulidad[3]. Fue entonces cuando el rey pudo casarse, en 1235 y en Barcelona, con Yoland (Violante), hija del rey Andrés de Hungría y hermana de Santa Isabel, canonizada justamente aquel mismo año.

En los casos que siguen se pone de manifiesto un doble aspecto de la personalidad de Jaime I: por una parte, es rápido y altivo en sus actuaciones, y por otra, deja siempre que triunfe su profundo sentimiento religioso, especialmente en los momentos en que se siente amenazado por un peligro, una enfermedad o la muerte.

He aquí el primer caso: En el año 1235, el rey impedía al obispo de Zaragoza, electo arzobispo de Tarragona, que pasara a ser entronizado en la sede metropolitana. Y le detuvo en Huesca[4]. Ello comportaba la excomunión. Más tarde cayó enfermo el rey, y, con gran temor del castigo divino, pidió ser absuelto de aquella excomunión. En bulas de principios de 1236, Gregorio IX se dirige a Ramón de Penyafort para que investigue el caso y, si procede, que conceda al soberano la absolución bajo estos requisitos: Que jure antes que no causará más injurias a los prelados de su reino y que pedirá perdón al obispo de Zaragoza en la puerta de la catedral de Huesca, donde éste recibió la ofensa del rey[5].

Ya en tiempos de Inocencio IV, en 1246, tuvo Jaime I otro problema mucho más serio con Roma: el rey había mandado cortar la lengua al obispo de Gerona. Este obispo era Berenguer de Castellbisbal, un dominico, prior del convento de Santa Catalina de Barcelona, a quien don Jaime había desterrado ya, pero que al recibir la dignidad episcopal, en 1245, había regresado y asistido al concilio provincial de Tarragona. Fue entonces cuando mandó prenderlo y cortarle la lengua. El propio rey cuidó de escribir al papa comunicándole el hecho y añadiendo, como agravante, que Berenguer había gozado de su más íntima confianza y había sido colocado entre los familiares de la corte; pero que había abusado de aquella confianza llegando a revelar secretos del rey conocidos «in foro paenitentiae». El rey reconoce que ha sido duro en el castigo, pero pide al papa que confirme el destierro que pesa sobre el prelado. No sabemos

---

[3] POU I MARTÍ, *Conflictos...* p.146.
[4] Sobre quién pudiera ser el obispo en cuestión, cf. POU I MARTÍ, *Conflictos...* p.148-149.
[5] POU I MARTÍ, *Conflictos...* p.148.

concretamente cuál sería la revelación del obispo⁶; pero parece seguro que Inocencio IV no creyó que el obispo hubiera incurrido en el delito de la infracción del sigilo sacramental. La rigurosidad de la práctica de entonces habría hecho que el papa confirmara el destierro y depusiera de su cargo a un prelado ya desprestigiado ante su clero y su pueblo. Ello es evidente por la respuesta del papa a la carta del rey. El papa no admite las explicaciones del soberano, le reprende con severidad por haber atentado contra una dignidad eclesiástica y le notifica que le envía a su penitenciario fray Desiderio, franciscano, a fin de que le aconseje en el modo de reconciliarse con la Iglesia y de dar la satisfacción del sacrilegio que ha cometido.

El rey aceptó arrepentido la severa reprimenda del papa, recibió humildemente a fray Desiderio y mostróse dispuesto a dar la satisfacción que se le pidiera. Más tarde manda a Roma al obispo de Valencia y a fray Desiderio para que expresen al papa su buena disposición y su propósito de no volver a atentar contra la libertad eclesiástica, y declara, incluso, que, si es deseo del papa que el obispo de Gerona permanezca en su sede, él no se opondrá y que reparará la afrenta hecha a la Iglesia gerundense señalándole algunas rentas o llevando a cabo obras de reparación. Y da muestras de afecto a la Orden de los dominicos a la que pertenecía el obispo mutilado.

El papa le remite a fray Desiderio y al obispo de Camerino para que le absuelvan de la excomunión y le declaren reconciliado con la Iglesia. La ceremonia tuvo lugar en el convento de los franciscanos de Lérida el 14 de octubre. En presencia del arzobispo de Tarragona y otros prelados, arrodillado ante los legados del papa, confesaba el rey de nuevo su delito y recibía de ellos la absolución⁷.

Y ya mucho más adelante, Jaime I infligió un durísimo golpe en el mismo punto vital de la política de la Santa Sede desde hacía doscientos años: Sicilia y el Imperio, llevando a cabo uno de los hechos de más consecuencias para los años que van a seguir. Se trata del enlace de su hijo Pedro con Constanza de Sicilia. Era el año 1262. Urbano IV vio muy mal el nacimiento de esta esperanza para Aragón de poner el pie en Sicilia a través de aquel parentesco con la casa Staufen. En efecto, en 1258, Manfredo (hijo natural, pero legitimado, de Federico II) se había proclamado rey de Sicilia en Palermo (su hermanastro Conrado había muerto) sin recabar la aprobación pontificia. Constanza era hija de Manfredo. Ya Inocencio IV había ofrecido la corona de Sicilia, feudo de la Santa Sede, a Carlos de Anjou, hermano de Luis IX de Francia. El ofrecimiento quedó sin efecto. Pero un año antes de los hechos que narramos, en 1261, Urbano IV, francés, volvió a ofrecer aquella corona a Carlos, quien esa vez la aceptó. En tales circunstancias, se comprende cómo contrariaría al papa proyectado matrimonio, que vendría a ofrecer a los odiados Hohenstaufen la alianza de una devota y poderosa monarquía como la de Aragón. En carta fechada en Viterbo el 26 de abril de 1262, el papa denunciaba a

⁶ Pou i Martí, *Conflictos...* p.150.
⁷ Pou i Martí, *Conflictos...* p.151-152 y n.46.

Jaime I la torpeza del enlace de un príncipe tan noble y católico con la hija del bastardo y excomulgado príncipe, cuyo injustificable comportamiento el rey no es posible que ignore. Al mismo tiempo escribía el papa al rey San Luis una carta que sorprende por demostrar que el pontífice estaba muy mal informado. Alaba al rey santo porque, al enterarse del proyectado enlace entre el príncipe de Aragón con la hija del cismático Manfredo, había rechazado los esponsales de su hijo, el delfín Felipe, con la hija de don Jaime, la infanta Isabel[8]. El matrimonio de Pedro y Constanza se celebró, a pesar de todas las oposiciones, el 13 de junio de 1262, en Montpellier. Y aquel mismo año se celebraba también la boda del príncipe Felipe y de Isabel. Había sucedido sencillamente que Luis IX, alertado por el papa, antes de la boda de su hijo, exigió a Jaime I una declaración previa y pública de que no había sido nunca su propósito dar consejo, auxilio o favor a Manfredo contra la Iglesia romana. Así lo hizo Jaime ante el rey de Francia, prelados y barones que suscribieron el documento. Y exigió aún más Luis IX: Que Jaime prometiera que no ayudaría contra Carlos de Anjou ni a la ciudad de Marsella ni a Bonifacio de Castellana, el principal dirigente de la resistencia provenzal[9]. Es claro que aquel juramento no ataba las manos al príncipe Pedro, que, sin haber prometido él nada, quedaba con las manos libres para extender a su tiempo el dominio de Aragón por el Mediterráneo.

El sucesor de Urbano IV, Clemente IV, también francés, no vio nunca bien la política de Jaime I. Coronó en Roma a Carlos como rey de Sicilia, y, en agosto de 1265, escribió al aragonés una durísima carta acusándole de oprimir la libertad de la Iglesia y de llevar una vida licenciosa e inmoral. Y el mismo Gregorio X, que en 1274 había invitado al rey al concilio de Lyón, al que asistió el rey, al año siguiente le amonestaba severamente y le echaba en cara el mal ejemplo que daba a sus súbditos[10]. Esa reprimenda alcanzaba al longevo rey un año antes de su muerte. El juicio de los papas sobre nuestro rey fue severo e implacable.

La liquidación del problema de Occitania

Con las decisiones del concilio de Letrán de 1215, a las que tantas veces hemos aludido, Simón de Montfort vio allanado el camino a su sueño de dominación política, y Felipe Augusto, si bien protestaba que no aprobaba la expedición de su hijo Luis dirigiendo sus tropas hacia el sur, acariciaba la realidad de su señorío sobre aquellas tierras. Aunque era tío de Ramón VI y soberano del condado de Tolosa, no sólo no movió un dedo para defenderlos, sino que había permitido que los barones franceses acudieran a la cruzada.

Por su parte, Ramón había acudido, después del concilio, a Cataluña pidiendo auxilio. Las huestes se reunieron en Pallars, donde era conde

[8] D. GIRONA, *Mullerament de l'infant En Pere de Catalunya amb madona Constanza de Sicília.* Congrès d'Hist. Corona d'Aragó I (Barcelona 1909) p.232-299; POU I MARTÍ, *Conflictos...* p.152; SOLDEVILA, *Jaume I...* p.40.

[9] SOLDEVILA, *Jaume I...* p.39-40.

[10] POU I MARTÍ, *Conflictos...* p.153-154.

consorte Roger de Cominges, uno de los barones languedocianos perseguidos por la cruzada; atravesaron los Pirineos y, el 13 de septiembre de 1217 (cuatro años después de la derrota de Muret), Tolosa abría las puertas a los catalanes. Occitania se conmovió toda, y el papa entendió que, si no intervenía con energía, se desandaría todo el camino recorrido en la campaña de represión de la herejía. Su intervención fue inmediata y perentoria. Honorio III lanza el más riguroso anatema contra el rey Jaime y los barones «que se disponen a luchar contra el predicho conde (Simón de Montfort), el cual saben ellos muy bien que se encuentra en aquellas tierras por mandato de la Iglesia romana y bajo su especial protección». Y en diciembre del mismo año escribe de nuevo al rey una carta, a la que hemos aludido al principio del párrafo anterior, conminándole a que retire inmediatamente sus tropas de Tolosa. «En caso contrario, de tal modo podrías provocar contra ti a Nos y a la Iglesia romana, que nos viéramos obligados a oprimir tu reino con gentes extrañas» [11].

El viejo dilema se proponía otra vez: O repetir de nuevo la aventura de Pedro II o plegarse a la voluntad papal. Jaime I optó por lo segundo. El mismo Honorio III escribe en 1269: «Nuestro carísimo hijo Jaime, ilustre rey de Aragón... nos ha pedido que le defendamos con el escudo de la protección apostólica... Nos hemos decidido declararlo digno de nuestra entrañable dilección». Y el papa pone la persona del rey y el reino de Aragón, y la tierra de Cataluña, y la ciudad y la tierra de Montpellier, y todos sus bienes, bajo su protección, y manda al cardenal legado que nadie sea osado de atacar aquellas tierras.

A partir de entonces, la actitud del rey será de una inmutable prudencia y de obediencia al deseo del papa y de una decidida voluntad de evitar todo conflicto armado con la casa de Francia. Mientras se organizaba una nueva cruzada contra Ramón VII de Tolosa, en 1226, Jaime mandaba a todos sus súbditos abstenerse de favorecer en la forma que fuera a los albigenses, «porque nosotros somos hijos especiales de la santa Iglesia romana y constituidos especialmente bajo su protección y custodia». Y, a pesar de la poesía heroica y de las lamentaciones de los trovadores occitanos, Jaime no se movió. Al final, después de constantes intentos por solucionar el problema a base de enlaces matrimoniales y ya extinguida la dinastía occitana en 1229, Jaime I se convenció de que los catalanes no tenían ya nada que hacer más allá de los Pirineos. Por otra parte, la casa de Francia tenía el mayor interés en asentar sobre bases legales la posesión de sus nuevos dominios en el sur. Así se llegó al *Tratado de Corbeil* (11 de mayo de 1258). En su virtud, San Luis de Francia, «el ángel de la paz», como le llamaba el papa, renunciaba a todos los derechos que como descendiente de Carlomagno pudiera tener sobre los condados de Barcelona, Urgel, Besalú, Rosellón, Conflent, Cerdaña, Ampurias, Gerona y Ausona. Y Jaime I renunciaba a todos sus derechos sobre Carcasona, Agde, Foix, Béziers, Nimes, Albi, Razès, Lauraguès, Termenès, Minervès, Sault, Narbona, Tolosa, Gavaldà, Quercy, Roerga, Millau, Fenolledes, Queribus, Parapertusa, Puy-Laurens y Castel-Fisel.

[11] Soldevila, *Història...* p.251 n.37.

Provenza no figura entre los territorios renunciados por Jaime I. Es que la renuncia debía ser a favor de la esposa de San Luis, Margarita de Provenza (la hija mayor de Ramón Berenguer V). Y así lo hizo el rey el 16 de julio de 1258, cediendo a Margarita todos sus derechos sobre las tierras provenzales (pequeños enclaves, como Montpellier, Omelades y Carlades, quedaron en manos de Jaime, porque eran patrimoniales de la dinastía). A fin de sellar aquella paz, se concertó entonces el matrimonio de Felipe, hijo del rey de Francia, con Isabel, hija del Conquistador.

Así terminó definitivamente el conflicto político-religioso del sur de Francia y la casa de Barcelona. Y hay que decir que, si el Conquistador renunciaba al sueño occitano, era porque tenía ya muy concretos sus deseos de extender sus dominios sobre tierras de sarracenos, sueños que aprendería en sus años con los templarios en Montsó.

La conquista de Mallorca y la reorganización de su Iglesia

Caída en poder de los árabes a principios del siglo VIII, Mallorca fue perdiendo todo contacto con las estructuras cristianas. Los árabes hicieron de ella un nido de piratería. El mismo fundador de la taifa independiente de Denia, que comprendía las Baleares, Mudjahid, era, según Dozy, el más temido pirata de su época. Mudjahid fundó su taifa en 1014 y murió en 1044. Le sucedió su hijo Alí, hijo de madre cristiana, quien, en su diploma de 1058, confirmando una donación hecha por su padre, donaba «perpetuamente» todas las iglesias de su reino a la catedral de Barcelona, «de manera que los clérigos de dichas iglesias no puedan recibir el santo crisma si no es del obispo de Barcelona, y que los cargos y dignidades a ellas pertinentes no puedan ser concedidos sino por él» [12].

La donación tiene una profunda significación: los cristianos del sur de Valencia y de las Baleares se consideraban en la órbita eclesiástica de Barcelona. Lo cierto es que en el acta de dedicación de la nueva catedral de Barcelona, reedificada por Ramón Berenguer el Viejo, aparecen en la enumeración de las posesiones de la catedral *Maiorgas et Minorgas insulas Baleares et episcopatum civitatis Denie et episcopatum civitatis Oriole* [13].

En las islas, por aquel entonces, no había diócesis constituida ni forma alguna sistematizada de culto cristiano. Podía haber algún que otro mozárabe o algún mercader cristiano de paso.

El papa, en una bula del año 898, confirmaba a la Iglesia de Gerona y a su obispo Servus Dei todas sus posesiones, y enumeraba entre ellas las iglesias de Mallorca y Menorca; y Alejandro III, al confirmar al obispo de Barcelona Guillem de Torroja sus posesiones en un documento de 1169, reconoce el derecho de aquella sede sobre las islas de Mallorca y Menorca, «en el espacio de la mar», «como consta que lo tuvo desde tiempo antiguo».

En el año 1102, el conde de Urgel intentó conquistar Mallorca, y dejó la vida en el empeño. En 1113, el papa Pascual II publica una bula de

---

[12] J. E. MARTÍNEZ FERRANDO, *Baixa Edat Mitjana* II. *La dominació aràbiga a la Catalunya Nova, València i les Illes,* en *Història dels Catalans* II (Barcelona 1961) p.1052.
[13] MARTÍNEZ FERRANDO, ibid., p.1052.

cruzada otorgando al obispo de Pisa, Pedro, licencia para conquistar las Baleares, a fin de acabar con los piratas de las islas. Partieron los pisanos. Desde Cataluña se les unió Ramón Berenguer III, quien capitaneó la expedición. En junio de 1114 cayeron en su poder Ibiza y Mallorca [14]. La victoria fue efímera. Los pisanos volvieron a su tierra y regresó también Ramón Berenguer. A fines de 1115, los almorávides ya eran dueños de las islas.

A partir de aquella expedición de Ramón Berenguer III, en cada reinado hay un proyecto de conquista de las Baleares, que nunca llega a realizarse: Ramón Berenguer IV pacta para ello con los genoveses en 1146, y en 1151, con los pisanos y con el papa Eugenio III; y Alfonso el Casto, con los sicilianos en 1178.

En 1203, el califa almuhadi Muhammad al-Nasir asaltó y conquistó la ciudad de Mallorca, *Medina Maiurka*, y destronó al reyezuelo de la taifa independiente de Mallorca Alí ibn Ganiya, el último almorávide. «Y así, reunidos en uno los dos reinos —dice una carta de Inocencio III a Pedro II (14 febrero 1204)—, orgullosa de su poder, ha crecido todavía más la belicosidad del rey marroquí». Y aquel mismo año, Pedro el Católico preparaba la ocupación de la isla de Mallorca y enviaba emisarios a Inocencio III, a fin de que el papa mandara un legado a Génova y Pisa para concertar una tregua que permitiera al rey dedicarse a aquella empresa. En el mes de junio del siguiente año, Pedro obtenía del papa la posesión de todas las tierras que tomara a los herejes por un lado, y por otro, la promesa de erigir una sede episcopal en Mallorca si la isla caía en sus manos.

Pero el conquistador fue su hijo Jaime I. Lograda la obediencia de los nobles y pasado decididamente su sueño de dominación occitana a la tarea de la reconquista, había llegado la hora de la conquista de Mallorca. Según la *Crónica* de Desclot y el *Libre dels Feyts*, el motivo que decidió al rey fue el apresamiento de dos naves barceloninas por los corsarios mallorquines y, también según el *Libre dels Feyts*, los elogios que hizo de las maravillas de la isla Pedro Martell en un banquete en Tarragona, al que asistía el rey.

En Barcelona y a fines de 1228, las cortes decidieron la expedición, se había dictado una constitución de paz y tregua y se cobraba el impuesto para la conquista.

Fue una expedición llena de entusiasmo y de alegría. Las naves salieron del puerto de Salou el 5 de septiembre de 1229. La ciudad de Mallorca fue conquistada el 31 de diciembre de aquel año. La lucha continuó por el interior de la isla, y después procedió el rey a la repartición, que se hizo según el *Libre de repartiment de Mallorca*, que se conserva todavía.

En el repartimiento, el rey tenía muy en cuenta que la conquista de Mallorca había sido una empresa de «los catalanes» (los aragoneses habían querido siempre orientar al rey hacia la conquista de Valencia antes que a la de Mallorca). Los eclesiásticos habían colaborado con eficacia y sin apelar a privilegios que podían haberlos eximido. La conquista, que tuvo inmensa resonancia en toda la cristiandad, había proporcionado al joven rey

[14] SOLDEVILA, *Història...* p.132.

(tenía unos veintiún años) un admirable prestigio: era el único rey de España que tenía un reino sobre el mar. El recordará la conquista de Mallorca como su gesta preferida. Otorgó franquicias de comercio por mar y tierra a sus prohombres y habitantes de todas las islas Baleares (1230). La nueva tierra fue poblada por toda clase de catalanes y gentes del sur de Francia. Bernat de Santa Eugenia de Torroella de Montgrí fue el primer gobernador de la isla.

A pesar de tantas donaciones y declaraciones de papas como las que hemos enumerado, una vez realizada la conquista por Jaime I, surgieron violentas discusiones entre los obispos de Barcelona, Gerona y Tarragona, al alegar cada uno de ellos sus derechos sobre Mallorca. A fin de zanjar la discusión, Gregorio IX (31 julio 1232) decidió que la nueva Iglesia dependiera directamente de la Santa Sede. Esta dependencia directa duró hasta 1492, en que Mallorca fue declarada sufragánea de la archidiócesis de Valencia. Su primer obispo fue Ramón de Torrella (1238-1266).

La obra estaba empezada. Ibiza ya no fue conquistada directamente por el rey. Fue el sacrista de Gerona y arzobispo electo de Tarragona Guillem de Montgrí, juntamente con su hermano Bernat, gobernador real de Mallorca, quien preparó la conquista. En el mes de diciembre de 1234, en Lérida, el rey otorgaba en feudo a Guillem, según las costumbres de Barcelona, las dos Pitiusas. La ciudad de Ibiza y el castillo de la Almudaina fueron conquistados el 8 de agosto de 1235.

Antes de la conquista, el infante Pedro de Portugal, Guillem de Montgrí y Nuño Sanç de Mallorca se habían comprometido a erigir y dotar una iglesia parroquial en honor de Santa María de Ibiza. Así se hizo. La iglesia y el clero florecían ayudados por los beneficios, que eran de patronato laical. Paborde, domeros y beneficiados constituían la residencia o comunidad de Santa María de Ibiza o Santa María la Mayor, con estatutos, privilegios, juntas y oficiales, que se nombraban por elección, y tenían organizada la asistencia de médico, cirujano y barbero. De aquella primera iglesia fueron filiales todas las iglesias ibicencas hasta la erección de la diócesis.

Desde la reconquista, la Iglesia de Ibiza fue de la jurisdicción del arzobispo de Tarragona. En 1245, Inocencio IV mandó que, de no existir derecho anterior o preferente, debía quedar unida a Mallorca. A pesar de ello, Ibiza siguió dependiendo del arzobispo tarraconense, quien la gobernaba por un provisor o vicario foráneo, con título de vicario general, al que encomendaba también el señorío temporal que le correspondía como sucesor de Montgrí. Por eso solía llamarse *vicari en lo espiritual i en lo temporal*. La cosa se hizo al revés: Los eclesiásticos (el arzobispo y el arcediano de San Fructuoso de Tarragona) convinieron en que el lugarteniente real rigiera también las jurisdicciones civiles que les pertenecían a ellos. Ello dio lugar a frecuentes luchas de jurisdicción entre los eclesiásticos y los gobernadores reales, como en el caso del lugarteniente real Bernat Zaforteza, que se apoderó del diezmo de la moleta de Formentera (que era de los agustinos), alegando que aquello iba contra los derechos del rey. Los oficiales del arzobispo le excomulgaron. Más tarde, y en venganza, el lugarteniente llegó a invadir la iglesia de Ibiza, durante los oficios, a mano armada y con la ayuda de una banda de malhechores.

Después de diversos intentos, fracasados por carencia de dotación, Pío VI, el 30 de abril de 1782, erigía el obispado de Ibiza y el título de su catedral con el mismo que tenía su primera iglesia, Nuestra Señora de las Nieves, continuando como sufragánea de Tarragona[15].

Menorca fue conquistada mucho más tarde por un nieto del Conquistador, Alfonso el Liberal, el 17 de enero de 1287. En la antigua mezquita de Ciudadela se celebró la fiesta de la Purificación, y el rey hizo erigir en su lugar una iglesia, la actual catedral, cuyo titular es la Virgen de la Purificación. Repoblada la isla por «buena gente catalana», su Iglesia pasó a depender de la diócesis de Mallorca. El paborde de Menorca, párroco de Ciudadela, tenía jurisdicción sobre toda la isla. Jaime II de Mallorca, a principios del siglo XIV, ordenó la isla en siete parroquias y cuatro filiales. En 1795, Pío VI restableció la antigua sede episcopal menorquina. Su primer obispo fue Antonio Vila Camps (1797-1802)[16].

Llevado de la mala costumbre de considerar el reino como un patrimonio familiar y de repartirlo como tal entre los hijos y empujado esta vez por su esposa Violante[17], el 21 de agosto de 1262, Jaime I regulaba su sucesión: Mientras el primogénito Pedro conservaba lo esencial del reino, Aragón, Cataluña y Valencia, Jaime, el más joven, obtenía Mallorca (Menorca estaba todavía por conquistar) e Ibiza, más las posesiones que su padre había conservado en la Francia meridional después del tratado de Corbeil (1258), es decir, la señoría de Montpellier con todas sus dependencias: baronía de Aumelàs y vizcondado de Carlat; los condados de Rosellón y Cerdaña, el Conflent y el Vallespir, y el puerto de Cotlliure.

A pesar de que se tratara de un reino de retales y a pesar de que las disposiciones del Conquistador fueron confirmadas por su testamento del 26 de agosto de 1273, su misma existencia fue puesta en discusión, apenas muerto don Jaime (27 junio 1276), por el primogénito, Pedro III, quien nunca aceptó la partición hecha por su padre.

Pero había nacido el reino independiente de Mallorca. Un reino artificial que estuvo siempre expuesto a las exigencias de Aragón. Y la historia de la Iglesia de Mallorca está tan vinculada a la que se ha llamado *la trágica historia de los reyes de Mallorca*[18], que durante más de un siglo sufrirá las consecuencias de una larga guerra intestina. El primer rey independiente Jaime II (1256-1311) vio invadida su isla por su propio sobrino Alfonso el Liberal, de Aragón, y fue el propio papa Bonifacio VIII quien logró la paz de Anagni (12 de junio de 1295), por la que Jaime II de Aragón, sobrino del homónimo de Mallorca, se comprometía a retirarse de las Baleares. El sucesor de Jaime II en Mallorca, Sancho (1311-1324), hizo generosas concesiones a la Iglesia mallorquina y fue favorecido por el papa Juan XXII

[15] I. MACABICH, *Historia de Ibiza* (Palma de Mallorca 1966).
[16] C. PARPAL MARQUÉS, *La conquista de Menorca por Alfonso III de Aragón* (Barcelona 1901); J. ROSSELLÓ VILLALONGA, *Historia de la catedral de Menorca* (Ciudadela 1928).
[17] SOLDEVILA, *Història...* p.284; ID., *Jaume I...* p.38-39.
[18] MARTÍNEZ FERRANDO, *La tràgica història dels reis de Mallorca* (Barcelona 1960).

con numerosos privilegios, como que los clérigos residentes en la corte del rey pudieran percibir por tres años los frutos de sus beneficios sin obligación de residir; que nadie, sin un especial permiso del papa, pueda excomulgar al rey ni someter su tierra a entredicho; que los capellanes reales puedan celebrar delante del rey, si estuviera en entredicho su reino, en las tres capillas reales de Mallorca, Perpiñán y Montpellier.

Al morir sin sucesión el rey Sancho, le siguió en el trono su sobrino Jaime III (1324-1349), quien, defendiendo su reino en la guerra contra Pedro IV de Aragón, perdió la vida en la batalla de Lluchmayor. La Iglesia sufrió también las consecuencias de aquella guerra, pues muchos eclesiásticos fueron desterrados. Con la derrota de Lluchmayor terminaba el reino independiente de Mallorca.

Como será costumbre en él, el Conquistador empezó en Mallorca por entregar al culto cristiano la mezquita principal, desaparecida luego en el siglo XV y de la que quedan todavía restos. La construcción de lo que sería la catedral no comenzó hasta el siglo XIV, con la capilla de la Trinidad, verdadera capilla real, destinada a recibir los despojos mortales del primer soberano independiente de Mallorca, como ha escrito Durliat [19]. El año 1311, data de la muerte de Jaime II, los trabajos estaban ya avanzados en la pequeña capilla, a la que se le colocaban las cristaleras en 1329. Por aquel tiempo se construía el gran ábside de la catedral, que debía estar listo, en su parte esencial, en 1327. En la segunda parte del siglo ya se trabajaba en la construcción de las tres naves, y, a lo largo de los siglos XV y XVI, la obra se irá acabando lentamente. La fachada principal es de 1851. En el año 1230 aparece ya un Jaime de Santa Eugenia como canónigo y procurador de la iglesia de Mallorca. En 1240, Gregorio IX concedía al primer obispo facultad para instituir un colegio de doce canónigos. El documento más antiguo del archivo capitular data de 1230.

En 1248, Inocencio IV había puesto bajo su protección las cuatro iglesias parroquiales de la ciudad y las treinta y una de la parte *foránea*.

Hacia la mitad del siglo XIV, la distribución parroquial era la siguiente: *En la ciudad: Santa Eulalia,* que los conquistadores catalanes quisieron dedicar a la mártir de Barcelona, y a la que enriquecieron numerosos testamentos de los siglos XIII y XIV. *San Miguel,* edificada sobre una mezquita árabe que había visto una de las más encarnizadas batallas de la conquista de la ciudad. *Santa Cruz,* fundada por el obispo de Barcelona Berenguer de Palou, uno de los conquistadores de la isla. *San Nicolás,* que fundó el obispo Arnau Ponç. *San Jaime,* que lleva el nombre de los tres reyes Jaime, fundadores del templo, sobre el que tenían patronazgo. Durante su regencia, el príncipe Felipe de Mallorca, en 1327, mandaba que se pagara al arquitecto Jordi Despujol, quien trabajaba en San Jaime.

Parroquias foráneas.—Jaime I había ideado una estructura ciudadana en los tiempos en que la ciudad era casi el único núcleo notable en la isla. Pero pronto, a lo largo del siglo XIV, fueron apareciendo núcleos foráneos, de manera que, hacia 1350, había ya 32 parroquias foráneas, correspon-

---

[19] M. Durliat, *L'art dans le royaume de Majorque* (Toulouse 1962).

dientes a los centros ya organizados y, a menudo, enemigos de la ciudad. Aquellas parroquias se distribuyen en las tres comarcas naturales que todo el mundo distingue en Mallorca: montaña, llano y marina. Montaña tenía 8; el llano tenía 13, y marina, 11.

El monasterio de La Real.—Con el beneplácito del Conquistador, Nuño Sanç fundaba en la isla, en 1232, un monasterio del Císter con una comunidad que debía constar de trece monjes. Los monjes vinieron de Poblet, y la erección formal se hizo en 1239. El rey Jaime puso el monasterio bajo su protección en 1254. Desde la mitad del siglo XIV, los abades de La Real representaban al estamento eclesiástico en las cortes catalanas. Un documento de 1266 habla aún de la iglesia del monasterio como de una obra nueva. Ramón Llull pasó temporadas en la paz del monasterio.

Entre *los conventos* hay que enumerar el de *Santa Margarita*, en el que entraron monjas hijas de las más nobles familias mallorquinas. Debió de ser el primer convento de monjas. Las trajo a Mallorca el obispo de Gerona Guillem de Cabanelles, y ocuparon el monasterio en 1279.

Los franciscanos.—Fue el propio Jaime II quien indicó a los frailes menores el huerto de Boabdil al-Nazac para edificar su convento, en el mismo lugar que ahora ocupa, y del que puso la primera piedra el mismo rey, y cuya iglesia ya se utilizaba en 1286. En aquella ocasión no pensaba en que su primogénito Jaime se haría un día franciscano.

Las monjas de Santa Clara.—Llegaron de Tarragona y compraron, en 1256, un terreno para edificar su convento, que fue muy pronto el lugar de retiro para las damas nobles.

Los dominicos.—Los frailes predicadores habían tomado parte activa en la conquista de la isla y eran muy queridos del Conquistador. Dominicos eran fray Miguel Fabra, confesor del rey y fray Berenguer de Castellbisbal. Dominico era también el que más tarde será el hombre de confianza, San Ramón de Penyafort. El rey mismo cedió unas tierras en la plaza mayor de la Almudaina para edificar convento e iglesia. Se puso la primera piedra el 17 de septiembre de 1296, pero la construcción no se terminó hasta el 13 de abril de 1359. El infante Pedro de Portugal y Nuño Sanç colaboraron en la nueva fábrica.

La Merced.—Debió de ser Jaime II el que llamó a los mercedarios, que, en 1274, ya tenían en la ciudad una residencia con cinco religiosos. Para su mantenimiento, el rey les asignaba las alquerías de l'Allepassa y Passaró.

Los premonstratenses se habían instalado en Palma, en la calle de San Miguel, pero el Conquistador les cedió ocho granjas en Artá, y allá fueron, en 1230, a fundar el monasterio de Bellpuig.

En Palma había, además, los conventos de San Antonio y del Carmen.

Las órdenes militares.—Llegaron la mayoría de ellas con los conquistadores. Los templarios edificaron su castillo e iglesia en la Almudaina de Gomera, en la ciudad. Tuvieron también casa en Pollensa. Suprimidos por Clemente V en 1311, sus bienes se repartieron entre el rey y los hospitalarios, quienes más adelante edificaron la iglesia de San Juan de Malta. Los caballeros del Santo Sepulcro, llegados también muy pronto, desaparecieron de la isla en 1280. Los *caballeros de Sant Jordi,* que Pedro el Católico había fundado en 1201, colaboraron también en la conquista y, a raíz de la repartición, se establecieron junto a la ciudad, en un dominio que, desde entonces, se llama *Prat de Sant Jordi.*

La conquista de Valencia y la reorganización de su Iglesia

Con la conquista de Valencia, Jaime I culminaba la obra de integración de los países catalanes. Una tarde de verano, en Alcañiz, Blai d'Alagó ponderaba ante el rey las maravillas de la tierra valenciana: «Es la mellor terra e la pus bella del món». El proyecto de cruzada contra los moros de Valencia se hizo público aquel mismo año de 1232. En la empresa tomarían parte catalanes y aragoneses. A diferencia de la de Mallorca, la campaña fue larga y laboriosa. Se hizo en dos etapas. En la primera se tomaron las plazas fuertes de Ares del Maestrazgo, Morella, Peñíscola y Burriana, con las comarcas circundantes. La etapa duró hasta 1234. En 1236 comenzó la segunda, con la ocupación de la fortaleza del Puig, donde murió Bernat Guillem d'Entença. Al ver vacilar a sus caballeros, el rey prometió que no volvería a pasar el Ebro antes de haber ocupado Valencia. Tras un largo asedio, la ciudad capituló en los últimos días de septiembre de 1238. El 9 de octubre, el rey entraba en la ciudad al frente de su ejército.

La dualidad y discrepancia de los elementos conquistadores dio al reino de Valencia una organización y un fuero propios. El rey otorgó privilegios en 1240, y en 1261 juraba los fueros y quedaban establecidas las cortes generales.

La Iglesia de Valencia.—Quedó agregada a la metrópoli tarraconense, a pesar de que nunca perteneciera a ella.

En las cortes de Monzón, en 1236, antes de dar el ataque definitivo contra Valencia, el rey había prometido generosa dotación a la Iglesia, y el papa Gregorio IX había estimulado la participación a la campaña con una elocuente bula. Después de la conquista, el rey dotó la catedral, doce parroquias y otras iglesias. El cabildo se componía en principio de 15 canónigos, que llegaron a 20 en 1279. Hasta 1369, el calbildo tuvo la facultad de elegir al obispo. El obispo Arnau de Peralta fundó, en 1277, 12 prebendas llamadas pabordías.

La primera piedra de la catedral la puso el obispo Andrés de Albalat el 22 de junio de 1262. La famosa torre del Miguelete, octogonal y de estilo gótico catalán, se terminó en 1484; la portada principal es barroca, del siglo XVIII. En la catedral radicaba la famosa institución la *Almoina,* fundada por el obispo Ramón Despont el 23 de julio de 1303, que dejó rentas suficientes para el mantenimiento diario de treinta pobres. Los administradores de la *Almoina* eran los canónigos, que se ayudaban de cuatro beneficiados.

La Iglesia valenciana ha sido ilustre por hombres como Pedro Roger (futuro Gregorio XI), el cardenal Gil de Albornoz, Pedro de Luna (futuro Benedicto XIII), Gil Sánchez Muñoz (Clemente VIII), que renunció a la tiara y puso fin al cisma de Occidente al reconocer a Martín V; San Vicente Ferrer y su hermano Bonifacio, prior de la cartuja de Portacoeli;

Arnau de Vilanova, el inquieto reformador, amigo de los espirituales y fraticelos. A lo largo de todo el cisma de Occidente, Valencia fue uno de los defensores más firmes de los papas de Aviñón, a cuya obediencia perteneció ya desde el primer año del pontificado de Clemente VII.

Todas las órdenes regulares y militares se fueron estableciendo en el territorio valenciano ya a raíz de la conquista.

La orden militar de *Santiago de Uclés,* cuyos caballeros habían colaborado en la conquista, recibieron donaciones del rey en 1235, ya antes de ella, y en el reparto hecho el 9 de abril de 1239 se les dio sitio donde fundaron iglesia y casa. *San Juan del Hospital* fue muy querida de don Jaime; gracias a él, los caballeros fundaron iglesia y casa en 1238. *Los templarios.* A éstos les dio el rey la torre más alta de la ciudad, y en torno a ella edificaron iglesia, palacio y convento en 1238. Al ser suprimidos en 1311, sus bienes pasaron a la orden de Montesa. *Los dominicos.* Estando el rey en el castillo del Puig para la conquista de Valencia, otorgó a los dominicos acta de donación (24 abril 1237) para fundar convento cuando se ganase la ciudad. Al año siguiente a la conquista, se fundó el convento de Santo Domingo. El mismo rey puso la primera piedra. El convento merece toda atención, pues a él pertenecieron San Vicente Ferrer y San Luis Beltrán. *Los franciscanos* habían recibido del rey las mismas promesas que los dominicos. Para la erección les otorgó privilegio en 1239. Ambos conventos pasaron al poder civil a raíz de la exclaustración. *Los mercedarios.* Dicen que San Pedro Nolasco había profetizado al rey la victoria sobre Valencia. Fue éste quien, en 1238, donó a San Pedro el terreno para fundar casa de la orden en la ciudad [20].

El problema de la sucesión de Navarra y la intervención de Gregorio IX

Entre las dos etapas de la conquista de Valencia se produjo el problema de la sucesión al reino de Navarra. Sancho VII, el Fuerte, superviviente de la batalla de Las Navas, viejo ya y enfermizo, no tenía hijos de su esposa Constanza, hija del conde de Tolosa, que él había repudiado. Conmovido por la resonancia de la conquista de Mallorca realizada por aquel joven rey de veintiún años, Sancho llamó un día a Jaime I a su corte de Tudela. Allí ambos soberanos se adoptaron como hijos, de modo que, al morir uno de ellos, el superviviente sucedería al difunto en su reino. Así defendía el navarro su espalda del rey de Castilla.

El viejo navarro murió en 1233, y el hijo de su hermana doña Blanca, su sobrino Teobaldo de Champaña, sostenido por los naturales, se proclamó rey en Pamplona y tomó posesión del reino. El rey de Francia le apoyaba. Jaime I, entretanto, fiel a su pacto y seguro de sus derechos a la corona navarra, se había apoderado ya de algunas plazas de Navarra. El papa intervino por medio de sus legados [21], y el 13 de octubre de 1234

---

[20] J. SANCHIS SIVERA, *La diócesis valentina,* 2 vols. (Valencia 1920).
[21] POU I MARTÍ, *Conflictos...* p.147. Es la bula *Cum sit nobis* (28 agosto 1234), de Gregorio IX. El mismo papa intervenía aquel mismo año a fin de que la paz no fuera rota a propósito de Carcasona; y Jaime I cedía otra vez (SOLDEVILA, *Història...* p.282).

Jaime firmaba las paces con su rival y abandonaba las tierras ocupadas. Todavía hacia el final de su vida, en 1274, Jaime y su hijo Pedro intentaron una vez más la anexión de Navarra haciendo valer sus derechos, una vez que Enrique de Navarra murió sin sucesión masculina. La misma aspiración tenía Alfonso X de Castilla y la casa de Francia. Esta tenía la ventaja de que la dinastía que se extinguía en el rey muerto era francesa —la de Champaña— y francesa era Margarita, la reina viuda. Y por otra parte, el heredero de la corona de Francia, el nieto de San Luis, el futuro Felipe IV el Hermoso, ofrecía su mano a la que se consideraba la heredera de la corona de Navarra, Juana, hija del difunto Enrique. Este casamiento de Felipe con Juana de Navarra era el coronamiento de una eficaz política de enlaces matrimoniales de la casa de Francia, que hizo que definitivamente prevalecieran las aspiraciones de aquella casa sobre las de la de Barcelona: Alfonso de Poitiers, hermano de San Luis, se casó con Juana, la única hija de Ramón VII de Tolosa; el mismo San Luis se casó con Margarita de Provenza; y Carlos de Anjou, otro hermano del santo, con Beatriz, la hija menor del conde de Provenza.

La conquista de Murcia y la reorganización de la Iglesia murciana

Fernando de Castilla, el Santo, había reemprendido la ofensiva contra Andalucía. Y desde entonces se desplegaron paralelamente la reconquista castellano-leonesa de Andalucía y la catalano-aragonesa de todo el reino de Valencia. San Fernando conquistaba Córdoba el 26 de junio de 1236, y Jaime I entraba en Valencia el 9 de octubre de 1238. Sin embargo, cada vez se perfilaba más claro un problema: el de las zonas en litigio de la reconquista sobre los sarracenos. Ya, una vez ocupada la ciudad, cuando Jaime I procedía a la ocupación del sur del territorio, topó con el comportamiento extraño de su yerno, el rey de Castilla Alfonso el Sabio, que intentaba apoderarse de Alcira y Játiva y, al no conseguirlo, ocupó Enguera. Ello, según los tratados, correspondía a la conquista catalana. La tensión llenó la medida cuando Alfonso pactó contra Jaime con el caudillo sarraceno al-Azrac. La guerra entre castellanos y catalanes se evitó afortunadamente con el *Tratado de Almizra* (1244), que confirmaba el de Cazola de 1179: El Puerto de Biar constituía el límite entre las conquistas respectivas. Al año siguiente al tratado, Jaime I se apoderaba de Játiva, y llegaba así a su límite.

Entre 1261 y 1264 se produjo una rebelión general de los moros de Murcia contra Alfonso X, y fue Jaime I quien hubo de sofocarla con las armas. Su intervención equivalía a una verdadera conquista de la región de Alicante y Murcia. Y, en un ancho gesto de generosidad, Jaime devolvió a su yerno aquellas tierras que hubieran podido muy fácilmente ser anexionadas al reino de Valencia, repobladas como estaban ya entonces de catalanes.

La Iglesia de Murcia.—La ciudad de Murcia fue, pues, conquistada por el propio Jaime I en los primeros días de febrero de 1266 [22]. Por lo que

[22] SOLDEVILA, *Jaume I...* p.41-42.

hace a la demarcación eclesiástica, hay que relacionarla con Cartagena, que fue cristiana antes que Murcia. Los castellanos ocuparon Cartagena en 1243. Desde entonces data el culto a la Virgen de Arrixaca, que será la patrona de Murcia. En 1250 y 1255, Alfonso el Sabio dotaba a la Iglesia de Cartagena de cuantiosas rentas, heredades y mercedes. En 1250 también, Inocencio IV restauraba la diócesis cartaginense y, zanjando las disputas entre Toledo y Tarragona, la declaró dependiente directamente de la Santa Sede. La organización de la diócesis se hizo según la constitución de la Iglesia de Córdoba, y fue su primer obispo el franciscano Pedro Gallego (1250-1267). Por una bula papal de 1289 y por una orden real de 1291, la capitalidad pasó a Murcia; allá trasladó la sede el obispo Diego Martínez Magaz (1278-1300), dando nuevos estatutos al cabildo. Hubo serias controversias con la sede de Valencia, hasta que se desgajó de Cartagena la actual provincia de Alicante y, en 1564, se crea la diócesis de Orihuela.

El obispo Martín Martínez (1301-1311) fue un obispo guerrero que, en 1309, conquistó el castillo de San Pedro, cerca de Lubrín, que Alfonso XI permutó luego por Alguazas y Alcantarilla, con lo que se formaron los señoríos eclesiásticos del obispado, que durarán hasta el siglo XVI. En aquella ocasión había prometido el rey los lugares de Granada, que pertenecerían a la diócesis cartaginense cuando se conquistaran. Por eso, a lo largo del siglo XV, la diócesis se extendía por parte de las actuales provincias de Granada y Almería, según otras mercedes que, en 1293, había hecho Sancho IV. El estado de exención de la diócesis duró hasta 1492, en que se creó el arzobispado de Valencia, del que quedó sufragánea por disposición de Alejandro VI [23].

La cruzada a Tierra Santa

La táctica de Jaime I de no luchar en tierras cristianas (el tema de los herejes occitanos) ni contra los cristianos (las casas de Castilla, Navarra, Francia), de aceptar las consignas de los papas no dando en sus tierras auxilio a disidentes ni permitiendo que ningún súbdito suyo se lo dé y apoyando contra ellos el establecimiento de la Inquisición [24], esa «paz con los reinos cristianos», le permitió realizar el que las *Gesta Comitum* señalan como lema de su vida: «Hic nobilis Iacobus rex ab aetatis suae flore usque ad vitae terminum persecutus est continue christianae fidei inimicos» [25], o, como dice en su *Crónica* Desclot: «E hac tot son cor e sa voluntat de guerrejar amb sarraïns» [26]. Con el tratado de Corbeil (1258), el rey había cerrado a Cataluña el camino de toda expansión en el sur de Francia, y con el de Almizra (1244), que repetía el de Cazola (1179), había señalado los límites de la expansión hacia el sur. Así, pues, con la conquista de Valencia (1238)

---

[23] J. TORRES FONTES, *El obispado de Cartagena en el siglo XIII* (Madrid 1953).
[24] En la asamblea de Tarragona, tenida en febrero de 1233, de acuerdo con sus obispos, publicaba el rey un estatuto de 26 artículos dirigido a perseguir a los herejes de sus reinos (SOLDEVILA, *Història...* p.282).
[25] *Gesta comitum Barcinonensium* (Barcelona 1925) p.60.
[26] DESCLOT, *Crònica* (Coll i Alentorn, Barcelona 1949-1951) capítulo XII.

y la de Murcia (1266) quedaba cerrada y concluida la obra de la reconquista de los reinos catalano-aragoneses.

Quedaban ya solamente abiertos los caminos del mar. Y Jaime I pensó en la cruzada. La idea estaba en el aire. Por otra parte, en la misma casa de Barcelona había un antecedente preclaro. En un duelo ante Alfonso VI de Castilla, Berenguer Ramón se declaró autor del fratricidio cometido contra su hermano Ramón Berenguer II en 1082. Cedió el condado a su sobrino, hijo del difunto, que fue Ramón Berenguer III, y partió para Tierra Santa, donde se esforzó en redimir su culpa en acciones contra los infieles, acciones que constituyen uno de los episodios de la intervención de Cataluña en las cruzadas [27].

Como condicionante más cercano hay que recordar una vez más la infancia y la formación del rey en Montsó bajo la guardia de los templarios. La influencia de aquellos monjes-caballeros, creados para la custodia del santo sepulcro y para la lucha contra el infiel, signó la vida y la obra del Conquistador. Jaime pensó que la cruzada coronaría gloriosamente sus largos años de lucha en favor de la cristiandad.

Para tamaña empresa contaba Jaime con la ayuda del Can de los tártaros Abaga, la del emperador de Constantinopla Miguel VIII Paleólogo y estaba en relación con el rey de Armenia [28]. Habían sido ellos quienes, deslumbrados por su fama de conquistador, ya de resonancia universal, habían recurrido a él pidiendo su intervención en la vieja empresa de liberar el santo sepulcro.

Era el año 1269. El rey recorre todos sus reinos, desde Játiva a Montpellier y desde la frontera castellano-aragonesa hasta Mallorca, y se instala en Barcelona el 9 de agosto, ultimando los preparativos y dejando como lugarteniente al infante Pedro.

Había una contrariedad. Cuando el rey había comunicado al papa su voluntad de hacer una expedición armada a Tierra Santa para libertar el Calvario y el sepulcro de Cristo, Clemente IV, sin ninguna clase de rodeos, le había contestado: «Si bien hemos sabido con gozo que os proponéis partir en auxilio de la Tierra Santa, queremos que sepáis que el Crucificado no acepta el servicio de aquel que, manchándose con un contubernio incestuoso, le crucifica de nuevo» [29]. Y añadía implacable el papa: «Vencedor de tres reyes, vencido por una mujer». El papa hablaba con razón de *contubernio incestuoso*. La mujer en cuestión era Berenguela Alfonso, hija de Alfonso de Molina, hermano de San Fernando, pariente, por lo tanto, del propio Jaime I en un grado que entonces era considerado incestuoso [30].

Con esta espina en el corazón y entre el llanto de sus hijos y de sus

---

[27] SOLDEVILA, *Història*... p.114.

[28] *Llibre dels Feits* § 476 y 482; SOLDEVILA, *Història*... p.309.

[29] *Tuae serenitatis litterae*, expedida en Viterbo el 16 de enero de 1267; POU I MARTÍ, *Conflictos*... p.154 n.52.

[30] Jaime seguía el camino de su padre en sus devaneos amorosos. «Hom de femnes» le llaman los contemporáneos. Y con razón. Citando sólo a las damas amadas por él que llegaron a obtener un relieve histórico, tendríamos: la condesa Aurembiaix de Urgel, Blanca de Antillón, Berenguela Fernández, Guillema de Cabrera, Teresa Gil de Vidaure, Berenguela Alfonso, Sibila de Saga.

hijas[31], el rey se hizo a la vela con sus cruzados en el puerto de Barcelona en los primeros días del mes de septiembre de 1269. Se cumplían justamente cuarenta años de la partida de la expedición a Mallorca. El rey tenía ya sesenta y uno. Pronto se levantó un temporal de siroco, con una mar muy gruesa, que dispersó las naves. Los hombres de mar, los prelados y los barones fueron del parecer de que había que regresar a tierra[32]. El rey sentía sobre sí como una maldición divina: Dios no quería su servicio ni aceptaba de un hombre en pecado (como le había dicho el papa) el pasaje a Tierra Santa. Triste, renunció a la empresa e hizo poner proa hacia sus tierras y, a los doce días de haber zarpado de Barcelona, arribó al puerto de Aigües Mortes. Once de los bajeles que habían partido lograron llegar al de San Juan de Acre[33].

La expedición, aun no siendo muy poderosa, era notable: unos ochocientos caballeros (como los de la expedición de Mallorca)[34], notable esfuerzo naval y militar de los reinos catalano-aragoneses, dirigido por la inmensa experiencia del rey conquistador. Aquél era el fracaso de una gloriosa tentativa. Habría sido la novena cruzada, muy anterior a la de Luis IX contra Túnez.

Poco después de aquel fracaso, el propio papa Gregorio X invitaba a Jaime I a asistir al concilio ecuménico II de Lyón (1274), a fin de tratar en él de un posible nuevo intento de cruzada. Acudió el rey, y el tema se debatió como nos cuenta el *Libre dels Feits*. Jaime se ofreció a conducir mil caballeros hasta San Juan de Acre. El generoso ofrecimiento del rey encontró escaso entusiasmo y menos colaboración entre los asistentes[35].

Atajando una rebelión de sarracenos en el sur de Valencia, enfermó don Jaime gravemente y, mientras el infante Pedro proseguía la lucha, mandó que le llevaran a Valencia, decidido a retirarse del mundo y hacer penitencia como monje cisterciense en el monasterio de Poblet, en espera de la muerte. Pero murió en la misma Valencia el 27 de junio de 1276, y allí fue enterrado —hasta que más tarde fue llevado a Poblet, donde duerme en paz— aquel gran rey que, como dice Desclot, había sido muy favorecido físicamente: «de elevada estatura, un palmo sobre los más altos caballeros, esbelto, cabellos como briznas de oro, dientes blancos como perlas»[36].

La obra social y cultural del Conquistador

El largo gobierno de Jaime I y la complejidad de su obra institucional obligan a resumir, aunque no sea más que someramente, sus principales logros al lado de los de su empresa como Conquistador.

[31] *Llibre dels Feits* § 483; SOLDEVILA, *Jaume I...* p.43.
[32] *Llibre dels Feits* § 492; SOLDEVILA, *Jaume I...* p.43 n.167.
[33] F. CARRERAS CANDI, *La Croada a Terra Santa:* I Congr. Corona Aragón (Barcelona 1909-1913) p.114-119.
[34] *Llibre dels Feits* § 483; SOLDEVILA, *Jaume I...* p.44 n.170.
[35] *Llibre dels Feits* § 523-542: SOLDEVILA, *Jaume I...* p.44.
[36] *Llibre dels Feits* § 561-566; DESCLOT, *Crònica* capítulo LXXIII; SOLDEVILA, *Jaume I...* p.47.

La orden de la Merced.—La fundación de la Merced es uno de los acontecimientos religiosos más notables acaecidos durante el reinado de Jaime I. La fecha de fundación fue objeto de largas controversias; pero hay que situarla alrededor de 1218. Según la tradición, en la noche del 2 de agosto de 1218, la Virgen se apareció a Pedro Nolasco, nativo del sur de Francia, a Ramón de Penyafort y al rey Jaime I mandándoles que fundaran una orden para la redención de cautivos. Su hábito era blanco, con las armas reales bajo la cruz en el pecho. El rey la protegió largamente. Se fundaron rápidamente conventos en Barcelona, Mallorca, Santa María del Puig, Valencia, etc. La advocación de la Virgen de la Merced está constatada desde 1230. La orden, llamada a tener una larga difusión en la cristiandad, lo veneró siempre como a patrono y fundador, y el mismo rey, en los últimos años de su vida, les confirmó todos los privilegios[37].

La orden era en su origen una cofradía de caballeros, ciudadanos y clérigos que tenían cura del hospital de Santa Eulalia y mendigaban limosnas para el rescate de los cautivos. Su organización era muy parecida a la de las órdenes militares y, hasta 1312, sus maestros generales eran caballeros laicos. En 1235, el papa Gregorio IX, a instancias de Ramón de Penyafort, les autorizó a constituirse en orden religiosa. Adoptaron la regla de San Agustín.

Jaime I y los herejes de sus territorios.—Hemos visto que herejes fugitivos de la cruzada del Midi y de la subsiguiente persecución se habían refugiado en Cataluña y, sobre todo, en Pallars. Entre ellos debía de haberlos potentados y ricos, dada la maña de los cátaros para los negocios[38]. Y muchos de ellos camuflaban sus actividades proselitistas con actividades comerciales. Contra esas infiltraciones de la herejía albigense, especialmente en las regiones montañesas del Pirineo, introdujo el rey la Inquisición en 1232, ayudado por Ramón de Penyafort y secundado por el papa Gregorio IX, quien seguía el sistema de instituir inquisidores permanentes en territorios limitados, que poco a poco iban absorbiendo las funciones inquisitoriales del obispo. Así, en tiempos de Jaime I, la Inquisición hizo un gran paso hacia la institucionalización, gracias a Ramón de Penyafort, que le dio forma y la vinculó a su Orden de Predicadores. En el concilio de Tarragona de 1234 se conservó aún la autoridad episcopal en los procesos coercitivos de la herejía; pero los dominicos llegan a hacerse dueños del sistema en Cataluña antes de 1240. En las cortes, paralelas al concilio de Tarragona de 1234, el rey había establecido que no fuese lícito a persona laica disputar pública o privadamente sobre la fe católica. El contraventor será excomulgado por su obispo, y, si no hiciere penitencia, será tenido como sospechoso de herejía. Prohíbe que nadie tenga libros del Viejo o Nuevo Testamento en romance (cosa muy propia de los albigenses, como sabemos), y si los tiene, que los entregue; en caso contrario, sea él clérigo o lego, será tenido como sospechoso de herejía hasta que haga penitencia.

Son frecuentes los concilios de aquel tiempo que se ocupan de la Inqui-

[37] SOLDEVILA, *Jaume I...* p.76 n.292.
[38] Se ha hablado incluso del oro de los cátaros. Véase SOLDEVILA, *Història...* p.265 n.99 y 100.

sición. San Ramón continuó su intervención, siempre dispuesto a dar normas y a resolver problemas. En 1242, a petición del arzobispo de Tarragona, redactó un *Directorio* para inquisidores en el que establecía normas muy precisas. Algunos inquisidores encontraron la muerte en el cumplimiento de su oficio, como Pere de Cadireta y San Bernat Travesser [39].

El concilio de Tarragona de 1242, que codificó la Inquisición y la situó en el contexto medieval catalán, así como los posteriores manuales de inquisidores, como los de Ramón de Penyafort (que acabamos de citar), de Nicolau Eimeric y de Bernat Gui, configuraron aquella institución judicial con normas concretas sobre los juicios, las acusaciones, las abjuraciones, las penas, las penitencias, las absoluciones, etc.

La *competencia* del tribunal, que inicialmente era la herejía, eran ahora, además, los judíos, los musulmanes, la blasfemia, la brujería, etc. El procedimiento podía empezar de diversas maneras: Denuncia, sospecha, opinión pública. El interrogatorio se hacía ante dos testigos; en su curso, el inculpado podía ser sometido a tormento o prisión. La culpabilidad salía, o bien de la autoconfesión, o del testimonio de dos personas dignas de fe, cuyo nombre se mantenía en secreto. En el caso de una falsa declaración de los testigos, éstos eran castigados con penas gravísimas. Reconocida la culpa, se convocaba un jurado, oído el cual, el inquisidor dictaba sentencia. Si ella era de pena capital, el reo era librado al brazo secular para su ejecución, que solía ser por el fuego, al que no escapaban los cadáveres de los condenados ya difuntos. Si el culpable era clérigo, se procedía previamente a su degradación. Las otras penas iban de cárcel *ad vitam* —con confiscación de bienes— hasta peregrinaciones. La más leve: vestir de una forma determinada e infamante ante la gente.

Jaime I y los judíos.—Los judíos jugaron un papel primordial en el desarrollo del comercio y de las finanzas en los países catalanes. Fue un judío, Azac, el encargado de establecer una tregua de diez años con los sarracenos, al principio del reinado de Jaime I. Ante el hecho de que la industria y la riqueza estaba en sus manos en buena parte, el rey practicó con ellos una política de tolerancia y de protección, mientras a la vez los estimulaba a convertirse al cristianismo. En las cortes de Vilafranca de 1218 quiso que la constitución de «paz y tregua» allí aprobada comprendiera también a judíos y sarracenos establecidos en Cataluña. Como los judíos ejercían de cambistas o banqueros y eran duchos en el préstamo y la usura, el rey y los nobles acudían a ellos en sus empresas y en sus dificultades pecuniarias [40], y colaboraban así a su prosperidad.

En las cortes de Tarragona de 1234 dispuso el rey que todo judío o sarraceno que quisiera recibir el bautismo, pudiera recibirlo libremente y sin perder nada de sus bienes. Y siendo a menudo aquellos conversos objeto de burla por parte de los cristianos, en las cortes de Lérida de 1242

---

[39] J. VINCKE, *Die Inquisition in Aragón, Katalonien, Mallorca und Valencia während des 13. und 14. Jahrhunderts* (Bonn 1941) p.14-24.
[40] F. DE BOFARULL I SANS, *Jaime I y los judíos.* I Congr. Hist. Cor. Aragón II p.819-943; J. REGNÉ, *Catalogue des actes de Jaime I, Pedro III et Alfonso III, rois d'Aragon, concernant les juifs*: Rev. des Etudes juives 60-68 (1910-1914).

estableció que nadie se atreviera a echar en cara a un converso su condición, llamándole *renegado* o *convertido* o palabra semejante.

Las aljamas fueron objeto de frecuentes privilegios del rey Jaime. Fue él, por otra parte, quien obligó a los judíos a residir en barrios separados, llamados *call*, y les impuso una indumentaria especial —capa con una rueda roja y amarilla— que los distinguiera de los cristianos [41].

Aunque, como queda dicho, el rey utilizaba a menudo los oficios de los judíos y les debía muchos favores, como excelentes administradores que eran —es conocida en ese campo la familia de los Cavallería—, supo tomar medidas severas contra sus abusos. Así, en las cortes de Barcelona de 1228, en las que se preparaba la expedición a Mallorca, y en vista de los préstamos que muchos de los expedicionarios se verían obligados a hacer, limitó al diez por ciento el interés lícito y estableció que los judíos no podían ejercer cargo u oficio de juzgar a otros hombres ni castigarlos, o hacer cumplir las sentencias. Mandó también que se ejerciera una estrecha vigilancia para que los judíos no tuvieran en sus casas siervas cristianas.

En su afán por empujar hacia la conversión a los judíos, Jaime I favoreció su asistencia a los sermones de los frailes Predicadores y promovió las *controversias* de dominicos y rabinos, que más adelante llevarán a famosas disputas, como veremos. En los tiempos de Jaime I ya fue sonada la disputa entre Moisés ben Nahman —conocido como Bonastruc de Porta— y el judío converso Pau Cristià, que tuvo lugar en el palacio del rey, en presencia del propio rey y de San Ramón de Penyafort, en 1263 [42]. Por otra parte, y también con vistas a la conversión de los infieles, empieza a recomendarse el estudio de las lenguas orientales a algunos frailes Predicadores, estudio que a Ramón Llull tanto gustará. En el gran esfuerzo de la controversia antijudía (y antisarracena) hay que poner, junto a Ramón de Penyafort, al dominico Ramón Martí, autor del famoso *Pugio fidei adversus mauros et iudaeos*.

El pueblo cristiano era entrañablemente hostil a los hebreos, y de ello quedan aún residuos. Motivos de orden material, temperamental y religioso se mezclaban al hecho de que algunos hebreos hacían mofa y escarnio de la fe cristiana. Fue contra aquellos hebreos irreverentes y blasfemos contra los que tomó cartas la Inquisición, que, como sabemos, había sido introducida para poner coto a los albigenses por el propio Jaime I.

Jaime I y el derecho.—En tiempos de Jaime I empieza a recorrer Europa aquel movimiento de restauración del derecho romano que pronto enfrentará a legistas y canonistas, y que llegará a una violenta confrontación entre el nieto de Jaime, Felipe el Hermoso, y Bonifacio VIII. La Iglesia tenía su derecho, y los reyes empezaban a defenderse de sus pretensiones esgrimiendo el suyo, apoyados por legistas cada vez mejor formados. Muchos estudiantes catalanes iban al Estudio de Bolonia, el mejor de Europa desde los tiempos de Irnerio, de donde había partido y seguía fluyendo la corriente renovadora, el nuevo movimiento jurídico de renacimiento del

[41] F. BAER, *Die Juden im christlichen Spanien* (Berlín 1919); SOLDEVILA, *Història...* p.322.
[42] M. MILLÁS VALLICROSA, *Sobre las fuentes documentales de la controversia de Barcelona en el año 1263*, en *Anales de la Universidad de Barcelona* (1940) p.25-44.

derecho romano. De regreso a Cataluña, venían con la cabeza llena de las ideas romanistas [43]. En las cortes de Barcelona de 1251 prohibió el monarca que se alegaran, en pleitos seculares, leyes godas, romanas o canónicas, y mandaba, en cambio, que las alegaciones fueran «según los *Usatges* de Barcelona y según las aprobadas costumbres de aquel lugar en que la causa se agitaba, y, a falta de ellos, se procediera según el *seny natural*». Pero las tendencias romanistas eran muy poderosas. A pesar de todas las prohibiciones, acabaron por imponerse. Jaime I aparece constantemente acompañado de juristas. Y la mayoría de ellos había estudiado en Bolonia: Guillem Sasala, Assalit de Gúdal, Albert de Lavània. Jurista era también y maestro de Bolonia el dominico San Ramón de Penyafort, la figura espiritual más señera de sus reinos, de quien hablaremos más adelante. Y jurista, y de gran talla, era el gran colaborador del rey en su obra legislativa Vidal de Canyelles, de Barcelona, a quien se debe gran parte de la elaboración del *fuero* de Valencia y la compilación de los *fueros* de Aragón [44].

En los tiempos de Jaime I emergían lentamente los municipios y, bajo su dirección, como hemos visto, se realizaban las conquistas. Las ordenaciones municipales [45], la organización del régimen de Mallorca [46] y Valencia [47] y las mismas cortes catalanas [48] son un verdadero monumento jurídico que atestigua el asesoramiento que tenía el gran rey.

El derecho romano se imponía. Y así, mientras el canónigo de Barcelona Pere Albert, insigne canonista que en 1211 estudiaba en el Estudio de Bolonia, publicaba sus compilaciones y comentario del derecho feudal, basado en los *Usatges*, como las *Costumes de Catalunya* y las *Commemoracions* [49], el movimiento romanista invade los códigos de *Costums* de Lérida (1227) y de Tortosa (1279) y, sobre todo, las *Consuetudines ilerdenses*, compiladas por el jurista Guillem Botet [50].

La existencia de aquella importante escuela jurista y la creciente actividad comercial dieron origen en aquel mismo tiempo al más antiguo y más importante de los textos marítimos jurídicos, el *Libre del Consolat de Mar*, una de las válidas aportaciones de Cataluña al patrimonio universal [51].

El talante profundamente cristiano y creyente de Jaime I se nota aun en el tema de acuñación de moneda, tema de conciencia en que tuvo tanta injerencia la Iglesia [52]; en la beneficencia, construyendo y dotando hospitales en todas las tierras que reconquistaba: Mallorca, Valencia, Murcia, y

---

[43] J. MIRET I SANS, *Escolars catalans a l'Estudi de Bolonya en la XIIIª centúria:* Bol. Acad. Buenas Letras de Barcelona 8 (1915) 137-155.
[44] R. DEL ARCO, *El famoso jurisperito Vidal de Cañellas:* Bol. Acad. Buenas Letras de Barcelona 8 (1915) 463-480,508-521,545-550; 9 (1916) 221-249; 10 (1917) 83-113.
[45] SOLDEVILA, *Jaume I...* p.61ss.
[46] SOLDEVILA, *Jaume I...* p.67.
[47] SOLDEVILA, *Jaume I...* p.67-68.
[48] SOLDEVILA, *Història...* p.326ss.
[49] SOLDEVILA, *Jaume I...* p.70.
[50] B. OLIVER, *Código de las Costumbres de Tortosa* (Madrid 1876-1881); F. VALLS-TABERNER, *Les «Consuetudines ilerdenses» y su autor Guillermo Botet:* Revista jurídica de Cataluña 19 (1913).
[51] VALLS-TABERNER, *El Consolat de Mar* (Barcelona 1930), introducción.
[52] SOLDEVILA, *Història...* p.266 y 322.

en el patrocinio de iglesias y monasterios. Pero ello nos lleva ya al siguiente apartado.

Jaime I, el arte y las letras.—El tiempo de Jaime I es el tiempo de la afirmación del arte gótico y de las grandes catedrales. Los cistercienses dan un poderoso empuje al gótico en sus grandes monasterios de Santes Creus y Poblet, al concluir con ojivas góticas edificios románicos. Las fundaciones de las órdenes mendicantes construyen en el mismo arte. Fueron los dominicos los que construyeron la primera iglesia completamente gótica en Cataluña: el convento de Santa Catalina, de Barcelona. En 1252, el Conquistador autorizó al consejo municipal de Barcelona para imponer una tasa sobre las mercancías desembarcadas en el puerto, para la prosecución de la obra. Los franciscanos construyeron en el nuevo estilo su iglesia en Barcelona entre 1232 y 1247. Son de esta época los grandes claustros de monasterios y catedrales [53].

En el campo de las letras hay que destacar, en los tiempos del Conquistador, la *Crónica*. La *Crónica* tiene un valor literario y humano inestimable. Dentro de la literatura medieval, la mayor novedad es su forma autobiográfica. La espontaneidad y el estilo directo le confieren un sabor de cosa inmediata y viva, como si los hechos narrados se desarrollaran a la vista misma del lector, y llegan a lograr momentos de verdadera poesía, ternura o patetismo. Tal es el *Libre dels Feyts del rei En Jacme,* que de alguna forma está redactado ya antes del fin de su reinado. Es la primera gran crónica medieval catalana. El propio rey tuvo intervención directa en ella. Dictada por él, en gran parte al menos, fue redactada en diversas etapas, y en la redacción intervienen otras fuentes, como poemas juglarescos relativos a diversos episodios [54]. Aunque han sido propuestos diversos nombres para el redactor de la crónica —como el obispo de Huesca, Jaime Sarroca o el trovador Bernat Vidal de Besalú—, lo más probable es que sea la obra de más de un redactor, como es el caso de la de Pedro el Ceremonioso. El manuscrito más antiguo conservado es de 1343 y se encuentra en Poblet. Fra Pere Marsili, un dominico posiblemente mallorquín, tradujo la crónica al latín y la llamó *Liber gestarum* [55]. En el siglo XIV, el gran maestre del Hospital Juan Fernández de Heredia la tradujo al castellano y la incluyó en su *Grant Crónica de los Conqueridores*. La utilizó y parafraseó Bernardino Gómez Miedes en su *De vita et rebus gestis Jacobi I,* en el siglo XVI; lo mismo que Tornamira de Soto, en el XVII, en *Sumario de la vida y hazañosos hechos del Rey D. Jaime I de Aragón* [56].

Por el mismo tiempo, la poesía catalana vive en los poemas juglarescos que cantan las gestas del Conquistador. Esta poesía sigue vinculada a la provenzal con figuras como Guillem de Cervera (Cerverí), Jofré de Foixà,

[53] SOLDEVILA, *Jaume I...* p.80-81.
[54] NICOLAU D'OLWER, *La crònica del Conqueridor i els seus problemes:* Estudis Universitaris Catalans 11 (1926) 79ss. Para toda la polémica en torno al tema, SOLDEVILA, *Jaume I...* p.77 n.299.
[55] SOLDEVILA, *Jaume I...* p.77-78. Marsili empezó su traducción por los textos alusivos a la conquista de Mallorca y le antepuso un prólogo que sirviera de información a los predicadores que en Palma tenían cada año el sermón de la conquista. La versión terminada fue entregada a Jaime II de Aragón en Valencia el año 1314.
[56] SOLDEVILA, *Jaume I...* p.79.

Guillem de Mur, Oliver Templer. Cerverí es el más fecundo e inspirado de todos ellos y en su lenguaje provenzal son ya muy frecuentes los catalanismos [57].

Al lado de la literatura catalana hay que recordar también en este tiempo la *rabínica*. El siglo XIII es notable por la actividad de las sinagogas catalanas, especialmente las de Gerona, Barcelona y Perpiñán. La aljama de Barcelona fue, en toda la Península, una de las que dio más sabios y escritores. El poeta judío Harizi la llama «la comunidad de los príncipes y de los grandes». La de Gerona fue uno de los baluartes de la ortodoxia contraria a Maimónides, en el tiempo de las pugnas entre maimonistas y antimaimonistas. En la otra vertiente de la controversia religiosa entre cristianos y judíos, hemos hablado ya del gerundense Moisés ben Nahman (Bonastruc de Porta, 1194-1270): su influencia fue enorme en la sinagoga y es comparable a la de Maimónides [58]. Fueron discípulos suyos Salomón ben Isaq Girondí, elegiaco que destaca por un poema suyo en conmemoración de la destrucción del Templo, y el rabino Salomón ben Adret (1235-1310), impugnador de Ramón Martí y de su *Pugio fidei,* y «la más grande autoridad rabínica de su tiempo», según Millás Vallicrosa [59]. Hay que colocar junto a ellos al llamado *En Vidas,* o sea Mesul.lam ben Selomó de Piera, autor de poesías de tema y estilo trovadoresco.

En torno a Jaime I o en su tiempo se mueven las grandes figuras de San Ramón de Penyafort, dominico, confesor y consejero del rey, y confesor también del papa Gregorio IX, compilador de las *Decretales* y autor de la *Summa de Paenitentia* y redactor de las constituciones de la Orden de Predicadores, la figura cultural más preclara y representativa de los tiempos. Ramón Llull, nacido en Mallorca poco después de la reconquista; místico, polígrafo, poeta, fraguador del catalán como lengua científica, autor de innumerables obras, no acabadas de publicar todavía. Ramón Martí, otro dominico, autor del *Pugio fidei.* Arnau de Vilanova, cuya fama como reformador recorrerá Europa, médico de reyes y de papas. Todos ellos serán estudiados más adelante en capítulo separado.

II. LAS CAMPAÑAS DE FERNANDO III EL SANTO (1217-1252)

Por J. Fernández Conde

Después de la victoria de los reyes cristianos sobre el islam en las Navas de Tolosa (1212), la reconquista toma un sesgo nuevo. La batalla de las Navas es el último episodio en el que todos los monarcas de la España cristiana —a excepción del leonés— aúnan sus esfuerzos, bajo la alta dirección del soberano de Castilla, para luchar contra los musulmanes de la

[57] M. DE RIQUER, *La personalidad del trovador Cerverí:* Bol. Acad. Buenas Letras de Barcelona 23 (1950) 105-106.
[58] J. M. MILLÁS VALLICROSA, *La poesía sagrada hebraicoespañola* (Madrid 1940) p.141.
[59] MILLÁS VALLICROSA, ibid.

Península con la impronta del ideal de cruzada inspirado por la Santa Sede. Las expediciones organizadas por Rodrigo Ximénez de Rada contra el enemigo común entre 1218 y 1219, secundando los deseos del papa Honorio III, resultaron inútiles desde el punto de vista práctico. Desde entonces, cada rey cristiano está ya mucho más interesado en proseguir por iniciativa propia la conquista, que le deparará amplios espacios para satisfacer las necesidades expansionistas de sus súbditos. La sede de Roma se limitará a favorecer esas iniciativas particulares, defendiendo la paz interna de cada reino, procurando que los reyes pudieran disponer de recursos económicos suficientes y concediendo a los soldados de cada ejército las mismas gracias que a los cruzados de Tierra Santa.

Las campañas de Alfonso IX de León, que terminan con la conquista de Cáceres, en 1227, aprovechando la coyuntura de una guerra civil y la muerte del sultán Yusuf, constituyen el prólogo de las conquistas espectaculares llevadas a cabo durante los años siguientes por Portugal en el oeste, por Aragón en el este y por Castilla en el centro de los territorios islámicos peninsulares. La debilidad del imperio almohade, amenazado en el norte de Africa por los benimerines y en los dominios hispánicos por conflictos internos cada vez más graves entre los diversos reinos, contribuyó también en gran medida a los éxitos de las armas cristianas.

Fernando III ocupa el trono castellano el año 1217. En el primer período de su reinado tiene que ocuparse de erradicar varias rebeliones nobiliarias. La primera de ellas, sin duda la más importante, estaba protagonizada por Alvar Núñez de Lara y los concejos de la Extremadura castellana y de la Transierra, que favorecían los intereses del rey leonés en tierras de Castilla. Desde 1224, el joven soberano, libre ya de conflictos internos, emprende decididamente una larga serie de expediciones por Andalucía, siguiendo directrices políticas muy similares a las de sus antecesores del siglo XII: combinar las acciones bélicas con las gestiones diplomáticas y los pactos, para sacar el mayor provecho posible a las disensiones existentes entre los jefes islámicos. A cambio del apoyo militar o de las treguas que les ofrecía, recibía de ellos plazas fuertes y dinero. Para estas complicadas maniobras diplomáticas, el rey castellano encontró en su madre Berenguela una hábil y experta consejera.

El primer período de conquistas llega hasta 1230. Fernando III comienza una serie de acciones bélicas por el reino de Jaén, que era la verdadera llave para la sumisión del valle del Guadalquivir. El pretexto fue la ayuda pactada con el gobernador de este reino Abd Allah al-Bayasí, que se alza como califa en Baeza frente a su hermano Abd Allah al-Adil, nombrado en Marraqués para tal cargo. La ayuda militar al rebelde, que fracasa y cae asesinado el año 1226, reportó a Castilla abundante dinero y varias plazas, entre las cuales destaca Baeza por su importancia. Fernando III sigue la misma táctica con Abu-l-Ula, que se subleva en Sevilla y es reconocido como califa en Marruecos. Este, antes de marchar a Africa, firma un pacto con Fernando y le entrega 300.000 maravedís y algunas fortalezas. El gobierno del nuevo jefe musulmán tampoco puede consolidarse. En 1228 se rebela en Murcia Ibn Hud, un exaltado visionario, partidario de la legitimidad de los abbasíes de Bagdad y con conciencia de ser un instrumento especial de los designios divinos. Somete en seguida a casi toda Andalucía y termina prácticamente con el dominio almohade en la Península.

El rey castellano interrumpe sus campañas andaluzas en 1230, cuando sitiaba la ciudad de Jaén, al enterarse de la muerte de Alfonso IX, que dejaba la corona a Sancha y Dulce, hijas del primer matrimonio de éste con Teresa de Portugal. Fernando III acude a León para impedir que se consumara la sucesión. La prudencia diplomática desplegada una vez más por Berenguela y el apoyo de la Santa Sede, juntamente con el del alto clero, colocaron al rey de Castilla en el trono leonés, después de haber conseguido la renuncia de las dos infantas herederas a cambio de una pensión anual de 30.000 maravedís.

La unión de Castilla y León y el pacto realizado poco después por Fernando con el rey de Portugal, ponen a la nueva potencia castellano-leonesa en las mejores condiciones para proseguir la empresa de conquista en el sur, al tiempo que Jaime I de Aragón hacía lo mismo en Mallorca y Valencia. Contra Ibn Hud, Fernando III continúa con la política que tan buenos resultados le había dado hasta entonces. Primero le ataca, y después firma con él una alianza en condiciones ventajosas, aprovechando la confusa situación política de los reinos musulmanes. Semejante alianza no fue óbice para que las tropas castellanas apoyaran al gobernador de Granada, enemigo de Ibn Hud, y tomaran por sorpresa Córdoba, que se rendía en 1236. Fernando III se posesiona de esta ciudad y la convierte en punto de arranque de empresas más ambiciosas. También presiona a otras poblaciones para lograr que recibieran guarniciones cristianas y reconocieran la soberanía castellano-leonesa pagando los tributos correspondientes. Fruto de esta dinámica expansionista será la anexión del reino de Murcia, que su gobernador ofrece al rey castellano el año 1243. Alfonso, el heredero de la corona, ocupa la capital murciana sin dificultades. Algunas poblaciones, como Lorca y Cartagena, que ofrecieron resistencia, fueron conquistadas. La reconquista de Jaén, de excepcional importancia estratégica y la más ardua de todas —había comenzado en 1224—, se reemprende de manera definitiva en 1245. El rey de Granada Muhámmad, que no puede socorrer a la ciudad sitiada por los ejércitos de Fernando, acepta la rendición de la misma (1246) y se hace vasallo del rey de Castilla, firmando con él treguas por veinte años y comprometiéndose a entregarle durante ese período 100.000 maravedís anuales y a prestarle ayuda militar.

La última etapa de la reconquista de Andalucía dura poco tiempo. El objetivo era Sevilla. La ciudad del Guadalquivir, cercada por tropas cristianas y granadinas y, con la posibilidad de ayuda naval, bloqueada por la flota del Cantábrico, consigue resistir dos años. Fernando entra solemnemente en ella el 22 de diciembre de 1248.

La conquista de Sevilla constituye el final del avance espectacular de las campañas de Fernando III. Las intenciones de este soberano apuntaban también hacia el reino de Granada y al norte de Africa. La muerte (1252)

le sorprendió precisamente cuando preparaba la expedición a tierras norteafricanas. Los pactos estipulados con Mohámmad I salvaron momentáneamente el pequeño reducto musulmán que aún quedaba en la Península: el reino de Granada.

Las consecuencias de las conquistas de Fernando III, paralelas a las
llevadas a cabo en Portugal y Aragón, resultaron trascendentales para la
futura configuración de la corona castellana, que después de la anexión
definitiva de Murcia, reconquistada por las armas catalano-aragonesas en
1265-66, verá incrementada en más de un tercio la extensión total de sus
territorios. El movimiento demográfico de las dos mesetas hacia tierras
andaluzas y murcianas, especialmente intenso durante el reinado de Alfonso X, además de contribuir al desplazamiento del epicentro político de
norte a sur, producirá importantes efectos de carácter económico-social y
religioso.

Los campesinos libres de las dos Castillas, al desplazarse hacia el sur,
dejaban tierras fácilmente adquiribles por la nobleza, que podía así aumentar sus latifundios. Por otra parte, la repoblación de los territorios
conquistados a base de gentes cristianas se llevó a cabo mediante el sistema
de «repartimientos». Con este procedimiento, los reyes entregaban a los
nuevos propietarios heredades y casas, especialmente en aquellas localidades ocupadas por la fuerza, sin capitulaciones previas, y abandonadas por
los musulmanes. De este modo compensaban a quienes habían tomado
parte de algún modo en las campañas bélicas. Al favorecer en primer lugar a los magnates laicos y eclesiásticos con extensos dominios, en los que
éstos asentaban sus propios colonos, los soberanos castellanos contribuyeron en buena medida a la consolidación del latifundismo y a la formación
de amplias jurisdicciones señoriales en las distintas regiones andaluzas.
Este marchamo repoblador, latifundista y aristocrático, fue todavía más
acentuado en la baja Extremadura. En la repoblación levantina, por el
contrario, predominará el régimen de pequeñas propiedades distribuidas
entre muchos beneficiarios pertenecientes a los diversos estamentos sociales.

Las órdenes militares y algunos prelados resultaron muy beneficiados
del procedimiento repoblador puesto en práctica por Fernando III y Alfonso X. Santiago, Alcántara y Calatrava —en menor medida el Temple y
los Hospitalarios— obtienen numerosos dominios en las zonas de frontera, distribuidos en distintos enclaves [1].

De los obispos, fue el arzobispo de Toledo el que recibió la mejor parte
de los «donadíos» regios, viendo premiada de esta manera su destacadí-
sima participación en las empresas de la reconquista. Antes de la toma
definitiva de Jaén, por ejemplo, Fernando III le concede la plaza fuerte de
Quesada y veinte castillos más, que el poderoso prelado ocupará después
militarmente. Recibe asimismo varias heredades en territorios jiennenses,
y, en 1252, el titular de la mitra arzobispal incorpora a su señorío la locali-

---

[1] Sobre el importante papel de las órdenes militares en esta época y su expansión, cf.
J. GONZÁLEZ, *Reinado y Diplomas de Fernando III* p.178ss. Sobre toda la dinámica repobladora
del Valle del Guadalquivir y de Murcia, cf. S. DE MOXÓ, *Repoblación y sociedad...* p.349ss.

dad de Iznatoraf. En el transcurso de la conquista del reino de Jaén, el rey recompensa también al obispo de Osma, que era su canciller, con tierras. Después de la caída de Baeza en manos cristianas (1227), Fernando III restablece en la ciudad la sede episcopal y la dota generosamente. Más tarde, conquistada ya Jaén, traslada a esta capital la citada sede, entregándole villas, castillos y heredamientos. Una vez incorporado a la corona castellana el reino de Córdoba, el soberano restaura en seguida el obispado, y el año 1238 da al obispo electo y a su Iglesia el diezmo de las rentas del almojarifazgo, cuatro salinas, bodegas, rentas reales y otros bienes inmuebles, aumentándoles posteriormente este patrimonio inicial. El obispo de Cuenca fue otro de los beneficiados de los «donadíos» del rey de Castilla en el reino cordobés. A principios de 1252, Fernando III otorga el diezmo del almojarifazgo de la ciudad y de todo el arzobispado a la Iglesia hispalense. En el repartimiento de Sevilla se incluyen, además, otras instituciones eclesiásticas, entre las que sobresalen iglesias castellanas célebres, como Santa María de Alficén (Toledo), Santa María de las Huelgas, de Burgos, y San Isidoro de León; varios obispos, que figuran al lado de los señores, y numerosos clérigos de la corte o prebendados de la catedral sevillana[2].

Sin embargo, no todas las Iglesias de los reinos castellanos se vieron beneficiadas por igual en los repartimientos del soberano. En realidad, sólo sacaron auténtico provecho de los mismos un grupo de prelados estrechamente ligados a la corte y los oficiales de la cancillería. De los primeros, algunos ocupaban diócesis fronterizas, destacando entre todos ellos —aparte del toledano— Remondo de Segovia, organizador espiritual de la archidiócesis de Sevilla y sucesor del infante Felipe en la citada silla metropolitana. Por lo demás, las concesiones de Fernando III a las iglesias de Castilla la Vieja y León fueron mucho menos numerosas, e incluso nulas en bastantes casos. Las catedrales de Burgos, León y Oviedo, por ejemplo, no recibieron ningún beneficio de la supuesta liberalidad regia. En conjunto se puede decir que los esfuerzos realizados por los eclesiásticos de los reinos castellanos para financiar las campañas de reconquista resultaron un pésimo negocio desde el punto de vista estrictamente económico. Más todavía, tales esfuerzos constituyeron una de las causas importantes de la crisis económica que padeció la Iglesia de estos reinos durante la segunda parte del siglo XIII[3].

El grupo de la nobleza eclesiástica que salió beneficiado de la reconquista al aumentar sus dominios en la meseta y en los territorios arrebatados al islam, juntamente con la nobleza secular, contribuyó a intensificar el proceso del creciente desequilibrio social creado por la concentración de bienes fundiarios y rentas en pocas manos. A lo largo de la baja Edad Media sufrirá las consecuencias de ese desequilibrio, teniendo que afrontar los ataques de movimientos populares, dirigidos a veces por los propios potentados laicos.

---

[2] Cf. J. GONZÁLEZ, Reinado... p.197ss.
[3] Sobre esta crisis económica, cf. P. LINEHAN, o.c., p.91ss y más adelante en este mismo capítulo.

Desde mediados del siglo XIII, los eclesiásticos, de manera especial los más poderosos, se ven envueltos en un movimiento de consumismo y de lujo, fomentado por la·entrada de nuevos productos en los reinos de la corona castellana, al asomarse Castilla al Mediterráneo e incorporarse a las grandes corrientes comerciales europeas, a pesar de que las disponibilidades pecuniarias de los responsables de las Iglesias eran cada vez más menguadas y, en muchas ocasiones, verdaderamente ruinosas. Las leyes suntuarias, dictadas por Alfonso X en las cortes de Valladolid del año 1258, tienen en cuenta también a las gentes de Iglesia y les prohíben determinadas formas de vestir, superiores a sus cargos respectivos. Estas leyes, destinadas principalmente a frenar los gastos desmedidos y la consiguiente escalada de precios que deterioraba la estabilidad económica, servirán, además, para acentuar las diferencias entre los distintos grupos sociales, tanto dentro como fuera de las estructuras eclesiásticas, salvaguardando, en cualquier caso, la preeminencia de la clase nobiliaria, de la que formaban parte los prelados y los maestres de las órdenes militares [4].

La incorporación de territorios y de reinos musulmanes enteros a los dominios de Portugal, Castilla y Aragón posibilitó la restauración de viejas sedes episcopales, ubicadas en las antiguas demarcaciones provinciales de Lusitania, de la Bética y de la Cartaginense. La fijación de límites interdiocesanos y, sobre todo, la determinación de los ámbitos jurisdiccionales de cada metrópoli, cuyos límites eclesiásticos no siempre coincidían o estaban incluidos en las fronteras políticas de sus propios reinos, dio lugar a varios conflictos entre los prelados de la época. El más ruidoso de todos fue el movido por los arzobispados de Toledo y Tarragona, al tratar de integrar en sus arzobispados como sufragánea la diócesis de Valencia después de la conquista de Jaime I. Las razones políticas pesaron entonces más que las jurídico-tradicionales —el reino de Valencia pertenecía a la corona de Aragón—, y la sede valentina pasó a depender de Tarragona.

III.   LA SANTA SEDE Y LA RECONQUISTA

Por J. FERNÁNDEZ CONDE

Inocencio III asumió y secundó la campaña de los reyes de Castilla, Aragón y Navarra contra los almohades, que culminó en la jornada de las Navas de Tolosa. El apoyo espiritual del pontífice, concedido a quienes tomaran parte en ella, unido a la activa propaganda de Rodrigo Ximénez

---

[4] «Manda el Rey que todos los clérigos de su casa que trayan las coronas en guisa que parescan coronas grandes e que anden çerçenados a derredor, e que non vistan bermeio nin verde, nin vistan rosada nin trayan calças fueras negras o de pres o de moret escuro, e que non vistan cendal sinon perssona o calonigo enfforradura e que non sea bermeio nin amariello, nin trayan çapatos a cuerda nin de feviella nin manga cosediza, e que trayan los pannos çerrados los que fueren personas o calónigos de Eglesia catedral e trayan siellas rasas o blancas e frenos dessa guisa, sinon fuere perssona que traya de azul o calonigo que traya india llana sin otras pintaduras, e freno e peytral argentados e non colgados» (Cortes de León... I p.55-56).

de Rada, lograron atraer entonces a los ejércitos hispanos «una gran muchedumbre de soldados ultramontanos», según expresión de Alfonso VIII, el soberano castellano, cuando comunicaba al papa la victoria conseguida en julio de 1212.

Los vencedores de las Navas no fueron capaces de explotar debidamente su éxito; pero a pesar de ello Inocencio III continuará durante varios meses fomentando la prosecución de la Reconquista. A primeros de 1213 invita al legado Arnaldo de Narbona a interrumpir la predicación de la cruzada contra los albigenses con el objeto de que los cristianos pudieran concentrar sus fuerzas combatiendo en España y en Tierra Santa contra los sarracenos, que en aquellos meses preparaban una contraofensiva a gran escala. Sin embargo, poco después, desde abril del mismo año, polariza ya toda la atención hacia los problemas de la cruzada oriental, perdiendo prácticamente el interés por la empresa española.

En el concilio Lateranense IV (1215) se hace patente esta nueva dirección de la política pontificia. Inocencio III cierra la asamblea ecuménica convocando una cruzada general para «liberar Tierra Santa de las manos de los infieles», impone a los reinos cristianos la obligación de tomar parte en ella con hombres y dineros, y la subvenciona concediéndole «la vigésima parte de las rentas eclesiásticas durante tres años por mediación de los mandatarios de la Sede Apostólica». Los arzobispos de Toledo y Compostela y el resto de los prelados españoles que habían asistido al concilio, consiguieron del papa para la Reconquista los mismos auxilios espirituales de la cruzada ultramarina, en la que también habrían de colaborar, como el resto de la cristiandad.

Los sucesores de Inocencio III mostrarán actitudes parecidas ante la Reconquista. En adelante, los intereses de los reyes y de las autoridades eclesiásticas españolas para reclutar hombres y recaudar subsidios destinados a las campañas contra los hispanomusulmanes tendrán que contar frecuentemente con la competencia de las cruzadas de ultramar y con las exigencias de Roma para financiarlas.

Los resultados de la recaudación de la vigésima para la quinta cruzada fueron poco brillantes en España. Los primeros colectores nombrados por Honorio III en los distintos reinos se vieron incapaces de vencer la resistencia de los responsables de muchas Iglesias. El sucesor de Inocencio III envía entonces dos colectores romanos —el presbítero Cintio y el subdiácono Huguición— con poderes especiales; pero no supieron estar a la altura de las circunstancias. El segundo de ellos, arrogándose prerrogativas de legado apostólico, cometió infinidad de abusos, y el papa tuvo que abrir un proceso para investigar su gestión. Rodrigo Ximénez de Rada, que había favorecido las maniobras económicas de Huguición, recibió también de la curia romana recriminaciones que deterioraron su imagen y dañaron su enorme prestigio.

Por otra parte, la presencia de españoles en la quinta cruzada distó mucho de resultar masiva. Honorio III facultó al arzobispo de Toledo para conmutar el voto de pasar a ultramar a quienes participaran en la Reconquista, con tal de que no fuera el formulado por caballeros o magnates. Un grupo de éstos interviene en la conquista de Damieta (1219). Y, además, el jefe del ejército cruzado, el destacado cardenal de curia Pelayo Gaitán, era español.

Don Rodrigo quería evitar a toda costa que el proyecto de cruzada del Lateranense IV ralentizara o frenara definitivamente la Reconquista, y para ello consiguió de Honorio III el nombramiento de legado general de la «cruzada española» con funciones similares a las de Pelayo Gaitán en Oriente. La primera tarea del cuasiomnipotente prelado consistió en restablecer la paz entre los soberanos hispanos. En 1218 consigue la reconciliación de Fernando III de Castilla con el leonés Alfonso IX, que ya había recibido del papa en enero del mismo año una bula recabando de él la colaboración con el toledano. La paz entre leoneses y castellanos era muy importante para continuar la lucha contra los musulmanes. El autor de los *Anales toledanos,* al llegar al 1218, pone de relieve cómo «fezieron *cruzada* las freyres de las órdenes de España con las gientes del rey de Castiella e del rey de León e de los otros regnos cuantos quisieron venir» [5]. Sancho VII, el soberano de Navarra, tomó parte también en esta empresa de reconquista mandada por el arzobispo de Toledo. Los aragoneses, sin embargo, se mostraron sordos a las llamadas del prelado castellano.

En el aspecto espiritual, el papa equiparaba la cruzada española a la oriental; pero económicamente y en lo relativo a la participación personal se mostró más remiso. A principios de 1219 concede al legado general la mitad de la vigésima de las iglesias de Segovia y de Toledo; un año más tarde, la vigésima completa dentro de los territorios de su legación, autorizándolo además, para entregar a los cruzados más necesitados que le siguieran, las tercias reales de su provincia, correspondientes a un período de tres años.

La falta de unión y de intereses comunes de los reyes españoles hizo fracasar la expedición preparada con enorme tesón por el toledano. Sus tropas entraron en territorio musulmán por Aragón y sitiaron Requena, pero tuvieron que retornar muy pronto a las bases de partida.

Desde 1221, Honorio III estimula las campañas dirigidas por Alfonso IX contra el islam en Extremadura, que teminarán con la conquista de Cáceres, y otorga a los participantes en ellas las mismas indulgencias previstas por el Lateranense IV para los cruzados de Tierra Santa. Gregorio IX, el sucesor de Honorio, sigue también con interés las empresas del soberano leonés por tierras extremeñas y le concede, además, algunas ayudas económicas.

El apoyo de la Santa Sede a las espectaculares conquistas de Fernando III y de Jaime I de Aragón fue todavía más decidido. Los pontífices desarrollaron en primer lugar una labor de pacificación en los distintos reinos, orientada a fortalecer la situación política y la seguridad exterior de cada uno de ellos, para que sus monarcas pudieran comprometerse con más libertad en la guerra contra el enemigo común.

Honorio III coopera con sus bulas al afianzamiento de Fernando III,

---

[5] A. *Toledanos* I: ES XXIII p.400.

primero en el trono de Castilla y, más tarde, en el de León. La paz de 1218 entre leoneses y castellanos, que favorecía notablemente los vacilantes comienzos políticos de Fernando, se consiguió gracias a la influencia de este papa y a los oficios directos de Rodrigo Ximénez de Rada. El mismo año, Honorio III toma bajo su protección al joven rey castellano, sanciona con penas canónicas a quienes se sublevaran contra él y ratifica, además, sus derechos a la corona de León, secundando así los planes del propio Rey Santo y de su madre Berenguela. El año 1230, después de la muerte de Alfonso IX, el alto clero leonés hace suyas las ideas unionistas de la Santa Sede, reconociendo en seguida a Fernando III como rey de León. Esta vez Gregorio IX confirmará mediante una bula los acuerdos que ponían en las manos del castellano la herencia real leonesa.

La actitud conciliadora de la curia romana trata de evitar posibles enfrentamientos entre los soberanos de la Península, que pudieran mermar su capacidad de maniobra en la guerra contra el islam. Por eso, después de la muerte de Sancho VII de Navarra (1234), Gregorio IX defiende la autonomía del pequeño reino pirenaico frente a los proyectos anexionistas de Castilla, poniendo bajo la tutela pontificia al sucesor Teobaldo I y procurando, al mismo tiempo, no enfrentarse abiertamente con Fernando III. Los papas siguientes mantendrán una posición similar en los conflictos que surjan entre Navarra y Aragón.

Tanto Honorio III como Gregorio IX e Inocencio IV homologan las campañas del Rey Santo en Andalucía a las cruzadas de ultramar, y conceden generosamente a quienes participan en ellas las indulgencias y los favores espirituales característicos de esa clase de guerras.

Los pontífices citados trataron también de ayudar económicamente al monarca castellano. Pero en este terreno procuraron seguir una hábil política de equilibrio que perjudicara lo menos posible a las Iglesias de León y Castilla, y que no bloqueara la marcha de la Reconquista, sin olvidar tampoco las aportaciones españolas destinadas a los Santos Lugares. Al comenzar las expediciones andaluzas, Fernando III, falto de recursos pecuniarios, se apodera de las tercias de las iglesias, como lo habían hecho otros antecesores suyos. El arzobispo de Toledo y los obispos de Castilla protestan ante la Santa Sede por lo que consideraban un atentado contra la *libertas ecclesiastica*. Gregorio IX reprende al monarca, y en diciembre de 1228 da una respuesta sumamente diplomática a los jerarcas demandantes. Por un lado, hacen bien en salvaguardar celosamente la libertad de sus Iglesias; pero al mismo tiempo deberían procurar que las acciones encaminadas a conseguir tal objetivo no entorpecieran los planes bélicos de su soberano. Cuatro años más tarde, este pontífice manda a los prelados, iglesias y conventos de la diócesis de Toledo ayudar al arzobispo don Rodrigo, empeñado entonces en la conquista de la villa jiennense de Quesada.

A medida que avanza la conquista de Andalucía, la necesidad de dinero se hacía más apremiante para el rey castellano, y los bienes económicos de las iglesias le resultaban imprescindibles. Pero en lugar de apoderarse de ellos por su cuenta, prefiere guardar la legalidad, solicitándolos a la Santa Sede. Gregorio IX, que estaba muy atento a los avances de los castellanos en tierras andaluzas, le concede en 1236 un subsidio de 20.000 monedas de oro, a cargo de las rentas de las iglesias y monasterios de Castilla, y otro tanto sobre las rentas eclesiásticas de León. Unos años después, en 1247, y en vísperas de la conquista de Sevilla, Inocencio IV otorga al Rey Santo las tercias de los diezmos eclesiásticos. En principio, dicha contribución —la primera de este género concedida formalmente por la suprema autoridad de la Iglesia— se establecía sólo por tres años. Pero Alfonso X y sus sucesores volverán a obtenerla con facilidad, hasta convertirse prácticamente en habitual. Con el tiempo, las tercias reales serán un recurso de financiación casi ordinario de la corona.

Después de la conquista de Sevilla, Fernando III abrigaba el propósito de proseguir la guerra contra el islam en el norte de Africa. Inocencio IV, que alimentaba las mismas esperanzas, manda en 1251 al infante Sancho, procurador de la Iglesia de Toledo, destinar una parte de las rentas de su diócesis para subvenir a los gastos y necesidades del obispo de Marruecos Lope Fernández de Aín. La curia romana había elegido a este prelado con la idea de que pudiera promover una posible cruzada más allá del Estrecho.

Las indulgencias concedidas por la Santa Sede a quienes aportaran recursos para las guerras de reconquista, aunque no intervinieran en ellas, constituyeron otro capítulo importante de financiación de las campañas del Rey Santo.

Roma siguió con gran interés las conquistas de Baleares y de Valencia, llevadas a cabo por Jaime I. De hecho, concede a las expediciones aragonesas el mismo apoyo que a las castellanas, y llega incluso a ordenar que se predique la cruzada a favor del Conquistador en la archidiócesis de Tarragona y en las provincias eclesiásticas francesas de Narbona, Arlés y Aix. Por lo general, la mayoría de los prelados de las diócesis de la corona de Aragón secundaron a su soberano con entusiasmo. En 1247, la jerarquía de la metrópoli tarraconense votará, a instancias de la sede de Roma, el subsidio de la vigésima en todas las iglesias de Aragón, Cataluña y Valencia para un año, prolongándolo después dos más. Al sublevarse los moros de la ciudad de Valencia después de la conquista, Inocencio IV promulga una nueva cruzada destinada a reunir los recursos necesarios para erradicar la rebelión, en respuesta a una demanda del rey don Jaime.

Navarra se mantuvo alejada del escenario de las conquistas de Fernando III y de Jaime I. Teobaldo I (1234-1255) canaliza las posibilidades navarras de cruzada hacia Tierra Santa. El año 1235 hace voto de pasar a ultramar, correspondiendo a la convocatoria general de Gregorio IX. El papa hizo cuanto estuvo en sus manos para que el rey cruzado pudiera preparar y realizar el viaje en las mejores condiciones, y puso además a disposición de éste recursos económicos obtenidos de varias diócesis francesas, aportados directamente por el clero navarro o recaudados de otras fuentes.

La protección pontificia, de la que gozó Teobaldo en el transcurso de la cruzada y durante los dos años que siguieron, contribuyó a consolidarlo en su trono. La amenaza de las censuras eclesiásticas sirvió para frenar algunas coaliciones nobiliarias organizadas contra el soberano y para defender al reino pirenaico de las amenazas provenientes de los reyes vecinos. El monarca navarró consiguió algunos éxitos en Oriente. Al emprender el viaje de regreso el año 1240, «pudo hacerlo con la satisfacción de que su campaña, a pesar de su apariencia deshilvanada, había tenido mejores resultados que las dirigidas por predecesores suyos en la reconquista de Tierra Santa, hábiles en juegos diplomáticos, pero menos afortunados que él» [5*].

El año 1244 cae Jerusalén en manos de un ejército de kharezmitas, que, huyendo de los mogoles, se habían puesto al servicio del sultán de Egipto. En el concilio Lugdunense I (1245) Inocencio IV anuncia otra cruzada general para liberar la Ciudad Santa y conservar los últimos reductos cristianos en Palestina. San Luis de Francia fue el único soberano occidental que acudió a la cita del pontífice. La participación de España en esta cruzada quedó reducida a algunas aportaciones económicas.

El emperador de Constantinopla Balduino II, que asiste a la asamblea conciliar de Lyón en demanda de ayuda para la capital de la Romania, tampoco encuentra demasiado eco en los reyes occidentales. Sólo consigue formalizar un acuerdo con los procuradores de la orden militar de Santiago, en virtud del cual éstos se comprometían a enviarle un contingente importante de hombres de guerra. El año 1246, al ratificar Balduino dicho acuerdo en España con el maestre Pelay Pérez Correa, el número de expedicionarios previsto sufre un notable recorte a instancias del rey de Castilla. De hecho, el envío de tropas hispanas a Constantinopla no llega a producirse. Tanto Fernando III como Jaime I estaban demasiado ocupados en las conquistas de Andalucía y de Levante para asumir compromisos distintos de cierta entidad, a pesar de sus buenas intenciones.

A lo largo de la segunda parte del siglo XIII la Reconquista, sin interrumpirse, se ralentiza extraordinariamente. Alfonso X (1252-84) planea seriamente la guerra contra el islam en territorio africano durante los primeros ocho años de su reinado. Los papas lo apoyaron de forma decidida. Inocencio IV expide varias bulas con numerosos privilegios espirituales, encomienda a los franciscanos y dominicos la predicación de la cruzada de Africa en Castilla, León y Navarra, y concede al soberano castellano las tercias de las rentas de la diócesis de Sevilla y el equivalente de la de Compostela. Pero los preparativos son muy lentos. Alejandro IV, el sucesor de Inocencio, ordena la publicación de otra cruzada contra los musulmanes africanos a don Lope, obispo de Marruecos, homologándola a la palestinense en gracias espirituales (1255). El tratado de Alfonso X con Enrique III de Inglaterra (1254), por el que el soberano inglés se comprometía a enrolarse en la expedición castellana, quedó en letra muerta. El papa no quiso conmutar el voto ultramarino del inglés por su participación en la cruzada de Africa, que estaba llamada a fracasar plenamente. La incorporación de aragoneses al ejército expedicionario, pro-

---

piciada por Jaime I (1260), tampoco sirvió de gran cosa. Todo terminó en una campaña relámpago de la flota castellana, que pudo apoderarse de la plaza marroquí de Salé (1260), abandonándola a los catorce días del desembarco. Entre 1260 y 1262, el rey Alfonso conquista el pequeño reino de Niebla y la ciudad de Cádiz. De ese modo sus tropas pudieron lucrarse de los auxilios de la cruzada, condicionados por la Santa Sede a la realización efectiva de la guerra contra los musulmanes.

Durante la primavera de 1264 estalla la violenta rebelión de los hispanomusulmanes de Andalucía y de Murcia, que pone en peligro la seguridad política de los reinos castellanos. Clemente IV convierte en cruzadas las campañas de represión emprendidas conjuntamente por Aragón y Castilla contra los rebeldes, y encarga al arzobispo de Sevilla la publicación de la misma en España, Génova y Pisa. Además ordena al prelado hispalense interrumpir la predicación de la cruzada de Tierra Santa y se muestra muy generoso en la concesión de ayudas tanto de tipo espiritual como económicas. Alfonso X podría disponer de la décima y de las tercias eclesiásticas durante un trienio, pero con una condición muy significativa: que a partir de entonces se abstuviera de realizar por iniciativa propia otras exacciones económicas en las Iglesias de sus reinos.

La Santa Sede vuelve a subvenir espiritual y económicamente a Castilla en la guerra que organiza para frenar la gran ofensiva de los benimerines, que desembarcaron en Tarifa el año 1275 apoyados por el rey de Granada. Gregorio X pone esta vez en manos de Alfonso la décima de todas las rentas de la Iglesia castellana correspondientes a un sexenio. Sin embargo, los papas comienzan a mostrarse cada vez más reacios a la hora de ayudar al titular de la corona de Castilla y León. El mismo Gregorio X, por ejemplo, aplaza la aprobación de la orden militar de Santa María de España, fundada aquellos años por el propio Rey Sabio para combatir a los sarracenos. Y Nicolás III (1277-1280) denuncia la *libertas ecclesiastica*, al gravar a clérigos y a iglesias con cargas económicas indebidas. El año 1279, este papa envía a España al obispo de Rieti Pedro Guerra con instrucciones muy precisas, contenidas en un memorial, para cortar semejantes abusos. Todo parece indicar que la situación no mejoró. De hecho, la jerarquía de los reinos de la corona castellana seguirá formulando quejas sobre la misma problemática en los años siguientes.

La conquista de Tarifa por Sancho IV, en 1292, constituye el último hito de la Reconquista en el siglo XIII. Una asamblea de obispos ofreció al soberano 1.400.000 maravedís para financiar aquella acción contra los musulmanes; pero la Santa Sede no participó en ella con su apoyo como en anteriores ocasiones.

Los pontífices de la última parte de la centuria, sin perder de vista el sesgo que tomaban los acontecimiento relacionados con la Reconquista española, se preocuparon preferentemente de la situación, cada días más precaria, del reino cristiano de Jerusalén y del imperio latino de Constantinopla, tratando de canalizar hacia Oriente todas las energías militares y los recursos económicos de los reinos hispanos.

El papa Alejandro IV había solicitado ya el año 1255 la ayuda de Castilla y Aragón para defender los reductos cristianos que quedaban en Tierra Santa. Jaime I acogió favorablemente la llamada pontificia, pero a última hora una tempestad impidió a su escuadra zarpar de Barcelona. Alfonso X, por el contrario, ocupado de lleno en la preparación de la cruzada africana, dio la callada por respuesta. La corona castellana se desentenderá también de la cruzada general predicada por Urbano IV después de la caída del imperio latino de Constantinopla, en 1261. En esta ocasión, la jerarquía castellano-leonesa, con las arcas exhaustas a causa de las continuas exacciones y subsidios aportados durante la larga empresa de la reconquista de Andalucía, niega su contribución a las demandas de los colectores pontificios, alegando una situación de auténtica quiebra económica de sus iglesias[6].

Castilla permanecerá también impasible ante las cruzadas convocadas por los pontífices a partir de 1263 para contrarrestar las campañas del poderoso sultán de Egipto Bibars, el cual, en la década de 1260 a 1270, consigue apoderarse de casi todas las plazas cristianas de Siria y Palestina. Jaime I, liquidadas brillantemente las campañas de recuperación del reino de Murcia en 1266, comienza los preparativos para un nuevo viaje a ultramar como cruzado. El proyecto de una acción combinada con el khan de los mogoles, duramente criticado por el Rey Sabio, era una circunstancia que el Conquistador consideraba sumamente favorable para asestar al islam el golpe definitivo en Tierra Santa. Pero los generosos propósitos del aragonés fracasarían nuevamente. La flota que se hizo a la mar en septiembre de 1269 tuvo que regresar a causa de una tormenta. Una parte de aquella expedición, mandada por los infantes de Aragón, pudo llegar a San Juan de Acre el mismo año, retornando al siguiente sin pena ni gloria.

Teobaldo II de Navarra (1253-70) y San Luis respondieron también positivamente a la convocatoria de Clemente IV contra el sultán Bibars. En 1267, los dos reyes hacen el voto de cruzados con otros muchos caballeros y eclesiásticos. El pontífice romano impulsa decididamente los preparativos, que duran tres años, concediendo una vez más gracias propias de estas campañas y generosos subsidios económicos. El ejército cruzado emprende el viaje en el verano de 1270, variando inesperadamente los planes establecidos para dirigirse a Túnez. La empresa resultó un fracaso completo, y los dos soberanos que la iniciaron encontrarían en ella la muerte el mismo año 1270.

Jaime I asiste personalmente al concilio Lugdunense II (1274) y compromete de nuevo su participación en la cruzada promovida con gran entusiasmo por el papa Gregorio antes del concilio y en la misma asamblea.

---

[6] En la década de 1260, la Iglesia castellano-leonesa tenía problemas económicos graves, que no sólo provenían de las contribuciones a la Reconquista. En una carta de prelados y clérigos anterior a 1264 se decía: «Item quod in uno anno solummodo in civitate Palestina, mediante fame, mortui sunt XI millia hominum, sicut iam allegatum fuit presentia domini Alexandri... Unde propter defensionem hominum, possesiones que consuerunt excoli remanent inculte, et unde ecclesie que consuerunt habere plures decimas fere nihil habent, et in hoc gravantur multum ecclesie et prelati, quoniam reditus suos pro maiori parte habent in decimis»; public. E. BENITO RUANO, *La Iglesia española ante la caída del Imperio latino de Constantinopla:* HS 11 (1958) 8-13.

No hay duda de que el rey aragonés estaba firmemente decidido a cerrar la serie de victorias sobre los musulmanes en la Península con la reconquista de los Santos Lugares. La muerte, en 1276, le impidió llevar a efecto el proyecto. Pero su decidida vocación ultramarina, manifestada de manera clara en la segunda parte del reinado, contribuyó a la consolidación definitiva de la orientación mediterránea de la corona aragonesa, que ve así abiertas nuevas vías de expansión política y económica en los últimos siglos medievales.

Pedro III, el sucesor del Conquistador, sigue alimentando, al menos aparentemente, los ideales de cruzada de su padre, hasta el punto de que el papa Martín IV (1281-85) entra en tratos con él para organizar otra cruzada a Oriente; pero los episodios de las «Vísperas sicilianas» y la posterior conquista de Sicilia por el ejército aragonés dieron un giro totalmente nuevo a las relaciones entre la Santa Sede y Aragón. El papa francés, instrumento de los intereses políticos de Carlos de Anjou, excomulga y depone al rey de Aragón y promulga una cruzada contra su reino. El tratado de Anagni (1295) pondrá fin a este grave conflicto provocado por la conquista de Sicilia.

El año 1291 se perdieron definitivamente los últimos bastiones del reino cristiano de Jerusalén, ante la indiferencia y las discordias de los monarcas occidentales. Jaime II de Aragón, que seguía participando del interés de sus reinos por los problemas de los Santos Lugares, formaliza un tratado con el sultán de Egipto que permitía el libre acceso de todos los peregrinos de los reinos españoles a Jerusalén si presentaban una carta del soberano aragonés.

Después del tratado de Anagni, el mismo Jaime II, apoyado por la Santa Sede con todos los estímulos peculiares de las cruzadas, prepara una expedición militar persiguiendo dos objetivos bien distintos: dominar la sublevación que había estallado en Sicilia y recuperar Tierra Santa. Pero sólo cubre el primero de ellos.

IV. CRISIS ADMINISTRATIVA Y ECONOMICA DE LA IGLESIA PENINSULAR

Por J. Fernández Conde

La situación general de la Iglesia española de la «época heroica» —calificativo empleado por Vicente de la Fuente para denominar la primera mitad del siglo XIII— no parece que pueda evaluarse tan positivamente como suele hacerlo la historiografía tradicional, apoyada a veces en juicios de cronistas contemporáneos a los hechos, pero poco críticos e incapaces de ofrecer un análisis global exacto de los acontecimientos históricos que les tocó vivir. El juicio marcadamente encomiástico de Lucas de Tuy, por ejemplo, llamando a aquellos tiempos «bienaventurados», deslumbrado por la serie de catedrales que comenzaron a edificarse entonces, está tan lejos de la realidad como otras muchas apreciaciones suyas entreveradas en el *Chronicon Mundi*. El Tudense tampoco se ajusta del todo a la verdad histórica cuando presenta «al gran Fernando y a su muy sabia madre Berenguella» contribuyendo al embellecimiento de las iglesias «con muy larga mano» y «con mucha plata y piedras preçiosas» [7].

Sánchez Albornoz, situándose en una perspectiva parecida, quiere dejar bien sentado que «en ningún país del Occidente llegaron las riquezas y el poderío de (la Iglesia) a pesar tanto como en la Península en el equilibrio de fuerzas señoriales y políticas de la comunidad» [8]. Algunos de los titulares de las grandes sedes metropolitanas y los maestres de las principales órdenes militares gozaron, efectivamente, de un prestigio enorme y de una influencia política extraordinaria, hasta el punto de que «los reyes se esforzaron por hacer recaer tales dignidades en sus hijos, legítimos o bastardos, o hermanos o cuñados» [9]. Pero la posición económica de los mismos distó bastante de ser desahogada, y el estamento eclesiástico no fue el grupo más beneficiado en el reparto de beneficios provenientes del avance espectacular de la Reconquista, según indicamos ya anteriormente. Por otra parte, si varios miembros de la alta clerecía llegaron a conseguir un gran poder, «fue mucho más en calidad de magnates que como miembros de la Iglesia» [10].

Todo parece indicar que los gérmenes de decadencia de la Iglesia hispana, fácilmente apreciables a lo largo del siglo XIV se pueden individuar ya con cierta claridad a mediados del doscientos.

La identificación plena de los prelados con los proyectos políticos y con los planes conquistadores de sus reyes respectivos y el apoyo que ofrecieron a las distintas campañas bélicas supuso para ellos, especialmente para los de León y Castilla, una dura servidumbre en múltiples aspectos. La unión estrecha del poder eclesiástico con el civil convirtió prácticamente a los obispos en funcionarios que abandonaban sus sedes con frecuencia para tomar parte en expediciones de guerra de reconquista. Comportándose como auténticos príncipes seculares, apoyaron, además, a la corona en un proceso de consolidación que, a la larga, se volvería contra los intereses de la propia Iglesia.

Fernando III, considerado por los papas como «un atleta insuperable de la cristiandad», consigue patente de corso para manejar casi a su antojo muchos asuntos eclesiásticos, respaldado en varias ocasiones por la anuencia de Roma. Gregorio IX e Inocencio IV, por ejemplo, le permiten intervenir de manera decisiva en algunas elecciones episcopales, preparando así el terreno para que semejante costumbre pudiera verse configurada legalmente en las *Partidas*. El autor de la compilación jurídica tratará de fundamentar este derecho de los reyes en tres razones: «la primera, por-

---

[7] LUCAS DE TUY, *Chronicon Mundi* p.420-21 (Ed. romanceada).
[8] C. SÁNCHEZ ALBORNOZ, *España, un enigma histórico* I p.358.
[9] Ibid.
[10] S. SOBREQUES VIDAL, *La época del patriciado urbano*, en la *Historia de España y América*, d. por J. VICENS VIVES, II p.164; J. González (*Reinado y diplomas...* p.22ss) recoge una larga serie de obras eclesiásticas en marcha durante el reinado de Fernando III; con todo, en las páginas 209 y siguientes habla de las limitaciones dinerarias padecidas por distintas Iglesias. El problema se hará más agudo en la segunda parte del siglo.

que ganaron la tierra de los moros et fecieron las mezquitas eglesias et echaron dende el nombre de Mahomad et metieron hi el de nuestro señor Iesu Cristo; la segunda, porque fundaron de nuevo en lugares do nunca las hobo; la tercera, porque las dotaron et demás les fecieron et facen mucho bien. Et por eso han derecho los reyes de rogarles los cabillos en fecho de las elecciones et ellos de caber su ruego» [11].

Jaime I «el Conquistador», aun encontrando una mayor oposición entre los responsables de las Iglesias de sus reinos, tampoco fue muy a la zaga del rey castellano a la hora de entrometerse en los negocios eclesiásticos. Sus servicios a la causa de la Iglesia en la Reconquista habían sido tales en la estimación de la Santa Sede, que el mismo Inocencio IV no tiene inconveniente en otorgarle un generoso perdón por la mutilación del obispo de Gerona. A fin de cuentas, «había servido fielmente a Dios luchando contra los sarracenos y había conseguido triunfos gloriosos», como indica un cronista de la época [12].

Los reyes hispanos prodigaron también este tipo de intromisiones en el campo eclesiástico, disponiendo con facilidad de dignidades y beneficios eclesiásticos de acuerdo con sus propios intereses o con los de las personas que les rodeaban.

Por otra parte, a medida que avanzaba la Reconquista, las dificultades de tipo económico eran cada vez mayores para la jerarquía eclesiástica. Las «tercias reales» —la tercera parte de los diezmos destinados habitualmente a la fábrica de las iglesias— llegaron a convertirse en un subsidio ordinario que el rey utilizaba para sufragar los gastos de sus campañas bélicas, exigiéndolas por concesión previa de la Santa Sede o por iniciativa propia. En 1248, cuando Fernando III culmina su etapa de conquistas con la toma de Sevilla, las Iglesias castellano-leonesas, que habían soportado una parte muy importante de la financiación de la gran empresa expansionista, se encontraban en una situación económica lamentable. «Habían perdido el control de sus futuros ingresos. Estaban bajo la bota del rey, y la ansiedad con que los obispos españoles habían abogado (en el concilio de Lyón de 1245) por una política más firme (del papa) para con Federico II de Alemania, dimanaba tanto de debilidad como de fortaleza, tanto del temor de que el ejemplo de Alemania, en su desprecio por los eclesiásticos y por sus bienes, indujera a otros monarcas a excesos similares» [13].

En la década que siguió a la conquista de Sevilla, la crisis económica de la Iglesia castellano-leonesa alcanzó su punto álgido. El posible alivio que hubieran podido suponer los repartimientos de los territorios conquistados, concedidos de manera desigual y no generalizada, según se indicó más arriba, no llegó a producirse de manera inmediata. Tales repartimientos, que sólo favorecieron a un grupo de prelados e iglesias, no fue-

[11] *Part.* I tit. V 1.18.
[12] Se trata de Mateo de París; cf. P. LINEHAN, *La Iglesia española y el Papado en el siglo XIII* p.93.
[13] P. LINEHAN, o.c., p.100 y p.140-42.

ron capaces de compensar la enorme y continuada sangría pecuniaria de treinta años de guerra, padecida por todo el estamento eclesiástico [14].

Otra era la posición de las Iglesias de los reinos de la corona de Aragón, que estaban mejor preparadas para afrontar los problemas planteados por la Reconquista. Los jefes espirituales de las sedes orientales, que mantenían la costumbre de reunirse con cierta frecuencia en asambleas y concilios, podían formar un frente común ante cualquier tipo de arbitrariedad o atentado contra sus Iglesias. Gracias a esta cohesión corporativa fueron capaces de defender mejor las donaciones que se les habían concedido en los territorios conquistados, y supieron controlar las aportaciones exigidas en las distintas campañas del Conquistador. El 1247, una asamblea episcopal de la provincia Tarraconense votó un subsidio de la vigésima de las rentas eclesiásticas de Aragón, Cataluña y Valencia destinado a las campañas de los aragoneses contra los moros del Levante español. Había mediado la instancia del papa, pero no era una concesión de éste al margen del sentir de los obispos, como ocurría habitualmente con los subsidios de las Iglesias castellano-leonesas, que la Santa Sede otorgaba unilateralmente.

La acción conjunta de la jerarquía aragonesa sirvió, además, para que ésta pudiera defenderse mejor de los desmanes cometidos a veces por los reyes contra alguno de sus miembros. La metrópoli de Tarragona se reúne el año 1250, en Alcañiz, y excomulga a Teobaldo I de Navarra, que había maltratado a Pedro Ximénez, obispo de Pamplona. Jaime I, por lo general bien secundado por los prelados de sus reinos en las distintas etapas de la Reconquista, tiene que vencer en más de una ocasión la oposición abierta de éstos, percatándose en seguida de la fuerza política que representaban. De hecho, valoraba más el apoyo de los jefes de las Iglesias que el de la misma nobleza, sin que ello fuera óbice para que en ocasiones tratara injustamente a algún prelado.

Las cartas fiscales exigidas de manera ordinaria por la curia romana, unidas a las frecuentes demandas de dinero decretadas con motivo de los múltiples proyectos de cruzada ultramarina, que los papas protagonizan o animan a lo largo del siglo XIII, contribuyeron también a agudizar la crisis económica de las Iglesias hispanas, sobre todo en Castilla y León. Además, las rentas de muchos beneficios que proveía la curia romana iban a manos de extranjeros y constituían otro vehículo de evasión pecuniaria. Sánchez Albornoz exagera probablemente cuando afirma que «salían de España ríos de oro y plata» con destino a la cámara apostólica; pero no hay duda de que este capítulo de gastos eclesiásticos tuvo magnitudes importantes [15].

En una carta colectiva, redactada por los prelados castellano-leoneses a comienzos de la década de 1260, se recoge el malestar del mundo clerical a causa de las continuas demandas efectuadas por legados y colectores pontificios. La ocasión inmediata de la misma fue la convocatoria de una

---

[14] El mismo autor, en la p.103 de la o.c., califica la política de los soberanos castellanos con la Iglesia, que se había sacrificado económicamente en la Reconquista, «de un enorme timo».

[15] C. SÁNCHEZ ALBORNOZ, o.c., I p.356.

cruzada por Urbano IV contra Miguel Paleólogo, a raíz de la caída del imperio latino de Constantinopla (1261). Semejante empresa comportaba nuevas aportaciones económicas, y los obispos de la corona de Castilla, con las arcas exhaustas, se niegan a realizar el nuevo esfuerzo pecuniario que se les pedía[16].

El interesante documento constituye una especie de alegato de la Iglesia castellano-leonesa contra la Santa Sede, y enumera los «gravamina» —casi todos de índole económica— soportados por ella desde Gregorio IX hasta Urbano IV (1227-64), denunciando expresamente las «inauditas exactiones» del patriarca de Grado, Angelo Maltraverso, en tiempos de Alejandro IV (1254-61). Además, en la introducción ofrece un cuadro bastante sombrío de la situación de las Iglesias y del clero durante la etapa de reajustes que siguió a las conquistas de Fernando III. Al parecer, siete años de hambre continuada habían causado numerosas muertes, arrasando la población campesina y dejando muchas tierras incultas. Lógicamente, la disminución de mano de obra agrícola hizo que se tambaleara el equilibrio económico de las instituciones eclesiásticas, basado en la explotación de sus propiedades agrarias y en la percepción de diezmos. Por otra parte, los campesinos sobrevivientes al hambre y a las mortandades se trasladaban con facilidad hasta las tierras conquistadas en el sur, donde podían adquirir heredades gratis y sin cargas fiscales. Debido a la convergencia de esta serie de coyunturas negativas, muchas Iglesias no eran capaces de mantener su clerecía, algunos sacerdotes simultaneaban el ejercicio del ministerio en varias iglesias o se inmiscuían en negocios seculares para subsistir.

Las deudas contraídas por los responsables de la Iglesia hispana con las compañías financieras italianas, con las toscanas especialmente, constituyen otro síntoma elocuente de la crisis económica del estamento eclesiástico a lo largo de esta centuria, sobre todo a partir de mediados de la misma. Los continuos viajes de los obispos a la curia papal, las estancias en ella y los gastos de sus procuradores comprometidos en largos procesos legales, reclamaban sumas ingentes de dinero. Al no disponer de ellas *in situ*, obtenían los correspondientes préstamos de las casas crediticias a cargo de las rentas de sus Iglesias. Las compañías bancarias, expertas en finanzas internacionales, tenían agentes en España que procuraban cobrar las deudas contraídas por los eclesiásticos durante los viajes o estancias en el extranjero. Frecuentemente, la falta de liquidez de las arcas episcopales o monásticas obligaba a los deudores a embarcarse de nuevo en préstamos para pagar las deudas más apremiantes, hundiéndose siempre más y más en la tupida red crediticia de los banqueros italianos.

Algunas de estas compañías bancarias —por ejemplo, los Bonsignore de Siena y otras firmas florentinas— eran además «campsores domini Papae», banqueros de la Santa Sede, encargados de cobrar las rentas pontificias en las distintas Iglesias nacionales. Gracias a esta estrecha alianza de las mismas con las finanzas pontificias, no era infrecuente el hecho de que

---

[16] Public. E. BENITO RUANO, *La Iglesia española ante la caída del Imperio Latino de Constantinopla*: HS 11 (1958) 8-13.

urgieran a los prelados la satisfacción de las deudas con penas canónicas impuestas por la curia papal[17].

La historia particular de Pelay Pérez Correa, maestre de la orden militar de Santiago, es sólo una, quizás paradigmática, de las muchas conocidas en la Iglesia hispana del siglo XIII. Sabemos que este eficaz colaborador de Fernando III y de Alfonso X asiste al concilio Lugdunense I a mediados de 1245, acompañado de una nutrida comitiva de caballeros y criados. En la ciudad francesa obtiene un préstamo de 1.000 marcos esterlinos de la compañía financiera Bonsignore, para hacer frente a los gastos de estancia en aquella asamblea ecuménica. El procurador de la orden que queda en la curia del pontífice logra al año siguiente otro empréstito de 1.000 alfonsinos de oro, proveniente de la misma compañía sienense. Y dos nuevos procuradores volverán a conseguir préstamos sucesivos por cuantías más pequeñas. A principios de 1248, el maestre santiaguista, siempre remiso a la hora de zanjar deudas contraídas por él o por su orden, recibe un *monitum* de Inocencio IV, instándole a poner al día sus cuentas con los Bonsignore. Pocos meses más tarde, ante la ineficacia de la recomendación, el papa vuelve a la carga, y esta vez, para conminarlo a pagar, bajo amenazas de excomunión. No consta que llegaran a imponerle la máxima sanción canónica. La causa se sustanció en Lyón el año 1250 y, lógicamente, fue contraria a los intereses de Pelay Pérez, que para entonces ya había efectuado pagos a sus acreedores. Los jueces pontificios le condenan a pagar 700 marcos esterlinos. Por lo demás, la consecución de ulteriores préstamos y las dificultades para cancelarlos dentro de los plazos estipulados será una especie de carrusel que acompañará toda la vida de este personaje hasta su muerte, acaecida en 1274. Es más, en 1287 todavía quedaban secuelas de efectos impagados de los tiempos del famoso maestre[18].

Tenemos noticias de muchos prelados con problemas financieros semejantes a los de Pelay Pérez Correa. El arzobispo de Toledo Fernán Rodríguez (1276-80), por ejemplo, empeña el tesoro de la capilla de su antecesor Sancho y varios anillos pontificales y libros para amortizar las deudas del mencionado Sancho y las suyas propias. Gonzalo García Gudiel (1280-99), que le sucede en la sede metropolitana, sigue una política económica similar y obtiene préstamos que le permitan rescatar los objetos enajenados por quienes le habían precedido en el cargo. Desde 1281 comienza a formalizar nuevos empréstitos con varias compañías italianas, que comprometerán cada vez más las disponibilidades económicas de la Iglesia toledana. En 1282, con ocasión de un viaje a Aviñón, la firma de los Chiarenti le retiene en Francia para obligarle a saldar deudas. Aquella especie de secuestro económico durará dos años[19].

Es evidente que la magnitud de los dominios de los señoríos episcopa-

[17] Cf. E. BENITO RUANO, *La banca toscana y la orden de Santiago,* en *Estudios Santiaguistas* p.61-153.
[18] Sobre este personaje, ibid., p.65-71. Del mismo autor: *Deudas y pagos del maestre de Santiago D. Pelay Pérez Correa:* ibid., p.155-172.
[19] P. LINEHAN, o.c., p.121-123.

les y abadengos no guardaba relación con las menguadas posibilidades económicas de las Iglesias, sobre todo en los reinos de Castilla y León. El problema fue, sin duda alguna, característico de todas las Iglesias peninsulares, pero se percibe mejor en las del área castellano-leonesa, donde, por otra parte, la desproporción entre los territorios conquistados durante la primera mitad del siglo XIII y la capacidad humana y económica para organizarlos era también mucho más acusada que en los reinos de la corona aragonesa.

En 1257, los prelados castellanos inauguran un movimiento de resistencia contra las exigencias siempre crecientes de Alfonso X y contra su intrusismo en los negocios eclesiásticos. Justamente ese año, el rey de Castilla manifiesta de forma explícita sus pretensiones imperiales, y la jerarquía podía prever fácilmente que los gastos ocasionados por aquella aventura política caerían en buena parte sobre la maltrecha economía de las instituciones eclesiásticas, agravada entonces por una serie de años de climatología adversa que oscurecía todavía más el panorama. Para hacer frente al soberano, el episcopado castellano reanuda la costumbre de celebrar periódicamente concilios provinciales, interrumpida hacía ya muchos años, a diferencia de la metrópoli tarraconense. El concilio de Alcalá de Henares del 1257, que prescribe una periodicidad bianual para esta clase de reuniones, fue el primero de un ambicioso programa sin mucha efectividad. Durante la segunda parte de la centuria, los responsables de las Iglesias castellanas sólo se reunieron dos veces más: la primera en Brihuega, aquel mismo año; la otra, en Madrid, al siguiente. A pesar de ello, el proyecto conciliar inaugurado en Alcalá es todo un síntoma. Además de tratar los asuntos característicos de esta clase de asambleas, sirvió seguramente para afirmar la conciencia común de la Iglesia castellana en orden a tutelar y defender las libertades eclesiásticas frente al cesarismo progresivo del rey Alfonso. «En Castilla —afirma el profesor Linehan—, la convocatoria de un concilio implicaba una revuelta, la perspectiva de un programa conciliar equivalía a una revolución»[20]. El soberano castellano no toleraba reuniones en las que se pusieran en tela de juicio sus actuaciones. Parece que la provincia compostelana comenzó a moverse por derroteros similares a los de la castellana, intentando también poner en marcha reuniones conciliares. Esta toma de postura del episcopado de los reinos de la corona de Castilla frente a las intromisiones abusivas de Alfonso X va preparando el ambiente que propiciará el que la nobleza eclesiástica se alinee contra él al estallar la rebelión del infante don Sancho, en 1282.

La jerarquía castellana también adoptará una actitud crítica y negativa ante las reclamaciones económicas de la Santa Sede. Los «gravamina» de 1262/63, ya citados, constituyen buena prueba de ello. Probablemente, estas protestas por los abusos de Roma perseguían al mismo tiempo objetivos implícitos de alcance más inmediato: condenar la actitud permisiva del papa con el titular de la corona de Castilla, claramente constatable en las continuas concesiones económicas que le hacía y en los nombramientos para cargos eclesiásticos, que Roma efectuaba frecuentemente accediendo a sus demandas.

La actitud defensiva de los prelados para salir del atolladero económico se refleja también en otros niveles de la clerecía. Los sacerdotes o simples clérigos, que en los siglos anteriores habían formado asociaciones con fines exclusivamente piadosos, las orientan ahora hacia la salvaguardia de sus intereses, amenazados por los estamentos eclesiásticos superiores. A veces creaban hermandades para hacer frente a los obispos, que trataban de paliar los problemas económicos propios presionando sobre quienes dependían de ellos. Alfonso X, en las cortes de Valladolid de 1258, prohíbe las asociaciones que no persiguieran fines caritativos; pero, a pesar de ello, el clero de Toledo formaliza poco después una carta de hermandad con el de Rodielles e incluye en ella al papa y al rey entre los posibles agresores[21].

A lo largo de este apartado nos hemos detenido en el análisis de los factores o aspectos externos y fácilmente constatables de la crisis de las Iglesias peninsulares, siempre más graves a medida que nos acercamos a los lustros finales del siglo XIII. Pero, además, en el fondo de dicha crisis estaban presentes los problemas estructurales de índole socioeconómica, que también comienzan a vislumbrarse con cierta nitidez durante la última parte de la centuria como consecuencia de las contradicciones internas del sistema señorial o feudal de la sociedad de los distintos reinos cristianos, al cual se ajustaban las instituciones eclesiásticas, de manera especial los dominios de las sedes episcopales y de los monasterios. Estos problemas y contradicciones estallaron con toda su virulencia en los siglos XIV y XV, época marcada por el signo de la depresión económica, de la conflictividad social y de la decadencia religiosa.

V. *APLICACION DE LAS REFORMAS DEL LATERANENSE IV EN LA IGLESIA ESPAÑOLA*

Por J. FERNÁNDEZ CONDE

La jerarquía española participó mayoritariamente en los trabajos del Lateranense IV. Asistieron a aquella asamblea ecuménica un sesenta y cinco por ciento de los obispos cualificados, entre los que se encontraban muchos miembros de los cabildos. Tuvo bastante resonancia el pleito por la primacía de Toledo, en el que se embarcaron los metropolitanos al comenzar el concilio. Semejante discusión iba a resultar muy pronto anacrónica. Las provincias eclesiásticas de Tarragona, de Toledo y Compostela y de Braga se estaban circunscribiendo cada vez con más nitidez al ámbito político de los reinos de Aragón-Navarra, de León-Castilla —especialmente después de la unificación castellano-leonesa en 1230— y de Portugal, respectivamente. Con ello los privilegios o derechos primaciales pasa-

---

[21] Cf. P. LINEHAN, o.c., p.145-46.

rán a un segundo plano y tendrán que ir cediendo paulatinamente a los imperativos de índole política de los reinos en los que cada arzobispo ejercía su jurisdicción.

Los prelados españoles se mostraron, por el contrario, muy poco receptivos respecto al clima de reforma que Inocencio III trató de imprimir al gran concilio Lateranense. En realidad, el conjunto legislativo emanado de la asamblea conciliar constituye uno de los esfuerzos reformadores más importantes de la historia de la Iglesia anterior a Trento. El papa consideraba que el instrumento adecuado para hacer efectivos sus ideales reformistas, claramente formulados en las distintas constituciones del Lateranense IV, habría de ser la celebración frecuente de concilios provinciales —uno cada año— y de sínodos diocesanos, como «correa de transmisión» de lo dispuesto en los primeros. La investigación seria y honesta sobre la situación real de los diversos ambientes diocesanos, practicada con asiduidad, podría ofrecer los presupuestos adecuados para legislar con eficacia en las reuniones conciliares de cada provincia. El canon 6 establece que, «para alcanzar eficazmente este fin, se elegirán en cada diócesis personas idóneas, instruidas y honradas, quienes durante el año procederán a investigaciones sencillas y directas, sin poder alguno ejecutivo, sobre todos los puntos que merezcan corrección y reforma. Estas personas encargadas de la investigación darán cuenta exacta de la misma al metropolitano, a los sufragáneos y a otras personas del concilio provincial siguiente, a fin de que éstos puedan reflexionar detenida y maduramente sobre estos puntos» [22].

Semejantes providencias resultaron inútiles en las metrópolis de España. Hasta 1228 no tenemos noticias de la celebración de los concilios provinciales previstos para poner en práctica las decisiones del Lateranense, y las referencias sobre sínodos diocesanos son muy escasas. Rodrigo Ximénez de Rada, el líder de las Iglesias castellano-leonesas, estaba mucho más atento a organizar la cruzada contra los musulmanes y a intervenir en los problemas políticos que jalonaron los primeros años del gobierno de Fernando III, que a comprometerse en la empresa de reforma de su Iglesia toledana y las de sus sufragáneos. A finales de 1219, Honorio III envía una carga muy dura al arzobispo y a todos los responsables de la diócesis de su provincia, recordándoles detalladamente los principales capítulos disciplinares del Lateranense, y les apremia para que los pongan en ejecución, aprovechando la ocasión para esbozar la situación deplorable en la que se encontraban las Iglesias que les habían sido encomendadas: «Algunos prelados —dice el pontífice— que habían recibido en sus manos las espadas de dos filos para extirpar los vicios del pueblo, errantes de un lado para otro, no corrigen, no cortan los miembros putrefactos, no apartan del aprisco a las ovejas contagiosas y enfermas, no curan sus heridas... Los mismos prelados malgastan los bienes que les han sido conferidos, desparraman los cálices por las plazas públicas, promueven candidatos indignos para la clerecía, entregan los ingresos eclesiásticos a gentes perniciosas...

22 Texto: R. FOREVILLE, Lateranense IV p.163.

Muchos claustrales habían hecho ya tabla rasa de su disciplina, no se corrigen, no castigan a sus súbditos y no celebran los capítulos previstos por el concilio general»[23].

En realidad, don Rodrigo es la imagen acabada del prelado áulico, que entendía mucho más de negocios políticos o militares que de gestiones específicamente eclesiásticas. Y en las tareas características del gobierno episcopal atendía con mayor dedicación las gestiones de índole económica y beneficial que las propiamente religiosas. Por otra parte, su ejecutoria como metropolitano distó bastante de resultar ejemplar. El comportamiento con sus sufragáneos, conflictivo y truculento, le honra muy poco, según expresión de Linehan[24].

El talante del arzobispo de Toledo era similar al de otros prelados de su época. Pedro Muñiz, el metropolitano de Compostela (1207-1224), prestó siempre más atención a los intereses temporales de la mitra que al ministerio pastoral en sentido estricto.

El año 1218, Diego García de Campos dedica a Rodrigo Ximénez de Rada una obra ascética titulada *Planeta,* en la que describe, desde una óptica personal, la situación de la Iglesia. Este autor probablemente peque de retórico, y sus críticas, expresadas en latín con pujos de clasicismo, quizá no se adecuen con exactitud a la realidad que describe; pero a través de ellas se percibe con claridad un sentimiento de profundo descontento ante los comportamientos de los distintos estamentos eclesiásticos: «Escribo —afirma— cuando casi todo el mundo, desde los encumbrados príncipes a los campesinos más "hydiotas", andan por caminos de degeneración. El género humano, como si hubiera conseguido licencia para pecar, ya no puede empeorar aunque quiera»[25].

García de Campos se muestra especialmente severo al enjuiciar a los obispos en varias partes del tratado: «Estos —dice— oprimen a los pobres, devoran las cosas ajenas, comen los pecados de los muertos. Obrando en contra del derecho canónico y sintiéndose más señores que obispos, truenan sin ningún género de misericordia contra sus súbditos, y tanto más oprimen a las personas dotadas de ciencia y de virtudes cuanto más tímidas se muestran éstas. Los prelados ¡qué vergüenza! infligen las penas que debieran absolver y persiguen la honestidad y las letras que no encuentran en sí mismos. Mientras quiten las columnas de mármol de la Iglesia con una especie de odio oculto y en su lugar las vayan colocando de barro a causa de la lujuria, toda la fábrica se convertirá en un montón de ruinas, y la Iglesia quedará enteramente destruida... Especialmente dedicados a los placeres y a la guerra, consagran el día a Baco y las noches a Venus»[26].

Los regulares tampoco quedan mejor en las páginas de *Planeta:* «Los claustrales cometen pecados de lascivia, los monjes se dedican a la usura,

---

[23] El texto latino de este documento papal, en D. MANSILLA REOYO, *La documentación pontificia de Honorio III (1216-1227)* n.246 p.190-92.

[24] P. LINEHAN, *La Iglesia española...* p.12.

[25] D. GARCÍA CAMPOS, *Planeta,* edición, introducción y notas del P. MANUEL ALONSO (Madrid 1943). El párrafo citado en el f.18v, p.195.

[26] Ibid., f.107v, p.405-6.

los cenobitas negocian en las ferias. Los templarios se comportan sober-
biamente, los hospitalarios mienten, la negra cogulla —los benedictinos—
dilapidan, los monjes blancos están llenos de deseos» [27]. En esta durísima
requisitoria sólo quedan bien parados los frailes predicadores.

El panorama eclesiástico de los reinos orientales de la Península en esta
época tampoco era mucho mejor. Respecto a proyectos de reforma sólo
sabemos que en Pamplona se celebraron dos sínodos los años 1216 y 1218,
y poco más. El jefe espiritual de la provincia tarraconense Aspárec de la
Barca (1215-33) no parece que aventajara demasiado a su colega el de
Toledo a la hora de trabajar por la implantación del espíritu del Lateranense IV.

En 1228, Gregorio IX envía a España una legación con fines bien precisos: poner en marcha la legislación lateranense en las Iglesias de los distintos reinos. Designan para esta misión al cardenal obispo de Sabina Juan
de Abbeville. El legado permanece en España dieciocho meses, durante
los cuales recorre Castilla, León, Portugal y Aragón, y moviliza al clero
convocando concilios, asistiendo a sínodos diocesanos y ordenando constituciones para varios cabildos. La línea conductora de su programa reformista se ajustaba a los principales capítulos de la disciplina lateranense: la
elevación del nivel cultural de los hombres de Iglesia, que habría de repor-
tar efectos saludables en la religiosidad del pueblo fiel; el saneamiento del
sistema beneficial, equiparando el número de beneficios al de beneficiados para cortar el cumulativismo de las rentas eclesiásticas en manos de
unos pocos con perjuicio de la mayoría, y evitando la división de los beneficios existentes para frenar su devaluación; la prohibición de que los laicos se aprovecharan de las rentas de las iglesias. Los concilios y los sínodos
constituirían el cauce ordinario de todo este programa.

El concilio de Valladolid de 1228 fue la primera reunión episcopal importante convocada por el cardenal legado. Debieron de asistir a ella muchos prelados de Castilla y León. Sus actas son, en realidad, una repetición
abreviada de las del Lateranense IV, cuyas disposiciones se citan repetidamente. Juan de Abbeville, después de denunciar que «los establecimientos del sancto concilio general en gran partida son despreciados» [28], pone
un énfasis especial en conseguir la consolidación de la práctica periódica
de los sínodos, ordenando que se celebraran dos cada año —el Lateranense IV preveía uno solamente—. Más todavía, en tiempos de sede vacante, los arcedianos habrían de convocar en sus respectivas jurisdicciones
sínodos particulares presididos por ellos mismos.

En el capítulo De magistris se queda corto respecto a la disciplina lateranense. No insiste en la creación de una o dos cátedras en las catedrales
como los padres de Letrán. Se limita a mandar que «en cada eglesia cathedral sean escogidos dos varones de los maes idóneos et maes letrados que
hi fueran, para predicar la palabra de Dios et oir confesiones generalmente», según el canon diez del concilio general, y ordena que los obispos

---

[27] Ibid., f.13v, p.183.
[28] Cf. J. Tejada y Ramiro, Colección de cánones... III p.324.

escojan un religioso para cumplir idénticos menesteres en los conventos. Con el propósito de estimular los estudios de las ciencias eclesiásticas, el obispo sabinense establece unas condiciones económicas de privilegio para los beneficiados que quisieran estudiar teología en el Estudio general de Palencia y para los maestros que impartieran allí cualquier clase de enseñanzas. De ese modo propiciaba también la revitalización de la primera universidad hispana, fundada a principios del siglo XIII, que después de la muerte de su benefactor, Alfonso VIII de Castilla, llevaba una vida lánguida.

A la hora de establecer penas canónicas contra los clérigos concubinarios o deshonestos, supera en rigor la legislación lateranense. Ordena que los sorprendidos en delitos graves, como robo, homicidio, rapto de mujeres o falsificación de moneda, sean «degradados de sus órdenes para siempre». Respecto a los concubinarios, además de privarles de sus beneficios, establece la pena de excomunión para sus barraganas, y si éstas murieran en tal estado, habrían de ser enterradas «en la sepoltura de las bestias». Con el capítulo *De vita et honestate clericorum,* inspirado en los cánones catorce, quince y dieciséis del Lateranense IV, el cardenal legado trata de apartar a la clerecía castellana de las compañías poco edificantes, entre las que enumera en primer lugar a los juglares: «Establecemos que los clérigos non sean en compañas do están joglares et trashechadores et que escusen de entrar en las tabiernas, salvo con necesidad et con priesa, non lo pudiendo escusar yendo de camino, et non joguen los dados nin las tablas». Si las minorías de Enrique I y Fernando III de Castilla fueron poco propicias para el oficio de juglar, a partir de 1230, y especialmente bajo los auspicios de Alfonso X, volverá a florecer esta forma de vida, y los clérigos no tendrán reparos en practicarla. La prohibición de Juan de Abbeville, repetida en Lérida al año siguiente, se convertirá en letra muerta, como otras muchas de carácter disciplinar. En adelante, los concilios, los sínodos diocesanos y la legislación civil la repetirán casi sistemáticamente.

Las actas del concilio de Valladolid promulgan asimismo varios capítulos dedicados a los problemas relacionados con los beneficios y las rentas eclesiásticas, siguiendo muy de cerca lo previsto en el concilio IV de Letrán, e incluyen algunas prescripciones para monjes y canónigos.

Durante los últimos meses de 1228 y en los primeros del año siguiente, el cardenal legado visita las diócesis del noroeste de la Península, y entre ellas Santiago de Compostela. El mes de febrero, después de una breve estancia en Portugal, asiste en Salamanca a un concilio de los obispos del reino de León, del que quedan pocas referencias. Sabemos que Alfonso IX, a instancias del legado papal, publicó en aquella reunión una constitución a favor de los peregrinos compostelanos, pero desconocemos las actas de esta asamblea de la metrópoli de Compostela. Sólo tenemos noticia de otras dos constituciones de Juan de Abbeville, promulgadas probablemente durante el citado concilio, contra los potentados laicos que no respetaban la inmunidad de las iglesias. No resulta improbable suponer que las disposiciones redactadas en Salamanca repitieran en buena parte las del concilio de Valladolid, celebrado unos meses antes. De hecho, el arzobispo de Santiago Bernardo II celebra un sínodo a mediados de julio de 1229, y en sus constituciones, que reflejan sin duda alguna lo establecido en Salamanca, se recoge, al menos en parte, el espíritu reformista de la asamblea vallisoletana del año anterior.

Dicho sínodo compostelano se abre, por ejemplo, con una constitución sobre los estudios de los clérigos, que está muy cerca de las inquietudes del obispo sabinense: «Todos los arcedianos elegirán en los arciprestazgos de sus respectivas jurisdicciones arcedianales varones prudentes, los cuales, bajo juramento, de buena fe y sin engaño, indicarán a los arcedianos quiénes son los clérigos hábiles para el estudio, dándoles cuenta además de los recursos con que cuentan, tanto de sus iglesias como patrimoniales, para afrontar decorosamente los posibles estudios»[29]. No faltan tampoco constituciones sinodales sobre temas de carácter beneficial. En esta materia, el arzobispo compostelano se muestra más flexible que Juan de Abbeville en Valladolid, al permitir que los beneficiarios pudieran poseer varias porciones de beneficios en distintas iglesias si no les bastaba con una para atender a su propia sustentación.

El 29 de marzo de 1229, el legado convoca en Lérida a los prelados de la Tarraconense y publica otras constituciones para aquella provincia que recuerdan y repiten muchos de los capítulos de reforma promulgados en Valladolid, respondiendo igualmente a los postulados del Lateranense IV. En la disciplina sinodal se atiende estrictamente a lo dispuesto en Letrán, contentándose con la celebración de concilios provinciales y sínodos diocesanos cada año. En lo referente a la formación clerical es más exigente que la asamblea vallisoletana: «Considerando que en España, por falta de estudios e instrucción, resultan muchos e intolerables perjuicios a las almas», postula soluciones más ambiciosas que las propuestas en Letrán y en Valladolid: «Ordenamos —dice en el canon VI— que para extirpar la ignorancia se multipliquen las escuelas, de modo que en cada arcedianato, en lugares determinados, si se hallaren a propósito, se creen escuelas de gramática por provisión del obispo, dotando para ellas maestros»[30]. Sin embargo, en materia beneficial es más tolerante que en la asamblea vallisoletana, permitiendo el cumulativismo beneficial cuando las rentas de las prebendas resultaran muy exiguas. Quizás el conocimiento directo de los problemas de las iglesias de los distintos reinos hispanos le habían hecho un poco transigente. En el concilio de Salamanca, celebrado en el mes de febrero de 1229, debió de abrir la puerta a esta clase de soluciones, a juzgar por las actas del sínodo compostelano del mismo año, que deben de recoger el talante disciplinar de la reunión salmantina, como indicamos anteriormente.

A finales de abril, Juan de Abbeville asiste en Tarazona a una asamblea de obispos de Castilla y Aragón, presididos por sus respectivos metropolitanos, para ultimar y dictar solemnemente la sentencia de nulidad del matrimonio de Jaime I y la reina Leonor, por el impedimento de parentesco

---

[29] El texto de este sínodo, en A. LÓPEZ FERREIRO, o.c., V apéndice XVI p.49-52.
[30] El texto de este concilio, en J. TEJADA Y RAMIRO, o.c., III p.329ss.

que mediaba entre ambos cónyuges. Pero en esta asamblea no se habló de reforma ni de disciplina eclesiástica. Y a continuación lleva a cabo la última etapa de su legación visitando las iglesias de Cataluña. A finales de 1229 está ya de regreso en la curia romana.

Los ambiciosos planes de reforma del cardenal sabinense no parecen haber conseguido resultados proporcionados a los esfuerzos desplegados por su ejecutor. Pero no creemos que deban buscarse las razones de este aparente fracaso en su forma de actuar o en su particular idiosincrasia. Posiblemente quiso aplicar la disciplina del Lateranense IV demasiado al pie de la letra, sin tratar de adaptarse a la realidad concreta de las Iglesias de la Península. Quizás pecara de excesivamente académico en sus planteamientos. «Desde los púlpitos rurales —afirma Linehan— veía alumnos, no gente del pueblo. De hecho, su obra se ha calificado de canto del cisne de la erudición bíblica del siglo XII» [31]. Es cierto también que algún pontífice no secundó debidamente el rigor del cardenal legado en lo referente a beneficios, permitiendo que las cosas siguieran igual o incluso peor. Con todo, la principal dificultad que encontró el celo reformador de Juan de Abbeville para conseguir efectos tangibles y duraderos hay que buscarla en las circunstancias históricas por las que pasaba la Iglesia española. Sus jerarcas —especialmente los de León y Castilla— estaban completamente volcados en la empresa de la Reconquista. La servidumbre que comportaba esta sintonía con los planes políticos del soberano, sus aportaciones económicas destinadas a la financiación de las distintas campañas y demás deudas que tenían con firmas bancarias extranjeras, para hacer frente a los gastos contraídos, frecuentemente en la curia romana, constituyeron otros tantos factores que impidieron a los responsables de las distintas Iglesias ocuparse seriamente de poner en marcha las constituciones reformistas redactadas por el Lateranense IV y por el cardenal sabinense.

Resulta bastante sintomático el hecho de que hasta la década del cincuenta no tengamos datos sobre la celebración de concilios provinciales en Toledo o en Compostela, ni de sínodos en las sufragáneas de estas metrópolis, a excepción de las actas del de Santiago, reunido en el verano de 1229, anteriormente citado, y de una referencia sobre otro en Mondoñedo en el 1249. Si estas instituciones tenían que ser la clave de los planes de reforma del concilio IV de Letrán y de Juan de Abbeville, nada tiene de extraño que los problemas eclesiásticos de más entidad: la reforma de la vida clerical y el saneamiento del sistema beneficial, empeoraran en vez de mejorar.

Después de 1250 revive la práctica de los concilios provinciales en las dos metrópolis citadas, pero sólo en proporción muy escasa. Además, los motivos que entonces impulsaron a los obispos a reunirse fueron más políticos que de índole estrictamente eclesiástica. En realidad, las Iglesias ubicadas en el ámbito de la corona castellano-leonesa terminan el siglo y comienzan el siguiente bajo la impronta de una crisis económica, administrativa y disciplinar que afecta a casi todas sus instituciones y estamentos, y

---

[31] P. LINEHAN, *La Iglesia española...* p.42-47.

que adquirirá dimensiones alarmantes después del mil trescientos. El año 1322, otro cardenal obispo de Sabina, el legado Guillermo de Godin, clausurará —también en Valladolid— un concilio de rango nacional, que pondrá las bases para un movimiento de reforma eclesiástica más sólido y duradero que el de Juan de Abbeville.

Sin embargo, en este panorama de decadencia generalizada, no todo fue negativo. En el capítulo siguiente haremos referencia a la significación positiva de las nuevas órdenes mendicantes, a los santos del siglo XIII, que también se forjaron en los reinos castellanos, y al impulso que supuso para el estudio y el cultivo de las ciencias la creación de los estudios generales o universidades: la de Palencia, fundada por Alfonso VIII (1208-1214), la de Salamanca, por Alfonso IX (1215), y la de Valladolid, por una resolución del concejo de la ciudad, en 1260. Además, según avanzaba la reconquista, se fueron restaurando antiguas sedes ubicadas en territorios sometidos al islam.

La situación de la archidiócesis de Tarragona era más halagüeña. Sus prelados no estaban tan identificados con el rey como los de Castilla y León. Ya en 1230, a los pocos meses de haber abandonado Juan de Abbeville la Península, celebran un concilio provincial en la capital de la metrópoli para aplicar las decisiones aprobadas en Lérida el año anterior, y a lo largo de la misma década volverán a juntarse en esta clase de asambleas tres o cuatro veces más. En el concilio de Tarragona de 1234/35, Jaime I publica una constitución en la que destacan varias disposiciones contra la herejía. En el capítulo segundo de la misma, para evitar posibles adulteraciones de las Sagradas Escrituras, ordena «que nadie tenga en romance los libros del Viejo ni del Nuevo Testamento. Y el que los tuviere los entregará dentro de los ocho días, después de publicada la sentencia, al obispo local, para que los arroje a las llamas. Y si no lo hiciere, sea clérigo o lego, será considerado como sospechoso de herejía, hasta purgarse»[32]. La constitución real no hace referencia a la clase de herejes que se sancionan. Se trata, sin duda, de albigenses y valdenses. Aquellos años, la expansión de estas corrientes heréticas por los reinos de la corona de Aragón era particularmente intensa. La presencia de dichos movimientos religiosos en Castilla y León fue, sin embargo, mucho menos significativa.

Otro concilio provincial reunido en Tarragona el año 1239 recuerda y publica de nuevo las constituciones del cardenal sabinense. Entonces era ya arzobispo Pedro de Albalat, un prelado que iba a convertirse en paladín decidido de la obra de reforma delineada por Juan de Abbeville, a quien había podido conocer personalmente. Después de ocupar la sede ilerdense breve tiempo (1236-38), fue elegido para el cargo de arzobispo en 1238, y regentó esta metrópoli durante trece años.

El gobierno de Pedro de Albalat sigue muy de cerca las pautas trazadas por el cardenal legado unos años antes. Convoca y preside una serie de concilios —diez en total— y trata de llevar por caminos de reformismo a sus sufragáneos. Alguna vez aprovecha los períodos de sedes vacantes

---

[32] El texto de esta constitución de Jaime I, en J. Tejada y Ramiro, o.c., III p.362ss.

para dar constituciones diocesanas, y procuró siempre que pudo que las sillas episcopales dependientes de él estuvieran ocupadas por partidarios de sus proyectos eclesiásticos. Un primer grupo de prelados que secundó al celoso metropolitano provenía del Císter o mantenía relaciones muy estrechas con esta orden. Entre ellos destaca la personalidad de Pedro Ximénez de Gazólaz, obispo de Pamplona (1242-66), enérgico defensor de las libertades de su Iglesia contra Teobaldo I y II de Navarra [33]. También pertenecía al mismo grupo Bernardo Calvó, monje cisterciense que había ocupado la sede de Vich diez años antes (1233-43) y que merecerá posteriormente honores de santo.

El otro grupo de obispos incondicionales al metropolitano reformador eran dominicos. Esta orden mendicante, en pleno período de crecimiento y de consolidación en la Península, como los franciscanos, ejercía una influencia notable en la Iglesia de los reinos de la corona aragonesa gracias a la intensa labor de predicación desplegada por sus miembros en contra de la herejía, que entonces constituía un serio problema para la estabilidad eclesiástica. Por otra parte, la figura más relevante de los frailes predicadores de Aragón a mediados de la centuria era, sin género de dudas, Raimundo de Peñafort, el canónigo barcelonés que pertenecía a la orden dominicana desde el año 1229. Había acompañado a Juan de Abbeville en sus viajes de legado por las distintas Iglesias hispanas y participó en el concilio de Lérida del año citado, donde se promulgaron las constituciones que servirían de referencia obligada para las Iglesias de la provincia Tarraconense durante las dos décadas siguientes. El gran jurista dominico colaboró activamente en los proyectos reformadores de Pedro de Albalat. Por eso, nada tiene de extraño que el titular de la archidiócesis de Tarragona apoyara la promoción de dominicos para las distintas sufragáneas que iban quedando vacantes. En 1248, esta provincia eclesiástica contaba con cinco obispos que habían llevado el hábito dominicano. Entre todos sobresale el nombre de Andrés de Albalat, obispo de Valencia (1248-79), hermano del arzobispo.

Pedro de Albalat contribuye literariamente al fortalecimiento del movimiento de renovación eclesiástica con la publicación de dos breves obras de carácter pastoral: un *Manual del Inquisidor* y la *Summa septem sacramentorum*. El trabajo destinado a perfeccionar los procesos de inquisición, considerado por Dondaine como el «primer documento digno del nombre de manual de procedimiento inquisitorial», fue compuesto seguramente por Raimundo de Peñafort. Pedro se limitó a darle el respaldo de su autoridad arzobispal promulgándolo. La otra obra es un breve tratado teológico-disciplinar, con un primer capítulo relativo a la ordenación de las celebraciones sinodales; la parte central va dedicada a la exposición de cada uno

---

[33] Cf. J. Goñi Gaztambide, *Historia de los obispos de Pamplona S. IV-XIII* p.585ss. «No era una naturaleza pasiva, que esperase tranquilamente los acontecimientos ni se desmayase por un revés cualquiera. Su carácter tenía algo de la dureza, de la agresividad, de la inflexible energía de su contemporáneo Inocencio IV. Resuelto a establecer los derechos episcopales como él los entendía, emprendió una ofensiva en todas las direcciones, consiguiendo triunfos resonantes y sufriendo derrotas estrepitosas. El choque más ruidoso y violento tuvo lugar con Teobaldo I» (ibid., p.588-89). El soberano de Navarra murió excomulgado.

de los sacramentos, y termina con unas disposiciones sobre la vida y honestidad de los clérigos. La primera versión de esta sencilla compilación fue elaborada por Pedro de Albalat probablemente cuando todavía era obispo de Lérida, y la primera publicación oficial de la misma la llevó a cabo el año 1241, en un sínodo presidido por él en Barcelona. La publica también para toda la archidiócesis[34].

La fuente principal de la *Summa*, al igual que la de otras muchas constituciones sinodales de la época, fueron las *Synodicae Constitutiones* redactadas por el obispo de París Eudes de Sully a principios del siglo XIII[35]. En la obra de Albalat se percibe además el estilo reformador inculcado por el legado Juan de Abbeville, que había influido poderosamente en la conducta del prelado catalán. El cisterciense Raimundo de Siscar, sucesor de Pedro en la sede de Lérida (1238-47), compone también un tratado sobre los sacramentos parecido al del arzobispo tarraconense[36]. Y el hermano de Pedro, Andrés de Albalat, publica para su diócesis de Valencia otra versión de la *Summa* unos años después de la muerte del arzobispo. Asimismo, en el año 1266, Pedro de Morella, obispo de Mallorca, redacta unas constituciones en lengua vulgar tomadas del tratado sacramental del celoso metropolitano de Tarragona[37].

Los esfuerzos reformadores de Pedro de Albalat obtuvieron resultados mucho más tangibles que los del cardenal sabinense. La ejecutoria pastoral del prelado al frente de la Tarraconense le permitió lógicamente ejercer una influencia notable en los sufragáneos de su provincia, y tuvo además la suerte de contar con el apoyo de muchos de ellos, que le secundaron sin reservas. A su muerte, en 1251, el grupo de obispos dominicos, hechos a imagen y semejanza de Albalat, tratarán de continuar la obra comenzada por éste, aunque su sucesor en la silla metropolitana, Benito de Rocabertí, no sintonizara con ellos ni estuviera a la altura del prelado reformador.

Sin embargo, la falta de arzobispos que continuaran urgiendo las líneas renovadoras de Juan de Abbeville y de Pedro de Albalat, y, por otra parte, la política más transigente de Inocencio IV (1243-54) y de Alejandro IV (1254-61) con los clérigos que cometían alguno de los delitos anatematizados por el Lateranense IV o por los concilios celebrados en la metrópoli tarraconense a partir de la legación del cardenal sabinense, fueron factores que influyeron notablemente en el empeoramiento de la situación de la Iglesia de los reinos de la corona aragonesa. Sus responsables irán abandonando paulatinamente la práctica asidua de los concilios pro-

---

[34] El texto de la *Summa* en P. LINEHAN, *Pedro de Albalat, arzobispo de Tarragona y su «Summa septem Sacramentorum»:* HS 22 (1969) 16-30. El texto del Manual en C. DOUAIS, *Saint Raymont de Peñafort et les hérétiques. Directoire à l'usage des inquisiteurs aragonais, 1242:* La Moyen Âge 3 (1899) 315-325.

[35] ODONIS DE SOLIACO, *Synodicae Constitutiones:* PL 212,57-68. Cf. también O. PONTAL, *Les statuts synodaux français du XIIIe siècle* (París 1971) e I. DA ROSA PEREIRA, *Les statuts synodaux d'Eudes de Sully au Portugal:* L'année canonique 15 (1971) 459-80.

[36] El texto en J. VILLANUEVA, *Viage literario...* XVI p.297-308.

[37] Cf. M. NEBOT, *El segundo obispo de Mallorca don Pedro de Muredine (1266-82):* Bolletí de la Sociedat Arqueologica Luliana 13 (1910-11) 134ss.

vinciales, y los sínodos diocesanos serán también menos frecuentes. Una diócesis como Valencia, por ejemplo, que durante treinta años recibe el beneficioso influjo de Andrés de Albalat, tampoco parece encontrarse en mejores condiciones a finales de la centuria. Ramón Despont, el prelado dominico que ocupa esta sede el año 1291, se queja ya, en un *tractatus de Sacramentis*, de lo olvidados que estaban los sacramentos en las distintas constituciones sinodales existentes[38]. Con todo, en torno al 1300, la figura histórica de Pedro de Albalat seguirá constituyendo para los obispos de la provincia de Tarragona una referencia modélica. Miguel Périz de Legaria, obispo de Pamplona (1287-1304), reúne un sínodo el año 1301 y redacta en él varias ordenaciones de carácter litúrgico que recuerdan todavía la temática de la *Summa* de Albalat[39].

El Lateranense IV había ordenado, en el canon doce, la celebración de capítulos generales cada tres años para el clero regular, pretendiendo que se promoviera en ellos la reforma de la vida monástica, y que dichos capítulos cumplieran una función similar a la de los concilios provinciales respecto al clero secular. Juan de Abbeville incluye este precepto de Letrán en las constituciones de los concilios de Valladolid y de Lérida, porque, como dice en las ilerdenses, «los monasterios necesitan de mucha corrección y reforma»[40]. Parece que semejante ordenamiento no obtuvo tampoco resultados muy efectivos. Los capítulos generales y las reuniones de monjes o de canónigos regulares del siglo XIII, cuando se celebraban, trataban preferentemente problemas de carácter económico y jurisdiccional, sin tomar en serio el tema de la reforma de los monasterios, que era verdaderamente urgente. Los buenos proyectos del legado no servirán para frenar el proceso de deterioro, que afectaba de una manera especial a la orden benedictina. En realidad, la decadencia de los monjes negros había comenzado ya a mediados del siglo anterior, coincidiendo justamente con la implantación del Císter en la Península. A lo largo del siglo XIII, dicha decadencia se hace más patente. Los grandes dominios monásticos sufren también la crisis económica que experimentaba toda la Iglesia hispana. Además, los abades tendrán que afrontar infinidad de pleitos contra la nobleza laica, cada vez más pujante, y contra los mismos prelados, empeñados en consolidar su jurisdicción episcopal y señorial a expensas de la inmunidad o del derecho de exención de las abadías. La historia de don Mauricio, el fundador de la catedral de Burgos, implicado durante su largo episcopado (1212-1238) en numerosos conflictos con los monasterios burgaleses —el iniciado con el de Silos en 1218 llegó a adquirir proporciones verdaderamente llamativas—, constituye una muestra elocuente de esta clase de problemas[41].

Por otra parte, el movimiento de paulatina emancipación del campesi-

[38] El texto de esta obra, en J. SANCHIS SIVERA, *Para la historia del derecho eclesiástico valentino:* AST 10 (1934) 123-42.
[39] Sobre este obispo, cf. J. GOÑI GAZTAMBIDE, *Historia de los obispos...* p.707ss. Y sobre el citado sínodo, ibid., p.725-27.
[40] J. TEJADA Y RAMIRO, o.c., III p.338.
[41] Cf. L. SERRANO, *Don Mauricio, obispo de Burgos y fundador de la catedral* (Madrid 1922). El conflicto con Silos (p.97ss).

nado ligado a tierras abadengas debilita sensiblemente el sistema de explotación y aprovechamiento tradicionales, produciendo las lógicas inflexiones de su rentabilidad. Las estrecheces económicas provenientes de esa disminución de la rentabilidad llevaron aparejada la inevitable secuela de la relajación de la vida propiamente monástica, fenómeno que tocará sus cotas más escandalosas en el siglo XIV. Los cistercienses se encontraban en mejores condiciones que los monjes negros; pero, a finales del siglo XIII, comenzarán también a presentar signos inequívocos de decadencia. El deterioro económico-disciplinar afectará asimismo las casas de frailes y de monjas mendicantes, que tan brillantemente habían comenzado su andadura en la primera parte de la centuria. Hacia 1300, la situación de algunos de estos conventos era auténticamente deplorable [42].

Varios eclesiásticos españoles que residían en la curia romana —los cardenales Pelayo Gaitán y Gil Torres, por ejemplo— pusieron poco de su parte para hacer que en las Iglesias de España triunfara el espíritu de reforma del Lateranense IV y de Juan de Abbeville. Es más, frecuentemente constituían un obstáculo serio en este terreno. Su familiaridad con el funcionamiento de los organismos curiales les convirtió en recurso muy socorrido por los obispos, los clérigos y los monjes, que acudían a Roma en demanda de privilegios o para sustanciar pleitos eclesiásticos complicados. La posición extraordinariamente influyente de dichos cardenales resolvía problemas económicos de los miembros de la clerecía hispana que se encontraban en apuros, haciéndoles préstamos personales o avalándoles créditos de compañías financieras italianas. También interponían su influencia en los pleitos vistos ante la curia del pontífice, y no tenían inconveniente en favorecer cualquier clase de peticiones. Las rigurosas disposiciones de Juan de Abbeville para sanear el sistema beneficial o las sanciones contra los clérigos indignos fueron meras formalidades para estos encumbrados curiales de origen español. Así, en 1251, Gil Torres contribuyó decisivamente a la abolición de las sanciones contraídas por muchos clérigos concubinarios de las diócesis españolas.

VI. LOS ORIGENES DEL PATRONATO REGIO

Por J. FERNÁNDEZ CONDE

Esta institución jurídica comienza a surgir y se desarrolla en estrecha relación con los avances de la Reconquista. Durante los reinados de Fernando III y de Jaime I, los pontífices solían conceder las tercias de los diezmos y otras rentas eclesiásticas a los soberanos para financiar sus frecuentes campañas contra el islam. La restauración de antiguas sedes en

---

[42] Américo Castro publica un documento del archivo capitular de Zamora, en el que quedaron recogidos los comportamientos muy poco edificantes de un convento de agustinas y de otro de dominicos a finales del siglo XIII: A. CASTRO, *Une charte léonaise intéressante pour l'histoire des moeurs:* BH 25 (1925) 193-94. Posiblemente, las relaciones escandalosas de estas dos casas de frailes y monjas no era representativa de la situación de los mendicantes.

ciudades conquistadas por los cristianos fue propiciando ocasiones para que tanto el rey castellano como el aragonés obtuvieran de la Santa Sede nuevos privilegios económicos y de carácter beneficial. El mes de agosto de 1237, poco después de la conquista de Córdoba por los ejércitos castellano-leoneses, Gregorio IX, respondiendo a una demanda de Fernando III, le concede a él y a sus sucesores «la facultad de presentar candidatos idóneos que ocuparan cuatro prebendas en aquella catedral». Un mes más tarde —y ante otra petición del monarca—, el papa vuelve a otorgarle un privilegio de mayor trascendencia: la capacidad jurídica de presentar por primera vez a los ordinarios de los lugares arrebatados a los sarracenos los rectores de las iglesias restauradas [43]. El infante Alfonso, hijo de Fernando, obtendrá de Inocencio IV más prerrogativas similares. Jaime I, después de la conquista de Valencia (1238), conseguirá asimismo de la sede romana el patronato sobre todas las iglesias parroquiales o monásticas construidas y dotadas por él [44].

La política «regalista» de ambos soberanos apuntó también hacia objetivos más ambiciosos, tratando de recabar de la Santa Sede el derecho de presentación de los titulares de las diócesis restauradas. De hecho, los primeros obispos de Córdoba, Sevilla y, más tarde, Cartagena fueron nombrados por el papa accediendo a súplicas de Fernando III. Jaime I se movió en la misma dirección para la provisión de las sedes de Mallorca y Valencia. De ese modo ponen las bases para que se institucionalizara posteriormente el derecho de patronato en sentido estricto: presentación del candidato episcopal por parte del rey y compromiso formal de nombramiento del papa, supuesta la idoneidad de la persona presentada. Pero esta forma de nombramientos episcopales, que contradecía el derecho tradicional de la Iglesia, tardará bastante en abrirse camino.

La intervención de los reyes en las elecciones episcopales constituye un fenómeno normal en España y en otros países desde el comienzo de la Edad Media. Gregorio VII y los papas gregorianos habían luchado denodadamente para cortar la injerencia de los poderes laicos en el nombramiento de los obispos y para entregar dicha competencia a los cabildos. Pero los reyes españoles, al igual que los extranjeros, siguieron influyendo en las elecciones efectuadas por los cabildos de sus reinos —la actitud de Fernando III y de Jaime I, amparados en los éxitos de sus conquistas, constituye un buen ejemplo de ello— y crearon costumbres que a veces llegarán a consolidarse jurídicamente. Cierto texto de las *Partidas*, de Alfonso X, puede ser un buen testimonio de la formalización jurídica de esas formas regalistas: «Antigua costumbre fue de España, et dura todavía, que quando fina el obispo de algunt lugar que lo facen saber los canónigos al rey por sus compañeros de la eglesia con carta al deán et del cabildo de como es finado su perlado, et quel piden merced quel plaga que puedan facer su elección desembargadamente, et quel encomiendan los bienes de

---

[43] Los textos de los dos documentos en D. MANSILLA REOYO, *Iglesia castellano-leonesa...* Apéndices n.43 y 45 p.309-12.
[44] El texto de esta concesión en J. VINCKE, *Documenta selecta mutuas civitatis Aragocathalaunicae et ecclesiae relationes illustrantia* n.6 p.4 (Barcinone 1936).

la eglesia; et el rey otórgagelo, et envíalos recabdar. Et después que la elección fuera fecha, preséntenle el eleito, et él mandal entregar aquello que recibió. Et esta mayoría et honra han los reyes de España por tres razones: la primera porque ganaron la tierra de los moros, et fecieron las mezquitas eglesias, et echaron dende el nombre de Mahomad et metieron hi el de nuestro Señor Iesu Cristo; la segunda porque las fundaron de nuevo en lugares do nunca las hobo; la tercera porque las dotaron, et demás les fecieron et facen mucho bien. Et por eso han derecho los reyes de rogarles los cabildos en fecho de las elecciones, et ellos de caber su ruego» [45].

A lo largo de los siglos XIV y XV, y a medida que la eficacia de la elección capitular de los obispos se hacía más problemática, debido, sobre todo, a las continuas discordias entre los capitulares a la hora de ponerse de acuerdo en las personas elegidas, la Santa Sede interviene cada vez más decisivamente en los nombramientos. Los reyes hispanos, por su parte, consiguen de la curia romana el reconocimiento del derecho de súplica o de consulta antes de que se llevaran a efecto las elecciones de los obispos por los canónigos o por la Santa Sede, en el caso de una elección capitular conflictiva. El año 1421, el papa Martín V otorga formalmente a Juan II de Castilla el privilegio de ser consultado por el cabildo antes de elegir el futuro obispo de una diócesis vacante. En 1436, Eugenio IV confirma dicho privilegio, comprometiéndose también a atender las súplicas del rey castellano relativas a la designación de varios prelados que le eran particularmente adictos. El papa Calixto III y Enrique IV mantienen la misma política en este complejo negocio.

Durante el pontificado de Pío II (1458-64), y especialmente en la época de Sixto IV (1471-84), los cabildos españoles, enfrentados frecuentemente con el centralismo creciente de la curia papal, pierden sus facultades respecto a las elecciones episcopales. El pontífice procede además al nombramiento de varios obispos sin tener en cuenta la costumbre y los derechos de la corona española. El conflicto de competencias se hace especialmente agudo en los primeros años del reinado de los Reyes Católicos. Después de una concordia provisional, el año 1482 se llega a una solución definitiva bajo el pontificado de Inocencio VIII (1484-92). Este concede a Isabel y Fernando y a sus sucesores, en la bula *Orthodoxiae fidei* (1486), el derecho de patronato y de presentación de todas las iglesias catedrales y monasterios o prioratos del reino de Granada, Canarias y Puerto Real, como anticipo de la conquista definitiva de los dominios musulmanes de la Península, y el derecho de súplica de todas las iglesias de España. En 1423, Adriano IV otorgará a Carlos V y a sus sucesores el privilegio de presentación de todas las iglesias catedrales y de los beneficios consistoriales españoles.

Semejante concesión no era privativa de los soberanos de España. Unos años antes, concretamente en 1506, Julio II había otorgado ya una gracia similar al rey de Portugal. En 1516, Julio II hizo lo mismo con Francisco I.

---

[45] *Partidas* part. I cit. V 1.18.

CAPÍTULO II

LOS ESTAMENTOS ECLESIASTICOS Y LAS ESTRUCTURAS SOCIALES EN LOS SIGLOS XII Y XIII

Por JAVIER FACI LACASTA y ANTONIO OLIVER

BIBLIOGRAFIA

ESTRUCTURAS SOCIALES Y PROPIEDAD ECLESIÁSTICA EN LOS SIGLOS XII Y XIII

ALVAREZ PALENZUELA, V. A., *Monasterios cistercienses en Castilla (siglos XII-XIII)* (Valladolid 1978); COCHERIL, M., *Études sur le monachisme en Espagne et au Portugal* (París-Lisboa 1966); BENITO RUANO, E., *La banca toscana y la Orden de Santiago durante el siglo XIII* (Valladolid 1961); DEFOURNEAUX, M., *Les français en Espagne aux XIᵉ et XIIᵉ siècles* (París 1949); FLETCHER, R. A., *The Episcopate in the Kingdom of Leon in the Twelfth Century* (Cambridge 1978); FOREY, A. J., *The Templars in the Corona de Aragon* (Londres 1973); GARCÍA DE CORTÁZAR, J. A., *El dominio del monasterio de San Millán de la Cogolla (siglos X al XIII)* (Salamanca 1969); GOÑI, J., *Los obispos de Pamplona en el siglo XIII:* «Príncipe de Viana» XVIII (1957) p.41-237; LINEHAN, P., *La Iglesia española y el papado en el siglo XIII* (Salamanca 1975); LINEHAN, P., *La carrera del obispo Abril de Urgel: la Iglesia española en el siglo XIII:* Anuario de Estudios Medievales VIII (1972-73) p.143-197; LOMAX, D., *Las Ordenes Militares en la Península Ibérica durante la Edad Media* (Salamanca 1976); LOMAX, D., *La Orden de Santiago (1170-1275)* (Madrid 1965); MANSILLA, D., *La Iglesia castellano-leonesa y la Curia romana en los tiempos del rey San Fernando* (Madrid 1945); MARTÍN RODRÍGUEZ, J. L., *El Cabildo de la Catedral de Salamanca (siglos XII-XIII)* (Salamanca 1975); MARTÍN RODRÍGUEZ, J. L., *Orígenes de la Orden de Santiago (1170-1195)* (Barcelona 1973); MARTÍN RODRÍGUEZ, J. L., *Campesinos vasallos de la Iglesia de Zamora en los siglos XII y XIII* (Zamora 1977); MORETA, S., *El Monasterio de San Pedro de Cardeña. Historia de un dominio monástico castellano (902-1338)* (Salamanca 1971); MORETA, S., *Rentas monásticas en Castilla: problemas de método* (Salamanca 1974); MOXÓ, S., *Los Señoríos. En torno a una problemática para el estudio del régimen señorial:* Hispania 94-95 (1964) p.185-236 y 399-430; MOXÓ, S., *De la nobleza vieja a la nobleza nueva. La transformación nobiliaria en Castilla en la baja Edad Media:* Cuadernos de Historia de España 3 (1969) p.1-270; MOXÓ, S., *Repoblación y sociedad en la España cristiana medieval* (Madrid 1979); PASTOR, R., *Historia de las familias en Castilla y León (siglos X-XIV) y su relación con la formación de los grandes dominios eclesiásticos:* Cuadernos de Historia de España XLIII-XLIV (1967); PORTELA, E., *La región del obispado de Tuy en los siglos XII a XV. Una sociedad en la expansión y en la crisis* (Santiago 1976); RÍUS SERRA, J., *El bisbat de Vich en el segle XIII:* Analecta Sacra Tarraconensia I (1925) p.397-411; RIVERA RECIO, J. F., *La Iglesia de Toledo en el siglo XII (1086-1208)* 2 vols. (1.º, Roma 1966; 2.º, Toledo 1976); SERRANO, L., *El obispado de Burgos y Castilla primitiva desde el siglo V al XIII* (Madrid 1935); TORRES FONTES, J., *El obispado de Cartagena en el siglo XIII:* Hispania XIII (1953) p.339-401, 515-580.

LA HEREJÍA EN LOS REINOS HISPANOS

P. BELBERRON, *La croisade contre les Albigeois et l'union du Languedoc à la France (1209-1249)* (París 1942); A. BORST, *Die Katharer* (MGH, Schriften 12; Stuttgart 1953); CAHIERS DE FANJEAUX, 2: *Vaudois Languedociens et Pauvres Catholiques* (Fanjeaux 1967); ILARINO DA MILANO, *Le eresie medioevali* (Grande antologia filosofica, IV) (Milán 1953) p.1599-1689; A. DONDAINE, *Durand de Huesca controversiste:* X Congresso Intern. di Scienze Storiche, Roma 1955, vol.VII (Florencia 1956) p.218-222; ID., *Durand de Huesca et la polémique anti-cathare:* Archivum Fratrum Praedicatorum 29 (1959) 228-278; F. J. FERNÁNDEZ CONDE, *Albigenses en León y Castilla a comienzos del siglo XIII:* «El Reino de León en la Edad Media» (XXXII Congreso de la Asociación Luso-Española para el progreso de las Ciencias, León 1977) (León 1978) p.94-114; J. GONNET-A. MOLNAR, *Les vaudois au moyen âge* (Turín 1974); H. GRUNDMANN, *Religiöse Bewegungen im Mittelalter* (Historische Studien, 267; Berlín 1935); ID., *Eresie e nuovi Ordini religiosi nel secolo XII:* X Congresso Intern. di Scienze Storiche, Roma 1955, vol.III (Florencia 1955) p.357-402; R. MANSELLI, *Profilo dell'eresia medievale (Catari e Valdesi):* Humanitas 1 (1950) 384-396; ID., *Per la storia dell-eresia del secolo XII:* Bullet. dell'Ist. Storico Ital. per il medio evo e Archivio Muratoriano 67 (1965) 189-264; ID., *Una designazione dell-eresia catara: «Arriana Heresis»:* Bullet. dell'Istit. Stor. Ital. 68 (1956) 233-246; T. MANTEUFFEL, *Naissance d'une hérésie. Les adeptes de la pauvreté volontaire au moyen âge* (París-La Haya 1970); R. MORGHEN, *Movimenti religiosi popolari nel periodo della riforma della Chiesa:* X Congresso Intern. di Scienze Storiche, Roma 1955, vol.III (Florencia 1955) p.333-356; A. FLICHE, *La represión de la herejía,* en *Hist. de la Iglesia* de Fliche-Martin, vol.X (Valencia 1975) p.117-144; ID., *Hérésie et croisade au XIIe siècle:* RHE 49 (1954) 855-872; ID., *Le «Liber Antiheresis» de Durand de Huesca et le «Contra hereticos» d'Ermengaud de Béziers:* RHE 55 (1960) 130-141; ID., *Un traité cathare inédit du début du XIIIe siècle, d'après le «Liber contra Manicheos» de Durand de Huesca:* Bibl. de la RHE, 37 (Lovaina-París 1961); ID., *Catharisme et Valdéisme en Laguedoc à la fin du XIIe et au début du XIIIe siècle* (París 1966); J. VENTURA, *El catarismo en Cataluña:* Boletín Real Acad. Buenas Letras de Barcelona 28 (1960) 75-158; ID., *La Valdesía de Cataluña:* ibid. 29 (1961-62) 275-317; ID., *Catarisme i valdesia als països catalans:* Congreso de Historia de la Corona de Aragón, Barcelona 1962, vol.VII (Barcelona 1964) p.123-134; ID., *Els heretges catalans* (Barcelona 1963).

LA INQUISICIÓN MEDIEVAL

Sobre la Inquisición es abundante la bibliografía. Citemos la obra clásica de J. GUIRAUD, *Histoire de l'Inquisition au Moyen Âge,* I: *Origines de l'Inquisition dans le Midi de la France. Cathares et Vaudois* (París 1935); A. FLICHE, *La represión de la herejía,* en *Hist. de la Iglesia* de Fliche-Martin, vol.X (Valencia 1975) p.117-144; CH. THOUZELLIER, *Represión de la herejía y comienzos de la Inquisición,* en ibid., p.303-349; R. FOREVILLE, *Las grandes corrientes heréticas y las primeras medidas generales de represión,* en *Hist. de la Iglesia* de Fliche-Martin, vol.IX (Valencia 1977) p.599-613; en todas esas obras se encontrará la mejor bibliografía, que, por otra parte, coincide con la general sobre las herejías medievales.

I. ESTRUCTURAS SOCIALES Y PROPIEDAD ECLESIASTICA EN LOS SIGLOS XII Y XIII

Por J. FACI

Configuración de las clases sociales

Los siglos XII y XIII constituyen, dentro del marco de la historia medieval europea, un momento de apogeo, de tal modo que es cada vez más frecuente hablar de un subperíodo de la misma: la plena Edad Media, que abarcaría desde mediados del XI hasta fines del XIII. Se trata, por tanto, de una época de plenitud y auge de las estructuras feudales, que, una vez consolidadas, precisaron de una expansión y diversificación [1]. Esta organización feudal, plena y madura, se exportó desde los países europeos occidentales hacia la periferia, de modo que los grandes avances de la Reconquista cristiana en España se enmarcan en este proceso general de expansión, que tiene otras manifestaciones paralelas en las grandes cruzadas a Oriente o en la penetración germánica dentro del mundo eslavo. La diversificación a que nos referimos se plasmará en la ruptura con una economía casi exclusivamente agraria, propia de la época de formación del feudalismo. Actividades económicas antes unidas a la agricultura, o dependientes de la misma, como las artesanales y comerciales, tenderán a independizarse de la misma. Consecuentemente, los grupos sociales especializados en ellas, artesanos y comerciantes, lucharán con denuedo por conseguir una cierta libertad y autonomía frente al mundo feudal dominante, y en ellos, esta nueva «burguesía» se afirmará como clase. Aparecerán una mentalidad y una ideología más progresivas, que influirán en la evolución y apertura de la sociedad feudal.

El panorama social de estos siglos es, por tanto, mucho más variado y complejo. Nobleza militar terrateniente y campesinado en progresiva dependencia seguirán siendo los grupos sociales fundamentales, pero ya no los únicos. Junto a ellos, artesanos y comerciantes tienen una importancia creciente. La concepción mental e ideológica que de sí misma tuvo la primera sociedad feudal, plasmada en la teoría de los *ordines* que expresaron algunos eclesiásticos franceses de principios del siglo XI, quedaba estrecha para una sociedad mucho más plural. Frente a ella surge una nueva representación ideológica: la concepción organicista, según la cual la sociedad se asemeja a un organismo humano, en el cual los diferentes grupos son como sus miembros, tal y como se expresa en el más importante tratado político del siglo XII, el *Policraticus,* del eclesiástico inglés Juan de Salisbury [2].

---

[1] Se trata de términos, muy precisos y expresivos, acuñados por J. L. Romero (*La revolución burguesa en el mundo feudal* [Buenos Aires 1967] p.282ss). Se trata de un libro en exceso sociológico, pero brillante y útil.

[2] La comparación de la sociedad con un organismo humano se encuentra profusamente desarrollada en los libros V y VI del *Policraticus* de J. de Salisbury. En espera de la edición con traducción española, de próxima aparición, hay que seguir manejando la de Webb (*Ioannis Saresberiensis Episcopi Carnotensis Policratici sive de nugis curialum et vestigiis philosophorum* [Oxford 1909]).

Vamos a analizar a grandes rasgos la estructuración de la sociedad en los reinos cristianos peninsulares durante los siglos XI al XIII. Conservaremos la distinción entre el conglomerado castellano-leonés, con su zona de expansión, y el constituido por los principados orientales, distinción quizá algo convencional, pero cómoda. Desde un punto de vista estrictamente social no existen grandes diferencias entre ambos territorios, ya que éstas son más bien de carácter jurídico e institucional. En ambos casos estamos claramente ante sociedades feudales, semejantes en las bases a las de otros reinos europeos, aunque con expresiones concretas particulares. Las relaciones contradictorias entre nobleza militar y campesinado dependiente son el elemento social básico en ambos casos, con un papel desigual de los grupos artesanales y mercantiles, más pujantes en la corona de Aragón, pero con importancia nada desdeñable en Castilla y León.

El estudio de la nobleza castellano-leonesa en este período, y en general durante toda la Edad Media, puede abordarse gracias a los importantes trabajos de S. de Moxó[3], por lo que en este punto nos limitamos a seguir sus conclusiones. En los siglos XII y XIII, la nobleza alcanza en Castilla y León su plena madurez, en relación directa con su desmesurado enriquecimiento territorial como principal beneficiaria de los grandes avances conquistadores hacia el Sur. Parece acertada la división establecida por Moxó entre una aristocracia primitiva, de origen gentilicio, aunque con aportaciones de otro tipo; una nobleza vieja, que es la que precisamente se consolida en estos momentos, y una nobleza nueva, aparecida con la llegada al poder de los Trastamara o un poco antes.

A comienzos del siglo XII, la mayor parte de los linajes nobiliarios castellano-leoneses de época anterior, continuadores de las aristocracias primitivas, habían desaparecido o estaban próximos a ello. Así, durante el siglo XI y comienzos del XII fueron surgiendo las más importantes dinastías de la nobleza vieja castellano-leonesa. Se trata de una auténtica nobleza y no una simple aristocracia, como había ocurrido en los siglos altomedievales. Su especialización militar era ya completa, quedando a su cargo, con exclusión de los demás grupos, la defensa de los territorios conquistados y la continuación de la propia expansión. La caballería, expresión máxima de la actividad de estos grupos, constituía ya en este momento una forma de vida, una tarea tecnificada y excluyente, pero también una mística, una concepción del mundo que inspiraba a todo el conjunto de la sociedad unos determinados valores. Huelga decir que el proceso de fortalecimiento nobiliario está en relación con el de la dependencia progresiva de amplios grupos del campesinado a esta nobleza caballeresca, que se convertía en propietaria de inmensas cantidades de tierra y de la fuerza de trabajo de los hombres necesarios para su puesta en cultivo. La fuerza militar, obviamente, no servía solamente para conquistar tierras frente a los musulmanes, sino también para la obtención de una renta del campesinado.

---

[3] Son muy numerosos los trabajos de Moxó relativos a la nobleza medieval. Hay que destacar, por su amplitud: *De la nobleza vieja a la nobleza nueva. La transformación nobiliaria castellana en la baja Edad Media:* Cuadernos de Historia (Anexos de la revista «Hispania») III (1969) p.1-270; y *La nobleza castellano-leonesa en la Edad Media:* Hispania 114 (1970) p.8ss.

La distinción que se apuntaba ya en la alta Edad Media entre dos diferentes grupos nobiliarios se consolidó y definió en este momento. Existió, de este modo, un grupo nobiliario superior, el de los ricohombres, que sustituye a los próceres o magnates de siglos anteriores, y una baja nobleza, la de los infanzones, que a partir del siglo XIII se llamarán hidalgos, denominación que será la más frecuente en la baja Edad Media.

Los ricohombres, así denominados a partir del siglo XII, escasos en número, constituían el punto más elevado del escalón social. Sus inmensas fortunas territoriales, debido a su importante papel al lado del rey en las conquistas, les garantizaban un poder jurídico-político de primer orden. Este poder lo emplearán, con frecuencia, en beneficio propio, empeñados en no perder fuerza, como sucedió en las luchas que ensangrentaron Castilla durante la minoría de Alfonso VIII. Tendían a constituirse en una oligarquía y resistieron, con éxito, tanto el peligro de la disgregación de sus posesiones como la presión de la monarquía, que buscaba afirmarse políticamente. Analizado el origen geográfico de esta nobleza de ricahombría, tal y como lo ha hecho Moxó[4], se ve el claro predominio de los linajes de origen castellano.

En cuanto a la baja nobleza, la de los infanzones, aunque surgida en épocas anteriores, alcanzó también su auge en estos siglos plenomedievales. La diferencia principal que le separaba de la alta nobleza estribaba más en el grado de poder económico que en su *status* jurídico, que parece haber sido el mismo. En algunos casos, los infanzones podían alcanzar posiciones tan destacadas como la del Cid, aunque no parece que éste fuese el caso más común. Se trataba de guerreros profesionales, cuya fortuna podía llegar a ser considerable merced a las constantes campañas militares. Poco a poco irán reuniendo fortunas territoriales relativamente sólidas e interviniendo en la vida de los concejos urbanos. Este proceso se culminará en la baja Edad Media, época en la que, como ocurrió en la mayor parte de los países europeos, la baja nobleza desempeñó un papel de auténtica oligarquía municipal.

En algunas zonas castellanas, en especial en las zonas fronterizas de Extremadura, la documentación registra la presencia de un grupo social de gran importancia, a caballo entre la nobleza y el campesinado. Se trata de los caballeros villanos, cuya presencia recogen las fuentes de finales del siglo X, como el fuero de Castrojeriz de Garci Fernández. La caballería villana, a pesar del extenso trabajo relativo a ella de Pescador[5], útil aunque excesivamente apegado a la letra de la documentación, merecería un mayor interés por parte de la investigación. En sí misma, la expresión caballero villano implica ya una flagrante contradicción dentro de la estructura de la sociedad feudal, en cuanto que une dos términos en principio antagónicos. Una posible línea de análisis podría ser el tener en cuenta el hecho de que las actividades militares en estas zonas castellanas no eran todavía un monopolio de la caballería nobiliaria y que esto estaría en rela-

---

[4] Moxó, S., *De la nobleza vieja a la nobleza nueva...* p.27-29.
[5] Pescador, C., *La caballería popular en León y Castilla:* Cuadernos de Historia de España XXXIII-XXXIV (1961) p.127ss.

ción con la propia estructura social. Tengamos en cuenta además que en esta misma época la documentación nos habla también de la existencia de unos *pedones*, que también cumplen funciones militares, aunque a pie y no a caballo y que aparecen vinculados al campesinado, o que todavía los hombres de behetría, en el momento de redactarse el Becerro de las Behetrías, a mediados del siglo XIV, conservaban aún prestaciones militares, aunque conmutadas por pagos en moneda. El que la defensa militar del territorio recaiga en amplios grupos sociales puede ser un recuerdo de una sociedad muy igualitaria e insuficientemente estructurada y jerarquizada según los moldes feudales, que es lo que en apariencia fue la de Castilla.

No resulta fácil resumir en pocas palabras la compleja situación del campesinado castellano-leonés en este período, ya que la nota general del mismo es la diversidad y variedad. Por lo menos, tenemos más información acerca de su situación, y ésta parece dar la impresión de una cierta simplificación racionalizadora. Tal es, a mi entender, el significado de los preceptos del concilio de León de 1017, en los que se procura detallar las condiciones de vida de los diferentes grados del campesinado [6].

Si hubiera que señalar algún rasgo como más característico del proceso apuntado, éste sería, sin duda, el de la creciente y progresiva dependencia del campesinado con respecto a los señores, eclesiásticos o laicos, y, por tanto, la desaparición de la supuesta libertad anterior. En otro lugar se ha dicho que tal libertad ni era tan grande como se ha supuesto ni su interpretación tan sencilla como se ha querido. Parece difícil suponer que el campesino «libre» de la alta Edad Media lo fuera en el mismo sentido de un colono romano o de un pequeño propietario moderno, por lo menos en algunos casos. El estudio sistemático, por otra parte muy difícil, de las comunidades campesinas y su progresiva disolución en la organización socioeconómica feudal iluminaría en gran medida la realidad de estos hombres, que, con la progresiva disolución de su comunidad (que implicaba su igualdad y libertad), fueron cayendo en dependencia ante la presión de la gran propiedad señorial. Este proceso estaba claramente muy avanzado en estos siglos. No es que estadísticamente no hubiera pequeños propietarios, sino que globalmente su peso cualitativo era muy escaso. La documentación muestra también que era frecuente que un campesino tuviera una parcela de tierra libre y al mismo tiempo otra por la que estaba sometido a dependencia con respecto a un señor.

No es momento de discutir con detalle los orígenes o las diferencias de condición concretas de los campesinos, fueran éstos *iuniores* (de diversos tipos y frecuentes en Galicia y León), collazos o solariegos (así llamados por poblar o habitar un solar ajeno). En todos ellos lo común era su falta de libertad y su obligación de realizar determinadas prestaciones de trabajo o satisfacer diferentes tipos de rentas jurisdiccionales, ya que este campesinado estaba sometido a la jurisdicción de sus señores. La variedad

---

[6] Véase MUÑOZ Y ROMERO, *Colección de fueros municipales y cartas pueblas de los reinos de Castilla, León, Corona de Aragón y Navarra* (Madrid [reimpresión] 1970) p.60ss, espec. cap.IX-XIII.

concreta de las formas de dependencia era enorme, pero lo que nos interesa señalar es la generalización creciente de esta misma dependencia.

También hay que señalar que la documentación parece mostrar, en este período, el comienzo del proceso de deterioro de la condición social de los hombres de behetría, con un grado de libertad muy grande durante la alta Edad Media, pero que poco a poco irán equiparándose en todo a los demás campesinos, llegando incluso en la baja Edad Media a ser su condición peor que la de los vasallos de solariego. Digamos asimismo que nuestros cartularios monásticos están llenos, en esta época, de fueros agrarios, a los que García Gallo ha considerado como fueros impropios, o solamente en un sentido restringido (de contratos colectivos los califica), pero que son enormemente instructivos a la hora de describirnos las condiciones concretas, variadas y complejas del campesinado dependiente.

Un hecho generalizado en toda Europa occidental en los siglos XII y XIII es la reaparición de la economía monetaria en las relaciones agrarias. El proceso es perfectamente conocido en Francia y en Inglaterra, país este último de abundantísima documentación en este período, y se ha estudiado a partir de las conmutaciones de rentas en trabajo o especie por otras en dinero, estudiadas magistralmente por Postan [7]. El problema no aparece tan claro en el caso de Castilla y León, no porque en este momento escaseen las rentas monetarias, sino porque la documentación no permite ver con claridad su situación anterior. Los cartularios monásticos no son muy explícitos a la hora de concretar las relaciones de los campesinos con los señores en la alta Edad Media. Pero resulta evidente que en los siglos XII y XIII predominan las formas de cesión de tierras, contra pagos monetarios, bajo diferentes modalidades jurídicas. Cuando los documentos son algo más explícitos, podemos reparar en la debilidad de las prestaciones en trabajo agrícola (denominadas ya de forma generalizada *sernas),* lo que permite deducir una predominancia de los pagos en especie o en moneda. Los primeros fueros agrarios, de finales del XI o del XII, dejan traslucir el mismo fenómeno. Pero el que los campesinos de diferente cualificación ocupen tierras señoriales mediante cesiones en arriendo no implica su libertad. Por el contrario, resulta claro que se encuentran sometidos a la dependencia señorial, tanto desde el punto de vista territorial como desde el jurisdiccional. Incluso puede afirmar que, con carácter general, en esta época plenomedieval la parte más sustanciosa de la renta parece ser la jurisdiccional, como la mañería, homicidios o caloñas, con lo que se podrían conectar las realidades sociales castellano-leonesas con las europeas del momento, en un tipo de sociedad en que el crecimiento de la población impondría una mayor diversificación de la economía feudal, que se manifestaría en un mayor nivel de comercialización de excedentes alimenticios y en una tendencia al resurgimiento de los mercados.

Se ha de señalar también que la documentación del siglo XII ofrece algunos datos que confirman la importancia de la persistencia, en fecha tan avanzada, de la comunidad campesina. El encuentro de ésta con la

[7] POSTAN, M., *Cronología de las prestaciones de trabajo,* en *Ensayos sobre agricultura y problemas generales de la economía medieval* (Madrid 1981) p.113-136.

realidad feudal dominante es precisamente el contexto en que manifiesta la documentación. Así, en un documento de la Colección Diplomática de Oña, de 1153, los dependientes del monasterio en varias villas (Rubena, La Vid, etc.) conceden a Oña los *excusatos,* es decir, toda la renta proveniente de unos componentes de dichas comunidades que revierte de forma exclusiva en favor del monasterio[8]. Dice textualmente el documento: ... *ut illi vicini qui excusati dicuntur sint excusati ab omni pecto commune de concilio nostro et de serna de palatio et dent annuatim illi excusati abbati de Onia decimas omnium fructuum suorum.* Resulta obvio que estos excusados son dispensados de obligaciones solidarias ante su propio concejo (como la *serna de palacio,* que es lo más parecido que se puede encontrar a la *corvea* europea), que se erige, de esta forma, en entidad perceptora de renta, lo que indicaría que la comunidad, organizada jurídicamente en concejo, lo hace en un sistema señorial, como un «señorío colectivo», frase feliz debida a García de Cortázar[9].

Pero no parece lógico pensar que en estos momentos la igualdad y la solidaridad campesinas fueran aún lo suficientemente fuertes como para pensar que estas rentas iban a parar de forma igualitaria a todos los vecinos. Más bien da la impresión de que dentro del concejo existían ya unos elementos dominantes, probablemente antiguos campesinos realzados ahora a una condición superior, que se beneficiarían, junto con el abad, de estas rentas. Otro documento oniense, éste de 1194, parece dar la clave en este sentido. Se trata de la compra de los vecinos de Tamayo, villa muy próxima a Oña, de la limitación de la mañería a 5 sueldos, siendo el sujeto del negocio *nos toto concegio de Thamayo qui somus collacii Honiensis monasterii exceptis infanzonibus qui ibi morantur*[10]. No parece lógico que estos «infanzones», que designan ya a la nobleza local de tipo inferior, proviniesen de algún lugar exterior, sino que cabe suponer la disolución de la comunidad campesina desde dentro. Estos infanzones, que seguramente antes se habrían confundido con los *boni homines,* habrían pasado a dominar jurídicamente el concejo, como reflejo de su superioridad económica, y compartirían la renta del mismo junto con el abad del monasterio.

Otro problema interesante es el saber el grado de disponibilidad que tiene el campesino de la tierra o solar ajeno. Generalmente, de forma bastante esquemática, se ha solido equiparar este derecho al que otorgaba la *possessio* romana: una simple ocupación de hecho de la tierra, con facultad de uso y disfrute de la misma, pero sin posibilidad de enajenación de ningún tipo. Sin embargo, la documentación monástica de esta época ofrece numerosos ejemplos de transmisión de tierras por diferentes cauces por parte de hombres cuya falta de libertad parece desprenderse del documento. Es difícil saber si estamos ante propietarios en el pleno sentido de la palabra o si era posible enajenar también el simple dominio útil, que parece lo más verosímil, con tal de que el adquirente siguiese bajo la do-

[8] DEL ALAMO, J., *Colección diplomática de Oña* (Madrid 1950) n.213 t.I p.258.
[9] GARCÍA DE CORTÁZAR, J. A., *La Epoca Medieval* (t.II de la *Hist. de España* de Alfaguara) (Madrid 1973) p.220.
[10] DEL ALAMO, J., o.c., n.306 I p.372.

minación de la entidad señorial e hiciera frente a las prestaciones y cargas que conllevaba la posesión de dicha tierra. Tal parece ser la conclusión que ha obtenido Postan estudiando los mismos casos en Inglaterra, donde ha comprobado la existencia de un mercado de tierras dependientes[11].

Hablábamos antes de una diversificación de la economía feudal como complemento a la expansión. En otro lugar ya quedó planteada la importancia de las peregrinaciones a Santiago en este proceso socioeconómico, por lo que sólo nos limitaremos a resaltar algunos datos relevantes. Tiene unas características básicamente semejantes a las del resto del Occidente europeo, con las peculiaridades inherentes al proceso militar y político de enfrentamiento a los musulmanes. Se ha señalado cómo el movimiento urbano es pujante desde el XI a lo largo del Camino de Santiago y absorberá las nuevas zonas de expansión en los siglos siguientes, de por sí poderosamente urbanizados. Los documentos nos dan cuenta del crecimiento de las actividades artesanales y mercantiles, las referencias a mercados son mucho más abundantes y abundan los fueros y cartas pueblas de núcleos urbanos, aunque siempre exista la dificultad de fondo de saber cuándo estamos ante una auténtica ciudad. Los criterios diferenciadores, económicos o jurídicos, claros en teoría, nunca resultan de fácil aplicación.

Los cambios que en esta época experimenta la sociedad llevan aparejados en los reinos de Castilla y León ciertos movimientos de tensión social, también analizados en otro lugar, como son las revueltas burguesas de Sahagún y Santiago. Basta mencionarlas e insistir en la necesidad de enmarcarlas en el panorama social del momento, en el que nuevas fuerzas sociales buscan adquirir un protagonismo.

En general, no existen diferencias sustanciales entre la configuración básica de los grupos sociales de los reinos cristianos orientales y los de Castilla y León. Estamos, en ambos casos, ante una organización feudal, y, por ello, las concomitancias son mayores que las diferencias. Se ha repetido en varias ocasiones que esta organización feudal reviste una mayor madurez institucional en Cataluña, por su vinculación al reino franco; pero ello no implica necesariamente que la sociedad sea más plenamente feudal. Por otra parte, en otras zonas del área cristiana oriental, como sucede en los reinos de Aragón y de Navarra, nos encontramos también ante un feudalismo inmaduro institucionalmente, igual que en la zona cristiana occidental.

Lo que parece evidente es que la zona litoral mediterránea, por razones fácilmente comprensibles, experimentó con mayor fuerza los estímulos económicos de la llamada «revolución comercial» de la plena Edad Media. Parece que en esta zona se desarrolló más precozmente y con más fuerza una burguesía artesanal y mercantil, aunque no haya de caerse en esquematismos burdos acerca de las diferencias de evolución social de una y otra zona. La Cataluña medieval, como Castilla y León, es una región dominada por los señores; por consiguiente, la expansión bajomedieval catalana consistirá tanto en un movimiento de búsqueda de mercados para

---

[11] POSTAN, M., *Las cartas de los villanos*, en *Ensayos sobre agricultura...* p.136-193.

la burguesía comercial como de expansión territorial para unas clases señoriales, pertenecientes en especial a la pequeña y media nobleza, las cuales no tenían cabida en la metrópoli.

Al igual que en Castilla y León, en Aragón, Cataluña y Navarra existía
una nobleza poderosa, curtida y enriquecida en las constantes campañas
de expansión territorial y ligada especialmente a funciones militares.
También aparecía dividida en una alta nobleza de barones (equivalentes a
los ricohombres castellano-leoneses) y una nobleza inferior. La denominación de ricohombres, empleada por primera vez en Navarra, llegó a generalizarse y a imponerse a otras como magnates, *seniores* o barones. En Cataluña, esta alta nobleza parece ser la heredera de las principales funciones
en el esquema político-administrativo de la monarquía franca, que, una
vez independizado el territorio de la misma, quedó vinculada feudalmente
al conde y más tarde monarca catalano-aragonés. Como ha señalado recientemente Salrach, hacia mediados del siglo XI, siendo conde Ramón
Berenguer I, se produjo una crisis de la sociedad feudal tradicional, en-
cumbrándose una «nueva aristocracia», en detrimento del campesinado
libre, y organizándose una sociedad más jerarquizada y piramidal[12]. Este
grupo nobiliario se mantuvo en un enfrentamiento casi constante con la
autoridad condal —luego regia—, alternándose fases de predominio nobiliario con otras de fortalecimiento de la autoridad central. Como solía suceder, las minorías de los reyes entrañaban graves peligros para la institución monárquica, tal como ocurrió, tras la muerte de Pedro el Católico,
con la minoría de Jaime I. Las campañas exteriores de la monarquía sirvieron para tranquilizar los impulsos levantiscos nobiliarios, pero aumentaron su poder económico. La obra política de Pedro el Grande y de Pedro IV, ya en el siglo XIV, consiguió la neutralización política progresiva de
la alta nobleza catalana.

Algo diferente era la posición de la alta nobleza en los reinos de Aragón y de Navarra. Seguimos en este punto a Lacarra, que ha sido, sin
duda, quien más a fondo ha investigado la historia medieval de estos
reinos[13]. Dicho historiador sitúa la feudalización a mitad de camino entre
la catalana, muy desarrollada institucionalmente, y la leonesa y castellana,
menor en este aspecto. Destaca igualmente en muchos momentos su
carácter de frontera y la importancia del proceso conquistador. La tierra
aparece dividida entre el *honor regalis* y las tenencias u *honores* que el rey
distribuía entre sus principales nobles. Tenencias que tenderán a hacerse
hereditarias y vincularse a los linajes, pero que no habían alcanzado en
Navarra esta situación todavía en el siglo XII y en Aragón dudosamente en
el XIII, por lo menos desde un punto de vista estrictamente jurídico. La
importancia y rapidez de la expansión aragonesa hacia el Ebro, a finales
del XI y comienzos del XII, debió de consolidar decisivamente el peso eco-

---

[12] SALRACH, J. M., *La Corona de Aragón*, en *Feudalismo y consolidación de los pueblos hispánicos*
(siglos XI-XV) (t.IV de la *Hist. de España* de Labor) (Barcelona 1980) p.210.
[13] De entre los numerosos trabajos, generales y sobre temas concretos, que Lacarra ha
dedicado a Navarra y Aragón seguimos aquí sus breves pero enjundiosas conclusiones en
«*Honores et tenencias*» en *Aragon (XIᵉ siècle)*, en *Les structures sociales de l'Aquitaine, du Languedoc*
et de l'Espagne au premier age féodal (París 1969) p.178-179.

nómico y político de los principales nobles. Los grandes reyes centralizadores, como Pedro el Grande, no tuvieron la misma fortuna en su lucha con la nobleza aragonesa, teniendo que firmar el citado monarca el Privilegio General (1283), que significaba un reconocimiento de los antiguos fueros y costumbres aragonesas y una potenciación de sus propias instituciones, que se vería reforzado poco tiempo después con la jura del Privilegio de la Unión por su sucesor Alfonso III (1288). Como se puede apreciar, la nobleza de primer orden en Aragón consiguió sus objetivos en mayor medida que en Cataluña, quizá por la menor importancia de la burguesía comercial, que siempre constituyó un apoyo de la monarquía.

La trayectoria de la pequeña nobleza en los principados orientales durante la plena Edad Media se asemeja bastante a la de Castilla y León. Su vinculación con funciones militares, aunque de carácter inferior o en subordinación feudal con la alta nobleza, parece clara, tal como muestra la frecuente denominación de *milites,* junto con otras varias que se les asigna. También sus funciones debieron ser similares, integrándose en cargos militares medios, en puestos administrativos al servicio de los monarcas o en funciones eclesiásticas no excesivamente relevantes. No debían de formar un grupo compacto, sino que sus diferencias es posible fuesen grandes. Un rasgo característico es su participación en las empresas exteriores de la corona, fenómeno típico de esta nobleza con poca tierra, cuyo mejor exponente sería, sin duda, el del gran cronista Ramón Muntaner.

Encontramos en el campesinado catalano-aragonés y navarro la misma variedad y falta de homogeneidad que se señalaba para el castellano-leonés. Una inmensa variedad de términos servía para designar a una realidad económica y jurídica enormemente cambiante. Como nota general, parece poder señalarse una mayor definición jurídica, lo cual no implica necesariamente un grado de sujeción mayor a los señores. Términos como collazos, solariegos, vasallos se repiten para designar al campesinado dependiente aragonés y navarro, así como los de mezquinos, que denominaba a los de inferior condición social. Con la conquista de antiguos territorios musulmanes, a partir del XII, aparece la denominación de exaricos, aplicado a aquellos campesinos dependientes de origen musulmán.

El proceso de sujeción del campesinado catalán a los señores es muy semejante, incluso desde el punto de vista institucional, al que se produjo por las mismas fechas en los principales países. A una fase de colonización de lo que se ha llamado la «Cataluña Vieja», con un predominio de las comunidades campesinas libres que ocuparon la tierra mediante la *aprissio,* sucedió, a partir del siglo XI, una feudalización general de la sociedad, que afectó, lógicamente y en primer lugar, a la población campesina. La colonización de la llamada «Cataluña Nueva» se hizo, por tanto, ya en el marco de unas estructuras feudales. La estructuración de la nobleza se materializó en el crecimiento de importancia de las castellanías, que dominaban económica y militarmente los territorios de su entorno, así como a los habitantes. Incluso los nombres de las explotaciones campesinas se asemejan a los de las zonas de tradición franca, siendo frecuente el empleo del término *mansus,* con sus derivaciones, para designar a esta unidad de explotación y de prestaciones. La articulación jurídica de esta dependencia campesina fue mucho más completa —lo cual no significa, insisto, que la opresión fuera mayor— y cuajó en la recopilación de los *Usatges* (segunda mitad del XI), en la línea de las costumbres feudales europeas, y en la regulación del *ius male tractandi* y de los malos usos catalanes, entre los que destacaba la *redimentia* (remensa), que daría lugar a la denominación de payeses de remensa al grupo más característico y combativo del campesinado dependiente catalán.

Parece evidente que el renacimiento comercial y urbano fue en Cataluña más precoz y manifiesto que en otros estados cristianos. Su situación geográfica, propicia para participar de algún modo en el gran comercio resifual de la alta Edad Media, fue un factor a tener en cuenta. En el siglo XII, Barcelona era ya un importante foco comercial, capaz de aprovechar el renacimiento mediterráneo, que había cobrado un gran auge después de la primera cruzada. A lo largo de estos siglos, lo político-militar y comercial se mezclaron en las expediciones catalanas, tanto en las varias hacia Baleares antes de la conquista definitiva de Jaime I, en 1229, como en otras varias en el Mediterráneo occidental, en un movimiento que acertadamente podríamos denominar, en la terminología de Romero, «expansión feudoburguesa».

La gran expansión comercial y marítima de la corona de Aragón tiene su desarrollo fundamental a partir de la segunda mitad del XIII, pero las bases fundamentales ya estaban puestas con anterioridad. Factores de todo tipo debieron de producirla: un crecimiento de la población, que provocaría, indudablemente, una escasez de tierras de labor en todos los niveles sociales; un grado elevado en la división del trabajo, que habría incrementado los intercambios en el mismo ámbito interno antes de que los excedentes se exportasen, así como los progresos de una cierta mentalidad mercantil y, si se toma el término con precaución, «capitalista». Entre la producción artesanal destacó ya en este período la textil, y en particular la lanera, tanto para el mercado interior como, más adelante, para la exportación. No sabemos, por desgracia, el volumen que hasta el siglo XIII alcanzó la industria catalana, así como la importancia que el comercio de larga distancia tuvo en esta fase. Nuestra información es mucho más precisa a partir del XIV, pero es posible que ya en el XIII las naves catalanas estuviesen presentes en las grandes rutas comerciales.

Como consecuencia lógica de este auge del comercio catalán, en la segunda mitad del siglo XIII comenzaron a surgir instituciones que regulaban y organizaban dichas actividades. En 1258 se creó en Barcelona la *Universitat dels Prohoms de la Ribera,* y de finales del siglo son los primeros consulados del mar, encargados de entender en causas y problemas mercantiles. Igualmente, a finales del siglo comienza a haber cónsules o representantes catalanes en las principales ciudades comerciales europeas, tal como hacían las repúblicas italianas o las ciudades flamencas. Asimismo se comienza la formación de sociedades mercantiles para llevar a cabo negocios y se inician los progresos de las actividades financieras, que culminarán en la baja Edad Media.

Resulta lógico que la importancia de estas actividades económicas tuviera un reflejo claro en la vida social y política. De esta forma, a mediados del siglo XIII, en las principales ciudades de la corona de Aragón, aunque en especial en Cataluña, vemos ya formado un estamento de ciudadanos a los que se puede calificar, sin ambages, de patriciado urbano, claramente diferenciado social y políticamente del resto de los grupos artesanales y mercantiles. Su participación en el gobierno de la ciudad y en las principales instituciones urbanas comienza a ser ya predominante, aunque sea en los siglos posteriores cuando adquiera un virtual monopolio de las mismas. Se trata de un estamento escaso numéricamente, pero con enorme poder económico, culto y refinado y que es el principal financiador de las grandes empresas mercantiles, importantísimas ya en las ciudades de la corona de Aragón y que será uno de los principales beneficiarios de las empresas político-militares expansivas de la Corona. La división social que existía en la segunda mitad del siglo XIII en la ciudad de Barcelona entre este patriciado y la plebe, abigarrada y variopinta, se manifiesta claramente en la revuelta de Berenguer Oller, en 1285, tal y como ha sido puesto de relieve por Mollat y Wolff [14]. La revuelta, que nos ha sido ofrecida por el testimonio de Bernat Desclot, nos muestra la oposición popular contra los «hombres probos de la ciudad», que eran claramente los patricios. Desclot, que transmite una visión aristocrática y ve en Oller un simple agitador y demagogo, ve con satisfacción la represión llevada a cabo por el rey Pedro III. Pero lo que nos interesa resaltar es que en Cataluña, como en las zonas de fuerte impacto comercial y mercantil, existía ya una oposición social dentro de las ciudades entre grupos aristocráticos y populares.

Hemos querido dar en estas breves páginas una impresión general, por fuerza esquemática, de la sociedad de los reinos cristianos en la época plenomedieval. La conclusión que destacamos de nuevo es que nos hallamos ante un tipo de sociedad plenamente feudal, con matices diferenciadores en los distintos ámbitos, pero con un fondo común. Parece ser cierta la impresión general de que la sociedad castellano-leonesa conserva más destacados sus rasgos militares, debido a la constante lucha contra los musulmanes, mientras que la de los Estados orientales, que terminan antes su expansión particular, sin perder estos rasgos nobiliarios y aristocráticos, parece tener una configuración más rica y plural.

Los grandes dominios eclesiásticos

Vamos a tratar, a continuación, de describir las grandes líneas evolutivas de la propiedad eclesiástica en este período. Conviene comenzar haciendo varias precisiones previas. En primer lugar, en los siglos XI, XII y XIII se produjo un crecimiento espectacular de la gran propiedad, tanto laica como eclesiástica. Muchas son las razones, pero en el caso hispánico nunca debemos olvidar la expansión político-militar frente al Islam, que sirvió de estímulo a este proceso de crecimiento, aunque con anterioridad

[14] MOLLAT, M., y WOLFF, PH., Uñas azules, Jacques y Ciompi. Las revoluciones populares en Europa en los siglos XIV y XV (Madrid 1970) p.43ss.

al momento dorado de la Reconquista ya se había iniciado un proceso de presión de la gran propiedad sobre las comunidades campesinas libres y sobre los restos de pequeña y mediana propiedad.

No resulta fácil el estudio en estas fechas de la gran propiedad laica, ya que el reflejo de su formación y consolidación en la documentación es pequeño. Hasta la baja Edad Media no encontramos una información sistemática que permita un análisis detallado de un gran Estado nobiliario. La información procedente de los dominios eclesiásticos es, por el contrario, mucho más abundante. La Iglesia, débil frente a la rapiña de los laicos y necesitada de un mejor control de su patrimonio, considerado inalienable e indivisible, ha transmitido cartularios de monasterios y de obispados, frecuentes y ricas cuentas, y, por tanto, una información que permite llevar a cabo monografías. Aclaremos también que existe una cierta desigualdad entre la documentación monástica y la episcopal. La primera es más antigua, rica y abundante en general. La segunda empieza a ser más importante a partir precisamente del propio siglo XIII, llegando a abrumadora, en algunos casos, en la baja Edad Media. Existen razones claras para ello: la propiedad monástica fue de más antigua formación, ya que los monasterios fueron casi los únicos protagonistas religiosos y socioeconómicos de la alta Edad Media que nos hayan dejado huellas. Los obispados, oscurecidos en esta primera época, sólo experimentarán un auge a partir de finales del siglo XI, cuando se produzca su restauración, unas veces por conquista de las ciudades, otras por influencia religiosa de la reforma gregoriana, justamente en el momento del renacimiento urbano.

A la gran propiedad monástica nos hemos referido ya con amplitud al tratar del alcance socioeconómico de los monasterios peninsulares. Destaquemos, simplemente, algunas de las conclusiones más importantes. Así, este período será más el de consolidación que el de formación de la gran propiedad. Todos los grandes cenobios peninsulares experimentaron un crecimiento espectacular durante los siglos XII y XIII, antes de su relativa crisis, por lo menos para los benedictinos, de principios del XIV. Es en estos siglos cuando sus dominios alcanzan, en algunos casos, espectaculares proporciones, como los de Oña y San Millán, con territorios que abarcaban desde el Duero hasta el Cantábrico, llegando algunos, como el oniense, a tener bajo su dependencia a más de 300 iglesias o monasterios pequeños. Es también la época en la que estos grandes centros se convierten en auténticos focos de poder feudal, siendo el abad el señor territorial y jurisdiccional de los campesinos de diferente tipo. Desconocemos las formas económicas y jurídicas por las que los campesinos, anteriormente libres o integrados en sus comunidades, caen bajo la dependencia de los monasterios, ya que los documentos sólo reflejan el hecho. Los cartularios monásticos reflejan, durante el siglo XII, una gran abundancia de fueros agrarios, impropiamente considerados como tal por García Gallo, pero que explicitan las condiciones concretas de la dependencia territorial y jurisdiccional del campesinado. Algunos llegan a ser tan extensos y prolijos como el otorgado a los vasallos de la villa de Oña por el abad D. Pedro II en 1190 [15]. También aportan los documentos abundantes testimonios de la existencia de una *populatio* en tierras monásticas, que expresaría un dinamismo demográfico y un crecimiento de la autoridad jurisdiccional. En otro orden de cosas, los centros benedictinos parecen racionalizar la organización de los dominios. Así, es posible concluir que la gestión económica es más cuidadosa y menos anárquica, con un control mayor de la percepción de las rentas, una división más precisa entre los diferentes oficios e incluso, en algunos casos, la partición de las rentas entre las pertenecientes a la mesa abacial y la conventual.

También hay que destacar la frecuencia, durante el siglo XII, de enfrentamientos y conflictos entre monasterios y obispados por cuestiones tanto espirituales como temporales. Los obispos, eje sobre el que gira la organización renovada de la Iglesia tras la reforma gregoriana, reivindican sus prerrogativas espirituales y temporales que la práctica les había arrebatado, pero que la teoría les reconocía. En este contexto hay que enmarcar la lucha entre ambas entidades por la percepción de las tercias episcopales, que refleja, en el fondo, el interés por la recuperación de unos derechos más amplios. Los conflictos se salvan con unas concordias que, más o menos, dejan las cosas como estaban.

Terminemos diciendo que en estos siglos los monasterios benedictinos dejan de ser los monopolizadores de la vida espiritual y económica. Dentro de la misma observancia, renovada, la implantación del Cister en la Península es ya un hecho importante en el XII. Un balance de conjunto, provisional, recoge la reciente obra de Alvarez Palenzuela [16], aunque hay algún trabajo reciente, en proceso de publicación, que podrá aportar nuevas luces sobre esta «colonización cisterciense» [17]. Otras observancias religiosas, que tienen también una gran pujanza en los reinos hispánicos en este período, no llegan, sin embargo, a poseer una gran propiedad feudal.

La prosperidad de los grandes dominios monásticos debió de prolongarse durante toda la fase expansiva, como ocurrió en los grandes monasterios europeos. Más tarde, a comienzos del XIV, parece iniciarse una fase depresiva, en que los presupuestos monásticos se hundieron y los ingresos fueron menores que los gastos. A estas conclusiones llegó Moreta analizando el *Libro de las Cuentas* de 1338 [18]. Quizá se hubiera iniciado ya la crisis económica bajomedieval, o simplemente los monasterios benedictinos no supieron acomodarse a una economía de intercambios monetarios.

Se ha hablado brevemente de la importancia creciente que adquieren los obispados en el período en estudio, tanto desde el punto de vista religioso y espiritual como en el económico y social. Por desgracia, la bibliografía no nos permite llevar a cabo un estado de la cuestión sobre este

---

[15] DEL ALAMO, J., o.c., n.288 I p.345ss.
[16] ALVAREZ PALENZUELA, V. A., *Monasterios cistercienses en Castilla (siglos XII-XIII)* (Valladolid 1978).
[17] ALFONSO, M. I., *La colonización cisterciense en la meseta norte. El ejemplo de Moreruela, siglos XII-XIV*. Se trata de una tesis doctoral, aún inédita, pero de pronta publicación, leída en la Facultad de Ciencias Políticas en diciembre de 1980.
[18] MORETA, S., *Rentas monásticas en Castilla: problemas de método* (Salamanca 1974) p.136-137.

segundo aspecto. En la breve reseña bibliográfica introductoria hemos mencionado libros generales sobre la Iglesia, como el de Linehan, o más concretamente sobre obispados, como el de Fletcher, o sobre algún caso en particular, como los de Martín Rodríguez o Rivera Recio. Pero, por desgracia, no se ocupan del estudio de las rentas episcopales, bien porque la documentación no les dé oportunidad para ello, bien porque no sea el objetivo de su estudio, como advierte Rivera Recio en su trabajo sobre Toledo [19]. Deben de existir dificultades documentales, pero también parece claro que no ha habido hasta el momento un interés grande por el estudio de los dominios episcopales en su época de formación, quizá por el espejismo ofrecido por la rica información monástica. No obstante, recientemente se están llevando a cabo algunas monografías, que ayudarán a iluminar este problema tan importante y corregir este desequilibrio entre monasterios y obispados.

Se han conseguido así algunos datos aislados sobre tres obispados castellano-leoneses: los de Segovia, Zamora y Cuenca, que pueden servir de ejemplo ilustrativo de la importancia de la propiedad episcopal en este período.

Para Segovia seguimos las conclusiones del excelente trabajo inédito de M. Santamaría, que, aunque dedicado fundamentalmente a las rentas del cabildo en la baja Edad Media, da algunos datos anteriores [20]. Igualmente ha resultado de gran utilidad una obra, dirigida por Martín, en la que diferentes historiadores analizan los datos del *Registro Antiguo de heredamientos de los señores deán e cabildo de la Yglesia de Segovia*, de 1290 [21].

Tras la restauración de la sede segoviana, en 1119, comenzaría, según Santamaría, la primera fase de la constitución del dominio episcopal, caracterizada por la actividad de los monarcas, el predominio de las donaciones sobre permutas y compras y la constitución del señorío jurisdiccional, que comprendería el siglo XII. Durante el XIII se produciría un cierto estancamiento que intentó salvar la política del obispo D. Geraldo, aun con las vivas protestas de eclesiásticos y laicos. Al mismo tiempo, la actividad de los monarcas perdería su importancia anterior, limitándose a confirmaciones de privilegios y franquicias anteriores. Pérez Moreda concluye que, en 1290, cuando se redacta el Registro Antiguo, el Cabildo segoviano tendría unas 2.000 hectáreas de tierra de cultivo [22]. García Sanz, siguiendo el mismo documento, ha creído ver una coyuntura agraria depresiva durante el siglo XIII, que sintonizaría con la general en Castilla como consecuencia de la misma reconquista y repoblación de Andalucía [23]. La forma

[19] RIVERA RECIO, J. F., *La Iglesia de Toledo en el siglo XII (1086-1208)* v.II (Toledo 1976) p.95.
[20] SANTAMARÍA, M., *La gestión económica del cabildo catedralicio de Segovia, siglos XII-XIV*. Memoria de licenciatura, inédita, defendida en enero de 1980 en la Facultad de Geografía e Historia (Universidad Complutense).
[21] MARTÍN, J. L. (director), *Propiedades del Cabildo Segoviano, sistema de cultivo y modos de explotación de la tierra a fines del siglo XIII* (Salamanca 1981).
[22] PÉREZ MORENA, V., *El dominio territorial del cabildo*, c.IV de la obra citada en la nota anterior, p.49.
[23] GARCÍA SANZ, A., *Coyuntura agraria depresiva. Un testimonio de la crisis económica castellana del siglo XIII*, c.V de la misma obra, p.87ss.

de gestión a finales del XIII era la de cesión doble: las propiedades del cabildo se cedían a los miembros del mismo, que pagaban un canon o renta fijos y éstos cedían las tierras a cambio de rentas a campesinos, denominados alcabaleros o yugueros [24]. Obtenemos, por tanto, la visión de una entidad señorial que prefería la explotación indirecta a la gestión directa.

De gran interés son dos recientes trabajos de Martín sobre el obispado de Zamora en los siglos XII y XIII [25]. Ambos son de carácter muy concreto por el tipo de documentación manejada, aunque sus conclusiones son muy interesantes. En el primero de ellos, del siglo VII, analizando fueros agrarios del obispado, registra ya el empleo del término vasallo referido a campesino en dependencia del obispo, e incluso con la particularidad de sólo poder tenerlos él mismo. Estos vasallos tienen que prestar tanto trabajo personal —sernas o jeras— como otorgar rentas en especie o dinero, por lo que estaríamos en un dominio gestionado de forma diferente al de Segovia a fines del XIII: con existencia de reservas señoriales. No obstante, estas sernas tienden a desaparecer en los lugares de nuevo poblamiento en la segunda mitad del siglo XII, con el consiguiente aumento de los tributos-renta. El número de estos vasallos es considerable y demuestra un tipo de repoblación, por parte del episcopado zamorano, en los siglos XII y XIII, de carácter plenamente feudal.

En el segundo de los trabajos citados, Martín estudia problemas semejantes durante el obispado de Poncio de Zamora (1254-1286), notario de Alfonso X para el reino de León. Tanto por el análisis de la «apología» que de sí mismo hizo el obispo al final de su vida como de otros fueros del XIII puede verse la continuidad del sistema de explotación feudal en las tierras zamoranas en la segunda mitad del XIII. Vemos, además, perfectamente reflejado el tipo de obispo-gran señor, que incrementa continuamente el número de sus vasallos dependientes e incluso les ataca militarmente cuando la ocasión lo requiere.

Algunos aspectos sobre la formación y explotación del dominio del obispado de Cuenca han sido abordados en una reciente Memoria de licenciatura de Nieto Soria, también inédita [26]. Aunque este magnífico trabajo no esté directamente dedicado a la economía y rentas del obispado, recoge algunos datos significativos. El período de dotación inicial del recién restaurado obispado se inicia poco después de la conquista de la ciudad, con un gran protagonismo regio y en un espacio muy próximo a la ciudad. Esta dotación se complementa con constantes concesiones de privilegios económicos y fiscales que potencian el poder territorial del obispado.

Globalmente, las rentas fundamentales del obispado durante el siglo XIII eran de carácter rural y agrario [27], empleándose habitualmente un

---

[24] García Sanz, A., ibid., p.99.
[25] Martín, J. L., *Campesinos vasallos de la Iglesia de Zamora en los siglos XII y XIII* (Zamora 1977); Id., *Campesinos vasallos del obispo Suero de Zamora (1254-1286)* (Salamanca 1981).
[26] Nieto Soria, J. M., *El obispado de Cuenca en sus relaciones de poder (1180-1280)*. Memoria de licenciatura, defendida en octubre de 1980 en la Facultad de Geografía e Historia (Universidad Complutense).   [27] Nieto Soria, J. M., ibid., p.138.

sistema de arrendamiento, siguiendo en importancia las rentas ganaderas, artesanales y de explotación de salinas. Los bienes urbanos serían pocos. Con respecto a la supuesta pobreza del episcopado conquense durante el siglo XIII, Nieto considera que ésta, si existió, contrasta con la desahogada posición del obispo, casi siempre perteneciente a poderosas familias y que recibían donaciones personales de los reyes.

Estos datos, fragmentarios pero significativos, nos pueden ayudar a comprender la situación de las economías episcopales en estos siglos, no demasiado diferentes de las monásticas. Si acaso, se aprecia una mayor tendencia, aparentemente, hacia un tipo de economía de señores rentistas, aunque esto no es así en el caso zamorano. Esperemos que la investigación vaya ocupándose de estos temas con mayor intensidad y podamos llegar a una mayor intelección de los patrimonios eclesiásticos y, en suma, de las propias estructuras socioeconómicas de la plena Edad Media.

II. LA HEREJIA EN LOS REINOS HISPANICOS

Por A. OLIVER

Siendo tan complejo el fenómeno de la herejía en los siglos XI-XIII, se hace indispensable una presentación explicativa.

Toda la alta Edad Media, de estructura platónico-agustiniana, vivía y pensaba dualísticamente: espíritu-carne; Iglesia-Estado; clerecía-seglares; vida terrena-vida eterna, etc. Y entre aquellos dos polos, la vida y el pensamiento estaban en continua tensión. Si la tensión, inestable, se polarizaba hacia uno de los dos extremos, podía resultar peligrosa, como lo resultaba, igualmente, el intento de conjugación de los dos. Si una institución o persona, por vocación u oficio, por testimonio o encarnación de los valores del espíritu —los eclesiásticos, por ejemplo—, se comprometía exageradamente con las realidades terrenales o mundanas, los del otro lado —por ejemplo, los seglares—, que, según la concepción de entonces, eran los que tenían cuidado y se dedicaban a los quehaceres de la tierra y de la carne, podían caer en el extremo opuesto de meterse en las cosas del espíritu y exigir de aquéllos un espiritualismo descarnado y limpio de cualquier compromiso mundano o terrenal.

Y ambos argumentaban desde una premisa común, indiscutible para ambos: el dualismo. En aquellos siglos, los clérigos dicen y creen que los dos extremos se pueden conjugar. Los seglares creen y dicen, al llegar a la controversia, que los dos son tan irreductibles, que los clérigos representan a uno solo de ellos, el espíritu, que ha de guiarlos siempre, mientras que ellos representan al otro, la carne y el mundo, con los que la clerecía no tiene que ver sino para detestarlos.

A todo ello contribuyó poderosamente la gran presión ejercida por las ideas de la reforma gregoriana. En su esfuerzo por liberar a la Iglesia de todo compromiso con el *regnum* —lo que equivale a decir con las cosas del mundo—, Gregorio VII había difundido, a finales del siglo XI, una idea de *Ecclesia* más bien clerical y jerárquica, de la que quedaban prácticamente fuera los seglares[1]. Era tanto como acentuar más el dualismo *Ecclesia-saeculum*, llevando los dos términos a una oposición que los haría irreconciliables. La ventaja de una mayor autonomía de la Iglesia vino entonces contrapesada por el hecho de que los seglares ya no se sentían parte de aquella Iglesia clericalizada. Y así, la contraposición *Ecclesia-saeculum* ponía en sus manos, con toda la autoridad de Gregorio VII, la mejor arma para luchar contra cualquier injerencia de los clérigos en las cosas políticas y, en general, contra cualquier compromiso de ellos con la mundanidad. Con lo que quedaba al desnudo el comportamiento y la vida de los clérigos, muy vulnerables desde entonces a los dardos de la crítica de los laicos.

Por otra parte, con el siglo XII llegó el surgir deslumbrador de las ciudades y los municipios. Y, con ellos, una nueva riqueza: la nueva industria y el comercio de los tejidos, haciéndose posible una vida más fácil y despreocupada, que dio origen a la nueva burguesía. La clerecía —la alta, sobre todo—, que era el primer orden social y representaba a la clase rectora, intelectual y culta de aquel mundo, aceptó de buena gana el nuevo orden de cosas y supo sacar provecho de la nueva situación.

Los nuevos burgueses y los seglares, envidiosos o sinceramente escandalizados, empezaron a oponerse a la opulencia creciente, que ellos llamaban terrenalidad, de la Iglesia. No eran sólo ni principalmente los pobres, eran los ricos burgueses —y bien pronto será la misma nobleza— los que veían con malos ojos el compromiso de la clerecía con aquel mundo nuevo.

Esta es la pauta para traducir e interpretar justamente el sentido y netas de aquel poderoso movimiento. Se ha hablado mucho sobre si se trata de movimientos económicos o religiosos. Desde luego, no se trata de movimientos económico-sociales, como podríamos interpretarlos hoy y como ha hecho cierta literatura superficial o tendenciosa. Aquellos movimientos son profunda y elementalmente religiosos. Se trata de que la Iglesia debe ser pura y no puede mezclarse en intereses terrenos o materiales. Y los clérigos deben dedicarse a lo espiritual y no tomar parte en lucros o en empresas temporales. Ello es tan así, que Grundmann ha podido escribir que lo que aquellos movimientos tienen de aparentemente anticlerical no es tal, sino que están sólo contra aquellos clérigos que han caído en la rampa de lo temporal; en otras palabras: que han empañado la limpieza de su espiritualidad.

Es claro que, al negar a la Iglesia todo derecho a mezclarse en cosas terrenales, desataban los disidentes un movimiento de ineludibles consecuencias económicas. Pero lo que debe afirmarse rotundamente es que aquellos movimientos no gritan, sin más, contra la riqueza o contra su desigual distribución. Ellos mismos, como hemos de ver, buscan a menudo

---

[1] G. B. LADNER, *The Concepts of «Ecclesia» and «Christianitas» and their Relation to the Idea of papal «plenitudo potestatis» from Gregory VII to Boniface VIII:* Miscel. Hist. Pont. XVIII: Sacerdozio e Regno da Gregorio VII a Bonifacio VIII (Roma 1954) 49-77.

esa riqueza, y, como los cátaros, son muy duchos en hacerla rendir generosos beneficios.

Digamos, pues, una vez más, que aquellos movimientos no luchan contra la riqueza o el bienestar en sí, sino que niegan que los eclesiásticos puedan beneficiarse de ella o trabajar para acumular bienestar. Su deber es mostrar con la vida y el ejemplo que aquellos valores terrenales son tan deleznables y fugaces, que los que se dedican a las cosas de Dios no paran atención en ellos ni tienen en ellos el mejor interés. La riqueza para ellos es mala sólo porque distrae de lo espiritual, de tal manera que los que se dedican al espíritu pierden toda credibilidad y estima si con ello pretenden lucro o ganancia temporal. Cuando, más tarde, esas ideas sean proclamadas por los franciscanos radicales u otros laicos, se llegará a negar que se pueda ser cristiano de verdad sin ser pobre y que los clérigos, los frailes, la Iglesia o el papa que posean de alguna manera poder temporal o terreno, han perdido todo poder espiritual y no pueden hablar ni obrar en nombre de un Cristo pobre a quien niegan con sus obras.

Fue, por tanto, una honda preocupación religiosa la que desató aquel poderoso empuje y lo llevó a consecuencias secundarias económicas, y no al revés. En aquellos tiempos, lo político-social era tributario de lo espiritual.

Nacía, pues, un movimiento poderoso, sano, religioso, popular y seglar que clamaría sin tregua no contra la Iglesia y la clerecía como tal, sino contra una Iglesia rica y contra una clerecía mundana, en favor de una reforma que significara un retorno a la vida apostólica y a la pobreza evangélica [2].

Era inevitable que, al exagerar el lenguaje y las exigencias los seglares y al defender su postura, tan acremente atacada, la jerarquía, se llegara a un conflicto abierto, en el que esta última declarara oficialmente excluidos de la comunión de la Iglesia a ciertas personas y posturas de aquel movimiento. *Haeretici* los llaman las fuentes contemporáneas.

De aquí que haya que ser muy prudentes en el juzgar a las personas o doctrinas de esos *herejes,* pues la misma palabra, que entraña ya un juicio, resulta, a la vez, dudosa y peligrosa.

Haereticus era, a lo largo de aquellos siglos, un término que se aplicaba a cualquier sospechoso, inconforme o rebelde no sólo en el terreno teológico, sino también, y muy a menudo, en el filosófico o moral. No se olvide que, en aquel tiempo, el papa y los obispos condenaban a filósofos, y los reyes quemaban a teólogos desviacionistas y a reformadores y judíos. Todos ellos son llamados *haeretici,* herejes.

Haeretici son llamados los cátaros en general, aun cuando, en su origen dualista, el catarismo no es cristiano, sino una forma de paganismo. Se hará herejía sólo cuando sea aceptado y vivido por los cristianos.

Herejes son llamados también los afiliados al movimiento valdense. Eran las *vulpeculae,* las pequeñas zorras de las que hablaba San Bernardo a las que no había forma de atrapar. Las había en todas partes, pero se

---

[2] E. DELARUELLE, *L'Idéal de pauvreté à Toulouse au XIIe siècle:* Vaudois languedociens e Pauvres Catholiques (Cahiers de Fanjeaux, 2) (Fanjeaux 1967) p.64-84.

escurrían de las manos. Aparecían donde menos se las esperaba, sin que se lograra apresarlas en una doctrina errónea, que ellos, por lo demás, no legaban nunca a formular. Eran la pesadilla del teólogo. Y es que para aquellos inquietos movimientos de reforma no había un cuerpo de doctrina definido, siendo su actitud más moralizante que teológica. Para sus contemporáneos como para nosotros, resulta muy dificultoso definirlos como herejes formales, tanto más cuanto que, en cuanto a nosotros, ocurre un hecho tremendamente desgraciado: los documentos que nos han legado son escasos, incompletos y parciales, pues proceden, invariablemente, de los enemigos de los disidentes, de la parte eclesiástica. Y, por otro lado, no es maravilla que sean tan escasos aquellos documentos. Ello se debe a que, como decíamos antes, aquellos círculos nunca se propusieron establecer por escrito sus ideas o programas. Digamos sólo que la mayoría de aquellos hombres se limitaba a escandalizarse y a gritar contra los abusos reales y evidentes, sin llegar a conclusiones que pudieran pisar el campo de la teología. A lo largo del tiempo, y en sus contactos con el catarismo, aquellos movimientos laicos reformísticos adquirieron perfiles doctrinales, pero mantuvieron siempre en primer término su postura crítica y sus preocupaciones moralizantes, hijos como eran de un sincero deseo de mejoramiento de los creyentes y de la Iglesia. Es mejor y más justo, por tanto, llamarles movimientos que herejía, como advirtió Grundmann [3], ya que si de ellos nacen, por la izquierda, unas sectas heréticas, de los mismos nacen también, por la derecha, las grandes órdenes mendicantes del XIII y los poderosos núcleos de reformadores y místicos que llegan hasta el XIV.

Hay que tener cuidado también en afirmar, sin más, que aquellos movimientos eran disolventes de la unidad medieval, como se ha venido diciendo, copiando un motivo propagandístico de sus adversarios. Tal afirmación podría ser sólo verdadera en el nivel real en el cual se había obtenido o se entendía aquella unidad. Ella era real, o llegaría a serlo, en ciertas formas e instituciones, pero no puede ser referida ni a las personas, ni a la vida, ni a las ideas, ni, en el fondo, a la esencia de la Edad Media, edificada sobre el dualismo; dualismo que, como hemos visto, servía de defensa y de ataque a cada una de las partes contendientes. Lo que sí disolvían era la unidad compacta, definida y viva —es decir, la forma pacífica de ser—, de las instituciones de la Iglesia y del reino, negando o discutiendo la jerarquía y la autoridad, así como la validez de sus actuaciones [4].

Aquellos movimientos aparecen, pues, acá y allá como focos aislados, acéfalos a menudo, sin cuerpo de doctrina, populares y moralizantes, deseosos de una Iglesia pura, predicadores de una pobreza apostólica, itinerantes, inquietos.

Catarismo y valdesismo son las dos grandes corrientes de heterodoxia que vamos a estudiar. No deben confundirse. Aunque se ayudaron a ve-

---

[3] H. GRUNDMANN, *Eresie e nuovi Ordini religiosi nel secolo XII* (= X Congresso Intern. di Scienze Storiche, Roma, 4-11 settembre 1955: Relazioni III) (Florencia 1955) p.357-402.
[4] Cf. O. GIERKE, *Das deutsche Genossenschaftsrecht*, III: *Staats- und Korporationslehre des Alterthums und des Mittelalters und ihre Aufnahme in Deutschland* (Berlín 1881) 515-568.

ces, los valdenses fueron encarnizados polemistas contra los cátaros, como es el caso de la escuela de Durán de Huesca, que veremos. Si son oscuros los orígenes de los cátaros, estamos muy bien documentados sobre los de los valdenses. Sin embargo, la confusión entre albigenses (sinónimo toponímico de los cátaros, como hemos de ver) y valdenses es frecuente en la misma historiografía coetánea[5].

Y, en cuanto a los valdenses, debe recordarse que, después de la conversión de Durán de Huesca y Bernardo Prim, una sección muy significativa de ellos entra en el catolicismo, mientras los otros, separados del cuerpo de la Iglesia, son llamados *haeretici*.

El catarismo

Hacia principios del siglo XI aparece en Occidente un movimiento sorprendente: el de aquellos que, con un nombre que no consta en Oriente, se llaman a sí mismos *cathari*, los puros. Los denuncia ya en 1119 un concilio reunido en Toulouse por el papa Calixto II[6]. San Bernardo, detectador de herejes, los llamaba *novi haeretici*. Es el catarismo. El movimiento no es fruto de la evolución interna de la religiosidad occidental, es extranjero a Occidente. Aparece como forma de creencia en Italia, Francia, tierras del Rin, Occitania y llega hasta Cataluña. Alrededor de 1145 es corriente encontrar para nombrarlos las palabras *arien* y *tisserand* (arriano, tejedor). San Bernardo los llama también *maniqueos*[7]. Se trata, desde luego, de una forma nueva del antiguo maniqueísmo, que se transmitió desde las iglesias bogomilas dualistas de Macedonia y Bulgaria hasta las costas del Mediterráneo occidental, importada por el vaivén del comercio y de las cruzadas.

Como puso de relieve Morghen[8] y como acabamos de explicar en la introducción, el pensamiento dualista encontró un terreno abonado en Occidente. Con viento favorable, se extendió por todos los caminos del comercio. Los mercaderes corrían de ciudad en ciudad, de pueblo en pueblo, y tenían entrada en todas las casas, en cualquier ambiente. El comercio era, preponderantemente, el de la lana y el de los tejidos. El vendedor de vestidos y su pequeña tienda se constituyeron pronto en foco de la nueva doctrina, que, importada como las telas, llegaba de Constantinopla a través de los Balcanes, donde florecía. Ello era tan notable, que, como hemos dicho, el oficio y el nombre de tejedor o tejedora *(tixerand)* llegó a ser sinónimo de cátaro en las tierras francas y occitanas[9].

[5] En una carta al obispo de Verona (7 de diciembre de 1199) manifiesta Inocencio III su sorpresa ante el hecho de que el arcipreste de aquella ciudad haya excomulgado en bloque a cátaros, discípulos de Arnaldo de Brescia, Pobres de Lyón y Humiliati, sin hacer distinción; siendo así que los Humiliati, por ejemplo, no son *herejes* y sirven a Dios «en la humildad de su corazón y de su cuerpo»: *Epist.* II 228. Cf. J. GUIRAUD, *L'Inquisition médiévale* (París 1928) 21-65; I. DA MILANO, *Le eresie medioevali* (Grande Antologia filosofica, IV) (Milán 1953) 1599-1689.

[6] M. ZERNER-CHARDAVOINE, *La croisade albigeoise* (París 1979) 13-14.

[7] ZERNER-CHARDAVOINE, *La croisade...* p.17.

[8] R. MORGHEN, *Movimenti religiosi popolari nel periodo della riforma della Chiesa* (= X Congresso Intern. di Scienze Storiche, Roma, 4-11 settembre 1955: Relazioni III) (Florencia 1955) 333-356; J. VENTURA, *Els heretges catalans* (Barcelona 1963) p.39.

[9] ZERNER-CHARDAVOINE, *La croisade...* p.16-18.

Una vez llegados al pueblo, no les fue difícil a los misioneros llegar hasta las damas de los nobles y a los nobles mismos, muchos de los cuales se encontraban en constantes conflictos con la Iglesia, no sólo ideológicos, sino políticos, llegando a depredar sus posesiones y beneficios [10]. El catarismo tuvo formulaciones y sectas diversas [11]. Por el inquisidor Sacconi, un convertido del catarismo al catolicismo, sabemos que «los cátaros tienen opiniones en las que están todos de acuerdo, y otras en las que difieren totalmente». En las fuentes se ve claramente que hay un catarismo radical y un catarismo mitigado. El catarismo occitano, por ejemplo, difiere profundamente del lombardo. El catarismo catalán provino y dependió siempre del occitano. Los interrogatorios inquisitoriales son la mejor y prácticamente la única fuente —parcial desde luego— que poseemos para su estudio en nuestras tierras. Si añadimos a aquellas declaraciones los siete tratados del *Liber de duobus principiis* y un fragmento del ritual cátaro latino —ambos procedentes de Italia—, podremos reconstruir los principios elementales de su doctrina.

Partiendo del antiguo dualismo, los cátaros negaban que el bien y el mal, el espíritu y la materia, la luz y las tinieblas, pudieran tener un mismo principio. Así, Dios, principio del bien y de la perfección, es el creador de la luz, del cielo, del alma, y es el soberano del mundo espiritual. Satán, principio del mal y de lo imperfecto, es el que da origen a la oscuridad, a la tierra y a la materia. Por su naturaleza, el hombre es una tensión constituida por la combinación de los dos mundos opuestos. Su cuerpo, hecho de materia corruptible, es obra y propiedad de Satán; su alma, espíritu puro, proviene de Dios y le pertenece. Un mito creacional explica la unión de alma y cuerpo para formar al hombre: Satán había instigado a la rebelión a los ángeles contra Dios. Este, al castigar su rebeldía, les quiso dar un medio para rehabilitarse, y así permitió a Satán que se sirviera de ellos para animar los cuerpos de barro, que no tenían el espíritu de vida. Satán creyó que, prisioneros de la materia, los ángeles estarían para siempre en sus manos, y no se dio cuenta del verdadero plan de Dios: teniendo a su disposición la prisión del cuerpo (Platón), los ángeles caídos tenían en realidad una posibilidad de prueba y de penitencia, que les permitiría, después de la separación del cuerpo en la muerte, recuperar el paraíso perdido.

La vida era, pues, para los cátaros, la mayor de las penitencias, y la tierra no era más que un lugar de castigo y de expiación; el infierno, en fin. Toda la historia de la humanidad es el campo de batalla de los dos principios. El alma ignoraba su naturaleza, su caída, su encarcelamiento en el cuerpo y su propio destino hasta que llegó Jesucristo a la tierra para revelárselos. Como dicen los católicos, Cristo es el salvador de la humanidad. Pero yerran los católicos al definir la persona y la obra de Cristo. Este, en verdad, no es sino una de las muchas emanaciones del Dios bueno y

---

[10] A. FLICHE, *La represión de la herejía*, en *Hist. de la Iglesia* de Fliche-Martin, ed. española, vol.X (Valencia 1975) p.118,119,124.
[11] VENTURA, *Els heretges...* p.45ss; CH. THOUZELLIER, *Catharisme et Valdéisme en Languedoc à la fin du XIIe et au début du XIIIe siècle* (París 1966) p.11ss.

eterno, a quien él llama, con razón, padre, porque es hijo de El por adopción. Por otro lado, la redención es más bien una enseñanza que una expiación, toda vez que para liberar a las almas del poder de Satán bastaba enseñarles de qué manera ellas mismas podían salir de la prisión de los cuerpos y volver a ser espíritus puros junto a Dios. Es lo que Cristo hizo. De esa teología nace la moral individual y social. La liberación definitiva del alma pasa por múltiples y complicadas etapas de purificación. La metempsicosis es el camino normal para llegar a la perfección. Y para ello el alma dispone de tantas vidas y tantos cuerpos de reencarnación como le sean precisos. Como ejemplo se cita a San Pablo, quien, hasta llegar a su perfección final, había tenido que pasar por treinta y dos cuerpos diferentes [12]. Si se tiene en cuenta que San Pablo era, para los cátaros, uno de los grandes hombres [13], se entenderá cuán complicado debía de ser llegar a la liberación total.

El mejor camino para romper el círculo de las reencarnaciones y la cadena de la esclavitud de las almas consistía en librarlas del hechizo que sobre ellas ejercía la materia. Hay que desentenderse progresivamente de la materia. Ello se logra a fuerza de ayunar, de abstenerse de deleites materiales, de llevar vida vegetariana. La carne y todo lo que procede de los animales —la leche, el queso, los huevos— son especialmente nocivos, sobre todo por su relación directa con el acto de la generación. El pescado estaba permitido, ya que, como entendía también la Iglesia católica y la ciencia medieval, la generación de los animales de sangre fría era fundamentalmente diferente de la de los de sangre caliente.

La generación es la responsable de que cada vez nuevas almas caigan bajo el poder de Satán, empujadas hacia la materia y embrujadas por ella. Por ello, los cátaros eran enemigos de la generación, y proponían como remedio, para no condenar a cautiverio las almas libres, la castidad absoluta.

La liberación completa frente a la generación y a la materia es sumamente difícil y es privilegio que no a todos se otorga. De ahí que su sociedad se dividiera en dos grandes grupos: el de los creyentes y el de los puros, llamados, generalmente, ancianos [14]. Los creyentes se comprometían a recibir la iniciación cátara, al menos a la hora de la muerte. Debían asistir a las asambleas de los ancianos y estar a la disposición de los obispos cátaros. Los ancianos eran los que habían pasado por los ritos y ceremonias de su iglesia, sobre todo el _consolamentum,_ especie de bautismo con imposición de manos, que confería un carácter sagrado. El período de iniciación que precedía al _consolamentum_ era muy severo. Podía durar hasta tres años, en los que el candidato pasaba por infinidad de exámenes y pruebas hasta demostrar que podía llevar la rigurosa vida de anciano.

El anciano, hombre o mujer, podría compararse a un clérigo en la jerarquía de la Iglesia católica. No tenía domicilio propio y, además de

---

[12] Véase aquella cita en VENTURA, _Els heretges..._ p.48 n.8.
[13] Ello se debía a la influencia del paulicianismo que heredaron los cátaros del bogomilismo dualista búlgaro, tal como han demostrado sólidamente Runciman y Puech.
[14] En el sur de Francia los ancianos eran llamados _Bonshommes;_ en Cataluña, _Bons homes:_ ZERNER-CHARDAVOINE, _La croisade..._ p.18.

cumplir con su ministerio, debía trabajar. El trabajo, el comercio y la usura son, como veremos entre los catalanes, característicos de los cátaros. Y, sin embargo, los ancianos profesaban rigurosa pobreza. Los recursos que el anciano allegaba le servían para sus continuos desplazamientos, administrando el *consolamentum* a los moribundos, predicando y presidiendo las asambleas rituales, con la cena. Las mujeres hacían vida común y dirigían talleres y escuelas haciendo su propaganda y cuidando la educación de los niños. La jerarquía estaba constituida por ancianos diáconos y obispos. Cada iglesia tenía su obispo, ayudado por un *hijo mayor* y un *hijo menor*. En las ciudades mayores, habiendo diversas comunidades, había diversos obispos. La muerte de un obispo llevaba a sucederle al hijo mayor, quien recibía la ordenación del hijo menor, quien, a su vez, ocupaba el sitio vacante. El obispo era el responsable de la organización y administración de la diócesis o iglesia. Los diáconos que le ayudaban podían ser muchos. Tolosa, por ejemplo, llegó a tener cincuenta. Cuidaban de pequeños grupos de personas, a las que instruían y mantenían en el fervor [15].

Su difusión en tierras catalanas [16]

Las estrechas relaciones políticas, comerciales, militares y demográficas habían hecho de las tierras del Languedoc, con centro en Toulouse; del Rosellón, con capital en Perpiñán, y de Provenza, con los centros de Marsella y Aix, una auténtica comunidad de intereses económicos y espirituales, que favorecieron entre ellas el rápido crecer del catarismo. Todas esas regiones o dependen o están estrechamente vinculadas, las dos primeras sobre todo, con la casa condal de Cataluña.

En la segunda mitad del XII, el catarismo se había extendido ya tanto por las tierras de Occitania, que en 1167 llegóse a convocar un concilio, que se celebró en Saint-Felix de Caraman. Esa reunión nos permite saber que en aquellas fechas el catarismo tenía adeptos en tierras estrictamente catalanas. En ella los reunidos pidieron al obispo Niketas, de la Iglesia cátara de Constantinopla, expresamente llegado para la ocasión, que los grupos de Occidente pudieran adoptar las doctrinas básicas del credo cátaro tal como las predicaban *las Iglesias madres de Asia*.

En 1177, el conde de Tolosa escribía alarmado al abad de Citeaux: «El hedor y la infección de esta herejía ha cundido de tal manera, que los que la aceptan creen sinceramente rendir un homenaje a Dios... Ella ha dividido al marido de su mujer, al hijo del padre, a la nuera de la suegra...» Y sigue una descripción inconfundible de la vida de los adeptos: «Incluso

---

[15] VENTURA, *Els heretges...* p.49-50.
[16] En esa denominación se incluyen las tierras del Rosellón —con capital en Perpiñán—, las del Languedoc —con capital en Tolosa— y la Provenza, con Aix y Marsella. En aquellos tiempos, los Trencavel son vizcondes de Béziers, de Carcasona, de Razès y de Albi —las tierras interpuestas entre las posesiones orientales y occidentales del conde de Tolosa—, y al mismo tiempo rinden homenaje a Pedro II de Aragón. Este, a su vez, es conde de Barcelona, con anchas pretensiones allende el Pirineo: era señor de Montpellier, y su hermano, conde de Provenza. Recibe el homenaje de los condes de Foix y de Comminges, que a su vez son vasallos del conde de Tolosa.

aquellos que están revestidos del sacerdocio están corrompidos por el contagio de la herejía, y las antiguas iglesias, en otro tiempo tan frecuentadas, son dejadas al abandono y caen en ruinas. Se rehúsa el bautismo, se abomina de la eucaristía, se desprecia la penitencia; no se cree ni en la creación del hombre ni en la resurrección de la carne; los sacramentos de la Iglesia se tienen en nada. Y peor todavía, se introduce y se cree en los dos principios» [17]. El concilio de Letrán en 1179 fue informado de aquella situación [18].

Como, por otra parte, los cátaros se significaron por su actividad y organización en la ciudad de Albi, los contemporáneos y las mismas fuentes les llaman *albigenses*. La historiografía ha hecho que *albigense* sea sinónimo de *cátaro* en todo el territorio que estudiamos [19].

En estas tierras precisamente es donde se da más acentuado el estado de cosas político propio del siglo XII: la lejanía del rey, la independencia y el poder creciente, junto con la ambición, de los señores y la poca preparación o despreocupación del clero, que la reforma gregoriana había hecho vulnerable a las críticas de los laicos. Así se explica que la herejía albigense no dejara de prosperar: todo el condado de Tolosa estaba infestado; pero también eran «guaridas de herejes» Castelnaudary, Carcasona, Béziers, Aviñón. En tiempos de Raimundo V (1148-1198), el que había denunciado la herejía, el condado se había ensanchado gracias a la usurpación de territorios que escapaban a la autoridad del rey y a la apropiación de bienes y tierras de la Iglesia. Aliados suyos fueron Ramón Roger Trencavel, vizconde de Béziers y Carcasona, y Ramón Roger, conde de Foix; ambos rinden homenaje al rey de Aragón Pedro II. Sus tierras están llenas de barones y caballeros violentos y sin escrúpulos, amigos, como ellos, de los cátaros, que maltratan a los clérigos, ambicionando sus riquezas, que saquean e incendian iglesias y monasterios, sembrando el terror y la desolación e imposibilitando el culto.

El estado del clero, como hemos dicho, favorecía los ataques. Inocencio III reprochaba al arzobispo de Narbona, Berenguer, que tenga una adoración tan exagerada al dinero, que no visite su provincia, en la cual tolera que los sacerdotes vivan con sus focarias, practiquen la usura (muy típica de los cátaros), se dediquen a la caza, se vendan cuando administran justicia. También en Carcasona y Béziers, así como en las grandes abadías del país, mandaban obispos que, según el papa, eran *la burla de los laicos* [20].

El bajo clero caía, indefenso, en las artes de la influencia herética, e incluso parece que ésta penetró en los monasterios, donde algunos monjes parece que recibieron el *consolamentum*. Opóngase a ello la austeridad de los *perfectos*, que impresionaba a las masas populares; sus limosnas, la asistencia médica, que impartían gratuitamente; la instrucción que daban a

[17] ZERNER-CHARDAVOINE, *La croisade...* p.19.
[18] Los inspectores llaman a los herejes *arrianos:* ZERNER-CHARDAVOINE, *La croisade...* p.19.
[19] Véase documentación en ZERNER-CHARDAVOINE, *La croisade...* p.9 y 11. Y *albigense* se confunde a su vez con *valdense* otras: ibid., p.30.
[20] A. FLICHE, *La represión de la herejía,* en *Hist. de la Iglesia* de Fliche-Martin, ed. española, vol.X (Valencia 1975) p.119 y 124.

los niños y la ayuda que prodigaban a los campesinos. Ante ello, el clero católico ni podía ni sabía reaccionar.

Raimundo de Tolosa, que sucedió a su padre en 1198, fue un hombre enigmático. Empeñado en el engrandecimiento de su poder condal, parece que tuvo poco respeto por los bienes y las personas eclesiásticas, que mantuvo una excesiva tolerancia con los herejes, que, a la larga, fue trocándose en connivencia y amistad, actitud que le llevará a serios problemas con la cruzada antialbigense y con el papa, quien llegará a lanzar contra él la excomunión y el entredicho en 1207, porque «mantenía a sueldo a unos bandidos y salteadores de caminos que asolaban el país, confiaba cargos públicos a los judíos, invadía abadías, despojaba de sus bienes al obispo de Carpentras y protegía a los herejes hasta el punto de convertirse él mismo en hereje» [21].

El conde de Foix, Ramón Roger, cuya esposa dirigía un centro de *perfectas*, asistía en 1206 a la ceremonia en la que una de sus hermanas recibía el *consolamentum* [22].

La corte de Nuño Sans, conde del Rosellón, estaba llena de señores adeptos o simpatizantes de la doctrina cátara, y todos ellos tomaron parte decisiva en la lucha contra los cruzados del papa dirigidos por Simón de Montfort.

En el momento de la represión de la herejía, cuatro de aquellas familias, por lo menos, vieron condenados como herejes a sus jefes: Guillermo de Niort, señor de Sault, fue condenado a cárcel perpetua por cátaro y fautor de la herejía en sus tierras. Ramón de Termes, padre de Oliver de Termes, amigo del rey Jaime I, era cátaro y fautor de la herejía, y murió en los calabozos de Carcasona, donde le había encerrado Montfort. Su viuda, Ermessendis de Corsaví, se volvió a casar con Bernardo Hug de Serrallonga, que, a su vez, fue excomulgado en 1242 por el inquisidor fray Ferrer como partidario del catarismo.

Pedro de Saissac, vizconde de Fenollet, que en 1262 fue condenado por hereje y desenterrado, siendo quemados sus despojos, y Bernardo d'Alió, señor de varios castillos pirenaicos, quemado vivo en Perpiñán en 1288, fueron siempre amigos de albigenses.

En Cataluña propiamente dicha, Ot de Peretstortes y Arnau de Mudahons, caballeros que habían luchado contra los cruzados de Montfort, fueron condenados después de muertos, desenterrados y quemados, Ponç de Vernet, uno de los hombres más poderosos de la Cataluña septentrional y miembro del séquito de Pedro II y de Jaime I, fue también póstumamente condenado.

Roberto de Castell-Roselló fue el más afortunado y el más valiente de los cátaros rosellonenses. Encarcelado diversas veces por los inquisidores, se escapó y luchó contra ellos desde su castillo. Hubieron de intervenir contra él el propio papa Gregorio IX, el rey Jaime I y el penitenciario papal San Ramón de Penyafort. Pudo salvar la vida y la libertad yendo a luchar por tres años contra los moros de Valencia.

[21] *Epist.* X 69. Cf. FLICHE, *La represión...* p.125.
[22] FLICHE, *La represión...* p.125.

De los cinco señores que Nuño Sans llevó a la conquista de Mallorca en 1229, cuatro eran cátaros o educados en sus círculos. Tres son los ya nombrados Castell-Roselló, Ponç de Vernet y Oliver de Termes. El cuarto, Jasbert de Barberá, es el que, según la crónica, salvó a la hueste cristiana de Mallorca construyendo el fundíbulo que hizo posible la conquista de la ciudad. Le salvó la vida el propio rey don Jaime al obtener de San Ramón de Penyafort y del papa Inocencio IV la absolución general de la culpa de herejía de aquel su súbdito rosellonés.

En las montañas del Noroeste, los grandes señores feudales, otra vez en su esfuerzo de expansión a costa de los bienes de los clérigos y de las posesiones de los monasterios, se apoyaron también en la herejía para lograr sus empeños. Con ello favorecieron, también ellos, el rápido crecer del catarismo. Así, en su lucha contra el obispo de Urgel, los Josa, los Castellbó y los propios condes de Foix protegieron y adoptaron aquella religión. Jordi Ventura ha probado la indiscutible heterodoxia de Ramón de Josa, de su mujer y de su hermano Guillem Ramón; la de Ramón de Castellarnau y de su hermano Galcerán; de Berenguer de Pi, así como del vizconde de Castellbó, Arnau y de su hija Ermessendis, después condesa de Foix.

Entre el pueblo hay una extensión del catarismo desde Andorra y Tor de Querol hasta Berga, pasando por Josa y Gósol, donde, según un proceso inquisitorial conservado en el archivo de la seo de Urgel, «pocos albergues había que no lo tuviesen». Aquellas regiones tuvieron diáconos propios, que residían bien en Josa bien en Castellbó. La Inquisición cogió allí una buena redada de sospechosos, que fueron condenados. Algunos de ellos lograron escaparse hasta la Apulia, en Italia, donde los encontramos en el segundo tercio del siglo XIII.

Todo hace pensar que los dominios de Castellbó fueron un verdadero foco de expansión del catarismo en Cataluña. El vizconde Arnau, de quien acabamos de hablar, fue, desde 1217 hasta su muerte, acaecida en 1226, consejero y miembro del séquito de Jaime I. Por ello, Miret y Sans no podía creer que se tratara de un verdadero hereje. Sin embargo, los documentos que poseemos sobre él y su hija Ermessendis nos aseguran que tenían toda la razón los inquisidores de Cataluña, los frailes Pere de Cadireta y Guillermo de Calonge, cuando los condenaron en 1269, desenterraron sus huesos y los quemaron.

Efectivamente, de Castellbó y de Berga salían los diáconos que visitaban a los adeptos hasta las tierras del Priorato y de Lérida. Esta ciudad constituye precisamente un centro muy activo del catarismo. Las actas de condena y absolución de leridanos en los tiempos de Jaime I son numerosas. La más significativa es la de agosto de 1257, por la que consta que algunos ciudadanos pagaban al rey la suma de dos mil morabetines alfonsinos a fin de obtener el perdón de sus delitos descubiertos por la Inquisición. El hecho de que uno de los registros de cancillería contenga un módulo para reconciliar a los herejes (*Forma remissionis factae hominibus Ilerdensis super facto haereticae pravitatis*), nos dice cuán numerosos debieron de ser allí los herejes.

Las multas en dinero (es conocido el caso del ya citado Ponç de Vernet, cuyo hijo y heredero, también llamado Ponç, después de la condena póstuma de su padre, hubo de pagar una cantidad en metálico al rey Jaime para poder conservar sus heredades. La cantidad fue tan fuerte, que el conde, arruinado, hubo de vender sus tierras al conde de Ampurias y retirarse a su ciudad de Cadaqués, en el Ampurdán) nos confirman que los cátaros catalanes se dedicaban al comercio y manejaban dinero, como hemos de ver. Esa dedicación al comercio y al dinero fue la que los atrajo hacia las tierras de repoblación; aquellas tierras nuevas, protegidas por franquicias y facilidades de negocio, en las que era posible enriquecerse con rapidez y facilidad. Tales fueron, por ejemplo, las tierras de Prades, Siurana, Arbolí, Cornudella y la montaña de Gallicant. En Siurana sola se conocen hasta diez casos de herejes. Otro caso característico lo constituye la conquista y repoblación de Mallorca.

Perseguidos en Occitania, los cátaros encontraron refugio en las tierras catalanas y en la misma Barcelona, donde existe, a la vez, un catarismo autóctono. Aquellos burgueses occitanos, junto con los catalanes, son los que acuden a las tierras recién conquistadas de Valencia, en las que los encontramos desde Tortosa hasta Morella. En Valencia justamente se dio un caso característico, en el que intervienen el dinero y la herejía. Se trata de Guillem de Sant Melió, leridano, cuyo hermano Eimeric fue encarcelado por hereje en 1257. Guillem, merced a una entrega de dinero, logró ser perdonado y se fue a Valencia, desde donde presta dinero al rey. En 1262 vuelve a comprar al rey la absolución del crimen de herejía. En 1268 es propietario de los molinos del término de Valencia y es ya ciudadano valenciano. Por un documento de 1271 sabemos que el rey le debe más cantidades y que Sant Melió está casado con Berenguera, hija del que será baile de Valencia, Berenguer Dalmau. El rey sigue pidiéndole préstamos, de forma que en 1275 Guillem se posesiona de las rentas del castillo y villa de Segorbe. Muerto en 1276, como el mismo Jaime I, la Inquisición aprovecha la ocasión, lo condena y confisca sus bienes. Como dicen los documentos, la villa de Játiva y los Templarios de Valencia se las vieron y desearon para poner en claro y resarcir propiedades y gestiones en las que él había intervenido.

Según hemos visto, los cátaros tenían una verdadera devoción al trabajo y al dinero, devoción que sus adversarios les criticaban severamente. Los cronistas contemporáneos estaban maravillados de la destreza y éxito que tenían en los negocios. Eran laboriosos y tenían una certera visión del negocio. Para ellos, el trabajo era un mandamiento de Dios al hombre. Gracias a ese principio de su teología, imponen una nueva concepción mercantil del mundo y del trabajo, en pugna con la organización feudal y eclesiástica. Los inquisidores preguntaban: «¿Acaso los apóstoles eran negociantes, o corrían por los mercados ventilando negocios terrenales, o trataban de hacinar dinero, como hacéis vosotros?» «Los herejes no restituyen lo que embolsan con préstamos a interés. Se lo quedan o lo dan a sus hijos o sobrinos seglares. Y aseguran que prestar a interés no es pecado» [23].

[23] VENTURA, Els heretges... p.68-69.

Era un mundo nuevo que nacía, y era, como decían tantas veces escandalizados los contemporáneos, el desmantelamiento de la sociedad: la feudal. Pero eran también unas nuevas bases de la laboriosidad comercial catalana, que será proverbial.

Pero la riqueza fácil y las libertades concedidas por los reyes, así como la unión de los burgueses con la nobleza feudal y la creciente opulencia de los repobladores de las nuevas tierras, hicieron que los cátaros, que habían favorecido el nacimiento de una nueva concepción del mundo más comercial y libre, fueran, por una consecuencia imprevista, cada vez menos actuales en nuestras tierras y fueran perdiendo audiencia y adeptos. Y de esta manera los efectos de la cruzada antialbigense fueron corroborados, con los años, silenciosamente, por el nuevo orden de cosas en Cataluña.

Nunca se insistirá bastante en la trascendencia que tuvo el fenómeno cátaro en Occidente y en las tierras catalanas, como, por otra parte, en la Iglesia en general. Se situó en la falla que se abría entre dos mundos y la ensanchó. El mundo del tránsito de la agricultura, como base, al comercio y a la mercadería, al nacer de los municipios; desde las instituciones feudales a la afirmación de la burguesía y al apuntar de las nacionalidades, apoyadas en el reconstituido poder del rey. En Francia y en Castilla, ese poder real, apoyado oportunamente en la nueva burguesía y en la Iglesia, afirmaría su fuerza, señalando a los feudales como enemigos del nuevo orden de cosas, y les obligaría, finalmente, a capitular. Las nacionalidades y, más tarde, el Estado renacentista son los frutos de aquella gestación.

En cambio, en Occitania y Cataluña, el catarismo y la cruzada papal que lo aplastó significó, además del resquebrajamiento definitivo de los sueños y proyectos de un eje pirenaico de la casa de Barcelona, la afirmación de la nacionalidad franca en las manos de Felipe Augusto; la unión, en Cataluña, de la burguesía naciente con la nobleza que, al hacer eficaz la repoblación de las tierras que se iban conquistando a los moros, propiciaba el paso de un sistema primordialmente agrícola al de un país de expansión marítima e insular.

Los cátaros, aunque profesaban una doctrina extranjera al Occidente, tuvieron larga resonancia, porque las circunstancias les fueron propicias incluso en el interior de la Iglesia. Tenían una visión del mundo que respondía a muchas preguntas de sus contemporáneos y se presentaban como reformadores frente a una Iglesia desprestigiada. Por eso justamente, la historiografía les confunde a menudo con otros reformadores autóctonos, a quienes ellos prestaron apoyo y consistencia doctrinal: los valdenses.

Los valdenses

El valdesismo es un producto del catolicismo occidental. Y constituye uno de los movimientos populares más poderosos y mejor intencionados. Por eso es indispensable traer aquí a la memoria cuanto hemos dicho sobre la precaución que debe tenerse al incluirlos entre los *haeretici*.

En los documentos de la época, tan escasos, los valdenses son contados como los primeros y más numerosos de los disidentes, antes que los cátaros incluso, a pesar de ser éstos más antiguos y más peligrosos.

Gracias a los estudios del P. Dondaine y a sus hallazgos, conocemos hoy con seguridad el nombre y las intenciones de Pedro Valdés, sobre el que son tan parcos los contemporáneos [24]. El mismo P. Dondaine encontró la profesión de fe hecha por el propio Valdés antes de ser condenado como hereje por el papa Lucio III en 1184.

Pedro Valdés era un rico comerciante de Lyón. La súbita muerte de un amigo y la canción de un juglar le impresionaron de tal manera, que decidió dedicarse enteramente a la perfección. Un clérigo le hizo ver que el camino hacia ella estaba en Mt 19,21: «Si quieres ser perfecto, ve, vende lo que tienes, dáselo a los pobres, y tendrás un tesoro en el cielo. Después, ven y sígueme».

Dejó cuanto tenía, distribuyéndolo entre su mujer, sus hijas y los pobres. Y abrazó con fervor la pobreza evangélica. Esto sucedía en 1173. Su mejor predicación era la nitidez de su actitud y su comportamiento. Pronto le siguieron algunos compañeros que profesaban, como él, una estricta pobreza. Eran todos laicos. Empezaron a predicar en las calles y en las plazas de Lyón. Hablaban al pueblo y le hablaban en su lengua, la lengua de Oc, a diferencia de los clérigos, que no llegaban a los laicos al hablarles en latín, que ellos ya no entendían. Conscientes del momento, los valdenses hablaban un lenguaje directo, vulgar, que llegaba al corazón del pueblo, momento que no supo comprender ni aprovechar la Iglesia oficial. La lengua latina quedaba cada vez más en propiedad de los eclesiásticos y eruditos; el pueblo hablaba ya romance. La Biblia no tenía versiones en vulgar, lo que la hacía inasequible para el pueblo. Valdés hizo que dos clérigos de su ciudad, Esteban d'Anse y Bernat Ydrós, le tradujeran los libros sagrados; traducción que, engrosada más tarde con la de una selección de los Santos Padres, se recopiló en un solo libro, que se llamó *Sentencias*. Los socios de Valdés, así como los grupos de oyentes que de ellos dependían, leían asiduamente aquellos textos en vulgar.

La predicación de unos seglares sobre textos bíblicos y en romance no podía por menos de llamar la atención de la jerarquía, a la que, por otra parte, preocupaba, sin duda, la actitud austera y acusadora de aquellos grupos. Como primera medida, Guichard, el arzobispo de Lyón, les prohibió que predicaran. Pero era difícil atajar aquel ímpetu que tenía ya el favor popular. La predicación debió de continuar, sin duda, hasta que el arzobispo les excomulgó y les expulsó de la diócesis.

Valdés era sincero, pero su buena fe y su ardor reformista fueron sorprendidos por el parecer de los suyos, que le convencieron de que se trataba de pura animosidad del prelado, y, lleno de confianza, se presentó en el III concilio de Letrán (1179) y sometió al papa Alejandro III sus intenciones y sus escritos. Hizo solemne y sincera profesión de fe católica y obtuvo el favor del papa, quien, sin embargo, le reiteró la prohibición de predicar si no estaba ordenado.

La buena fe de Valdés es indiscutible, tanto más cuanto que sus ideas y

---

[24] Véanse como obras más recientes: CH. THOUZELLIER, *Catharisme et Valdéisme en Languedoc* (París 1966); Vaudois languedociens et Pauvres Catholiques (Cahiers de Fanjeaux, 2) (Fanjeaux 1967); J. GONNET-A. MOLNAR, *Les vaudois au moyen âge* (Turín 1974).

esfuerzos estaban sobre la línea de la reforma gregoriana, que insistía en la separación de la Iglesia de las cosas seculares y en una espiritualización creciente de los eclesiásticos.

Frente a aquella línea existía un clero rico, poderoso y ambicioso, enredado en riquezas y compromisos seglares, de deficiente formación y llevando una vida —como decía Inocencio III— muy poco a tenor de lo que representaba y predicaba o debía predicar.

Valdés se sentía llamado por Dios a devolver a la Iglesia la espiritualidad perdida que el pueblo le pedía, escandalizado a menudo por la conducta de sus representantes. La actitud del reformador y las expresiones de su hablar acerado y mordaz contra el esplendor y la riqueza del clero hicieron que se le prohibiera de nuevo la predicación a él y a los suyos y que el nuevo prelado lionés, Jean de Belles Mains, los expulsara de la ciudad en 1181.

Los *Pobres de Lyón,* como la gente los llamaba, apelaron al papa. Pero Lucio III confirmó los castigos, y en el concilio de Verona (1184) condenó su doctrina con la constitución *Ad abolendam,* dirigida contra aquellos que *«se Humiliatos vel Pauperes de Lugduno falso nomine mentiuntur».* Desde entonces, aquel grupo de disidentes es tenido como una secta de doctrina herética.

Ellos vieron en la actitud papal un abuso de poder de una Iglesia corrompida. Sus círculos, cerrados cada vez más a la Iglesia, acogieron residuos de otras sectas ya anteriormente condenadas y aceptaron, en parte, la fuerte corriente de la filosofía cátara, que desde el ángulo científico corroboraba sus anhelos de reforma[25].

Ya hemos dicho antes las dificultades con que nos encontramos al querer precisar las grandes líneas de una doctrina que, ante todo, es, más que doctrina, una actitud moralizadora y reformista, así como lo cautelosos que es preciso ser al catalogarlos como herejes. Sin embargo, Inocencio III precisaba en 1209: «Estimamos que hay que considerar como herejes manifiestos a aquellos que predican o profesan públicamente ideas contrarias a la fe católica y que defienden el error; lo mismo a aquellos que hayan sido convictos en presencia de sus prelados, ya sea porque lo hayan confesado, ya porque hayan sido objeto de una sentencia de condenación»[26].

Los valdenses practicaban, sin duda, el principio donatista de que el poder de todo ministro depende de su dignidad personal. Tenían y proponían dudas sobre la validez del bautismo de los niños. Estaban en contra del abuso de las indulgencias y del mecanismo del sacramento de la confesión. Afirmaban que el purgatorio lo constituían las tribulaciones de la presente vida. No parece que aceptaran la comunicación entre la Iglesia militante y la triunfante y negaban todo sentido a la veneración de los santos y a su poder de intercesión en favor de los vivos. En su *Practica inquisitionis* dice Bernat Guiu: «Aquellos herejes no admiten que haya milagros obrados en la Iglesia gracias a la intercesión y a los méritos de los santos. Dicen que, en el cielo, los santos ni oyen las oraciones ni hacen caso de las reverencias que se les hacen en la tierra. Por eso, los valdenses des-

---

[25] THOUZELLIER, *Catharisme...* p.40-48.
[26] *Epist.* XII 154. FLICHE, *La represión...* p.120.

precian las solemnidades que celebramos en honor de los santos, así como las otras muestras de respeto y devoción que les tributamos, y trabajan tranquilamente, si pueden hacerlo sin ser notados, en los días de sus fiestas»[27].

El abad de Fontcauda, que los había conocido en el Languedoc, decía de ellos: «Son tan insensatos esos herejes, que se atreven a enseñar a los que van tras ellos que los difuntos no reciben ningún provecho de las limosnas de los vivos, ni de sus ayunos, ni de sus súplicas, ni de las celebraciones, ni de las oraciones que se hacen por ellos». «Las ofrendas que se hacen por los difuntos aprovechan, según los valdenses, no a los muertos, que con ellas no pueden agenciarse nada, sino a los clérigos que de ellas se alimentan»[28].

Entendían la eucaristía no como una presencia real de Jesús, sino como el memorial de la santa cena. De ahí la aversión que sentían por las iglesias como lugares de culto, por los altares, las pinturas, el canto litúrgico, los vasos y los vestidos sagrados y las imágenes. Todo ello constituía una verdadera superstición y merecía el desprecio de los creyentes sinceros.

Es claro que en aquel pensar desembocan doctrinas anteriores, como las de la escuela de Pedro de Bruys o de Enrique de Lausana[29]. Pero lo más notable es la coincidencia con las grandes tesis de los cátaros. Notable porque habían llegado a las mismas conclusiones por caminos muy diversos: los cátaros, desde su sistema cosmogónico, según el cual todo lo material y toda materialización es reprobable por ser una concesión al principio del mal (éste era, según ellos, el gran pecado de la Iglesia católica); los valdenses, gente sencilla y sin instrucción teológica, por reacción moral contra un culto y un ministerio contaminados de realidades mundanas repudiadas por el Evangelio. Y, con todo, los más duros ataques de la polémica contra los cátaros proceden de los valdenses.

También los valdenses se dividían en dos grupos: el menos numeroso, constituido por los dirigentes, que eran los perfectos, y el más numeroso, que era el de los creyentes. Cuando un creyente entraba en la sociedad o fraternidad de los perfectos, prometía obediencia a su superior, observar la pobreza evangélica, cumplir el precepto de la castidad y no poseer nada en propiedad. Estaba obligado a vender sus bienes, entregar el precio a la comunidad y vivir de las limosnas de los creyentes y simpatizantes.

Es evidente la semejanza de esta praxis con la que impondrán las órdenes mendicantes, a punto de aparecer, hijas ellas de aquel mismo movimiento.

Los sacerdotes y diáconos valdenses debían consagrarse completamente a su ministerio. Alain de l'Ille asegura que no admitían de ninguna manera el trabajo, ya que debían ser sustentados por aquellos a quienes predicaban. En eso disentían radicalmente de los cátaros.

Recitaban a menudo el padrenuestro y se confesaban unos a otros. Los clérigos católicos insisten siempre en que se trata de gente rústica y ele-

[27] Ed. *Mollat*, vol.I p.46.
[28] *Contra Valdenses et contra Arianos:* PL 204 col.828; cf. THOUZELLIER, *Catharisme...* p.51ss.
[29] ZERNER-CHARDAVOINE, *La croisade...* p.14 y 17.

mental —*illitterati, idiotae, mulierculae*—; pero es indiscutible que su género
de vida, su austeridad, su pobreza, la sinceridad de sus actitudes, su forma
de vestir, las simples sandalias que calzaban, a la manera de los apóstoles
—esas sandalias eran tan características, que en la lengua de Oc el pueblo
los llamaba *ensabatati*—, les granjearon el respeto y la admiración de la
gente sencilla.

Hubo una radicalización de algunos círculos valdenses respecto a la
Iglesia católica, que Valdés expulsó de su sociedad, y a los que Durán de
Huesca llama *Runcayroli*, los Pobres lombardos de Juan de Ronco[30]. Los
catalanes pertenecieron al ala moderada.

Los valdenses en Cataluña

La aversión a los herejes y su represión no afectó por igual a cátaros y a
valdenses. La jerarquía católica y los mismos cruzados distinguían bien
entre la peligrosidad *extranjera* del catarismo y la *autóctona* de los valdenses. El cronista de la cruzada Pedro des Vaux de Cernay, cisterciense, que
ataca tan acremente a los cátaros, se refiere a los valdenses en estos términos: «Eran, sin duda, gente mala; pero, si se les compara con los herejes
(nótese, por ende, que, para él, éstos no lo son), eran mucho menos per-
versos que ellos. En muchas cuestiones, en efecto, estaban de acuerdo con
nosotros, si bien en otras diferían»[31].

En Cataluña, en cambio, los documentos se refieren con mucha más
frecuencia a los que ellos llaman *albigenses* que a los cátaros. Ventura atribuye el hecho a una maniobra de distracción de la atención de Roma por
parte de los reyes catalanes. Puede ser también porque en Cataluña los
albigenses se hacían notar más que los otros. Lo cierto es que el documento
más terrible que los nombra expresamente es unos meses posterior a la
elección del papa Inocencio III, quien desde los primeros días de su gobierno había manifestado su decidida intención de acabar con la plaga de
la *herética pravedad*. Se trata de la orden del rey Pedro II, aconsejado, sin
duda, por su tío el arzobispo de Narbona, Berenguer, por la que manda
salir de su reino y dominios a todos los valdenses, vulgarmente llamados
ensabatados *(ensabatatz)*, y a todos los otros *innumerables* herejes, como
enemigos de la cruz de Cristo, violadores de la fe cristiana y enemigos
públicos nuestros y de nuestro reino[32].

Era el mismo tenor, aumentadas las tintas, que el de un decreto de su
padre, Alfonso I, expedido en Lérida, en octubre de 1194, y que se ade-
lantó en un año al concilio de Montpellier, convocado por Celestino III, y
que se celebró en diciembre de 1195.

Lo cierto es que los reyes, ignorando sus propios decretos, hacían a
menudo la vista gorda sobre sus vasallos herejes. En efecto, pocos días
después de promulgar aquel decreto, Pedro II hacía concesiones feudales
a dos cátaros bien conocidos del norte de Cataluña: Ponç de Vernet y

---

[30] K. V. Selge, *L'aile droite du mouvement vaudois et naissance des Pauvres Catholiques et des Pauvres réconciliés* (Cahiers de Fanjeaux, 2) (Fanjeaux 1967) p.232.
[31] *Historia albigensis* (ed. Guébin-Lyon, vol.II; París 1930) p.8-9.
[32] Menéndez y Pelayo, *Hist. de los heterodoxos...* p.212-13.

Ramón de Castell-Roselló, y, un mes después, el jefe de los cátaros catalanes, Arnau de Castellbó, recibía en Tarragona el privilegio de exención de fidelidad por los castillos que tenía del rey.

Hay otro detalle que cabe subrayar: el decreto real no nombra para nada a los cátaros.

Los amigos del rey que acabamos de citar, cátaros o fautores, deben tener la mano en ello: lograron que en el decreto no se los nombrara y se distrajera la atención hacia otros disidentes. Por otra parte, el vizconde de Castellbó y el conde de Foix se habían significado por una actitud muy aplaudida por los cátaros: crear problemas y entrar a saco en las tierras del obispo de Urgel, de forma que no dejaban al obispo ni tregua ni paz. Esos ataques a las tierras y propiedades eclesiásticas eran conocidos en la corte papal [33]. Ello podía provocar una cruzada en regla, como la que se anunciaba en el Languedoc desde abril de 1198 [34], o incluso como la que había intentado ya en 1181 Enrique de Marciac en las tierras de los Trencavel [35].

Por otro lado, y como hemos dicho ya, el conde de Tolosa, Ramón VI, era un cátaro camuflado o muy simpatizante. Se contaba de él que veneraba a los perfectos y que uno de ellos le acompañaba siempre a fin de administrarle el *consolamentum* en caso de urgencia. Y es seguro que mantenía tropas a sueldo que se dedicaban a depredar los bienes de iglesias y monasterios [36].

Parece, pues, que hay que admitir una maniobra bien tramada: era bueno promulgar decretos en los que se nombrara a los valdenses como muy numerosos y peligrosos —justamente más inofensivos para el rey y los nobles, porque eran pocos, pobres y desprovistos de influencias— y se dejara en la penumbra del silencio a los cátaros, aliados de ellos en sus pretensiones sobre las propiedades eclesiásticas, y así, en connivencia con ciertos prelados, se hacía creer a Roma que, en aquellas tierras, el celo del rey velaba por la pureza de la ortodoxia, de forma que la curia papal podía tranquilamente fijar su atención en otras tierras en las que el soberano no era tan *católico*.

Y todo induce a pensar que la curia cayó en la trampa de la propaganda antivaldense, dirigida de lejos por los cátaros. Los documentos de Inocencio III (1198-1216) y la misma promulgación de la cruzada antialbigense conceden siempre una sorprendente importancia a los valdenses como más peligrosos y nocivos que los cátaros. Por otra parte, los valdenses no llegaron a Occitania —y concretamente a Narbona, a la que en las

---

[33] La devastación y el desorden provocados por bandas a sueldo quedan reflejados en una condena del concilio de Letrán de 1197 contra ellas. Inocencio III, en carta de 1204, las señala (se trata de toponímicos pirenaicos): «Brabantiones, Aragonenses, Navarros, Basculos et Cotarelos». Se trataba de bandas, no de herejes.

[34] VENTURA, *Els heretges...* p.84. A. OLIVER, *Táctica de propaganda y motivos literarios en las cartas antiheréticas de Inocencio III* (Roma 1957) p.53-67.

[35] VENTURA, *Els heretges...* p.84 n.8.

[36] El obispo Bernardo había renunciado a su obispado en manos del papa Celestino III y se declaraba totalmente incapaz de poner orden en sus tierras. La carta que le dirige Inocencio III (7 de diciembre de 1198) dice que los «Aragonenses et Brabantiones cum vicinis militibus» habían asaltado a mano armada las posesiones de la iglesia de Urgel, la cual, por debilidad de su pastor, está hecha «un lago de miseria».

cartas al obispo Berenguer el papa considera nido de herejes— hasta finales del siglo XII. Eran, por tanto, unos recién llegados cuando el papa hacía predicar allí la cruzada, mientras que los cátaros llevaban un siglo de actividad bien organizada. De ninguna manera, pues, podían ser tan peligrosos en Cataluña en 1198 que merecieran las iras del decreto de Pedro II, cuyos extremos, ya subrayados por Menéndez y Pelayo, se deben, sin duda, a la misma maniobra de distraer al papa y convencerle de la buena intención del rey.

Si las tropas de Montfort aplastaron a ambos por igual, ello era, por un lado, inevitable y, por otro, consecuencia de un hecho: sobre el terreno, los cruzados y los cistercienses habían descubierto, tarde ya, quiénes eran realmente los destructores de la *estructura social*, contra quienes luchaban.

Después de las largas batallas de la cruzada antialbigense, el concilio de Tarragona, 13 de mayo de 1242, vuelve a hablar de los valdenses. Se trata de las decisiones redactadas por San Ramón de Penyafort, y sometidas por el arzobispo de Tarragona, Pedro d'Abalat, al juicio de un grupo de juristas durante la sede vacante de Barcelona después de la muerte del obispo Berenguer de Palou. Con ello, Pedro d'Abalat pretende poner en manos de sus inquisidores un instrumento práctico para su acción contra la herejía. Entre los herejes, sospechosos, ocultadores, fautores, defensores y relapsos se alude siempre a los *insabatati* —los valdenses—, ignorando la presencia de los herejes cátaros en sus tierras, donde existían ciertamente.

El P. Dondaine, estudiando este documento, comenta: «Los herejes de que trata el manual son principalmente los *insabatati*, es decir, los valdenses; pero es evidente que aquellas categorías son aplicables igualmente a todas las formas de herejía, sobre todo a los cátaros albigenses» [37].

Los valdenses catalanes eran activos y se movían. La deposición de una «creyente» de Carcasona, Fais de Cornesan, en 1250 indica como ministro de su religión a Arnau Gili, catalán, que vivía en casa de un *alter catalanus* que se llamaba Ferrer, y su mujer, Virgilia [38].

No hay duda que el hecho de la pobreza y desprendimiento radicales de los valdenses hizo que fueran poco considerados políticamente y que dejaran poco rastro documental. Sus adeptos se reclutaban entre la gente campesina y algún que otro artesano. A las clases dirigentes, feudales o burgueses, no les favorecían sus doctrinas; éstos propendieron hacia los cátaros, quienes propiciaban el negocio y la riqueza. De todas maneras hay que evitar hablar de valdenses y de cátaros en la corona de Aragón como si se tratara de densas muchedumbres. La importancia del catarismo y del valdesismo es ingente, como hemos visto; pero ello se debe a su fervor, a su actividad y a las consecuencias a que llegó e hizo llegar a la Iglesia su actuación.

Las noticias que poseemos hacen pensar en grupos muy activos, efica-

---

[37] *Archivum Fratrum Praedicatorum*, vol.XVII (1947), *Le manuel de l'Inquisiteur (1230-1330)* p.97; VENTURA, *Els heretges...* p.86.
[38] El trovador catalán Huguet de Mataplana dedica a un valdense, que debía de conocer bien, una dura invectiva contra la alegre vida, mientras alaba *als Bons Homes de Lió*. Era la opinión popular: la pobreza de los valdenses era sincera. Algunos otros casos de valdenses los conocemos sólo gracias a conversiones al catolicismo.

ces en el proselitismo, dispersos acá y allá, más bien elitistas; pero de ninguna manera hay que creer que tuvieran en sus manos a las gentes y al pueblo. La propaganda de los predicadores, de los clérigos, que se sentían atacados; de la Iglesia, que desató contra ellos los más duros castigos, incluida la cruzada; de los poderosos, que de grado o por fuerza promulgaron contra ellos leyes drásticas, hacen creer fácilmente que el mundo entero estaba implicado de alguna manera en aquellos movimientos. La propaganda y el ataque deben ser exagerados con objeto de lograr el fin que se proponen; pero, al leer sus alegatos, uno debe tener a la vista los datos concretos de personas y hechos si no quiere caer en el error de abultar la realidad. Y la realidad parece ser que, en nuestras tierras, el catarismo y el valdesismo no pasó de núcleos —y a veces personas aisladas— dispersos acá y allá, muy eficaces y activos, y, por ello, muy peligrosos para la Iglesia.

Durán de Huesca

Durán de Huesca constituye el caso más conocido de conversión del valdesismo al catolicismo.

Siguiendo el sistema de conferencias abiertas, llamadas *contradictorios*, tan querido a Inocencio III, que lo consideraba el mejor medio para reducir de verdad a los herejes, el obispo Diego de Osma, de regreso de Roma a su sede, quiso organizar uno en la región pirenaica, al que invitó a todos los disidentes que quisieran acudir, y llamó a los mejores expositores de la fe católica: Domingo de Guzmán y algunos de sus compañeros, el obispo de Tolosa, Folquet; el de Conserans, Navar, y algunos abades. El mes de septiembre de 1207 se reunieron todos en Pamiers. La ciudad, en el condado de Foix, era un importante centro cátaro y valdense. El conde Ramón Roger ofreció para las sesiones de la disputa la gran sala de su castillo de Castelar. Según el cronista cisterciense Vaux de Cernay, el propio conde «tan pronto escuchaba en su palacio a los valdenses como a nuestros predicadores», sospechoso él de estar manchado de herejía. Su hermana, Esclarmonda, era *anciana* cátara y regentaba una especie de convento o casa de mujeres cátaras, en la que recibía a los cátaros más famosos de Occitania. Otra hermana del conde era valdense, y su propia mujer era *hereje empedernida*, valdense también, como dice el mismo cronista.

Eligieron todos como árbitro a Arnau de Campranya, clérigo secular y neutral, pues tenía conocidas simpatías con los herejes. Las discusiones fueron largas y enconadas. Sabemos poco de ellas. Los cátaros fueron inamovibles; pero hubo conversiones entre los valdenses. El primero en *convertirse* fue el árbitro. Arnau de Campranya «renunció a la herejía y puso su persona y sus bienes en manos del obispo de Osma. Desde aquel día combatió con denuedo a los sectarios de la superstición herética», dice Vaux de Cernay. En aquella misma ocasión se convirtió un grupo de valdenses dirigido por Durán de Huesca.

Lo más probable es que Durán, de cuyos orígenes ignoramos casi todo, perteneciera a una familia aragonesa y que fuera nativo de Huesca (de ahí su nombre), donde nacería alrededor de 1160 [39]. Bien formado en huma-

---

[39] THOUZELLIER, *Catharisme...* p.215ss.

nidades y en la gramática latina clásica [40], debe contarse entre los primeros discípulos de Valdés [41], siendo uno de sus mejores propagandistas en las tierras catalano-rosellonesas. En su *Antihaeresis* dice que ha sido compañero de penas y fatigas y condenas de su maestro. Pobre y predicador, recorre, con sus compañeros, las tierras de Foix y del Rosellón. Es un decidido enemigo de los cátaros, a los que ataca sin contemplaciones en el libro que acabamos de citar. Sabe manejar bien la dialéctica. Sus ideas son claras, y su pensamiento, siempre respetuoso y cercano a la ortodoxia católica [42].

Después del contradictorio de Pamiers, Durán y sus compañeros (Guillermo de Saint Antonin, Juan de Narbona, Ermengol y Bernardo de Béziers, Ramón de Sant Pau, Durand de Najac y Ebrinus [43]) se dirigen a Roma. En presencia de Inocencio III exponen su ideal y hacen su profesión de fe. Suplican al Santo Padre que apruebe su género de vida, calcado sobre el de los valdenses, con la práctica de la pobreza absoluta, vida comunitaria y ministerio de la palabra sagrada. La conversión en realidad no debió de costarles sino un acto de humilde obediencia al magisterio de Pedro [44]. El texto del *Propositum conversationis* —regla de vida— es ejemplar: la pobreza llevada al extremo de la mendicidad, el oficio canónico, la predicación y la controversia contra los herejes, el voto de obediencia y de castidad, la sumisión a la Iglesia y a su jerarquía, eran las grandes líneas que regirían su vida [45].

Mientras Durán y los suyos se encontraban en Roma, caía asesinado en el Languedoc el legado papal, Pere de Castelnau (14 enero 1208), y el papa acababa de desatar sobre aquellas tierras la cruzada. La demanda de los convertidos era oportuna y respondía a los más sinceros deseos del papa de arreglar los problemas pirenaicos con el arma de la convicción. Y así, el 18 de diciembre de 1208 escribe al arzobispo de Tarragona y a sus sufragáneos anunciándoles la reconciliación y compromiso de Durán y de sus compañeros. En la misma fecha comunica la aprobación del *Propositum conversationis* a la nueva comunidad de los que se llamarán en adelante *Pauperes catholici*, y de la que Durán será el primer responsable [46]. Con ello quedaban canonizados los mejores empeños de aquellos poderosos movimientos populares, hijos del catolicismo occidental, nacidos de un sincero anhelo de reforma, de pobreza y de fidelidad a la esencia del Evangelio. Dado que las tierras del Languedoc y de Cataluña, donde iban a actuar los recién convertidos, caían lejos del control papal, el papa encomendaba a los obispos la estrecha vigilancia de aquellos predicadores, que deberán ejercer su ministerio en coordinación con los obispos.

[40] THOUZELLIER, *Catharisme...* p.303-312.
[41] THOUZELLIER, *Catharisme...* p.215-216.
[42] THOUZELLIER, *Catharisme...* p.217.
[43] THOUZELLIER, *Catharisme...* p.256; M. H. VICAIRE, *Rencontre à Pamiers des courants vaudois et dominicain (1207):* Vaudois languedociens et Pauvres Catholiques (Cahiers de Fanjeaux, 2) (Fanjeaux 1967) p.176.
[44] THOUZELLIER, *Catharisme...* p.217.
[45] VENTURA, *Els heretges...* p.93. Véase texto en *Apéndice*.
[46] *Epist.* XI 197.

La nueva institución se separa en algunos detalles del sistema de los Pobres de Lyón. Valdés no quería entre los suyos grados de jerarquización. En la congregación de Durán hay tres estamentos: el primero está constituido por el clero predicador, en el que la función de la eucaristía está reservada al sacerdote. En el segundo, los simples fieles idóneos para la predicación se integran en los clérigos. La masa de los otros adeptos, organizada en orden tercera, vive en sus casas y hace su vida entregada al trabajo manual, a la oración y al desprendimiento voluntario (otro detalle de divergencia respecto a Valdés, quien en 1205 había rehusado todo trabajo).

En el camino de regreso a tierras occitanas, y a su paso por Milán, a principios de 1209, la pequeña comunidad logra la reconciliación de un buen número de valdenses lombardos. Mas, llegados a su tierra, donde están ya en alto las espadas de la cruzada antialbigense, se encuentran ante el recelo del clero católico, sobre todo de la jerarquía y del arzobispo Berenguer de Narbona —en otro tiempo tan condescendiente con cátaros y valdenses—, que se queja al papa del comportamiento de los neoconversos. Lo probable es que éstos, especialistas en propaganda, disimularan la sinceridad de su ortodoxia en pro de una más rápida captación de sus antiguos correligionarios[47]. Las sospechas y cargos del arzobispo de Narbona son corroborados por los prelados de Béziers, Usès, Nimes y Carcasona. No hay que olvidar que la predicación de los Pobres Católicos era una denuncia indirecta contra la vida y costumbres de muchos de ellos. En una carta que dirige el papa a los Pobres, 5 de julio de 1209, hace un resumen de aquellas acusaciones: los convertidos frecuentan sin escrúpulos a los valdenses herejes; sin haberlos reconciliado, los conducen a las iglesias, en las que asisten con ellos a la consagración; hacen vida común con ellos, retienen en su grupo a monjes fugitivos de su monasterio y a otros, infieles a su vocación. El papa les impone que eviten todo escándalo; por ejemplo, las famosas sandalias, las cuales, aunque abiertas o perforadas por encima (era su distintivo), no les distinguen suficientemente de sus antiguos correligionarios. U otro caso: atraídos por los sermones que ellos imparten en sus *scholae*, muchos fieles abandonan y no atienden a las amonestaciones de su parroquia, y los clérigos de su comunidad admitidos a las órdenes sagradas no participan en el oficio divino, según prescriben los cánones[48]. El papa les manda, pues, que no entren en competencia con ninguno de los derechos parroquiales, que se unan a los clérigos católicos para la predicación, que no admitan sospechosas relaciones con los valdenses. Pero al mismo tiempo aconseja a los obispos que sean indulgentes con los neoconversos y que crean en la sinceridad de su conversión, así como de su esfuerzo por atraer a sus antiguos compañeros a la obediencia de la iglesia.

En su esfuerzo misionero es muy posible que los Pobres Católicos influyeran en otra famosa conversión: la de Bernat Prim. De él sabemos muy poco: que era un fervoroso discípulo de Valdés, como Durán, y,

---

[47] INOCENT. III, *Epist.* XII 67 (5 de julio de 1209).
[48] *Epist.* XII 69 (5 de julio de 1209).

como él, formidable adversario de los cátaros. Impuesto en conocimientos escriturísticos y patrísticos, mantuvo, en 1208 y en la plaza de Laurac-le Grand, una controversia con el notorio hereje Isarn de Castres [49]. En la primavera de 1210, Bernardo, con su amigo Guillermo Arnaud y algunos compañeros, se dirigía a Roma para obtener del papa el reconocimiento de su grupo. Y, como Durán, hizo su profesión de fe en manos de Inocencio III [50].

Frente a la tropa de clérigos-predicadores de Durán y compañeros Bernardo y los suyos constituyen una tropa laica y popular de ejemplares penitentes; en realidad, la parte moralizante de la escisión valdense, más cercanos al pueblo, lo suficientemente instruidos para convencerle, directamente sometidos al ordinario, quien determina, según la confianza que le merecen, los campos de su acción. Su principal campo de trabajo es Lombardía.

Los avatares tan crueles de la cruzada antialbigense ayudaron a los neoconversos a pasar con menos sinsabores la prueba del fuego de su catolicidad y entrar poco a poco en la confianza del clero y de los obispos [51].

Contra lo que tantas veces se ha dicho, los Pobres Católicos no forman una institución estricta, ni puede hablarse en su caso de una orden Grundmann, Thouzellier, Vicaire [52] mantienen, con razón, la expresión original de *Propositum conversationis:* una especie de fórmulas de vida personal religiosa según la categoría en la que se encontraba cada uno dentro de la corporación *(doctiores, honestiores, idonei, poenitentes saeculares).* La corriente lombarda de Bernat Prim tenía, en cambio, mucho más carácter de comunidad, llegando a tener comunidades estables de ocho o más miembros, así como comunidades de hermanos y hermanas en casas separadas, mantenidas por el propio trabajo manual [53].

Hay que ver, por tanto, en el grupo de los Pobres Católicos a un equipo de predicadores itinerantes y de doctores más estables, cuyo vestir y comportamiento exterior les distinguía muy poco de los valdenses. Aunque Durán es llamado *prior* en algunas bulas pontificias, la palabra no puede

---

[49] THOUZELLIER, *Catharisme...* p.232 n.71.

[50] THOUZELLIER, *Catharisme...* p.262-267; J. GONNET, *La figure et l'oeuvre de Vaudès dans la tradition historique et selon les dernières recherches* (Cahiers de Fanjeaux, 2) (Fanjeaux 1967 p.103.

[51] Finalmente, después de todas las precauciones posibles y de cuatro años de luchas y de penas por parte de los Pobres Católicos, y pasando por encima de las inacabables suspicacia de los obispos, el papa decidió concederles el favor y el amparo de la autoridad apostólica, y en fechas de 28 y 30 de mayo de 1212, escribió al rey Pedro el Católico, al arzobispo de Narbona, Arnau Amalrich, y a los obispos Rainiero de Marsella, Ramón de Uzès, Berenguer de Barcelona y García de Huesca, mandándoles que tratasen benignamente a los Pobre. Católicos, cuyas personas y bienes quedaban bajo la protección de la Sede Apostólica. Cf *Epist.* XV 92. THOUZELLIER, *Catharisme...* p.258-262.

[52] VICAIRE, *Rencontre...* p.178.

[53] Véase cómo las someras normas de comportamiento lo eran más personales que de vida comunitaria: restituir las cosas mal adquiridas; no poseer nada en propiedad, sino tode en común; observar castidad o virginidad; abstenerse de mentir o de juramentos ilícitos llevar como hábito una túnica blanca o gris; no dormir en cama sino obligados por el enfermedad; ayunar según las normas de la Iglesia romana, en adviento y cuaresma y en otro días propios de ellos; oír la predicación cada domingo; y rezar siete veces al día, recitande cada vez quince veces el padrenuestro, credo y *Miserere:* cf. GONNET-MOLNAR, *Les vaudois...* p.112.

significar más que *responsable* ante la curia. Sólo a partir del 13 de mayo de 1210 se hace jurídica la autoridad de Durán, cuando, elegido por sus hermanos, el antiguo prior es hecho *prepósito* de los Pobres Católicos.

El 26 de mayo de 1212, el grupo de Durán obtiene el permiso de fundación de un centro en Elna (en el Rosellón), según carta que dirige el papa al obispo de la ciudad, y en la que se refiere a ellos de una forma oficial, llamándolos *Pauperes catholici* (evidente e intencionada oposición a los *Pauperes de Lugduno*). Mientras recrudecía la cruzada y el Rosellón se mantenía en tranquilidad, el papa presenta al obispo los proyectos de Durán, de Guillermo de Saint Antonin y de Durán de Najac. En Elna se reúnen pequeños grupos deseosos de penitencia. Hay dos casas: la de los hermanos y la de las hermanas (legas). Ambas son como el cobijo de la vida de una especie de terciarios y terciarias bajo la dirección de los Pobres Católicos, que se dedican de forma heroica a la caridad, dirigiendo un hospital con sesenta camas, abierto a toda clase de miserias y necesidades, y una iglesia, dedicada *in honorem beatissimae Genetricis Mariae* [54].

Dada la cercanía de la estricta pobreza de aquellos Pobres, que anuncia ya la de los franciscanos y dominicos, Vicaire [55] hace notar que, si bien la casa de Elna está bien dotada por la generosidad de un caballero, los bienes son de la Sede Apostólica. Ellos siguen siendo los mismos pobres de los tiempos de Valdés [56]. En la casa de Elna son huéspedes de paso, aun cuando a veces se quedan allí por largo tiempo para enseñar o elaborar sus escritos. Si dejan la casa para ir a predicar, se comportan como predicadores pobres e itinerantes. Siempre encuentran quien les acoja, si el ministerio es prolongado. Y, en el peor de los casos, el itinerante mendigará su pan de cada día, y, a falta de alojamiento, se conformará con una cabaña en el bosque [57].

En la diócesis de Elna, país catalán entonces, Durán tenía las simpatías de todo el pueblo: las aspiraciones de los antiguos valdenses han logrado hacer camino dentro de la ortodoxia católica gracias a sus esfuerzos. Desde Elna, la irradiación llega hasta Barcelona y Huesca, tierras más al resguardo de la guerra. Hubo que vencer, ante todo, los prejuicios del rey Pedro II, cosa que hace Inocencio III en una carta llena de simpatía [58], mientras tranquiliza a los obispos Berenguer de Palou y García; Durán y sus compañeros, antes de la secta valdense y ahora reconciliados por la Santa Sede, han vuelto definitivamente a la unidad de la Iglesia. Los prelados harán bien en tratarlos con cariño en sus diócesis, en no tolerar insultos, o desprecios, o alusiones a su estado anterior, en apoyar su acción con cartas de recomendación [59]. El favor del rey, la protección de los obis-

---

[54] THOUZELLIER, *Catharisme...* p.257-259.
[55] VICAIRE, *Rencontre...* p.182.
[56] «Hemos renunciado al siglo, hemos dado nuestros bienes a los pobres, según el consejo del Señor, y hemos decidido ser pobres; de tal manera que no nos preocupamos por el día de mañana, ni aceptamos de nadie oro ni plata ni cosa que sea, más que el alimento y el vestido de cada día. Tenemos el propósito firme de guardar los consejos evangélicos como si fueran preceptos»: VICAIRE, *Rencontre...* p.182.
[57] VICAIRE, *Rencontre...* p.182.
[58] *Epist.* XV 92.
[59] *Epist.* XV 90.

pos, la ejemplar irradiación del centro de Elna, ayudados por la generosidad de los habitantes, hicieron que los Pobres Católicos trabajaran largamente en Cataluña, en la que Durán, asegurada ya la suerte de su instituto, podrá dedicarse tranquilamente al ideal de su vocación: defender de palabra y por escrito la ortodoxia en la que vive convencido. Y así es como el centro de Cataluña se constituye en una verdadera oficina de textos.

Mientras Simón de Montfort despliega el furor de la cruzada, los predicadores y teólogos siguen su obra de persuasión y Domingo de Guzmán multiplica sus contradictorios y funda los dominicos, Durán, en la paz de las tierras catalanas, provee a sus hermanos de textos polémicos a punto para ser utilizados en la argumentación contra los cátaros. Ya en sus tiempos de valdense, Durán había redactado, en un latín lleno de catalanismos [60], el *Liber Antihaeresis* (1190-92). En su trabajo de ahora se sirve de su antigua cantera. Las diferentes redacciones de aquel libro muestran a las claras el frecuente uso que la escuela hacía de él [61]. Entre 1223 y 1230, el mismo Durán escribió el *Liber contra Manicheos* [62]. Ermengol de Béziers escribe, a su vez, el *Contra Haereticos* valiéndose del *Antihaeresis*, de Durán, y, según Cristina Thouzellier [63], quizá la *Manifestatio haeresis*, en la que también ataca al catarismo tal como aparece en el Languedoc por los años de 1210-1215, y en el que empieza resumiendo la doctrina dualista refutada en el *Contra haereticos*. A la labor desplegada en Elna, Cataluña y el Languedoc se sumarán más tarde otros polemistas llegados de fuera [64]. «Mientras otros polemistas no creen ya más que en la espada como único medio para acabar con los herejes, Durán sigue confiando siempre en el poder de la controversia, en la eficacia de la discusión. Conoce bien a los cátaros, los encuentra por doquier, en Tolosa, en Carcasona, en Albi, y señala con el dedo a sus jefes: Gaucelm, Bernard de Simorre, Sicard Cellerier, Vigouroux de Bacona» [65].

Las «Homilías de Organyà»

En relación con la escuela catalana de los Pobres Católicos y con los cátaros de Cataluña hay que citar el caso de las *Homilías de Organyà*. Con este nombre es conocido uno de los textos en prosa más antiguos escritos en catalán, encontrado en la rectoría de Organyà (Alto Urgel) por J. Miret y Sans. Se trata de seis sermones —fragmento de una colección más amplia— con comentarios de diversos evangelios y epístolas, redactados en estilo llano y directo, hacia el final del siglo XII o principios del XIII. Es posible que se trate de una adaptación catalana de algún sermonario provenzal. Las publicó por vez primera el mismo Miret y Sans.

---

[60] THOUZELLIER, *Catharisme...* p.303.
[61] A. DONDAINE, *Durand de Huesca Controversiste* (= X Congresso Intern. di Scienze Storiche, Roma 1955, vol.VII) (Florencia 1956) p.218-222; ID., *Durand de Huesca et la polémique anti-cathare:* Archivum Fratrum Praedicatorum 29 (1959) 240; THOUZELLIER, *Le «Liber Antiheresis» de Durand de Huesca et le «Contra hereticos» d'Ermengaud de Béziers:* RHE 55 (1960) 130-132; ID., *Catharisme...* p.271.
[62] THOUZELLIER, *Catharisme...* p.303ss.
[63] THOUZELLIER, *Catharisme...* p.284.
[64] THOUZELLIER, *Catharisme...* p.284ss.
[65] THOUZELLIER, *Catharisme...* p.296.

Las semejanzas con el *Ritual* cátaro, las versiones en vulgar del texto bíblico, el uso corriente de la expresión *Bons Homes* (es el nombre popular dado a los ministros cátaros en el sur de Francia, y que llegó a designar a cualquier cátaro perfecto) [66], todo hace pensar en el mundo de los cátaros o en la oficina de trabajo anticátara de los Pobres Católicos en el norte de Cataluña [67].

El final de los Pobres Católicos

Poniendo a los grupos de Durán bajo la protección de la Sede Apostólica, Inocencio III [68] reconocía el interés que tenían para la Iglesia, en el Languedoc, en Cataluña y en Aragón, el éxito de su actuación entre los seglares y su heroísmo en atender las miserias sociales.

No sabemos demasiado sobre el número de aquellos predicadores en activo. Nunca fueron numerosos, pero sí sólidos y eficaces «clérigos, en gran parte letrados» [69]. En un principio se cuentan cuatro; en 1210, ocho. Según una carta del papa, otros esperan la reconciliación para poder predicar, pero la retarda la mala voluntad (suspicacia) del arzobispo de Tarragona. No fueron muchos más a medida que corría el tiempo. El testimonio de Puylaurens hace pensar, más bien, lo contrario: «*Et hii quidem in quadam parte Cathaloniae annis pluribus sic vixerunt, sed paulatim postea defecerunt*». Esta frase, que hoy estamos en disposición de traducir con certeza, se prestó a toda clase de interpretaciones. Los Pobres Católicos fueron pocos siempre, pero su conversión y su actitud fue sincera y transparente desde el principio hasta el fin. *Defecerunt* no puede traducirse, sin más, por *desaparecieron*, como pensaba Menéndez y Pelayo [70], ni *se apartaron de la Iglesia* (defección), como escribía Ventura [71] (excepción hecha de algún caso aislado), ni puede hablarse tampoco de *échec* de los *Pauperes Catholici*, como hace Selge [72], según el cual Durán y los suyos habrían fallado no sólo porque no fueron capaces de conducir hasta la Iglesia a la totalidad del movimiento valdense, sino, sobre todo, porque su conversión habría hecho pedazos la conciencia y el dinamismo apostólicos de aquellos valdenses que ellos habían sido en el principio [73].

El final de los Pobres Católicos parece hoy mucho más claro. Durán y los suyos no tuvieron nunca una *Regula,* como la que tenían ya en sus tiempos los mendicantes. Vivieron siempre a tenor del *Propositum conversationis,* reconocido en 1208 y 1212 por Inocencio III. El propio Gregorio IX afirma el 26 de junio de 1237 que aquéllos no poseen ninguna de las

---

[66] ZERNER-CHARDAVOINE, *La croisade...* p.18. El obispo de Lodève, Gaucelin, declaraba: «Tengo por seguro que todos los que se llaman *Bons Hommes* son herejes».
[67] VENTURA, *Els heretges...* p.107.
[68] *Epist.* XV 96. Cf. THOUZELLIER, *Catharisme...* p.261.
[69] VICAIRE, *Rencontre...* p.182.
[70] *Hist. de los heterodoxos...* l.III c.2 p.215.
[71] VENTURA, *Els heretges...* p.100.
[72] *L'Aile droite...* p.234-242. Véase VICAIRE, *Les Vaudois et Pauvres Catholiques contre les Cathares (1190-1223)* (Cahiers de Fanjeaux, 2) (Fanjeaux 1967) p.267.
[73] Véase el despiadado juicio de Selge en las páginas que acabo de citar: *L'Aile droite...* p.234-242. Véase en contra: GONNET-MOLNAR, *Les Vaudois...* p.120-121.

reglas aprobadas. Y los mismos hermanos de Aragón y de la Narbonense, preocupados ya, son los que suplican al papa que provea a zanjar aquella situación. El papa encarga de la gestión al provincial de los dominicos de Tarragona[74]; pero lo cierto es que en 1247 los de Narbona, por lo menos, no poseen ninguna regla oficial todavía.

En aquel año, Inocencio IV, haciéndose eco de los cargos del arzobispo de Narbona, que acusaba a Durán y a los suyos de ser un grupo de vagabundos que usurpaban el ministerio de la predicación y que no eran ya los hombres bien preparados de antes, les obliga, a través del obispo de Elna, a adherirse a una orden canónicamente aprobada. Son los últimos documentos que conocemos sobre aquellos religiosos en Aragón y en el Languedoc[75].

Los Pobres de Lombardía se pasaron a los agustinos en 1256[76]. Ya antes, en 1235, y según el testimonio de San Pedro de Verona, los grupos de Pobres Lombardos de Bernat Prim se habían fundido, en parte, con los dominicos y, en parte, con los ermitaños de San Agustín[77]. Yves Dossat ha advertido que el notable vacío de valdenses en todos los territorios que ocuparon y en los que se movieron los Pobres Católicos da evidente testimonio de la fecundidad y eficacia de su apostolado. «Al desaparecer de nuestros ojos hacia la mitad del siglo XIII, no se apagaron; se fundieron y continuaron en las grandes corrientes de franciscanos, dominicos y agustinos, como el riachuelo que acaba en un grande río, más apto que él para llegar lejos»[78].

Los albigenses en León y Castilla

En los reinos del interior de España no quedan vestigios de actuaciones de los valdenses. Los cátaros y albigenses sí que dejaron huellas de su presencia, si bien ésta nunca tuvo ni el volumen ni la importancia que en las tierras de Aragón y Cataluña, más cercanos a los movimientos europeos. Ni siquiera es seguro que poseyeran núcleos organizados o actividades concretas. Por otra parte, las fuentes, como vamos a ver, son muy escasas y dispersas, y nos informan de que a principios del siglo XIII corrían albigenses por la ciudad de León y que había herejes en Burgos y Palencia.

El caso de León es el más notable. Sobre él nos habla el obispo de Tuy, Lucas, en su obra *De altera vita fideique controversiis adversus albigensium errores libri III*, compuesta entre 1230 y 1240[79].

Siendo Lucas de Tuy la fuente en que se apoya todo lo que sabemos de los albigenses leoneses, es indispensable hacer aquí, aunque a grandes ras-

[74] THOUZELLIER, *Catharisme...* p.298 (toda la nota 127).
[75] Ibid.
[76] VICAIRE, *Les Vaudois...* p.268.
[77] VICAIRE, ibid.; GONNET-MOLNAR, *Les Vaudois...* p.121.
[78] VICAIRE, ibid., p.269; GONNET-MOLNAR, *Les Vaudois...* p.121.
[79] Editada por el P. Juan de Mariana en Ingolstadt en 1612. Cf. M. MENÉNDEZ Y PELAYO, *Historia de los heterodoxos españoles* (Ed. Nacional, vol.II) l.III c.2 p.234-243; F. J. FERNÁNDEZ CONDE, *Albigenses en León y Castilla a comienzos del siglo XIII:* «El Reino de León en la Edad Media» (XXXII Congreso de la Asociación Luso-Española para el progreso de las Ciencias, León 1977) (León 1978) p.97-114.

os, su presentación. Sabemos de él que era leonés y que formó parte de la lerecía de la ciudad, primero como diácono y más tarde como canónigo le San Isidoro; era maestrescuela cuando, en 1239, fue promovido al piscopado de Tuy[80].

Hijo del espíritu inquieto de su siglo y llevado de insaciable curiosidad, e dio a la peregrinación, «satisfacción de la penitencia, agradable a los ngeles, odiada por el espíritu de la inmundicia»[81]. Estuvo en Roma durante el pontificado de Gregorio IX; trató posiblemente con fray Elías de Cortona, que era general de los franciscanos desde 1221, y viajó hasta Grecia, Constantinopla, Tarso de Cilicia, Armenia y Jerusalén, según cuenta él mismo.

A su paso por el sur de Francia y Lombardía, hubo de conocer muy de cerca a los *herejes,* ya duramente castigados, pero no domeñados por la campaña de Inocencio III y las batidas de la Inquisición. Allí supo de su vivacidad, su incansable proselitismo, sus círculos. Y se alarmó, como había hecho antes que él el propio papa Inocencio, escribiendo casi con sus mismas palabras: «La mayor parte del mundo ha apostatado adhiriéndose a falsedades y dudosas creencias»[82]. Y con horror se enteró un día que el mal serpeaba también en su propia ciudad de León. Y cargando otra vez las tintas, afirma que tal vergüenza ensuciaba a España entera: «Infamia huius facti Hispaniam totam polluerat»[83].

Y volvió a su patria dispuesto a atacar a los renegados con toda la fuerza de su dialéctica y con la experiencia que en sus viajes había acumulado, así como con los conocimientos directos que de la herejía de allende el Pirineo poseía. Mientras presiona a las autoridades para que intervengan con energía, él escribe rápidamente los tres libros contra los albigenses cuyo título he citado al principio. Gracias a él sabemos que la herejía empezó a correr en León durante el pontificado del obispo Rodrigo Alvarez (1209-1232). El propagador del error era un tal Arnaldo, nacido en Francia y que vino a España «sembrando la cizaña del error». Sus seguidores eran revoltosos y alteradores de la convivencia pacífica. Arnaldo era un excelente copiador de libros —*scriptor velocissimus* (recordemos el afán y acierto de las copias y traducciones de los círculos de Valdés)—, que se dedicaba a adulterar y a torcer en favor de sus predicaciones los tratados de los Santos Padres, entre cuyos textos intercalaba a menudo formulaciones heréticas. Eran muchos los católicos que compraban aquellas copias adulteradas. «Herido por el diablo», murió Arnaldo hacia el año 1216, justamente cuando se dedicaba a falsificar el libro de los *Sinónimos* de San Isidoro de Sevilla, y murió el mismo día de la fiesta del gran doctor.

Viendo el obispo Rodrigo que las tergiversaciones y las fábulas de los herejes traían a la gente desorientada y desasosegada, los expulsó de la ciudad.

Mas, en 1232, cuando murió el obispo Rodrigo, los herejes vuelven a su propaganda, y esta vez con métodos más atrevidos y espectaculares,

---

[80] FERNÁNDEZ CONDE, *Albigenses...* p.98 y 99.
[81] *De altera vita* II c.2.
[82] *De altera vita* II c.11. Véase también c.9.
[83] *De altera vita* III c.9.

fingiendo hasta milagros, que atribuyen al antiguo corifeo Arnaldo, el francés, cuya muerte califican de martirio y cuya sepultura convierten en lugar de veneración. Y la gente, crédula, se dejó impresionar. La curiosa artimaña es descrita con toda vivacidad por Lucas de Tuy y traducida así por el P. Mariana: «Después de la muerte del Rev. D. Rodrigo, obispo de León, no se conformaron los votos del clero en la elección del sucesor.

Ocasión que tomaron los herejes, enemigos de la verdad, y que gustan de semejantes discordias, para entrar en aquella ciudad, que se hallaba sin pastor, y acometer a las ovejas de Cristo. Para salir con esto, se armaron, como suelen, de invenciones. Publicaron que en cierto lugar muy sucio, y que servía de muladar, se hacían milagros y señales. Estaban allí sepultados dos hombres facinerosos: uno hereje, otro que por la muerte que dio alevosamente a un su tío le mandaron enterrar vivo. Manaba también en aquel lugar una fuente, que los herejes ensuciaron con sangre, a propósito que las gentes tuviesen aquella conversión por milagro. Cundió la fama, como suele, por ligeras ocasiones. Acudían gentes de muchas partes. Tenían algunos sobornados de secreto con dinero que les daban para que se fingiesen ciegos, cojos, endemoniados y trabajados de diversas enfermedades, y que bebida aquel agua publicasen que quedaban sanos. De estos principios pasó el embuste a que desenterraron los huesos de aquel hereje, que se llamaba Arnaldo —el antiguo portador de la herejía—, y había dieciséis años que le enterraron en aquel lugar (había muerto hacia 1216); decían y publicaban que eran de un santísimo mártir. Muchos de los clérigos simples, con color de devoción, ayudaban en esto a la gente seglar. Llegó la invención a levantar sobre la fuente una muy fuerte casa y querer colocar los huesos del traidor homiciano en lugar alto, para que el pueblo le acatase con voz de que fue un abad en su tiempo muy santo. No es menester más sino que los herejes, después que pusieron las cosas en estos términos, entre los suyos declaraban la invención, y por ella burlaban de la Iglesia, como si los demás milagros que en ella se hacen por virtud de los cuerpos santos fuesen semejantes a estas invenciones; y aun no faltaba quien en esto diese crédito a sus palabras y se apartase de la verdadera creencia. Finalmente, el embuste vino a noticia de los frailes de la santa predicación, que son los dominicos, los cuales en sus sermones procuraban desengañar al pueblo. Acudieron a lo mismo los frailes menores y los clérigos, que no se dejaron engañar ni enredar en aquella sucia adoración. Pero los ánimos del pueblo tanto más se encendían para llevar adelante aquel culto del demonio, hasta llamar herejes a los frailes predicadores y menores, porque los contradecían y les iban a la mano. Gozábanse los enemigos de la verdad y triunfaban. Decían públicamente que los milagros que en aquel lodo se hacían eran más ciertos que todos los que en lo restante de la iglesia hacen los cuerpos santos que veneran los cristianos. Los obispos comarcanos publicaban cartas de descomunión contra los que acudían a aquella veneración maldita. No aprovechaba su diligencia por estar apoderado el demonio de los corazones de muchos y tener aprisionados los hijos de la inobediencia» [84].

[84] J. DE MARIANA, *Historia General de España*, l.XII c.1 (Ed. Bibl. de Autores Españoles, v.30) p.340ss.

Aquí es donde se entera, estando en Roma, Lucas —el que esto escribe— y regresa a su patria: «Un diácono que aborrecía mucho la herejía, en Roma do estaba, supo lo que pasaba en León, de que tuvo gran sentimiento, y se resolvió con presteza de dar la vuelta a su tierra para hacer rostro a aquella maldad tan grave». Llegado a León, se informó más enteramente del caso, y como fuera de sí, comenzó en público y en secreto a afear negocio tan malo» [85]. Con el permiso de las autoridades demolió, arriesgando su vida, la capilla levantada sobre la tumba de Arnaldo y «echó por los muladares aquellos huesos», promovió una persecución de los herejes y logró que abandonaran la ciudad.

En 1234 ocupa la sede leonesa el obispo Arnaldo, y en el año de su gobierno los herejes vuelven a la carga con un nuevo artificio: «Escribieron ciertas cédulas y las esparcieron por el monte para que, encontrándolas los pastores, las llevasen a los clérigos». Esas octavillas lograron también su éxito: «Recibíanlas y leíanlas con simplicidad grande muchos sacerdotes, y eran causa de que los fieles descuidasen los ayunos y confesiones, y tuviesen en menosprecio las tradiciones eclesiásticas». También Lucas, el diácono, descubrió «al esparcidor de tal cizaña, y le halló en un bosque herido por una serpiente. Llevado a la presencia de D. Arnaldo, hizo plena confesión de sus errores y de las astucias de sus compañeros» [86].

Lucas se entretiene en especificar el contenido de la teología y la predicación de aquellos hombres inquietos. El contenido teológico que extractó Menéndez y Pelayo [87] y que ha resumido muy bien Fernández Conde [88] coincide fundamentalmente con el de la teología cátara y la predicación albigense: son dualistas, la materia es mala, la generación debe ser reprobada. En cristología son docetistas: es aparente la encarnación, la muerte en el Calvario, los milagros. Se les notan tendencias iconoclastas, son enemigos de la veneración de los santos y niegan la posibilidad de su intervención, así como sus milagros. Se ríen del culto a la cruz y hacen mofa e intentan desprestigiar toda celebración litúrgica o sacramental. Predican contra las prácticas y tradiciones de la Iglesia y no observan ninguno de sus ayunos o abstinencias, que creen inútiles. Niegan el purgatorio y todo valor a las indulgencias y a la intercesión por los difuntos. Pervierten los escritos de los Padres y propugnan la lectura de la Biblia en vulgar y su libre interpretación, dejando de lado el sentido literal.

Una de las cosas en que más insiste el Tudense es en la violenta inquina de los herejes contra los clérigos, a menudo ignorantes, como sabemos, y del uso y abuso que hacían éstos de sacramentos y sacramentales. A menudo simulaban ser clérigos para poder así ridiculizar sus funciones, remedando con mimos, cantilenas y satíricos juegos lo que éstos hacían, parodiando y entregando a la burla e irrisión del pueblo los cantos y oficios eclesiásticos, así como las representaciones sacro-profanas que entonces ya corrían por los pueblos. Llegaban a interrumpir los oficios con canciones

---

[85] J. DE MARIANA, ibid.
[86] J. DE MARIANA, ibid.
[87] *Historia de los heterodoxos españoles* l.III c.2 p.235-236.
[88] *Albigenses...* p.102-104.

lascivas y amorosas, con el fin de distraer la atención de los fieles y de ridiculizar el acto litúrgico. En las fiestas y diversiones populares se disfrazaban con hábitos eclesiásticos, vistiéndose de presbíteros, frailes o monjes. Disfrazados así, llegaron a escuchar confesiones. A veces se fingían judíos, para poder disputar sin cortapisas con los cristianos; otras viajaban a lugares desconocidos, disputando allí con herejes y con católicos. Frente a los herejes se hacían pasar por católicos, y salían siempre vencidos; frente a los católicos hablaban siempre como herejes, e intentaban convencerles. Ahora bien: ¿qué hay que pensar de esos *herejes* de León? En 1977, y en el sólido estudio del que me estoy sirviendo, J. Fernández Conde [89], en contra de lo que habían admitido hasta ahora los historiadores, proponía serias dudas «a la hora de afirmar la realidad histórica de un centro activo y proselitista de albigenses en León». Y expone sus motivos: el Tudense, la fuente que tenemos para conocer aquellos hechos, enumera datos históricos y sistemas de los herejes propios de los núcleos franceses o italianos que él conoció en sus peregrinaciones. Cuando, en el libro tercero, enumera hechos directamente relacionados con León (las desgracias de una piadosa mujer por haber llevado una vela a la Virgen; el fervor de la gente del pueblo ante el milagroso sepulcro del hereje Arnaldo; las circunstancias sobrenaturales que rodearon su muerte; la extraña muerte de otro hereje repartidor de octavillas; y la confusión creada por los herejes a raíz de una innovación introducida en la disciplina tradicional del ayuno), se trata de casos más bien pintorescos y no encadenados que de ninguna manera suponen un grupo organizado de heterodoxos. Tampoco encontramos alusión ninguna a actos de liturgia cátara ni a una jerarquía constituida.

Por otra parte, dos documentos —que Fernández Conde reproduce— nos conducen a la misma conclusión en pro de casos desconexos de todo grupo organizado. El primero es el caso de un hereje de la ciudad de Burgos: Vital de Arvial, hacia 1232, había tratado con herejes, los admiraba, los invitaba a su mesa, dialogaba con ellos, les prestaba dinero. Arrepentido, recurre al papa en demanda de perdón. Gregorio IX escribe al obispo de Burgos dejando la cosa en sus manos. El segundo caso lo constituye otro documento de Gregorio IX, del año 1236, al obispo de Palencia dándole licencia para absolver a unas personas de su diócesis manchadas de *macula haereticae pravitatis,* a quienes el rey Fernando III había confiscado los bienes y marcado la cara con hierro candente.

Es indiscutible, pues, que corrían sospechosos o fautores de herejes o herejes verdaderos en Burgos y Palencia. El segundo documento nos informa de que Fernando III ponía en práctica la dura legislación canónico-civil, que ya conocemos gracias a los documentos de Pedro II y Jaime I de Aragón —su contemporáneo—; por ejemplo: confiscación de bienes, extrañamiento, marca en la cara y el mismo ajusticiamiento. Es justamente el mismo Lucas de Tuy quien nos dice, en un texto que recoge oportunamente Fernández Conde, que el rey «tenía consigo varones cató-

[89] *Albigenses...* p.107.

licos muy sabios, a los cuales encomendava él y su madre todo el consejo; así que él, encendido con fuego de la verdad católica, en tanto noblemente rigió el reyno a sí subyecto, que los enemigos de la fe christiana persiguió con todas sus fuerzas, e qualesquiera hereges que hallara quemava con fuego, y el fuego y las brasas y la llama aparejava para los quemar»[90]. Y añade más adelante: «Y tanto temor havía acometido a todos los hereges, que todos se quexavan de fuir de ambos reynos»[91]. El mismo Menéndez y Pelayo había citado los *Anales Toledanos*, que refieren que en 1233 el rey Fernando «enforcó muchos omes e coció muchos en calderas»[92].

Había, pues, herejes en los reinos de San Fernando. Sin duda. Pero hay que ser cautos. Los últimos textos, drásticos, pueden muy bien referirse a vulgares malhechores más que a herejes. Hemos visto ya que a lo largo y después de la campaña papal antialbigense —justamente en los tiempos de Gregorio IX—, los perseguidos, en desbandada, llegaron numerosos hasta Aragón y Cataluña, y alcanzaron sin duda lugares menos sospechosos, como eran Castilla y León. Por las ciudades mentadas corría, además, el Camino de Santiago, en el que se movían santos, aventureros, comerciantes, gentes de vida azarosa. Y, en fin, la intensa vida de las cortes de Fernando III y Alfonso IX vieron mezclarse entre mercaderes, trotamundos, frailes giróvagos, judíos, moros y peregrinos del norte que allí se establecían o se quedaban largas temporadas. Que una situación así ocasionaba frecuentes disturbios y propiciaba el serpear de ideas y comportamientos extraños es evidente. Pero hay que evitar achacar todo esto a la presencia y actividades de los herejes.

Yo añadiría más todavía: no sólo no puede hablarse de grupos de propaganda organizados, sino que todo, en los relatos de Lucas de Tuy, nos induce a pensar que lo que sucedía en las tierras leonesas y castellanas era que por ellas andaban sueltos y dispersos hombres disidentes, inquietos, revoltosos, que ponían en peligro a la vez la misión de la Iglesia y la paz ciudadana. Muchas de las cosas que sabe Lucas las sabe de Provenza y Lombardía más que de España. Y, por otra parte, un examen un poco minucioso de los *cargos* que él acumula contra los disidentes no son propios en bloque de ninguna secta, sino que se trata de una verdadera miscelánea en la que se encuentra un poco de todo. Aludo a algunos ejemplos que de ninguna manera son exhaustivos: la manía de desprestigiar a los clérigos, a menudo ignorantes, groseros, de vida ligera, que tanto recalca don Lucas («haeretici semper detrahunt ordini clericali». «Proni sunt laici ad detrahendum clericis». «Ut laici irritent contra clericos, falsitatis fabulam proponunt»[93]) es propia y característica de todos los círculos de reforma popular, patarinos, humillados, valdenses, cátaros, etc., a propósito de los cuales ya advirtió Grundmann[94] que no se debe hablar precisamente de anticlericalismo, ya que sus dicterios no van contra los clérigos

---

[90] FERNÁNDEZ CONDE, *Albigenses...* p.107-111.
[91] LUCAS DE TUY, *Crónica de España* p.428. Las citas anteriores en p.418.
[92] Texto en *España Sagrada* XXIII p.407.
[93] Véanse los textos en *Albigenses...* p.112 n.70.
[94] *Eresie e nuovi Ordini religiosi nel secolo XII* (= X Congresso Intern. di Scienze Storiche, Roma, 4-11 settembre 1955: Relazioni III) (Florencia 1955) p.389ss.

como tales, sino contra los malos clérigos, los mundanos; la aversión al culto a la cruz y a las imágenes era santo y seña de arnaldianos y de los secuaces de Pedro de Bruys; el tema donatista de la validez del sacramento según la dignidad del ministro es propio de cátaros y valdenses, lo mismo que las dudas sobre el bautismo de los niños, el mecanicismo de la confesión y el valor de las indulgencias. La *Practica Inquisitionis,* de Bernat Guiu, dice de los valdenses que no admiten los milagros ni los méritos ni la intercesión de los santos, que en el cielo ni oyen las oraciones ni hacen caso de las reverencias que se les hacen en la tierra, así como que los difuntos no reciben provecho alguno de las súplicas, las limosnas, los ayunos de los vivos. También es de los valdenses, aunque les llegaba a ellos de Enrique de Lausanne, la aversión a las iglesias y lugares y objetos de culto, pinturas, vestidos e imágenes sagradas. La inquietud de los seglares y su denigración del estado clerical era, por otra parte, común a todos los movimientos populares de reforma desde el siglo XI [95]. Gentes y bandas a sueldo que devastaban iglesias y bienes eclesiásticos y que maltrataban a los clérigos los hemos visto ya, y fueron denunciados frecuentemente por papas y concilios (los Brabantiones, Aragonenses, Navarri, Basculi, Cotarelli, etc.). El *Perpendiculum Scientiarum,* que dice el Tudense que manejaban los de León [96], pervierte la lectura de la escritura *sub philosophorum seu naturalium doctorum specie* [97]. Ahora bien: los *philosophi naturales* son siempre los nuevos filósofos de la época, los discípulos de Amalric de Chartres y de David de Dinand, que gustaban de ser llamados *naturales* «porque atribuían a la *naturaleza* las maravillas de Dios»; se trataba sencillamente del aristotelismo que reinaba en la escuela de Chartres y que entraba en París, introduciendo una visión nueva del mundo y una más natural interpretación teológica. Otro aspecto del nacimiento del *espíritu laico,* que estudió Lagarde [98].

Lucas de Tuy reunió, pues, datos de todos los centros y escuelas disidentes de la Europa que él conoció. Y lo hizo, sin duda, como opina Fernández Conde, para dar un estridente grito de alarma que pusiera en guardia a jerarquía y pueblo en su ciudad de León. Y así atribuyó, cargando las tintas, todas las monstruosidades de que tenía noticia a los personajes que andaban inquietos y revueltos en su tierra. Estos existían, sin duda, y habían oído campanas y escuchado predicadores o disconformes que llegaban de lejanas tierras. Pero no se trataba ni de herejes formales, sino en algún caso muy aislado, ni de hombres con un cuerpo de doctrina estructurado, ni menos de grupos organizados y activos. Eran, en todo caso, aficionados, amigos de novedades o disconformes felices de poder llamar la atención y de poner nerviosos a los responsables del orden establecido.

[95] Cf. A. FLICHE, *Reforma gregoriana y Reconquista,* en *Hist. de la Iglesia* de Fliche-Martin, ed. española, vol.VIII (Valencia 1976) p.460-65; en ese mismo vol.: A. ORIVE, *Diego Gelmírez, arzobispo de Santiago* p.579-85; R. PASTOR DE TOGNERI, *Diego Gelmírez: une mentalité à la page. À propos du rôle de certaines élites de pouvoir:* Mélanges René Crozet, vol.I (Poitiers 1966) p.597-608.
[96] *De altera vita* III c.2.
[97] *De altera vita* III c.1. Cf. *Hist. de los heterodoxos* III c.2 p.236.
[98] *La naissance de l'esprit laïque au déclin du Moyen Âge,* espec. vol.II (Lovaina-París 1958).

Fernández Conde escribe: «La realidad de estas ramificaciones de la herejía cátara en tierras castellano-leonesas resulta un tanto extraña: las referencias documentales sobre dichos fenómenos religiosos son muy escasas; las actividades de los supuestos grupos heréticos duran muy poco tiempo y están circunscritas exclusivamente a los tres centros urbanos ciados» [99].

En resumen: Que la escasez y discontinuidad de los documentos, la breve y esporádica duración de las actividades que denuncia esa documenación, el hecho de que se hable siempre de personas y no de grupos, y ellas siempre circunscritas a tres centros urbanos muy concretos, dan toda la razón a Fernández Conde: hay que ser muy cautos al hablar de *herejía* en Castilla y León en aquellos siglos. Se trata más bien de una fuerte alarma del Tudense ante lo que era la realidad: manifestaciones múltiples y diversas del nacimiento del espíritu laico en tierras del interior en los primeros decenios del XIII. Manifestaciones múltiples y diversas que, aparecidas mucho antes en tierras de Europa, eran el preludio de un mundo nuevo, y por ello hay que proceder cautelosamente antes de englobarlas sin más bajo el epígrafe de *herejías*.

III. LA INQUISICION MEDIEVAL

Por A. OLIVER

A lo largo de la Edad Media, ni el poder eclesiástico ni el civil tenían una forma de proceder definida contra los disidentes. Fue justamente a raíz de la expansión del catarismo que la Iglesia sintió la necesidad de organizar una forma sistemática de intervenir [1]. Alejandro III presidió, en 163, un concilio en Tours que formuló diversas advertencias contra los herejes y sus fautores. Los reyes de Inglaterra y de Francia ya los habían denunciado al papa. Por aquellos años, las cosas se iban poniendo muy eas en el Languedoc. Fue en 1167 cuando los cátaros tuvieron en San Félix de Caramán el concilio de que hemos hablado ya. Pero antes, en 163, el obispo católico de Albi había abierto un contradictorio en Lombers, donde residía el obispo cátaro de Albi, Sicard Cellerier, y al cual asistieron, entre los laicos, el vizconde de Béziers, Carcasona y Albi, Ramón Trencavel y la hermana del rey de Francia Constanza, que era la sposa de Ramón V de Tolosa. El pueblo se manifestó favorable a los isidentes, que desde entonces se llamaron albigenses [2].

En 1179, y en su canon 27, el concilio III de Letrán fulmina anatema ontra los *cathari, paterini et publicani* y declara a la vez la guerra contra los *ragonenses, navarros, basculos*, etc., que se habían organizado en bandas

---

[99] *Albigenses...* p.97.
[1] J. GUIRAUD, *L'Inquisition médiévale* (París 1928) p.66ss.
[2] M. ZERNER-CHARDAVOINE, *La croisade albigeoise* (París 1979) p.11.

armadas y se vendían a sueldo entre las casas rivales, o a los que se dedic
ban a depredar los bienes de la Iglesia [3].

En el mes de octubre de 1184 se reunían en Verona el papa Lucio III
el emperador Federico Barbarroja a fin de tomar medidas conjuntas re
pecto a la herejía. El 4 de noviembre, reglamentando y ampliando decisi·
nes sinodales de los tiempos carolinos, publica el papa la decretal *Ad ab·
lendam*. Es la primera codificación de la acción conjunta de los dos poder·
contra la heterodoxia. La decretal anatematiza a los cátaros, los patarino
los *humiliati*, los Pobres de Lyón, los *passagini*, los *iosephini*, los arnaldistas
a todos aquellos que se dan a la predicación libre y que creen y enseña
contrariamente a la Iglesia católica sobre la eucaristía, el bautismo, la r
misión de los pecados y el matrimonio. La misma censura cae sobre s·
protectores y defensores. Los clérigos y monjes convictos de herejía serí
privados de sus privilegios y beneficios y abandonados al brazo secula
Los laicos que no puedan justificarse delante del obispo serán entregad·
a la justicia civil, de la que recibirán la pena merecida. El control de
ortodoxia queda bajo la vigilancia del ordinario del lugar. Este proceder
cada dos años, a inspeccionar su diócesis y hará que durante su visita se
denuncie a los sospechosos. El obispo es, por tanto, el juez ordinario pa·
descubrir, juzgar y perseguir lo herético. Sin esperar una acusación fo·
mal, el obispo debe investigar espontáneamente a los que, según los rum
res, son sospechosos. Esta es la que se llamó *Inquisición episcopal*. La acti·
dad de los obispos era potenciada y estimulada a menudo por la interve·
ción de los legados papales en tierras de herejes; ésta se llamó *Inquisici·
legatina*.

Los príncipes ayudaron a los obispos en la ejecución de la decret·
Desde 1195, el emperador Enrique VI expulsó a todos los herejes de l·
territorios del imperio e hizo ejecutar las sentencias eclesiásticas. El misn
atizó el celo de Celestino III contra los herejes. En el Languedoc, el conc
lio de Montpellier, en 1195, presidido por el legado papal, renovó los an·
temas del canon 27 del III de Letrán contra los herejes y bandidos, q·
llegaban hasta a proporcionar armas a los sarracenos. En ese ambien·
deben situarse las intervenciones de los reyes de Aragón: Alfonso I
Casto, el año 1194, dictó en Lérida un documento contra los valdenses. F·
los primeros meses de 1198, Pedro el Católico, «obedeciendo, como s·
antepasados, a los cánones de la sacrosanta Iglesia romana», promulga·
la legislación ya común y le añadía aquel párrafo tantas veces traído: «·
alguna persona, noble o plebeya, descubriere en nuestros reinos a algu·
hereje y lo mata, o lo mutila, o lo despoja de sus bienes y le causa cualqui·
clase de mal, no será por ello castigado, sino que, por el contrario, mer·
cerá nuestra gracia».

Su hijo Jaime I, en cambio, con la prudencia que le distinguía y acons·
jado por San Ramón de Penyafort, no quiso nunca hacer mártires ent·
los disidentes. Sin embargo, excluyó de los beneficios de sus *Constitucior·*

---

[3] MANSI XXII, col.231-232; en cartas de 1198 y 1204, Inocencio III alude a las misn·
bandas.

paz y tregua [4] a los «herejes, fautores y encubridores» [5], y el 7 de febrero e 1233 prohibía a toda persona laica disputar, pública o privadamente, bre la fe católica [6].

Inocencio III, esperando la conversión de los disidentes, había mode-do las sanciones en 1199 por la bula *Vergentis in senium;* pero en 1215, en eno concilio de Letrán, al presentarse de nuevo el problema albigense y nstatar que la herejía, lejos de retroceder, se ha extendido por Europa tera; que, a pesar de la cruzada de Simón de Monfort, el Languedoc gue siendo el nido y centro preferido de los herejes; que las iglesias taras están jerarquizadas y organizadas, y que las mejores familias las oyan en Foix, Tolosa y Carcasona, el papa pregona la legitimidad de las vestigaciones de los obispos, exige esa investigación *ex officio* y aprueba s penas que se deriven contra el reo. Puede decirse, pues, que, a partir de 15, el proceso *per inquisitionem* es un hecho. Desde entonces, y de una anera organizada, esa *inquisición* [7] tiene un cuerpo militante estable in-stido de la autoridad pontificia. La Inquisición está confiada entonces a s nuevas órdenes mendicantes, especialmente a los dominicos, teológi-mente preparados para la controversia y para la detección de los herejes. la llamada *Inquisición monástica.* Esa inquisición orienta sus pesquisas ntra los cátaros y los valdenses. En el Languedoc era dura, y no dudaba apelar al tormento para lograr las confesiones de los reos. La reconci-ción del sospechoso llevaba aparejada siempre una penitencia: obras de edad, actos de humildad, peregrinaciones, insignias de reconocimiento bre los vestidos. El hereje convicto e impenitente era castigado con la capacidad legal, y, si persistía, era relajado al brazo secular y condenado norir en la hoguera. Su casa era demolida. La incapacidad legal llevaba nsigo la confiscación de todos los bienes y se extendía hasta los hijos y los etos del condenado. En cinco días, el brazo secular debía ejecutar la ntencia capital. La Inquisición llegó a plantear y abrir procesos *post mor-*. En tal caso, si el difunto sospechoso resultaba hereje, se exhumaban s huesos y eran quemados.

En el Languedoc, la Inquisición quedó establecida permanentemente Tolosa y en Carcasona, donde continuó la acción que había empezado antes de la cruzada antialbigense.

La simpatía y ayuda otorgada tan a menudo por Pedro el Católico a sus miliares languedocianos, fautores de herejes, hicieron que éstos encon-ran refugio en sus tierras, a pesar del duro decreto del rey de 1198. por ello, sin duda, la implantación de la Inquisición en las tierras aragone-s, de una forma oficial y seguida, debe situarse, según Guiraud [8], alre-dor de 1232. La cantidad de herejes preocupaba a los obispos aragone-

[4] Constit. de paz y tregua, dada en Barcelona en 1225, c.XXII.
[5] Constit., Barcelona 1228, c.XIX: Textos en MENÉNDEZ Y PELAYO, *Hist. de los heterodoxos* I c.2 (Ed. Madrid, II, 1947) p.224-226.
[6] Constit., Barcelona 1233, 1.ª: Que ningún lego dispute, pública o privadamente, de la atólica, so pena de excomunión y de ser tenido por sospechoso de herejía: MENÉNDEZ Y AYO, ibid., p.226.
[7] GUIRAUD, *L'Inquisition médiévale...* p.66ss.
[8] GUIRAUD, *L'Inquisition médiévale...* p.147-148.

ses y al rey don Jaime, y el 15 de abril de 1226, el rey volvió a poner sobre la mesa el edicto de su padre de 1198 «contra los herejes, sus huéspedes, fautores y defensores». Con ello cerraba la ruta de los Pirineos a los fugitivos albigenses, contra los que en aquel mismo año dictaba una pragmática Luis VIII de Francia.

Siguiendo los consejos de su confesor, Ramón de Penyafort, el rey pidió al papa Gregorio IX que le enviara unos inquisidores. Y así, con una bula de 28 de mayo de 1232, el papa encargaba al arzobispo de Tarragona que, con la ayuda de los frailes predicadores, hiciera una inquisición general en Aragón y Cataluña, y en 1235, el propio papa manda al rey todo un tratado sobre el procedimiento inquisitorial, redactado por el mismo Ramón de Penyafort, ya entonces canonista y penitenciario de la Sede Apostólica. Ayudado por los predicadores, el episcopado aragonés llevó adelante las inquisiciones. Ramón no fue nunca inquisidor, pero fue un excelente consejero de los obispos que tomaban en serio su cargo de inquisidores de la herética pravedad.

El obispo Guillermo de Montgrí estableció la Inquisición en el vizcondado de Castellbou de acuerdo con el conde de Foix. Asistido por dominicos y franciscanos y por el vizconde de Cardona, condenó a 45 herejes, exhumó a 18 de ellos, quemando sus huesos, e hizo derribar dos casas. El conde Roger Bernat, que anteriormente había sido excomulgado, horrorizado, solicitó la absolución.

El caso más característico, porque incluye en sí herejes, negligencia del obispo, intereses creados, entradas a saco, intervenciones de la Inquisición, es el del conde de Foix y el obispo de Urgel Pons de Vilamur, que relata extensamente Menéndez y Pelayo[9]. El condado, como ya sabemos, estaba lleno de albigenses al amparo del conde. Dadas las averiguaciones de los inquisidores, dominicos y franciscanos, el obispo, responsable de la ortodoxia en su tierra, no podía dejar de intervenir. Y en 1237 excomulgó al conde como fautor de herejes. El conde apeló al arzobispo electo de Tarragona, Guillermo de Montgrí, quejándose de su obispo quien al final le absolvió el 4 de junio de 1240.

Pero los capitulares de Urgel habían visto muy mal la elección de su obispo, de forma que, cuando, en julio de 1243, el conde apeló a la Santa Sede alegando que el obispo era su enemigo declarado y que le atacaba en son de guerra, tres canónigos —Ricardo de Cervera, arcediano de Urgel, Guillermo Bernat de Fluviá, arcediano, y Arnau de Querol— acusaban ante el papa, en Perugia, a su prelado de delitos increíbles —homicida, estuprador, incestuoso, acuñador de moneda falsa, enriquecedor de sus hijos con los haberes de la Iglesia, etc.—, Inocencio IV, en principio, no quiso atender a las denuncias; pero en breve de 15 de marzo de 125? comisionaba a San Ramón de Penyafort y al ministro provincial de los menores de Aragón para inquirir en los delitos del obispo, sobre quien recaen las sospechas de simonía, incesto, adulterio y dilapidación de las rentas eclesiásticas.

---

[9] *Hist. de los heterodoxos...*, ibid., p.230ss.

Entre tanto, se unen dos canónigos más a los descontentos: Ramón de Anguilera y Arnau de Muro. Y el conde, por su parte, escribe al papa quejándose de que el obispo le haga la guerra con ambas espadas: *«Me iniuste utroque gladio persequitur... non absque multorum strage meorum hominum».*

De aquellos años es también una carta del obispo Vilamur al legado papal en tierras albigenses, en la que le hace saber que, informado de frailes dominicos y menores de que en la villa de Castellbou (dentro del condado de Foix) había gran número de herejes, había ya amonestado reiteradamente al conde para que los entregara a su tribunal, a lo que el conde se había negado siempre, mereciendo con ello la excomunión. Cierto era que, posteriormente, el conde había permitido la entrada en sus tierras al arzobispo electo de Tarragona y a los obispos de Lérida y Vich, quienes con otros religiosos condenaron en juicio a más de sesenta herejes; pero, con todo, la excomunión del conde se mantenía firme. Era lamentable, pues, que comunicaran con el conde excomulgado el arzobispo de Narbona y los obispos de Tolosa y Carcasona, así como dos inquisidores dominicos.

San Ramón de Penyafort, siempre conciliador, escribió al obispo una carta en la que le aconsejaba que no se precipitase, sino que fuera muy cauteloso en el asunto de R. de Vernigol, preso por cuestión de herejía, y que se atuviese a los recientes estatutos del papa, tomando consejo de varones prudentes y celosos de la fe.

Al final se falló la causa pendiente del obispo. La sentencia le declaraba suspenso en la administración de su diócesis de Urgel. Ello trajo serias complicaciones para la Inquisición. Fray Pedro de Tenes, dominico, había perseguido a unos valdenses hasta las villas de Puigcerdá y Berga y las baronías de Josa y Pinós. Todo ello lo había hecho comisionado por el obispo ahora suspendido. Las diligencias no pudieron continuarse. Ni el arzobispo de Tarragona ni el cabildo de Urgel se creyeron facultados para nombrar a un nuevo inquisidor. El primero, metropolitano, consultó a San Ramón de Penyafort y al prior del convento de dominicos de Barcelona, fray Pedro de Santpons. Estos respondieron que justamente el metropolitano era el juez ordinario, y que, por tanto, podía proceder o bien por sí o bien por el cabildo de Urgel, dado que la sede de aquella ciudad quedara vacante desde que el obispo había sido depuesto por sentencia papal. En otra carta, San Ramón exhorta al arzobispo de Tarragona a proceder como responsable en la persecución de la herejía (en Berga había muchos poderosos que ayudaban a los disidentes y hacían imposible el trabajo de los inquisidores), reparando así los daños que había causado la negligencia del depuesto obispo urgelense: *«Quam neglegentiam probant duo testes omni exceptione maiores, scilicet fama publica et operis evidentia».* San Ramón, pues, estaba convencido de la culpa del obispo. Culpa que, como hemos dicho, favorecía la difusión de los herejes, daba armas a sus amigos, como el conde de Foix, y hacía difícil el trabajo de los inquisidores.

El 13 de mayo de 1242 se tuvo en Tarragona un concilio, al que asistió San Ramón de Penyafort, que estableció un reglamento para la Inquisición. En realidad se trata de la aplicación de las normas establecidas en 1241-1242 por el propio arzobispo de la ciudad, Pedro de Abalat, y el mismo San Ramón. Se trata de regularizar y coordinar las fórmulas de abjuración y las penitencias impuestas a los herejes, especialmente valdenses. De ahí salió un pequeño tratado —el primero, sin duda—, que constituye un verdadero directorio de procedimiento contra los valdenses, pero que es aplicable a los cátaros de España y del Languedoc. Inspirada en ese manual, la asamblea señala a los sospechosos justiciables, garantiza la inmunidad de los confesos, condena al emparedamiento a los arrepentidos fuera del tiempo de gracia, relaja al brazo secular a los obstinados y da las fórmulas apropiadas de condena o de absolución [10]. La asamblea de Tarragona y su manual fueron grandes en su trascendencia. En el Languedoc, las asambleas episcopales copiarán y aplicarán las normas y procedimientos de aquel concilio [11]. El control de la Santa Sede hace que el procedimiento sea uniforme en las tierras catalano-aragonesas y languedocianas, hasta que en 1254, y a ruegos del rey Jaime I, Inocencio IV impone la unidad, centralizando las inquisiciones en manos de los predicadores.

[10] MENÉNDEZ Y PELAYO, *Hist. de los heterodoxos...*, ibid., p.228-229.
[11] Así el de Narbona, 1243 —y el *Ordo Processus Narbonensis*, redactado después de 1244 por los inquisidores dominicos Guillermo, Raimundo y Pedro Durán—, y el de Béziers, 19 de abril de 1246. Recuérdese que en el sur de Francia, y desde 1235 hasta 1246, la Inquisición tuvo serios problemas con el irreductible conde de Tolosa, Raimundo VII, siendo inexorable ante su actitud con los herejes.

CAPÍTULO III

LAS ORDENES RELIGIOSAS EN LA BAJA EDAD MEDIA: LOS MENDICANTES

Por ANTONIO LINAGE CONDE y ANTONIO OLIVER

BIBLIOGRAFIA

OBRAS GENERALES CON NOTICIAS VARIAS

R. I. BURNS, *The crusader Kingdom of Valencia. Reconstruction on a thirteenth-Century Frontier* (Harvard 1967); ID., *Islam under the Crusaders. Colonial Survival in the Thirteenth-Century Kingdom of Valencia* (Princeton 1973); L. FERNÁNDEZ MARTÍN, *La participación de los monasterios en la «Hermandad» de los reinos de Castilla, León y Galicia (1282-1284):* Hispania Sacra 25 (1972) 5-31; A. GARCÍA Y GARCÍA, *La canonística ibérica medieval posterior al «Decreto» de Graciano:* Repertorio de Historia de las Ciencias Eclesiásticas en España (Instituto de Historia de la Teología Española, Corpus Scriptorum Hispaniae, Estudios; Salamanca) t.1 (1967) 397-434; 2 (1971) 183-214 y 5 (1976) 351-402; A. OLIVER, *La liturgia española del siglo XI al XV:* ibid., t.2 (1971) 70-82; K. REINHARDT, *Die biblischen Autoren Spaniens bis zum Konzil von Trient:* ibid., t.5 (1976) 9-242; I. RODRÍGUEZ, *Autores espirituales españoles de la Edad Media:* ibid., t.1 (1967) p.175-351; ID., *Literatura latina hispana del 711 hasta Trento:* ibid., t.2 (1971) p.99-123. Aunque trasciende nuestra dimensión espacial, es muy útil F. MAROTO, *Regulae et particulares constitutiones singulorum religionum ex iure Decretalium usque ad Codicem:* Acta Congressus iuridici internationalis t.4 (Roma 1937).

TRINITARIOS

Fuentes: ANTONINO AB ASSUMPTIONE, *Synopsis bullarii Ordinis Sanctissimae Trinitatis medii aevi ex variis fontibus praecipue vero ex regestis summorum pontificum collecta atque digesta* (Roma 1921); ID., (= ANTONIN DE L'ASSOMPTION), *Les origines de l'Ordre de la Très Sainte Trinité d'après les documents* (Roma 1925); A. FERNÁNDEZ QUEVEDO, *Bullarium O.SS.T.* (en col. con I. ROBLEDO) (ms., San Carlino, Roma); P. HERNÁNDEZ ZENZANO, *Bullario Trinitario* 5 vols. (ms., San Carlino, Roma); JOSÉ DE JESÚS MARÍA, *Bullarium Ordinis SS.T.* (Madrid 1692); L. REINES, *Bullarium O.SS.T.* (ms., 2 vols.).

Estudios generales y sobre los orígenes: B. BARÓN, *Annales Ordinis Ssmae. Trinitatis redemptionis captivorum fundatoribus ss. Ioanne de Matha et Faelice de Valois. 1198-1297* (Roma 1684); J. BORREGO, *La Regla de la Orden de la Santísima Trinidad. Contexto histórico* (Roma-Salamanca 1973); P. DESLANDRES, *L'Ordre des Trinitaires pour le rachat des captifs* (Toulouse 1903); P. I. MARCHIONNI, *Note sulla storia delle origini dell'Ordine della SS. Trinità* (Roma 1973); P. PARASSOL I PI, *Breu compendi critich de la vida del gloriós catalá San Joan de Mata* (Ripoll 1902); L. REINES, *Crónica de la Provin-*

cia de Aragón del Orden de la SS.T. Siglos XIII-XVII 5 vols. (ms., Biblioteca de Palma de Mallorca, sala VI-XXI-4; copia en San Carlino, Roma); A. ROMANO DI SANTA TERESA, Le affiliazioni dell'Ordine trinitario. Appunti storici (Isola dei Liri 1947); ID., San Giovanni di Mata, fondatore dell'Ordine della SS. Trinità (Vicenza 1961); J. SERRA VILARO, Baronies de Pinos i Mataplana (Barcelona 1930); F. DE LA VEGA Y TOROYA, Chrónica de la Provincia de Castilla, León y Navarra del Orden de la SS.T. 3 vols. (Madrid 1720-1729). Casas particulares y aspectos de detalle: A. DELL'ASSUNTA, Historia documentada de Avingaña (Roma 1915); A. G. VERMEJO, Historia del santuario y célebre imagen de Nuestra Señora de Texeda (Madrid 1779); E. MULA Y GRUESO, La Orden Trinitaria en la diócesis de Jaén (Jaén 1900); B. PORRES ALONSO, Advocación y culto de la Virgen del Remedio en España: Hispania Sacra 23 (1970) 3-79; J. VILALTA I CAMPRUBY, Història del santuari de Nostra Senyora de Montgrony (Vich 1887; Ripoll [2]1905).

FRANCISCANOS

Fuentes y repertorios: C. EUBEL, Bullarium franciscanum sive Romanorum Pontificum constitutiones, epistolae, diplomata tribus ordinibus (Roma 1898); ID., Epitome bullarii franciscani (Quaracchi 1908); J. H. SBARALEA, Bullarium franciscanum Romanorum Pontificum 4 vols. (Roma 1759-1768); L. LEMMENS, Catalogus sanctorum fratrum minorum (Roma 1602); Martyrologium franciscanum (París [2]1653); JUAN DE SAN ANTONIO, Bibliotheca universalis franciscana (Madrid 1732); J. H. SBARALEA, Suplementum et castigatio ad scriptores trium Ordinum S. Francisci 3 vols. (Roma 1908-1931); L. WADDINGUS, Scriptores Ordinis Minorum (Roma 1906); Bibliographia franciscana (desde 1929, a cargo de los capuchinos de Asís-Roma).
Estudios generales: Sigue siendo fundamental el de ATANASIO LÓPEZ, La Provincia de España de los frailes menores. Apuntes histórico-críticos sobre los orígenes de la Orden franciscana en España (Santiago 1915); J. AGUILLÓ, La Provincia seráfica de Cataluña (Barcelona 1902); P. SANAHÚJA, Historia de la seráfica Provincia de Cataluña (Barcelona 1959); MATÍAS ALONSO, Chrónica de la Provincia de la Concepción t.1 (Valladolid 1734); HURTADO, Crónica de la Provincia de Castilla (ms. Archivo de los Franciscanos de Pastrana); PEDRO DE SALAZAR, Crónica y historia de la fundación y progreso de la Provincia de Castilla, de la Orden del bienaventurado padre San Francisco (Madrid 1612); JACOBO DE CASTRO, Arbol chronológico de la Provincia de Santiago 2 vols. (Salamanca 1722, Santiago 1727); Crónica de la Provincia franciscana de Santiago. 1214-1614. Por un franciscano anónimo. Introducción, rectificaciones y notas por M. DE CASTRO (Madrid 1971); JUAN ANTONIO DOMÍNGUEZ, Arbol chronológico de la Provincia de Santiago (Santiago 1750); A. LÓPEZ, La Provincia de Santiago en el siglo XIII: El Eco Franciscano 53 (1936) 456; DAMIÁN CORNEJO, Chrónica seráfica p.1.ª (Madrid 1682); JUAN BAUTISTA GALARRETA, Breve y concisa descripción de la santa Provincia de Burgos (ms. Colegio de Quaracchi); DOMINGO HERNÁEZ DE LA TORRE, Chrónica de la Provincia de Burgos p.1.ª (Madrid 1722); FRANCISCO GONZAGA, De origine seraphicae religionis (Roma 1583, Venecia 1603); JUAN ANTONIO HEBRERA, Chrónica seráfica de la santa Provincia de Aragón de la regular observancia de San Francisco 3 vols. (Zaragoza 1703-1705); S. LAÍN ROXAS, Historia de la Provincia de Granada (ms. cit. por A. López); V. MARTÍNEZ COLOMER, Historia de la Provincia de Valencia t.1 (Valencia 1803); JUANETÍN NIÑO, Chrónicas (Salamanca 1624); PABLO MANUEL ORTEGA, Chrónica de la santa Provincia de Cartagena p.1.ª (Murcia 1740); LUIS DE REBOLLEDO, Primera parte de la Chrónica general de nuestro seráphico padre San Francisco (Sevilla 1598); A. DE SALDES, La Orden franciscana en el antiguo reino de Aragón. Colección diplomática: Revista de Estudios Franciscanos 1 (1907) 88-92 148-151 219-222 345-348 414-417 478-482 537-540 608-612 y 753-757; ANTONIO DE SANTA CRUZ, Chrónica de la santa Provincia de San Miguel (Madrid 1671); JUAN DE LA TRINIDAD, Chrónica de la Provincia de San Miguel (Sevilla 1651); A. SCHOTT, La Orden franciscana y la casa real de Aragón: El Eco Franciscano 5 (1910) 158-164; ID., Testamentos de Jaime de Aragón en 1232 y 1241: ibid., 1 (1907) 279 y 356-358. De las obras que trascienden el ámbito hispano son útiles para él especialmente: G. DE PARÍS, Historia de la fundación y evolución de la Orden de Frailes Menores en el siglo XIII

(Buenos Aires 1947); H. HOLZAPFEL, *Manuale historiae Ordinis Fratrum Minorum* (Friburgo de Brisgovia 1909); A. QUAGLIA, *L'originalità della Regola francescana* (Sassoferrato 1959).

Sobre los primeros orígenes españoles: M. CASTRO, *Franciscanos en Galicia* (pendiente de publicación en «La Gran Enciclopedia Gallega», *ad vocem);* A. LÓPEZ, *Capilla de San Pablo o San Payo del Monte:* El Eco Franciscano 34 (1917) 86-87; ID., *Viaje de San Francisco a España (1214):* Archivo Ibero-Americano 1 (1914) 13-45 y 257-269; E. FORT I COGUL, *Sant Francesc d'Assis a Santes Creus:* Studia Monastica 2 (1960) 223-231; J. M. POU Y MARTÍ, *Fray Gonzalo de Balboa, primer general español de la Orden:* Estudios Franciscanos 5 (1911) 171-180 y 322-342; ID., *Visionarios, beguinos y fraticelos catalanes.* Siglos XIII-XIV (Vich 1930); M. BANDÍN, *Los orígenes de la Observancia en la Provincia de Santiago:* Archivo Ibero-Americano 33 (1930) 337-373 y 527-559; *Introducción a los orígenes de la Observancia en España. Las reformas en los siglos XIV y XV:* ibid., número extraordinario con ocasión del V centenario de la muerte de San Pedro Regalado (1456-1956).

Casas particulares: D. CALONGE, *Los tres conventos de San Francisco de Orense* (Orense 1949); M. CASTRO, *Los franciscanos en Cuéllar:* Archivo Ibero-Americano 23 (1963) 115-121; A. LÓPEZ, *Convento de San Francisco de La Coruña:* Boletín de la Real Academia Gallega 8 (1915) 1-7 y 170-175; G. RUBIO, *La Custodia franciscana de Sevilla. Ensayo histórico sobre sus orígenes, progresos y vicisitudes (1220-1499)* (Sevilla 1953-1955); A. SOTES, *El convento de San Francisco de Astorga* (Madrid 1934).

Las clarisas: M. CASTRO, *Los conventos de clarisas en la Provincia de Santiago:* El Eco Franciscano 70 (1953) 249-250 y Archivo Ibero-Americano 10 (1950) 132 y 20 (1960) 601; ID., *El convento de Santa Clara de Toledo según documentos de los siglos XIV y XV:* Boletín de la Real Academia de la Historia 174 (1977) 495-528; ID., *Fundación del convento de Santa Clara de Burgos. Documentos de los siglos XIII al XVI:* ibid., 171 (1974) 137-193; A. FERNÁNDEZ TAFALL, *Las monjas clarisas de Compostela:* El Eco Franciscano 50 (1953) 510-514; A. IVARS CARDONA, *Año de fundación y diferentes advocaciones que ha tenido el monasterio de la Puridad o Purísima Concepción, de Valencia:* Archivo Ibero-Americano 19 (1932) 435-464; A. LÓPEZ, *Apuntes históricos sobre el convento de Santa Clara de Allariz:* Boletín de la Comisión de Monumentos de Orense 8 (1927) 8-13.25-32 y 49-53; ID., *El convento de Santa Clara de Allariz:* El Eco Franciscano 8 (1912) 280-284.380-387 y 9 (1913) 132-142; ID., *Datos sobre el convento de Santa Clara de Allariz:* Boletín de la Comisión de Monumentos de Orense 10 (1935) 335-340; ID., *Los monasterios de clarisas en España en el siglo XIII (1212-1300):* El Eco Franciscano 29 (1912) 185-190; A. RIESCO TERRERO, *Datos para la historia del real convento de clarisas de Salamanca. Catálogo documental de su archivo* (León 1977); A. SALES Y ALCALÁ, *Historia del real monasterio de la Santísima Trinidad, religiosas de Santa Clara, de la regular observancia, fuera de los muros de la ciudad de Valencia, sacada de los originales de su archivo* (Valencia 1761); M. VILAPLANA, *La colección diplomática del monasterio de Santa Clara de Moguer. 1280-1493* (Sevilla 1975).

DOMINICOS

Fuentes y repertorios.—*Sobre el Fundador: Acta canonizationis sancti Dominici* (ed. A. WALZ: Monumenta Ordinis Fratrum Praedicatorum Historica 16, Roma 1935); BALME-LELAIDIER y COLLOMB, *Cartulaire ou histoire diplomatique de S. Dominique* 3 vols. (París 1893-1901); *Monumenta diplomatica sancti Dominici* (ed. V. J. KOUDELKA: Monumenta 25, 1966); *Monumenta historica sancti Dominici* (ed. M. H. LAURENT: Monumenta 15, 1933); M. GELABERT, J. M. MILAGRO y J. M. GARGANTA, *Santo Domingo de Guzmán visto por sus contemporáneos. Orígenes, proceso, biografías* (Madrid 1947).—*Orígenes:* G. DE FRACHET, *Vitae fratrum Ordinis Praedicatorum. 1206-1259* (ed. B. M. REICHERT: Monumenta 1, 1896); JORDANO DE SAJONIA, *Libellus de principiis Ordinis Praedicatorum* (ed. H. C. SCHEEBEN: Monumenta 16 [1935] p.1-88); H. FINKE, *Ungedruckte Dominikanerbriefe des 13. Jahrhunderts* (Paderborn 1891).—*Capítulos: Acta capitulorum provincialium Provinciae Hispaniae; Monumenta Provinciae Hispaniae:* Analecta Sacri Ordinis Fratrum Praedicatorum 3 (1897-1898) 411-436 y 4

(1899-1900) 479-493; *Acta capitulorum provincialium Ordinis Fratrum Praedicatorum*. *Première Province de Provence, Province Romaine, Province d'Espagne* (Toulouse 1894); *Acta capitulorum provincialium*. *Provinciae Aragoniae*. *1302-1594* (transcripción S. L. FORTE; Zaragoza, ms.97 de la Biblioteca de la Universidad); GETTINO-PORRAS, *Documentos legislativos e históricos de las provincias hispanoamericanas Ord. Praed*. (Madrid 1929; a ciclostil); *Acta capitulorum generalium Ordinia Praedicatorum* (ed. B. M. REICHERT: Monumenta 3-4 y 8-14; 1898ss); C. JASINSKI, *Summarium ordinationum capitulorum generalium Ordinis Praedicatorum* (Cracovia 1638, Brescia 1654).—*Constituciones: Constitutiones antiquae Ordinis Fratrum Praedicatorum*: Analecta 2 (1895-1896) 621-648; *Constitutiones Fratrum Ordinis Praedicatorum* (ed. V. BANDELLI; Milán 1505); *Constitutiones fratrum sancti Ordinis Praedicatorum* (París 1886); *Constitutiones fratrum sancti Ordinis Praedicatorum, M. S. Gillet mag. gen. iussu editae* (Roma 1932); *Constitutiones primae Ordinis Fratrum Praedicatorum qui erant tempore magistri Iordanis* (ed. H. DENIFLE, *Die Constitutionen des Praedigerordens von Jahre 1228*: Archiv für Literatur und Kirchengeschichte des Mittelalters 1 [1885] 162-177); V. M. FONTANA, *Constitutiones, declarationes et ordinationes capitulorum generalium sacri Ordinis Fratrum Praedicatorum* (ed. C. LO-CICERO; Roma 1882; 1.ª ed. de FONTANA, Roma 1665); A. H. THOMAS, *De oudste constituties van de Dominicanen* (=*Constitutiones antique Ordinis Praedicatorum*:Bibliothèque de la Revue d'Histoire Ecclésiastique [Lovaina 1965] t.45).—*Bulas: Bullarium Ordinis Fratrum Praedicatorum* (ed. E. T. RIPOLL-A. BRÉMOND; Roma 1729-1740; 8 vols.); *Epitome bullarii Ordinis Praedicatorum* (ed. LIGIEZ-MOTHON; Roma 1898).—*Crónicas: Cronica Ordinis prior* (ed. B. M. REICHERT: Monumenta 1 [1897] 321-338); *Chronica et chronicarum excerpta historiam Ordinis Praedicatorum illustrantia* (ed. ID.: Monumenta 7, 1904); F. GALVANO, *Chronica Ordinis Praedicatorum* (ed. ID.: ibid., 2, 1897).—*Repertorios:* L. ALBERTI, *De viris illustribus Ordinis Praedicatorum* (Bolonia 1517); A. DE ALTAMURA, *Bibliothecae dominicanae* [...] *incrementum ac prosecutio* (Roma 1677); P. AUER, *Ein neuaufgefundener Katalog der Dominikaner Schriftsteller:* Dissertationes historicae, Institutum Historicum Fratrum Praedicatorum 2 (1933); T. BONNET, *Scriptores Ordinis Praedicatorum specimen* (Lyón 1883); R. COLON, *Scriptores Ordinis Praedicatorum editio altera* fasc.1-8 (París 1910-1914, Roma 1934); T. KAPPELI, *Scriptores Ordinis Praedicatorum medii aevi* t.1 A-F (Roma 1970); t.2-3 A-J (ibid., 1970-1975); J. J. QUÉTIF-J. ECHARD, *Scriptores Ordinis Praedicatorum* 2 vols. (París 1719-1721); L. ROBRES, *Escritores dominicos de la corona de Aragón (siglos XIII-XV):* Repertorio de Historia de las Ciencias Eclesiásticas en España 3 (1971) 11-178; S. ALVAREZ, *Santos, bienaventurados, venerables, de la Orden de Predicadores* 4 vols. (Vergara 1920-1923); *Année dominicaine ou vies des saints* (Lyón 1883-1909, Grenoble 1912); I. TAURISANO, *Catalogus hagiographicus Ordinis Praedicatorum* (Roma 1918); V. M. FONTANA, *Sacrum theatrum dominicanum* (Roma 1666); G. M. PIO, *Delle vite de gli uomini illustri di San Domenico* (Roma-Pavía 1607-1622); I. TAURISANO, *Hierarchia Ordinis Praedicatorum* (Roma ²1916); *Libellus magistrorum Ordinis Praedicatorum necnon et priorum provincialium* (ed. E. MARTÈNE-U. DURAND: Veterum Scriptorum et Monumentorum [...] amplissima collectio t.6 [París 1729] p.397-436); *Litterae encyclicae magistrorum Ordinis Praedicatorum. 1233-1376* (ed. B. M. REICHERT: Monumenta 5, 1900); I. COLOSIO, *Bibliografia analitica delle pubblicazioni sulla spiritualità domenicana (1900-1961):* Rivista di Ascetica e Mistica 6 (1961) 561-588.

Estudios: R. F. BENNETT, *The Early Dominicans. Studies in Thirteenth-Century Dominican History* (Cambridge 1937); O. DECKER, *Die Stellung des Praedigerordens zu den Dominikanerinnen. 1207-1267:* Quellen und Forschungen zur Geschichte des Dominikanerordens in Deutschland 31 (Vechta 1935); A. HINNEBUSCH, *The History of the Dominican Order* (Nueva York 1965-1973); R. MARTÍNEZ VIGIL, *La Orden de Predicadores. Sus glorias, su santidad, apostolado, ciencias, artes y gobierno de los pueblos, seguidas del ensayo de una biblioteca de dominicos españoles* (Madrid 1884); M. M. MONSSEN, *Die Dominikanerinnen* (Friburgo de Suiza 1964); R. P. MORTIER, *Histoire des maîtres généraux de l'Ordre des Frères Prêcheurs* t.1: 1170-1263; t.2: 1263-1323 (París 1903-1905); M. H. VICAIRE, *Histoire de saint Dominique* 2 vols. (París 1957); A. WALZ, *Compendium historiae Ordinis Praedicatorum* (Roma ²1948; excelente resumen). Acaban de aparecer: B. AGUILÓ PASCUAL, *Los sellos de las Provincias francisca-*

nas de Aragón, Valencia y Baleares: Escritos del Vedat 10 (1980 = «Miscelánea de estudios históricos en honor del R. P. José María de Garganta y Fábrega, OP») 37-75; L. GALMES, *Catálogo hagiográfico de la Provincia de Aragón de la Orden de Predicadores:* ibid., 183-214; J. PERARNAU, *El «Liber negotiorum monasterii Praedicatorum Barcinonae» del notari Gabriel Canyelles (1418-1433):* ibid., 503-532; H. D. CHRISTIANOPOPULO-MAMACHI, *Histoire de saint Raymond:* Analecta (1899); R. CREYTENS, *Les constitutions des frères prêcheurs dans la rédaction du s. Raymond de Peñafort:* Analecta 18 (1948) 5-68; DANZAS, *Études sur les temps primitifs de l'Ordre de saint Dominique: saint Raymond et son époque* (París 1885); F. PENIA, *Vita s. Raymundi, notis illustrata et duobus libellis aucta* (Roma 1661); *Raymundiana seu documenta quae pertinent ad s. Raymundi de Pennaforti vitam et scripta* (ed. F. BALME-C. PABAN-J. COLLOMB: Monumenta 6).

MERCEDARIOS

J. DE ANTILLÓN, *Crónica de la Orden de la Merced* (Archivo de la Corona de Aragón, Monacales ms.103); F. GUIMERÁN, *Breve historia de la Orden de Nuestra Señora de la Merced de redempción de cautivos christianos y de algunos santos y varones ilustres de ella* (Valencia 1591); A. REMÓN, *Historia general de la Orden de Nuestra Señora de la Merced* (Madrid 1618); M. M. RIBERA, *Centuria primera del real y militar instituto de la ínclita religión de Nuestra Señora de la Merced, redempción de cautivos christianos* (Barcelona 1726); GABRIEL TÉLLEZ (= TIRSO DE MOLINA), *Historia general de la Orden de Nuestra Señora de la Merced* I (1218-1567) (ed. M. PENEDO REY; Madrid 1973); B. VARGAS, *Chronica sacri ac militaris Ordinis B. M. de Mercede, redemptionis captivorum* 2 vols. (Palermo 1618-1622); G. VÁZQUEZ NÚÑEZ, *Manual de historia de la Orden de Nuestra Señora de la Merced* (Toledo 1931); J. LINAS, *Bullarium caelestis ac regalis Ordinis. B. Mariae Virginis de Mercede, redemptionis captivorum* (Barcelona 1596); *Bibliografía mercedaria* (Madrid 1968); GARÍ y SIUMELL, *Biblioteca mercedaria* (Barcelona 1875); G. PLACER, *Bibliografía mercedaria* (Madrid 1963); *Constitutiones Ordinis B.M.V. de Mercede que primo vigerunt in Ordine* (Roma 1927); R. SERRATOSA, *Las constituciones primitivas de la Merced comparadas con la legislación militar-religiosa:* Estudios 35-36 (1956) 413-583; GASPAR DE TORRES, *Regula et constitutiones sacri Ordinis Beatae Mariae de Mercede redemptionis captivorum* (Salamanca 1565); F. GAZULLA, *L'Ordine della Mercede nella sua natura religiosa militare* (Roma s.a.); A. LINAGE CONDE, *Tipología de vida monástica en las órdenes militares:* Yermo 12 (1974) 73-115; F. ZUMEL, *De vitis patrum ac magistrorum Ordinis redemptorum B.M. de Mercede brevis historia* (Salamanca 1588).

J. W. BRODMAN, *The Origins of the Mercedarian Order: a Reassesment:* Studia Monastica 19 (1977) 353-360; F. GAZULLA, *La Orden de Nuestra Señora de la Merced. Estudios histórico-críticos (1218-1317)* (Roma 1934); ID., *La Orden de Nuestra Señora de la Merced, ¿fue fundada en 1218?* (Roma 1918); ID., *Refutación de un libro titulado «San Raimundo de Peñafort, fundador de la Orden de la Merced»* (Roma 1920); LATOMY, *Histoire de la fondation de la Mercy* (París 1618); M. PENEDO REY, *Precedentes de la solemne fundación de la Merced en 1218. Conclusiones del maestro Zumel;* VACAS GALINDO, *San Raimundo de Peñafort, fundador de la Orden de la Merced* (Roma 1919); G. VÁZQUEZ, *Actas del capítulo general de 1317, celebrado en Valencia, en que fue elegido maestro general el Venerable Raimundo Albert, con asistencia de casi todos los frailes de la Orden* (Roma 1929).

F. GAZULLA, *Jaime I de Aragón y los Estados musulmanes. Discurso de recepción en la Academia de Buenas Letras* (Barcelona 1919); ID., *Don Jaime de Aragón y la Orden de Nuestra Señora de la Merced:* Congres d'història de la Corona d'Aragó dedicat al rey En Jaume I a la seua época (Barcelona 1909-1913) p.327-388; ID., *Moros y cristianos: algo sobre cautivos:* Boletín de la Sociedad Castellonense de Cultura 6 (1925) 209-217 195-209 266-272 317-320; 11 (1930) 94-107 y 202-210; ID., *La redención de cautivos entre los musulmanes. Discurso de inauguración del curso en la Academia de Buenas Letras* (Barcelona 1929); M. M. RIBERA, *Real patronato de los serenísimos señores reyes de España en el real y militar Orden de Nuestra Señora de la Merced, redención de*

122   A. Linage Conde y A. Oliver

cautivos (Barcelona 1725); M. SALMERÓN, *Recuerdos históricos y políticos de los servicios que los generales y varones ilustres de la religión de Nuestra Señora de la Merced, redención de cautivos, han hecho a los reyes de España en los dos mundos* (Valencia 1646); V. MUÑOZ DELGADO, *La teología entre los mercedarios españoles\hasta 1600*: Repertorio de Historia de las Ciencias Eclesiásticas en España 3 (1971) 395-405.

F. BOYL, *Nuestra Señora del Puche, cámara angelical de María Santísima, patrona de la insigne ciudad y reyno de Valencia, monasterio real del orden de redentores de Nuestra Señora de la Merced, fundación de los reyes de Aragón* (Zaragoza 1631); N. GAVER, *Cathalogus magistrorum generalium et priorum conventus Barchinonae, anno 1145 scriptus et nunc primum editus* (Toledo 1928); F. GAZULLA, *Los mercedarios en Arguines y Algar (siglo XIII):* Boletín de la Sociedad Castellonense de Cultura 6 (1925) 64-77; ID., *Los mercedarios en Játiva durante el siglo XIII:* ibid., 4 (1923) 129-143; ID., *La patrona de Barcelona y su santuario* (Barcelona 1918); ID., *El Puig de Santa María* (Valencia 1927); ID., *Los religiosos de la Merced en la ciudad de Valencia (siglo XIII):* Boletín de la Sociedad Castellonense de Cultura 6 (1925) 1-12.

M. CARRAJO RODRÍGUEZ, *Ramas femeninas mercedarias:* Estudios 26 (1970) 717-744; E. DE CORBARA, *Vida y hechos maravillosos de D.ª María de Cervelló* (Barcelona 1620); F. GAZULLA, *Vida de Santa María de Cervelló* (Barcelona 1909); M. M. RIBERA, *Genealogía de la nobilísima familia de Cervelló* (Barcelona 1933); C. DI S. STEFANO, *Lo specchio delle dame santificate nella vita di Santa Maria di Cervellon, detta del Soccorso* (Nápoles 1709).

Interesa el número extraordinario homenaje de la provincia mercedaria de Castilla a San Pedro Nolasco con motivo del séptimo centenario de su muerte (1249-1949), que son los 35-36, año 12 (1956) de «Estudios». En él se encuentran, entre otros, los trabajos de A. SANCHO BLANCO, sobre la confirmación de la Orden (p.233-264); B. LAHOZ y J. LÓPEZ, sobre el cuarto voto (p.357-400); G. VÁZQUEZ MUÑOZ, sobre la vida científica y literaria de la provincia castellana (p.401-412), y R. SERRATOSA, sobre la Regla de la Orden en relación con las militares (p.413-584). FR. DATHI, *Abrégé de la vie de saint Raymond Nonnat* (París 1629).

AGUSTINOS

Acta capitulorum generalium: Analecta Augustiniana (Roma, desde 1905); *Constitutiones fratrum eremitarum Ordinis sancti Augustini* (Venecia 1508, Roma 1551 y 1926); J. COLINAS, *Compendio de las bulas concedidas a la Orden de San Agustín* (Burgos 1757); L. EMPOLI, *Bullarium Ordinis eremitarum sancti Augustini* [...] *ab Innocentio Tertio usque ad Urbanum octavum* (Roma 1628); B. VAN LUIJK, *Bullarium O.E.S.A. periodus formationis. 1187-1256* (Cassiciacum 1964); N. CRUSENIUS, J. LANTERI y T. LÓPEZ BARDON, *Monasticon augustinianum* 3 vols. (Munich 1623, Valladolid 1890-1916); JOSÉ DE LA ASUNCIÓN, *Martyrologium augustinianum* (Lisboa 1743-1749); B. VAN LUIJK, *El santoral agustiniano comentado, con bibliografía:* Revista Agustiniana de Espiritualidad 2 (1961) 330-345; S. PORTILLO, *Chrónica espiritual agustiniana. Vidas de santos, beatos, venerables* [...] (Madrid 1731-1732; escrito en 1651); JOSÉ DE SAN ANTONIO, *Flos sanctorum augustinianum* (Lisboa 1721); L. TORELLI, *Ristretto delle vite degli huomini e delle donne illustri in santità dell'Ordine Augustiniano* (Bolonia 1647); J. F. OSSINGER, *Bibliotheca Augustiniana* (Ingolstadt-Augsburgo 1768); T. DE HERRERA, *Alphabetum Augustinianum* (Madrid 1644); N. CRUSENII, *Pars tertia monastici augustiniani* [...] *a magna Ordinis unione usque ad an. 1620* [...] (Valladolid 1890); U. MARIANI, *Gli Agostiniani e la grande unione del 1256* (Roma 1957); J. MÁRQUEZ, *Orígenes de los hermanos ermitaños del Orden de San Agustín y su verdadera institución antes del concilio de Letrán* (Salamanca 1618); V. MATURANA, *Historia general de los ermitaños de San Agustín.* I y II: 331-1357 (Santiago de Chile 1912); J. ROMÁN, *Historia de la Orden de los frailes hermitaños de San Agustín* (Alcalá 1572); P. M. VÉLEZ, *Leyendo nuestras crónicas. Notas sobre nuestros cronistas e historiadores. Estudio crítico y reconstrucción de la historia antigua de la Orden de San Agustín en relación con su origen, continuidad y un nuevo florecimiento de la misma* (El Escorial 1932); D. GUTIÉRREZ, *Los estudios en la Orden agustiniana desde la Edad Media hasta la Contemporánea:* Analecta Augustiniana 33 (1970) 75-149. D. ALLER, *La provincia de Castilla, madre de otras provincias:* Amor Pondus 31 (1958) 16-19; J. JORDÁN, *Historia de la Provincia de la Corona de Aragón de la segunda Orden de los ermitaños de nuestro gran padre San Agustín, compuesta de cuatro reynos; Valencia, Aragón, Cataluña y las islas de Mallorca y Menorca* 3 vols. (Valencia 1704-1712); A. LLORDEN, *La orden agustiniana en Andalucía:* La Ciudad de Dios 169 (1956) 584-608; J. MASSOT y A. AZEVEDO, *Compendio historial de los hermitaños de nuestro padre San Agustín en el principado de Cataluña* (Barcelona 1654); J. M. MONTERO DE ESPINOSA, *Antigüedades del convento Casa Grande de San Agustín de Sevilla* (Sevilla 1817); F. RUBIO, *Dos conventos agustinianos contemporáneos de la Bula de Unión:* La Ciudad de Dios 169 (1956) 560-583 (sobre los dos de Toledo, masculino y femenino); M. VILLEGAS, *Teólogos agustinos españoles pretridentinos:* Repertorio de Historia de las Ciencias Eclesiásticas en España 3 (1971) 321-359; y la síntesis de A. SANZ PASCUAL, *Historia de los agustinos españoles* (Madrid 1948). Excelente y revelador el trabajo de J. TORRES FONTES, *El monasterio de San Ginés de la Jara en la Edad Media* (Murcia 1956).

CARMELITAS. LA ORDEN DE GRANDMONT Y LOS SAQUISTAS

Acta capitulorum generalium Ordinis Fratrum B. Mariae de Monte Carmelo (ed. G. WESSELS, con notas de B. ZIMMERMANN; Roma 1912-1934) 2 vols.; *Constitutiones capituli Burdigalensis anni 1294* (ed. L. SAGGI: Analecta Ordinis Carmelitarum Discalceatorum 18 [1953] 123-185); *Constitutiones capituli Londinensis anni 1281* (ed. L. SAGGI: Analecta 15 [1950] 203-245); M. REKERS, *Bibliografia das constituções carmelitas impresas (Roma 1954; ciclostil); Bullarium carmelitanum* (ed. E. MONSIGNATI y G. A. XIMÉNEZ; Roma 1715-1768) 4 vols.; AMBROSIO DE SANTA TERESA, *Monasticon Carmelitanum, seu lexicon geograficum-historicum omnium fundationum universi Ordinis Carmelitarum ab initio eiusdem Ordinis usque ad nostra tempora:* Analecta 22-23 (1950-1951); B. DE CATHANEIS, *Speculum Ordinis Fratrum Carmelitarum noviter impressum* (Venecia 1507; contiene los *Decem libri* de RIBOT); DANIEL DE LA VIRGEN DEL CARMEN, *Speculum Carmelitanum* 4 vols. (Amberes 1680) (contiene también los *Decem libri); C. CICCONETTI, La Regola del Carmelo. Origine, natura, significato* (Roma 1973); C. DE VILLIERS, *Bibliotheca carmelitana* (Orleáns 1752; reed. de G. WESSELS, 1927); B. XIBERTA, *De scriptoribus scholasticis saec. XIV ex Ordine Carmelitarum* (Lovaina 1931); B. ZIMMERMANN, *Monumenta historica carmelitana* (Lirinae 1907); I. B. LEZANA, *Annales sacri et eliani Ordinis beatissimae Virgini Mariae de Monte Carmeli* 4 vols. (Roma 1645-1656); *Cronica de multiplicatione religionis carmelitarum:* Analecta 3 (1914-1916); D. MARTÍNEZ DE CORIA MALDONADO, *Dilucidario i demonstración de las chrónicas i antigüedad del sacro Orden del [...] Monte Carmelo* (Córdoba 1598); B. REY NEGRILLA, *Carmelo abreviado o epítome historial de la Orden del Carmen* (ms.18.575/41 de la Biblioteca Nacional); L. M. SAGG, *Cuestiones especiales de la historia de nuestra Orden* (Salamanca 1970; a ciclostil); J. SMET, *The Carmelites. A History of the Brothers of Our Lady of Mount Carmel* I ca.1200 a.d. until the Council of Trent (Roma 1975; trad. a ciclostil por el Centro de Prensa de la Provincia Bética, Jerez 1976); M. VENTIMIGLIA, *Historia chronológica priorum generalium latinorum Ordinis B.V. Mariae de Monte Carmelo* (Nápoles 1773); DANIEL DE LA VIRGEN MARÍA, *Vinea Carmeli seu historia eliani Ordinis* (Amberes 1672); E. LLAMAS MARTÍNEZ, *Teólogos carmelitas españoles pretridentinos:* Repertorio de Historia de las Ciencias Eclesiásticas en España 3 (1971) 361-393; O. STEGGINK, *La reforma del Carmelo español. La visita canónica del general Rubeo y su encuentro con Santa Teresa (1566-1567)* (Roma 1965) p.1-15.

R. I. BURNS, *The Friars of the Sack in Valencia:* Speculum 36 (1961) 435-438; J. GOÑI GAZTAMBIDE, *La Orden de Grandmont en España:* Hispania Sacra 13 (1960) 401-411; T. MORAL, *Los estudios sobre la Orden de Grandmont: Secundum regulam vivere* (cit. en el c.9) p.121-131.

LOS BENEDICTINOS EN LA BAJA EDAD MEDIA

La ordenación jurídica: A. MUNDO, *Documents del primer segle de la Congregació Claustral Tarraconense:* Analecta Montserratensia 10 (1964) 399-455; A. M. TOBE-LLA, *Cronología dels capitols de la Congregació Claustral Tarraconense i Cesaraugustana* (p.1.ª: 1219-1661): ibid., 221-398; ID., *Dues actes capitulars dels anys 1227 i 1229:* Catalonia Monastica t.1.

LAS MISIONES

M. ASÍN PALACIOS, *Huellas del Islam* (Madrid 1941); B. ALTANER, *Zur Geschichte der anti-islamischen Polemik während des 13. und 14. Jahrhunderts:* Historisches Jahr-buch 56 (1936) 227-233; M. T. D'ALVERNY, *Quelques manuscrits de la «Collectio Tole-tana»: Petrus Venerabilis. 1156-1956* (Studia Anselmiana 40, Roma 1956) p.202-218; V. BERRY, *Peter the Venerable and the Crusades:* ibid., p.141-162; C. J. BISHKO *Peter the Venerable's Journey to Spain:* ibid., p.141-162; G. CONSTABLE, *The letters of Peter the Venerable edited, with an introduction and notes* 2 vols. (Harvard 1967) A. GARIBOIS, *Un chapitre de tolérance intellectuelle dans la société occidentale au XII ͤ siècle. le «Dialogus» de Pierre Abélard et le «Kuzari» d'Yeudah Halévi: Pierre Abélard, Pierre le Vénérable* (París 1975) p.641-654; J. KRITZECK, *De l'influence de Pierre Abélard sur Pierre le Vénérable dans ses oeuvres sur l'Islam:* ibid., p.205-214; ID., *Peter the Venerable and the Islam* (Princeton 1964); ID., *Peter the Venerable and the Toledan Collection: Petrus Venerabilis* p.176-201; A. BERTHIER, *Un maître orientaliste du XIII ͤ siècle: Ray-mond Martin, OP:* Archivum Fratrum Praedicatorum 6 (1936) 267-311; L. G. A GETINO, *La «Summa contra gentes» y el «Pugio fidei». Carta sin respuesta a D. Miguel Asín Palacios* (Vergara 1905); R. I. BURNS, *Christian-Islamic Confrontation in the West: The Thirteenth-Century Dream of Conversion:* The American Historical Review 76 (1971) 1386-1434; J. M. COLL, *Escuelas de lenguas orientales en los siglos XIII y XIV (período posraymundiano):* Analecta Sacra Tarraconensia 18 (1945) 72-75; *Who was the «Monk of France» and when did he write?:* Al-Andalus 28 (1963) 249-269; D. M. DUNLOP. *A Christian Mission to Muslim Spain in the eleventh Century:* ibid., 17 (1952) 259-310. Esto para la problemática islámica peninsular.

Misiones franciscanas: P. DE ANASAGASTI, *Francisco de Asís busca el hombre (Voca-ción y metodología misioneras franciscanas)* (Bilbao 1964); P. CAPOBIANCO, *Privilegia et facultates Ordinis Fratrum Minorum* (ex Conventu, S.M. Angelorum Nuceriae sup. Salermo 1968); M. DA CIVEZZA, *Storia universale delle missioni francescane* 11 vols. (Roma-Prato-Florencia 1857-1895); Dom DE GUBERNATIS, *Orbis seraphicus.* V: *De missionibus Ordinis Minorum* (Roma 1689); H. KOELER, *L'église chrétienne du Maroc et la mission franciscaine 1221-1790* (París 1934); L. LEMMENS, *Geschichte der Franciska-nermissionen* (Münster 1929); ATANASIO LÓPEZ, *Cruzada contra los sarracenos en el reino de Castilla predicada por los franciscanos de la Provincia de Santiago:* Archivo Ibero-Americano 9 (1918) 321-327; A. ORTEGA, *La Provincia de San Diego de Anda-lucía y la misión de Marruecos:* ibid., 7 (1916) 162-205.250-269; 9 (1918) 341-414; 10 (1919) 185-200; 12 (1921) 282-311; M. RONCAGIA, *I frati minori e lo studio delle lingue orientali nel secolo XIII:* Studi Franciscani. Serie Terza 25 (1957) 169-184; FRANCISCO DE SAN JUAN DEL PUERTO, *Misión historial de Marruecos, en que se trata de los martirios, persecuciones y trabajos que han padecido los missionarios y frutos que han cogido de las missiones que desde sus principios tuvo la Orden seraphica en el imperio de Marruecos, y continúa la Provincia de San Diego, de franciscos descalzos de Andalucía en el mismo imperio* (Sevilla 1708); FRANCISCO DE SAN NICOLÁS SERRATE, *Compendio histó-rico de los santos y venerables de la descalcez seráfica* (Sevilla 1729); M. SIMOUNT, *Il metodo d'evangelizzazione dei francescani tra i musulmani e mongoli nei secoli XII-XIV* (Milán 1947); O. VAN DER VAT, *Die Anfänge der Franziskanermissionen [...] pahen Orient und in den Mohammedanischen Ländern [...] 13. Jahrh.* (Werl 1934); J. ZUNZU-NEGUI, *Los orígenes de las misiones en las islas Canarias:* Revista Española de Teología 1 (1940-1941) 361-408.

Misiones dominicas: B. ALTANER, *Der Dominikanermissionen des 13. Jahrhunderts* (Habelschwerdt 1924).

Misiones españolas en Marruecos: H. C. KRUEGER, *Reactions to the first missionaries* ‹ *Northwest Africa:* Catholic Historical Review 32 (1946) 275-301; M. P. CASTE-LANOS, *Historia de Marruecos* 2 vols. (Madrid, aumentada por S. EIJÁN, ⁴1946); •.GARCÍS BARRIUSO,*Los derechos del gobierno español en la misión de Marruecos* (Madrid 968); L. M. JORDÁN, *Memoria histórica de los obispos de Ceuta y Tánger* (Tánger 904); ATANASIO LÓPEZ, *Obispos en el Africa septentrional durante el siglo XIII* (Táner ²1941).
Mártires: L. AMORÓS PAYÁ, *Los santos mártires franciscanos B. Juan de Perusa y* ›. *Pedro de Saxoferrato en la historia de Teruel:* Teruel 8 (1956) 5-142; R. MENTH,*Das ›ffizium der Protomärtyrer des Franziskanerordens, St. Berard und Genossen:* Franziska-ische Studien 27 (1940) 174-190; ID.,*Die Messe der Protomärtyrer des Franziskaner-›rdens, St. Berard und Gefährten:* ibid., 28 (1941) 90-98; ID.,*Zur Verehrung der Pro-›martyren des Franziskanerordens, St. Berard und Genossen:* ibid., 26 (1939) 101-120; •assio sanctorum fratrum Danielis, Agnelli, Samuelis, Donnulli, Leonis, Nicolai, Hugolini, ›rdinis Fratrum Minorum qui passi sunt apud Septem:* Analecta Franciscana 3 (1897); •assio sanctorum martyrum fratrum Beraldi, Petri, Adiuti, Accursii, Othonis in Marochio artyrizaturum:* ibid.; A. REY, *Os protomártires franciscanos e a Casa Real portuguesa:* •ortugal em Africa 7 (1950) 30-35.

ESPIRITUALES Y «FRATICELOS»

L. OLIGER, *Spirituels:* DTC XIV 2522-2549; F. VERNET, *Fraticelles:* DTC VI ⁷70-784; J. M. POU Y MARTÍ, *Visionarios, beguinos y fraticelos catalanes (siglos XIII-XV)* Vich 1930); MARTÍ DE BARCELONA, *L'Orde franciscà i la Casa Reial de Mallorques:* Éstudis franciscans 30 (1923) 354-383; J. M. VIDAL, *Un ascète de sang royal, Philippe 'e Majorque:* Revue des Questions Historiques 45 (1910) 361-403; A. OLIVER,*Hete-odoxia en la Mallorca de los siglos XIII-XV:* Boletín de la Sociedad Arqueológica ᴧuliana 32 (1963) 164ss; J. PERARNAU, *L'«Alia Informatio Beguinorum», d'Arnau de 'ilanova* (Barcelona 1978); ID., *Dos tratados «espirituales» de Arnau de Vilanova en aducción castellana medieval* (Roma 1975-1976).

I. LOS TRINITARIOS

Por A. LINAGE CONDE

Cuando se manejan las fuentes de la historia, no es raro encontrarse ·n ellas con detalles que parecen menudos, y que, sin embargo, poseen ⠀na densidad mayor que la de bastantes acontecimientos rimbombantes y ⠀paratosos. Así lo pensábamos nosotros al encontrarnos con una orde-⠀anza del obispo de Mallorca Antonio de Galiana fechada el año 1368 que ⠀aba carta blanca a las órdenes de redención de cautivos para hacer cues-⠀aciones en la parroquia de Pollensa exentas de todas las limitaciones acos-⠀umbradas. ¿Y cómo podía haber sido otra cosa, si los fantasmas de la ⠀sclavitud y el destierro a manos de los piratas musulmanes norteafrica-⠀os, por callado que ello asome a la gran historia, llegaron a ser una de las ⠀onstantes de las mentalidades de cuantos habitaban el litoral mediterrá-⠀eo y las islas hasta bien entrada la Edad Contemporánea? Cuatro años ⠀ntes de morirse Cervantes, el arzobispo de Palermo, Diego de Haedo, ⠀ublicaba, el 1612, en el mismo Valladolid, su *Topografía e historia general de*

Argel, lograda mediante el acopio de testimonios directos, y en ella nos describe, entre muchas otras cosas igualmente significativas, el ambiente festivo que se vivía en la ciudad turca a la llegada de un barco de cautivos cristianos: «Entonces todo Argel está contento, porque los mercaderes compran muchos esclavos y mercaderías que los corsarios traen consigo, y los oficiales de la ciudad venden lo que tienen en sus boticas de ropas y bastimentos a los que vienen de la mar, porque se visten muchos de nuevo, y todo es comer, y beber, y triunfar». Cierto que habían pasado más de cuatro siglos. Pero la geografía no había cambiado, ni tampoco el conflicto de civilizaciones en el *mare nostrum,* determinante de aquella situación.

De ahí la popularidad que estaba llamada a tener en los reinos peninsulares la primera Orden redentora, la de los trinitarios, fundada por San Juan de Mata en Cerfroid (diócesis de Meaux), y cuya Regla sería aprobada por Inocencio III el 17 de diciembre de 1198 por la bula *Operante divinae dispositionis.* Tanto que sólo por eso llega a parecernos consistente la conjetura de haber ayudado al Santo en su empresa romana el arzobispo de Toledo, D. Martín López de Pisuerga, quien por entonces andaba tratando allí con la Santa Sede del pleito matrimonial de Alfonso IX de León y D.ª Berenguela de Castilla. Lo cierto es que aquél tuvo la inspiración de su empresa en el Mediodía al oír hablar en el puerto de Marsella de tal plaga, que era endémica en la cristiandad. Y que él mismo era provenzal, y, aunque no podemos dar por buena la pretensión, tan extendida en el Ripollés, que le hace catalán, concretamente nacido en San Juan de Mataplana (término de Gombrén), e hijo de los mismos señores de Mataplana, está probado que el solar catalán de sus ascendientes se remontaba a antes del año 1000, sobre todo en Pobla de Lillet, capital de la citada baronía de Mataplana, emparentados con los condes de Barcelona, de Urgel y de Pallars y con la casa de Peñafort, a la que perteneció San Raimundo, habiendo participado su bisabuelo Hugo de Mata en la expedición a Mallorca de 1114 y estando afincados en la Provenza nativa tan sólo a consecuencia de la política de sumisión y pacificación catalanas de la misma que siguió a su aportación por D.ª Dulce a los dominios de Ramón Berenguer III al desposarse con él, y que duró desde 1112 a 1140. Y por cierto que se trataba de una orden de transcendente significado en la evolución de la vida religiosa en la Iglesia, en cuanto que precede inmediatamente ya a los propiamente mendicantes y se aparta bastante del viejo monacato anterior. El P. Juan Borrego ha podido así deslindar en su calendada regla los elementos monásticos (la vida claustral), los canonicales (el celo por la *cura animarum)* y los hospitalarios (los propósitos redentores y caritativos que la justifican), siendo en ese sentido muy significativo su tratamiento del oficio divino (a la manera canonical de los de San Víctor de París, que para el P. Borrego es intermedia entre el *Ordo monasterii* premonstratense y el *Vetus ordo* de San Rufo de Aviñón, pero simplificado a base de eliminación de las pausas y prolijidades); y Odilo Engels destaca que de las órdenes militares adoptó el sistema de la división territorial y la alianza personal entre todos sus miembros, siendo ésta sustitutiva de la vinculación de los mismos a cada comunidad, además de una circunstancia que hoy nos parece consabida a la luz de la evolución de la vida religiosa posterior, pero que entonces no dejaba de ser novedosa, y consistía en unos propósitos específicos integrantes de la dedicación y justificativos de la existencia misma.

Y podemos ver cómo la natural orientación hispana del naciente Instituto —siendo, en consecuencia, innecesario, como algunos han pretendido, que se la señalara al Santo el mismo Inocencio III— había de manifestarse incluso en un detalle de su primera actuación específica, pues el 8 de marzo de 1199 firmaba el citado papa en Letrán su carta *Inter opera misericordiae*, dirigida al emir al-Mumenin o Miramamolín de Marruecos proponiéndole el intercambio de esclavos, la cual fue entregada al destinatario por Juan de Mata en persona, y con éxito, y asegura la tradición que la nave que al retorno le traía con los primeros cautivos liberados hubo de tocar a la fuerza en Almería antes de poder desembarcar en Civitavecchia, y allí sólo el miedo a represalias cristianas y los salvoconductos marroquíes disuadieron a los moros de volverlos a la esclavitud. Y sus tres fundaciones de ese mismo año, las primeras que seguirían a la casa madre de Cerfroid, o sea las de Marsella, Arlés y Saint-Gilles, en las bocas del Ródano, debieron su emplazamiento a ser equidistantes de Italia, España y el norte de Africa.

Lo cierto es que en el otoño de 1201 ya estaba el Santo en Cataluña, deteniéndose en Montserrat, camino de Lérida, donde el 11 de diciembre le tomaba bajo su amparo el rey Pedro II de Aragón.

Pedro Moliner le donó un hospital en las afueras de la ciudad, al otro lado del río Serós, y ministro o superior de la nueva fundación fue nombrado el antiguo alumno de la Sorbona Raimundo de Ruivra, entrando en la Orden ilerdenses ilustres: tales Ferrer Grait, quien recogería los hechos y dichos del Santo; Pedro Gilberto y Arnaldel de Guardiola. El siguiente benefactor fue Pedro de Belvís, de la familia de los Moncadas —patronos de la Orden hasta la exclaustración de 1835—, quien aún el 30 de noviembre le dio la torre y el señorío de Avingaña, dotados con el feudo de Aitona y más tarde con los de Fraga y Velilla de Cinca. La iglesia, el convento y el hospital que en Avingaña se fundaron fueron puestos bajo la advocación de la Santísima Trinidad y Santa María de los Angeles, y nombrado su ministro el inglés Guillermo de Vetula, luego primer provincial de Aragón. Avingaña sería en lo sucesivo el panteón familiar de los Moncadas, comenzando por Pedro mismo, quien testó el 15 de octubre de 1203, dejando encomendada al papa la solución de su contencioso con el obispo de Lérida, el cual le había excomulgado por la donación que había hecho a los trinitarios de la cuarta parte de los diezmos de Aitona, si bien Juan de Mata prefirió renunciar a ellos. Y en Lérida, que tiene al Santo por patrón, fue un acontecimiento de color el desfile procesional hasta la catedral de los primeros cautivos rescatados a los moros de Valencia, gracias, según la leyenda, a un hallazgo milagroso del dinero suficiente mientras Juan decía misa en la iglesia de San Bartolomé, de la ciudad levantina, la cual, en recuerdo del mismo, fue entregada a sus frailes por Jaime I luego de reconquistarla el año 1239.

El segundo itinerario hispano de Juan de Mata le llevó a Castilla, donde, en febrero de 1206, el arzobispo de Toledo, D. Martín, le dio el hospital de Santa María, en el barrio de los francos, dotándole con esplendidez el arcediano D. García. Y en tierras toledanas fundaría todavía en Godamil, antes de pasar a Segovia, donde el obispo D. Gonzalo le donó y dotó un hospital junto al Eresma, cuya nueva iglesia ya estaba consagrada el 1208; el 2 de febrero del mismo año, el prelado en cuestión dirigía al clero y fieles de su diócesis la carta *Inter cetera caritatis et misericordiae opera*, en la cual reafirmaba la repartición de los ingresos del Instituto en tres porciones, dos para la caridad genérica y una para la específica redentora, y concedía a sus miembros ciertos privilegios para el tiempo de entredicho, además de otras disposiciones de subido interés para los hermanos seglares, sobre las que luego volveremos. Y antes de febrero de 1207 estaba fundada la casa de Burgos, que había de ser, andando el tiempo, la más próspera de la Orden en la Península y residencia del provincial de Castilla y vicario de la misma para toda España, y a la cual contribuyó el mismo Alfonso VIII con la aportación de terrenos cerca de su palacio, en el barrio de Tejeras. Y el 14 de marzo, estando en Atienza, D.ª Catalina de Moncada donaba a Juan el lugar de Guarneses, el cual con otros ocho, todos en tierras de Burgos (Tunilla, Quintaña del Río, Rubios de Broa, San Vicente de Buezo, Gal, Quintanilla Morocisla, Bárcena y Gosmedos), vino a integrar una coherente dependencia de la nueva fundación. Vuelto a Aragón en el invierno de 1207 a 1208, rescató cautivos en Valencia (donde ya lo habían hecho antes por su cuenta, como en Mallorca, Guillermo de Vetula, Fr. Gilberto y Fr. Pedro), y se hizo cargo en Daroca del hospital de San Marcos, desde 1239 depositario de los corporales donde, según la milagrosa leyenda, habían quedado estampadas en sangre las sagradas formas al haberse interrumpido, por la llegada de los musulmanes, la misa que se estaba celebrando por los caballeros dispuestos a la toma de Játiva, la cual mencionaría una bula de Eugenio IV de 28 de marzo de 1243, y que motiva todavía hoy un intenso movimiento devocional en el país el día del Corpus de cada año.

En la primavera de 1209, el Santo, de vuelta, llegaba a Viterbo para presentar al papa la lista de sus casas, la cual confirmaría el pontífice por su bula *Operante patre luminum*, de 1.º de junio, añadiéndola generosamente la romana de Santo Tomás in Formis, sobre el Celio, y en cuyo elenco se enumeran también para los reinos españoles, además de las dichas ya, Anglesola y Piera, catalanas y de su primer viaje; y del segundo, Puente la Reina, en Navarra (si bien hay comentaristas que dicen se refiere la mención a la casa francesa de Bourget, aunque aquélla existía, desde luego, antes de 1256); Entreiglesias, en Segovia, y San Emeterio, en Santander. Menos documentado está su tercer viaje, que habría tenido lugar poco antes de su muerte (acaecida en Roma el año 1213), con motivo de la batalla de las Navas, a raíz de la cual, y valiéndose de los prisioneros en ella capturados, dos trinitarios, Menelao y Peñalva, se dice rescataron a trescientos cautivos. En todo caso es muy dudosa su supuesta escritura de donación a San Francisco de Asís de parte del jardín del convento de Burgos para que aquél fundara allí uno de los suyos (14 de mayo de 1212), así como el establecimiento de un hospital en la Córdoba musulmana, que habría seguido a otro en Túnez, y puesto ya bajo el luego tradicional patrocinio en la Orden de la Virgen del Remedio, si bien el P. Bonifacio Porres niega que el citado patrocinio se difundiera en la misma antes de la batalla de Lepanto y por influencia valenciana. Pero, sea de ello lo que quiera, lo cierto es que las conexiones hispanas del Fundador pudieron parecer lo bastante intensas como para justificar su pío latrocinio a quienes en 1665 se llevaron clandestinamente su cuerpo a Madrid.

El total de los conventos trinitarios fundados en España durante el siglo XIII ascendió a 35 (en las dos centurias siguientes sólo 5 y 7 respectivamente, si bien en el XVI, a diferencia de Francia, conocerían un nuevo florecimiento, llegando a 32 más), y de ellos, ya después de la muerte de Juan, los hay que siguen sistemáticamente los avances de la Reconquista; y ello no es casual, sino que en muchos casos obedece a la participación en ella de caballeros trinitarios, de que luego hablaremos (tal Fr. Bernardo de Aguilera, al lado de San Fernando, en Andújar). Así los de Plama, Ubeda, Córdoba, Valencia, Andújar, Jaén, Sevilla, Játiva y Murcia, entre 1231 y 1272, mientras otros son consecuencia de una expansión y consolidación naturales en las viejas o nuevas tierras cristianas: tales los de San Blas, de Tortosa (el mismo año de 1213); Alagón y Cuevas (éste en el obispado de Calahorra y los dos en 1218), Valladolid y Royuela (en la sierra y la diócesis de Albarracín), en 1256 y 1270.

Mientras tanto, en 1236, el convento de Avingaña era cedido por el ministro general a la hija de Pedro II, D.ª Constanza, viuda de Raimundo Guillermo de Moncada, para doce monjas, a las cuales, con el consejo de franciscanos y dominicos, mitigó algo la Regla en cuanto al hábito y el lecho, sometiéndolas al provincial y debiendo estar asistidas de dos frailes, quienes en lo espiritual obedecerían a su ministro, y administrarían, en cambio, lo temporal bajo la autoridad de la priora, la primera de las cuales fue Guillerma de Villada, ya que D.ª Constanza sólo quiso tomar el manto blanco de las terciarias donadas. La casa prosperó mucho; en 1336, sus monjas pudieron pasar de doce a treinta gracias a una donación de D.ª Berenguela de Moncada, y, por lo menos en España, aquélla fue la única de las citadas monjas trinitarias hasta el siglo XVI, ya que no debemos confundir con las mismas a las «beatas» (ni a las reclusas o «emparedadas» que aparecen en el vecino Portugal desde 1212, en Santarem), que atendían los hospitales, iban a las iglesias de los conventos masculinos, no guardaban clausura y llevaban una pobreza sólo relativa, habiendo incluso algunas que seguían viviendo en el siglo (la fundadora del beaterio de Burgos, sor María de Jesús, murió en olor de santidad el año 1320).

Y lo que desde un principio tuvo una gran floración en la Orden trinitaria fue la vinculación a ella de seglares mediante diversos grados de familiaridad: donados o terciarios, que vivían fuera; cofrades, oblatos y benefactores, que recibían un diploma de hermandad. La bula papal aprobatoria de la Regla se refería ya a la posibilidad de *ad conversionem recipere* a clérigos y seglares. Y el obispo de Segovia, en la carta que arriba hemos citado, habla de *confraternitas,* a la cual exhortaba indulgenciándola, ordenando su contrapartida económica y estableciendo la comunicación espiritual en su favor de todos los bienes de la dióceis, y a la que se atribuye el origen del rito de la absolución general, común a casi todas las órdenes terceras. El deseo de estos familiares de ser sepultados en las iglesias de la Orden motivó, a veces, conflictos con la jerarquía diocesana. Así, mientras el obispo de Lérida en 1205 les concedía para ello amplia libertad, el de Toledo en 1216 negaba al convento trinitario cementerio y parroquia propios sin el consenso suyo y del cabildo, y en Burgos sólo les consentiría el enterramiento su ordinario en 1221, pero ni aun entonces a los pobres muertos en su hospital. La única cofradía reconocida expresamente en la bula papal de 1209 fue la de Lérida, y a ella pertenecieron Pedro II y su citada hija Constanza, si bien los primeros «hermanos» que se citan en Avingaña fueron los cónyuges Guillermo de Naba y Raimunda, ya en 1205, a cambio de un censo anual, pagadero el día de San Miguel; y el también matrimonio de Berenguer de Anglesola y Anglesia, barones de Bellpuig, y de cuya familia ya tenemos noticias por la fundación mostense allí; ellos fueron fundadores de la casa de Anglesola en el primer viaje de San Juan, dedicándose además en persona a ella el año 1214 un tanto imprecisamente, como «familiares, donados y hermanos», si bien la terminología pasaría a la documentación papal y sería adoptada por los mercedarios. En fin, y ello es ya transcendente para la problemática particular de la historia española, en el seno de la cofradía de Lérida surgió la primera de las hermandades trinitarias ecuestres, un tanto militares. A la participación de sus caballeros en la Reconquista se debe una buena parte de la expansión de la Orden que ya conocemos. Siendo así que Gregorio XI, en una bula de 8 de junio de 1376, se refirió indistintamente a las Ordenes de Calatrava y de la Trinidad.

Y al cabo, en 1221 ya quedaron constituidas las dos provincias peninsulares: Aragón y Castilla. De la última se separarían Portugal, en 1312, y Andalucía, en 1570. Y como a los capítulos generales sólo acudían las cuatro provincias del norte de Francia, se introdujo pronto el uso de los vicarios generales para ciertos territorios, siendo uno de ellos España, lo que desde luego acabaría facilitando la segregación en los tiempos modernos.

II. LOS FRANCISCANOS

Por A. LINAGE CONDE

Los frailes menores

Con los franciscanos entran ya los mendicantes por la puerta grande en la historia de la Iglesia. De su *Regula bullata,* aprobada por Honorio III en 1223, dice Dom David Knowles que es la única nueva entre la de San Benito y las Constituciones de San Ignacio de Loyola. A su parecer, gran novedad es «el espíritu de libertad», la norma del caminar por el mundo haciendo bien a los demás, en sustitución del apartamiento del mismo dentro de una clausura. Y, constitucionalmente, la insistencia en el elemento que ya viéramos en los trinitarios. No la comunidad de un monasterio (benedictinos negros) o una comunidad de monasterios (cistercienses y premonstraten-ses), sino una sola familia con una cabeza; dividida, pero no separada; sin autonomía para las casas ni estabilidad para los individuos y con la centralización basada no en una casa madre, sino en la misma Santa Sede. Una circunstancia —la última derivada de su extensión de la pobreza a las comunidades y a la Orden y no sólo a los individuos—, y en la cual ha hecho hincapié Odilo Engels para diferenciarlos de los coetáneos dominicos.

Y, antes de entrar en materia, traslademos la problemática de esta nueva vida religiosa eclesial a la particularidad imperante en el devenir histórico peninsular. Lo que quiere decir que continúa la Reconquista, cuya coyuntura fue pintiparadamente aprovechada para su expansión por las nuevas órdenes. Pues, como Lomax nos hace notar, «libres del voto benedictino de estabilidad y capaces de moverse de un convento a otro ante las novedades de cada momento, los frailes, por su dinamismo y su pertrechamiento intelectual, eran recibidos como agua de mayo; en calidad de capellanes, en el ejército de San Fernando, de manera que, mientras los viejos monjes apenas si hicieron fundación alguna en el área reconquistada después de 1212, los franciscanos y dominicos, que rivalizaban con ellos en el Norte, monopolizaban el Sur y le cubrían de sus casas».

Parece ser que fue el mismo año de 1209, el del nacimiento de la Orden franciscana en la iglesia de la Porciúncula, y no en 1212 ó 1215 cuando Fr. Gil, el tercero de los discípulos de San Francisco, siguiente a Fr. Bernardo de Quintavalle y Fr. Pedro, peregrinó a Santiago de Compostela dentro de la llamada segunda misión, para la cual el santo de Asís envió a sus compañeros de dos en dos por el mundo— la primera había sido a la Marca de Ancona—, si bien Fr. Bernardo se apartó de Fr. Gil en seguida en el camino.

Y en 1213 y 1214, por espacio de más de un año, fue el mismo San Francisco quien estuvo en la ciudad del Apóstol y recorrió buena parte de España, sólo aludida su peregrinación, hay que precisarlo, en el capítulo cuarto de *Las florecillas,* habiendo de volverse a Italia inopinadamente por enfermedad y sin poder llevar a cabo sus deseos de predicar a los moros de Andalucía y pasar a Marruecos. Ni que decir tiene que, dada la índole de las fuentes franciscanas primitivas y la devoción posteriormente despertada en torno al itinerario, éste no es seguro. Pero contamos para reconstruirle lo más sólidamente posible con el benemérito estudio del P. Atanasio López en la primera anualidad del *Archivo Ibero-Americano,* no envejecido, ni mucho menos, pese a remontar a 1914. Y cualesquiera indicios pueden servir de ayuda en la tarea, al menos como datos a tener en cuenta. Tales los que para Santes Creus ha puesto de manifiesto Eufemiano Fort Cogul. La tradición hablaba de su paso por ese monasterio cisterciense catalán, lo mismo que por el de Poblet. Y es el caso que en el primero existe un altar a él dedicado, el cual fue costeado por Poncio Pedro de Bañeres, de una familia protectora de la casa desde sus comienzos, y que había muerto ya en 1242. Así las cosas, si reparamos en que San Francisco pasó a mejor vida en 1226 y fue canonizado dos años más tarde, la conjetura de su paso por Santes Creus es, desde luego, poderosa.

En cambio, las pretensiones de muchos conventos españoles primitivo
de haber sido fundados en el viaje mismo del Santo no están documenta
das con seguridad en ningún caso. Así los de Vitoria, Pamplona, San
güesa, Tudela, Tarazona, Lérida, Cervera, Barcelona, Logroño, Burgos
León, Astorga, Villafranca del Bierzo, Salamanca, Arévalo, Avila, Segovia
Ayllón, La Bastida (cerca de Toledo), Madrid y Huete. Otros de los luga
res de su paso que se señalan son Soria, Ciudad Rodrigo, Plasencia y Vich

La tradición es más consistente en el caso de Santiago, y de las fuente
genuinas y primeras de la biografía franciscana, el P. Manuel Castro acab
de reivindicarnos la certeza de la inspiración que el Santo sintiera, estand
en oración ante el Apóstol, de fundar conventos, como una necesidad qu
la expansión *in magna multitudine* de su familia religiosa iba a imponerle,
determinando ello en él un cambio radical de actitud, ya que antes de su
estancia en España no sólo no había establecido ninguno, sino que había
hecho demoler los que intentaran erigir sus discípulos. En Santiago, Sar
Francisco habría vivido bajo el monte Pedroso, junto a la capilla de Sar
Pelayo, en casa de un carbonero llamado Cotolay, quien se habría hecho
cargo de la empresa de levantar el convento en los terrenos del val de Dio
y val del Infierno, cedidos por los benedictinos de San Martín Pinario
consecuencia un poco de una estrategia verbal que nos recuerda la le
yenda de la construcción de Cartago por Dido tal y como Virgilio la recog
en la *Eneida* (I 367-368), y a cambio del censo simbólico anual de una cest
de truchas, origen de la procesión en que se encontraban las imágenes d
San Benito y San Francisco el día de la fiesta de éste, y en la cual tení
lugar la entrega de aquélla por el uno al otro. Pero la escritura más anti
gua encontrada por el P. Atanasio López sobre el convento compostelan
es un testamento a su favor de 1228, así como otro de 1230 del canónig
Pedro Díez para el de Burgos, en beneficio de cuya fábrica concedía in
dulgencias diez años más tarde Inocencio IV, y que ha discutido a San
tiago la prioridad (lo cierto es que Fr. Juan Parente estuvo en la ciudad
con San Fernando III cuando en 1221 se colocaba la primera piedra de l
catedral). Como reconoció, pues, aquél, «la historia seráfico-española est
aún rodeada de oscuras tinieblas; así que con frecuencia chocamos en difi
cultades imposibles de vencer por falta de documentos». Y lo cierto es qu
los historiadores franciscanos de hoy, rectificando a sus antecesores cro
nistas del XVII, niegan que pueda hablarse de fundaciones consumada
durante el viaje del Santo, pues ello no les parece compatible con el resul
tado poco halagüeño, en España como en el resto de Europa, de la pri
mera expedición de 1217. Y el P. Graciano de París no cree las hubier
hasta 1219.

Mas, a pesar de todo, ya en la citada temprana fecha de 1217, acas
luego de otro viaje a la Península de Fr. Bernardo, la Orden, ya extendid
en toda Italia, se había dividido en provincias, y surgía la de España, deci
diéndose entonces San Francisco al envío a nuestra Patria de «mucho
hermanos», bajo Fr. Bernardo mismo de nuevo, y de los cuales nos so
desconocidos los nombres de casi todos. Uno es el de Fr. Benincasa d
Todi, y con él y sus compañeros se importa a nuestra tierra la literatura de

anciscanismo con el tan diferenciado aroma de su género de *florecillas*. sí, se dice de Fr. Benincasa que, «cuando se afanaba en la fundación del nvento de La Coruña, no teniendo qué dar de comer a sus albañiles, se a a las orillas del mar y llamaba con un silbido a los peces, los cuales udían en gran multitud, cogiendo él los que por el momento necesitaba despidiendo a los demás con su bendición». Y en el capítulo general que 1 1219 se celebró en la Porciúncula, también bajo la presidencia de San rancisco, fue nombrado ministro provincial de España Fr. Juan Parente, .e lo sería hasta 1227, año en que ascendió a general, trayéndose consigo n centenar de frailes, si hemos de creer la cifra de los mencionados cro- istas tardíos del barroco, entre ellos Fr. Clemente de Toscana y Fr. Nico- s Orbita, lego que se supone sepultado en Zaragoza, una de las funda- ones de Fr. Juan, y de quien «hay tradición que, siendo refitolero y ha- endo oído un día la señal de alzar en la misa mayor, quiso salir del refec- rio para ver y adorar al Santísimo en la iglesia; y como se encontrara la .erta cerrada, se arrodilló para hacerlo en espíritu, correspondiendo uestro Señor a su deseo y devoción de tal manera, que se le abrieron das las paredes que entre el refectorio y el altar mayor había, volvién- ose a cerrar igual de milagrosamente una vez que pudo ver la elevación e la hostia consagrada». Pero en torno a los discípulos de San Francisco .e laboraron en España, tanto los enviados desde Italia como los que uí él se granjeó, el ambiente es también legendario, a base de supuestas ndaciones suyas (cuales las de Ribadeo y Oviedo) o de sus tumbas (Fr. eón, en Benavente, o Fr. Lope y Fr. Marcos, en Burgos). Un botón de uestra es lo que una de las crónicas nos dice de Arévalo, la permanencia n cuya villa del santo de Asís estaría comprobada «no sólo con la celda, .e hoy está convertida en una hermosa capilla, con una efigie maravillosa e aquél, sino también con el sepulcro en el que se halla enterrado el enerable Fr. León, uno de los discípulos de nuestro Padre (aunque no .e el Fr. León de los doce primeros a quienes dio el hábito el Santo), todo cual lo declara el epitafio».

Pero hayan sido o no fruto, a la postre, de la intervención personal del anto o de sus discípulos directos, las numerosas casas franciscanas de esos rimeros tiempos aseguran la extensión e intensidad de la difusión de la)rden en España desde sus inicios; concretamente, a partir de la venida e Juan Parente, habiendo tenido, desde luego, aquél ocasión de manifes- ar en vida su contento por lo edificante de la observancia de sus frailes spañoles, quienes en Valencia y Mallorca hicieron acto de presencia, a la ez que los mismos soldados reconquistadores, en 1238 y 1240.

El primer obispo de la Murcia restaurada sería de ellos también: Pedro allego (1250-1267), escritor de ciencia astronómica por cierto. Y es obli- ado dejemos constancia de la buena ventura con que muy temprana- ente se habían asentado en Portugal, en 1219 lo más tarde, bajo Fr. acarías de Roma, permitiéndoles el rey Alfonso II instalarse en Guima- äes, Alenquer y Lisboa; y también en Coimbra, donde un canónigo regu- r de Santa Cruz, Antonio de Lisboa, emocionado por la traslación allí de s cuerpos de los mártires de Marruecos, el mismo año de su suplicio,

1220, se hizo franciscano en su convento de los Olivais e inició el itinerario que haría de él San Antonio de Padua. Y un ejemplo muy transcendente, desde el punto de vista geográfico, de su tal floración es la fundación del convento de Nuestra Señora de los Angeles o de la Hoz, en tan escondido y poco accesible paraje como el cañón del río Duratón, y junto a la ribera, que no sobre la sima, cual el vecino priorato benedictino de San Frutos, fundación de la que el cronista, de fines del quinientos, Francisco Gonzaga asegura haber visto documentos que la harían anterior al año 1231. Paraje del que, si el hagiógrafo jerónimo del XVII Juan de Orche opinaba ser «el más ameno y agradable a la vista que debe haber en España», su historiador franciscano del XVIII, Felipe Vázquez, escribía que, «a no hacerle soberanas influencias habitable, no pudieran vivir en él ni las fieras», aunque añadiendo no haber «sitio más acomodado ni soledad que más disponga el alma para oír las locuciones de Dios». Y para Valencia, Robert Ignatius Burns nos llama la atención sobre lo extraordinario de su propagación, si se compara con la que tuvo lugar en Inglaterra, donde sólo al cabo de quince años de su llegada, en 1231, tenían casa en Londres; y habiendo adquirido en la ciudad levantina un ascendiente tal sobre zapateros, curtidores, sastres y alfareros, que fueron capaces, incluso a lo largo del trescientos, de mantener sus gremios alejados de la subversión urbana.

Una consecuencia canónica de la tal fecundidad fue la división de la provincia de España en tres ya el año 1232, a saber: las de Santiago, Aragón (que comprendía también Navarra) y Castilla, divididas cada una en custodias, que a fines del XIV eran siete en la segunda (con 37 conventos) y ocho en la primera y la tercera (con 42 y 44 respectivamente). Por ejemplo, Cataluña se repartía en dos custodias, la de Barcelona (de donde dependían Gerona, Vich, Berga, Castellón de Ampurias y Villafranca del Panadés) y la de Lérida (con Cervera, Tarragona, Montblanch y Tárrega), y todo ello sin salirnos del siglo XIII.

Pero es más: aun dejando para su lugar correspondiente la expansión misional de estos primeros franciscanos españoles, hemos de consignar aquí, cual irradiación suya en la cristiandad, casos como los de Fr. Pedro Hispano, primer guardián del convento de Northampton desde 1225 (el año anterior habían entrado los citados menores en Inglaterra) y luego custodio de Oxford; y Fr. Martín, lego que cuidaba a los enfermos de los hospitales parisienses del Sena; y ello sin dar más pábulo a la pretensión de haber sido uno de los compañeros de San Francisco de la comunidad de Compostela el primero de sus frailes pasados a Irlanda (cuyos orígenes franciscanos, sin embargo, retrasa el analista Lucas Wadding hasta 1226). Y en 1304 era elegido en Asís el provincial de Santiago, Fr. Gonzalo de Balboa, primer general español de la Orden, sobre el que, como escolástico, habremos de volver.

Ni que decir tiene que el movimiento devocional suscitado en el país por el franciscanismo corrió parejo con su propagación conventual. Un botón de muestra es cómo el historiador Lucas de Tuy, antes de 1239, se muestra en su *De altera vita* un auténtico apologista del milagro de los estigmas. Y lo más significativo de ello son los conflictos a que dio lugar entre los frailes y la iglesia territorial. Así, en Cuéllar, diócesis de Segovia, cuyo convento —más tarde femenino, sin que se sepa cómo ni cuándo— fue fundado antes de 1247 por los marqueses de Cuéllar y luego duques de Alburquerque, pues en dicho año el papa Inocencio IV comisionaba al arcediano y al sacristán de Osma que investigaran las quejas de los clérigos contra los franciscanos, a saber, que construían en el territorio de sus parroquias, que confesaban ilegalmente, y les ponían luego a ellos en el brete de negar la comunión a los fieles de esa manera reconciliados, y que, aceptando el cargo de albaceas testamentarios, perjudicaban en cuanto tales a las parroquias dichas. Y las contiendas con el obispo de Orense, Pedro Yáñez de Novoa, a fines de siglo. La señora D.ª Teresa Yáñez quiso ser enterrada en la iglesia de los frailes; pero el prelado, cuando se iba a dar cumplimiento a su última voluntad, se apoderó del cadáver con gente armada, la sepultó en la catedral y confiscó los donativos dispuestos a guisa de compensación. Y, cuando llegó el turno a D.ª Sancha, esposa de Juan Fernández, prohibió todo acompañamiento al sepelio o auxilio con su motivo a los franciscanos, bajo entredicho y excomunión, recurriendo ellos al arzobispo de Braga, que era su hermano de Orden, Fr. Tello, sin que el obispo compareciera ni cediera hasta que hubo de citarle a Roma en 1289 el papa Nicolás IV.

En cuanto a la vida intelectual, a pesar de esa su tan peculiar espontaneidad evangélica, floreció desde un principio y alcanzó cotas muy altas entre los franciscanos españoles, como se pone de relieve en otra parte de esta obra. Baste recordar a Gil de Zamora.

Las clarisas

De la rama femenina franciscana, las clarisas (también llamadas damas pobres y damianitas, por su primer convento de San Damiano el año 1212), nos complace consignar cómo fue España el país donde a la larga contaron con mayor número de fundaciones, las cuales ascendían ya a 21 el año de la muerte de Santa Clara, 1253, y a 49 al terminar aquel siglo XIII.

Las primeras y las más ilustres fueron la de Pamplona, de 1228, y la de Santa Catalina de Zaragoza, de 1234, convento el primero privilegiado, por ser destinatario de documentos pontificios y del bulario franciscano; y el segundo, vivero de reformadoras. Entre ambos está el de Plasencia, de 1233. Y del mismo 1234 es el de Burgos. Pero en el estado actual de la investigación no se puede responder en todos los casos de la cronología, y a veces hay que contentarse con fechas aproximadas. Así, para el de Úbeda se ha dado la de su misma conquista, 1247 (por error, algunos escriben 1235); pero lo único indudable es que, cuando en 1262 la muralla fue reedificada a cargo de los caballeros, que luego ponían sus escudos en los lienzos que habían costeado, consta el de las monjas. Y de Jaén sólo se puede asegurar ser de mediados de siglo, y no de la fecha de la entrada en él de San Fernando III en 1246, aunque se insista en ser fundación regia

(por cierto que, como el citado convento estuviera dominado por la torr
de la sinagoga, las monjas consiguieron que ésa se convirtiera en la iglá
sia de Santa Cruz y, a la postre, que Benedicto XIII mandara derribarla
Y de Barcelona, si la bula de Gregorio IX a sus vecinos exhortándolos
contribuir a la construcción de su convento de San Antonio es de 123€
parece que ya dos años antes era su abadesa Inés de Peranda.

Por otra parte, la expansión clarisa sigue las líneas de la franciscan
incluso en su emparejamiento de cerca con la militar de la Reconquista. ¹
a una enumeración exhaustiva de las fundaciones admitidas o pretendida
en esta centuria hasta la de 1299 en Guadalajara, preferimos dar sólo a
gunas que jalonan su implantación en los distintos territorios de los reinc
españoles. A saber: Calatayud (1235), la Puridad, de Valencia (1239)
Ciudad Rodrigo, Lérida y Tarazona (1240), Valladolid y Zamora (1243
Salamanca (1244), Vitoria (1247), Alcocer (1252), Almazán y Soria (1253
Palma de Mallorca (1256, fundación de Tarragona, que era de 1251,
también fundaría Perpiñán en 1262), Santiago de Compostela (quizá
1260), Murcia (1272), Segovia (1281), Ciudadela (1287), Santander (1291
y Sevilla (1293). Los casos de intervenciones regias en los orígenes no so
raros. Así, el de Allariz, en la diócesis de Orense, se debe a la devoción d
D.ª Violante, en cuyo matrimonio con Alfonso X, celebrado el año 124€
en Valladolid, hubo dos testigos franciscanos; uno de ellos, Guillermo d
Briva, el predicador de la cruzada a Tierra Santa; y a ruego de la hija d
aquéllos, Berenguela, surgió el de Toro. Por otra parte, la circunstancia d
que, en su primer medio siglo de vida, las clarisas observaran cinco regla
distintas, puede determinar que, en algún supuesto, el cambio de obser
vancia se haya interpretado como fundación de un convento nuevo. Es e
caso de Toledo. Porque allí Santa Clara es indudablemente de 1371, per€
no es nítida su relación con Santa María, que observaba la Regla benedic
tina y fue fundada hacia 1240? con licencia del arzobispo D. Rodrigo Ji
ménez de Rada.

En fin, en las clarisas de Santiago y Palencia (éstas de 1291) se ha⟩
localizado vestigios de la leyenda de la monja prófuga, a la que Zorrilla
acabará enriqueciendo en su versión de *Margarita la tornera*. Y de los 2⟨
monasterios fundados en el siglo siguiente, son de notar los reales de Pe
dralbes y Tordesillas (fundaciones de Elisenda de Moncada, en 1326, ⟩
Alfonso XI, en 1354).

III. LOS DOMINICOS

Por A. LINAGE CONDE

Domingo de Guzmán nació en Caleruega, confines de la ribera burga
lesa, entre 1170 y 1175; hijo de la Beata Juana de Aza y de la familia de lo
Guzmán, que ostentaba el señorío sobre aquel lugar de behetría. Uno d€
sus hermanos, el Beato Mamés de Guzmán, sería uno de los primero
frailes de su Orden, conocido por «el Contemplativo». Estudió en Palencia
y su obispo, el de Osma, D. Martín de Bazán, le hizo canónigo regular d€

ı cabildo catedralicio reformado, del cual era prior el obispo siguiente, ›iego de Acebes (1201-1208), el hombre que mayor influencia ejerció en ı vida de Santo Domingo. En 1203 y 1205 le acompañó a Dinamarca, con ı misión, primero, de negociar la boda del infante don Fernando, futuro eredero de su padre, Alfonso VIII de Castilla, con una princesa de aquel aís, y luego, de traerse a la novia, que por cierto murió en el intervalo. Y ntonces, al atravesar las tierras del condado de Toulouse y ver el estado a ue las había reducido la heterodoxia albigense y valdense, Domingo sinó la inspiración específica de consagrarse a la predicación itinerante y en ı pobreza frailuna, que constituía una novedad, en cuanto hasta entonces l tal ministerio más bien estaba monopolizado por los obispos. Ello impliıba la clericalización y la primacía del estudio, con lo cual, y a pesar de su ɔndición mendicante, la nueva familia se había de diferenciar profunamente de los ideales benedictino y franciscano y de la vida canonical que ısta entonces Domingo había venido profesando. Y como hubiera obserado que los herejes se servían de mujeres consagradas para educar en sus rrores a las niñas y jóvenes, la primera fundación suya fue también feıenina, la de Prouille, cerca de Fanjeaux. Muerto Diego en 1207, de uelta ya en su diócesis, el obispo de Toulouse, Fulco, que era por cierto el ntiguo trovador Folquet de Marsella, tomó bajo sus auspicios la empresa ominicana ese «equipo de predicadores de vida evangélica totalmente esvinculados de la acción político-religiosa», como les ha definido el . José M.ª Garganta, y en junio de 1215 dio la luz verde a su «propósito egular de vivir como religiosos, andando a pie, y de predicar en la poreza evangélica la palabra de la verdad evangélica», confiándoles la iglea de San Román de Toulouse, ya por indicaciones del papa Honorio III, uien aprobaba el Instituto el 22 de diciembre de 1216, por su bula *Reliiosam vitam*, y más tarde, el 21 de enero del año siguiente, dirigida a los ermanos *praedicatoribus*, o sea por oficio, y no *praedicantibus*, ocasionales, ɔmo por error del amanuense se había al principio deslizado en el primer ɔcumento. Viviendo todavía el Fundador (murió en su convento de San Iicolás de Bolonia en 1221), se aprobaban las *Consuetudines* (1216) y las ıstitutiones (1220) de la Orden, y después las *Constitutiones* (1228), basadas ɔbre la autoridad unitaria permanente del maestro general y la periodiıdad de los capítulos generales. Se trataba de la primera vez en que una rden religiosa tomaba existencia para realizar una obra externa en la glesia (Knowles) con arreglo a unas metas preconcebidas de actuación y o al mero impulso espontáneo de llevar una vida imitada de la de Cristo Ɔdilo Engels).

Y ni que decir tiene que los orígenes y el nacimiento españoles de anto Domingo y la fundación de su Orden en esas tierras del Languedoc, ın vinculadas de siempre a la Cataluña de este lado de los Pirineos, haían de determinar una pronta, densa y extendida floración de su tal ıueva familia religiosa en España y entre los hispanos.

El día de la Virgen de agosto de 1217, siete de los dieciséis primeros ompañeros del Fundador eran de los reinos españoles, a saber: Suero ¡ómez, Pedro de Madrid, Miguel de Ucero, Domingo de Segovia, Miguel de Fabra, Juan de Navarra y su ya citado hermano Mamés de Guzmán. Aquel día fue el de su dispersión. Y entre los siete enviados a París a la vera de la Universidad estaban Mamés, Fabra y Juan de Navarra, pues a los otros cuatro españoles se les mandó a España, fundando Suero y Pedro en Madrid y acudiendo Miguel y Domingo de Segovia a Roma a informar al Santo de su fracaso itinerante. Noticias que le determinarán a viajar a su país natal él mismo, acompañado de su citado tocayo, en diciembre de 1218. En Burgos se entrevistó con los reyes, San Fernando III y Berenguela; y además de ese convento fundó los de Segovia, Palencia, Zamora, Santiago y Zaragoza; destinó a monjas el de Madrid, y, al pasar por París en su retorno, encargó a su hermano Mamés se ocupara de éstas, y a Fabra que fundara en Barcelona. Por cierto que el obispo dominico de Oviedo, Ramón Martínez Vigil, escribirá de la casa femenina madrileña haber sido «el primero del mundo, toda vez que el de la Prulla siguió la Regla del Císter hasta el año de 1220». Y que la prioridad después de Madrid, el 1218, es de Segovia, de este mismo año o el siguiente, no teniendo sentido la disputa entablada sobre la cronología entre el de Toledo, que es de 1222, y el de Burgos, que hay que retrasar a 1224 aceptando la del P. Angel Walz. Así, en el segundo capítulo general, de 1221, se constituyeron ya cinco provincias; una de ellas la de España, bajo el mencionado D. Suero, que era portugués (las otras, Provenza, Francia, Lombardía y Roma; además se acordó crear las de Hungría, Alemania e Inglaterra).

Y de la estancia segoviana del Santo, además enriquecida con páginas de leyenda dorada que recogiera Gerando Frachet en sus *Vitae Fratrum*, el historiador local Diego de Colmenares nos transmite algunos datos de interés para situarnos en la composición de lugar de todo aquel ambiente y las mentalidades incubadas en su seno. «Hospedóse al principio en una casa particular, y después, hallando a propósito para la aspereza que profesaba una cueva entre unos peñascos cubiertos de boscaje, entre lo profundo del río y la altura de la ciudad, expuestos al frío del Norte, renovó allí sus ásperas disciplinas, esmaltando la cueva con su sangre, que permaneció en milagrosa frescura hasta el tiempo de nuestros padres, con suma reverencia de nuestros ciudadanos. Y lo gozáramos hoy si la inadvertencia de un prelado no hubiera oscurecido tan venerable reliquia por enlucir cueva y capilla, deslumbramiento que castigaron los superiores con severidad. Con esta disposición salía el Santo a predicar a un sitio en el mismo valle sobre el río, distante de la cueva trescientos pasos al poniente, donde la devoción de nuestros ciudadanos labró una ermita en recuerdo de estos sucesos [...] Remediados en pocos días muchos males y admitidos a la nueva religión algunos de nuestros ciudadanos, y entre ellos el santo Fr. Domingo Muñoz, cuya santa vida escribiremos en nuestros claros varones, fundados en la cueva de su recogimiento iglesia y convento, con advocación de Santa Cruz, aunque pequeño entonces, primicias de esta gran religión en España, y que como tal goza hasta hoy primer asiento y voto en sus capítulos». Y es curiosa la previa noticia —un tanto en la línea de las pretensiones desorbitadas premonstratenses del barroco de hacerle antes a Santo Domingo de los suyos, que el cura cronista segoviano nos transmite y conjetura— de que quizás esta venida de aquél a su ciudad «no fue acaso, sino causada de correspondencia con los canónigos premonstratenses de San Norberto, que, como dejamos escrito, habían venido a fundar a nuestra ciudad desde el convento de La Vid, donde el Santo, según tradición y costumbre de aquel tiempo, pasó algunos años de su primera edad y enseñanza, o por lo menos comunicó mucho siendo canónigo en Osma».

Pero naturalmente que la expansión había de continuar tras de la marcha de Santo Domingo. Obedeciéndole, Miguel Fabra, que había sido el primer dominico que enseñó teología en París, fundó en Barcelona, donde tomó contacto con Jaime I, del que llegó a ser confesor y a quien acompañó en las conquistas de Mallorca y Valencia. Y también fueron dominicos, por cierto, los tres confesores siguientes del monarca, a saber: San Raimundo de Peñafort, Arnaldo de Sagarra (que le acompañó a la expedición a Murcia) y Berenguer de Castellbisbal, propuesto para primer obispo de Valencia, pero que lo fue de Gerona, si bien a cargo de otro dominico, Andrés Albalat, canciller del rey, correría la verdadera restauración eclesiástica del país valenciano. Y sus hermanos de hábito serían los otros obispos Pedro de Centelles, de Barcelona; Guillermo de Barberá, de Lérida, y Bernardo de Mur, de Vich, muertos en 1251, 1255 y 1264 respectivamente. En el sitio de Palma, Fabra desempeñó un papel militar de cierta transcendencia como avisado mentor de los zapadores; y del prestigio de los dominicos entre la soldadesca nos da idea la circunstancia de que, cuando la misma se amotinó y dispuso el saqueo de las tiendas de los caballeros, bastaron dos de aquéllos y diez hombres de armas para salvaguardar la regia. Y en el sitio de Valencia, también un dominico, Pedro de Lérida, capellán de la guarnición del Puig, informó al rey de su plan de abandono de la empresa por parte de aquellas sus gentes, noticia que le salvó de un grave quebranto. El tal Pedro de Lérida, prior de la fundación de Valencia, la primera casa religiosa establecida en la ciudad por cierto, en 1254 suscribía un convenio entre Jaime I y su hijo Alfonso, en tanto que tres de los dominicos que participaron en el asedio y durante él hicieron de árbitros en un conflicto entre el rey y el señor de Albarracín. Para Robert Ignatius Burns, el papel de los frailes predicadores fue más destacado que el de los menores en los primeros días de la Valencia cristiana. Una cofradía que abarcaba a todos los conversos moros y judíos estaba bajo su tutela, y lo mismo ocurría con las gremiales de los fabricantes de campanas y comerciantes de pieles. Antes de 1291 ya tenían otra casa en Játiva, y las dos, luego de una cierta contención, se repartieron el territorio del reino para su predicación: la de la capital, de Morella al Júcar, y la otra, de éste a Bañeres.

Santo Domingo, por su parte, había muerto en Bolonia, en 1221. Por la nuestra, echemos una ojeada a la historia española desde esa fecha hasta las últimas que acabamos de citar a propósito de la expansión de la Orden en el país valenciano, al cual nos ha llevado la misión de su compañero Fabra. Valenciano de nacimiento por cierto. Y a la luz de lo que el caso valenciano y mallorquín nos dice, teniendo en cuenta los coetáneos avances de la reconquista castellana en el Sur y lo que vamos a ver de su propagación allí, nos confirmaremos en la constante, que ya conocemos por los trinitarios y franciscanos, del emparejamiento de la expansión mendicante y los progresos militares, paralela a la que en el alto Medievo veríamos enlazaba la monástica y los de la repoblación, desde luego también ligada a las castrense, aunque sin perder de vista la interposición de la tierra de nadie. Y de esta manera nos llegaremos a dar cuenta de cómo la historia de la vida religiosa viene a ser cual un espejo en que se refleja la del país.

Para ello barajaremos los lugares y las fechas; y no de forma exhaustiva, sino ejemplificadoramente, cual con los franciscanos hiciéramos.

Año 1233, Córdoba; hacia 1248, Sevilla; 1253, Ecija: 1265, Murcia; 1266, Jerez de la Frontera, retrasándose el próximo, Jaén, hasta 1382. Y la consolidación en la tierra adentro. Hacia 1228, San Esteban de Salamanca, el llamado a tan altos destinos; 1261, León; 1272, Valladolid, habiendo de esperar para el siguiente castellano a Peñafiel, en 1320. Por la corona de Aragón, Lérida y Palma, en 1230; Valencia, que, como Palma, ya conocemos, nueve años después; Tarragona, simultáneo a Sevilla; Gerona, hacia 1253; Huesca, en 1254; San Pedro Mártir, de Calatayud, en 1255; Tortosa, en 1260. Y en el Norte, Pamplona, en 1242, y Vitoria, en 1278. Sin olvidarnos de Galicia, que comienza por La Coruña, en 1300, y Lugo, en 1318.

Celebrándose en Barcelona el capítulo general en 1261, y en 1291 en Palencia.

Y estaba dentro del orden de las cosas, en consecuencia, que en 1301 se separase de la de España la provincia de Aragón (con Navarra y luego Cerdeña), debiendo ocupar su prior en el coro el lado derecho, después del de Grecia. Antes, en 1275, la provincia en cuestión se había dividido en las vicarías de Cataluña, Aragón y Navarra, «Castilla con la frontera», y León, Galicia y Portugal, lo cual fue acordado en el capítulo de León, que por cierto encomendó al maestro general la designación de la vicaría a que había de ser asignado el convento de Valencia.

Y una llamada de atención al significado que, a la luz de lo expuesto, cobra la historia dominica española en relación a la general de la Orden durante aquel primer siglo y hasta los albores de la Edad Moderna, en que alcanzaría precisamente dimensiones tan ecuménicas. Nos lo hace notar el P. Walz. Y es la escasa movilidad de nuestros hermanos predicadores fuera de nuestra tierra, naturalmente que dejadas de lado las misiones marroquíes. *Generaliter notandum Hispanos durante medio aevo se nimis intra fines suos continuisse.* Y la explicación está clara: la tan fecunda movilidad interna de nuestros países, por entonces dentro de sus mismas fronteras.

Y el paralelo entre los reinos de Aragón y Castilla. Si Jaime I tuvo cuatro confesores dominicos, «fraile negro» era también el que acompañó a San Fernando III en la expedición a Córdoba y Sevilla. Se trata de San Telmo, Pedro González de nombre propio, nacido en Frómista y muerto en Tuy, en cuya catedral está enterrado (1194-1251); deán un tanto mundano de Palencia, al amparo de su tío el célebre obispo Tello Téllez de Meneses, antes de ingresar en la Orden y dedicarse a la predicación por el noroeste de España, en cuyo menester preferiría también terminar sus días, y tan invocado por los navegantes en peligro, que han llegado a incluir en el diccionario la expresión de «los fuegos de San Telmo» para designar las descargas que parecen salir de los mástiles en las tormentas.

Pero los fastos dominicos españoles no se quedan en lo dicho: que el primer general de la Orden, después del mismo Santo Domingo y de Jordano de Sajonia, fue el catalán San Raimundo de Peñafort (hacia 1185-1275), cuya personalidad se estudia en otra parte de esta obra.

También fue breve el generalato de Munio de Zamora, el séptimo de la Orden, y el otro español del siglo fundacional (1285-1291), destituido por el papa Nicolás IV; por cierto mediante una decisión autoritaria impuesta a la voluntad representativa de su familia religiosa. El mismo año de su elección, Munio promulgó la Regla para los terciarios, que él mismo había compuesto. Y bajo las oficiales acusaciones pontificias de debilidad en el gobierno, los historiadores más serenos han preferido ver en la decisión romana un trasfondo de animosidad explicable. Derivado, por una parte, de la índole de español del general, íntimo amigo de Sancho IV, para con el cual, en cambio, Nicolás IV, legado pontificio a Castilla cuando era sólo él cardenal y antiguo franciscano Jerónimo de Ascoli, tenía motivos de resentimiento al no haberle podido apartar entonces de la sucesión de Alfonso X en beneficio de los nietos de San Luis IX de Francia. Por otra parte, la Santa Sede, partidaria de los Anjou, divergía entonces, y con mucha actualidad, de Aragón en la cuestión de Sicilia. O sea que «la cualidad de español, en una época en que era preferible ser francés, no era un buen tanto a favor», según comenta un poco cáusticamente el P. Mortier. Y, por otra parte, en la Regla de los terciarios citada, Munio vinculó jurídicamente a la Orden a los mismos —fraternidades penitenciales—, en tanto que los franciscanos continuaban sujetos a los obispos a consecuencia de situaciones explosivas dentro de aquel clima de «rencores, sin cesar recrudecidos» entre las dos Ordenes. Y lo cierto es que el juicio de la historia dominica está concorde para aquél, venerando su sepulcro en Santa Sabina, de Roma, con las declaraciones del capítulo general de Ferrara de 1290, según las cuales «su memoria permanece intacta», aunque la persecución contra él en vida llegara a forzarle a dimitir el obispado de Palencia ya en tiempos de Bonifacio VIII.

En cuanto a la vida intelectual, nada más acorde con la inspiración fundacional dominicana que su cultivo y fomento en la Orden. Los estudios fueron cuidados en ella a nivel de las casas y provincias, y en la cúspide los llamados generales, el primero de los cuales, Saint Jacques de París, fue fundado ya por el propio Santo Domingo. La provincia de España marchó por ese camino de la autonomía escolar, que diríamos, con algún retraso, a pesar de haber sido Miguel de Fabra el primero de los «frailes negros» docente en la Sorbona. El capítulo la obligó a tener su estudio general en 1293, y diez años más tarde nos consta que ya funcionaba el de Barcelona. Por eso, en el mencionado año ya se redujeron a dos las tres plazas que en el parisiense tenía aquélla concedidas. Y aunque en San Esteban de Salamanca, junto a la casa provincial de teología, se enseñaban ya gramática y lógica en 1299, ese estudio general es ya de la siguiente centuria, y aún más tardíos los de Valladolid y Avila.

La rama dominicana femenina planteó, durante el primer siglo de la Orden, graves problemas constitucionales que nos desbordan aquí, en cuanto no fueron específicos de la Iglesia española. La tutela espiritual y económica de los conventos de las monjas por parte de los frailes, quedando así ellas en libertad integral para dedicarse a la contemplación, acabó siendo una carga excesiva para éstos, tanto más cuanto las casas de ellas proliferan agobiantemente, sobre todo en los países germánicos e Italia —74 y 41 respectivamente— a comienzos del siglo siguiente. Así, Gregorio IX, bajo el generalato de San Raimundo, en 1239 dispensó a los frailes de la *cura monialium;* durante el de Juan el Teutónico (1241-1252) se habla de «la crisis de las hermanas»; y de «la paz» con las mismas en el de Humberto de Romans (1254-1263); a una solución intermedia se llegó por Clemente IV en 1267. Y ello pese a ese cuidado especial por la vinculación de las mujeres a su apostolado que viéramos para los orígenes.

El convento de Madrid fue uno de los tres fundados en vida de Santo Domingo; concretamente, el segundo, siguiente al de Prouille, genuina cuna de la Orden y anterior al de San Sixto, de Roma (el hospicio de Toulouse para la recogida de jóvenes inmorales no llegó propiamente a tal). A pesar de lo cual, en esta centuria no progresó mucho la vida dominica femenina en nuestros reinos, ya que en 1303 sólo contábamos con siete conventos, los mismos que había en la sola ciudad de Estrasburgo.

En todo caso, su expansión sigue las mismas líneas de fuerza que la de los conventos de hombres. Caso típico es el de Santa María Magdalena, de Valencia. Parece que ya estaba prevista su localización incluso antes de la rendición de la ciudad, al sur extramuros y cerca de los mercedarios. Ello tenía, pues, lugar en 1239. Y en 1246, para agrandar la casa, concedían indulgencias el papa Inocencio IV y, además del diocesano, los obispos de Tarragona, Lérida, Zaragoza, Tortosa y Mallorca. A fin de esquivar la cuestión canónica interna, entonces candente, a propósito de las monjas a que antes nos referimos, oficialmente fue constituida aquélla cual agustina, pero sujeta a la dirección de los dominicos; concretamente, del prior Bernardo Riusech, de la nobleza local; y Olanda de Romaní, de una familia muy ligada a la corte del rey Jaime, sería su primera priora. Y en 1282, el rey Pedro la rogaba admitiera a una tal Inés, hermana de Guillermo de Sale, escribano del obispo de Valencia.

Conflicto jurisdiccional grave se dio con las monjas de San Esteban de Gormaz, para cuya resolución el maestre general comisionó a San Raimundo, quien en 1262 las sometió al provincial de España.

En fin, otras fundaciones que se señalan son las de Zamora, en 1238; Caleruega, en 1266, gracias a la generosidad de Alfonso X, y Zaragoza, en 1300.

IV. LA MERCED

Por A. LINAGE CONDE

La tradición mercedaria sitúa la fundación de esa su Orden redentora de cautivos, y, en consecuencia, coincidente con los propósitos de los triniarios que ya conocemos, en la noche del 1 al 2 o en la del 10 de agosto de 1218, cuando, ante la catedral de Barcelona, el obispo Berenguer de Pau, estando presente el rey Jaime I, todavía menor de edad, habría recibido la profesión del fundador San Pedro Nolasco (a quien en la empresa habría aconsejado su sapientísimo confesor, el futuro dominico San Raimundo de Peñafort), y sus primeros compañeros, y entregádoles el hábito blanco y el escudo, consistente éste en una cruz blanca (la de la misma catedral barcelonesa de Santa Eulalia) en campo de gules y las barras de Aragón en campo de oro, y todo bajo la corona real. Entonces habría nacido la Merced (también llamada de Santa Eulalia o de la Misericordia de los Cautivos) cual orden militar, y fundamentalmente seglar, como todas éstas. «Poseía todos los elementos militares de nuestras clásicas órdenes españolas, aunque pocas veces se la enumeraba entre ellas», como nos ha escrito no hace mucho el P. González Castro. *Celestis, regalis, militaris* continúa siendo su divisa. Y Fr. Faustino Gazulla ha recogido testimonios concincentes de que «los mercedarios hacían uso de las armas y que el oficio de su maestre, fraile luego, y, por consiguiente, el de los otros religiosos de su misma condición, era combatir con las armas a los infieles, equiparándolo al maestre de los frailes hospitalarios, de los templarios, calatravos y santiaguistas», lo que no es incompatible, a la luz de su posterior evolución, con que Alejandro VII la incluyera entre las mendicantes en 1690. Y sin que en ningún caso podamos relegar a la dimensión de la anécdota supuestos como el de que a la Orden se donara una torre costera en Onlara, o que Fr. Bernardino de Figueroles, por haber perdido, como otros jinetes, su caballo en el sitio de Almería, obtuviera una cantidad para la enmienda del mismo. En cambio, Lomax estima que, no habiendo combatido apenas los mercedarios contra los musulmanes, y, en todo caso, no siendo ello «el fin principal de su vocación religiosa», no se les puede decir orden militar, «como tampoco el hecho de rescatar cautivos cual una actividad subsidiaria convirtió a los santiaguistas en una orden mercedaria». Añadiendo sus miembros a los tres consabidos votos un cuarto: dedicarse a la redención incluso hasta el derramamiento de la propia sangre.

Y, a decir verdad, no es demasiado conocida la vida de Pedro Nolasco. Piadoso mercader, que suelen decir sus biógrafos, nacido en 1180, en el pueblecito provenzal de Mas-Saintes-Puelles, y avecindado en Barcelona de cuyo barrio de San Martín dels Provençals, cerca de Santa Eulalia del Campo, prefiere hacerle natural el P. Andrés Palma), desde temprano se habría dedicado a reunir fondos, sacrificando incluso su propio peculio para rescatar de los musulmanes, de los vecinos de Valencia en un principio, esclavos cristianos, y tenido en sueños la visión de un frondoso olivo a punto de ser arrancado a hachazos y la exhortación de dos ancianos a evitarlo, y posteriormente una aparición de la Virgen, la cual le llevó a interpretar la primera como inspiradora de conseguir la preservación de la fe católica entre los cautivos, amenazados de trocarla por el Islam, mediante su redención dicha. Así lo contaba a fines del XVI el P. Francisco Zumel, uno de los grandes teólogos de la Universidad salmantina de entonces, «princeps thomistarum» que se le llamó.

La aspiración de los dominicos a hacer de San Raimundo cofundado
de la Merced cuando ya era él fraile de aquéllos, complicó ya hace tiemp
con esta polémica la cronología de los orígenes de ésa, retrasándola su
fautores hasta 1222 o 1223. Igualmente se controvertió si la visión inspi
radora había sido privativa de San Pedro o simultánea y común a éste y
San Raimundo y el rey Jaime, estando incluso los mercedarios (por ciert
que llamados, a veces, mercenarios, sin otro sentido que el de la tal mism
evidente corruptela lingüística) divididos en la cuestión, pues mientras, el
nuestros días, Gazulla se ha peleado por la primera solución, su cronist
Tirso de Molina dio por buena la segunda: «Mandóle, en fin, comunica
estos decretos celestiales al rey joven y al confesor de entrambos, a quier
habiéndoseles aparecido a la hora misma y de la suerte propia, dejab
dispuestos y conformes para principio de tan gloriosa fábrica».

Y recientemente, un estudioso norteamericano, James Brodmar
aboga por la fecha de 1232 y el carácter inicial de confraternidad nad
más. Y nos parece muy conveniente distinguir dos dimensiones en su
aportación. Una es la del detalle erudito, en cuyo terreno se le puede con
ceder algún acierto en la crítica de algunos de los documentos originarios
aunque no lo bastante como para invalidar, sin más, la vieja tradición
Otra es la de la composición de lugar histórica. Pues, para él, la Orden d
la Merced apenas si fue posible que naciera antes de la expedición recon
quistadora de 1229 a Mallorca y como «un indiscutible producto de l
reconquista catalano-aragonesa». Opinión que supone desconocer es
constante mental del fantasma de la cautividad en tierras de moros, qu
desde hacía tanto tiempo estaba ya flotando en el ambiente en torno a la
Barcelona del siglo XIII, y, por otra parte, había tomado ya cuerpo reli
gioso institucional en el antecedente trinitario. Además revela un ciert
desconocimiento de la normalidad de cualquier proceso fundacional d
una nueva familia consagrada, cual prueba de que la Merced no comenz
siendo una orden que aduzca se pidiera al papa una regla y no su mer
reconocimiento formal.

Lo cierto es que Gregorio IX, en su bula de 17 de enero de 123
Devotionis vestrae precibus inclinati, dirigida «al maestro y hermanos de la cas
de Santa Eulalia de Barcelona», aprueba la Orden y le concede la Regla d
San Agustín. Tres años después de que el gobernador general de Cata
luña, Ramón de Plegamans, cediera a San Pedro Nolasco, para su primer
morada conocida y estable, el solar que cerca del mar sigue ocupand
todavía el convento mercedario de Barcelona. Y uno más tarde de la pri
mera entrega a la Orden de un matrimonio de terciarios, el del notari
gerundense Ferrer de Portell y su esposa Escalona, con la donación uni
versal de todos sus bienes, a reserva del usufructo y de la facultad d
detraer a su fallecimiento cien sueldos barceloneses para sufragios. «Y
acaso tuviéramos hijos, los damos también al Señor Dios y a la predich
limosna. Y yo, Fr. Pedro Nolasco, por mí y por mis hermanos presentes
futuros, si por enfermedad o vejez tuvieseis alguna necesidad, me obligo
en socorreros con los mismos bienes de *la limosna,* y, de no hacerlo, o
autorizamos para empeñar y vender lo que menester fuera». Y los tale

terciarios y cofrades, encargados sobre todo de recoger limosnas, pues los frailes, dado su escaso número, solían hacerlo sólo en las iglesias y no de puerta en puerta, alcanzaron tan temprano y suficiente desarrollo como para que se refiera a ellos una bula pontificia de 1246. Había también donados, quienes participaban de los bienes espirituales y materiales de la Orden y tenían un plazo determinado para pasar a frailes.

En cuanto al gobierno de la Orden, sus dos pilares eran la autoridad del maestre general, vitalicio sobre todos sus individuos, y la celebración de capítulos generales anuales, en los cuales participaban los comendadores o superiores de las casas. Las visitas del maestre y el prior general (éste clérigo, como en las órdenes militares, y debiendo acompañar al maestre su capellán para oír confesiones, lo mismo que en el Temple) eran también anuales. Los seglares sustituían el oficio divino por una determinada tasa de padrenuestros, y los clérigos rezaban, además, el de la Virgen y el de los difuntos cuando el del día era de solas tres lecciones. Todo ello sistematizado en las primeras Constituciones, que el capítulo general de Barcelona aprobó en 1272, prohibiéndose por cierto en ellas expresamente la admisión de trinitarios y la readmisión de mercedarios que hubieran pasado a trinitarios. Y las cuales sufrieron en 1327 un cambio radical cuando el capítulo del Puig de Valencia eligió por general al sacerdote Raimundo Albert, respondiendo los seglares con la elección de otro de los suyos, pero prevaleciendo el primero por una intervención de Juan XXII, y decidiéndose con ello definitivamente la clericalización de la Orden.

Los cronistas señalan el de Perpiñán como el segundo en el tiempo de los conventos de la Merced, consecuencia de la donación del conde de Salsis Pedro en 1226; y, aunque Brodman ha tildado de sospechosa la escritura en cuestión, lo cierto es que en 1238 ya aparece San Pedro Nolasco comprando por allí y que en 1246 hay noticias indudables de la casa. Asegura también la tradición que el Santo participó el año 1229 en la conquista de Mallorca (en 1631 sería proclamado patrono de la isla), donde ya en 1232 por lo menos existía su convento. Y en Menorca, al tomarla Alfonso III en 1287, dio a los mercedarios del Puig de Valencia hacienda para una casa, que fundaron en Ciudadela, aunque ya no existía en 1299, quizás víctima, por esa tal índole de posesión valenciana, de la restauración del reino de Mallorca, acordada en 1295 por el tratado de Anagni.

Acaso el mismo Fundador, pero desde luego que sus mercedarios, sin ninguna duda, tomaron parte en la conquista de Valencia en 1238. Ya durante el sitio, Jaime I les donó, dentro del repartimiento de las haciendas de los moros en la ciudad todavía por tomar, una mezquita y algunas casas extramuros al sur, cerca de la puerta de Boatella, donde levantarían su convento, bajo la titularidad del monje redentor castellano de la Alta Edad Media Santo Domingo de Silos, cabe la actual iglesia de los Santos Juanes, junto al Mercado.

Y, según la leyenda, la visión por San Pedro Nolasco de unas estrellas cayendo sobre el monte del Puig de la Cebolla, que defendía el acceso septentrional de la ciudad, y el hallazgo en el lugar de una imagen enterrada de la Virgen, determinó que el rey, volviendo sobre la promesa que del lugar había hecho su abuelo a los cistercienses, lo donara también a los mercedarios, edificándoles allí una iglesia y concediéndoles su parroquia lo que motivó un acuerdo con el obispo, que aprobó Inocencio IV en 1240 reflejándose en las mismas fórmulas del documento, como quiere Robert Ignatius Burns, «la influencia y la popularidad de los tales frailes». Y en 1291, Nicolás IV enumeraba, tomándolas bajo su tutela, numerosas haciendas de los mismos en el país valenciano, aunque no de todas hemos de pensar eran conventos, contándose entre éstos, desde luego, los de Denia (1242); Monte Castillo, entre Cocentaina y Muro (1248); Arguines, entre Segorbe y Torres-Torres (1251); y Játiva (1253).

Y una bula expedida por Inocencio IV durante el concilio de Lyón, en 1245, *Religiosam vitam*, al enumerar igualmente propiedades, y con la misma salvedad de no corresponder todas ellas a regulares fundaciones comunitarias, nos permite jalonar la expansión de la Orden en el Mediodía francés, Cataluña y Aragón, a saber: Gerona, Tarragona, Santa María de los Prados y La Guardia de Prats (las dos cerca del Montblanch), Lérida, Tortosa, Narbona, Zaragoza, Sarrión de Teruel y Calatayud.

San Pedro Nolasco murió en 1249. Y en el repartimiento de Sevilla conquistada el año anterior, San Fernando concedía hacienda para un convento a los mercedarios, quienes también la tuvieron por entonces en Córdoba de la misma manera, y en Mula, Murcia y Lorca. Establecimiento, en cambio, forzosamente de otro origen sería el de Cuenca. Parejo a los de Soria, Almazán, Toro y Guadalajara, entre 1290 y 1300, intervalo en que también llegaban a Beja, en Portugal, y Elche, Orihuela y Teruel. En total eran 57 las casas de la Orden al terminar el siglo, casi todas poco numerosas, y de las cuales sólo 26 tenían iglesia, con un censo de unos 200 frailes. De los tales conventos, ocho estaban en Cataluña, once en Aragón, siete en Valencia, ocho en Francia, veinte en Castilla y Portugal, dos en Navarra (los de Pamplona y Sangüesa, también entre 1291 y 1299) y el de Mallorca. En la diócesis de Segovia se había adquirido la iglesia de San Juan, en la villa de Fuentidueña.

En 1311 existían ya dos provincias, Cataluña y Castilla. En 1317, cinco a saber: Provenza, Cataluña, Aragón (con Navarra), Valencia (con Murcia) y Castilla (con Portugal).

Por su parte, la rama femenina de la Orden debió de existir desde muy pronto. Las Constituciones de 1272 se refieren a las mercedarias como «cohermanas» que habían de contar con bienes bastantes para seguir viviendo en sus casas y testar en favor de la Merced. La evolución sería hacia el genuino monacato de clausura, no consumado hasta Trento, pasando por los beaterios anejos a los conventos masculinos y de cierta vida activa. La fundadora parece fue Santa María de Cervelló, noble barcelonesa (1230-1290), profesa en 1260 en manos del prior de su ciudad natal, fray Bernardo de Corbara, y que llevó vida común a partir de cinco años más tarde. Escribió unas *Máximas*, y por sus apariciones a los navegantes en peligro se la conoció devocionalmente por María del Socorro.

Y la hagiografía de la Orden nos arroja un balance esplendoroso para esta primera centuria, aunque no en todos los casos sea demostrable la rigurosidad histórica de ciertas historias tardías, como se estudia en otra parte de esta obra (San Ramón Nonato, por ejemplo).

V. LOS MENDICANTES AGUSTINOS

Por A. LINAGE CONDE

Para los agustinos, el problema de los orígenes, en España y fuera de ella, se complica todavía mucho más. Pues hay que tener en cuenta la existencia de un monacato prebenedictino que, dentro del sistema de la Regla mixta, se había inspirado en la de San Agustín (y ello sin mezclar la cuestión con la de los problemas de la diversidad textual de ésta), la adopción predominante de la misma por el movimiento canonical regular y el haber surgido el cenobitismo mendicante agustiniano, que acabó consagrándose en la Iglesia no en virtud de un impulso desconocido, desde abajo, sino por la voluntad jerárquica de Alejandro IV de aglutinar una serie de comunidades y tendencias brotadas por doquier y con unos ciertos arranques eremíticos. O sea, la gran unión de 1256. De ahí la tesis del P. Fernando Campo del Pozo de la subsistencia en la Península, y al margen de la benedictinización, de las vidas eremítica y cenobítica agustinianas hasta la Baja Edad Media.

Lo cierto es que la provincia de España, además de las de Francia, Alemania e Inglaterra, fue creada ya por el general Lanfranco de Septala, el comienzo de cuyo mandato (1256-1264) coincidió con la citada gran unión.

Pero antes, e inmediatamente después de que, por el tratado de Alcaraz, el futuro Alfonso X obtuviera para su padre, San Fernando III, el protectorado del reino musulmán de Murcia, el citado infante castellano había conquistado Cartagena y otras plazas, y en una fecha que no podemos precisar, pero que no sería muy posterior, si es que no coincidió con ella, a la de 1247, la de la restauración del obispado, antes tan glorioso, de esa ciudad, hacía llamar a los canónigos regulares agustinos catalanes de Cornellá de Conflent para establecerse en San Ginés de la Jara, cerca del Mar Menor y del cabo de Palos, donde la tradición aseguraba se había tenido manteniendo, bajo dominio islámico, un monasterio visigótico, allí asentado otrora por el traslado al lugar de las reliquias de San Ginés de Arlés, luego devueltas a su solar del Ródano, y del que se trataría de hacer un santo local y distinto, y donde Juan Torres Fontes, en un apasionante estudio, conjetura pudo haber una rábida musulmana. Ello dentro de las ideas grandiosas del Rey Sabio, cabiendo pensar que «en menor escala, como antes había sido Santiago fuente inagotable de catolicidad y de recepción de cultura europea frente a la islámica preponderante, intentara que San Ginés de la Jara desempeñara papel similar en el Sudeste». Pero fijémonos en el dato. San Ginés es poblado por una comunidad, agustina desde luego, pero de canónigos regulares, y, sin embargo, en 1260, la misma funda ya en Toledo un convento claramente agustino mendicante, bajo el tal general Lanfranco y los auspicios, además del mismo Alfonso X, de los enviados de aquél Juan Lombardi y Pascasio Dareta; concretamente, en la iglesia y casa de San Esteban, donación del monarca al otro lado del río, cerca del puente de San Martín, hasta su traslado con licencias arzobispal y romana en 1311 y por la insalubridad emanada del río, dentro de muros y al solar del antiguo palacio real, mediante la influencia de Gonzalo Ruiz de Toledo, de la familia de los condes de Orgaz, que profesó en la casa. Y en 1298 ya tenía tradición bastante como para referir a él el milagro del báculo de San Agustín ahuyentando una plaga de langostas. Otra fundación que los cronistas señalaban de San Ginés era la de San Juan de la Fuensanta, cerca de Cartagena misma. Y en 1317, ante las incursiones de los piratas granadinos e ibicencos, los agustinos de San Ginés mismo se trasladarían a Murcia. Mas no perdamos de vista, y como botón de muestra, ese dato institucional de la conversión de los canónigos en mendicantes, por cierto que pintiparada adaptación al cambio de la coyuntura histórica y sin dejar la Regla de San Agustín.

Y, acaso bajo el signo de esa particularidad que aguarda todavía ser desentrañada, las líneas de la expansión cenobítica agustina peninsular son parejas a las que ya conocemos de las demás familias religiosas coetáneas. Así la implantación de los frailes castellanos en la Andalucía reconquistada, y seguramente a título de merced de acompañamiento a la misma: Sevilla, en el mismo 1248, y en todo caso antes de una bula de Urbano IV a la Orden, que ya la menciona; y lo mismo Córdoba, extramuros hasta 1329, en que pasará adentro de las murallas y cederá para alcázar a Alfonso XI su casa anterior. Y en la corona de Aragón. Primero en el escondido valle de Aigües Vives, al sudeste de Carcagente, quizás en 1239, cuando todavía era zona fronteriza y peligrosa, mostrando —lo ha señalado Robert Ignatius Burns— su gusto por la soledad; en 1260 ó 1280, Castellón; puede que en 1270, Alcira; 1281 o algunos años antes, Valencia (Nuestra Señora de Gracia, con su legendario mariano), por el Venerable Francisco Salelles (permitiéndoles Jaime I en 1300 comprar bienes de realengo, a pesar de la prohibición de ello a los religiosos por los fueros locales); Alcoy, 1300. Y antes, Zaragoza, 1286. Señalándose la fecha de 1257 para Formentera, mediante donación a los frailes de los bienes del infante D. Pedro de Portugal, hecha por Jaime I, y, al año siguiente, de los del sacristán de Gerona Guillermo Montegrino, y donde la casa subsistió hasta ser abandonada, lo mismo que la isla, por sus habitantes, ante la endemia corsaria, en 1350. Y en el territorio de la misma monarquía castellana, Casarrubias, en 1273, y Badajoz, en 1298. La propagación en Cataluña es, en cambio, tardía, ya del siglo siguiente: 1309, Barcelona (la parroquia de Santa María del Mar); 1327, Lérida; 1362 ó 1370 Cervera. ¿No nos choca tal cronología un tanto? Paradójicamente, ¿acaso no tendría que ver con su retraso la misma pujanza de la vida canónica anterior?

En cuanto a las monjas, señalemos que bajo Fernando IV, que comenzó a reinar en 1295, se fundó la casa de Sevilla (extramuros hasta su traslado en 1368); y que Santa Úrsula de Toledo, para «collegium mantel latorum» o de donados en 1259, era ya de ellas en 1356, fecha en que nos consta por una bula de Inocencio VI dada en Aviñón.

Y de la pujanza literaria de la hasta cierto punto nueva familia religiosa entre nosotros nos dan idea, aunque ya pertenezcan al siglo siguiente, escritores como el arzobispo de Mesina, Dionisio de Murcia, exegeta; el valenciano Bernardo Oliver, obispo (1337-1346) de Huesca, Barcelona y Tortosa, polemista antijudío y autor del *Exercitatorium mentis ad Deum;* y Alfonso Fernando de Toledo y Vargas (1300?-1366), catedrático, como los anteriores, en París, confesor del rey Pedro IV, compañero del cardenal Albornoz en Italia, obispo (1353-1360) de Badajoz, Osma y Sevilla y filósofo escolástico.

VI. LOS CARMELITAS, LA ORDEN DE GRANDMONT Y LOS FRAILES SAQUISTAS

Por A. Linage Conde

En cuanto a los carmelitas, su entrada en España es tardía, y tuvo lugar cuando ya se habían configurado definitivamente como orden mendicante, y naturalmente cenobítica, por la bula *Quae honorem conditoris,* de Inocencio IV, a 1.º de octubre de 1247.

Sabido es cómo en sus orígenes —en la Tierra Santa de los cruzados— aquéllos fueron tan sólo una comunidad de eremitas de hecho, sin Regla ni vínculos jurídicos, sin constituir un *collegium* ni una *domus religiosa,* ni venir obligados a la *stabilitas* de quienes habían pasado del *status laicalis* al *regularis* o *clericalis,* según ha puntualizado el P. Carlo Cicconetti. Esto era así hasta la Regla eremítica, que hacia 1209 les dio el patriarca de Jerusalén, Alberto de Vercelli, y que aprobó Honorio III en 1226. Después, el eremitismo quedaría en la Orden cual una mera «nostalgia gozosa» para todos —en expresión del P. Balbino Velasco— y un género de vida singular y diferenciado, temporal o perpetuo, más bien lo primero, para algunos. Y la originalidad sólo podría vindicárseles en cuanto su Regla no dependía exclusivamente de ninguna otra anterior y su espiritualidad se basaba en un cristocentrismo entendido cual un *obsequium Christi,* derivado de una vinculación traspuesta de la mentalidad feudal y determinado por la devoción a la humanidad del Redentor en la tierra misma de su vida y pasión.

A partir de 1235, más o menos, los carmelitas se trasladaron, sin embargo, a Europa; concretamente, al sur de Francia, Chipre, Sicilia e Inglaterra. En España es lenta su propagación, y se limita, durante bastante tiempo, a la corona de Aragón y a Navarra. Y, aunque el capítulo general de Londres había decretado en 1256 la fundación de conventos en nuestro país, la provincia de «Yspania» aparece la última en las Constituciones de 1281, lo que hace pensar al P. Joaquín Smet en lo reciente de su erección. La casi nula participación en las cruzadas de los españoles, ocupados en su propia reconquista, explica el retraso, ya que la venida de los carmelitas a Occidente desde su solar originario tuvo lugar, sobre todo, como un retorno a los países de procedencia de los tales.

En 1272 ya está documentada la casa de Lérida, y Balbino Velasco opina que pudo ser algo anterior la de Huesca, obras ambas, acaso, de frailes de Montpellier y Perpiñán. Seguirían Sangüesa, en 1277, por permiso expreso del rey de Francia Felipe III; Valencia, durante el reinado de Pedro III (1276-1285), a cuya fundación comenta Robert Ignatius Burns cómo «se instalaban así en *la frontera* el mismo año que en el valle del Ródano Lyón, y cinco antes de favorecer con sus monasterios a ciudades como Nuremberg o Gante»; Zaragoza, reinando Alfonso III; Barcelona (1292), gracias a la donación por los *consellers* de la tierra, extramuros, del *hort dels Lledoners,* cerca del hospital de la Santa Cruz, en la actual calle del Carmen, y a pesar de la orden del obispo Bernardo Peregrín, contrarrestada por la Santa Sede, de derribar las obras; Perelada (1293), por donación de su señor Dalmacio de Rocaberti y de los cónsules, también extramuros, del convento que había sido de los saquistas, aunque Clemente V en 1346 les concedió el traslado de puertas adentro, cerca del castillo condal, haciéndose entonces cargo de la iglesia del enterramiento de los condes; Gerona y Palma de Mallorca (1294), con recomendación especial de Jaime II contra posibles perturbaciones de sus clérigos; y ya a principios del siglo XIV, Manresa y Valls.

Barcelona tendría estudio general en 1333, y Valencia en 1379. Y en la ciudad condal se había celebrado en 1334 el capítulo general que había de consagrar la fórmula de la vinculación y denominación marianas de esta familia religiosa: *quare dicamur fratres Ordinis Beatae Mariae de Monte Carmelo.* Y de su vitalidad en aquella Cataluña del trescientos dan idea figuras como la del provincial Felipe Ribot, quien hacía 1330 elaboraba sus *Decem libri de institutione et peculiaribus gestis religiosarum carmelitarum,* de los cuales forma parte el *Liber de institutione primorum monachorum,* exposición de la espiritualidad distintiva de la Orden, que sería su vademécum hasta e siglo XVII; Guido Terrano, perpiñanense, general en 1318, obispo de Mallorca en 1321 y de Elna once años más tarde, considerado cual si fuera representante de los reyes de Aragón y Mallorca en la corte de Roma tratadista de la vida religiosa, la pobreza sobre todo, y luchador contra las exageraciones de los espirituales entre los suyos; y Pedro Riu († 1372) autor de un comentario al *Miserere* en lengua vernácula.

En cambio, en Castilla no fundarían hasta 1315 acaso, en San Pablo de Moraleja, cerca de Medina del Campo, seguido por Santa María de los Valles, al sudoeste de la provincia de Burgos; Gibraleón (en la de Huelva y Requena; y Toledo, sin que fuera de la corona de Aragón tuvieran má casas en 1344. Sevilla y Avila son ya de 1358 y 1378. Fundaciones que, a diferencia de las aragonesas, comenta el P. Otger Steggink, fueron «fruto de esfuerzos aislados y además de pocos, con excepción de Toledo, er lugares de escasa importancia cultural y política».

En cuanto a la división territorial, en 1336 se crearía el vicariato de Mallorca, con Perpiñán —ascendido a provincia en 1342—, Perelada y Gerona, hasta que en 1354 se constituyó la provincia de Cataluña, con e

Principado y la isla, pasando Pamplona y Sangüesa, como vicariato de Navarra y hasta 1379, a la provincia de Aquitania, y siguiendo el resto de la Península denominándose de España hasta dividirse en 1416 en Castilla y Aragón (antes, desde 1330, se empleaban como sinónimos de la única provincia peninsular Aragón y España). Y en el siglo XVI habría tres priores generales de la provincia catalana: el perpiñanense citado Guido Terrano y los mallorquines Juan Ballester y Bernardo Oller.

En fin, la primera noticia para las monjas es la de una cédula real expedida en Lérida en 1346 autorizándolas para pedir limosnas en Barcelona, donde trataban de fundar iglesia y convento, lo que parece no consiguieron. Y ya hasta mediados del siglo siguiente no aparecen las nuevas de los beaterios de vida común y votos solemnes, integrados, en parte, por antiguas «beatas» (equivalentes a las *mantellatae* italianas) u oblatas conversas, que habían seguido viviendo en sus casas, aunque con hábito y Constituciones. Así, hacia 1450 aparecen en Ecija, y las primeras de Castilla, las de la luego tan teresianamente famosa Encarnación de Avila, se hacen esperar hasta 1479.

En cuanto a la Orden de Grandmont, la de los *bons hommes* o *boni homines*, surgida a principios del siglo XII en la diócesis de Limoges, de comunidades eremíticas de seglares y clérigos bajo el gobierno y administración de los primeros y la exclusiva dedicación de los segundos a la contemplación y el trabajo manual según la curiosa Regla de Esteban de Liciac, sólo tuvo en España dos casas, ambas en Navarra, gracias al favor del rey Teobaldo II: la de Todos los Santos, en Estella (1265), y la de San Marcial, en Tudela (1269), no existiendo ya la primera en 1315 y muriendo el último prior regular de la segunda (a la que Juan de Navarra y Felipe el Hermoso cambiaron su dotación por la iglesia de Corella y sus rentas) en 1385.

En fin, en la corona de Aragón florecieron también los *saquistas* o frailes del saco, así llamados popularmente por su hábito, que era la túnica ordinaria de los peregrinos de la época, oficialmente los Hermanos de la Penitencia de Jesucristo, fundados hacia 1248 por un caballero de Hyères, en Provenza, y que en 1251 adoptaron una regla agustiniana a pesar del franciscanismo de su espiritualidad y género de vida. Su historia fue breve, pero fecunda, y al cabo de sólo un cuarto de siglo contaban con siete provincias y unas ochenta casas repartidas desde Escocia hasta Palestina.

Durante este siglo XIII, sus once conventos en el territorio de la monarquía oriental estaban situados en los lugares más decisivos para influir en la vida del reino, a saber: Barcelona (en el hospital de Santa Eulalia del Campo), Zaragoza, Tarragona, Puigcerdá, Calatayud, Perelada, Palma de Mallorca, Valencia y Játiva, además de Perpiñán y Montpellier.

Y su popularidad nos la demuestran la abundancia de legados a su favor y detalles como el de Jaime I donándoles la tierra para fundar en Játiva, a pesar del precepto, que ya dejamos citado, de los fueros de Valencia, que prohibían destinar a tales fines las haciendas de la Corona.

Pero la Orden no fue suficientemente hábil o fuerte para superar, como hicieron los carmelitas, la drástica regulación que a los mendicantes impuso el concilio de Lyón de 1274, y se extinguió a caballo entre esta centuria y la siguiente, sin que aquí tengamos ánimo para pronunciarnos sobre el pormenor de las causas de tal tramonto.

VII. LOS BENEDICTINOS EN LA BAJA EDAD MEDIA

Por A. LINAGE CONDE

Mientras tanto, las viejas órdenes, las monásticas *stricto sensu,* aunque su hora en la historia hubiera pasado, mantienen su vida; a pesar de estar carentes a menudo de impulso ascensional y fuerza renovadora, están teñidas, en cambio, de ese prestigio que da la tradición en una sociedad que, pese a las profundas transformaciones que está fermentando, no ha sucumbido con ella. Y así llegarían a la exclaustración decimonónica.

Por supuesto que los problemas no faltan. Y así, en el caso de los benedictinos negros, la ofensiva real contra los abolengos de resabio feudal y la episcopal contra la jurisdicción canónica exenta de los monasterios, el acaparamiento por las familias nobles de los abadiatos o su tranquilo despojo de sus tierras, la encomienda, la división de las rentas entre el abad y la comunidad —y, de la parte de ésta, entre los distintos oficiales— y los gastos de los continuados pleitos —entre los abades de San Pedro de Montes y Espinareda llegó a haber uno sobre a quién de los dos correspondía la derecha o la izquierda en los concejos y procesiones—, todo ello constituía un mal endémico. Pero, como ya hemos destacado en otro lugar, de no haber continuado el monacato siendo una cierta fuerza, o no habría sido tan afectado por esas consecuencias indeseables o habría sucumbido a ellas.

El canon 12 de la bula *In singulis,* del IV concilio de Letrán, para remediar el aislamiento de tales monasterios benedictinos entre sí, les impuso la celebración de capítulos trienales de abades por provincias eclesiásticas. Esto acaecía en 1215. Y al año siguiente ya, o, a lo más, otro más tarde, se reunía el primero de la Tarraconense, que, además de Cataluña y Aragón, comprendía Navarra y la Rioja, recopilándose por primera vez sus ordenaciones corporativas en la temprana fecha de 1233, y naciendo así insensiblemente la Congregación Tarraconense-Cesaraugustana o de los Claustrales de Tarragona, cuyas comunidades, según el resumen de dom Colombás, «más que benedictinas, parecían cabildos seculares». Bastante más tarde, en 1336, la bula *Summa magistri,* del cisterciense Benedicto XII, dividió en 32 circunscripciones toda esa familia monástica, de las cuales tres se repartían España, a saber: Compostela-Sevilla y Toledo, además de la calendada de Tarragona-Zaragoza. Pero la cohesión de las dos primeras fue muy débil hasta los días de la Congregación de Valladolid, más observante, pero menoscabada por la temporalidad del cargo abacial ya en el cuatrocientos, el mismo siglo en que un movimiento separatista en el Císter castellano, acaudillado por el monje de Montesión Pedro Martín de Vargas, que antes había sido jerónimo, daba lugar a la Congregación de Castilla.

Un indicio de la fuerza social que los monasterios seguían suponiendo nos lo proporciona su participación en la «Hermandad» de los reinos de Castilla, León y Galicia en apoyo del infante Sancho, rebelado contra su padre Alfonso X en el último bienio del reinado de éste (1282-1284), habiéndose coligado para ello 39 abades cluniacenses, cistercienses y premonstratenses, primero, y otros 24 abades, 6 obispos y un prior del Santo Sepulcro, después, y comunicándose por los prelados, señores y concejos a los monasterios su insistencia en el auxilio mutuo.

Era frecuente que las abadías tuvieran parroquias a su cargo, generalmente las sometidas a su derecho de patronato, pero en todo caso mediante acuerdos de tenor vario con los ordinarios. Así, en 1246, el obispo Miguel, de Lugo, retiene sus derechos diocesanos sobre la de San Miguel de Rosende, pero la deja al cargo de su citado patrón, el monasterio de San Esteban de Ribas de Sil, a cambio de ciertas prestaciones por los diezmos y con la obligación de sustentar en ella un capellán perpetuo. Y también Ribas de Sil nos proporciona un ejemplo coetáneo del funcionamiento del patronato en cuestión: sobre San Ginés de la Peroxa. El monasterio le cobraría un censo, y el día de San Juan le visitaría su abad, en busca del yantar, con tres monjes, cinco caballerías y diez criados. A veces había iglesias que habían sido cenobios dependientes de una abadía, pero en los cuales no quedaba vida monástica. Y a propósito de sus diezmos surgían conflictos con la mitra. Tal entre Sahagún y el obispo de Palencia, Tello Téllez de Meneses, encomendada su resolución en 1225 por Honorio III a los abades de Sacramenia y Valparaíso, y el obispo de Sigüenza, y que no se terminó hasta 1341 por sentencia arbitral del abad de Husillos. Cuando a veces esos antiguos cenobios vuelven a la vida, lo es ya en beneficio de otras potestades y observancias más del día. Tal el femenino de Santa Eufemia de Cozuelos, en la Ojeda, comarca relacionada con Campoo y con el condado de Monzón, que Alfonso III había dado el año 1000 a la sede de Burgos a cambio de que pusiera un clérigo en él y otro en la catedral en su memoria, y que debía ser sólo una prebenda de aquélla cuando en 1186 pasa, también para sus monjas, a los caballeros de Santiago. Y se llega a la repartición de derechos feudales entre las viejas órdenes y los sobrevivientes. Así ocurre en el lugar de Montbrió, que era de Santes Creus cuando el Temple se estableció en Barberá, y que ha estudiado José María Sans y Travé. Y sabemos de una ocasión en que la parte diocesana se atribuyera, frente al monasterio, la representación de los feligreses, a quienes el patronato habría, según tal tesis, correspondido; lo que hizo el arcediano de Astorga, litigando a San Pedro de Montes la capilla de Domir, edificada por el pueblo en la parroquia, antes monasterio, de San Martín de Alijo, en Valdeorras, y cuyo patronato confirmaron a los monjes los jueces del cabildo de Zamora, nombrados por Inocencio IV en 1250, y siendo al fin comisionado el abad de Carracedo para levantar las posibles excomuniones. Y el reparto de los ingresos procedentes de la asistencia parroquial o del ministerio eclesiástico y sus accesorios, en un sentido más amplio, entre los cabildos diocesanos y los monasterios, daba a veces lugar a perturbaciones un tanto escandalosas o tiránicas, en detrimento de los monjes o del mismo culto divino. Como ya en el siglo anterior había ocurrido también entre San Pedro de Montes y Astorga el año 1128. Pues entre las cláusulas de su concierto para el servicio de ciertas iglesias figuraba el compromiso de no restaurar la de Valdescalios, si alguna vez se derrumbaba, y la prohibición de acudir a la de los Santos Cosme y Damián y de San Esteban de Valdueza, en beneficio de Santa María de Foylevar, a quienes no fueran jóvenes, siervos o enfermos, y eso en adviento, cuaresma, domingos y fiestas. Y por otra concordia entre ambas partes, también sobre el valle de Valdueza, llegó a plantarse un roble el año 1251 en Carballo de los Abades.

La división de las rentas entre los distintos oficios, consecuencia de la especialización en la gestión señorial y monasterial más ampliamente, parece fue una de las causas del nacimiento de los peculios, y la consiguiente relajación de la pobreza e incluso de la vida común, llegándose a un sistema de vida y gobierno que permitía curiosas componendas. Así, en 1254, el prior, la priora y el «convento» de San Pedro de las Dueñas, en la órbita de Sahagún, ponen fin a un litigio con el monje o «freyre» Bartolomé de Frechilla nombrándole «cillero» y asignándole para su vestuario una de las cuatro yuguerías que en la misma Frechilla tenía la casa. Y del cenobio femenino gallego de San Pedro de Ramiranes, cerca de Celanova, sabemos que, de un lado, la mesa abacial estaba separada de la de los monjes, y que, de otro, cada uno de éstos administraba sus peculios familiares, sin que la clausura fuera rigurosa, y apareciendo con mucha frecuencia en su documentación los clérigos racioneros, hasta haberle hecho pensar a Emilio Duro Peña si no habría una comunidad paralela de éstos y si el nombre de racioneros no se derivaría de derechos hereditarios del pasado familiar del monasterio. Lo cierto es que se repiten fórmulas inquietantes. Así *cum toto conventu monialium sive clericorum.*

Pero pocos compromisos tan elocuentes para ilustrarnos de la separación patrimonial entre el abad y la comunidad como el concertado en San Pedro de Montes en 1206 sobre el reparto entre el uno y la otra, además de los pobres, los huéspedes y «la criazón», de los regalos que se hicieran al monasterio. Para el abad serían las bestias de albarda y los bueyes, la ropa de cama y el trigo, centeno y cualquier otro grano; para la comunidad, las mantas y la ropa de vestir; y las bestias de silla y otros ganados, por mitad. Como las «obediencias» eran autónomas, los estipendios de las misas «de negro» irían a parar a la sacristanía. Y todos, menos el abad, incluso los racioneros, participarían de la pitanza en el refectorio. A veces tenían lugar los repartos por terceras partes y se aguardaba a los ausentes hasta el tercer día.

Entre tanto, algunas de las grandes casas mantienen e incrementan incluso su prestigio social y espiritual. Es el caso de Montserrat, de insospechada irradiación a más y más lejanas tierras por la meta de devoción y peregrinación de su imagen mariana. Así Rafael Juan y Gabriel Llompart acaban de estudiarle en la Mallorca reconquistada: privilegios de su cofradía, exención en su beneficio de las normales restricciones canónicas y civiles a las colectas de limosnas, construcción de un albergue para los mallorquines, seguro real para los deudores peregrinos, publicación de los milagros por sus agraciados.

En tanto que el santuario también mariano de Lluch, que desde 1267 se va consolidando en la isla, mostrará con el del Principado ciertas «concomitancias ambientales», desde el paisaje hasta el culto. Pues cuando el primer prior de su colegiata, Gabriel Vázquez, instituyó allí dos misas diarias, se fijó para sede de una la catedral de Palma, y para la otra, la matinal, la escolanía montserratina. Y sobre todo en los días del trescientos iría surgiendo en Montserrat esa maravilla que es el *Llibre vermell,* miscelánea literaria y musical para los predicadores al servicio de los peregrinos, en el cual se alternan los relatos de milagros, los cánticos y las prácticas piadosas con los tratados teológicos y los fragmentos de ciencia y de historia, como el *De mirabilibus et indulgentiis urbis Romae,* quizás obra de un monje de la casa relacionado con Urbano V, que adoptó también para una de las antífonas del códice otra de Santa María en Araceli; y el calendario benedictino del abad de San Pablo Extramuros Guillermo de Cahors. Y mientras Aramón y Serra ha visto en los loores marianos de su poesía *Ballada dels goyts de Nostre Dona, Inperaytritz y Rosa plasent* una de las manifestaciones de la apertura tardía de la lírica occitánica al sentimiento religioso, atribuyéndola a las nuevas corrientes devocionales predicadas por los cistercienses, premonstratenses y mendicantes (es ya el mundo de Gautier de Coincy, de Berceo y de las *Cantigas),* Pedro Bohígas destacaba la evolución hacia el estilo internacional de sus miniaturas italianizantes, obra, acaso, del ermitaño, de la misma santa montaña, Antonio de Verjús, que antes había sido escribano de cámara de Juan I.

Algunos de los capellanes del monasterio eran sustentados con beneficios fundados por familias nobles que querían asegurarse un representante personal ante la «Madona Bruna». Es el mismo universo mental que lleva a profesar en Poblet al «noble típicamente medieval, casi la misma estampa del caballero, siempre muy devoto, pero, incluso después de su profesión, más soldado que monje». Se trata de Guillén de Cervera, viudo dos veces, combatiente en Las Navas y Mallorca, peregrino a Tierra Santa, señor de Juneda y de Verdú. El mencionado Guillén entra en el monasterio el año 1231, el mismo en que el jurista Guillén Botet, cónsul de Lérida y autor de la recopilación del derecho de su ciudad que son las *Consuetudines ilerdenses,* testaba, encomendando a Poblet la tutoría de su mujer y de su hija, de manera que el abad debía aconsejar a dicha moza en su matrimonio. Y muchos de los caballeros participantes en la reconquista de Mallorca pasaron antes por Santes Creus a hacer su testamento. Santes Creus estaba entonces enriquecida por el abadiato de San Bernardo Calvó (1225-1233), después obispo de Vich. Y uno de aquéllos, Ramón Alamany de Cervelló, luego de fundar en 1229 por esa su última voluntad el hospital de San Pedro de los Pobres a la puerta del monasterio, murió en la isla a la primavera siguiente como consecuencia de la epidemia que se propagó en el ejército.

Pero no vayamos a suponer que la penetración devocional de los viejos monasterios se limita, ni siquiera preferentemente, al estamento nobiliario. ¿Y la impronta en la piedad popular de las cofradías vivientes a la sombra de aquéllos? El tema es acreedor a todo un estudio *ad hoc*, que desde luego está por hacer. De la de Silos, de orígenes que no se pueden precisar en el tiempo, pero que llegó en el cuatrocientos a contar con la fabulosa cifra de 45.000 hermanos, entre ellos los reyes de Castilla, de Portugal, de Aragón y de Navarra; de las 60.300 misas anuales que llegó a hacer celebrar en sufragio de sus miembros vivos y difuntos y de sus obras de caridad en beneficio de los peregrinos a Santiago, Roma y Jerusalén y de los huérfanos pobres, nos dio ya excelentes referencias dom Marius Férotin. Y entre los habitantes de León y el monasterio de San Claudio, en su ciudad, se creó una hermandad el año 1163, en virtud de la cual aquéllos ofrecerían a los monjes un donativo en la octava de Pascua, y éstos aplicarían la misa de alba todos los lunes del año por los cofrades difuntos y rezarían en la mayor por los vivos. Una hermandad que tenía su abad y procurador propios, y a los que en 1392 un esmaltador, Pedro Fernández, donaría un solar para construir en él un hospital a cambio de una misa en su sufragio y el de sus mayores en la fiesta, el 11 de julio, del «patriarca de los monjes de Occidente».

Y, como se estudia en otra parte de esta obra, se continuaba en esas viejas casas la tradición cultural, bajo los antiguos o los nuevos patrones. Tal la historiografía en los catalanes y en Silos.

VIII. LAS MISIONES

Por A. LINAGE CONDE

En el estudio de las misiones del siglo XIII (sin olvidarnos de que ya el año 1085, con motivo de la restauración de la sede reconquistada de Toledo, Urbano II urgía al arzobispo D. Bernardo la conversión de los infieles, y antes aún, en 1074, San Gregorio VII había enviado una misión para convertir a Ahmed al-Muqtadir de Zaragoza), uno no puede a veces, por extraño que hoy nos parezca, deslindar con nitidez su capítulo de los de la apologética contra las otras religiones, la cruzada, y el apostolado interno entre los cristianos residentes en países infieles. Tengamos en cuenta, aparte de la diferencia de mentalidades, que, en una cristiandad un tanto cerrada geográfica y espiritualmente en sí misma, el mero impulso del paso de la frontera había ya de implicar mucho de común entre quienes le sentían. Y, si bien es cierto que el ímpetu apologético y misional a veces iba ligado a posturas de mayor tolerancia, no era tampoco raro que coincidieran las ideas y las actividades de cruzada y de misión. Así, sobre el espíritu de cruzada de la documentación de Clemente VI, ya en los albores de la modernidad, a propósito de las primeras misiones franciscanas de Canarias, se ha podido llamar la atención sin esfuerzo, además de los casos concretos que dentro de nuestro dominio cronológico seguidamente veremos.

En este previo sentido, el caso del abad de Cluny Pedro el Venerable es intomático. Para él, la cruzada estaba justificada, en cuanto iba dirigida ontra «los enemigos de la cruz de Cristo»; pero siempre insistía en que ólo se podía tener a éstos por tales si rechazaban «su salvación», según laramente lo expresara al rey latino de Jerusalén. De ahí su trasfondo misionero y, tenida en cuenta su condición monástica e intelectual, la puesta a su servicio del conocimiento y estudio de la fe desviada de los convertendos; en su caso, de los musulmanes concretamente.

La ocasión propicia para realizarlo fue su viaje a España, llevado a cabo en 1142 y 1143 dentro de sus negociaciones con Alfonso VII. Según Janes Kritzeck, todavía estaba entonces en sus comienzos la Escuela de Traluctores de Toledo, de la que el citado estudioso norteamericano afirma no haber habido ningún centro intelectual en Europa que de alguna manera no fuera influido por ella o con la que no tuviera alguna deuda». Y en la misma dejó encargado al abad Pedro de la versión del Corán y otros textos islámicos; a un equipo compuesto por el arabista Pedro de Toledo, de quien apenas sabemos nada más; su propio notario, Pedro de Poitiers, a quien, de acuerdo con Giles Constable, hemos de conceder un puesto de honor entre los secretarios cuya fama nos ha llegado en los anales literarios del siglo XII; dos astrónomos —el inglés Robert de Ketton (también llamado de Chester o de Rétines, y que después fue arcediano de Pamplona) y Hermann el Dálmata— y un tal Mohammed. Roberto fue el que tradujo al latín el Corán, siendo la suya «la primera versión completa de la obra en cualquier lengua» (de 1213 sería la de Marcos de Toledo, encargada por el arzobispo Rodrigo Jiménez de Rada, mientras que Pedro III de Aragón pediría por separado dos al catalán). Y el paso siguiente del abad de Cluny sería, además de su correspondencia nada menos que con San Bernardo en torno al mismo tema, la elaboración de sus textos apologéticos antimahometanos, de los cuales el principal es el *Liber contra sectam ive haeresim saracenorum.*

Caso bien distinto en cuanto a los móviles inspiradores de la misma vocación apologética, pues ésta le nació al contacto vivido con los islamitas y no en gracia a una seducción intelectual lejana, fue el del enigmático obispo mercedario de Jaén, San Pedro Pascual (1227-1300), a quien ya hemos citado anteriormente al ocuparnos de su familia religiosa. Valenciano de familia mozárabe, estudió en París, vivió en Roma y junto a Braga, enseñó en Barcelona filosofía y teología, predicó por todo el Mediterráneo desde Toscana hasta Andalucía y fue tutor del hijo de Jaime, D. Sancho, luego arzobispo de Toledo, asistiéndole nueve años en esta su sede; prisionero en el reino de Granada a los dos años (1298) de gobernar su diócesis, entretuvo su cautiverio en la elaboración, casi siempre en su lengua materna, de tratados de polémicas religiosas y catequesis.

Pero lo que ante todo está reclamando nuestra atención son las misiones de los franciscanos y los dominicos españoles en el mundo musulmán vecino a nuestra cristiandad —la misma España de Al-Andalus y el norte de Africa, de Marruecos a Libia, de manera que de los dominicos ha dicho el P. Mortier haberse dado la mano los de Egipto con los de Tierra Santa, como éstos a los de Grecia, quienes, a su vez, enlazaban con los de Hungría, abriéndoseles así por dos vías el Asia Central y el Extremo Oriente— por investidura papal inmediata. Anterior a la cual, sin embargo, fue el protomartirio en Marruecos, en 1220, de los cinco padres Bernardo, Pedro, Adyuto, Acursio y Otón, quienes habían sido enviados el año anterior por el capítulo general, presidido por el mismo San Francisco, pasado por Zaragoza y Portugal y sido encarcelados y condenados, incluso también a muerte, antes en Sevilla. Sus cuerpos fueron trasladados inmediatamente después a Santa Cruz de Coimbra, abadía de canónigos regulares, uno de los cuales era el futuro Antonio de Padua, a quien precisamente entonces se le habría despertado la vocación franciscana. Y es chocante lo tardío de la postulación para canonizarles (de Jaime II de Aragón a Juan XXII en 1321) y de la canonización misma (por el franciscano Sixto IV en 1491). En cambio, el suplicio en Ceuta, el 10 de octubre de 1227, de otros siete frailes también italianos: Daniel, Angel, Samuel, Dónulo, León, Nicolás y Ugolino (cuyo culto comenzó en Braga, catedral que aseguraba poseer sus reliquias, y que sólo fueron canonizados por León X en 1516), es ya posterior a los comienzos canónicos de la misión; pareciendo mucho más dudoso el coetáneo de cinco más en la iglesia de Santa María de Marraquech. Otros dos mártires, Juan de Perusa y Pedro de Sessoferrato, un sacerdote y un lego, llamados por antonomasia los de Teruel por suponerse fundaron el convento de esta ciudad y haber sido trasladados a él sus restos, padecieron martirio en la Valencia musulmana entre 1225 y 1231.

Mas ya es hora de ocuparnos del desenvolvimiento de las genuinas misiones pontificias, tendentes tanto a la conversión de los musulmanes como a la preservación de la fe de los cautivos cristianos y a la asistencia espiritual de los residentes entre aquéllos, sobre todo comerciantes de Génova, Pisa, Venecia, Marsella y Cataluña, y también soldados mercenarios en las mesnadas del sultán.

A raíz del protomartirio en cuestión se han señalado los comienzos de la nunca desmentida benevolencia de los sultanes para con los franciscanos. Lo cierto es que el 10 de junio de 1225, Honorio III, por su bula *Vineae Domini,* les encomendaba, a ellos y a los dominicos, las citadas misiones, con facultades de bautizar, absolver y excomulgar dentro de sus territorios; concediéndoles el 17 de marzo del año siguiente *(Ex parte vestra)* recibir allí limosnas en dinero y no sólo en especie y dispensa del hábito y la barba, y encargando al arzobispo de Toledo, D. Rodrigo Jiménez de Rada, se cuidase del envío de frailes de ambas órdenes que pusieran en práctica sus designios, consagrando obispo a uno de ellos, lo que le reiteraba, en la carta *Urgente officii nostri,* el 20 de febrero de 1227, pero con la variante de que los obispos debían ser dos y dando cuenta en ella de haber sido ya cumplida la anterior.

El primer obispo «en el reino de Miramamolín» parece haber sido un dominico, Fr. Domingo —cartas pontificias del 7 de octubre y 10 de noviembre *Gaudemus de te* y *Eaque nuper*—; pero, al ser conquistada por San Fernando Baeza en 1228, de cuya sede era aquél titular *in partibus,* pasó a serlo residencial (dotando por cierto espléndidamente su catedral en 1234, con quince canónigos, seis racioneros, siete canónigos «extravagantes», dieciocho salmistas, catorce servidores y un maestro de seises), y ni siquiera se sabe si llegó o no a estar en Africa, por más que se leyera en su investidura «Marrochiis mittendum». Como «obispo de Fez» —que así le llamaba el papa en carta al sultán, de 1233— debió de sucederle un franciscano, Fr. Agnelo (de quien sabemos haber consagrado en 1230 una iglesia de Pamplona); y en 1246 lo era también otro menor, como ya siempre en lo sucesivo, Fr. Lope Fernández de Ain. Es el año en que Inocencio IV, el 18 de octubre, exhortaba, *Fideles populi signo,* a los arzobispos de Tarragona y Génova, a los obispos de Valencia, Mallorca, Narbona, Bayona, Barcelona, Marsella, Oporto, Burgos y Pamplona y a todos los fieles de los lugares marítimos de España, de los cuales menciona expresamente Laredo y Castro Urdiales, a coadyuvar en la dicha propagación de la fe; y el 25 del mismo mes, *Si secundum apostolum,* a los ministros, custodios y guardianes de la Orden recomendándoles los misioneros, habiendo escrito también a los reyes de Marruecos y de Túnez. De retorno el obispo Lope a la Península, y ocupado en ciertos menesteres diplomáticos, aconsejó una cruzada a Alfonso X, y Alejandro IV, el 11 de mayo de 1255, desde Nápoles, *Ad regimen universalis,* le nombró predicador de la misma en España y Vasconia, concediendo a sus participantes las mismas indulgencias que a los de Tierra Santa, aunque no llegó aquélla a efectuarse. De su pontificado es la dotación de su diócesis marroquí con heredades andaluzas por el arzobispo de Toledo, el infante D. Sancho, y Alfonso X en el repartimiento de las de los moros, y con rentas de la misma mitra toledana por el papa Alejandro IV. Y de su sucesor en el episcopado, Fr. Rodrigo Gudal (1289-1307), se sabe que solía vivir en la Sevilla cristiana (apenas se conoce dato alguno de otro anterior, Fr. Blanco, a quien el P. Atanasio López asigne su pontificado de 1260 a 1266).

En cuanto a la vinculación de las citadas misiones norteafricanas a los franciscanos peninsulares, un dato más es cómo la provincia de Berbería solía considerarse una de las seis españolas hasta su supresión en 1239, siendo después continuada por la vicaría de Marruecos (1385), luego de que el convento de Túnez perteneciera, sin más, a la provincia de Aragón y custodia de Barcelona. Y si, por una parte, los misioneros dominicos y franciscanos allí consultaban al papa sus dudas teológico-morales sobre la licitud del comercio con los musulmanes de sus fieles cristianos, y él les contestaba valiéndose de San Raimundo de Peñafort, Jaime I, por su parte, se aconsejaba de los dichos frailes mismos para reglamentar las tales actividades mercantiles, como en Barcelona y Mallorca lo hizo en el 1274.

Y otro exponente de la correlación entre los ideales misionero y cruzado y el influjo de ambos en predicadores y menores lo tenemos en el encargo que Inocencio V diera al arzobispo dominico de Sevilla Fr. Raimundo (Clemente IV había encomendado antes otra contra los moros de Africa en Génova, Pisa y España) en 1275 para que publicase una cruzada contra los benimerines desembarcados en Tarifa a petición del rey de

Granada, cruzada que en Castilla fue predicada por el franciscano Juan Martín, después obispo de Cádiz.

Pero para comunicar a los infieles la Buena Nueva era necesario hacerlo en sus lenguas. Y de ahí la preocupación de nuestros misioneros por el aprendizaje de las orientales, como se indica en otra parte de esta obra (Escuelas dominicas y obra apologética de Raimundo Martí). Preocupaciones que, aun siendo comunes a unas y otras familias religiosas, no dejaban de manifestarse a través de tácticas diversas. Así, Robert Ignatius Burns ha notado cómo los dominicos preferían el establecimiento sin más en las tierras infieles, mientras los franciscanos buscaban una cierta infiltración político-social en el ambiente. Sin que, en consecuencia, debamos olvidar la contrapartida hostil de los musulmanes amenazados, estudiada profundamente por Louis Massignon, y de la cual fueron un episodio los motines anticristianos de Valencia el año 1275.

Pero lo cierto es que, ya en la centuria del trescientos, había iniciado su historia ese llamado por Fr. León Villuendas Polo protectorado franciscano español de Marruecos. Y por la puerta grande de la gesta martirial que, centurias más tarde, se dejaría iluminar por el oro barroco de su retablo en la iglesia de San Francisco de Oporto.

IX. ESPIRITUALES Y «FRATICELOS» EN CATALUÑA, MALLORCA Y CASTILLA

Por A. OLIVER

Espirituales y «fraticelos»

Dada la trascendencia que tuvieron esos movimientos en toda la tierra catalana, es indispensable hacer una breve introducción a fin de situar la riqueza de variedades en la historia general. «Hay que entender por *espirituales* —dice Oliger— un partido o, más bien, diferentes grupos de frailes menores, independientes unos de otros, en Italia y en el sur de Francia, los cuales, descontentos del sesgo tomado por la evolución de la Orden de San Francisco, se fueron formando en la segunda mitad del siglo XIII y se mantuvieron hasta 1318. Alentando un celo más ideal que discreto, los espirituales habían querido volver a situar a la Orden en el primitivo modo de vida, y, viéndose en la imposibilidad de realizar aquel sueño, se esforzaron por separarse de la Orden para vivir estrictamente según la Regla y el *Testamento* del santo fundador. Para lo que encontraron, naturalmente, la ruda oposición del grueso de la Orden, que se ha convenido en llamar la *Comunidad*, la cual defendía su postura y la legitimidad de sus observancias y atacaba los puntos débiles de sus adversarios: la insubordinación a la autoridad constituida y el joaquimismo, que se había infiltrado en las filas de los espirituales. La lucha, muy desigual desde el principio, terminó con la derrota de los espirituales, que fueron arrastrados al cisma y a la herejía; algunos incluso murieron en la hoguera»[1].

Jamás causa más respetable fue defendida con menos prudencia y habilidad. Los franciscanos espirituales tenían en las Marcas, en Toscana y en toda Occitania numerosos adeptos en la Orden, así como compactos grupos de beguinos y beguinas seglares, sobre todo en Marsella, Montpellier y Narbona, desde donde el movimiento se propagó por el Rosellón, Cataluña y el reino de Valencia.

El padre de los espirituales en Provenza fue Hugo de Digne († hacia 1255), gran joaquimita y autor de la idea que los espirituales utilizarán en lo sucesivo, a saber: que el papa no puede dispensar el voto solemne de pobreza. Pero la figura central de los espirituales en el sur de Francia es, sin lugar a dudas, Fr. Pedro de Juan Olieu (Olivi), cuya doctrina y fama tuvieron, después de su muerte en 1298, fuerte resonancia en Italia y en Cataluña. Olieu, pensador sutil, era, a la vez, un fanático de la pobreza absoluta y un entusiasta de los sueños joaquimitas apocalípticos. En Florencia tuvo como discípulo a Ubertino da Casale.

Cuando los errores de los espirituales fueron denunciados por la Comunidad, los defendió Ubertino denodadamente. Hostigados por la Comunidad, acuden al papa Celestino V, quien en 1294 les concede la exención de la jurisdicción del general de la Orden y los agrupa en la Congregación de los Pobres Ermitaños Celestinos, que Bonifacio VIII se apresuró a disolver poco después. En 1317, Juan XXII les condena duramente y les obliga a cejar en su empeño. Algunos grupos, tercos en su idea, murieron en la hoguera o fueron encerrados en las prisiones claustrales.

En 1318, aun antes de la tragedia final de los espirituales provenzales, Juan XXII había herido de muerte ya a los otros dos grupos, el de la Marca de Ancona y el de Toscana, que se había refugiado en Sicilia amparado por Federico III. Pues bien, en la bula *Sancta romana,* del de 30 diciembre de 1317, en la que se condena al primer grupo, aparece por primera vez el nombre de *fratricelli,* con el que serán designados en adelante los antiguos espirituales, ya cismáticos y herejes. Según la bula, estos *fraticelos,* despreciando los cánones que prohíben instituir órdenes nuevas, *nonnulli profanae multitudinis viri, qui vulgariter «fraticelli» seu fratres de paupere vita, bizochi sive beguini, vel aliis nominibus nuncupantur,* en Italia, Sicilia, sur de Francia y en diversas provincias de aquende y allende los montes *visten hábito religioso,* hacen vida de religiosos en casas en las que viven en común y mendigan públicamente como si pertenecieran a una orden religiosa aprobada. *La mayoría de ellos dicen pertenecer a la Orden de San Francisco y seguir la Regla del Santo al pie de la letra, sin depender ni del general ni de los provinciales de esta Orden;* pretenden haber sido aprobados por el papa Celestino V; lo que, aun presentando pruebas de ello, no sería válido, pues Bonifacio VIII revocó todas las concesiones de Celestino V. Algunos se han hecho con aprobaciones de obispos u otros superiores, otros se hacen pasar por terciarios de San Francisco[2].

[1] L. OLIGER, *Spirituels:* DTC XIV 2522-2549.
[2] F. VERNET, *Fraticelles:* DTC VI 770.

De hecho, Celestino V había acogido con todo afecto a Pedro de Mace-
rata y a Pedro de Fossombrone (llamado luego Angelo Clareno) y les había autorizado a separarse de la Orden y a formar una congregación separada con el nombre de *Pauperes eremitae domini Caelestini*. Por eso, Vernet
propone esta definición de los *fraticelos:* «Aquellos franciscanos espirituales
reconocidos por Celestino V y deseosos de vivir separados del resto de la
Orden. En su entorno se encuentran terciarios franciscanos más o menos
auténticos, así como pretendidos religiosos que se proponen llevar una
existencia religiosa independientemente de las órdenes aprobadas por la
Santa Sede: son las bizocas y los beguinos heterodoxos» [3].

La palabra *beguino* puede tomar diversas significaciones. Hubo beguinos, beguinas y begardos ortodoxos, y los hubo heterodoxos. De estos
últimos, una parte pertenece al grupo de los fraticelos. Estos son los que
estigmatiza la bula de Juan XXII. En el sur de Francia y en España, el
nombre designa a los terciarios franciscanos, auténticos o no, que abraza-
ron las ideas de los fraticelos [4].

La bula de Juan XXII alude a los grupos del sur de Francia. De hecho,
los conventos de Narbona y Béziers fueron un vivo centro de oposición. El
inquisidor Bernat Gui [5] cuenta que unos beguinos que se llamaban terciarios de San Francisco aparecieron en la Provenza, en las provincias de
Narbona y Tolosa y en Cataluña. Y añade: «Plures capti et detenti, et de-
prehensi in erroribus, et plures utriusque sexi inventi sunt et iudicati haeretici et combusti» [6]. Esto sucedía el 1317 en Narbona, Béziers, Agde, Lodève, Lunel, Carcasona y Tolosa. El famoso franciscano Bernat Délicieux
compareció ante Juan XXII con sesenta y cuatro espirituales de las casas
de Béziers y de Narbona. Veinticinco de ellos fueron entregados al inquisidor, cuatro fueron quemados en Marsella como herejes, un quinto fue
condenado a cadena perpetua, los demás fueron obligados a retractarse
públicamente de sus errores. Délicieux fue sometido a proceso, metido en
prisión y muerto en ella en 1320. Al final, todos fueron condenados en el
concilio de Vienne.

Todos esos grupos tuvieron fuerte resonancia en el Principado y en
Mallorca. Entre los espirituales son conocidos Arnau Oliver, Bernat Fus-
ter, encarcelado en Mallorca y en Aviñón (1321-1331); Pere Arnau, lector
en la ciudad de Mallorca; Ponç Carbonell, guardián de Barcelona en
1314, maestro de San Luis de Anjou y de su hermano Roberto mientras
estuvieron cautivos en Cataluña; Arnau Muntaner, quien en 1352 y 1370
fundó un centro de espirituales en Puigcerdà, y, ya en el siglo XV, Felipe
de Berbegal. No parece, sin embargo, que fuera espiritual el gran Juan de
Rocatallada, detenido, según Wadding, en 1357, en los calabozos de la
corte aviñonense, por sus profecías y sus ideas joaquimitas [7]. «Inclinado a
profecías y visiones», le llama Menéndez y Pelayo. Visionario y dado a

[3] ID., ibid., 771.
[4] ID., ibid., 772.
[5] ID., ibid., 775.
[6] ID., ibid., 775.
[7] OLIGER, *Spirituels:* DTC XIV 2541. Por lo que hace a Arnau Muntaner, véase MENÉN-
DEZ Y PELAYO, *Historia de los heterodoxos* l.3 c.4 (ed. 1947, II p.303).

vaticinios apocalípticos sí lo era, como lo acreditan elocuentemente las *Visiones fratris Ioannis de Rupescissa*, escritas durante el encierro de Aviñón y resumidas por el mismo Menéndez y Pelayo [8]. Ni tampoco es espiritual el grande Eiximenis, que extractó aquellas profecías de Rocatallada alusivas al juicio final.

Según el inquisidor Nicolás Eimeric, un grupo importante de begardos logró sobrevivir en Cataluña a la dura represión del pontífice Juan XXII [9]. Su cabecilla, el sacerdote Bonanat, cayó en las manos del obispo de Barcelona y del inquisidor dominico Bernat de Puigcertós, y pudo librarse de la hoguera gracias a una retractación de última hora. Pero no escarmentó: en Vilafranca del Penedés continuó su propaganda y logró adeptos. El obispo de Barcelona, dominico, y el inquisidor Guillem Costa, también dominico, lo apresaron, lo condenaron a la hoguera y quemaron su casa. Sus cómplices abjuraron [10].

En Valencia, otro grupo de beguinos, dirigidos por el terciario Jaume Justí, estaban al servicio del hospital de Santa María desde su fundación en 1334. Eimeric habla de dos procesos contra ellos bajo Clemente VI e Inocencio VI, entablados por el obispo de Valencia y los inquisidores Nicolás Rosell y R. de Masquefa, ambos dominicos [11]. Justí abjuró, y, encarcelado, murió en la prisión.

En Gerona, y alrededor de 1323, Durán de Baldac, begardo sin duda, negaba la propiedad y el matrimonio. El y su grupo fueron juzgados por el obispo y por el inquisidor Arnau Burguet. Librados al brazo secular, fueron quemados.

El grupo de Barcelona de Fr. Bonanat había sido dirigido antes por el mallorquín Pere Oller, también begardo, que terminó en la hoguera [12].

Años más tarde, otro mallorquín, Bartolomé Genovés o Janés, se daba a hacer cábalas y a publicar escritos *De adventu antichristi*. Un tribunal de teólogos, reunido por el obispo de Barcelona y por el inquisidor Eimeric, reprobó sus escritos. El mallorquín se retractó. Menéndez y Pelayo resume así sus doctrinas: «Enseñaba, siguiendo las huellas de Arnaldo de Vilanova, que el anticristo y sus discípulos habían de aparecer el día de Pentecostés de 1360, cesando entonces el sacrificio de la misa y toda ceremonia eclesiástica; que los fieles pervertidos por el anticristo no se habían de convertir nunca, por ser indeleble el sello que él les estamparía en la mano o en la frente, para ser abrasados, aun en vida, por el fuego eterno. Esto se entiende con los cristianos que tuviesen libre albedrío, pues los niños, y de igual manera los judíos, sarracenos y paganos, habrían de convertirse después de la muerte del anticristo, viniendo la Iglesia a componerse sólo de infieles convertidos» [13].

[8] Ibid., p.308-311.
[9] *Directorium inquisitorum* (Roma 1585) 283. Antes del primer proceso, el grupo fue dirigido por el mallorquín Pere Oller, que fue quemado (cf. J. M. POU Y MARTÍ, *Visionarios, beguinos y fraticelos catalanes (siglos XIII-XV)* [Vich 1930] p.196-198).
[10] POU Y MARTÍ, *Visionarios...* p.197.   [11] POU Y MARTÍ, *Visionarios...* p.200.
[12] Cf. nt.9. Para todo ello véase C. SCHMITT, *Un pape réformateur et un défenseur de l'unité de l'Église, Benoit XII, et l'Ordre des Frères Mineurs (1334-1342)* (Quaracchi-Florencia 1959) 195-196.
[13] *Historia de los heterodoxos...* l.3 c.4 p.302-303.

Por este tiempo, la figura de Olieu y su fama llenaba el sur de Francia y la misma Cataluña. Su sepulcro en Narbona era un centro de irradiación y de piedad, al que acudían muchedumbres del clero y del pueblo; le llamaban santo y leían sus escritos traducidos a romance provenzal. Fraticelos y beguinos se arropaban con su nombre.

Por lo que toca a los beguinos de Cataluña, sabemos que tuvieron un poderoso defensor y tutor en Arnau de Vilanova. Recientemente, y a raíz de hallazgos y la publicación de obras inéditas de Arnau, es posible reconstruir la organización, configuración y vida del beguinismo arnaldista catalán desde 1309, muchos años antes, por lo tanto, de la sentencia condenatoria de Tarragona (8 de noviembre de 1316), que era hasta ahora el tope que alcanzaba la documentación conocida. En Barcelona no era un simple grupo, sino una auténtica comunidad de beguinos, vivaz y activa, la que funcionaba antes de 1312; otra igual existía en Vilafranca del Penedés y otra en Valencia; había clérigos que simpatizaban con ellos; la jerarquía eclesiástica las conocía, las observaba e intervenía; existía una rama femenina. Arnau de Vilanova, mientras vivió, visitaba aquellas comunidades, les regalaba libros, escribía para ellas y las amparaba con su prestigio junto a Clemente V y a los reyes Jaime II de Aragón y su hermano Federico de Sicilia. Aquellas comunidades estaban influidas, además de por la persona y escritos de Arnau, por las ideas reformistas de Ramón Llull. La irradiación de la vida de ellas se deja sentir en la casa real de Mallorca, y muy especialmente en el infante Felipe, como veremos seguidamente.

De los centros de Barcelona y Vilafranca del Penedés conocemos incluso la forma de vida: vivían en comunidad (lo que no parece claro, por ejemplo, para los beguinos provenzales), con una estructura interna que presidía un *ministro;* su norma de vida era la Regla de la Orden tercera de San Francisco; sus componentes son llamados *fra* o *frater,* de acuerdo con lo establecido por el concilio de Vienne; los seguidores de aquella Regla eran «hombres y mujeres»; su hábito los hacía «semejantes a hombres despreciables»; la base de su subsistencia era lo que pudieran ganar de las obras de artesanía que hacían: si ello no bastaba, mendigaban de puerta en puerta; y, a menudo, sus relaciones con los franciscanos pasaban por momentos de tensión. Esta se debía a que los beguinos habían constituido un *novel orde;* vestían como pobres despreciados, como dice Bernat Guiu; vestían públicamente «portantes brunum seu de brunello habitum cum mantello, vel sine mantello»; mendigaban de puerta en puerta; se proponían establecer una rama femenina de beguinos viviendo en comunidad. En síntesis: los franciscanos de la primera Orden no estaban dispuestos a que la interpretación de la vida franciscana proclamada por los espirituales triunfara constituyéndose en tercera Orden.

Con Juan XXII y después de 1317, beguinos y arnaldianos entran en la clandestinidad [14].

El mallorquín Janés es un caso claro de la influencia de Arnau, y, a través de él, de Olieu y del joaquimismo apocalíptico. Su prurito por preci

---

[14] Véase para todo ello: J. PERARNAU, *L'«Alia Informatio beguinorum», d'Arnau de Vilanova* (Barcelona 1978), especialmente p.111 y 131-144.

sar la fecha de la llegada del anticristo, su curiosa interpretación del Apocalipsis, su despecho contra la jerarquía, tan a ultranza que le lleva hasta a aplicar mal las predicciones del abad de Fiore sobre la edad del Espíritu Santo, le hacen un inconfundible acólito de Arnau de Vilanova, de quien habremos de hablar más largamente.

Todo ello nos lleva de la mano al estudio del caso más sonoro de espiritualismo de aquella época: el de la casa real de Mallorca.

El franciscanismo y su interpretación en la casa real de Mallorca

La devoción a San Francisco y a su obra, herencia de Jaime I y de su esposa Yoland, hermana de Santa Isabel de Hungría, es común a las casas reales de Aragón, Mallorca y Sicilia [15]. Pero la misma sincera devoción de la corte y la vida austera y el incansable proselitismo de los grupos reformistas y disidentes hicieron que aquella devoción no fuera ajena a las vicisitudes y dificultades por las que tuvo que pasar el ideal franciscano entre los siglos XIII y XIV.

Todo ello se da de manera eminente en la casa de Mallorca. En una carta fechada en Castellamare el 25 de julio de 1334 y dirigida al capítulo general de Asís de aquel año, la reina Sancha resume así las relaciones de su familia con la de San Francisco: «Sabéis bien, hermanos, que el Señor me hizo nacer en este mundo de tal tronco y progenie como fue Esclarmonda, reina de Mallorca, de santa memoria, verdadera hija de San Francisco y madre mía. Que quiso que mi hermano mayor renunciara al reino por amor de Jesucristo y se hiciera hijo del bienaventurado Francisco, entrando en su Orden y llamándose en ella Fr. Jaime de Mallorca, querilísimo hermano mío. Que quiso también que fuera yo de la descendencia de la Beata Isabel, la cual fue también verdadera y devota hija de San Francisco y madre de su Orden, que fue hermana de la madre de mi padre, D. Jaime, de buena memoria, rey de Mallorca. Y que Dios ha hecho que yo tenga por marido al ilustrísimo señor mío Roberto, rey de Jerusalén y Sicilia, hijo de la reina de aquellos reinos y de Hungría, de feliz recuerdo; hija también de San Francisco, la cual tuvo un hijo en el Beato Luis, que por amor de Jesucristo se hizo fraile menor» [16].

En efecto, el mayor de los hijos de Jaime II y Esclarmonda de Foix, Jaime, había conocido en sus años de estudios en París el esplendor y la fama de la Orden franciscana, y, más tarde, unos días de convivencia en Perpiñán, en 1295, con el hijo de Carlos II de Nápoles, Luis de Anjou (el futuro franciscano San Luis de Tolosa [17]), le decidieron al acto heroico de renunciar a la primogenitura e ingresar, alrededor de 1300, entre los frailes menores. La resolución de su hijo dejó a Jaime II de Mallorca *fort trist e fort pensiu* al ver que resultaban inútiles todos sus esfuerzos para disua-

[15] Véase M. DE BARCELONA, *L'Orde franciscà i la Casa Reial de Mallorques:* Estudis franciscans 30 (1923) 363-364.

[16] M. DE BARCELONA, *L'Orde franciscà...* p.364-365.

dirlo. Fue entonces cuando su sobrino Jaime II de Aragón (muy lejos de sospechar que veinte años después su propio primogénito, también Jaime, le plantearía el mismo problema a él, pero en circunstancias mucho más dramáticas, en las que le consolaría la hija del rey de Mallorca, Sancha), desde Nápoles, el 9 de junio de 1299, le escribía una carta llena de alta espiritualidad, que atestigua precisamente la afinidad de las ideas del monarca aragonés con las de los espirituales, y que se cierra con un período lleno de melancolía y de desengaño y, quizá, de esperanzas apocalípticas: «considerando que las alegrías de los humanos fenecen de la mañana a la tarde y que la luz de este mundo camina hacia un final tenebroso, no os empeñéis en disuadir a vuestro hijo de la decisión tomada. Alejad, más bien, de vos la turbación que os inquieta; mirad de encontrar en el Señor el espíritu de consolación y dejad a vuestro hijo dedicarse al Señor, y que, sentado, como María, a los pies de Jesús, se deleite escuchando las palabras de su boca y viva dejos de las preocupaciones de Marta» [18].

La hermana de Jaime, Sancha, es el ejemplo de una personalidad profunda y apasionadamente religiosa. Casada en 1304 con Roberto de Anjou, el futuro Roberto II de Nápoles, ella misma se proclamaba franciscana de sangre y abolengo en la sonora carta al capítulo general de Asís, a la que hemos aludido. En un acceso de fervor quiso abandonar a su marido, a fin de entregarse totalmente a Dios; propósito del que la disuadió una firme carta de Juan XXII (3 de abril de 1317), en la que le recuerda que su ascetismo no puede hacerle olvidar sus deberes de esposa y de reina. Esta religiosidad extrema, que, sin duda, la hizo soñar frecuentemente en retirarse en uno de los claustros por ella fundados en Nápoles [19], se agudizó en los últimos años de su vida y tomó el cariz de un franciscanismo a ultranza, obsesionado por el ideal de pobreza evangélica que predicaban y mantenían los representantes de la facción extrema de aquel movimiento. La corte de Nápoles se hizo el refugio de todos los perseguidos por el ideal del franciscanismo puro, especialmente después de las intervenciones de Juan XXII en 1317: espirituales, fraticelos y beguinos encontraron en Roberto y Sancha decidido apoyo y protección. La reina apoyaba al capítulo que en Nápoles eligió como general a Miguel de Cesena y amparó a éste, aun después de su deposición por el papa, de la forma más decidida [20]. En la adopción de esa postura extrema debió de

[17] La ocasión del encuentro fueron las fastuosas bodas de Jaime II de Aragón con la hermana de San Luis, Blanca, celebradas en Vilabertrán el 25 de octubre de 1295. Muntaner describe, con evidente ternura, la honda amistad de los dos príncipes en su *Crònica* (c.182). La familia de Carlos de Anjou estaba unida con las casas reales de Aragón, Mallorca y Sicilia en uno de aquellos famosos y complicados entretejidos matrimoniales que eran tan frecuentes entre las familias reales: San Luis era hermano de Roberto, el rey de Nápoles, casado con Sancha de Mallorca; hermanas de Luis y Roberto eran Blanca, la esposa de Jaime II de Aragón; María, la esposa de Sancho de Mallorca, y Leonor, la esposa de Federico III de Sicilia.

[18] Véase el texto en M. DE BARCELONA, *L'Orde francisca...* p.369-370.

[19] Construyó el monasterio de Santa Clara (en el que moriría en 1345) y fundó los de Santa Magdalena, Santa María Egipcíaca y Santa Cruz (cf. E. MARTÍNEZ FERRANDO, *La tràgica història dels reis de Mallorca* [Barcelona 1960] p.125).

[20] Describe el grado a que llegó ese apoyo el estudio de C. SCHMITT, *Un pape réformateur...* p.179.

influir, sin duda, el hermano de Sancha, el príncipe Felipe, del que hablaremos a continuación. Un año después de la muerte de su esposo, Roberto II, los ideales de perfección de la reina pudieron realizarse al ingresar ésta en el monasterio de Santa Clara de Nápoles, que ella misma había fundado y en el que moriría en 1345.

También debía de poseer una espiritualidad tirando a extremosa el otro hermano, Fernando, del que decía Muntaner que «era lo millor cavaller e lo pus ardit que en aquell temps fos fill de reis». Su relación con el espiritual Bernardo Délicieux le llevó a imprudencias y a complicaciones políticas muy serias que le alejaron de su padre. Fue al lado de su hermana Sancha de Nápoles, mas luego pasó al lado de su primo Federico de Sicilia, acto que Sancha no supo perdonarle. Su arrojo y su inquietud fueron los que le llevaron a perder la vida en una pelea contra Luis de Borgoña, junto a Clarence, el 19 de octubre de 1316. De su segunda esposa, Isabel d'Ibelin, hija del senescal de Chipre Felipe d'Ibelin, tuvo a su hijo Ferrán, quien a los trece años hizo voto de ingresar en la Orden franciscana, voto del que hubo de dispensarle más tarde Benedicto XII [21].

Toda esa corriente espiritual de la familia de Jaime II, con su tendencia a la aventura y al extremismo, parece haberse vertido en el alma del quinto hijo del rey, el infante Felipe [22].

Nadie mejor que el infante Felipe —escribe Mons. Vidal— conservó la tradición familiar del franciscanismo. Incluso —añade Schmitt— con esa extraña mezcla de santidad auténtica y de extraño misticismo.

Nacido en 1288, pasó los años de su infancia en Francia, mientras su padre permanecía desposeído de su reino de Mallorca, y estudió, junto con su hermano Jaime, la teología en París. Es de aquellos días una sorprendente decisión suya: mientras su hermano ingresaba en los frailes menores, él decidía entrar en los predicadores. El, cuyo franciscanismo en el futuro llegará a ser tan extremoso. Era en 1302 y el príncipe contaba catorce años. El dato nos ha llegado de forma fortuita: en el proceso contra Adhémar de Mosset [23], el cardenal Fournier preguntó al caballero de Mosset si él creía que Felipe de Mallorca fuese el anticristo. El cardenal hacía tal pregunta, decía, porque en los medios beguinos se pensaba que el anticristo había de ser un fraile apóstata..., y Felipe había depuesto el hábito dominico. Es que el hecho, debido tanto a la falta de reflexión de su edad cuanto a su temperamento exaltado, había desconcertado a muchos y escandalizado a no pocos cuando, poco tiempo después, Felipe abandonaba la Orden de Predicadores.

Mas tampoco satisfacía las exigencias de su rígido ascetismo la que ya entonces se llamaba *la Comunidad*. Aquellos franciscanos eran, al parecer

---

[21] J. M. VIDAL, *Benoit XII. Lettres communes* (París 1903) n.3765.

[22] Sobre él ha de verse todavía el excelente estudio de J. M. VIDAL, *Un ascète de sang royal: Philippe de Majorque:* Revue des Questions Historiques 45 (1910) 361-403. Ha vuelto más recientemente sobre el tema C. SCHMITT, *Un pape réformateur...* p.187-192. Sobre todo este tema véase A. OLIVER, *Heterodoxia en la Mallorca de los siglos XIII-XV:* Boletín de la Soc. Arqueol. Luliana 32 (1963) 164ss.

[23] Cf. J. M. VIDAL, *Procès d'Inquisition contre Adhémar de Mosset:* Revue d'histoire de l'Église de France 1 (1910) 588 art.29.

de Felipe, infieles al primitivo ideal de la Orden y se habían constituido en perseguidores de los verdaderos celadores de la pobreza franciscana. Al fin se afilió a la Tercera Orden de San Francisco, se obligó con voto a practicar la Regla y el *Testamento* del Santo en todo su rigor y se rodeó en la corte de Mallorca de religiosos y beguinos animados del mismo celo. El infante quedaba así enrolado en las filas del extremismo espiritual del movimiento franciscano.

Después de la carta de Clareno, publicada por el P. Ehrle[24], y la de Juan XXII, encontrada por Mollat[25], no parecen sostenibles ya las dudas sobre el sacerdocio de Felipe.

Es indiscutible en el infante un profundo y sincero deseo de perfección. *Illustris, devotus et humilis* le llama Ramón Llull en el generoso elogio que le dedica al final del librito *De natali parvuli pueri Iesu*. El P. Martí de Barcelona se entretuvo en catalogar los *beneficios* que sobre él acumularon los papas: custos de San Quintín de Vermandois, tesorero de San Martín de Tours, abad seglar de San Pablo de Narbona, preboste de Bages, pensionado perpetuo de San Cebrián en el cabildo de Elna, beneficiado en Tarragona, Zaragoza y Mallorca, canónigo en París, Tournai, Beauvais, Chartres, Barcelona y Mallorca. Tantos eran los beneficios, que Jaime II de Aragón hubo de quejarse al papa Juan XXII, suplicándole que indujera al infante a no abandonar tanto sus deberes en Aragón y Mallorca.

Fue, indiscutiblemente, el sincero deseo de santidad el que le llevó a un encuentro y a una amistad que signó para siempre el rumbo de su espiritualidad y de su vida: hacia 1311 conoció en Aviñón al jefe de los antiguos eremitas de Celestino V, y, a la muerte de Pere de Juan Olieu, cabeza de los espirituales, Fr. Angelo Clareno (Pedro de Fossombrone), quien en 1313 pasó cincuenta días con el príncipe en Mallorca. Desde entonces se hizo cada día más profunda la amistad entre los dos, de forma que Clareno llegó a ser para Felipe el imprescindible consejero, y a él se debe, sin duda, la creciente seguridad y las resueltas posturas de la extremosa religiosidad del príncipe.

Fue seguramente para sustraerle a esa influencia y para evitar que fuese ganado completamente por las ideas de Clareno que Juan XXII le ofreciese en 1317 el obispado de Mirepoix[26], al que Felipe renunció, como un año antes había renunciado al de Tarragona que le ofrecía el cardenal Arnaldo Novelli, por lo que Clareno le felicitó cordialmente.

Sólo a duras penas logró el papa que el príncipe interviniera aquel mismo año como pacificador de las disensiones surgidas entre Aragón y Mallorca, haciéndolo él desde París con una carta llena de indecible amargura, de desprecio del mundo, de apocaliptismo desolador.

A la muerte del rey Sancho de Mallorca en 1324, y durante la menor edad de su sobrino Jaime III, cariñosamente invitado a ello por el papa, aceptó Felipe el delicado cargo de regente del reino de Mallorca. Pero aquí

---

[24] *Die Spiritualen, ihr Verhältnis zum Franziskanerorden und zu den Fraticellen:* Archiv für Literatur und Kirchengeschichte des Mittelalters 1 (1885) 565.
[25] *Jean XXII. Lettres* VI p.90.
[26] Schmitt, *Un pape réformateur...* p.189.

otra vez, aunque su actuación parece haber sido concienzuda, debieron de ser, sin duda, el pesimismo, el desengaño y el aislamiento, propios de los reformadores de la época, los que desataron contra el regente oposición, denuncias y obstrucciones, que, dirigidos por los condes de Foix y Cominges, llegaron hasta la revuelta. Van Heuckelum estudió, hace ya tiempo, el atormentado estado de ánimo del regente de Mallorca que debió de causar aquellas situaciones, que, a su vez, le llevaron al convencimiento de que o más urgente era abandonarlo todo [27].

Fue así como, tras una estridente decisión, en el verano de 1329 abandonó la corte de Mallorca y se fue a Nápoles, a la corte de su hermana Sancha, donde, el 23 de agosto, renunciaba oficialmente a todos sus beneficios.

En Mallorca quedaba su círculo, vivaz y austero, de beguinos, especie de congregación autónoma de terciarios unida por su espíritu al beguinismo provenzal-catalán y al fratricelismo de Clareno. La confesión de Adhémar de Mosset en su proceso, publicada por Mons. Vidal [28], y un escrito polémico de los fraticelos, conservado en un manuscrito de Florencia y publicado por Tocco [29], nos han conservado los nombres de sus principales componentes [30].

El mismo Tocco es el que llamó la atención sobre otro detalle importante: en 1362 se intentó un proceso contra el conde Luis de Durazzó, protector de los fraticelos. En el curso de aquel proceso, Giacomo de Aflicto de Scalis, O.F.M., declara que la secta de Clareno se divide en dos ramas; una dirigida por un obispo y otra sometida a un ministro general e independiente de la jurisdicción episcopal, cuyos socios se llaman hermanos de Felipe de Mallorca [31].

El detalle nos dice, una vez más, cuán íntimamente unido se encontraba el príncipe mallorquín a todo el movimiento. En efecto, cuando en los años 1314-1316 se esforzaba Clareno para obtener la rehabilitación de sus Pauperes Eremitae, comunicó desde Aviñón a sus hermanos de Italia la alegre noticia de haber ganado a su causa a dos poderosos influyentes: Roberto de Nápoles y Felipe de Mallorca. Era verdad, pues Felipe, durante la sede vacante después de la muerte de Clemente V, dirigió a los cardenales una respetuosa súplica en favor de los Pauperes Eremitae, como atestigua Ramón de Fromsac a raíz de la controversia teológica sobre la pobreza de Cristo y de los apóstoles.

Las intervenciones de Juan XXII, que ya conocemos, habían sido enérgicas y tajantes. Con todo, a finales de 1328, Felipe dirigía al papa una

---

[27] M. VAN HEUCKELU M., *Spiritualistische Strömungen an den Höfen von Aragon und Anjou während der Höhe des Armutstreites* (Berlín 1912) p.53-63.
[28] *Procès d'Inquisition...* p.574-578.
[29] F. TOCCO, *Studii Francescani* (Nápoles 1909) p.520-521.
[30] Estos eran: Guillem Hospitaler, antiguo confesor de Adhémar de Mosset; Vidal de França, más tarde jefe del grupo; Pedro de Bolsena, Bernat d'Azona, Ramón Bartomeu de Provença, Pedro de Novara, Juan d'Arquata y el benedictino Astorgius. Entre los legos estaban Adhémar de Mosset, un catalán de nombre Lledó, Berenguer Guillem, Pere Ramón de Codalet. Deben añadirse un tal fra Marcel y Juan Janés de Narbona.
[31] Pou y Martí cree relacionados con ese círculo a Oller y Janoés (cf. M. DE BARCELONA, *L'Orde franciscà...* p.378 n.1); VERNET, *Fraticelles*: DTC VI 772.

súplica en la que, después de recordar al pontífice su voto de observar la Regla de San Francisco *ad litteram et sine glossa* y su deseo de practicar legalmente la pobreza franciscana con sus compañeros, termina con este ultimátum seco y provocativo: «Y siendo del Espíritu Santo la vía de perfección cristiana que yo pido, sería del demonio el denegar la autorización para seguirla». Una nota paternal de Juan XXII, de 4 de abril de 1329, le suplicaba un poco de paciencia, ante la posibilidad de poder consultar sobre la materia a los cardenales, y le invitaba a ir a Aviñón.

Es a raíz de ese billete del papa cuando parece que el príncipe rompió ya todas las barreras y se dio con total independencia a la realización de su ideal. Tal como prometía la estridente cláusula final de su súplica, perdió todo respeto a la Sede Apostólica, renunció a sus derechos, abandonó, como hemos visto, la regencia de Mallorca y depuso todos sus beneficios eclesiásticos y seculares. Es muy dudoso que ingresara entonces oficialmente en la Orden franciscana (como había hecho su hermano Jaime), como quieren algunos oscuros testimonios. Una carta del papa de 26 de enero de 1331 dice claro que Felipe no había ingresado en ninguna Orden todavía.

Lo cierto es que desde aquella fecha de 1329 aparece entregado a la pobreza más absoluta y al iluminismo rebelde, que era la característica de los espirituales. Los círculos de *zelanti* de Nápoles debieron de alegrarse sinceramente cuando con esos propósitos llegó allá el príncipe mallorquín, acogido tiernamente por su hermana Sancha y su cuñado Roberto, favorecedores declarados de los fraticelos, que en ellos encontraban siempre cobijo.

Instigado por aquellos hombres oprimidos, el 6 de diciembre de 1329, Felipe, en un sermón, atacó abiertamente al papa y demostró que, contra todos los decretos pontificios, la vida y estado de los beguinos y de los *fratres de paupere vita* no era sino la puesta en práctica del puro Evangelio. Ante la evidente falta de respeto protestaron algunos franciscanos; mas Angelo Clareno, aun recomendándole el respeto a la autoridad, le felicitó por su valentía y expresó poco después su pensar respecto al papa, de tal forma que es evidente que el sermón de Felipe reproducía la opinión de todo aquel ambiente: *Qui... excommunicat et haereticat altissimam evangelii paupertatem, excommunicatus est a Deo et haereticus coram Christo.*

El papa escribió al rey de Nápoles una carta llena de quejas, y el 26 de enero de 1331 volvió a escribir a Felipe aconsejándole que pensara y reflexionara bien sobre su postura, pero negándose en redondo a concederle ninguna autorización sobre la vida de autonomía que llevaba: si sinceramente deseaba abrazar la vida de los mendicantes, que entrara en alguna de las órdenes aprobadas antes que escoger un sistema de vida singular.

Felipe entonces se dio a mendigar su pan, viviendo en la pobreza más rígida, y cuando Clareno, retirado y perseguido, moría en Santa María d'Aspro el 15 de junio de 1337, él ejerció una verdadera dirección de los *zelanti*.

Muerto Juan XXII en 1334, Felipe, protegido por el rey de Nápoles, hizo un postrer esfuerzo ante Benedicto XII para legitimar la anómala e ilegal situación suya y de sus adeptos. La respuesta del papa a Roberto es tajante y dura: Felipe es un rebelde notorio e impenitente, cabeza de una secta reprobada que cuenta entre sus miembros a verdaderos herejes. Aprobar la secta equivaldría a multiplicar las disensiones y a reconocer de antemano lo que se iba a convertir en refugio de religiosos indisciplinados inalcanzables a los mandatos y correcciones de sus superiores. El príncipe se mantuvo irreductible. Después se nos pierde ya en la niebla de sus últimos años. El continuador de la *Crónica* de Guillermo de Nangis dice que, sin bienes de ninguna clase, vestido a la manera de los beguinos, andaba errante, mendigando por el mundo, recorriendo, descalzo y solitario, las provincias meridionales de Italia. Ni siquiera puede fijarse la fecha, ni el lugar, ni los sentimientos en que murió. Pou y Martí sitúa la muerte entre 1340 y 1343, data que, sin discutirla, han aceptado otros autores; Mons. Vidal creía que el príncipe vivía todavía en el momento del proceso de Luis de Durazzo, es decir, en 1362 (Felipe contaría entonces setenta y cuatro años). Tocco prefiere la fecha de 1348, coincidiendo así con la afirmación de Bartolomé de Pisa, quien ya en el siglo XIV señalaba la muerte del inquieto mallorquín *parum ante pestem maiorem,* o sea, alrededor de 1347.

Así fue la vida del príncipe Felipe de Mallorca, el más vivaz representante de la ardorosa espiritualidad de la familia de Jaime II. Es injusto lanzar contra él la pedrada de un juicio implacable. Tenía talla de santo, se guió siempre por una sincera intención de purificarse, de ser fiel al ideal franciscano. En muchos momentos de su vida se granjeó la admiración y simpatía de los soberanos del mundo cristiano y de los mismos papas por su talento y sus virtudes ejemplares; el mismo Ramón Llull había puesto en él grandes esperanzas. Su alma, noble y torturada, fue víctima de un misticismo exagerado y de sus relaciones con los espirituales. Su austeridad no era fingida, pero la vivacidad de su espíritu le dio una seguridad altiva frente a las decisiones de la autoridad eclesiástica.

Para cerrar la exposición hay que citar necesariamente el caso de Federico III de Sicilia, que conocemos ya desde el punto de vista de la política antiangevina y antipapal. Hermano y sucesor de Jaime II de Aragón en Sicilia; casado con Leonor de Anjou, hermana de Roberto II de Nápoles, acogía con gusto a los franciscanos perseguidos, fraticelos y beguinos, y fue amigo de Arnau de Vilanova. Es el *rey de Trinacria,* en quien Ramón Llull, ya al final de su vida, había puesto tantas esperanzas. Rey, espiritual, reformador, alumbrado, ardiendo en las mejores intenciones, llegó a hacer de su corte un crisol de sincretismo, entre alumbrado y ocultista, de aristotelismo averroísta, de preocupaciones judías, de alquimia, de astrología, de magia, de investigación naturalista. He aquí otra vertiente de la inquietud que hace presagiar tiempos nuevos.

Los centros beguinos en Mallorca

Favorecidos por el regente Felipe [32] y bajo Jaime III, pudieron establecerse los beguinos y beguinas en Mallorca. Como sus compañeros de Cataluña y Valencia, se llamaban y eran *de la Tercera Orden de San Francisco* y regían centros asistenciales. A principios del siglo XIV tenían en Barcelona el hospital de Pere de Montmeló, y en Valencia un *hospital de beguins,* fundado en 1334, que más tarde se llamará «Casa e Hospital de la Terça Regla de sant Francesch».

En Mallorca, bajo la influencia del príncipe Felipe, los beguinos eran más intransigentes y llegaron a criticar en público las bulas papales sobre la pobreza. Relacionada con la de Valencia había en Palma una comunidad de beguinos con domicilio propio desde 1319, en una casa que en 1336 iría a parar a una comunidad de beguinas de San Jerónimo de la ciudad de Mallorca [33]. Unas «beguinas de la Orden de la tercera regla de San Francisco» vivían en el Puig de Pollensa antes de 1345, con fuerte atracción sobre la gente piadosa, socorridas por el mismo rey [34]. Más tarde se unieron para llevar vida común en una nueva casa femenina dedicada a Santa Isabel de Hungría [35].

Beguinos en la corona de Castilla

Contra lo que tantas veces se ha creído y escrito, parece seguro ya que hubo beguinos en los dominios de la corona ·de Castilla. Recientes estudios, y muy especialmente los de J. Perarnau, han llegado a conclusiones que parecen innegables. Según éste, el manuscrito 1.022 de la Casanatense de Roma, que en una miscelánea de textos lulianos y arnaldianos contiene unos tratados «espirituales» de Arnau en traducción castellana del siglo XIV, se explica sólo en el seno de una comunidad de «fratres de penitentia de tertio ordine sancti Francisci», de las que no faltaban ni en la corona de Castilla ni en torno a Zamora en el paso del siglo XIV al XV, y «que, por lo que podemos saber, mantenían ciertas tendencias hacia el radicalismo, que las colocaban en continuidad con las otras comunidades beguinas que conocemos en la zona mediterránea ya desde los primeros años del siglo XIV».

Así, pues, los grupos de beguinos que en la franja mediterránea de Aviñón, Barcelona, Valencia, Mallorca se llamaban *pauperes* o *fratres de penitentia de tertio ordine sancti Francisci,* y que eran tan mimados por Arnau que hasta escribía tratados para ellos, tuvieron su proyección también en el centro y noroeste de la Península.

En el proceso que montó el concilio de Pisa (1409) contra Bene-

---

[32] G. LLOMPART, *La población hospitalaria y religiosa de Mallorca bajo el rey Sancho (1311-1324):* Cuadernos de historia Jerónimo Zurita 33-34 (1979) 80. Véase también G. ALOMAR, *Cátaros y occitanos en el reino de Mallorca* (Palma 1978) p.62-66.
[33] LLOMPART, *La población hospitalaria...* p.81.
[34] ID., ibid., p.78.
[35] ID., ibid., p.78.

dicto XIII y Gregorio XII, aparece en varias deposiciones un «*Frater Alvarus*, fraticelo, beguino, de tertia regula sancti Francisci, *natione hispanus* o *de Hispania oriundus*» (que no significa sino súbdito del reino de Castilla), de barba partida y con hábito de beguino. Al principio del XV hay, pues, un beguino castellano.

Pero no era el único. A partir de la bula de Juan XXII, la autoridad eclesiástica era severa con los grupos de piadosos invertebrados, especialmente con los beguinos. Por eso, en la década de 1370, unos grupos se pasan a los jerónimos en Guadalajara y en Olmedo, a fin de evitar toda sospecha.

Por otra parte, Benedicto XIII, siguiendo una hábil política, prodiga bulas de privilegios en favor de los *fratres de penitentia de tertio ordine sancti Francisci*, ganando así prosélitos a su obediencia en Castilla o agradeciendo favores recibidos en el asedio al palacio de Aviñón. Es fácil evitar la confusión de esos grupos de beguinos con otros cuyos componentes no tienen connotación franciscana. Los beguinos castellanos se distinguen por su concepción radical de la vida cristiana, por su vida en comunidad, por su referencia a la Regla de San Francisco.

Sabemos que había casas en Santiago de Compostela a fines del siglo XIV [36]; en Sevilla [37], en Villafranca-Montes de Oca (Burgos), en Santa María de Val, en Astorga, a principios del XV [38]. «Un mapa de la distribución de todas estas casas —escribe Perarnau— nos daría el resultado siguiente: un foco considerable en torno a Galicia y otro más reducido en torno a Sevilla; del primero saldrían dos flechas, una en dirección a Salamanca y otra en dirección a Burgos. En conjunto, las noticias se refieren a 19 casas, cuatro de ellas en la zona de Sevilla» [39].

No sabemos si pudo haber vinculación entre los centros beguinos y el camino de Santiago (algunas de sus casas están vinculadas a la asistencia a peregrinos, y de las quince que nos son conocidas en el noroeste de la Península, siete están en el camino de Santiago: las dos de Santiago, las dos de Astorga, Montefaro, Mellid y Villafranca-Montes de Oca), pero es cierto y seguro que la mentalidad de los beguinos castellano-galaicos tendía a la radicalidad de la vida cristiana. La casa de Santa María de Val (Astorga) estaba muy vinculada a los condes de Benavente, en cuyo castillo, hacia la mitad del XV, se encontraban por lo menos doce códices lulianos [40]; y ello explicaría, a la vez, la mezcla de textos lulianos y arnaldianos en el manuscrito de la Casanatense, así como la dirección de la espiritualidad de aquellos grupos, que, como muestran las notas, lo leyeron, y atentamente.

Debemos preguntarnos al final: ¿Cómo terminó la vida de aquellos grupos de beguinos en el extremo occidental de España? Perarnau sospe-

[36] Véanse documentos en PERARNAU, *Dos tratados «espirituales» de Arnau de Vilanova en traducción castellana medieval* (Roma 1975-1976) p.501 n.67-68.
[37] M. GONZÁLEZ GIMÉNEZ, *Beguinos en Castilla. Nota sobre un documento sevillano:* Historia, Instituciones, Documentos. Publicaciones de la Universidad de Sevilla (1977) p.1-6.
[38] A. QUINTANA, *La diócesis de Astorga durante el gran cisma de Occidente:* Anthologica Annua 20 (1973) 26-27.
[39] PERARNAU, *Dos tratados...* p.502.
[40] PERARNAU, *Dos tratados...* p.504.

cha que debieron de desaparecer o fusionarse a raíz de la crisis de alrededor de 1430, representada por Fr. Felipe de Berbegal, y que tuvo ramificaciones tanto en la corona de Aragón como en la de Castilla [41].

[41] PERARNAU, Dos tratados... p.507. Son esos recientes estudios de Perarnau sobre sus propios hallazgos de textos arnaldianos los que han hecho luz sobre los grupos espirituales y beguinos en las tierras del dominio de Castilla.

CAPÍTULO IV

CULTURA Y PENSAMIENTO RELIGIOSO EN LA BAJA EDAD MEDIA

Por JAVIER FERNÁNDEZ CONDE Y ANTONIO OLIVER.

BIBLIOGRAFIA

LA RENOVACIÓN DE LOS ESTUDIOS ECLESIÁSTICOS

T.-J. CARRERAS Y ARTAU, *Historia de la filosofía española. Filosofía cristiana de los siglos XIII al XV* vol.1 (Madrid 1939); J. CARRERAS Y ARTAU, *La cultura científica y filosófica en la España medieval hasta 1400* (Barcelona 1949); J. VINCKE, *Die Hochschulpolitik der spanischen Domkapitel im Mittelalter:* Gesammelte Aufsätze zur Kulturgeschichte Spaniens 9 (1954) 144-163; J. GONZÁLEZ, *El reino de Castilla en la época de Alfonso VIII* vol.1 (Madrid 1960) p.626-635; V. BELTRÁN DE HEREDIA, *La formación intelectual del clero en España durante los siglos XII, XIII y XIV:* Miscelánea Beltrán de Heredia I (Salamanca 1972) 19-58.

ESTUDIOS GENERALES O UNIVERSIDADES ESPAÑOLAS

Obras generales

V. DE LA FUENTE, *Historia de las universidades, colegios y demás establecimientos de enseñanza en España* 4 vols. (Madrid 1884-1889); H. DENIFLE, *Die Enstehung der Universitäten des Mittelalters bis 1400* (Berlín 1885); S. D'IRSAY, *Histoire des universités* 2 vols. (París 1933); H. RASHDALL, *The Universities of Europa in the Middle Age* 2 vols. (Oxford 1936) 2.ª ed.; F. C. SAINZ DE ROBLES, *Esquema de una historia de las universidades españolas* (Madrid 1944); C. M. AJO G. Y SAINZ DE ZÚÑIGA, *Historia de las universidades hispánicas. Orígenes y desarrollo desde su aparición a nuestros días;* vol.1: *Medievo y Renacimiento universitario* (Avila 1957); J. GOÑI GAZTAMBIDE, *Boletín bibliográfico sobre universidades, colegios y seminarios:* HS 9 (1956) 429-448; A. GARCÍA GARCÍA, *Bibliografía de historia de las universidades españolas:* RHCEE vol.7 (Salamanca 1979) p.599-627; F. MARTÍN HERNÁNDEZ, *Enseñanza y universidades españolas del siglo XI al XIV,* en «Historia de la Iglesia» dirigido por FLICHE-MARTIN, ed. castellana, vol.14 p.636-662 (Valencia 1974).

Estudios particulares

J. SAN MARTÍN, *La antigua Universidad de Palencia* (Madrid 1942); S. RODRÍGUEZ SALCEDO, *Historia de los centros palentinos de cultura* (Palencia 1949); E. ESPERABÉ DE ARTEAGA, *Historia pragmática e interna de la Universidad de Salamanca* 2 vols. (Salamanca 1914-1917); V. BELTRÁN DE HEREDIA, *Los orígenes de la Universidad de*

Salamanca (Salamanca 1953); ID., *Constitución y régimen académico en Salamanca durante los siglos XIII y XIV:* Anuario de la Asociación Francisco de Vitoria 11 (1956-57) 195-226; *El convento de San Esteban en sus relaciones con la Iglesia y la Universidad de Salamanca durante los siglos XIII, XIV y XV:* Miscelánea Beltrán de Heredia I (Salamanca 1972) 165-185; *Bulario de la Universidad de Salamanca* 3 vols. (Salamanca 1966-1967); *Cartulario de la Universidad de Salamanca* 5 vols. (Salamanca 1970-1973); M. ALCOCER MARTÍNEZ, *Anales universitarios. Historia de la Universidad de Valladolid* 7 vols. (Valladolid 1918-1931); J. RIUS SERRA, *Los rótulos de la Universidad de Valladolid:* AST 16 (1943) 87-134; A. DE LA TORRE, *Los Estudios de Alcalá de Henares anteriores a Cisneros:* Estudios dedicados a Menéndez Pidal III (1952) 627-654; V. BELTRÁN DE HEREDIA, *El Estudio del monasterio de Sahagún:* La Ciencia Tomista 85 (1958) 687-697; E. SERRA RÁFOLS, *Una universidad medieval. El Estudio General de Lérida* (Madrid 1931); J. RIUS SERRA, *L'Estudi General de Lleida:* Criterion 8 (1932) 72-90.295-304; ID., *L'Estudi General de Lleida en 1396:* Estudis Universitaris Catalans 18 (1933) 160-174; 20 (1935) 98-141; P. SANAHÚJA, *La enseñanza de la teología en Lérida:* Arch. Ib.-Amer. 38 (1935) 418-448; 1/II ép. (1941) 270-298; R. GAYA MASSOT, *Apostillas monográficas al colegio de Domingo Pons:* Ilerda 2 (1945) 7-17; ID., *Comentarios al período preparatorio de la fundación del Estudio General de Lérida:* l.c., 12 (1949) 59-72; *Chartularium Universitatis Ilerdensis:* Miscelánea de trabajos sobre el Estudio General de Lérida I (1949) 11-63; *Los valencianos en el Estudio General de Lérida:* Anales del Centro de Cultura Valenciana 3 (1950) 5-58; *Cancilleres y rectores del Estudio General de Lérida* (Lérida 1951); *Las rentas del Estudio General de Lérida:* AST 25 (1952) 293-338; J. LLADONOSA, *La zona universitaria de Lérida:* Miscelánea de trabajos sobre el Estudio General de Lérida II (Lérida 1949) 11-68; V. BELTRÁN DE HEREDIA, *Domingo Pons (1330-1417), fundador del colegio de la Asunción de Lérida:* Miscelánea Beltrán de Heredia I (Salamanca 1972) 187-224; R. DEL ARCO, *Memoria de la Universidad de Huesca* 2 vols. (Zaragoza 1912-1916); V. BELTRÁN DE HEREDIA, *El Estudio General de Calatayud. Documentos referentes a su institución:* Miscelánea Beltrán de Heredia I (Salamanca 1972) 235-255; F. VILLANOVA PIZCUETA, *Historia de la Universidad Literaria de Valencia* (Valencia 1903); J. TEIXIDOR, *San Vicente Ferrer, promotor y causa principal del Antiguo Estudio General de Valencia* (Madrid 1945); V. CÁRCEL ORTÍ, *Notas sobre la formación sacerdotal en Valencia desde el siglo XIII al XIX:* HS 27 (1974) 151-199; J. GOÑI GAZTAMBIDE, *Alejandro IV y la universidad proyectada por Teobaldo II en Tudela:* Príncipe de Viana 16 (1955) 47-53; F. MARTÍN HERNÁNDEZ, *La formación clerical de los colegios universitarios españoles (1371-1563)* (Vitoria 1961); L. SALA BALUST, *Constituciones, estatutos y ceremonias de los antiguos colegios seculares de la Universidad de Salamanca* 4 vols. (Salamanca 1962-1966); A. PÉREZ GOYENA, *La facultad de teología en las universidades españolas:* RF 83 (1928) 324-337; M. ANDRÉS MARTÍN, *Las facultades de teología en las universidades españolas (1396-1868):* RET 28 (1968) 319-358.

EL AMBIENTE CULTURAL DE LA ÉPOCA

T.-J. CARRERAS Y ARTAU, *Historia de la filosofía española. Filosofía cristiana de los siglos XIII al XV* 2 vols. (Madrid 1939-1943); J. CARRERAS Y ARTAU, *La cultura científica y filosófica en la España medieval hasta 1400* (Barcelona 1949); E. S. PROCTER, *Alfonso X of Castile, Patron of Literature and Learning* (Oxford 1951); J. L. ALBORG, *Historia de la literatura española* vol.1: *Edad Media y Renacimiento* (Madrid 1970) 2.ª ed.; A. D. DEYERMOND, *Historia de la literatura española* vol.1: *La Edad Media* (Barcelona 1973) (ed. original inglesa: *A Literary History of Spain,* Londres 1971); F. LÓPEZ ESTRADA, *Introducción a la literatura medieval española* (Madrid 1977) 4.ª ed.; M. DE RIQUER, *Historia de la literatura catalana* 3 vols. (Barcelona 1964; 1980 2.ª ed.); A. COMAS, *Literatura catalana,* en «Historia de las literaturas hispánicas no castellanas», dir. por J. M. DÍEZ BORQUE (Madrid 1980) p.429ss; en la misma obra miscelánea: J. A. FRAGO GARCÍA, *Literatura navarro-aragonesa* p.221ss; A. LÓPEZ, *Los estudios durante los siglos XIII y XIV entre los franciscanos de España:* El Eco Franciscano 38 (1921) 238-239.333-335.428-453; J. M. COLL,*Escue-*

las de lenguas orientales en los siglos XIII y XIV: AST 17 (1944) 115-135; 18 (1945) 59-89; 19 (1946) 217-240; A. CORTABARRÍA, *Originalidad y significación de la «studia linguarum» de los dominicos españoles en los siglos XIII y XIV:* Pensamiento 25 (1969) 71-92; V. BELTRÁN DE HEREDIA, *Irradiación de la espiritualidad dominicana a misioneros y escritores de la Orden en el siglo XIII:* Miscelánea Beltrán de Heredia vol.1 (Salamanca 1972) p.131-163 (publicado por primera vez en «Espiritualidad misionera» [Burgos 1954] p.120-137); *Los monjes y los estudios,* obra col. (Abadía de Poblet 1963); J. GOÑI GAZTAMBIDE, *La formación intelectual de los navarros en la Edad Media (1122-1500):* EEMCA 10 (1975) 143-303.

TEÓLOGOS Y HOMBRES DE CIENCIA

Ramón de Penyafort

Todavía es muy útil la obra de F. VALLS Y TABERNER, *San Ramón de Penyafort* (Barcelona 1936). Y para su obra debe verse: A. TEETAERT, *La doctrine penitentielle de Saint Raymond de Penyafort:* AST 4 (1928) 121-182; J. M. COLL, *Escuelas de lenguas orientales en los siglos XIII y XIV:* AST 17 (1944) 115; 18 (1945) 59; 19 (1947) 59 y 217; ID., *San Raymundo de Penyafort y las misiones del norte de Africa en la Edad Media* (Madrid 1948); J. RIUS SERRA, *San Raimundo de Peñafort. Diplomatario, documentos, vida antigua, procesos antiguos* (Barcelona 1954); A. GARCÍA Y GARCÍA, *Valor y proyección histórica de la obra jurídica de San Raimundo de Peñafort:* Rev. Esp. de Derecho Canónico 18 (1963) 233-251; ID., *Peñafort, Raimundo de:* Dicc. de Hist. Ecles. de España III (Madrid 1973) 1958-1959; A. PLADEVALL, *Penyafort, Ramón de:* Gran Enciclopèdia catalana XI (Barcelona 1978) 442-443.

Ramón Llull

La bibliografía luliana es inmensa e imposible de resumir aquí. La mayoría de las obras generales citadas suelen traerla puesta al día. Por otra parte, ésta crece constantemente. Lo mejor es acudir a la revista *Estudios Lulianos,* que desde el año 1957 publica la *Maioricensis Schola Lullistica,* de Palma de Mallorca.

Como ejemplos, en los que, además, se puede ver una extensa reseña bibliográfica, véanse: E. LONGPRÉ, *Lulle, Raymonde:* DTC IX (1926) col.1072-1141; T.-J. CARRERAS ARTAU, *Historia de la filosofía española. Filosofía cristiana de los siglos XIII al XV* 2 vols. (Madrid 1939-1943); RAMÓN LLULL, *Obras literarias:* BAC (Madrid 1948), especialmente p.81-93; M. BATLLORI, *Introducción a Ramón Llull* (Madrid 1960) y *Ramon Llull en el món del seu temps* (Barcelona 1960); R. PRING-MILL, *El microcosmos lul.lià* (Mallorca 1961); A. LLINARÈS, *Raymond Lulle, philosophe de l'action* (Grenoble 1963); E. COLOMER, *Die Beziehungen des Ramon Lull im Rahmen des spanischen Mittelalters: Judentum im Mittelalter* (Berlín 1966) 183-227; E. W. PLATZECK, *Das Leben des seligen Raimund Lull. Die «Vita coëtanea» und ausgewählte Texte zum Leben Lulls aus seinen Werken und Zeitdokumenten* (Düsseldorf 1964); J. N. HILLGARTH, *Ramon Lull and Lullism in Fourteenth Century France* (Oxford 1971); ID., *Lulio, Raimundo:* Dicc. de Hist. Ecles. de España, p.1359-61; S. GARCÍAS PALOU, *El Miramar de Ramón Llull* (Palma 1977); B. MESTRE, *Patografía de Ramón Llull* (Palma 1978). Véanse también las notas a pie de página de este capítulo.

Para el *lulismo* véase: T.-J. CARRERAS ARTAU, *Historia de la filosofía española* II: *Filosofía cristiana de los siglos XIII al XV* (Madrid 1943); J. CARRERAS ARTAU, *El Lul.lisme:* Obres Essencials de R. L. I (Barcelona 1957) 69-84; J. N. HILLGARTH, *Lulismo:* Dicc. de Hist. Ecles. de España (Madrid 1972) 1361-1367.

Arnau de Vilanova

B. HAURÉAU, *Hist. litt. de la France (Arnaud de Villeneuve)* XXVIII (París 1881) 26-126; M. MENÉNDEZ Y PELAYO, *Arnaldo de Vilanova,* en *Hist. de los heterodoxos españoles* II (ed. Madrid 1947) 247-292; J. M. POU Y MARTÍ, *Visionarios, beguinos y fraticelos catalanes (siglos XIII-XIV)* (Vich 1930); R. D'ALÓS MONER, *Col·lecció de documents relatius a Arnau de Vilanova:* Estudis universitaris catalans 3 (1909) 47 140 331 447 541; 4 (1910) 110 496; 6 (1912) 90-103.

Para ediciones de sus obras véase: M. BATLLORI, *Les obres catalanes d'A. de V.:* Els nostres clàssics, serie A, vol.53-54 y 55-56 (Barcelona 1947); M. DE RIQUER, *Un nuevo manuscrito con versiones catalanas de Arnau de Vilanova:* AST 22 (1949) 1-20; M. BATLLORI, *Les versions medievals d'obres religioses de mestre Arnau de Vilanova:* Archivo italiano per la storia della pietà 1 (1951) 395-462; R. VERRIER, *Études sur Arnaud de Villeneuve, v. 1240-1311* 2 vols. (Leiden-Marsella 1947, 1949); J. A. PANIAGUA, *La patología general en la obra de Arnaldo de Vilanova:* Archivos iberoamericanos de historia de la medicina 1 (1949) 49-119; ID., *La obra médica de Arnau de Vilanova:* ibid., 9 (1959) 351-437; ID., *Arnau de Vilanova, médico escolástico:* ibid., 18-19 (1966-1967) 517-632; R. MANSELLI, *La religiosità di Arnaldo da Villanova:* Bullettino dell'Istituto storico italiano per il medioevo e Archivio muratoriano 63 (1951) 1-100; M. BATLLORI, *La patria y la familia de Arnau de Vilanova:* AST 20 (1947) 5-75; ID., *Dos nous escrits espirituals d'Arnau de Vilanova: el ms. joaquimític A.O. III.556. A. de l'Arxiu carmelità de Roma:* AST 28 (1955) 45-70; ID., *L'antitomisme pintoresc d'Arnau de Vilanova: Vuit segles de cultura catalana a Europa* (Barcelona 1958) 17-27; ID., *Raimondo Lullo e Arnaldo da Villanova ed i loro rapporti con la filosofia e con le scienze orientali del secolo XIII:* Accademia Naz. dei Lincei 13 (Convegno Intern. 9-15 aprile 1969) (Roma 1971) p.155-158.

San Vicente Ferrer

Para las *obras* véase: H. D. FAGES, *Oeuvres de saint Vincent Ferrier* 2 vols. (París 1909-1911); J. M. DE GARGANTA y V. FORCADA, *Biografía y escritos de San Vicente Ferrer* (Madrid, BAC, 1956).

Para su *vida:* H. GARCÍA Y GARCÍA, *San Vicente Ferrer en Vich* (Madrid 1953); J. E. MARTÍNEZ FERRANDO y F. SOLSONA CLIMENT, *San Vicente Ferrer y la casa real de Aragón:* AST 26 (1953) 1-143.

Para sus *viajes:* A. THOMAS, *Saint Vincent Ferrier dans le Midi de la France:* Annales du Midi 4 (1892) 237ss; A. DE LA BORDERIE, *La mission de saint Vincent Ferrier en Bretagne. 1418-1419* (Vannes 1900); R. SÈVE, *Saint Vincent Ferrier à Clermont:* Mélanges Louis Halphen (París 1951) 665-671.

Francesc Eiximenis

T.-J. CARRERAS ARTAU, *Fray Francisco Eiximenis. Su significación religiosa, filosófico-moral, política y social:* Anales del Instituto de Estudios Gerundenses 1 (1946) 270-293; L. AMORÓS, *El problema de la «Summa Theologica» del maestro Francisco Eiximenis, O.F.M. (1340?-1409):* Archivum Franciscanum Historicum 52 (1959) 178-203.

Eimeric

Hay una edición reciente del *Manual:* N. EYMERICH-F. PEÑA, *Le manuel des inquisiteurs,* intr., trad. et notes de Louis Sala Molins (Col. Le savoir historique, 8) (París 1973); A. IVARS, *Los jurados de Valencia y el inquisidor Fr. Nicolás Eymerich. Controversia luliana:* Archivo Ibero-Americano 6 (1916) 68-159; J. ROURA ROCA, *Posición doctrinal de Fr. Nicolás Eymerich, O.P., en la polémica luliana* (Gerona 1959) *Vita beatae memoriae Fr. Dalmatii Moner conventus gerundensis,* publicada por Diago en *Historia de la provincia de Aragón de la Orden de Predicadores* (Barcelona 1959) 259-265.

T.-J. CARRERAS ARTAU, *Historia de la filosofía española. Filosofía cristiana de los siglos XIII al XV* II (Madrid 1943) 35-36; CARRERAS ARTAU, *Historia de la filosofía...* p.32-33; M. MENÉNDEZ Y PELAYO, *Historia de los heterodoxos españoles* II (Madrid 1947) 340-344.

CRONISTAS E HISTORIADORES

J. MASSÓ TORRENTS, *Historiografía de Catalunya en català durant l'època nacional:* RH 15 (1906) 486-613; J. RUBIO Y BALAGUER, *Consideraciones generales acerca de la historiografía catalana medieval y particular de la «Crónica» de Desclot* (Barcelona 1911); 3. SÁNCHEZ ALONSO, *Historia de la historiografía española* vol.1 (Madrid 1947); ID., *uentes de la historia española e hispanoamericana* vol.1 (Madrid 1952) 3.ª ed.; J. M. CORELLA, *Historia de la literatura navarra* (Pamplona 1973); M. DE RIQUER, *Historia e la literatura catalana* vol.1 (Barcelona 1980) p.373ss; A. COMAS, o.c., 1.c., p.435-438.

LA MÚSICA RELIGIOSA

H. ANGLÉS, *La música a Catalunya fins al segle XIII* (Barcelona 1935); ID., *La música de las «Cantigas de Santa María», del rey D. Alfonso el Sabio,* vol.2 (Barcelona 943) (transcripción musical); vol.3 (Barcelona 1958) (estudio crítico); vol.1 (Barelona 1963) (facsímil); ID., *Die sequenz und die Verbeta im mittelalterlichen Spanien: cripta musicologica Hygini Anglés* vol.1 (Roma 1975) p.43-55; ID., *La danza sacra su música en el templo durante el Medioevo:* l.c., p.351-373; ID., *La música en la España e Fernando el Santo y de Alfonso el Sabio:* l.c., p.557-602; ID., *La música de las «Cantias» del Rey Alfonso el Sabio:* l.c., p.603-620; ID., *La música a la Corona d'Aragó durant ls segles XII-XIV:* l.c., vol.2 p.843-855; ID., *Historia de la música medieval en Navarra* obra póstuma) (Pamplona 1970); J. SUBIRÁ, *Historia de la música española* (Barceona 1953); A. SALAZAR, *La música de España* (Buenos Aires 1953); J. M. TORRENS, *Música religiosa:* DHEE vol.3 (Madrid 1973) p.1754-1767; I. FERNÁNDEZ DE LA CUESTA, *Manuscritos y fuentes musicales en España. Edad Media* (Madrid 1980).

«EL SIGLO DE LOS SANTOS»

Obras generales

H. DELEHAYE, *Cinq leçons sur la méthode hagiographique* (Bruselas 1934); ID., *Le egendes hagiographiques* (Bruselas 1955) 4.ª ed.; S. C. ASTON, *The Saint in Medieval iterature:* Modern Language Review 65 (1970) 25-42; L. ECHEVARRÍA-3. LLORCA-L. SALA BALUST-C. SÁNCHEZ ALISEDA, *Año cristiano* (BAC) 4 vols. Madrid 1959).

Estudios particulares

San Martín de León: *Act. SS. Ianuarii* II (Venecia 1734) p.568-570; ES XXXV 63-410 y XXXVI 261-276.—San Julián de Cuenca: *Act. SS. Ianuarii* II (Amberes 643) p.893-897; B. MARTÍNEZ, *Biografía de San Julián de Cuenca* (Cuenca 1754); . SERRANO, *El obispado de Burgos y Castilla primitiva* vol.3 p.352-356.—San Martín de inojosa: A. ROMERO, *Hacia una biografía científica de San Martín de Finojosa:* Celtieria 12 (1962) 93-115; *Doña Sancha Gómez, madre de San Martín de Finojosa:* l.c., 31 1966) 77-95; ID., *San Martín de Finojosa y la Orden cisterciense:* Cistercium 102 1966) 109-122: ID., *San Martín visto por su biógrafo el monje Ricardo:* Cistercium 120 1970) 300-309.—San Bernardo Calvó: *Act. SS. Octobr.* XII (Bruselas 1804) p.21-02; J. L. DE MONCADA, *Episcopologio de Vich* vol.1 (Vich 1891) p.582-609; J. RI-ART, *San Bernardo Calvó* (Barcelona 1943); J. SERRA VILARO, *La familia de San ernardo Calvó en Tarragona* (Tarragona 1955); E. JUNYENT, *Diplomatari de Sant ernat Calvó abat de S. Creus, bisbe de Vich* (Prólogo de R. D'ABADAL I DE VINYALS) Reus 1956).—San Gil de Casayo, *Act. SS. Septembris* I (Venecia 1756) p.308-309; S XVI p.352-361; D. YÁÑEZ: DHEE II p.1021.—San Juan de Mata: P. DESLAN-RES, *L'Ordre des Trinitaires pour le rachat des captifs* 2 vols. (París 1903); N. SCHUMA-HER, *Der heilige Johannes von Mata* (Klosterneuburg 1936).—San Pedro Nolasco: . DE AMER, *Vida de San Pedro Nolasco: Act. SS. Ianuarii* III (París 1863) p.595-605, . LOPE DE VEGA, *Vida de San Pedro Nolasco:* BAE V (Madrid 1895); P. NICOLÁS

PÉREZ, *San Pedro Nolasco, fundador de la Merced* (Barcelona 1915); la revista «Estu¡ dios mercedarios» 12 (1956) 193-627 contiene diversos estudios como homenaj de la P. M. de Castilla a San Pedro Nolasco con motivo del séptimo centenario d su muerte.—San Pedro Pascual: F. FITA, *Once bulas de Bonifacio VIII inéditas y biográ ficas de San Pedro Pascual:* BAH 20 (1892) 32-61; A. VALENZUELA, *Vida de San Pedr Pascual, religioso de la Merced, obispo de Jaén y Mártir* (Roma 1901).—San Pedro Ar mengol: *Act. SS. Septembris* I (Venecia 1756) 317-334; M. SANCHO, *Vida de Sai Pedro Armengol* (Barcelona 1904); G. PLACER, *San Pedro Armengol:* La Merce¡ (1953) 63ss.—San Ramón Nonato: *Act. SS. Augusti* VI (Venecia 1753) 729-776 J. CASTRO, *San Ramón Nonato:* La Merced (1926) 281ss; J. SERRA VILARÓ, *Los Señore de Portell, patria de San Ramón, descendientes de los Vizcondes de Cardona* (Barcelon 1958).—Santa María de Cervellón: *Act. SS. Septembris* VII (París y Roma 1867 166-186; G. TÉLLEZ, *Vida de Santa María de Cervellón* (Madrid 1930); G. PLACEF *Santa María de Cervellón:* La Merced (1952) 231ss.—Santo Domingo de Guzmán P. MANDONET-M. H. VICAIRE-R. LADNER, *Saint Dominique. L'idée, l'homme et l'oeuvr* (París 1937); M. H. VICAIRE, *Histoire de Saint Dominique* (París 1957); ed. castellana *Historia de Santo Domingo;* trad.: A. VELASCO-A. CONCHADO (Barcelona 1964); V.] KOUDELKA, *Domenico, fondatore del Ordine dei fratri predicatori:* B. Sanctorum (1964) 692-727; M. GELABERT-J. M. DE GARGANTA, *Santo Domingo de Guzmán vist* *por sus contemporáneos* (Madrid 1966) 2.ª ed.—San Ramón de Penyafort: *Act. SS Ianuarii* I (Amberes 1643) 404-429; J. RIUS SERRA, *San Raimundo de Peñafort. D¡ plomatario. Documentos, vida antigua, procesos antiguos* (Barcelona 1954); A. COLELI *Raymundiana:* AST 30 (1957) 63-96; F. VALLS Y TABERNER, *San Ramón de Penyafon* (Barcelona 1936; 3.ª ed. Barcelona 1979).—Beato Pedro González (San Telmo) S. FERNÁNDEZ SÁNCHEZ, *San Telmo:* Año Cristiano II p.93-105.—San Fernando: *Ac. SS. Maii* VII (París y Roma 1876) 274-409; L. F. DE RETANA, *Fernando III y su época* (Madrid 1941); D. MANSILLA REOYO, *Iglesia castellano-leonesa y curia romana en lc tiempos del rey San Fernando* (Madrid 1945); C. FERNÁNDEZ DE CASTRO, *Vida del mu noble y santo Rey Fernando III de Castilla y León* (Cádiz 1948).—Santa Isabel de Por tugal: *Act. SS. Iulii* II (Venecia 1747) 169-213; *Las Españas del siglo XIII,* «Curso d conferencias organizado con motivo del VII centenario de Santa Isabel, reina d Portugal e infanta de Aragón» (Zaragoza 1971).—Santo Dominguito del Val: *Ac¡ SS. Augusti* VI (Venecia 1753) 777-783; R. AUBERT, *Dominique de Val:* DHGE 1 (París 1960) c.627.

I. LA RENOVACION DE LOS ESTUDIOS ECLESIASTICOS

Por J. F. CONDE

El espíritu renovador que animó a toda la Iglesia después de la re forma gregoriana sirvió también para reorganizar y consolidar la vida ca pitular, como ya se ha puesto de relieve en otro capítulo. A lo largo de siglo XII los cabildos catedralicios españoles, tanto los que adoptaron l vida común reglar como los seculares, consiguieron afianzar sus estructu ras organizativas y su economía. En la mayoría de ellos se crearon escuela capitulares, que cumplirán durante mucho tiempo los cometidos desem peñados por las escuelas monásticas durante los siglos precedentes. E¡ España, al igual que en otras partes, ni Cluny ni el Cister tuvieron aporta ciones importantes de carácter educativo [1].

Ya desde los últimos años del siglo XI comienza a figurar el *magiste*

---

[1] Cf. J. VINCKE, *Die Hochschulpolitik der spanischen Domkapitel...:* Gesammelte Aufsätze... (1954) 144-163.

scholarum entre los titulares de los distintos oficios capitulares, como responsable de las nuevas escuelas catedralicias, destinadas a elevar el nivel de la clerecía, más o menos ligada al cabildo de canónigos. Al principio, el responsable del nuevo oficio capitular debió de ejercer personalmente tareas docentes; pero paulatinamente su cometido fue restringiéndose a funciones de índole directiva, como la contratación de maestro o maestros necesarios para el funcionamiento de cada escuela episcopal y la inspección de los libros utilizados por la congregación capitular. En la segunda parte del siglo XIII, y a tenor de lo que se dice en las *Partidas*, el maestrescuela había asumido además, en algunos lugares, el oficio de canciller del cabildo [2].

Los programas académicos de las escuelas episcopales españolas no diferían prácticamente de los vigentes en otras latitudes de la Iglesia. Además de las artes liberales —el *trivium* y el *quadrivium*— incluían los rudimentos teológico-morales indispensables para que los clérigos pudieran ejercer el ministerio pastoral al recibir las órdenes sagradas.

Para perfeccionar los conocimientos de teología y de derecho, los eclesiásticos españoles solían acudir a los estudios generales de Francia o de Italia. Cuando estos estudiantes pertenecían al gremio capitular, los cabildos los ayudaban también económicamente. Tanto a lo largo de la duodécima centuria como en la siguiente comienzan a redactarse constituciones arbitrando providencias sobre los beneficiados que frecuentaban las aulas extranjeras. Normalmente se preveía en ellas que dichos estudiantes pudieran seguir recibiendo los frutos de sus prebendas lo mismo que si asistieran a los oficios catedralicios. Por eso, nada tiene de extraño que durante este período los centros académicos foráneos se vieran frecuentados por muchos clérigos de las diócesis castellano-leonesas o de las circunscritas en la provincia eclesiástica de Tarragona.

Estos clérigos, formados con mayor rigor que en las escuelas autóctonas, a la vuelta podían desempeñar mejor las tareas de maestros en sus respectivas diócesis o en otras provincias. A veces, el maestrescuela se veía obligado a contratar maestros no españoles para dichos menesteres. De hecho, resulta bastante frecuente el encontrar nombres no hispanos entre los responsables de los cargos académicos de muchas diócesis de la Península a finales del siglo XII y durante la primera parte del XIII.

En esta época, las escuelas de Compostela, León y Salamanca destacaban sobre las de otras diócesis del reino de León. La de Oviedo pasó seguramente por una etapa de especial brillantez durante el episcopado de D. Pelayo (1101-1130). La de Palencia fue la más importante de Castilla. La

---

[2] En *Part*. I tít.6 1.7 se describen así las funciones del maestrescuela: «Maestrescuela tanto quiere decir como maestro et proveedor de las escuelas; et pertenesce a su oficio de dar maestros en la eglesia que muestren a los mozos leer et cantar, et él debe emendar los libros en que leyeren en la eglesia, et otrosí al que leyere en el coro quando errare; et otrosí a su oficio pertenesce de estar delante quando probaren los escolares en las cibdades do son los estudios si son letrados que merescan ser otorgados por maestros de gramática o de lógica o de alguno de los otros saberes; et a los que entendiere que lo merescen puédeles otorgar que sean así como maestros. Et a esta mesma dignidat llaman en algunos lugares chanceller, et lícenle así porque de su oficio es facer las cartas que pertenescen al cabildo en aquellas eglesias o es así llamado».

de Toledo sobresale por sus relaciones con la cultura oriental. Las de Gerona y Tortosa destacan sobre las de las restantes sedes de la Tarraconense. Los prelados de esta metrópoli, favorecidos por una posición geográfica que les situaba cerca de importantes centros culturales extranjeros, potenciaron notablemente la política de enviar sus clérigos a esos estudios ubicados allende los Pirineos.

La escuela capitular de Santiago de Compostela, que ya venía funcionando desde bastante antes del año 1100, aventajaba, con mucho, a todas las demás. En realidad, desde que el movimiento de peregrinaciones compostelanas se consolida, Santiago se convierte en un lugar privilegiado para el progreso cultural. El cosmopolitismo y el auge económico de la ciudad no podía menos de contribuir muy favorablemente al desarrollo de los estudios ligados a «aquel cabildo, que llegó a ser en el siglo XII el más culto de Castilla y León y tal vez de toda la Península. En ninguno se cuentan durante aquella centuria tantos escritores, tantos maestros ni, consiguientemente, tantos capitulares enviados a estudios al extranjero» [3].

Diego Gelmírez, que había recibido su formación clerical en la escuela episcopal de la ciudad del Apóstol, trató, sin duda, de dotarla adecuadamente y de elevar el nivel docente. Durante el mismo siglo XII, del cabildo de Compostela salen varios titulares de las diócesis sufragáneas de esta sede metropolitana. Por bastante tiempo, la mayoría de los cancilleres del reino de León frecuentaron también dicha escuela capitular [4].

La influencia de la escuela de Compostela se dejó sentir con especial intensidad en Salamanca. Los cancilleres reales, cuya impronta cultural compostelana acabamos de subrayar, siguiendo los desplazamientos de la corte, frecuentaron mucho la ciudad del Tormes. Es más, dos de ellos Berenguer, canciller de Alfonso VII, y Pedro Suárez de Deza, canciller de Fernando II, llegaron a ocupar la sede episcopal salmantina. Estos eclesiásticos de relieve iban acompañados de otros clérigos compostelanos de menor categoría, que más tarde ocuparon dignidades o beneficios en el cabildo de Salamanca. Tenemos noticias de varios. La consolidación de la escuela episcopal de esta diócesis en la última parte del siglo XII —el verdadero núcleo generador de la futura universidad— tiene mucho que ver con la presencia de los miembros de la clerecía gallega formados en Compostela.

De hecho, la escuela episcopal de Salamanca comienza a ser importante en la segunda parte del siglo XII. Entre 1150 y 1200 se puede seguir la pista de más de una decena de maestros. Pertenecían al cabildo. Algunos eran españoles, pero varios tienen nombre extranjero. De estos últimos destacan, por ejemplo, los hermanos Richardo, oriundos de Inglaterra. Al comenzar la decimotercera centuria, la escuela salmantina no aventajaba todavía a la de Santiago en calidad académica y cultural; pero su situación geográfica en el reino leonés constituirá, con toda seguridad, un factor

---

[3] V. BELTRÁN DE HEREDIA, *Los orígenes de la Universidad de Salamanca* p. 12-13; cf. también M. C. DÍAZ Y DÍAZ, *Problemas de la cultura en los siglos XI-XII. La Escuela episcopal de Santiago* Compostellanum 16 (1971) 187-200.

[4] Sobre la ejecutoria episcopal de Diego Gelmírez en Compostela cf. el capítulo 7 del tomo II-1.º de esta obra.

decisivo cuando Alfonso IX, el año 1218, prefiera la ciudad del Tormes a la de Compostela para fundar la primera universidad del reino de León. La escuela capitular o episcopal de Palencia, fundada ya en el siglo XI, vive también una etapa de esplendor en el último tercio del siglo XII. Su atractivo traspasa, con mucho, los límites estrictamente diocesanos y llega a los clérigos de otras sedes castellanas. Por ella desfilan personajes tan destacados como Julián, de origen burgalés, obispo de Cuenca (1196-1208) y posteriormente elevado a los altares con honores de santo. El joven Domingo de Guzmán, natural de la diócesis de Osma, sigue el mismo camino. Pedro González Telmo, conocido vulgarmente por San Telmo, parece que frecuentó igualmente el Estudio palentino en los primeros años del siglo XIII. Algunos de los canónigos de la catedral de San Antolín desempeñaron durante este período el oficio de maestros. En la primera época del Estudio de Palencia, el grupo de docentes extranjeros fue también importante.

A partir de 1200, las escuelas catedralicias, incluso las más florecientes de la Península que acabamos de citar, comienzan a resultar insuficientes para responder adecuadamente a las nuevas necesidades culturales de la centuria. Con los clérigos acuden también a ellas los hijos de la pujante burguesía en demanda de saberes que rebasan, con mucho, el esquema habitual de la formación eclesiástica, como la medicina y el derecho civil, disciplinas estas vedadas en principio a los miembros de la clerecía. Las escuelas episcopales hispanas, evolucionando de manera similar a las foráneas, se independizan paulatinamente de la congregación capitular, contratan más maestros peritos en los nuevos saberes de carácter secular, terminando por reorganizarse y convertirse en estudios generales o universidades. El canciller seguirá manteniendo la conexión de estas escuelas renovadas con el obispo de la ciudad en la que estaban ubicadas. Al fin y al cabo, dentro del marco académico, la teología constituirá durante mucho tiempo un elemento importante de la docencia impartida en ellas, aunque, como veremos, en la mayoría de las universidades creadas durante la baja Edad Media en España y en algunas extranjeras, la disciplina teológica tardará bastante tiempo en llegar a ser facultad propiamente dicha. Por otra parte, la confirmación pontificia de los primeros estudios generales y los privilegios económico-beneficiales otorgados a dichos centros por la Santa Sede les siguen confiriendo durante bastante tiempo una impronta marcadamente eclesiástica, aunque en sus respectivas fundaciones hubiera intervenido el rey o los municipios.

Los concilios ecuménicos III y IV de Letrán, preocupados por elevar el nivel cultural de los eclesiásticos en toda la Iglesia, redactaron una normativa precisa para mejorar las enseñanzas ofrecidas en los cabildos catedralicios. El primero de ellos (1179) había dispuesto que en cada iglesia catedral se creara un beneficio suficientemente rentable y capaz de sostener a un maestro que instruyera a los clérigos y escolares pobres. El Lateranense IV (1215) pone el énfasis en la funcionalidad específicamente clerical de las escuelas catedralicias, y extiende además la obligación de mantener un maestro que enseñara gramática y otros saberes adicionales a «todas las iglesias que tuvieran recursos suficientes para ello». Las sedes metropolitanas tendrían que nombrar otro maestro para enseñar a los sacerdotes la Escritura y todo lo referente al ejercicio del ministerio pastoral. ¿Influyeron realmente estas disposiciones conciliares en el florecimiento de las escuelas episcopales en torno a 1200 y en la creación de las primeras universidades de Castilla y León durante el siglo XIII? Parece que no. Los propios Padres del Lateranense IV reconocen con claridad la poca efectividad de las disposiciones del concilio ecuménico anterior sobre este particular, y es cosa sabida que el amplio programa de reformas formulado por Inocencio III en Letrán tampoco tuvo aplicaciones inmediatas en España, según se indicó en otra parte. Las inquietudes de algunos prelados, combinadas con el apoyo de los reyes castellano-leoneses, y, sobre todo, la iniciativa de éstos, que respondía normalmente a intereses políticos y sociales, fueron factores determinantes del nacimiento de los primeros estudios generales de los reinos cristianos de la Península.

II. *ESTUDIOS GENERALES O UNIVERSIDADES ESPAÑOLAS*

Por J. F. CONDE

Alfonso X el Sabio, que formaliza en las *Partidas* la vida universitaria castellana de la época, define un estudio general como el «ayuntamiento de maestros et de escolares», donde hay maestros «de las artes, así como de gramática et de lógica et de retórica et de arismética et de geometría et de música et de astronomía et otrosí en que ha maestros de decretos et señores de leyes; et este estudio debe ser establecido por mandado de papa o de emperador o de rey»[5].

Así, pues, el estudio general, llamado también universidad, fue una verdadera corporación de profesores y alumnos. La iniciativa de fundar esta clase de instituciones correspondía, según el autor de las *Partidas,* a la suprema autoridad eclesiástica —al papa— o a un soberano secular. Los primeros estudios generales españoles fueron creados por reyes. La Santa Sede se limitó a otorgarles su aprobación o confirmación y a concederles privilegios. Una vez constituido el estudio, los maestros y escolares podían «establescer de sí mesmos un mayoral sobre todos, a que llaman en latín *rector,* que quier tanto decir como regidor del estudio» *(Part.* I tít.31 1.6). Dentro de este espíritu corporativo —más cercano al estilo universitario de Bolonia que al de París— irán apareciendo en seguida otros cargos para ordenar con el rector la marcha de la entidad académica. Entre ellos tenían una importancia especial los consiliarios y el mayordomo o dispensador, que administraba los bienes del estudio. La figura del canciller, frecuentemente de nombramiento real y, además, vitalicia, que contradecía, en cierta manera, el talante democrático de la vida universitaria, será protagonista destacada de más de un conflicto en alguna de las universidades peninsulares de la baja Edad Media [6].

El cuadro mínimo de disciplinas de un estudio general lo componían las artes liberales —el viejo *trivium* y el *quadrivium*— y el derecho. Cada una de estas disciplinas tenía maestro propio, con salarios estipulados por el soberano [7]. Las universidades podían ampliar y completar sus planes académicos con facultades de medicina y teología. Al principio, la filosofía estaba incluida en la facultad de artes; pero paulatinamente los estudios de lógica y dialéctica llegaron a tener tanta importancia que desplazaron a las restantes ciencias encuadradas en artes, adquiriendo una entidad académica propia.

La inscripción o matrícula de maestros y discípulos en el registro del estudio los convertía en miembros de la corporación universitaria y, consiguientemente, en beneficiarios de todos los derechos y privilegios inherentes a la misma. El más importante de todos ellos era —juntamente con el de poder participar en las actividades docentes o discentes— el de fuero especial para asuntos y delitos ordinarios: «Los maestros que muestren las ciencias en los estudios pueden judgar sus escolares en los pleytos et en las demandas que hobieren unos contra otros et en las otras que algunos homes les ficiesen que non fuesen sobre pleyto de sangre; et non les deben demandar nin traer a juicio ante otro alcalle sin su placer dellos» *(Part. I tít.31 1.7)*. También gozaban de numerosas exenciones fiscales y de prerrogativas económicas muy favorables. Y, además, los profesores y alumnos podían formar entre sí hermandades, a pesar de las ordenaciones contrarias en vigor, a las que hace referencia explícita la compilación jurídica alfonsina [8].

El estudio confería a sus escolares los grados de bachiller y de maestro. El aspirante a bachiller en artes —facultad considerada como introductoria a todas las restantes—, después de una formación gramatical previa, tenía que estudiar tres años las distintas artes liberales, explicar varias lecciones y culminar el ciclo con la disertación pública sobre un tema. Para conseguir el título de maestro en la misma facultad leería durante otros tres años lecciones relacionadas con estas disciplinas y, como colofón, defendería públicamente una tesis de carácter filosófico, respondiendo a las objeciones que le fueren presentadas por los maestros. El itinerario académico para lograr la titulación en otras facultades era parecido. El magis-

---

[6] Precisiones interesantes sobre el gobierno de la Universidad de Salamanca durante la baja Edad Media: V. BELTRÁN DE HEREDIA, *Cartulario...* vol.1 p.189-209.

[7] «Para seer el estudio general complido, quantas son las ciencias tantos deben seer los maestros que las muestren, así que cada una dellas haya un maestro a lo menos; pero, si de todas las ciencias non pudiesen haber maestros, abonda que haya de gramática et de lógica et de retórica et de leyes et de decretos. Et los salarios de los maestros deben seer establescidos por el rey, señalando ciertamente a cada uno quánto haya segunt la ciencia que mostrare et segunt que fuere sabidor della» *(Part. I tít.31 1.3)*.

[8] «Ayuntamiento et cofradías de muchos homes defendieron los antiguos que non se ficiesen en las villas nin en los regnos, porque dellas se levanta siempre más mal que bien; pero tenemos por derecho que los maestros et los escolares puedan esto facer en estudio general, porque ellos se ayuntan con entención de facer bien et son extraños et de logares departidos, onde conviene que se ayuden todos a derecho quando les fuere menester» *(Part. tít.31 1.6)*.

terio en teología, por ejemplo, comprendía la lectura del *Libri quattuor Sen-tentiarum* por cuatro años. Cada uno de los libros de la obra de Pedro Lombardo se inauguraba con una disputa quodlibética, mantenida por lo bachilleres bajo la supervisión del maestro que dirigía la lectura. A lo largo del curso abundaban las disputas académicas ordinarias (*quaestiones*), si guiendo la costumbre de las universidades extranjeras. Un examen fina posibilitaba la obtención del grado de maestro [9].

El Rey Sabio se preocupó también de precisar en las *Partidas* las condi ciones de salubridad y de seguridad de las ciudades que quisieran albergar dentro de sus muros un estudio general: «De buen ayre et de fermosas salidas debe seer la villa do quieren establescer el estudio, porque los maestros que muestren los saberes et los escolares que los aprenden vivar sanos, et en él puedan folgar et rescebir placer a la tarde quando se levan taren cansados del estudio; et otrosí decimos que los cibdadanos de aque logar do fuere fecho el estudio deben mucho honrar et guardar los maes tros et los escolares et todas sus cosas... Las escuelas del estudio genera deben seer en logar apartado de la villa, las unas cerca de las otras, porque los escolares que hobieren sabor de aprender aina puedan tomar dos li ciones o más si quisieren en diversas horas del día» [10].

Palencia fue el primer Estudio General o Universidad de la Península Su fundación tiene lugar entre 1208 y 1214, por obra del rey castellano Alfonso VIII y los buenos oficios del obispo palentino Tello Téllez de Meneses (1208-1247), que será, en realidad, el verdadero animador de la misma a lo largo de su corta y precaria existencia. El Tudense dice en e *Chronicon Mundi* que el fundador había potenciado el antiguo estudio capi tular con maestros de teología y de artes. Rodrigo Ximénez de Rada am plía la información, precisando en *De rebus Hispaniae* que dichos maestros provenían de Francia y de Italia; hace referencia, asimismo, a una gene rosa dotación regia, e indica además que al principio funcionaban todas las facultades en el renovado Estudio.

La muerte de Alfonso VIII (1214) supuso un rudo golpe para la inci piente Universidad, que entonces sería poco menos que un proyecto. Su hijo Enrique I (1214-1217) era todavía un niño, y la regencia del ambi cioso conde Alvaro Núñez de Lara creó un clima de inestabilidad política, poco propicio para la consolidación académica en la ciudad de Palencia. La poderosa familia de los Lara, que había medrado durante los reinados de Alfonso VII, poseía amplios dominios en tierras palentinas.

El año 1220 Tello Téllez, sintiéndose respaldado por Fernando III, e sucesor de Enrique I de Castilla, intenta enderezar y reafirmar la vida cultural y docente del Estudio General, proveyendo sus cátedras con cua tro maestros nuevos: un teólogo, un decretista, un especialista en lógica y un «auctorista». Aquel mismo año, el obispo y el soberano, dispuestos de común acuerdo a resolver las necesidades económicas más perentorias del centro palentino, suplican y obtienen de Honorio III la concesión de la

---

[9] Más precisiones sobre el sistema académico de las universidades en esta época: T.-J CARRERAS Y ARTAU, *Historia de la filosofía española* vol.1 p.60ss.
    [10] *Part.* II tít.31 l.2 y 5.

cuarta parte de las tercias destinadas a la fábrica de las iglesias de la dióce-sis por un período de cinco años, transcurridos los cuales el papa confir-mará dicha concesión para un quinquenio más. El año 1221, el mismo Honorio pone bajo la protección pontificia el Estudio con sus maestros y alumnos.

El concilio presidido en Valladolid el año 1228 por el legado papal Juan de Abbeville, al hablar de la cultura clerical, hace referencia al Estudio de Palencia para favorecer a los maestros y a los beneficiados que estudiaran allí teología.

Con todo, ni la protección pontificia ni el interés del obispo Tello fue-ron capaces de sacar adelante la fundación universitaria de Alfonso VIII. El primer Estudio General castellano contaba, quizás ya desde su funda-ción, con recursos económicos demasiado limitados. La principal fuente de ingresos era una parte de los diezmos eclesiásticos diocesanos, siempre difíciles de recaudar debido a las intromisiones habituales de los laicos o porque constituían también una fuente importante de financiación para las expediciones de reconquista de Fernando III, en las que tomaba parte Tello Téllez juntamente con otros prelados. Además, el rey de León Al-fonso IX funda el año 1218 la Universidad de Salamanca, que debió de ejercer una competencia fuerte sobre la de la cercana ciudad de Palencia tanto en la contratación de profesores como a la hora de reclutar alum-nado.

En vida de D. Tello, el Estudio de Palencia se ve forzado a interrumpir las actividades académicas, sin que sepamos a ciencia cierta las causas y la duración de tal interrupción. Sin embargo, antes de morir el celoso pre-lado (1247), la institución reemprende la docencia, según testimonia el arzobispo D. Rodrigo en *De rebus Hispaniae*. El año 1263, y a juzgar por el texto de un documento de Urbano IV, la vida de la Universidad palentina había cesado otra vez o pasaba por una etapa de profundo deterioro: «el citado Estudio —afirma el documento papal— está disuelto, con gran per-juicio de la misma provincia». Y el papa, a instancias del nuevo jefe espiri-tual de Palencia, el obispo D. Fernando (1256-1265), concede a la Univer-sidad castellana el «que todos y cada uno de los maestros y escolares que estudien en la misma ciudad, en cualquiera de las facultades allí existen-tes, gozar de los privilegios, indulgencias, libertades e inmunidades que tienen los maestros y escolares de París o de otros lugares donde exista estudio general» [11]. Todo fue en vano. La Universidad de Palencia des-apareció silenciosamente y sin dejar huellas. Su fin oscuro responde a su historia siempre difícil, intermitente y casi sin relevancia.

La Universidad de Salamanca fue la segunda fundación importante del siglo XIII. El soberano leonés Alfonso IX crea el nuevo Estudio Gene-ral a finales de 1218 o en 1219, emulando así la política educativa de Casti-lla. Para ello parte también de la base que le ofrecía la floreciente escuela capitular de la ciudad del Tormes, animada desde la centuria anterior por la influencia cultural compostelana. El primer período de la historia de esta Universidad tampoco resultó brillante. Su funcionamiento y su situa-

---

[11]   El texto latino del documento de Urbano IV: J. SAN MARTÍN, *La antigua Universidad de Palencia* apénd.9 p.89-90.

ción jurídica no se diferenciaban apenas, al menos en sus comienzos, de los de la palentina.

En 1243 Fernando III, percatándose sin duda de la marcha agonizante del Estudio General de Palencia, intenta potenciar la Universidad salmantina poniéndola bajo la protección regia y reforzando su situación jurídica para que pudiera desenvolverse con normalidad: «porque entiendo —dice en un diploma— que es pro de myo regno e de mi tierra, otorgo e mando que haya escuelas en Salamanca. E mando que todos aquellos que hy quisieren venir a leer, que vengan seguramientre. E jo recibo en mi comienda e en myo difendimiento a los maestros e a los escolares que hy vinieren e a sus omes e a sus cosas quantas que hy troxieren. E quiero e mando que aquellas costumbres e aquellos fueros que ovieren los escolares en Salamanca en tiempo de myo padre, cuando estableció hy las escuelas, tanbien en casas como en las otras cosas, que essas costumbres e essos fueros hayan» [12]. El año 1252 el rey Fernando, poco antes de morir en Sevilla, concede nuevos privilegios a los estudiantes salmantinos.

Alfonso X el Sabio (1252-1284) fue en realidad el auténtico promotor de la Universidad de Salamanca. Durante su reinado salieron de la cancillería regia varios privilegios destinados a fortalecer la vida académica de la ciudad del Tormes. El más importante de ellos lo concedió el mes de mayo de 1254 a petición de los escolares, que se hacían eco de toda la problemática universitaria. En la primera parte del mismo, el Rey Sabio formula una serie de disposiciones para erradicar los abusos, existentes o posibles, en materia de alojamiento y para cortar los desórdenes callejeros provocados por algunos estudiantes «peleadores o volvedores», o bien por las tropelías de los «legos de la villa» contra los propios estudiantes. El rey también reconoce la suprema competencia del prelado diocesano sobre el Estudio General. Sin embargo, al año siguiente, el papa Alejandro IV concederá mayor autonomía a la academia salmantina, permitiéndole tener su sello y colocándola bajo la jurisdicción exclusiva del maestrescuela de Salamanca.

La segunda parte del privilegio real citado reorganiza la estructura académica propiamente dicha de la Universidad, dotando espléndidamente hasta once cátedras de diversas materias, con varios cargos subalternos que perfeccionarán el funcionamiento de cada uno de los organismos docentes, asignándoles también los emolumentos correspondientes. Las cuatro primeras cátedras eran jurídicas: tres de derecho canónico y una de leyes o derecho civil. Tendría, además, dos maestros de lógica y dos de gramática, abarcando esta última disciplina los estudios de retórica y poesía. Según Beltrán de Heredia, «muchas de las trovas incluidas en los cancioneros galaico-portugueses se compusieron en las riberas del Tormes» [13]. Completaban el cuadro de maestros dos de física —medicina— y uno de órgano. Entre los oficiales hacían referencia al «estacionario», o

---

[12] Cf. el texto de este documento en E. ESPERABÉ DE ARTEAGA, *Historia pragmática e interna de la Universidad de Salamanca* vol.1 p.19-20.
[13] V. BELTRÁN DE HEREDIA, *Los orígenes...* p.46.

librero-bibliotecario de la Universidad, y al «apotecario», o encargado de la farmacia, además de dos conservadores, que tenían como misión específica el mantener la vida académica y arbitrar aquellas medidas que juzgaran oportunas para ello. Uno de los conservadores era el deán de la catedral. Cabildo y Universidad mantuvieron desde el principio, como ya indicamos, una estrecha vinculación. De hecho, la mayoría de los maestros ostentó cargos capitulares.

La Universidad salmantina comienza su andadura histórica en sentido pleno con una impronta marcadamente jurídica, que la sitúa más en la esfera universitaria de Bolonia que en la de París, donde estaban prohibidos los estudios de derecho civil. Semejante impronta refleja la mentalidad del soberano, gran admirador de los estudios de índole jurídica, como puede constatarse en las *Partidas:* «La ciencia de las leyes —afirma la compilación alfonsina— es como fuente de justicia, et aprovéchase della el mundo más que las otras ciencias; et, por ende, los emperadores que ficieron las leyes otorgaron privillejo a los maestros dellas» [14].

Abrir de par en par e indiscriminadamente las puertas de la Universidad castellana a los estudios de leyes civiles suponía enfrentarse, en cierta manera, a la legislación de la Iglesia, que prohibía esta clase de estudios, juntamente con la medicina, a los religiosos, sacerdotes y dignidades eclesiásticas. Pero Alfonso X consigue evitar el conflicto con la Santa Sede obteniendo de Alejandro IV, durante el año 1255, varios privilegios que perfilaban la situación jurídica de Salamanca. En mayo de dicho año logra la confirmación pontificia del Estudio General, recién reorganizado por él, figurando en el documento papal como si fuera su verdadero fundador. En septiembre, el citado papa determina que los grados obtenidos en Salamanca tengan plena validez en todas partes fuera de París y Bolonia. Y un mes más tarde da autorización a los miembros del clero, exceptuados los religiosos, para que pudieran cursar estudios de derecho civil en la ciudad del Tormes por un trienio. La concesión se prolongará de manera tácita e indefinidamente, sin que la curia romana ponga ya trabas a los estudiosos y peritos de la academia salmantina, conocida en todas partes por esta especialidad.

La Universidad de Salamanca siguió gozando de la protección de los monarcas castellanos que sucedieron al Rey Sabio, pero su situación económica desde los últimos años del siglo XIII pasó por momentos muy difíciles a causa de la crisis generalizada que conmueve la sociedad castellana de la época. A pesar de todo, en la primera parte del siglo XIV figura ya enumerada al lado de las primeras universidades europeas. El concilio ecuménico de Vienne (1311-1312), preocupado por la promoción de los estudios de las lenguas orientales para potenciar las misiones entre los infieles, ordena que se instituyan escuelas de hebreo, árabe y caldeo en los principales estudios generales existentes entonces, y precisa el nombre de cinco: Roma, París, Oxford, Bolonia y Salamanca.

Durante la primera etapa de la historia de la Universidad salmantina,

---

[14] *Part.* II tít.31 1.8.

el estudio de la teología carece de importancia. A mediados del siglo XIV aparece el nombre de un maestro de esta disciplina: el franciscano Diego López, confesor del futuro rey Enrique II; pero desconocemos su vinculación exacta con la Universidad. Es posible que el centro ofreciera a los clérigos, desde sus comienzos, una formación teológica rudimentaria para que pudieran acceder a las sagradas órdenes y ejercer el ministerio pastoral, pero sin tener constituida todavía una facultad teológica propiamente dicha. Esta facultad no será instituida hasta finales del siglo XIV. El cardenal Pedro de Luna, legado aviñonés de Clemente VII, que viene a España investido de amplios poderes para reformar los estudios generales, la crea formalmente el año 1381. Una vez elegido papa, tratará de contrarrestar la influencia de la Universidad de París, que le era contraria, favoreciendo ampliamente a la de Salamanca. En 1411 le da unas constituciones bastante detalladas. En ellas los maestros de teología, probablemente pertenecientes en su mayoría a los Estudios de San Esteban y de San Francisco, aparecen ya plenamente integrados en los cuadros docentes de la academia salmantina.

El primer siglo de historia universitaria de la ciudad del Tormes no produjo resultados espectaculares desde el punto de vista cultural. Entre los maestros que regentaron las distintas cátedras no aparece ningún personaje especialmente relevante. París y Bolonia seguían atrayendo más a los hombres de ciencia que los centros castellanos. Conocemos, por ejemplo, el nombre de Nicolás de Salamanca, un maestro de artes de mediados del siglo XIII con notable influencia en la provincia dominicana de España, de la que llegará a ser provincial el año 1292, y poco más. Por la misma época quizás pertenecía también al gremio de docentes salmantinos el clérigo compostelano Rodrigo Fernández, autor de 25 trovas del *Cancionero de la Vaticana*. Diego López, posiblemente el franciscano homónimo citado más arriba, y el dominico Juan de Castellanos, colaborador de Pedro de Luna en la organización de la facultad de teología y después obispo de Salamanca (1382-1387), encabezan la lista de los maestros de esta facultad. Ambos habían realizado sus estudios en el extranjero.

Además, durante el siglo XIII se fueron instituyendo en los reinos de la corona castellano-leonesa otros centros académicos sin rango propiamente universitario. Las *Partidas* los denominan estudios particulares: «que quier tanto decir como quando algunt maestro amuestra en alguna villa apartadamente a pocos escolares; et tal como éste puede mandar facer perlado o concejo de algunt logar» [15]. Algunos de ellos llegarán posteriormente a convertirse en verdaderos estudios generales o universidades. El que funcionaba en Valladolid en este siglo será transformado en *Generale Studium* el año 1346 por una concesión de Clemente VI, otorgada a petición de Alfonso XI, que le permitía tener todas las facultades, a excepción de la teológica [16]. Alfonso X el Sabio crea en Sevilla el 1254 —al mismo tiempo

---

[15] *Part.* II tít.31 1.1.
[16] «In villa Vallisoletana... Studium licet Particulare ab antiquo viguit atque viget multique ad illam propter commoditates que reperiuntur ibidem concurrerunt hactenus et concurrunt... auctoritate Apostolica statuimus ut in villa Vallisoletana predicta perpetuis futuris

que reorganizaba en profundidad la Universidad de Salamanca— el «estudio e escuelas generales de latín y arábigo», promoviendo así en sus dominios la política de apertura cultural que llevaban a cabo los dominicos en Aragón con sus *studia linguarum*, a los que nos referiremos más adelante.

La academia sevillana no logra entonces la categoría universitaria propiamente dicha, pero sí un cierto renombre que la hará merecedora del título de *Generale litterarium studium* en un documento del papa Alejandro IV datado el año 1260. Recién conquistado el reino de Murcia, Alfonso creó en la capital una academia para el estudio de las artes liberales y de la medicina aprovechando la rica tradición cultural de ascendencia oriental que existía en aquella ciudad.

A finales ya de la centuria, el año 1293 concretamente, Sancho IV, a ruegos del arzobispo de Toledo Gonzalo García Gudiel (1280-1298), instituye en Alcalá de Henares el «Estudio de Escuelas generales», y concede a sus maestros y escolares «todas aquellas franquezas que a el Estudio de Valladolit». Pero el plan académico ideado por el monarca castellano para la metrópoli toledana no logró pasar entonces de un simple proyecto. En realidad, Alcalá no comenzará a funcionar como estudio general auténtico hasta la segunda parte del siglo XV.

En el siglo XIV se perfila el estudio monástico de San Facundo, de Sahagún, respondiendo así este poderoso monasterio benedictino a la bula *Summi magistri* del papa aviñonés Benedicto XII (1336), que contenía, entre otras cosas, varias providencias destinadas a elevar el nivel cultural de toda la Orden. El año 1348, el abad Diego formaliza la dotación que servirá de base económica para el sustentamiento del maestro de la comunidad monástica. A partir de entonces comienza a registrarse una animación notable en las actividades académicas de Sahagún. En 1403 el papa Luna, cuya preocupación por los estudios universitarios resulta bien conocida, concede al Estudio sahaguntino, a petición del propio cenobio, que los trabajos académicos realizados en el mismo por profesores y alumnos fueran computados como si se tratara de un estudio general, siempre que les confirieran los grados facultades en las que existieran las enseñanzas de las disciplinas cursadas en Sahagún.

Las casas de órdenes mendicantes fundadas en las principales ciudades castellano-leonesas se propusieron también como tarea primordial la renovación cultural de la clerecía regular y secular, haciéndose eco de lo prescrito en el capítulo *De magistris* del Lateranense IV relativo a la enseñanza de las disciplinas eclesiásticas, y particularmente de la teología. Estos centros de estudio de ámbito conventual, especialmente los regentados por franciscanos y dominicos, funcionaban a veces en estrecha relación con algún estudio general o universidad, y cubrían de ese modo un campo científico abandonado por las instituciones universitarias, cada vez más atentas a saberes de carácter pragmático y profano. San Esteban de Salamanca constituye un buen ejemplo de esta clase de academias de teología y de disciplinas afines, en principio parauniversitarias. Los dominicos, que

temporibus Generale Studium vigeat in qualibet licita, preterquam theologica facultate...»
(C. M. AJO Y SAINZ DE ZÚÑIGA, *Historia...* vol.1 apénd.59 p.480).

habían llegado a la ciudad del Tormes por los años de la fundación del Estudio General, reciben en 1256 la citada iglesia de San Esteban, potenciando muy pronto en las dependencias edificadas junto a ella los estudios y la enseñanza de la teología y de otras ciencias tradicionalmente eclesiásticas, como las artes. De hecho, el convento de San Esteban tiende a convertirse muy pronto en el Estudio General para la Orden dominicana de la Península hasta que el año 1299 se divida la provincia de Aragón. Durante el último tercio del siglo XIV, al crearse en la Universidad salmantina la facultad de teología, los profesores dominicos de San Esteban, juntamente con los franciscanos, formarán, como ya apuntamos, el núcleo fundamental de la nueva institución académica. Cuando se retiren los franciscanos y los agustinos de la Universidad al finalizar el primer tercio del siglo XV, los frailes de San Esteban y el clero secular llevarán sobre sí el peso de la docencia y constituirán el grupo principal del cuerpo discente de la facultad teológica de Salamanca.

En Aragón, desde la última parte del siglo XII, algunos prelados y congregaciones capitulares se mostraron también celosos de la promoción cultural de sus clérigos, arbitrando diversas medidas económicas para que éstos pudieran frecuentar estudios generales extranjeros, como ya indicamos. Los nombres de estudiantes catalanes y aragoneses serán numerosos en las nóminas académicas de París, Bolonia, Toulouse y Montpellier, ciudades, las dos últimas sobre todo, a las que resultaba muy fácil trasladarse desde cualquier parte del reino [17]. Quizás la relativa facilidad de acceso a centros de allende los Pirineos contribuyó, en buena medida, al retraso del nacimiento de una universidad autóctona en los reinos hispanos de la corona de Aragón. La instrucción eclesiástica ordinaria corría a cargo de las órdenes mendicantes, especialmente de la dominicana. Esta, en un capítulo provincial celebrado a finales del siglo XIII (1299), decide crear estudios en todos sus conventos, a excepción del de Sangüesa.

Desde la primera parte del siglo XIII funcionaba ya el Estudio particular de Montpellier. Jaime I de Aragón, señor de esta localidad ultrapirenaica, toma bajo su protección el centro académico y potencia en él la enseñanza de la medicina, de la teología y de las restantes disciplinas que entonces tenían carácter universitario, hasta convertirlo en Estudio General. Nicolás IV lo aprobará como tal el año 1289.

Jaime II funda el mes de septiembre de 1300 el Estudio General de Lérida, centro geográfico aproximado de los dominios de Aragón, después de obtener del papa Bonifacio VIII los mismos privilegios que tenía el de Toulouse. En los estatutos promulgados casi simultáneamente por el

---

[17] El obispo de Gerona Guillermo de Monells (1169-1175), adelantándose a las disposiciones del Lateranense III, publica en 1173 un estatuto de acuerdo con el cabildo, en el que ordena la entrega mensual de un florín de oro al canónigo que fuera a cualquier estudio general. En 1229, el obispo y el cabildo de Vich toman un acuerdo semejante. Un siglo más tarde, el año 1329, Juan, patriarca de Alejandría y arzobispo-administrador de Tarragona, ordena que cada catedral envíe dos miembros de su clero capitular a estudiar teología o derecho canónico, reservándose el derecho de hacerlo él mismo, eligiendo los candidatos, caso de que no lo hicieran las respectivas diócesis. Los capitulares gerundenses se acogerán a estas disposiciones a la hora de solicitar la porción canónica para ir a estudiar (cf. L. BATLLE PRATS, *Estudiantes gerundenses en los estudios generales:* H 7 [1947] 179-211.

oberano, se otorgan a los estudiantes de Lérida los privilegios e inmuni-
lades de la Universidad de Bolonia. Con esta fundación, el rey Jaime
retende precisamente evitar que sus súbditos y fieles tuvieran que pere-
rinar a regiones extrañas para investigar en las distintas ciencias. Pero
a primera Universidad aragonesa no tuvo el desahogo económico nece-
ario para el funcionamiento siempre difícil de los primeros años. El fun-
ador, en vez de dotarla convenientemente, encomienda el sostenimiento
e la misma al municipio y a la iglesia de Lérida, impotentes por sí solos
ara hacer frente a las necesidades perentorias de la organización acadé-
nica del Estudio. La misma institución tratará de superar esta precariedad
conómica procurándose ingresos propios, tales como los provenientes de
os impuestos del bancaje y de la colecta. El primero era la cuota que cada
lumno pagaba por hacer uso de los bancos de las clases. El otro consistía
n un estipendio anual que el profesor exigía al alumnado. Durante el
isma de Occidente, los papas intentarán también paliar las estrecheces
conómicas del Estudio ilerdense con légados devengados de las rentas
iocesanas.

Durante los primeros años del Estudio de Jaime II, la influencia deter-
ninante de la Iglesia y del municipio, frecuentemente con intereses diver-
entes en la vida universitaria del mismo, originaron conflictos serios, lle-
ando incluso a ocasionar el cierre de la institución por algún tiempo. El
eparto igualitario de las funciones ejecutivas entre el cabildo, el munici-
io y el Estudio restableció momentáneamente la calma. Pero, a partir de
319, la ciudad consigue monopolizar el gobierno del mismo. En 1378, el
égimen municipal se hunde. Otra fuente de problemas para la fundación
e Jaime II provenía de la presencia de las distintas nacionalidades en ella.
lo largo del primer siglo aproximadamente (1300-1419), el cargo de
ector era desempeñado, alternativamente, por catalanes y aragoneses. El
rupo de valencianos, claramente minoritario, no participaba de estas
nciones directivas. A comienzos del siglo XV, después de varios alterca-
os y gracias a las influencias de Alfonso V, los valencianos consiguen
ntrar también a formar parte en el ciclo alternativo del gobierno rectoral.

Según el documento fundacional de 1300, el Estudio de Lérida habría
e tener facultades de derecho canónico y civil, de medicina, de filosofía y
e artes, así como «cualquier facultad y ciencia aprobadas en otros estu-
ios». Con esta referencia genérica, Jaime II estaba pensando probable-
ente en la posibilidad de abrir en Lérida una facultad de teología. Sin
mbargo, la Universidad aragonesa tardará mucho tiempo en contar en
us cuadros académicos con la enseñanza oficial y organizada de las disci-
linas teológicas, a pesar del reiterado interés mostrado por los monarcas
ara implantar en Lérida esta clase de facultad. Pedro IV el Ceremonioso
solicitará a la Santa Sede el 1387. El 1389 Juan I, y Martín I en 1398. El
apa Martín V concederá al Estudio ilerdense la facultad teológica el año
430. Su facultad de derecho fue la más importante de todas.

Esta actitud negativa de los papas respecto a la creación de la facultad
e teología en Lérida no es un fenómeno aislado y peculiar del Estudio
ragonés. Se produjo también en otras universidades hispanas de la época.

Ninguna de las fundadas durante los siglos XIII y XIV pudo tener faculta
de teología aprobada oficialmente por la Santa Sede, a excepción de la d
Palencia. Salamanca la consigue a finales del trescientos, como indicamo
más arriba. Hasta pasado el 1400, el resto de las universidades peninsula
res no lograrán incorporarla oficialmente a sus estructuras académica
Resulta difícil encontrar una explicación adecuada de semejante actitu
pontificia. Se suele indicar que hasta el siglo XV la facultad de teología d
la Universidad de París había monopolizado los estudios teológicos y qu
los papas potenciaban de buena gana dicho monopolio, considerándol
una garantía de unidad doctrinal y la salvaguardia de posibles confusi
nismos teológicos. Pero ante las posiciones conciliaristas de la institució
parisiense a lo largo del cisma de Occidente y la decadencia posterior de l
misma, los papas no habrían tenido ya inconveniente en conceder a la
universidades de España la autorización para crear facultades teológica
Sin embargo, tal explicación no parece convincente. Precisamente en
siglo XIV, cuando la Santa Sede se mostraba repetidamente contraria a qu
se abrieran dichas facultades en la península Ibérica, estaba legitimando l
erección de las mismas en otras universidades extranjeras, en vías de o
ganización entonces. Sea lo que fuere, la tardanza de la entrada de l
teología con pleno derecho en los planes oficiales de los estudios generale
peninsulares influirá ciertamente en el retraso del movimiento españo
de renovación teológica, que comenzaba a gestarse a finales de la Eda
Media y en los albores del Renacimiento fuera de las fronteras hispana

En 1349 Pedro IV de Aragón funda el Estudio General de Perpiñá
la capital del condado del Rosellón, reincorporado unos años antes por él
la corona aragonesa. Según el diploma fundacional, impartiría en sus a
las enseñanzas de sagrada teología, derecho canónico y civil, juntamen
con las artes. El papa Clemente VII, al confirmar este Estudio General
concederle los privilegios propios de otros estudios el año 1379, excluy
positivamente de sus cuadros docentes la teología y menciona en su lug
la medicina, que no figuraba en los planes iniciales del rey Pedro, quiz
por la cercanía de Montpellier, célebre en esta clase de estudios. El mism
soberano aragonés creará en 1354 la Universidad o Estudio General d
Huesca, en contra de los intereses de Lérida, que gozaba de la exclusiv
dad universitaria para Aragón por concesión de Jaime II al fundar aquel
Universidad. El nuevo Estudio de Huesca tendría por voluntad del fun
dador todas las facultades existentes entonces, incluida la teología. P
dro IV le otorga además, por su cuenta, toda suerte de privilegios que
Santa Sede hubiera concedido a los Estudios de Toulouse, Montpellier
Lérida. Aunque los papas no aprobaron oficialmente la facultad de teol
gía de la Universidad oscense, Paulo II hará referencia a ella como un
realidad cuando restaure dicha Universidad en 1464.

En los reinos de la corona aragonesa fueron surgiendo asimismo cen
tros de estudio de cierta entidad, pero sin rango universitario. En la últim
parte del siglo XIV, Pedro de Luna funda un colegio en Calatayud y
concede las rentas necesarias para sostener al maestro y a varios estudia
tes. A comienzos del siglo siguiente tenía ya cátedras de artes, de teología

probablemente de derecho canónico. El año 1415, el papa Luna lo convierte en Estudio General.

Después de la conquista del reino de Valencia, Jaime I trata de crear un estudio público en la capital, cuyo funcionamiento correría a cargo, preferentemente, de eclesiásticos; pero no consiguió hacer efectivo su proyecto. Sin embargo, a lo largo de la segunda parte del siglo XIII, y especialmente en el siglo siguiente, se constituirán estudios particulares que, andando el tiempo, formarían el punto de partida de la primera Universidad valentina. Así, en el año 1259, el obispo Andrés de Albalat instituye la primera escuela catedralicia, en la que un maestro ofrecería enseñanzas de gramática a la clerecía. Otro prelado, Raimundo Gastón (1312-1348), crea en 1345 una cátedra permanente de teología, que funciona primero en la casa de la Almoyna y más tarde en las dependencias capitulares de la catedral. Estuvo regentada por dominicos hasta 1443, que pasó a manos del clero secular. Durante el último tercio del siglo XIV había en Valencia escuelas públicas de gramática, lógica, artes y medicina. El cardenal obispo Jaime de Aragón (1369-1396) abre una cátedra de derecho canónico en el palacio episcopal para miembros del clero y laicos. Su primer titular o rector fue Bonifacio Ferrer, hermano de San Vicente y discípulo del conocido jurista Baldo de Ubaldis. A principios del siglo XV, San Vicente Ferrer hará todo lo posible por reunir las distintas escuelas de la ciudad en una sola institución con sede propia. Llega a conseguirlo, siendo la primera ubicación del nuevo Estudio la casa de Pedro Vilaragut. El 1412 se aprueban los estatutos del mismo. A finales de esta centuria, al ser nombrado papa el cardenal Rodrigo de Borja, que había sido titular de la sede episcopal valentina muchos años, Valencia comienza a pensar seriamente en la creación definitiva de la Universidad. En 1500 Alejandro VI expide la bula fundacional, y dos años más tarde Fernando el Católico confirma la nueva Universidad, que contaría con dotación para doce cátedras.

Navarra, a diferencia de los reinos castellano-leoneses y aragoneses, no consigue tener ningún estudio general de renombre durante la Edad Media. Teobaldo II planeó la fundación de una institución de esta clase en Tudela, aprovechando la escuela de gramática que venía funcionando en la ciudad desde 1230. El papa Alejandro IV ve con buenos ojos el proyecto del soberano navarro y apoya su realización. Con todo, estos planes fundacionales no prosperaron. Parece que el Estudio General de Tudela consiguió realmente abrir sus puertas, pero por poco tiempo y de una manera muy precaria.

Durante el siglo XV, especialmente en la segunda parte, se fundan varias universidades en distintas partes de la Península. La de Gerona el año 1446. En 1450, la de Barcelona, que consolidará la rica tradición escolástica de esta ciudad en ciencias eclesiásticas y civiles a lo largo de la baja Edad Media, aglutinando diversos centros existentes entonces. La de Zaragoza tiene su origen como Estudio General en una bula de Sixto IV (1474), que tan sólo menciona la facultad de artes. El lulista Pedro Daguí funda el Estudio General de Mallorca, que concede Fernando el Católico en 1483, pero tardará prácticamente dos siglos en llegar a ser universidad en sentido propio. Juan López de Medina, canónigo de Toledo, protegido del cardenal Mendoza y amigo de Cisneros, instituye en Sigüenza, el año 1476, el colegio de San Antonio de Portacoeli. Al morir el fundador, sus colegiales obtienen bulas pontificias que equiparaban este centro, pensado en principio para impartir una formación típicamente eclesiástica, a una verdadera universidad, pudiendo incluso conceder grados en filosofía, teología, derecho canónico y medicina.

Las finalidades de la universidad se amplían y enriquecen con la creación de colegios universitarios propiamente dichos. Estas instituciones eran al principio residencias económicas para estudiantes necesitados, que dejaban los claustros de las catedrales y monasterios o sus ciudades con el propósito de frecuentar las aulas de algún estudio general. Más tarde dichos centros servirán para completar la formación intelectual, humana y religiosa de los escolares universitarios. En Francia e Inglaterra, los colegios universitarios surgen muy pronto al amparo de sus florecientes universidades. En torno a 1300, la Universidad de París, por ejemplo, contaba ya con varios de ellos. El año 1304, Juana, reina de Francia y de Navarra, funda en la capital francesa el Colegio de Navarra, para setenta estudiantes; pero la importante institución no parece que ejerciera mucha influencia en el mundo cultural de la nación navarra o de los restantes reinos peninsulares. Las universidades españolas tardan todavía bastante tiempo en tener esta clase de centros. El primero fue el de la Asunta, en Lérida, creado por el canónigo aragonés Domingo Ponç hacia 1371 para 13 estudiantes de derecho canónico. Clemente VII le concede en 1381 rentas que le permitirán admitir dos bachilleres de artes, que después estudiarían teología. La otra fundación paralela de la centuria se debe al obispo de Oviedo Gutierre Gómez de Toledo (1377-1389). El 1380 dicho prelado ovetense recibe de la reina Juana Manuel, a la que servía como capellán mayor y canciller, la donación de la renta de 3.000 maravedís que el concejo de Salamanca pagaba anualmente a su soberana, y destina esta suma para sufragar los gastos de seis estudiantes de derecho canónico en el Estudio de dicha ciudad que se encontraran sin recursos económicos. El año 1382, D. Gutierre organiza una residencia para ellos y ordena los primeros estatutos de la misma. En 1386 formaliza la constitución definitiva de la fundación estudiantil, traslada su sede a unas casas que tenía en la Rúa salmantina y redacta otros estatutos que modificaban parcialmente los anteriores. Andando el tiempo, el primer colegio universitario salmantino se llamará de «Pan y Carbón», debido a un privilegio que adquiere de cobrar impuestos sobre esta clase de productos consumidos por los habitantes de la ciudad castellana.

En 1365, el cardenal Gil Alvarez de Albornoz instituía en Bolonia el Colegio de San Clemente para estudiantes españoles. Este importante centro universitario, al que nos referiremos más adelante, cuando examinemos detenidamente la extraordinaria obra albornociana, inspiró probablemente las dos primeras fundaciones colegiales de Lérida y de Salamanca. Y sus estatutos influirán ciertamente de manera decisiva en la organización de la mayoría de los colegios universitarios que irán fundándose en la Península durante los siglos XV y XVI, período este de verdadero auge para dichas instituciones. Será entonces cuando los colegios universitarios superarán las características de unas «hospederías honrosas» o de «simples residencias de estudiantes» para convertirse en verdaderas casas de formación, especialmente religiosa y clerical. La mayoría de sus fundadores provenían de la clerecía y una buena parte de ellos estaban proyectados también para clérigos.

¿Cómo puede evaluarse la influencia de las universidades fundadas en los reinos españoles durante los siglos XIII y XIV en la vida cultural de entonces? A lo largo de esta primera etapa de historia universitaria todos los estudios generales creados vivieron agobiados por necesidades económicas. Alguno, como el de Palencia, se extingue insensiblemente al poco de nacer. Otros apenas si dejaron indicios de su existencia o de su funcionamiento. Las ciudades castellano-leonesas con universidad carecían de una población burguesa importante y emprendedora, capaz de animar la vida universitaria, como ocurría fuera de España. En los reinos aragoneses pasaba algo parecido. La única ciudad con un núcleo burgués verdaderamente influyente era Barcelona, que, paradójicamente, tardaría mucho tiempo en tener universidad. Además, la profunda crisis sociopolítica del siglo XIV —que perdurará durante una gran parte del siglo XV, especialmente en Aragón— creó un ambiente muy poco propicio para el florecimiento de la institución universitaria. Cuando el cardenal Albornoz decía que fundaba el Colegio de San Clemente de Bolonia para ayudar a los españoles turbados por continuas calamidades, y que todo ello constituía una «difícil condición para dedicarse al estudio sosegado de las letras», estaba reflejando seguramente amargas experiencias personales vividas en la España de la primera parte del trescientos. Refiriéndonos concretamente a la Universidad de Salamanca, ya apuntábamos que en sus comienzos se echaba de menos la presencia de maestros relevantes. Lo mismo podría decirse de las restantes universidades de la época. Ninguna de ellas descolló en el cultivo de las ciencias humanísticas o liberales. El estudio de la medicina sólo destaca en Montpellier. La teología tarda bastante en ser incorporada a los planes ordinarios como facultad oficial. La única enseñanza impartida con más esmero en todas las universidades fue la jurídica. El derecho canónico y las leyes o derecho civil constituían en realidad las verdaderas especialidades de la Universidad española de estos siglos bajomedievales y eran las disciplinas que contaban con mayor demanda de alumnado. Muchos clérigos y también laicos, aunque en menor número, que no podían salir a centros extranjeros, encontraron en las universidades autóctonas la posibilidad de conseguir la preparación jurídica que les permitiera desempeñar con cierto decoro ministerios eclesiásticos o detentar cargos seculares. De hecho, sabemos que bastantes beneficiados y no pocos obispos tuvieron relaciones académicas con alguna de las universidades de la Península.

III.   EL AMBIENTE CULTURAL DE LA EPOCA

Por J. F. CONDE

La aportación de los soberanos españoles del siglo XIII a la renovación de la cultura no se reduce a la creación de las escuelas o estudios generales. Fernando III y Alfonso X en Castilla, Jaime I y Jaime II en Aragón, fueron extraordinarios mecenas que supieron rodearse de numerosos hombres de ciencia, muchos de ellos judíos y algunos musulmanes inmigrados en tierras cristianas huyendo del fanatismo de los almohades. Gracias a las obras compuestas por estos eruditos y sobre todo a sus traducciones, pudo formarse un rico acervo de saberes de origen oriental o helenístico, que constituirá el conjunto de elementos esenciales del nuevo universo científico-literario español, y en alguna medida también europeo, durante los siglos siguientes. La filosofía y la misma teología incorporarán muchos de esos elementos culturales, que les servirán de impulso renovador. Por otra parte, estos autores, al componer o traducir obras, utilizaron el romance, contribuyendo así de manera decisiva a la conformación y al desarrollo de las principales lenguas peninsulares: el gallego, el castellano y el catalán. El latín irá quedando relegado paulatinamente para usos litúrgicos o para ambientes universitarios de carácter más elitista.

En la época de Fernando III, y probablemente bajo su directa iniciativa, empiezan a traducirse al castellano las *Etimologías,* de San Isidoro de Sevilla, con el propósito de ofrecer a los estudiantes de las escuelas que estaban naciendo una serie de textos básicos de las artes y de las ciencias eclesiásticas o profanas. El Rey Santo no pudo ver culminada su empresa. Deseoso de compendiar todos los saberes conocidos hasta entonces, planea una obra de carácter enciclopédico al estilo de la isidoriana, el *Setenario:* «onde todas estas siete cosas que son dichas sabiduría, según dixeron los sabios, fazer venir ome a acabamiento de todas las cosas que sabe fazer e acabar». Su hijo Alfonso rematará el trabajo proyectado [18].

Fernando III, preocupado por conseguir una cierta unificación jurídica en los amplios territorios conquistados para la corona castellana, ordena también la traducción romance del *Liber Iudiciorum* —el *Fuero juzgo*— y comienza a pensar en una compilación de carácter general. Además, nombra preceptor del príncipe Alfonso al maestro italiano Jacobo, autor de un tratado de derecho procesal titulado *Flores de Derecho.* Semejantes objetivos jurídicos y la formación del maestro Jacobo ejercerán una influencia profunda en la mentalidad del futuro rey castellano. Varios textos de *Flores de Derecho* entran en las *Partidas,* y la obra completa será traducida al catalán y al portugués [19].

El género literario gnómico o sapiencial tiene ya sus primeros desarrollos en los ambientes cortesanos del Rey Santo. Es entonces cuando em-

---

[18] El texto del *Setenario* fue editado por KENNETH H. VANDERFORD (Buenos Aires 1945) Cf. del mismo autor: *El Setenario y su relación con las Siete Partidas:* R. de Fil. Hisp. 3 (1941) 233-262.

[19] Los trabajos del maestro italiano: R. DE UREÑA y A. BONILLA Y SAN MARTÍN, *Obras del maestre Jacobo de las Leyes, jurisconsulto del siglo XIII* (Madrid 1924).

pieza a componerse el *Libro de los doce sabios* o *Tratado de la nobleza y lealtad*. Esta especie de catecismo, formado a base de máximas morales y políticas sobre «las cosas que todo príncipe o regidor de reyno debe aver en sí; y de cómo debe obrar en aquello que a él mismo pertenesce; et otrosí de cómo debe regir e castigar e mandar e conocer a los de su reyno», abre prácticamente el largo capítulo de tratados redactados para la instrucción de príncipes, un tipo de literatura muy fecundo a partir de la segunda parte del siglo XIII y especialmente durante las centurias siguientes [20]. *Flores de la filosofía*, un libro de «reglas del bien vivir», de inspiración senequista, que compendia el *Libro de los cien capítulos* —representante también del género sapiencial—, pertenece ya al ciclo cultural del Rey Sabio [21].

El Rey Sabio continúa los proyectos culturales de su padre y promueve por cuenta propia otros muchos más ambiciosos. Acierta Alborg cuando dice que «Alfonso X representa una de las cimas culturales más elevadas de la Edad Media europea. Agrupó en su corte a numerosos sabios de todas las razas, religiones y nacionalidades y con su auxilio y colaboración prosiguió la gran tarea de reunir, sistematizar y traducir toda la ciencia conocida de su tiempo, con un criterio de tolerancia y universalidad que constituyen su mayor gloria» [22].

Alfonso X consigue llevar adelante el propósito de unificación jurídica, acariciado ya por Fernando III, trabajando en varias compilaciones legales. La más importante de todas fue, sin duda, el código de *Las siete partidas*, que se publicó cuando ya había muerto su inspirador. Esta obra, redactada en castellano, puede considerarse, asimismo, como la más relevante de la Edad Media en su género. El equipo del soberano utilizó para su elaboración toda clase de fuentes jurídicas conocidas entonces. Del *Decretum Gratiani* y de las *Decretales*, por ejemplo, tomaron muchos materiales para la redacción de la primera partida, que constituye por sí sola una verdadera síntesis del derecho eclesiástico de la época. En ella, los juristas alfonsíes estudian los fundamentos de la fe cristiana, los sacramentos, las distintas clases de personas existentes en la Iglesia, los delitos y las penas, los derechos y los bienes eclesiásticos. Con las disposiciones estrictamente normativas o legales introducen, además, comentarios y usos en vigor, por lo que esta primera parte de la compilación presenta una rica panorámica de las instituciones de la Iglesia castellano-leonesa medieval y una información elocuente sobre la situación real de la misma a mediados del siglo XIII [23].

Las restantes obras jurídicas de Alfonso X no tuvieron tanta trascendencia. El *Fuero Real* fue promulgado en vida del monarca para algunas

---

[20] Texto: A. MARCOS BURRIEL, *Memorias para la vida del santo rey D. Fernando III*, ed. anastática «El Albir» (Barcelona 1974) p.188ss.; también: J. K. WALSH (Madrid 1975); anejo 29 del Bol. de la R. Academia Española.
[21] H. KNUST, *Dos obras didácticas y dos leyendas*: Sociedad de Bibliófilos Españoles 17 (Madrid 1978), publica las *Flores de la filosofía*. El *Libro de los cien capítulos*: A. REY, Indiana University Humanities Series n.44 (Bloomington 1960).
[22] J. L. ALBORG, o.c., vol.1 p.154.
[23] Cf. J. GIMÉNEZ Y MARTÍNEZ DE CARBAJAL, *El decreto y las decretales de la primera partida de Alfonso el Sabio*: AA 2 (1954) 239-248; ID., *San Raimundo de Peñafort y las Partidas, de Alfonso X el Sabio*: ibid., 3 (1955) 201-338.

ciudades que carecían de fuero o pretendían renovarlo. No así el *Espéculo,* que tal vez sirviera de borrador para varias secciones de las *Partidas* [24].

Los trabajos históricos cubren un área cultural muy peculiar de las actividades científicas emprendidas por el Rey Sabio. Con el espíritu universalista y enciclopédico que le caracterizaba, proyecta y pone en marcha la redacción de la *Estoria de Espanna (Primera Crónica general de España que mandó componer Alfonso el Sabio y se continuaba bajo Sancho IV en 1284).* En la actualidad resulta extremadamente difícil precisar el texto redactado directamente por el equipo alfonsí [25]. Desde 1270 aproximadamente, Alfonso X y su grupo de historiadores relegan a segundo plano los trabajos sobre la historia de España para centrar todo el interés en la redacción de otra obra magna: la *Grande e general Storia:* una historia universal que habría de comprender desde los orígenes del mundo hasta la época del soberano de Castilla. El nuevo proyecto quedó sin concluir. En realidad, la *General historia,* a pesar de su extraordinaria amplitud, sólo llegó a los umbrales del cristianismo. En ella se entrevén con facilidad las líneas maestras de la historiografía cristiana: la fe en la unidad original e histórica de la humanidad; un providencialismo a ultranza; el valor paradigmático de la historia sagrada, reflejada básicamente en la Biblia, y la visión moralizante del pasado, pensada a partir de una axiología cristiana. A pesar de todo, Alfonso X da entrada en su narración a la historia profana, aunque esté muy lejos, lógicamente, de reconocer la autonomía del devenir histórico secular junto a la historia sagrada. También tienen cabida en la *General historia* episodios o leyendas provenientes de la tradición clásica; pero normalmente se ponen al servicio del moralismo histórico que subyace a lo largo de toda la composición alfonsí [26].

Si las obras jurídicas e históricas fueron el resultado de los trabajos de un equipo patrocinado y dirigido por Alfonso X, la colección de *Cantigas a Santa María* tiene un sello más personal del soberano. Una parte de ellas las compuso él mismo, y en todas se utiliza el gallego, bien porque esta lengua resultara más musical y expresiva o porque con ello se quisiera consagrar para la lírica una lengua distinta de la empleada en la prosa. La temática de las cantigas es sencilla: alabanzas a la Virgen —*Cantigas de loor*— o narraciones de milagros, tomadas en su mayoría de colecciones de leyendas populares, muy conocidas en el folklore religioso de la época dentro y fuera de España. A veces se hace referencia a motivos localistas o a experiencias del propio autor: «la inclusión del autor u organizador de las colecciones como personaje en alguna de las leyendas señala una novedad al respecto, aunque cuente, sin embargo, con un precedente bastante obvio:

[24] El texto de las dos obras public. RAH, *Opúsculos legales* 2 vols. (Madrid 1836).
[25] Estudio y publicación: R. MENÉNDEZ PIDAL, 2 vols. (Madrid 1955). Sobre la problemática que plantea la composición de esta obra histórica: D. CATALÁN, *La «versión regia» de la Crónica general de España de Alfonso X,* en «De Alfonso X al conde de Barcelos. Cuatro estudios sobre el nacimiento de la historiografía romance en Castilla y Portugal» (Madrid 1962) p.17-93; ID., *La «versión alfonsí» de la «Estoria de España»:* ibid., p.95-204.
[26] Edición todavía incompleta; vol.1: A. G. SOLALINDE (Madrid 1930); vol.2, 1/2: Ll. A. KASTEN-V. R. B. OELSCHLÄGER (Madrid 1957 y 1961). Un breve y jugoso análisis de esta obra: F. RICO, *Alfonso el Sabio y la «General estoria»* (Madrid 1972); varias precisiones sobre la relación entre la *Estoria de Espanna* y la *Grande e general storia* p.36ss.

en los sermones populares los predicadores autorizaban con frecuencia *exempla* supuestamente autobiográficos para hacer aquéllos más atractivos» [27]. A muchas de las cantigas alfonsíes se les adaptó una melodía para que fueran cantadas. «Estas cantigas —afirma Dronke— estaban lejos de ser únicamente una diversión cortesana; su inmenso atractivo debió de llegar a los festejos populares organizados con motivo de las festividades de la Iglesia» [28].

En la misma época, y con participación del soberano, aunque no podemos precisar en qué medida, fueron compuestas en gallego cantigas de carácter crítico —*Cantigas d'escarnho e de mal dizer*—, dirigidas a personajes cualificados de la sociedad castellano-leonesa [29].

El Rey Sabio contribuyó asimismo al desarrollo de la hagiografía, que en esta época cuenta además con algún otro cultivador, encargando una colección de vidas de santos al canónigo sevillano Bernardo de Brihuega [30].

Los grupos de eruditos y científicos —cristianos, judíos y musulmanes— que se juntaron en la corte de Alfonso X llevan a cabo una intensa labor de traducciones al castellano, especialmente de textos árabes. Dicho movimiento cultural ha venido a llamarse la «segunda escuela de traductores de Toledo» o la «escuela alfonsí de traductores», que continuó las actividades iniciadas un siglo antes en la capital toledana bajo el patrocinio del arzobispo Raimundo (1125-1152).

Entre los personajes que formaron parte del «equipo de traductores del Rey Sabio», muchos tienen un perfil histórico conocido. A mediados de la centuria, por ejemplo, Hermán Alemán traducía en la ciudad del Tajo textos árabes de Aristóteles. Muere siendo obispo de Astorga (1266-1272). Alvaro de Oviedo traduce la *De substantia orbis,* de Averroes, a petición del arzobispo de Toledo Gonzalo García Gudiel (1280-1298). El franciscano Pedro Gallego, confesor del rey y primer obispo de Cartagena (1250-1267) después de la conquista del reino murciano, traduce del árabe el *Liber de animalibus,* de Aristóteles, así como la obra titulada *Regitiva domus,* un breve y jugoso tratado de moral doméstica que compendia y resume otro texto arábigo desaparecido en la actualidad [31]. De los nombres de judíos peritos en árabe sobresalen Rabí Zag, Mosé ha Cohén y Abraham de Toledo. Entre los musulmanes conversos, Bernaldo Arábigo [32]. Nada tiene de extraño que las obras redactadas bajo la dirección inmediata del rey castellano copiaran apartados traducidos literalmente

---

[27] A. D. DEYERMOND, o.c., p.169.

[28] P. DRONKE, *The medieval lyric,* trad. castellana (Barcelona 1978) p.87-89.

[29] M. RODRIGUES LAPA, *Cantigas d'escarnho e de mal dizer dos Cancioneiros galego-portugueses* (Coimbra 1965; 2.ª ed. Vigo 1970).

[30] M. MARTINS, *Bernardo de Brihuega, compilador do Livro e legenda que fala de todos los feitos e paixões dos santos mártires:* Broteria 76 (1963) 411-423; cf. también: M. C. DÍAZ Y DÍAZ, *La obra de Bernardo de Brihuega colaborador de Alfonso X:* Acta Salmanticensia 16 (1962) 145-161.

[31] A. PELZER, *Un traducteur inconnu: Pierre Gallego, franciscain et premier èvêque de Carthagène (1250-1267):* Études d'Histoire littéraire sur la Scolastique médiévale (Lovaina-París 1964) p.187-240.

[32] G. MENÉNDEZ PIDAL, *Cómo trabajaron las escuelas alfonsíes:* NRFH 5 (1951) 364-380; D. ROMANO, *Le opere scientifiche di Alfonso X e l'intervento degli ebrei* (Roma 1969) p.677-711; cf. también el capítulo X de este mismo volumen.

del árabe, como la famosa leyenda de las visiones de Mahoma, incorporada a la *Crónica general* en el contexto de la biografía del rey visigodo Sisebuto [33].

La temática de las obras traducidas en esta época era de índole preferentemente científica, y, dentro del mundo de las ciencias, los traductores alfonsíes demostraron una predilección especial por los asuntos de astronomía y de astrología. En la historia de la ciencia tuvo una importancia especial el tratado conocido con el título de *Tablas alfonsíes*, que estudia el movimiento de los astros. Depende de una compilación del astrónomo de Córdoba al-Zarkali, que escribía durante el siglo XI, traducida y enriquecida con múltiples investigaciones efectuadas por los astrónomos de Alfonso X en el observatorio montado por el propio soberano en el castillo de San Servando de Toledo. Juan de Sajonia hace la versión latina de las citadas *Tablas* en el siglo siguiente, y, a partir de entonces, la obra alfonsí conseguirá una difusión enorme a lo largo y ancho de Europa, siendo utilizada ininterrumpidamente hasta que en el siglo XVII quede relegada por los trabajos de Copérnico, Tycho y Kepler [34]. Entre las traducciones de argumento astrológico sobresale la titulada *Picatrix*, quizá el tratado de magia más importante de toda la Edad Media [35]. El *Lapidario* describe las piedras preciosas y sus propiedades mágicas en relación con los signos zodiacales, formando una deliciosa mezcla de saber científico y de supersticiones, tan característica del mundo cultural bajomedieval [36].

La divulgación indiscriminada de la astrología oriental en la Península produjo un fuerte impacto en la mentalidad profundamente cristiana de la sociedad de los distintos reinos españoles. Este aluvión de saberes astrológicos y mágicos, que tuvo su fuente más copiosa en los autores de la «escuela alfonsí», debió de constituir un poderoso vehículo transmisor de supersticiones, que irán arraigándose paulatinamente en la cultura popular y en los círculos culturales más elitistas, suscitando las lógicas reacciones.

Desde mediados de siglo, la literatura didáctica o sapiencial florece también extraordinariamente, gracias en gran medida a las traducciones del árabe efectuadas por autores de la «escuela alfonsí» y por sus sucesores. Este tipo de producción literaria, de claras connotaciones moralizadoras,

[33] R. MENÉNDEZ PIDAL, *Primera crónica...* vol.1 p.270-271. Sobre el tema de las visiones de Mahoma: P. WUNDERLI, *Études sur le «Livre de l'eschiele Mahomet»* (Winterthur 1965).
[34] J. SORIANO VIGUERA, *La astronomía de Alfonso X el Sabio* (Madrid 1926). Una panorámica general sobre las ciencias en la España cristiana medieval: J. VERNET GINÉS, *Historia de la ciencia española* p.71-87; ID., *La cultura hispanoárabe en Oriente y Occidente* (Barcelona 1978); ID., *El mundo cultural de la corona de Aragón con Jaime I; Jaime I y su época:* X Congr. H. Cor. Aragón (Zaragoza 1979) p.267-292. Cf. también: J. M. MILLÁS VILLICROSA, *Estudios sobre la ciencia española* (Barcelona 1949); ID., *Nuevos estudios sobre historia de la ciencia española* (Barcelona 1960).
[35] A. G. SOLALINDE, *Alfonso X, astrólogo:* RFE 13 (1926) 350-356; H.-R. KAHANE-A. PIETRANGELI, *Hermetism in the Alfonsine Tradition:* Mélanges Lejeune vol.1 p.443-457; H.-R. KAHANE-A. PIETRANGELI, *Picatrix and the Talismans:* Romance Philology 19 (1965-66) 574-593.
[36] Texto del *Lapidario:* J. FERNÁNDEZ MONTANA (Madrid 1881); cf. J. H. NUNEMAKER, *The Lapidary of Alfonso X:* Philological Quarterly 8 (1929) 248-254; ID., *An additional chapter on magic in mediaeval Spanish literature:* Speculum 7 (1932) 556ss.

utilizó como materia prima colecciones de ejemplos, leyendas, fábulas y sentencias de origen oriental: persas, hindúes o griegas, vertidas al árabe, y otras provenientes directamente del mundo cultural arábigo. Los autores que trabajaban en España, al traducir dichas colecciones, procuraban retocarlas y organizarlas de acuerdo con su idiosincrasia y los objetivos precisos que perseguían. Estas enseñanzas de carácter moral no fueron privativas de los círculos sociales más cultos; los predicadores debían de recurrir con mucha frecuencia en sus predicaciones a dichas colecciones.

Calila e Digna y el *Libro de los engannos e los asayamientos de las mugeres* son los obras representativas de este género de literatura didáctica. La primera —un alegato en favor de la prudencia humana frente a las dificultades de la vida— tuvo como núcleo generador un tratado indio anterior a la época cristiana y traducido posteriormente al persa y al árabe. La versión castellana se realiza hacia 1251 por orden de Alfonso el Sabio [37]. El *Libro de los engannos* —la historia de un príncipe acusado de violación por la concubina de su padre, a cuyas seducciones había resistido— es la versión del *Libro de Sendebar,* muy conocido en la literatura europea de entonces y también de origen oriental. La traducción castellana se debe a la iniciativa del infante D. Fadrique, hermano de Alfonso [38].

Probablemente en la época de Sancho IV (1284-1295), y dentro también de una perspectiva moralizadora, surgen los *Castigos e documentos para bien vivir que D. Sancho IV de Castilla dio a su fijo.* A pesar del título, desconocemos todavía su autor. Los ejemplos orientales que incluye aparecen ya mezclados con otros provenientes del mundo literario específicamente cristiano. Por su finalidad podría considerarse como un tratado más de *regimine principum* [39]. El *Libro del consejo e de los consejeros,* quizá un poco posterior a *Castigos e documentos,* depende claramente de un tratado bien conocido en la historia de la literatura latina cristiana, el *Liber consolationis et consilii,* de Albertano de Brescia (1246) [40]. El *Lucidario* y la *Historia de la donzella Teodor* son también obras de carácter didáctico, con un esquema pedagógico estructurado ya a base de preguntas y respuestas, al modo de los catecismos latinos de la época y de los escritos posteriormente en lengua vernácula. La primera depende del *Elucidarium* de Honorio de Au-

---

[37] El texto de *Calila e Digna:* BAE vol.51 p.1-78; y J. E. KELLER-R. W. LINKER (Madrid 1967). El del *Libro de los engannos:* J. E. KELLER (Chapel Hill 1953). Un estudio reciente sobre ambas obras: M. J. LACARRA, *Cuentística medieval en España: los orígenes* (Zaragoza 1979).
[38] Pertenecen también a esta temática y al mismo ciclo: el *Libro de los buenos proverbios,* ed. Ll. STURM, en Studies in Romance Languages n.5 (Lexington-Kentucky 1971); *Bonium o Bocados de oro,* que atribuye las sentencias a autores griegos a pesar de su estilo árabe, ed. Ll. ROMBACH, en Romanistische Versuche und Vorarbeiten n.37 (Bonn 1971); *Poridat de Poridades,* donde Aristóteles aparece como responsable de las sentencias, y depende de una obra seudoaristotélica, árabe o siríaca, que fue traducida a otras lenguas romances a partir de la versión latina, titulada *Secretum secretorum;* pero la versión castellana depende directamente de un texto arábigo, ed. Ll. A. KASTEN (Madrid 1957).
[39] El texto de *Castigos...* BAE vol.51, y A. REY, en Indiana University Humanities Series n.24 (Bloomington 1952). De la leyenda de los cuatro signos o las cuatro visiones de Buda que prepararon «la gran renunciación», aparece también una versión castellana en la misma época, con claras connotaciones, en *Barlaam e Josafat,* ed. J. E. KELLER-R. W. LINKERT (Madrid 1979).
[40] El texto del *Libro del consejo...,* ed. A. REY, en Biblioteca del Hispanista n.5 (Zaragoza 1962).

tún; pero su autor incorpora al original latino, de finales del siglo XI, mu chos elementos de las ciencias naturales. La otra es la versión de una le yenda de *Las mil y una noches* [41].

A lo largo del siglo XIII comienzan a traducirse además al romance textos bíblicos —libros enteros de la Sagrada Escritura o partes de ellos— frecuentemente para formar parte de obras compuestas entonces. Du rante los siglos siguientes, el movimiento de traducciones bíblicas irá en aumento. De esta forma, el contenido de la Biblia se hace más asequible a amplios círculos de creyentes, fuera de los ambientes estrictamente clerica les. Las tendencias heréticas de la época, de manera particular las nacida en la centuria anterior, reivindicaban asimismo con firmeza la posibilidad y el derecho de usar textos bíblicos en romance para la instrucción de su adeptos. Nada tiene de extraño que las autoridades eclesiásticas recelaran de las traducciones romanceadas. Jaime I, en una constitución publicada el año 1233 ante un grupo de obispos reunidos en Tarragona, ordena «que nadie tuviera en romance los libros del Viejo ni del Nuevo Testa mento. Y el que los tuviere, los tendría que entregar dentro de los ocho días siguientes, después de publicada la sentencia, al obispo del lugar, para que los arrojara a las llamas. Y, si no lo hiciere, fuera clérigo o lego, co menzarían a considerarle como sospechoso de herejía hasta purgarse» [42] Sin embargo, semejante prohibición debió de ser letra muerta en Aragón y no tuvo resonancias conocidas en los reinos de la corona castellana [43].

En el ambiente cultural de Castilla y León, creado fundamentalmente por las escuelas alfonsíes y vertebrado en torno a la personalidad desco llante de Alfonso X, se detectan en seguida algunas características nota bles, como la complejidad temática, las pretensiones universalistas y una apertura científica animada por un espíritu que modernamente denomi naríamos con el calificativo de ecuménico y dialogal. Algún autor actua llega incluso a parangonar la extraordinaria síntesis del Rey Sabio con la síntesis filosófico-teológica de Santo Tomás o la poética de Dante. La com paración parece desproporcionada. Conviene precisar que la serie de tra ducciones o de obras redactadas en los círculos del soberano castellano no influyeron tanto en el pensamiento europeo como las realizadas durante la centuria anterior por la primera escuela de traductores de Toledo. Los colaboradores de Alfonso X utilizaron el romance para sus traducciones, y

[41] La edición del *Lucidario,* con un estudio introductorio: R. P. KINKADE, *Los «lucidarios españoles* (Madrid 1968). En las p.58ss, el autor subraya la importancia de esta obra en l educación básica de la época. Un trabajo más general sobre esta clase de tratados: Y. LEFè VRE, *L'Elucidarium et les lucidaires. Contribution par l'histoire d'un texte, à l'histoire des croyance religieuses au Moyen Âge* (París 1954). Cf. W. METTMANN, *La historia de la donzella Teodor: ei spanisches Volksbuch arabischen Ursprungs* (Maguncia 1962).
[42] J. TEJADA Y RAMIRO, o.c., vol.3 p.363.
[43] Cf. J. ENCISO, *Prohibiciones españolas de las versiones bíblicas en romance antes del Tridentino.* Est. Bíblic. 3 (1944) 523-560; M. MORREALE, *Apuntes bibliográficos para la iniciación al estudio d las traducciones bíblicas medievales en castellano:* Sefarad 20 (1960) 66-109; EAD., *El canon de l misa en lengua vernácula y la Biblia romanceada del siglo XIII:* HS 15 (1962) 203-219; G. M VERD, *Las biblias romanzadas. Criterios de traducción:* Sefarad 31 (1971) 319-351. Una panorá mica precisa de los autores españoles de ascendencia judía que escribieron sobre temas libros de la Biblia durante el siglo XIII: K. REINHARDT, *Die biblischen Autoren Spaniens bis zu Konzil von Trient:* RHCEE vol.5 p.53ss.

as lenguas vernáculas no constituían un medio de difusión tan eficaz omo lo había sido el latín, empleado en las traducciones de la época del rzobispo Raimundo. Además, la temática de las obras redactadas bajo los uspicios del Rey Sabio era preferentemente de índole científica o morali- ante, y no podía producir un impacto tan decisivo en Occidente como las raducciones del siglo XII y de comienzos del XIII, que ofrecieron al pen- amiento europeo un impresionante conjunto de tratados filosóficos grie- os y árabes.

Muchos de los autores al servicio de Alfonso X o relacionados con sus írculos científicos no eran clérigos, y algunos ni siquiera conversos cris- ianos. Por otra parte, los argumentos de la mayoría de las obras redacta- las entonces tomaban prestados de la cultura oriental numerosos elementos lidácticos y sapienciales, según indicamos ya repetidas veces. Por eso no esulta difícil percibir en el movimiento cultural del Rey Sabio una co- riente secularizadora, que independizaba de algún modo la ciencia y los ostulados morales de los esquemas tradicionales inspirados en el cristia- ismo. Para adoptar una postura crítica y beligerante contra esta tenden- ia, que abría ciertamente una brecha en la cosmovisión religiosa de la ociedad cristiana, algunos autores, eclesiásticos por lo general, intentaron lar un giro al movimiento literario de inspiración orientalizante, adap- ando las leyendas a la tradición y a la dogmática cristianas o introdu- iendo en ellas nuevos elementos típicamente cristianos. El obispo de Jaén edro Pascual (1296-1300), por ejemplo, incorpora la visión ultramun- lana de Mahoma —tema central del *Libro de la escala de Mahoma*— en un ratado polémico antiislámico. Otro autor, perteneciente probablemente a a escuela alfonsí, traduce del latín la leyenda cristiana de un viaje al otro nundo titulada *Purgatorio de San Patricio* [44]. En los primeros años del si- lo XIV, Pedro López de Baeza, miembro de la Orden de Santiago, con- ierte *Flores de la filosofía* en un tratado genuinamente cristiano, que lle- ará el título de *Dichos de los Santos padres* [45]. Las mismas órdenes mendican- es, especialmente desde mediados de la centuria, tratarán asimismo de oner coto a esa invasión indiscriminada de conocimientos judeoislámicos, sumiendo planteamientos teórico-prácticos en los que la apología y los nfrentamientos polémicos ocuparán un lugar destacado, como veremos.

En el mundo cultural que surge a la sombra de Alfonso X late también na contradicción profunda. En teoría, es decir, en el terreno de las for- nulaciones normativas, el Rey Sabio fue fiel a la política eclesiástica expre- ada en el Lateranense IV, que preveía la separación entre la mayoría ristiana y las minorías judeomusulmanas. Los títulos XXIV y XXV de la artida séptima se hacen perfectamente eco de lo legislado por la Iglesia al especto. No obstante, en varias disposiciones jurídicas se muestra tole- ante con estas comunidades no cristianas y trata, además, de salvaguar- lar sus derechos fundamentales. Sabemos muy bien que en la práctica

---

[44] A. G. SOLALINDE, *La primera versión española de El purgatorio de San Patricio y la ifusión de esta leyenda en España:* Homenaje a Menéndez Pidal vol.2 (Madrid 1925) p.219-257.
[45] Ed. D. W. LOMAX, en Miscelánea de Fuentes Medievales vol.1 (Barcelona 1972) :159-178.

recabó continuamente la colaboración científica de las personas más váli
das de ambos grupos. De hecho, durante el siglo XIII las dos minoría
étnicas gozaron de unas condiciones óptimas para moverse a sus anchas e
los reinos españoles, especialmente en Castilla y Aragón. La contradicció
entre las ordenaciones legales y la convivencia ordinaria se hará cada ve
más aguda en las centurias siguientes, sobre todo por la intervención d
factores de distinta índole, resolviéndose violentamente.

A lo largo del reinado de Jaime I (1213-1276), Aragón experiment
también un movimiento cultural semejante al castellano, pero de menore
dimensiones y sin las pretensiones universalistas del que protagonizaro
las escuelas alfonsíes. La mayoría de las traducciones y de las obras com
puestas entonces se escribieron asimismo en romance, contribuyendo no
tablemente a la formación del catalán en sus diversas modalidades.

Las ciencias jurídicas tuvieron muchos cultivadores, formados princi
palmente en Bolonia, hasta que las universidades autóctonas del siglo XI
estuvieron en condiciones de ofrecer este tipo de enseñanza. El roma
nismo imperante en la Universidad italiana influye notoriamente en lo
ambientes aragoneses de la época. Jaime I se verá obligado a defender co
normas precisas el viejo derecho visigodo y el consuetudinario. El catalá
Ramón de Penyafort, estudiante y profesor de Bolonia, que preparó par
el papa Gregorio IX las *Decretales,* fue, sin duda, la figura señera de lo
juristas de Aragón en esta centuria.

La historiografía aragonesa no cuenta con obras tan ambiciosas com
la castellana. El *Libre dels Feyts* (crónica de Jaime I) constituye la produc
ción más representativa de este género.

La poesía trovadoresca de ascendencia provenzal encontró igualment
en Jaime I un generoso propulsor. De la pléyade de poetas que pulularo
por su corte sobresale, entre otros, el nombre de Cerverí de Gerona. L
poesía religiosa o las trovas a lo divino tuvieron su máximo representant
en la extraordinaria y compleja personalidad del polígrafo mallorquí
Ramón Llull.

Los tratados de carácter científico fueron menos y de menor trascen
dencia durante este siglo que los producidos en Castilla. La obra de Arnau
de Vilanova, médico, alquimista y teólogo, representa en Aragón, de al
gún modo, la función y la significación de los trabajos científicos compues
tos bajo el patrocinio del Rey Sabio.

La literatura gnómica o sapiencial tampoco resultó tan copiosa y va
riada como la castellana. En el reinado de Jaime I o probablemente en la
época posterior, se escribe el *Libre de saviesa,* que recuerda los *Castigos*
documentos, atribuidos a Sancho IV. Como aquél, la obra catalana es un
tratado para la educación de príncipes, que recoge muchas máximas de
Secretum secretorum. El género de obras moralizantes florecerá de nuev
durante el reinado de Jaime II (1291-1327), un monarca muy relacionad
con judíos y sarracenos por su larga estancia en Sicilia. Pertenecen a est
período algunas obras de Ramón Llull y el *Libre de paraules e dits dels savis*
filòsofs, del judío barcelonés Jafuda Bonsenyor, secretario real. La citad
obra tendrá una difusión muy grande a lo largo del siglo XIV.

Aunque la panorámica de la cultura aragonesa sea menos rica que la castellana en este siglo, tanto respecto al número de autores como a la variedad temática, Aragón aventaja, con mucho, a Castilla en el cultivo de las disciplinas estrictamente eclesiásticas. Aparte de los teólogos y filósofos que escribieron y ejercieron su magisterio en el ámbito de las órdenes mendicantes —nos referiremos a varios de ellos más adelante—, Ramón de Penyafort (1185-1275), Ramón Llull (1232-1326) y Arnau de Vilanova (1238-1311) llenan prácticamente toda la historia de la cultura aragonesa del doscientos. Por esa razón dedicaremos a los tres un apartado íntegro de este mismo capítulo, juntamente con Vicente Ferrer, Eiximenis y Eimeric, aunque estos tres sean ya personajes del siglo XIV.

En el reino de Navarra se produce también un cierto despertar cultural, aunque de proporciones todavía muy modestas. A la base del mismo estuvo, igualmente, el empleo de las lenguas romances: el francés, el gascón u occitano y el navarro-aragonés.

El *Fuero extenso de Tudela* y probablemente la primera redacción del *Fuero general de Navarra* son los monumentos jurídicos más sobresalientes de la época. Suele considerarse a Teobaldo I, el primer soberano navarro de la casa de Champagne (1234-1253), como la personalidad literaria más relevante de esta centuria. Las «chansones» del rey poeta pertenecen al género de la literatura trovadoresca. Alrededor de él se movieron, lógicamente, otros autores de menor categoría, y en ambientes cortesanos de finales de siglo se compone la primera imitación poética en romance de la *chanson de Roland*. Por los mismos años aproximadamente, Anelier de Tolosa, provenzal afincado en Pamplona, escribe el conocido poema de *Las guerras civiles de Pamplona,* en las que había participado personalmente.

Las comunidades hebraicas de Navarra no tuvieron aportaciones literarias similares a las de los judíos castellanos o aragoneses. La mayoría de las aljamas navarras comenzaron a experimentar dificultades sociales y económicas de mayor entidad que en los restantes reinos de la Península. Menahem ibn Zerah, el autor de *Provisión para el camino* —una exposición apologética de la fe y de los deberes religiosos de la comunidad semita—, o el conocido jurista David Destiliiah son ya personalidades del siglo XIV.

Las órdenes tradicionales —benedictinos y cistercienses— asentadas en Navarra tampoco hicieron mucho por la elevación cultural de este reino durante el siglo XIII. En el capítulo de 1289, los monjes blancos de los monasterios de Fitero, La Oliva, Iranzu y Leyre deciden crear para su formación intelectual el Estudio General de Estella, y parece que a principios del XIV llevaba una vida floreciente, hasta el punto de convertirse en centro atractivo para otros monasterios extranjeros. Pero Benedicto XII (1335-1342) lo trasladará a Salamanca. Los franciscanos y los dominicos, por el contrario, desde la fundación de sus primeras casas se comprometieron decididamente en la tarea de elevar la cultura eclesiástica de los navarros, como hacían en otras partes [46].

[46] Algunas referencias sobre el ambiente cultural de Navarra en esta época: J. M. CORELA, *Historia de la literatura navarra* p.55ss; J. M. LACARRA, *Historia del reino de Navarra en la Edad Media* (Pamplona 1976) p.349ss. Sobre el Estudio cisterciense de Estella: G. M. GIBERT,

Las órdenes mendicantes, que nacen en el siglo XIII con una finalida
apostólica y misionera bien definida, sintonizaron muy pronto con la re
novación cultural creada por las primeras universidades, y percibieron d
manera clara las principales corrientes de pensamiento en vigor. Los fra
les mejor preparados frecuentaban las aulas de los grandes estudios euro
peos: París, Oxford y Bolonia principalmente, y algunos ejercieron e
ellos un magisterio fecundo.

Además, cada convento procuraba dar a sus monjes una formació
elemental que les sirviese para ejercer dignamente las tareas pastorale
Los dominicos, sobre todo, pusieron un esmero especial en la creación d
estructuras académicas que equipararan culturalmente a los miembros de l
Orden. Todas las casas tenían un «estudio conventual» con maestro y pre
fecto, en el que podían adquirirse los rudimentos de teología. Al principi
los legisladores miraban con recelo todos los saberes de índole profan
Los estudiantes —dice el *Libro de las costumbres*—«no estudien en los libr
de los gentiles y de los filósofos, si bien los miren alguna hora. No s
entreguen al estudio de las ciencias mundanas, ni tampoco de las artes qu
llaman liberales, a no ser que alguna vez el maestro de la Orden o el cap
tulo general dispongan otra cosa acerca de algunos. Tanto los jóven
como los demás estudien solamente libros teológicos» [47]. Pero estas pre
venciones durarán poco tiempo.

Todas las provincias tendrían, además, un «estudio general provincial
donde los frailes pudieran seguir los cursos de los planes académicos ord
narios vigentes entonces. Y la *élite* intelectual de la Orden acudiría a a
guna ciudad universitaria —al convento de Saint Jacques de París esp
cialmente— para completar el ciclo académico con el título superior d
«magister» [48].

En la provincia dominicana de España sobresale pronto San Esteba
de Salamanca, que tiende a configurarse como Estudio General provin
cial. El convento de Santa Catalina de Barcelona destacó por la enseñan
de la teología. El de Gerona, por la gramática. Los de Lérida y Mallorc
por las artes humanísticas, y el de Valencia, por las disciplinas de tem
científico [49]. La provincia de Aragón, desmembrada de la provincia de E
paña a finales del siglo XIII, adoptará las obras de Santo Tomás de Aquin
como texto para los estudios teológicos en el capítulo celebrado el añ
1309 en la ciudad de Zaragoza.

Las personalidades dominicanas más relevantes de España desde
punto de vista cultural durante el siglo XIII vivieron en casas situadas e

Los estudios en la Congregación cisterciense de los reinos de la Corona de Aragón y Navarra, en «L
monjes y los estudios» (Abadía de Poblet 1963) p.383; J. GOÑI GAZTAMBIDE, *La formaci
intelectual de los navarros en la Edad Media (1122-1500)*: EEMCA 10 (1975) 143-303, ofre
muchas noticias sobre este particular, pero la mayoría de ellas son de los siglos XIV y XV.
 [47] *Libro de las costumbres* c.28, ed. M. GELABERT-J. M. MILAGRO-J. M. DE GARGANTA, *San
Domingo de Guzmán* (BAC) p.783.
 [48] SANTO TOMÁS DE AQUINO, *Contra impugnantes religionem* c.4: «Propter litterarum in
piam nec adhuc per saeculares potuerit observari statutum Lateranensis Concilii, ut in sing
lis ecclesiis metropolitanis essent aliqui qui theologiam docerent, quod tamen per religios
Dei gratia cernimus multo latius impletum quam etiam fuerit statutum».
 [49] Cf. T.-J. CARRERAS Y ARTAU, *Historia de la filosofía española* vol.1 p.64-65.

ıs dominios aragoneses. Encabeza esta serie San Raimundo de Penyafort
⸱ 1275). Le sigue en importancia Ramón Martí († 1286), el más célebre
ıntroversista católico de la centuria. Nos ocuparemos de él con cierto
etenimiento en otro contexto. Pablo Cristiá, converso de Montpellier y
ıonje muchos años en el convento de Barcelona, participa de la misma
rientación teológica que Ramón Martí y será el protagonista, por parte
ıtólica, de la controversia católico-judía celebrada en Barcelona el año
263. El castellano Miguel de Fabra, compañero de Santo Domingo de
ıuzmán, parece que ejerció funciones docentes en St. Jacques de París
ɔco después de la fundación de esta casa. De vuelta a España se afinca en
erras aragonesas y llega a ser hombre de confianza de Jaime I; toma
ırte también en la erección de varios conventos con estudios florecien-
ːs⁵⁰. Otro catalán apellidado Ferrer (Ferrarius Catalanus) fue el primer
ʾpañol que ejerció como maestro en la Universidad de París (1275). Sólo
ınservamos de él varios sermones y fragmentos de una disputa quodlibé-
ːa⁵¹. Pertenecía igualmente a la Orden de Predicadores Pedro Ferrando
 1254-1258), gallego de origen y segundo biógrafo de Santo Domingo
ˌegenda Sancti Dominici)⁵²; Rodrigo Cerratense († 1290), autor de las *Vitae*
ınctorum, y Munio de Zamora († 1300), maestro general de la Orden, del
ıe quedan aún algunas *Epistolae ad fratres*⁵³. En la historia de la mariolo-
ˌa ocupa un lugar destacado el teólogo compostelano Pedro Pelagio. Su
ɔra *De consolatione rationis libri duo*, redactada ya en el siglo XIV, formula
ɛ una manera peculiar la doctrina inmaculista⁵⁴.

La organización escolar y las tendencias culturales de los franciscanos
ıeron, en general, bastante similares a las de los dominicos. En sus co-
ienzos se mostraron también reacios ante los estudios de las ciencias pro-
ˌnas. En las controversias surgidas dentro de la Orden por esta proble-
ática, las provincias españolas manifestaron tendencias aperturistas,
ɔoyando los estudios de las disciplinas no estrictamente teológicas por
ɔnsiderarlas propedéuticas para la teología y complementarias de la
ᴉsma formación teológica. Hasta el siglo XIV, los miembros de esta Or-
ɛn mendicante no podían acceder al grado de «magister» en ningún es-
dio general.

Los franciscanos españoles frecuentaron asimismo la Universidad de
ırís. Y un grupo importante de ellos viajó también a Oxford y Cambridge.

⁵⁰ T.-J. CARRERAS Y ARTAU, o.c., p.145-146.
⁵¹ M. GRABMANN, *Quaestiones tres fratris Ferrarii Catalani, O.P., doctrinam S. Augustini illus-*
ᵼntes ex codice Parisiensis editae: Estudis Franciscans 42 (1930) 382-390; T.-J. CARRERAS Y
ʀTAU, o.c., p.171-75.
⁵² M. GELABERT-J. M. MILAGRO-J. M. DE GARGANTA, o.c., p.28-29; 287ss el texto de la
ˌgenda.
⁵³ J. VIVES, *Las «Vitae Sanctorum» del Cerratense:* AST 21 (1948) 157-176; M. GAIBROIS, *Fray*
ɪunio de Zamora: Abhandlungen aus dem Gebiet der mittelaltern und neueren Geschichte
ɪd ihres Hilfswissenschaften. Eine Festgabe zum 70. Geburstag Geh. Rat prof. Dr. Hein-
ɕh Finke (Münster 1925) p.127-146; Munio de Zamora fue también autor de una regla para
s hermanos y hermanas de la Orden de la Penitencia de Santo Domingo: G. G. MEERSSE-
ᴀN, *Ordo Fraternitatis. Confraternitate e pietà dei laici nel Medioevo* vol.1 p.377-380; el texto de la
ᴉsma: ID., *Dossier de l'Ordre de la Pénitence au XIII ᵉ siècle* p.144-156.
⁵⁴ F. BLANCO SOTO, *Petri Compostelani de Consolatione Rationis:* Beiträge zur Geschichte
r Philosophie des Mittelalters B.8 Heft 4 (Münster 1912); L. MODRIC, *De Petro Compos-*
ˌlano qui primus assertor Inmaculatae Conceptionis dicitur:* Antonianum 29 (1954) 563-572.

Durante todo el siglo XIII apenas tuvieron figuras excepcionales en el mundo de las letras. Juan Gil de Zamora († *post* 1318), oriundo de esta ciudad leonesa, estudió en París, probablemente durante la década de 1270, y a su regreso colabora estrechamente con Alfonso X, que le encomienda la educación del infante D. Sancho. Para completar la formación del futuro rey castellano, Juan Gil compone dos de sus obras más importantes: *Tractatus historiae canonicae et civilis sive Liber illustrium personarum* y el *Liber de preconiis Hispaniae*, en el cual mezcla noticias históricas y geográficas con máximas sobre el arte de gobernar [55]. Gonzalo Hispano de Balboa († 1313), natural de Galicia, termina los estudios en París, donde explica en 1302-1303, destacando por sus conocimientos filosóficos. De vuelta a España, ocupa cargos de gobierno en la Orden y llega a ser maestro general. Las obras afrontan una temática de índole metafísica [56]. A finales del siglo XIII y durante la primera parte del XIV cultivaron también los estudios de filosofía Pedro Tomás, profesor en París y en el convento de San Nicolás de Barcelona, y Pedro de Navarra, que siguió una trayectoria académica y científica similar a la del anterior [57]. Antonio Andrés de Tauste († 1320-1325), estudiante de las Universidades de Lérida y París y más tarde profesor en Monzón, escribió asimismo sobre cuestiones de metafísica, demostrando una agudeza poco común, hasta el punto de que algunos autores modernos atribuyen varias obras suyas a Duns Escoto. Los contemporáneos lo distinguieron con el título de *Doctor melifluus* y *Doctor fecundissimus* [58].

La producción literaria de las restantes órdenes mendicantes durante el siglo XIII fue realmente escasa. Quedan pocas noticias sobre autores de esta centuria, y los que conocemos no tuvieron una talla excepcional. En la Orden carmelitana destacan, por ejemplo, Berengario Tobías († 1290), Antonio de Gerona († 1330) y Guido de Terrena (c. 1275-1342). Los dos primeros fueron profesores de filosofía y teología, y sus obras analizan temas relacionados con estas disciplinas. Guido de Terrena nació en Perpiñán y estudió en París, donde alcanza el título de maestro. Fue elegido general de la Orden en 1318, y posteriormente ocupará las sedes de Mallorca (1321-1332) y de Elna (1332-1342). Sus obras versan, igualmente, sobre cuestiones relacionadas con la filosofía [59].

La Orden de la Merced mandaba a los frailes, en sus constituciones promulgadas el año 1272, que fueran «sabios en teología». Sin embargo, los logros y las aportaciones culturales de los mercedarios no resultaron

---

[55] M. DE CASTRO, *Fr. Juan Gil de Zamora, O.F.M., De preconiis Hispaniae. Estudio preliminar y edición crítica* (Madrid 1955), con abundante bibliografía. Cf. también del mismo auto «*Legenda prima*», *de San Antonio, según Fr. Gil de Zamora;* Arch. Iber.-Amer. 34 (1974) 35612; F. RICO, *Aristoteles Hispanus: en torno a Gil de Zamora, Petrarca y Juan de Mena:* Ital Medioevalia e Umanistica 10 (1967) 143-169.
[56] T.-J. CARRERAS Y ARTAU, o.c., p.188-196; J. RIESCO TERRERO, *La metafísica en Españ (siglos XII al XV):* RHCEE vol.4 p.229-231.
[57] Sobre ambos autores y sus respectivas obras: J. RIESCO TERRERO, o.c., p.234-239.
[58] J. RIESCO TERRERO, o.c., p.226-229.
[59] Algunas referencias sobre Berengario y Antonio de Gerona: E. LLAMAS, *Teólogos car melitas españoles pretridentinos:* RHCEE vol.3 p.365. Sobre Guido de Terrena: T.-J. CARRERAS ARTAU, o.c., vol.2 p.485-488.

excesivamente brillantes hasta finales del siglo XIV. Juan de Llers († 1290) redacta la *Vida de San Pedro Nolasco,* de quien había sido compañero, y la *Vida de Santa María de Cervellón,* primera monja mercedaria. Pedro de Amer († 1301) compone otra *Vida de San Pedro Nolasco* y compila las primeras constituciones[60]. El valenciano Arnaldo Pons, autor de unos *Diálogos entre el alma y el Creador* y de otros dos opúsculos sobre la oración mental, hace una contribución interesante a la historia de la espiritualidad de la época[61]. San Pedro Pascual († 1300) puede ser considerado como la personalidad más sobresaliente de la Orden durante su primer siglo de historia. La producción literaria del obispo mártir fue, fundamentalmente, apologética y pastoral. Tendremos ocasión de referirnos a ella posteriormente[62].

Las órdenes mendicantes, franciscanos y dominicos de modo particular, con orígenes marcados por una impronta claramente misionera, cumplen, a lo largo del siglo XIII, una función muy importante en la Iglesia al avivar en todas partes el espíritu misionero para tratar con los enemigos tradicionales de la fe cristiana: el Islam, el judaísmo y los pueblos de la paganidad. Era una actitud nueva que nacía, pero que todavía tardaría mucho tiempo en abrirse paso plenamente, suplantando la idea de cruzada, tan característica y arraigada en toda la Edad Media. San Francisco viajó a Egipto para convertir al sultán. Los primeros franciscanos siguen los pasos del fundador por tierras de sarracenos, y en 1220 constituyen la provincia de Tierra Santa, desde la que pasarían a Siria y a Persia. Los dominicos no quedaron atrás. En el capítulo general de 1228 crean cuatro provincias en los confines de la cristiandad: Grecia y Tierra Santa, que les abría los caminos del Próximo y del Lejano Oriente; Polonia y Dacia, como plataformas estratégicamente ubicadas para misionar entre los paganos del Norte y los eslavos. Los pueblos musulmanes de la frontera meridional de la cristiandad occidental quedaron casi en exclusiva como campo de acción misional para las provincias franciscana y dominicana de España. Las relaciones políticas de los reinos peninsulares con Túnez y Marruecos eran bastante favorables, al menos en la primera mitad de la centuria.

Para facilitar la nueva tarea pastoral, muchas casas de mendicantes organizan estudios o escuelas de lenguas. El acercamiento y el diálogo con cualquiera de los pueblos no-cristianos sólo podía resultar efectivo partiendo del conocimiento de sus respectivas lenguas autóctonas.

Los dominicos y los franciscanos españoles hicieron suyas en seguida las orientaciones generales emanadas de sus respectivos órganos de gobierno, y establecieron en muchos conventos la enseñanza de lenguas distintas del latín y del romance: el árabe y el hebreo especialmente.

[60] V. MUÑOZ, *La teología entre los mercedarios españoles hasta 1600:* RHCEE vol.3 p.396-397; VÁZQUEZ, *Mercedarios ilustres* p.20ss.
[61] J. M. DE LA CRUZ MOLINER, *Historia de la literatura mística española* p.357; G. PLACER, *bliografía mercedaria* n.4742-4745.
[62] A. VALENZUELA, *Vida de San Pedro Pascual, religioso de la Merced, obispo de Jaén y mártir* oma 1901); J. PIKAZA, *Notas para un estudio de los filósofos y teólogos de la Merced en España:* studios Mercedarios 26 (1970) 473-477.

Los frailes predicadores pusieron una atención especial en montar sus *studia linguarum* recogiendo las orientaciones precisas de los generales. En 1236, el capítulo general ordenaba ya «que en todas las provincias y conventos los hermanos aprendieran las lenguas de las gentes vecinas» [63]. El cuarto general, Humberto de Romans (1254-1263), manifiesta repetidamente su interés por los estudios lingüísticos como instrumento indispensable para el equipamiento de los misioneros. En la carta encíclica del año 1256, al referir los éxitos de los frailes españoles entre los sarracenos, pone de relieve los progresos que hacían en el conocimiento del árabe [64].

Las orientaciones de Humberto de Romans fueron bien secundadas en España por Ramón de Penyafort, que sintonizaba plenamente con las directrices misioneras y culturales de la Orden. Había sido general dos años (1238-1240), mantenía buenas relaciones con Jaime I y gozaba de un enorme prestigio en toda la provincia dominicana de España, y de manera particular en Aragón, encontrándose por todo ello en las mejores condiciones para apoyar el movimiento misionero en Africa y para promover el perfeccionamiento de los dominicos en los conocimientos de las lenguas que necesitaran.

Antes de morir Ramón de Penyafort (1275), y gracias a su impulso, se abren dos importantes *studia linguarum:* el de Túnez y el de Murcia. Posteriormente se crearán otros tres: los de Barcelona, Valencia y Játiva.

Tenemos referencias sobre la breve historia de estas cinco academias de lenguas. La de Túnez comenzó a funcionar a mediados de siglo. El capítulo provincial celebrado en Toledo el año 1250 ordenó que se enviaran a Túnez ocho religiosos —doce si fuera posible— para estudiar lenguas. En esta ciudad, considerada entonces como el centro intelectual más importante de Africa, trabajaban desde hacía tiempo misioneros y ya estaba abierto allí un *studium* de lenguas. El acercamiento político entre Aragón y Túnez facilitaba las cosas. El año 1246 Jaime I había recurrido al papa Inocencio IV para liberar al reino tunecino de la cruzada que se estaba preparando. Cataluña mantenía una ruta comercial abierta con Túnez, donde existía un consulado catalán e incluso una milicia catalanoaragonesa que prestaba sus servicios al sultán. Parece que los dominicos enviados a Túnez con ocasión de la propuesta del capítulo provincial de Toledo eran catalanes.

El *studium* de Túnez funcionó aproximadamente diez años. De él salieron misioneros para otras partes de Africa, para Baleares e incluso para la Península. El más conocido de todos fue Ramón Martí. En la década de 1260 tendrá que cerrar. Las relaciones entre los dos reinos mediterráneo empeoraron, y llegaron a hacerse especialmente tensas con la cruzada de San Luis de Francia a Africa.

[63] B. REICHERT, *Acta Capitulorum Generalium Ordinis Praedicatorum ab anno 1200...* MOPH 3 (Roma 1898) p.9.
[64] «In Hispaniis partibus fratres qui jam multis annis inter Saracenos in arabico studuerunt, non solum laudabiliter in lingua proficiunt, sed quod est laudabilius, ipsis Saracenis ad saluten cedit cohabitatio eorumdem, ut patet in pluribus qui jam baptismi gratiam suscepe runt» *(Litterae encyclicae Magistrorum generalium Ordinis Praedicatorum:* MOPH 5 [Roma 1900] p.39-40).

Al clausurarse el *studium* tunecino se abre el de Murcia. La ubicación de la nueva academia fue decidida en el capítulo provincial de 1265. La capital murciana poseía una tradición cultural de raigambre árabe muy fuerte, y Alfonso X la había fomentado, recién conquistado dicho reino, con la creación de una madraza para la instrucción de moros, judíos y cristianos. El *studium* de los dominicos funcionó un decenio. En él se forma, entre otros, Juan Puigventós, más tarde profesor de árabe en Valencia. El *studium* de Barcelona tuvo como rector a Ramón Martí. Arnau de Vilanova, cuando componga el *Tetragrammatum* el año 1292, afirmará haber adquirido sus conocimientos de lengua hebrea en el *studium hebraium* del gran polemista catalán. La escuela de lenguas de Valencia fue dirigida por Puigventós. La de Játiva comienza a funcionar ya en el siglo XIV, contando con la ayuda económica de la reina Blanca, la mujer de Jaime II. Desaparecerá después de 1314. Desde 1284, los misioneros dominicos de León y Castilla acudían a Sevilla para prepararse lingüísticamente.

Una parte de los misioneros franciscanos españoles conocía también el árabe. Pero la Orden no fue capaz de organizar academias de lenguas con la categoría de los *studia linguarum* dominicanos.

La política de aperturismo lingüístico puesta en marcha por las órdenes mendicantes de España y de otras partes de la Iglesia se consolidará de una manera oficial y más sistemática en el concilio de Vienne (1311-1312). La constitución *Inter sollicitudines* prescribe la creación de cátedras de lenguas orientales (árabe, hebreo y caldeo) en las principales universidades de la cristiandad (Roma, París, Oxford, Bolonia y Salamanca). En esta decisión conciliar tuvo bastante que ver Ramón Llull. El sabio mallorquín había fundado el año 1276 en Mallorca el colegio de Miramar para el estudio de lenguas orientales.

Los *studia linguarum* de los dominicos españoles nacieron y funcionaron en ambientes aragoneses o de clara influencia aragonesa, y a simple vista parecen protagonizar una forma de acercamiento al mundo judeoislámico inspirada en el diálogo y en la tolerancia, muy distinta de las maneras tradicionales de relacionarse la cristiandad medieval, concretamente la española, con las restantes comunidades religiosas. ¿Estamos verdaderamente ante un cambio fundamental de la actitud de la Iglesia peninsular o de una parte importante de la misma? Los dominicos miembros de estas academias de lenguas, ¿pensaban también como el franciscano inglés Roger Bacon (c. 1212-1292) cuando condenaba la cruzada, porque «la fe no había entrado en este mundo por medio de las armas, sino, como es evidente, por la simplicidad de la oración?» [65] Quizás no convenga deducir conclusiones apresuradas sobre la significación histórica de la orientación misionera de las órdenes mendicantes ni sobre la función real de estas academias de lenguas de los dominicos, con claro marchamo catalano-aragonés. Algún autor, refiriéndose a los citados centros de estudio, pretende ver en ellos la prueba de la existencia de un aperturismo mayor en

[65] R. BACON, *Opus Maius* (Londres 1897) c.41.25 y 26.

los reinos orientales de la Península que en León y Castilla, más avezados a
la idea de sumisión y dominio como premisas para la conversión de los
infieles. Sería injusto olvidar el comercio cultural de altos vuelos y la actitud de tolerancia que existió entre los hombres de ciencia cristianos, árabes y judíos durante el reinado de Alfonso X. Por otra parte, el mismo
Jaime I acarició los proyectos de cruzada con objetivos muy ambiciosos
hasta los últimos días de su vida. Y, además, los *studia linguarum* no sólo
prepararon misioneros para predicar con sencillez el Evangelio a moros y
judíos, sino también a los principales representantes de una corriente apologética y polemista, muy intensa a lo largo de la segunda parte de la centuria. En realidad, la ideología de cruzada tardará aún bastantes siglos en
ceder a los imperativos de una actuación verdaderamente misional, basada en la tolerancia y el respeto hacia otras creencias no cristianas.

La apologética antiislámica comienza ya en España mucho tiempo antes. Durante el siglo XII había hecho fortuna la obra del judío converso
Pedro Alfonso (1062-1140) titulada *Disciplina clericalis,* en la que se criticaban muchos aspectos del islamismo. Y el mismo autor compuso otro tratado, el *Dialogus contra iudeos,* que recogía los argumentos de la apologética
clásica frente a dicha minoría étnica. Un poco más tarde escribe San Martín de León († 1203) algunas obras exegéticas de clara orientación anti-
semítica. La beligerancia apologética contra moros y judíos, contra éstos
de manera especial, se hace particularmente intensa desde mediados de
siglo XIII, siguiendo, probablemente, el ejemplo de lo que venía ocu-
rriendo allende los Pirineos. En la primera parte de dicho siglo estalló en
Francia una violenta reacción antisemita que terminó con la muerte de
muchos judíos. Al parecer había sido provocada por las denuncias contra
el Talmud del judío renegado Nicolás Donín. El año 1240 se celebra en
París una controversia pública entre Donín y cuatro rabinos, que finaliza
con la condena pública del Talmud y la orden real de arrojar al fuego
todos los ejemplares del texto rabínico. Los ecos de semejantes acontecimientos llegaron pronto a la Península, y sobre todo a los dominios de
Aragón. Jaime I, aconsejado por Ramón de Penyafort, convoca otra
disputa pública parecida a la de París. Se celebra en Barcelona el año 1263
y la protagonizan el judío converso Pablo Cristiá por la parte católica, y por
la judía el rabino Mosé ben Nahmán. Los resultados no fueron tan desas-
trosos para la comunidad semítica como en Francia. Al final, una comisión
de teólogos, compuesta por Ramón de Penyafort, Arnaldo de Segarra
(prior de Santa Catalina de Barcelona), el franciscano Pedro de Génova y
Ramón Martí, recibe el encargo de examinar los textos del rabino. La
sentencia se limitó a ordenar que fueran expurgados de dichos textos los
pasajes ofensivos para los dogmas cristianos [66]. Jaime I, a raíz de esta con-

[66] J. VILLANUEVA, *Viage literario a las iglesias de España* vol.13 apénd.57; H. DENIFLE, *Quel
len zur Disputation Pablos Christiani mit Mose Nachmani zu Barcelona 1263:* Historisches Jahr
buch (1887) 225-244; I. LOEB, *La controversia de 1263 a Barcelona entre Paulus Christiani e
Moise ben Nahman:* R. des Études juives 5/15 (1887) 1-18. J. M. MILLÁS VALLICROSA, *Sobre las
fuentes documentales de la controversia de Barcelona:* Anales de la U. de Barcelona (Barcelona
1940) p.25-44; C. ROTHAM, *The Disputation of Barcelona (1263):* The Harvard Th. Rev. 43
(1950) 117-144.

troversia, publicará una serie de disposiciones para facilitar la propaganda cristiana entre judíos y sarracenos, urgiéndoles de nuevo a que oyeran los sermones de los padres predicadores, que los escucharan con mansedumbre, que les respondieran debidamente y que presentaran sus libros a Pablo Cristiá, siempre que éste se los requiriera.

Ramón de Penyafort solicita también a Santo Tomás de Aquino la preparación de una especie de manual de apologética para completar la formación teológica de los dominicos, y especialmente de aquellos que fueran enviados a lugares de misión entre judíos y moros. De este encargo salió la *Summa contra gentes,* terminada el año 1264.

La naturaleza y el alcance de la obra teológica del Aquinatense superó, con mucho, la finalidad, fundamentalmente pragmática, perseguida por el dominico catalán. Los misioneros, y sobre todo los controversistas de la época, utilizaron más los tratados de Ramón Martí (1230-1286), sin duda el orientalista de mayor talla de toda la centuria, que describe un autor del siglo XIV como «buen conocedor del latín, filósofo en árabe, gran rabino en hebreo y muy docto en lengua caldea». En la *Explanatio Symboli Apostolorum,* compuesta el 1257, Martí se limita todavía a exponer los dogmas cristianos fundamentales, combatidos por los infieles. Diez años más tarde publica el *Capistrum Iudeorum* (Cabestro de los judíos), donde prueba la venida del Mesías aduciendo profecías del Antiguo Testamento y responde a las objeciones de los rabinos. El año 1278 termina su trabajo apologético más importante y conocido: el *Pugio fidei contra mauros et iudeos* (Puñal de la fe contra moros y judíos). La primera parte de la obra, que expone los preámbulos de la fe cristiana, depende notoriamente de la *Summa contra gentes* de Santo Tomás, reproduciendo capítulos enteros de ella. La segunda polemiza contra los judíos sobre la venida del Mesías. La última tiene en cuenta las posiciones musulmanas y afronta preferentemente temas trinitarios y cristológicos. El *Pugio fidei* refleja, además, con claridad la problemática teológica de la época. R. Martí demuestra también, a lo largo de todo el tratado, un conocimiento excepcional de la literatura oriental, tanto árabe como hebrea, que cita con profusión, manifestándose mejor informado que los maestros rabinos de su tiempo [67]. Durante más de dos siglos, la obra apologética del sabio catalán servirá de libro de texto o lugar de referencia obligado para la mayor parte de los controversistas cristianos.

Probablemente a mediados del siglo XIII se compone otro tratado contra los judíos, sencillo y de modestas proporciones. El texto del mismo ha llegado hasta nosotros anónimo [68]. Siguiendo las huellas de Ramón Martí, el agustino valenciano Bernardo Oliver escribe, a finales de la centuria, una especie de «prontuario de catequesis» para tratar con la comunidad semita, de claras intenciones polémicas: el *Tractatus contra iudeorum perfidiam* [69]. San Pedro Pascual (c. 1227-1300) también fue un representante

---

[67] Una panorámica sobre las obras y la bibliografía relacionada con este autor: L. ROBLES, *Escritores dominicos de la corona de Aragón (siglos XIII-XV):* RHCEE III p.58-67.
[68] J. M. MILLÁS VALLICROSA, *Un tratado anónimo de polémica contra los judíos:* Sefarad 13 1953) 10-34.
[69] F. CANTERA BURGOS, *Contra caecitatem iudeorum,* ed. crítica y estudio (Barcelona 1965).

destacado de la apologética cristiana de la época. Valenciano de origen y estudiante en París, ingresa en la Orden de la Merced hacia 1251 y posteriormente ocupa la sede de Jaén (1296-1300). Visitando su diócesis, cae en manos de moros, que le llevan a Granada. Buen poliglota y preocupado por la instrucción de los miles de cristianos que se encontraban cautivos, como él, en el reino granadino, escribe desde la cárcel varios tratados catequético-apologéticos. Sobre temática judía: *Libro de Gamaliel, La destrucción de Jerusalén, Disputa del obispo de Jaén contra los judíos sobre la fe católica.* Contra los mahometanos: *Tratado del libre albedrío* e *Impugnación de la secta de Mahoma.* Para combatir las supersticiones y las creencias astrológicas: *Contra los que dizen que hay fadas* [70].

Este conjunto de obras apologéticas del siglo XIII, de procedencia eclesiástica y utilizadas por eclesiásticos, que tendrán posteriormente muchos imitadores, debió de ejercer una influencia importante en la mentalidad de amplios sectores sociales de Castilla y, sobre todo, de Aragón, contribuyendo, sin duda, a la fermentación del clima de xenofobia cada vez más perceptible en los siglos siguientes. La concurrencia de otros factores socioeconómicos y políticos determinará las explosiones sangrientas contras las minorías étnicas peninsulares a finales de la Edad Media.

A lo largo del doscientos comienzan también a componerse en la Península algunos tratados de carácter catequético para responder a los planteamientos pastorales del Lateranense IV. En España, los planes reformistas de este concilio ecuménico influyeron muy poco, como ya indicamos anteriormente. Por eso, este género de literatura fue más escaso y de menos calidad que en otras partes de la Iglesia durante la misma época.

Podría incluirse en este apartado el tratado *De los diez mandamientos,* anónimo y escrito en romance, probablemente durante el reinado de Alfonso X [71]. Asimismo, la *Summa septem Sacramentorum,* de Pedro de Albalat, el prelado que secundó en Aragón los proyectos renovadores del cardenal legado Juan de Abbeville, y los tratados similares de Raimundo de Siscar, obispo de Lérida (1238-1247), y de Andrés de Albalat, obispo de Valencia (1248-1276). También el *Tractatus de Sacramentis,* de Raimundo de Deçpont, el prelado valentino que renunció a la sede (1291-1312) para ingresar en la Orden de Santo Domingo [72]. Igualmente, la *Glosa de los diez mandamientos* y la *Glosa del «Pater noster»,* que redacta Pedro Pascual como partes integrantes de un vasto plan de catequesis ideado para la instrucción de los cristianos cautivos.

En España comienzan asimismo a aparecer tratados sobre la penitencia y la confesión de los pecados. La investigación teológica relativa a los sacramentos había experimentado avances notables en la Iglesia desde fi-

[70] A. VALENZUELA, *Vida de San Pedro Pascual, religioso de la Merced, obispo de Jaén y mártir* (Roma 1901); ID., *Obras de San Pedro Pascual...* 4 vols. (Roma 1905-1908). La *Glosa del Pater Noster,* compuesta por este autor; P. SAINZ RODRÍGUEZ, *Antología de la literatura espiritual española* vol.1: *Edad Media* p.390-403.
[71] El texto: A. MOREL-FATIO, *Textes castillans inédits du XIIIᵉ siècle:* Romania 16 (1887) 379-382.
[72] El texto: J. SANCHIS Y SIVERA, *Para la historia del derecho eclesiástico valentino:* AST 10 (1934) 123-149.

nales del siglo XII gracias a los trabajos de autores como Pedro Comestor, Pedro Cantor, Esteban Langton y otros teólogos foráneos de la época. Sus aportaciones contribuyeron, entre otras cosas, a precisar los elementos esenciales del sacramento de la penitencia. La constitución *Unius utriusque sexus* del Lateranense IV se hace eco de los nuevos planteamientos teológicos sobre dicho sacramento y apela con claridad a las virtudes del «discernimiento y de la prudencia» de los confesores, para que atendieran las situaciones reales y concretas de sus penitentes, y contribuye de esa manera a que se fuera superando la forma estandarizada de administrar este rito sacramental, habitual hasta entonces. En adelante se abrirá paso paulatinamente la penitencia privada e irá desapareciendo la llamada «penitencia tarifada». Las tarifas penitenciales quedaron reservadas para las irregularidades inherentes a algunos pecados más graves.

Las *summae confessorum*, verdaderos manuales de teología penitencial para ayudar a un clero deficientemente instruido, constituyen un género de literatura teológica que florece en todas partes a lo largo del siglo XIII [73]. La *Summa de casibus poenitentiae*, escrita por Ramón de Penyafort después de 1220 para los dominicos españoles a petición del provincial Suero Gómez, fue la primera compuesta en España y ejerció posteriormente una influencia grande [74]. En la colegiata de San Isidoro de León se conserva otra *Summa confessorum*, escrita por un clérigo, llamado Martín Pérez, durante la primera parte del XIV [75]. Hacia 1350, Pedro Gómez Barroso compone también un *Confesonario*. Y el franciscano mallorquín Martín Bordet redacta, asimismo, el *Compendium parvulum* para oír confesiones. Pero este autor cae ya plenamente dentro de las corrientes espirituales del XV [76].

La literatura ascética española del doscientos tampoco fue copiosa. Las obras de Gonzalo de Berceo, las *Cantigas* de Alfonso X y varios tratados de Ramón Llull ocupan, lógicamente, un lugar destacado. Además, se redactaron otras obras, quizás menos conocidas que las de los tres autores citados, pero también con cierta significación histórica. Así, Diego García de Campos termina en 1218 el *Planeta,* dedicado a Rodrigo Ximénez de Rada, en el que critica y reprende los vicios de los distintos grupos sociales, al parecer con bastante conocimiento de causa [77].

Juan Gil de Zamora, muy conocido por sus trabajos histórico-

---

[73] Cf. J. DIETTERLE, *Die «Summae confessorum sive de casibus conscientiae» von ihren Anfangen an bis zu Silvester Prierias:* Beitrage zur Geschichte der Philosophie und Theologie des Mittelalters, Suplementband III (1935) 525-544.
[74] Sobre el texto, las ediciones y la bibliografía del tratado raimundiano: L. ROBLES, *Escritores dominicos...:* l.c., p.14-34.
[75] La obra aparece anónima en dos manuscritos. La primera parte, en el ms.23 f.14r-129r; la segunda: ms.21 f.2r-129v. Más referencias manuscritas e históricas sobre dicha *Summa:* A. GARCÍA-J. M. MÚGICA, *O «Libro de las Confesiones»,* de Martín Pérez: Itinerarium 20 (1974) 137-151.
[76] Una breve referencia a la obra de Gómez Barroso: A. GARCÍA Y GARCÍA, *La canonística ibérica medieval posterior al decreto de Graciano:* RHCEE II p.206. El título de la obra del franciscano mallorquín: *Compendium parvulum seu interrogatorium perutilissimum confessiones audiendi;* cf. L. OLIGER, *De Confessionali Martini Bordet, O.F.M., maioricensis auctoris ignoti saeculi XV:* Antonianum 19 (1926) 245-249.
[77] La edición con introducción y notas: M. ALONSO (Madrid 1943).

didácticos, escribe además otros de carácter espiritual, como los titulados *Liber de Iesu Nazareno, Liber Mariae* y el *Officium almifluae Virginis*, que servirá de inspiración para el autor de las *Cantigas* [78]. Pedro de Amer, el biógrafo de San Pedro Nolasco, compuso un tratado sobre la humildad [79]. Al referirnos antes a los mercedarios, citábamos los *Diálogos entre el alma y el Creador* y dos opúsculos sobre la oración de Arnaldo Pons [80]. Bernardo Oliver, el agustino de Valencia citado también en otro contexto, constituye ya un hito destacado en la historia de la espiritualidad con su *Exercitatorium mentis ad Deum* [81].

IV. TEOLOGOS Y HOMBRES DE CIENCIA

Por A. OLIVER

San Ramón de Penyafort

Nació en Santa Nargarida del Penedés en 1185, hijo del caballero Pere Ramón de Penyafort, señor del castillo de Penyafort, y de Saurina. Fue hombre increíblemente dotado para la ciencia y para la vida activa, poseedor de una honradez y una transparencia espiritual de las que hizo gala en todas sus actuaciones.

Muy joven, se instruyó en la escuela catedralicia de Barcelona, y en ella aparece como *scriptor* y clérigo en 1204. Por aquel tiempo, el estudio de derecho de Bolonia había logrado un esplendor científico y un prestigio que lo ponían al frente de aquellos estudios en el mundo cristiano; el propio papa reinante, Inocencio III, se había formado en aquella escuela, en la que se escuchaban todavía los ecos del gran Irnerio. En Cataluña eran muchos los estudiantes que emprendían el camino de Bolonia, y volvían más tarde de allí llenos de ideas nuevas de las corrientes romanistas. A Bolonia fue Ramón a estudiar cánones, y allí ejerció su primer profesorado de leyes desde 1217 a 1222.

Impuesto en derecho, regresó a Barcelona, donde fue canónigo y paborde de la catedral, hasta que renunció a sus cargos para entrar en la Orden de Santo Domingo, cuyos inicios conoció de cerca en sus años de estudiante en Bolonia. En 1229 residía como dominico en el convento de Barcelona. Por aquellas fechas acompañó al legado papal Juan de Abbeville en sus correrías por los reinos de España en su esfuerzo por hacer efectiva en ellos la reforma del concilio IV de Letrán, de 1215. Para entonces ya le acompañaba la fama de canonista, que se había ganado con unas glosas al *Decretum* de Graciano, que tituló *Summa de casibus poenitentiae*. Fue por esto que en Zaragoza, y junto con el legado, tuvo que decidir

---

[78] Referencias manuscritas de estas obras: I. RODRÍGUEZ, *Autores espirituales españoles en la Edad Media:* RHCEE I p.235-236.

[79] Referencia: ibid., p.238.

[80] Cf. p.211 de este mismo volumen.

[81] Ed. B. FERNÁNDEZ (Madrid 1911); T.-J. CARRERAS Y ARTAU, *Historia de la filosofía...* vol.2 p.488-489. Un extracto de esta obra: P. SAINZ RODRÍGUEZ, *Antología...* p.510-528.

sobre el caso de nulidad matrimonial entre Jaime I de Aragón y Leonor de Castilla y asistir en Lérida al concilio provincial de la Tarraconense. En 1230 acompañó al legado a Roma. Allí fue nombrado capellán y penitenciero papal y confesor de Gregorio IX.

Desde la altura de aquellos cargos, Ramón tuvo la oportunidad de conocer directamente el mundo con sus problemas y necesidades. La pobreza, la herejía, la Reconquista, la Iglesia en general. A esa etapa de su estancia en Roma pertenecen los trabajos canónicos que lo hicieron inmortal. Tal son, por ejemplo, los *Dubitalia cum responsionibus ad quaedam missa ad pontificem*, en los que demuestra su equilibrio entre la justicia y la caridad. El propio papa le encomendó la compilación de lo que se llamarán las *Decretales de Gregorio IX* o *Liber extra,* que fueron promulgadas en 1234 y que valieron a Ramón una fama inmortal.

El mismo obtenía en 1235 la bula que ponía bajo la Regla agustiniana a la Orden de la Merced, a la que había apoyado y ayudado en sus primeros balbuceos.

El esfuerzo de compilación y de síntesis canonística de Ramón dio su máximo fruto en aquellos años de Roma: su *Summa de poenitentia* o *Summa de casibus* tuvo una fulgurante difusión y fue la base de las que se llamarán después *Summae confessorum.* Y el acierto logrado en la redacción de las *Decretales,* a fuerza de conciliar, armonizar o eliminar textos envejecidos, fue tal, que ya en su promulgación, por la bula *Rex pacificus* (5 de septiembre de 1234), Gregorio IX ordenaba que ninguna otra colección fuera tenida por auténtica, y enviaba ejemplares a los estudios de Bolonia y París. Los cinco libros de las *Decretales,* que fueron fuente de la legislación eclesiástica hasta nuestros días, le merecieron la fama de canonista indiscutible que gozó toda su vida.

Gregorio IX premió con generosidad todo aquel esfuerzo nombrando a Ramón arzobispo de Tarragona. Pero él, enfermo y cansado, aprovechó la ocasión para renunciar a aquel honor, así como a los cargos papales que poseía. Y se retiró a Barcelona, en su convento de Santa Catalina, en 1236. Y en Barcelona residió hasta 1238. Aquellos dos años en su ciudad fueron de una intensa actividad política, como los de Roma lo habían sido prevalentemente de actividad científica. En 1236 intervino en las cortes de Montsó; en 1237, por encargo del papa, levanta la excomunión que pesaba sobre su rey Jaime I; en el mismo año, el mismo pontífice le encomendaba el caso de la reconciliación del hereje o fautor Roberto de Castell-Rosselló, y fue juez en la resolución del caso de consanguinidad del vizconde Folc de Cardona con su esposa, y todavía aquel mismo año, y juntamente con los obispos de Lérida y Vich, intervino en la dimisión del obispo de Tortosa, así como en la provisión del obispado de Huesca y del de la recién conquistada Mallorca. La leyenda aureoló pronto tantas intervenciones apelando a explicaciones milagrosas, como en aquel caso en que se cuenta que hizo el viaje de Mallorca a Barcelona embarcado en el cuenco de su capa.

Sus contactos con el «rey conquistador» le llevaron a que éste le hiciera su amigo, su consejero y, a menudo, su confesor. «Confesor de reyes y de papas», como le llama una canción popular, era ya en aquellos años no sólo un canonista famoso, sino la figura cultural más alta y representativa de reino.

El capítulo general de la Orden de Predicadores, reunido en Boloni en 1238, lo eligió general, el tercero desde la fundación. Aceptó, aunque disgusto. Y con ello empieza otra etapa de su vida, en la que combina su dotes de mando con su lucidez legislativa. Al año siguiente asistía al capí tulo general de París, que dispuso la redacción de las *Constitutiones* de la Orden, que hasta entonces se regía por el *Liber Consuetudinum* desde 1228 El mismo se encargó de la redacción, que quedó aprobada y promulgada por el capítulo general de París de 1241. La redacción de aquellas Consti tuciones tiene el mérito no sólo de ser una excelente codificación, sino sobre todo, de haber sabido centrar el núcleo fundamental de la vida do minicana en la idea, organización y fines apostólicos queridos por Santo Domingo. De su amigo Gregorio IX obtuvo, además, numerosas bulas privilegios, que favorecieron el crecimiento y expansión de su Orden. Vi sitó, incansable, sus conventos y provincias y tuvo el acierto de lograr la plena integración de la rama femenina, que sometió al gobierno de lo superiores de la Orden.

Abrumado por el peso de la responsabilidad, renunció al generalato en el capítulo general de Bolonia de 1240 y regresó a su convento de Santa Catalina de Barcelona, donde vivió los últimos treinta y cinco años que aún le quedaban de su larga vida. La mayor parte de los asuntos eclesiásti cos o civiles pasaron por sus manos. Jaime I requería constantemente su consejo; es significativo que los cuatro obispados de Barcelona, Vich, Lérid y Gerona estuvieran regidos por frailes dominicos, de quienes Ramón sabía que podía fiarse. Entre 1252 y 1254 intervino en el largo pleito entre el obispo de Seu de Urgel y los condes de Foix. Fue encargado de examina la elección y dar la bendición apostólica al abad de Sant Sadurní de Tavér noles en 1253. Alejandro IV le encargó en 1256 el estudio y solución de la reforma capitular de Vich. En 1262 intervino para apaciguar fuertes des avenencias que se habían producido entre dominicos y franciscanos en Barcelona. En múltiples casos actuó como inquisidor y en muchos otro fue asesor jurídico de inquisidores.

Una de sus constantes preocupaciones fue la conversión de los infieles árabes y judíos, afán misionero que llevará al extremo su contemporáneo mallorquín, dirigido por él en muchas ocasiones, Ramón Llull. Con el fin de asegurar la recta formación de los futuros misioneros, ideó la funda ción de escuelas de lenguas orientales, impulsando la creación de dos *stu dia*. Para ofrecer a los misioneros un buen acopio de materiales teológicos pidió a Tomás de Aquino, compañero de Orden, la redacción de un ma nual de apologética, la *Summa contra gentiles*, que el gran dominico escribió entre 1259 y 1261.

Cuando, en 1276, Ramón Llull, que, tras su conversión, había sido dirigido por el de Penyafort, abra el colegio de Miramar en Mallorca y entregue a sus trece frailes el libro de su *Arte* como texto para la predicación a los mahometanos, la obra del dominico tendrá repercusiones insospechadas.

Lleno de gloria y de días, nonagenario, murió Ramón en su casa de Barcelona en 1275, el 6 de enero. Cuatro años después, un concilio de Tarragona pedía ya su canonización, que no tuvo lugar hasta 1601. Fue enterrado en la iglesia de su convento de Santa Catalina de Barcelona. En 1838, sus despojos fueron trasladados a la catedral, y en 1879, a la capilla donde hoy se veneran.

Por su saber, por su equilibrio, por su tacto político, por su profunda espiritualidad, Ramón de Penyafort pertenece a la categoría de hombres universales, en los que fue generoso su siglo.

Ramón Llull

Nació en Palma de Mallorca alrededor de 1232. La ciudad de Mallorca, acabada de conquistar por Jaime I, era, por aquellas fechas, un mundo de colores y de diversidades: en un ambiente catalán, europeo y mediterráneo coexistían, como escribía Batllori, tres mundos más bien autónomos que independientes: el latino, el bizantino, el islámico. Y en él estaban representadas las tres grandes religiones monoteístas del Mediterráneo: el cristianismo, el Islam y el judaísmo. Aquel mundo marcó para siempre el alma de Ramón, que se empeñará toda la vida en la consecución de un ideal de unidad en todos los órdenes [82].

En la corte del conquistador, y como senescal del príncipe Jaime, aprendió y cultivó las formas del caballero, el caballero cristiano, que más tarde describirá magníficamente, y cuya elegancia y finura presidirá, como en un intelectual duelo, todas las disputas de los personajes de sus libros. En todos ellos andan esparcidas descripciones, verdaderos retablos de la vida medieval, que demuestran que Ramón conoce muy de cerca, y a través del ojo de la corte, el mundo que describe.

Pero la vida cortesana envolvió su espíritu y lo lanzó a navegar sin gobernalle por el mar de una mundanidad frívola y sensual. Casado con Blanca Picany y con dos hijos, Domingo y Magdalena, cuidaba mejor sus devaneos que sus deberes. Hasta que llegó la *conversión* alrededor de los treinta años; por tanto, hacia el 1262. Así la recordaba él, hacia 1311, a sus amigos los monjes de la cartuja de Vauvert, de París, al dictar su *Vita coaetanea:* en aquellos años de senescal se dedicaba al arte de trovar. Una noche, mientras se entregaba a escribir una cantilena a una dama a la que amaba con amor fatuo, fue de pronto interrumpido por la aparición de Cristo crucificado. No fue fácil rendir el loco empeño de Ramón. Cinco veces se presentó la aparición antes de que el trovador reaccionara ante la visión. Tras una noche sin dormir, entendió que Cristo quería que cambiara de vida, que se convirtiera de una vida de pecado, a una vida de gracia; de una vida vacía, a una vida llena; de una vida fatua —como él

---

[82] *«E enaixí com havem un Déu, un creador, un senyor, haguéssem una fe, una lig, una secta e una manera en amar e honrar Déu, e fossem amadors e ajudadors los uns dels altres, e enfre nós no fós nulla diferència ni contrarietat de fe ni de costumes»* (Libre del gentil e los tres savis IV: Obres essencials I 1137).

decía—, a una vida llena del gusto de vivir sabiendo ya para qué se vive. Y, desde entonces, Ramón viviría entregado a tres afanes: dar la vida por Jesucristo, escribir libros irrebatibles para la conversión de los infieles y edificar monasterios donde se prepararan misioneros que, bien pertrechados de argumentos, fueran a predicar a Cristo en tierras de infieles [83].

A la vuelta de unos meses, se deshizo de sus haberes, dejó mujer e hijos y, con el bastón de romero en la mano y una canción nueva en el corazón, emprendió peregrinación hacia Santiago y Rocamadour (en Francia). En otro lugar he hecho notar las indiscutibles coincidencias con la conversión de San Francisco, cuyo espíritu llenaba entonces el mundo, la corte de Jaime II y el corazón de Ramón. Por otra parte, siendo Llull un hombre tan universal por un lado, y tan hijo de su tiempo por otro, las coincidencias con las corrientes y personajes más representativos de su época son fáciles de comprender y de descubrir, muy especialmente en el terreno de la reforma de la Iglesia. Llull conoció y aprobó a menudo los esfuerzos de Arnaldo de Brescia, Pedro Valdés, Ugo Speroni, Segarelli, etc., y es deudor a ellos en mucha más cantidad de lo que él mismo sabe y dice. Y aquí es el momento de recordar que Ramón no fue nunca franciscano. Quizá fue, muy tarde, terciario. Pero fue y quiso ser toda la vida un laico. El hábito que vestía era muy suyo y llenaba de curiosidad a las gentes, que lo tomaban a menudo por loco *(Ramon lo foll)*. Es claro, pues, que no era el hábito oficial de los frailes menores. El mismo hecho —hoy incomprensible— de un hombre casado, con mujer y dos hijos, que abandona su familia y sus deberes para mejor servir a Dios, debe ser entendido dentro del conjunto medieval, en el que dejar la familia era —según el consejo evangélico— condición indispensable para emprender con libertad el seguimiento de Cristo.

Aconsejado por San Ramón de Penyafort, volvió a Mallorca, donde compró un esclavo moro para que le enseñara la lengua árabe. Durante los nueve años que duró aquel aprendizaje estudió también latín, filosofía y teología. Y aquí se sitúa el problema de las fuentes cristianas en las que pudo beber el recién convertido: se ha insistido en su retiro entre los cistercienses de La Real, junto a la ciudad; pero el estudio de los viejos catálogos de aquella biblioteca ha demostrado que Ramón bebió en fuentes que allí no están representadas. Hay que pensar en los franciscanos o incluso los dominicos de Palma. De todas formas, una cosa debe ser tenida en cuenta: en el fondo, Llull era y fue siempre un autodidacta, y en el mundo de la ciencia, y sobre todo de la teología, representa un pensamiento filosófico-teológico de línea agustiniana más bien atrasado sobre el de sus contemporáneos, es decir, más del siglo XII que del XIII [84].

A esa realidad de unos estudios más bien independientes hay que sumar otra fuente de información decisiva en la mentalidad de Llull. Me refiero a sus constantes, interminables viajes. Ellos le proporcionaron una

---

[83] *Vita, Obras literarias:* BAC (Madrid 1948) p.48 y 50.
[84] M. BATLLORI, *Raimondo Lullo e Arnaldo da Villanova ed i loro rapporti con la filosofia e con le scienze orientali del secolo XIII:* Accad. Naz. dei Lincei 13 (1971) 148.

admirable forma de conocer y de estimar las cosas y los hombres [85]. Los textos lulianos sitúan siempre al lector ante la realidad inmediata gracias a su estilo vivaz, de observador, que obliga a asistir casi al palpitar y desenvolvimiento del mundo de su tiempo, como si ante los propios ojos, lleno de vida, se debatiera. «Espíritu por naturaleza curioso e inquieto —escribió Carreras Artau—, servido por una intuición poderosa y una tenacísima voluntad, Llull posee el arte instintivo de apropiarse ávidamente todo aquello que le rodea en función de sus ideas directrices. *La verdadera escuela de Ramón fue el trato con los hombres...*: peregrinos, artesanos, trovadores, adivinos, astrólogos, clérigos, doctores, judíos, sarracenos, cismáticos, príncipes, reyes, emperadores y papas. Vivió en todos los climas y en todas las latitudes, y doquier supo aprender o, como él dice, *maravillarse*». *Maravillarse* es una de las cualidades más visibles y luminosas del hombre inteligente y amigo de Dios: «Iba por los montes, por las lomas, por el llano, por yermo y poblado, por príncipes, por castillos, por ciudades, y se maravillaba de las maravillas que hay en el mundo; preguntaba lo que no entendía y contaba lo que sabía» [86]. Es la cualidad que Ramón aconseja: *Maravillarte es lo que toca.*

Durante aquellos primeros años en Mallorca escribió en árabe —y tradujo después al catalán— tres obras de clara influencia musulmana: la *Lógica de al-Ghazzali,* el *Libre de contemplació* y el *Libre del gentil e los tres savis.* Este último es un ejemplo de apologética basada sobre los postulados comunes admitidos por los diferentes credos y sobre la forma tradicional que tenían en Toledo de discutir y de traducir conjuntamente sabios de las *tres religiones,* o, como se decía entonces, de las tres leyes (cristiana, musulmana y judía).

Impuesto en la lengua árabe e informado en filosofía y teología cristianas, Ramón se retiró al monte de Randa para contemplar en la soledad. Debió de ser alrededor de 1274. Allí, de una forma rápida e intuitiva —que recuerda la de Joaquín de Fiore—, y que Ramón llamó siempre *iluminación,* Dios le reveló el secreto de un arte de convencer que resultaría irrebatible. Fue la primera *Ars Magna,* o sea, *Ars compendiosa inveniendi veritatem.* Jaime de Mallorca lo llamó a Montpellier, donde sus obras fueron examinadas por un teólogo franciscano, que las encontró llenas de doctrina y de piedad. En 1276, secundado por el rey Jaime II, Ramón fundaba el monasterio de Miramar, en Mallorca, en un paraíso de paz, «entre la viña y el hinojar», donde 13 frailes franciscanos pudiesen aprender el árabe y los argumentos del *Arte* para ir luego misioneros a tierras islámicas. Cuando, el 16 de noviembre de 1276, el papa Juan XXI aprobaba la fundación, quedaba realizado, después del *Arte,* el segundo de los sueños de la conversión de Ramón.

Con el arte y la ilusión a cuestas, recorrió Ramón los caminos de Europa y de Africa. Leyóla en París y en Montpellier y dondequiera se le

---

[85] «*Com lo vostre servidor, Sènyer, sia home que haja fets molts de viatges per los plans e per los munts e per los locs agrests e per los locs poblats e per les aigües dolces e salades*» (*Libre de contemplació* c.101,25: Obres ess. II 315).

[86] *Libre de meravelles,* Del pròleg: Obres ess. I 319.

quisiera escuchar. La remodeló y la simplificó mil veces, a fin de hacerla más asequible a los estudiantes. Pero a menudo no se le escuchaba, o no se le comprendía, o se le tomaba por loco [87].

Con el fin de difundir su obra y de comprometer a los poderosos en su idea, emprendió, a partir de 1287, una larga serie de viajes a la curia papal y a las cortes reales, exponiendo, a la vez, sus proyectos de reforma de la Iglesia y, sobre todo desde 1292, sus planes para la cruzada; a partir de 1309 se añade a ello su preocupación por el racionalismo filosófico de los averroístas, a los que ataca decididamente.

En cuanto a la reforma de la Iglesia, para la que propone planes en la mayoría de sus obras desde *Blanquerna* hasta las obritas del final de su vida, y que le obsesionó constantemente, Llull está del lado de todos los intentos: desde los franciscanos, pasando por el celo de los espirituales, hasta los *apostólicos* de Segarelli. Con todos ellos simpatizó, y sus obras dan constancia de todos aquellos movimientos de reforma de la Iglesia, que él, con la intemperancia de su carácter seglar, deseaba libre y perfecta. Por eso aceptó las mejores esperanzas de los apocalípticos, el deseo expectante de un papa angélico, de una Iglesia purificada, de un emperador grande y pacificador. Pero con ninguno de ellos se comprometió de forma definitiva. Y cuando intervenía el veredicto papal condenándolos, Ramón los abandonaba, convencido de que por ellos no pasaba el camino que llevaba a la meta que pretendía [88].

Por lo que se refiere a la cruzada, tema candente en su tiempo, Ramón tiene también ideas propias dentro del marco, más ancho, de su campaña de conversión de infieles. No puede decirse que Llull propugnara desde el principio una conversión pacífica por medio de las razones aducidas en su *Arte,* y que sólo en un segundo tiempo se decidiera por una cruzada militar como solución de emergencia contra aquellos infieles que no se doblegaran a convertirse por la fuerza de sus argumentos. La idea de cruzada apunta ya en una obra tan primeriza como el *Libre de contemplació* (c. 1272), aparece en forma más sistemática en el *Tractatus de modo convertendi infideles* (1291-1292) y se concreta más en el *Liber de fine* (1305). Para Llull, la cruzada es un medio para lograr no una conquista meramente territorial, sino para asegurar la predicación pacífica de los misioneros, los cuales, anteriormente, habrán debido hacerse con los métodos probativos del *Arte* [89]. Llull mismo aportará a la empresa su largo conocimiento de tierras y de personas, así como la extensa red de sus relaciones amistosas que comprometan las jerarquías de ambos lados. Toda la proliferación de obritas latinas apologéticas del final de su vida, extractos de obras anteriores, es-

---

[87] *Arbre de Sciència,* Del pròleg: Obres ess. I 555.

[88] Llull permaneció siempre lego. Vaciló siempre entre dominicos y franciscanos a la hora de decidir preferencias. Influyó mucho sobre él, en los primeros tiempos de su conversión, San Ramón de Penyafort, dominico; pero cada vez se hizo más importante la influencia de los franciscanos: el general Ramón Gaufredi, amigo de los espirituales, le dio cartas de recomendación para los conventos de franciscanos; posiblemente, al fin de su vida fue terciario, y fue enterrado en la iglesia de los menores de Palma. Para todo ello véase A. OLIVER, *El Beato Ramón Llull en sus relaciones con la escuela franciscana de los siglos XIII-XIV:* Estudios Lulianos 10 (1966) 47-55; 11 (1967) 89-119 y 13 (1969) 51-65.

[89] M. BATLLORI, *Raimondo Lullo...* p.153.

tán orientadas a la predicación a los infieles y suelen ir dedicadas al papa, a los reyes, a los obispos, a los poderosos, a los amigos, a los mercaderes, a fin de que las difundan y hagan posible su predicación.

Ultimamente, por lo que hace al averroísmo, es bueno recordar que el *Arte* [90], con todas sus reelaboraciones, abreviaciones y aplicaciones concretas, no estaba destinada solamente a la conversión de los no-cristianos, sino que quería abastecer a los teólogos y predicadores cristianos de argumentos contundentes en pro de la verdad revelada. Con un aparente racionalismo teológico —sus *razones necesarias* son simples razones de congruencia—, Llull se oponía al racionalismo filosófico de los averroístas de una manera implacable [91].

Al tiempo que escribía, Llull buscaba las personas que pudieran dar a su obra la difusión y el apoyo que necesitaba. Puso sus esperanzas especialmente en Jaime II de Aragón, en el de Mallorca, en Felipe IV de Francia y en los papas. Como ya hemos visto, Jaime de Mallorca fue su amigo y fue el que le apoyó en la organización y mantenimiento de Miramar, la niña de los ojos de Ramón; estuvo con frecuencia en París (1287-1289, 1297-1299, probablemente en 1306 y en 1309-1311) y dedicó muchas obras (de piedad, sobre la cruzada, contra los averroístas, etc.) al rey Felipe IV, quien le apoyó a veces. En 1299 entró en contacto con Jaime II de Aragón, quien le otorgó un documento que le permitía predicar en las sinagogas y mezquitas del reino; a él dedicó Ramón el *Liber de fine*, que trata de la cruzada de Granada. Hacia el final de su vida, 1311-1313, entró en el círculo de los amigos del rey de Sicilia, Federico III, hermano de Jaime II, amigo de Arnau de Vilanova y de los espirituales; a él dedicó muchas de las obritas de aquellos años.

En busca de la protección papal, acudió a Honorio IV, Nicolás IV, Celestino V, Bonifacio VIII, Benedicto XI y Clemente V. A este último le visitó personalmente en 1305 y 1309, y en los años 1311-1312 asistió al concilio ecuménico de Vienne, en el que tuvo la satisfacción de lograr la creación de cátedras de hebreo, árabe, caldeo y griego en las cinco principales universidades de Europa.

Con todo, el concilio, con sus escasos resultados, fue un desengaño para Ramón. Tampoco los reyes y papas que él había querido ganar para su causa se habían comprometido demasiado con sus ideas. Un largo desencanto preside el final de la vida de aquel hombre, viejo de años y de caminos, que se da cuenta de que su querido Miramar se ha malogrado y que los que leen su *Arte* —los que la leen— lo hacen *com gat qui passàs tost per brases* [92]. Sus dos grandes creaciones, el *Arte* y Miramar, le fallaban. En su desconsuelo, se refugia en su amigo el rey de Sicilia o en la paz de su Mallorca nativa.

Pero no se da por vencido. Si han fallado dos de los propósitos de su

[90] A. Oliver, Intr. a *Foll d'amor* (de E. Allison Peers) (Mallorca 1966) p.15.
[91] F. van Steenberghen, *La signification de l'oeuvre anti-averroïste de Raymond Lulle:* Est. Lulianos 4 (1960) 113-128; H. Riedlinger, intr. al vol.5 de ROL (Palma 1967); M. Batllori, *Raimondo Lullo...* p.154.
[92] A. Oliver, Intr. a *Foll d'amor...* p.16.

conversión, quedaba el tercero: dar él mismo la vida por la causa que propugna. Más que octogenario, emprende todavía su postrer viaje al norte de Africa aprovechando la providencial circunstancia de un tratado del rey de Aragón con el de Túnez en pro de la colonia catalano-tunecina [93]. Era el año 1314-1315. Ramón no iba en plan de desafío, sino con la intención de entablar con los sabios musulmanes una serena disputa teológica. Aquí sitúa la leyenda el martirio del gran maestro Barbaflorida. Ese martirio no puede probarse de ninguna manera. Lo más probable es que la leyenda del martirio sea una transposición, datable en el siglo XV, del hecho de la prisión martirial sufrida en Túnez en 1294, del que escapó en una nave genovesa, y del otro hecho real del apedreamiento en Bugía, en 1308, del que se libró también gracias a otra nave genovesa [94]. Dios le concedió al gran soñador el martirio. El de ver deshojadas una tras otra sus grandes ilusiones. Murió en 1316. Y cuando una nave propicia lo traía a la calma de la bahía de su ciudad de Mallorca, Ramón era un hombre inmolado. La iglesia de los franciscanos, sus amigos, le recibió y le retiene para la inmortalidad. Murió, como él había soñado, *en piélago de amor.*

Poco antes, en su *Phantasticus,* había escrito: «He estado casado y he tenido hijos. He sido hombre acomodado, lascivo y mundano. Todo cuanto tenía en el mundo lo dejé para poder honrar a Dios, procurar el mayor bien de mi prójimo y exaltar nuestra santa fe. Aprendí el árabe y me esforcé en la conversión de los musulmanes. Me han atado, insultado, encarcelado. Durante cuarenta y cinco años me he esforzado para convencer a los príncipes cristianos y a los prelados que ellos pueden promover la común prosperidad de la Iglesia. Ahora soy viejo y pobre, pero aliento todavía el mismo propósito, y confío que, con la gracia de Dios, me mantendré en él hasta la muerte».

La obra de Ramón Llull.—Al morir bajo la desconsoladora impresión del naufragio de la empresa de su vida, no podía sospechar Ramón la cantidad de levadura que había puesto en ella ni la dimensión de las consecuencias que alcanzarían hasta nuestros días.

Hemos de insistir, ante todo, en la trascendencia que tuvo para Llull su conocimiento de la lengua, la poesía, la filosofía y la mística musulmanas. De tal manera que llegaron a empapar su pensamiento y su obra enteramente. La lengua, que en un principio le pareció *lenguatge de bèsties,* una vez dominada le sugiere modos de expresión y formas gramaticales que pasa al catalán y al latín, acepta formas del misticismo musulmán y se inspira en los escritos de los sufís. Las figuras del arte y la teoría de las *Dignidades,* si bien llegan a Llull desde el neoplatonismo, pasando por San Agustín hasta Erígena, Anselmo y los Victorinos, tienen evidente soporte oriental [95].

En las novelas *Blanquerna,* con su *Llibre d'Amic e Amat,* y en el *Llibre de*

[93] M. BATLLORI, *Raimondo Lullo...* p.52-53. Cf. CH. E. DUFOURCQ, *L'Espagne catalane et le Maghrib aux XIIIe et XIVe siècles* (París 1966).
[94] M. BATLLORI, *Certeses i dubtes en la biografia de Ramon Llull:* Est. Lulianos 4 (1960) 320.
[95] M. BATLLORI, *Raimondo Lullo...* p.147-148.

meravelles, con el episodio oriental del *Llibre de les bèsties*, se vierte la visión luliana del mundo, de la Iglesia, de la reforma. En ellas, el idioma catalán logra alturas definitivas. En la filosofía, la teología, el derecho, la poesía, la ciencia empírica, la lengua vulgar adquiere, en las manos de Llull, la grandeza de lengua científica, al ser él el primero que se atrevió a verter en catalán lo que hasta entonces se decía sólo en latín y al lograr formularlo en romance con suprema y definitiva precisión y elegancia. Por lo que hace a las obras rimadas, Ramón inicia la serie de poetas catalanes que quisieron poner en verso los grandes temas del catecismo a fin de que la gente sencilla los aprendiera cantando. Tales son la *Medicina de pecat, Pecat d'Adam, Dictat de Ramon*. Sigue la moda francesa cuando canta los dolores de la Virgen en la pasión. Otros temas de lógica llegó a escribirlos en verso, en un esfuerzo para lograr que lo más intrincado pudiera aprenderse de memoria, ayudándose el escolar con el ritmo.

Pero Llull, inquieto por toda forma del saber, escribió sobre temas de ciencia empírica, que, empujada por el Aristóteles recientemente redescubierto, tomaba cada vez más vuelos en las escuelas: son las obras de astronomía, geometría, retórica, lógica, náutica, etc. Las obras de alquimia, que tan frecuentemente se le atribuyen, no son lulianas.

La obra de Llull es, pues, extensísima en su temática y en su número. Entre los títulos que han llegado hasta hoy pueden señalarse con seguridad hasta 250. No todos han sido publicados todavía. Llull escribió en árabe (se ha perdido todo texto), en catalán y en latín. El más grande esfuerzo de publicación de la obra latina lo hizo en Alemania Ivo Salzinger, en Maguncia, entre los años 1721 y 1742; pero la obra quedó muy incompleta. Actualmente está en marcha una edición crítica latina (que constará de más de 35 vols.), comenzada por el profesor Stegmüller y llevada adelante por el Raimundus Lullus Institut, de la Universidad de Friburgo de Brisgovia. Es la *Raimundi Lulli Opera Latina* (ROL). La obra catalana (ORL) consta de 21 volúmenes, que aparecieron en Mallorca entre 1906 y 1950. Existe una selección muy manejable: *Obres essencials* 2 vols. (1957-1960).

El lulismo.—La obra del maestro continuó en un sistema que se ha llamado el *lulismo*, y que ha expuesto magistralmente Carreras Artau [96]. De los años inmediatos a la muerte de Llull queda poca documentación hasta que llegan las luchas antilulianas de Nicolás Eimeric, en la segunda mitad del siglo XIV. Durante los años de la permanencia de los papas en Aviñón, el dominico Eimeric se esforzó en señalar y denunciar en la obra luliana errores filosóficos y teológicos, que más tarde incluyó en su *Directorium inquisitorum*.

Menéndez y Pelayo ha descrito los avatares de aquella enconada lucha [97]. Pedro el Ceremonioso, conocedor de las poderosas amistades de Eimeric en la corte de Aviñón, una vez elegido Urbano VI en Roma, acudió a él en 1386 en defensa de la escuela luliana. Y una vez devuelta la paz a la Iglesia tras el concilio de Constanza, en el mismo año 1417, los lulistas

[96] Véase *Historia de la filosofía española*, cit. en la Bibliogr.
[97] *Reacción antiaverroísta. Raimundo Lulio*, en *Hist. de los heterodoxos españoles* II (Madrid 1947) p.339-344.

suplicaban al papa Martín V que sometiera a revisión las doctrinas lulianas, así como la bula condenatoria, que se atribuía a Gregorio XI. El 24 de
marzo de 1419, el obispo de Città di Castello, por delegación del cardenal
Alemanni, legado apostólico en Aragón, declaró que la bula era subrepti-
cia. Merced a ello y a los sucesivos privilegios de Pedro IV (1369), Martín
el Humano (1399), Alfonso V (1449) y Fernando el Católico (1503), fue
adquiriendo fama y autoridad el lulismo, cuyas vicisitudes hasta nuestros
días ha descrito sucintamente el gran lulista que fue E. Longpré en lo que
llamaba él *Le souvenir de Raymond Lulle* [98].

Arnau de Vilanova

Arnau es el representante más típico del hombre de *espíritu laico,* independiente y libre que invade el siglo XIII, y que ha estudiado Lagarde [99].
Defensor de la reforma a ultranza, portavoz del mundo seglar, corifeo y
amigo de espirituales extremistas, descendiente de los movimientos populares de reforma de la Iglesia, precursor de la laicización del saber y de las
instituciones, enemigo de la injerencia de la Iglesia en las cosas temporales
y del poder terrenal del papa, promotor de la ciencia empírica como afirmación de lo laico frente a la estructura eclesiástica.

Arnau nació alrededor de 1240 en un país de lengua catalana; posiblemente, en una localidad del reino de Valencia, que acababa de conquistar Jaime I en 1238. Es probable que su familia proviniera de Vilanova de
Vença, en Provenza, y que fuera familia de judíos conversos [100].

Empezó sus estudios en la escuela conventual de los dominicos y se
incardinó como clérigo en la diócesis de Valencia [101]. Estudió medicina en
Nápoles y terminó aquellos estudios en Montpellier, donde obtuvo e
grado de *magister medicinae.* El de medicina es el único título académico
que poseyó. Estudió hebreo con el gran dominico Ramón Martí y teología
con los dominicos de Montpellier; pero aquellos estudios fueron libres y
privados y, desde luego, no profundos. Ello explica la frecuente superfi-
cialidad e incluso los errores de sus exaltadas posturas y exposiciones posteriores.

En cambio, conocía bien el árabe, que pudo aprender en su tierra recién conquistada a los musulmanes, y que le ayudó a llegar a ser uno de los
médicos más famosos de su tiempo. No es fácil precisar las fuentes de su
medicina y de su farmacopea. Es claro que su saber es tributario del Estu
dio de Montpellier y de las obras de medicina árabe que corrían entonce
por tierras catalanas. Puestos a precisar más, podemos decir que sus fuen

---

[98] Cf. DTC IX (París 1926) col. 1134-1141; J. N. HILLGARTH, *Lulismo:* Dicc. de Hist
Ecles. de España (Madrid 1972) 1361-1367; M. RIU, *El monaquismo catalán en el siglo XIV:* Anuari
de Estudios Medievales 7 (1970-71) 593-613.

[99] G. DE LAGARDE, *La naissance de l'esprit laïque* (Lovaina-París 1958-1962).

[100] J. CARRERAS ARTAU-M. BATLLORI, *La patria y la familia de Arnau de Vilanova:* Analect
Sacra Tarraconensia 20 (1947) 5-75; M. BATLLORI, *La documentación de Marsella sobre Arnau d*
Vilanova y Joan Blasi: ibid., 21 (1948) 75-119.

[101] Sobre su *Epistola ad episcopum valentinum* con el de *Improbatione maleficiorum* cf. Revu
d'Hist. Ecclés. 55 (1960) 733; R. I. BURNS, *The Crusader Kingdom of Valencia* I-II (Cambridge
Mass. 1967) p.27.

tes preferidas debieron de ser los escritos médicos de Galeno, Avicena, Costa ben Luca, Albuzale, Alkindi, que él mismo tradujo del árabe al latín, así como otras obras de autores árabes muy difundidas en toda la Europa de la baja Edad Media.

En cuanto a la astrología arnaldiana y a las ciencias esotéricas, la indicación de fuentes es mucho más problemática. A los textos orientales familiares a los médicos occidentales hay que añadir, sin duda, la influencia espiritualista bizantina, muy difundida desde Joaquín de Fiore entre los espirituales italianos y provenzales de los siglos XIII y XIV [102].

En Montpellier se casó con Inés, de la familia de los Blasi, tía de dos médicos montpellerienses, Juan y Ermengol Blasi, de los que el primero dejó su profesión y se dedicó a los negocios, en estrecha relación con los judíos de Marsella. La profesión médica de Arnau, su ardor místico y la estrecha relación con aquella familia son los datos que hicieron sospechar a M. Batllori que nuestro físico proviniera de una familia de conversos [103]. De hecho, es sintomático y muy propio de familias conversas el interés del maestro por la conversión de los hebreos, lo mismo que el conocimiento preciso de la doctrina rabínica de que hace gala en la *Adlocutio super significatione nominis Tetragrammaton* [104].

Hacia 1281 fue llamado a Barcelona como médico de Pedro III y de sus hijos Alfonso y Jaime. Son de estos años algunas de sus traducciones de obras médicas del árabe al latín. En 1285 asistió al rey en su última enfermedad, y pasó luego a Valencia, donde exterioriza sus preocupaciones religiosas. En 1289 es llamado a Montpellier para enseñar allí medicina, lo que hizo con tanto éxito, que llegó a ser la principal gloria de aquella escuela, famosa en toda la Edad Media, que aquel mismo año era elevada a universidad por el papa Nicolás IV. La docencia en Montpellier duró unos diez años (1289-1299). A partir de 1299 se suceden los viajes diplomáticos en nombre de Jaime II de Aragón (ante Felipe IV de Francia) y de Federico II de Sicilia, o los que le impone su cualidad de médico de reyes y papas: Pedro el Grande, Alfonso el Liberal, Jaime II, Federico III, Felipe IV el Hermoso, Roberto II de Nápoles; y los papas Bonifacio VIII, Benedicto XI y Clemente V [105].

Estos viajes nos llevan de la mano a la segunda etapa de su vida: la activa difusión de su ciencia física y de sus ideales religiosos, dominados, ya desde hacía unos años, por su obsesión de la cercana llegada del anticristo y de la reforma de la Iglesia por medio de la pobreza y de la vida espiritual. Sus constantes viajes le brindaron la mejor ocasión para predicarlos.

Por aquel tiempo tenía ya escritos los tratados *Expositio super Apocalypsi* y *De tempore adventus Antichristi et de fine mundi*. Aprovechando su embajada ante Felipe IV, dio a conocer este último en Francia en 1299. Los doctores de la Sorbona lo rechazaron como herético. En 1301, Arnau está junto a

---

[102] M. BATLLORI, *Raimondo Lullo e Arnaldo da Villanova...* p.155.
[103] M. BATLLORI, *Raimundo Lullo e Arnaldo da Villanova...* p.157-158.
[104] J. CARRERAS ARTAU, La «*Allocutio supra Tetragrammaton*», *de Arnaldo de Vilanova*: Sefarat 9 (1949) 75-105.
[105] M. MENÉNDEZ Y PELAYO, *Arnaldo de Vilanova...* p.255.

Bonifacio VIII, que cierra el proceso incoado en París, reprendiendo a Arnau, pero absolviéndolo. Al lograr curar al papa de unos cólicos renales, se gana su estima y protección. Esa estima perdura bajo el breve pontificado de Benedicto XI, a quien atiende en su postrera enfermedad, y el de Clemente V, que le tiene como médico y amigo. Esa protección y amistad le fue muy oportuna. Para entonces empezaban a levantarse contra sus ideas religiosas los dominicos de Provenza y Cataluña, especialmente los de Gerona [106]. Contra sus denuncias escribe Arnau su *Confessio Ilerdensis,* de 1303, y, más tarde, la *Confessió de Barcelona,* el primer texto arnaldiano en vulgar, auténtico resumen de su ideología, pieza enteramente original, de una fuerza de invectiva que sobrepasa, con mucho, la de sus escritos latinos [107]. Llamado por Jaime II de Aragón, muy enfermo, aprovechó la ocasión del favor real para defenderse públicamente de las imputaciones de sus adversarios. Así, leyó la *Confessió de Barcelona* en el mismo palacio real, delante de la corte y notarios, el día 11 de julio de 1305. Y el 24 de agosto presentaba al nuevo papa, Clemente V, aún en Burdeos, la lista de sus escritos. Arnau se defiende y ataca encarnizadamente a los dominicos que le habían zaherido, a los mendicantes en general, a toda la escolástica.

Los argumentos de Arnau contra los mendicantes son las falsas profecías esparcidas en París en la segunda mitad del siglo XIII por los círculos antimendicantes de Guillaume de Saint-Amour, así como los textos paulinos aplicados a los futuros religiosos con hábito exterior, pero vacíos de espíritu. Precisa que alude principalmente a los dominicos, y más exactamente a los *tomatistas* [108], añadiendo contra ellos una larga serie de insultos y dicterios en un *crescendo* —dice Batllori— de virulencia fuera de todo control.

A partir de 1305 y hasta 1308 se abre una etapa, transcurrida casi enteramente en Occitania, en la que Arnau se dedica al ejercicio de la medicina, a la redacción de obras científicas y a impulsar el movimiento de los espirituales franciscanos y de los beguinos. Los escritos de esta época se señalan porque en ellos, al hablar contra los malos religiosos, no se refiere a solos los dominicos, sino conjuntamente a ellos y a los franciscanos de la comunidad. A ese tiempo de vida interior intensa y de lucha más bien callada que violenta corresponden tres escritos, todos sin fecha y en vulgar: *De caritate,* en italiano; *Lliçó de Narbona,* en catalán y en italiano, y el *incipit Perció che molti desiderano di sapere.* Desdén por los falsos religiosos, fidelidad a la verdad evangélica, desprecio hacia la ciencia y la filosofía escolástica son las características de las tres obras. Todo ello se vierte en un estilo lleno de frescor en la *Lliçó de Narbona,* dirigida a los beguinos narbonenses.

El último período de la vida de Arnau, 1309-1311, corre todo bajo la protección decidida que encuentra en los dos reyes hermanos Jaime de Aragón y Federico de Sicilia. Ambos reyes, así como Sancho de Mallorca,

---

[106] F. EHRLE, *Arnaldo de Villanova ed i «thomatiste»:* Gregorianum 1 (1920) 475-501.
[107] M. BATLLORI, *L'antitomisme pintoresc d'Arnau de Vilanova...* p.19.
[108] Véase la carta en MENÉNDEZ Y PELAYO, *Arnaldo de Vilanova...* p.279.

estaban casados con dos hermanas de Roberto II de Nápoles, de la familia de los Anjou, amigos todos ellos de los franciscanos espirituales. Esa ala extremista del franciscanismo había encontrado especial protección en Federico de Sicilia, el rey de Trinacria, a quien confiara sus proyectos de cruzada Ramón Llull, proyectos que aceptará de buena gana el de Vilanova.

Federico, el rey visionario, hizo llamar a Arnau de Provenza a Catania a fin de que le interpretara unos sueños, y lo envió después a la corte de Jaime II como embajador espiritual [109]. De paso por Aviñón, en el verano de 1309, Arnau expuso en latín delante del papa y de los cardenales sus ideas de reforma y de cruzada, y se desató a la vez contra la oposición que se le hacía de parte de la Comunidad. Mientras Arnau pasaba por Cataluña y regresaba a Sicilia, los franciscanos de la Comunidad le acusaron ante el rey aragonés de haber dicho ante la corte papal que Jaime había tenido dudas sobre la fe al constatar el lamentable estado de la Iglesia. El rey estaba a la sazón en Almería, en guerra contra los moros de Andalucía, e inmediatamente hizo llamar a su médico para que le diera cuenta por escrito de su discurso de Aviñón. Esta fue la ocasión del famoso *Raonament d'Avinyó* (enero de 1310), «la pieza literaria más importante del maestro Arnau —según Batllori—, y que le asegura un lugar notable en toda la literatura catalana». Mas, por su parte, el cardenal franciscano Mincio de Murovalle envió a Jaime II el texto de lo que Arnau había dicho verdaderamente en Aviñón. Ese texto se ha perdido. Mas parece claro que las diferencias entre los dos textos se refirieran especialmente al rey de Aragón y a su hermano, a los que parece haber llamado vacilantes en la fe *(dubios in fide)* [110], y que las ideas antimendicantes y antiescolásticas que figuran en el *Raonament* son las que realmente vertió Arnau ante la curia papal. El contenido, que define el talante espiritual de Arnau en aquellos años, es resumido así por Menéndez y Pelayo: «Anuncia que dentro de aquel centenario acabará el mundo y que en los primeros cuarenta años cumplirá el anticristo su carrera; se lamenta de la perversión de los cristianos, principalmente prelados y religiosos; de la venalidad de los jueces y oficiales públicos; de la barbarie y tiranía de los ricos-hombres, robadores de caminos, iglesias y monasterios, los cuales tienen *menos religión que el caballo que montan;* de la falsía de los consejeros reales; de la negligencia de los príncipes, que desamparan a las viudas, huérfanos y pupilos; de las falsas y sofísticas distinciones de los predicadores, dados a la gula y convertidos en *goliardos de taberna,* amantes de la ciencia seglar y no de la Escritura. Quéjase de la persecución que se hacía a las personas seglares *que quieren hacer penitencia en hábito seglar y vivir en pobreza... como son beguinos y beguinas».* Los espirituales y beguinos, que poseen la verdad divinal, son capaces de conocer cuándo ha de venir el fin del mundo, mientras que los falsos religiosos no lo pueden saber, y han de contentarse con combatir en público a sus adversarios. «El mismo estuvo expuesto a ser encarcelado y quemado vivo en el lugar de Santa Cristina, y sus enemigos hicieron con-

[109] MENÉNDEZ Y PELAYO, *Arnaldo de Vilanova...* p.285.
[110] ID., ibid., p.284-285.

tra él una colecta de sesenta mil tornesas. Unos le llaman *fantástico*, otros *nigromante*, otros *encantador*, cuáles *hipócrita*, cuáles *hereje* y *papa de los herejes;* pero él está firme y aparejado para confundir a los falsarios de la verdad evangélica. Anuncia los propósitos de vida cristiana y conquista de Tierra Santa que tenían los reyes de Aragón y Sicilia, la reforma que la reina había hecho en su casa vendiendo sus joyas para objetos piadosos. El rey de Sicilia había establecido escuelas de doctrina cristiana y de *lenguas orientales* para contribuir a la conversión de judíos y mahometanos (idea de Llull); el de Aragón llevaba sus armas contra Granada. Arnaldo se regocija de que sean *legos, idiotas y casados* los reformadores del pueblo cristiano» [111].

Convencido de la insinceridad de Arnau, Jaime II le retiró su confianza y amistad, y escribió cartas al papa, a los cardenales y a su hermano Federico, en las que llama embustero a su antiguo médico y consejero [112].

Federico de Sicilia siguió fiel a su amigo, a quien le unían más íntimamente las ideas de reforma espiritual. Escribió a su hermano de Aragón, haciendo el elogio de Arnau —*nostre natural e domèstic, qui és gelós de ver christianisme*— y asegurando que las expresiones vertidas en Aviñón no eran más que un modo de decir ponderativo para resaltar la mala vida de los cristianos. La verdadera infamia y muestra de poco cristianismo sería abandonar ahora en el peligro a Arnau, súbdito y fiel servidor de la casa de Aragón.

En el verano de 1310 Arnau estaba en Sicilia, en la corte de su amigo y protector, al que dirigió todavía una *Informació espiritual* para la reforma e institución cristiana de su reino, en la que, escamado, sin duda, por la experiencia de Aviñón, no habla ya contra los religiosos ni contra la escolástica. Poco después lo mandaba Federico con una comisión a Clemente V. Y en plena navegación murió aquel incansable viajero europeo, que fue enterrado en Génova. Una carta de Jaime de Aragón a su hermano Federico en marzo de 1311 da por muerto a maestro Arnau.

Después de su muerte se recrudecieron los ataques de sus enemigos, especialmente los dominicos aragoneses, y un tribunal constituido por el inquisidor y representantes de los religiosos y del clero, reunidos en la sala capitular de Tarragona, en el mes de noviembre de 1316, condenaron buena parte de los escritos de Arnau de Vilanova.

Ya dijimos al principio que la verdadera carrera de Arnau era la medicina. Como teólogo es flojo. Pero, llevado de su espíritu apasionado, se enroló en la corriente de emancipación de los seglares, tomó parte decidida en los intentos de reforma, se alistó entre los defensores de la pobreza a ultranza, se constituyó en abanderado de los beguinos, a los que llegó a defender ante el propio Clemente V. Sus interminables viajes, su familiaridad con papas y reyes, su acidez antiescolástica, la contundencia de sus ideas joaquimitas, apocalípticas y reformistas, el ardor de su palabra y su fácil expresión catalana hicieron de él uno de los hombres más interesantes y representativos de su tiempo.

[111] ID., ibid., p.286.
[112] ID., ibid., p.286.

San Vicente Ferrer

Es, sin duda, la personalidad más eminente de la Orden dominicana en la provincia de Aviñón; como teólogo y predicador, su influencia sobre el pueblo fue incalculable, y su actuación, a menudo decisiva en los asuntos políticos de todo el reino de Aragón y en el caso concreto del compromiso de Caspe y del gran cisma de Occidente.

De familia de viejos cristianos procedente de Cataluña: su padre era notario en Gerona; su tío Vicente Ferrer fue abad de Poblet (1393-1409) y limosnero de Juan I; su hermano Bonifacio, excelente jurista, cartujo y escritor, fue prior general de su Orden y legado y embajador de Benedicto XIII. Nació Vicente en Valencia, en 1350, y murió en Vannes (Bretaña), en 1419. En 1367 ingresó en el convento de dominicos de Valencia. Hizo sus estudios en Valencia, Barcelona y Lérida. En esa ciudad enseñó lógica en el curso de 1370-1371, mostrándose bien impuesto en los problemas que agitaban la filosofía del tiempo: los universales y el nominalismo. En 1375 enseñaba filosofía en Barcelona. Al año siguiente va a Toulouse, donde amplía estudios hasta 1378, en que es ordenado sacerdote. En 1379-1380 es ya prior en su convento de Valencia. En los años 1385-1390 es lector y maestro de la cátedra de teología de la catedral valenciana, y en 1389 es nombrado predicador general de la Orden. Esa era su verdadera vocación. Veamos las principales facetas de su persona y de su actuación.

Como lector y maestro en la cátedra de la catedral de Valencia, se mostró en sus lecciones tomista sólido y convencido, como buen dominico que era; pero poseedor de un pensar propio e independiente. La situación de la Iglesia de su tiempo, en pleno cisma, le condujo a menudo a la audacia y al riesgo. Así, por ejemplo, y en alas del origenismo ligero de la época, se pronunciaba en favor de la salvación de Judas; y, bajo la influencia de su paisano Arnau de Vilanova, y coincidiendo a menudo con un extremoso franciscano mallorquín, Anselmo Turmeda, contemporáneo suyo, llegó a anunciar la llegada del anticristo, con lo que se ganó la enemiga y los ataques de su hermano en religión el implacable y antilulista Nicolás Eimeric, gran inquisidor de Cataluña-Aragón.

Es como escritor espiritual donde Vicente muestra más claramente los gustos y tendencias de su interior. Muy leído y considerado como el espejo de los frailes predicadores fue su *Tractatus de vita spirituali*. Amigo de los detalles triviales y cotidianos, costumbrista en lo espiritual, el Santo recomienda la discreción, el trabajo, la contemplación, la dirección espiritual, la penitencia, descendiendo a la realidad, y pintando cuadros de verdadero colorido y estructurando una verdadera contabilidad de actos y ejercicios a realizar, con descripciones de lugar que nos dicen hasta qué punto había llegado hasta él la *Devotio moderna,* y que culminan en una curiosa obrita, editada en 1518 en Valencia, que se titula elocuentemente así: *Contemplació molt devota qui comprèn tota la vida de Jesucrist, savador nostre, amb les propietats de la missa.* Es de notar que la luminosa y serena modernidad de aquellos apuntes espirituales se verá más adelante desmentida en la práctica, cuando el mismo autor, sacudido por los escándalos de la Iglesia dividida, llegará a comunicar su ardor y su agresividad a los grupos de flagelantes que por doquier le acompañaban, y que ponían a su predicación incisiva un marco de teatralidad y le conferían irresistible contundencia. Su preparación, su prestigio y su fama le llevaron a tener que intervenir a menudo como árbitro o como consejero en asuntos públicos tanto en el reino como en la Iglesia.

Como confesor y consejero de Benedicto XIII, quiso éste que Vicente, así como su hermano Bonifacio, fuera uno de los compromisarios que se reunieron en Caspe para zanjar la cuestión sucesoria de la corona de Aragón después de la muerte sin sucesión del rey Martín el Humano en 1410. Después de interminables avatares, se llegó a las deliberaciones en la primavera de 1412. A la hora de la votación tomó la palabra Vicente Ferrer y se declaró abiertamente por el candidato Fernando de Antequera (que era el candidato del papa). Arrastrados por el inmenso prestigio del gran predicador y por su fama de santidad (en un tema que debía haber sido de puro derecho), los que le siguieron se contentaron con adherirse a su voto, escribiendo: «In omnibus et per omnia adhaerere volo intentioni praedicti domini magistri Vincentii». Y se logró la mayoría. El 29 de julio de 1412, ante los embajadores y el pueblo, se proclamó públicamente la resolución: después de la misa del Espíritu Santo, celebrada por el obispo de Huesca, subió al púlpito San Vicente y, tras de un interminable sermón en el que glosó las grandezas de los reyes y los deberes de los súbditos, dio a conocer el resultado de las deliberaciones, en las que él mismo había tenido parte tan decisiva. Esa intervención del gran predicador ha sido juzgada con mucha dureza y muy diversamente interpretada. Su error fue el mismo que siglos atrás había cometido San Bernardo: la aplicación de criterios espirituales en el terreno político. Fue un error hijo de las circunstancias del mundo que le envolvía. Su ignorancia de los principios del derecho internacional le permitió tomar en conciencia una determinación que creía la mejor para el reino y para la Iglesia. Por otra parte, creía deber suyo cumplir la voluntad, manifiesta, del papa Benedicto XIII, a quien incondicionalmente servía. El mismo echará mano, en los años sucesivos, de argumentos escriturísticos para defender la rectitud de su actuación en Caspe. Hay otro hecho notable y significativo: el pueblo interpretó favorablemente aquella actuación. De hecho, después de ella, el Santo mantuvo aumentado su prestigio de santidad, su don de consejo y su influencia aun en las cosas del reino.

En la gravísima situación creada por el hecho de las dos obediencias, frente al titubeo de buena parte de la provincia dominicana y a la hábil neutralidad del rey Pedro IV y de sus juristas, San Vicente se declaró decididamente partidario del pontífice de Aviñón, Clemente VII, y escribió en su defensa el *De moderno ecclesiae schismate* (1380), que dedicó al propio rey. Al lado del legado Pedro de Luna cumplió funciones de teólogo y consejero. Elegido papa, éste le llamó a su lado en Aviñón en 1395, y le nombró confesor, doméstico y penitenciario apostólico. En 1399 abandonó la corte papal para emprender, con todas las bendiciones del papa, su tarea de predicador itinerante por Europa, que le hizo famoso. Pero la conciencia de Vicente era insobornable. Cuando, después de infinitos tanteos y proposiciones, se convenció de que Benedicto XIII se oponía tercamente a todos los caminos de intento de solución del cisma, sobre todo después de la convocación del concilio de Constanza por el emperador Segismundo, fue él mismo quien se hizo un deber de empujar a su rey Fernando I, al que tanto había favorecido, a que retire su obediencia a Benedicto. El acto, solemnísimo, tuvo lugar en Perpiñán el día de Reyes de 1416, ante una inmensa muchedumbre. Se celebró la misa, San Vicente dijo el sermón, en el que aludió —magnífico recurso de buen predicador— a los *tres reyes* ofreciendo sus dones: los reyes de Aragón, Castilla y Navarra, ofreciendo al Señor el regalo de la unión de la cristiandad, pronunciando al final y solemnemente la fórmula de sustracción de obediencia. Esa enérgica intervención de San Vicente puede significar dos cosas: que había cambiado de opinión acerca de la legitimidad de Benedicto XIII o que, creyendo en ella, se había convencido de que el bien de la Iglesia exigía aquella toma de postura.

Después de aquella resuelta intervención, San Vicente se alejó de los problemas políticos y diplomáticos del cisma de tal manera, que no hubo forma de hacerle ir a Constanza. Se dedicó a lograr la paz de la Iglesia partiendo del fondo de los corazones. Y a ello dedicó toda la fuerza persuasiva de su acción y de su palabra hasta el final de su vida.

La profunda espiritualidad, sus conocimientos teológicos y un fecundo don de palabra hicieron de San Vicente un predicador que dominaba las masas populares. Y a las masas dedicó su atención y esfuerzo durante largos años.

Su predicación se inició en Valencia ya en los primeros años de sacerdocio. Y allí obtuvo las primeras conversiones sonadas y multitudinarias. Esa tarea se intensificó a partir de 1399 y duró hasta su muerte. Era incansable. Se le encontraba en todas partes. Recorrió varias veces las tierras de Cataluña, en muchas de las cuales perdura el recuerdo de su paso y sus milagros; recorrió Castilla y llegó hasta Galicia; estuvo en el Languedoc; anduvo las tierras de Francia hasta Bretaña (donde murió y está enterrado); llegó hasta Suiza y el norte de Italia, llegando a traspasar incluso las fronteras de la obediencia de Aviñón.

Su fama llegó a ser inmensa, casi mítica. Es tradición que, hablando en catalán, todo el mundo le entendía. Lo que no es increíble, dado los territorios que recorría, si se exceptúa Bretaña. Eran muchedumbres entusiasmadas las que le escuchaban y eran a veces centenares los que se movían con él y le seguían, hechizados por su gesto y su palabra ardiente y arrebatadora. Decían que sus palabras iban frecuentemente acompañadas del aval de milagros sobrecogedores.

Su predicación se movía en la línea, de moda entonces, de los predicadores de penitencia, a base de una catequesis viva, conminatoria, denunciadora de los males que comían el alma de aquella sociedad, anunciadora de castigos, interpretadora de las desgracias, profetizadora de un cercano fin del mundo. Son sobremanera notables, vivacísimas y llenas de colorido la caracterización de situaciones pintorescas, el lenguaje directo de los personajes, el empleo oportunísimo de ejemplos —*eximplis*—, que constituyen un verdadero escaparate y muestrario de la abigarrada vida real de su tiempo.

Su predicación, aunque improvisada a menudo, llevaba tras sí toda una táctica y una verdadera organización. Le acompañaban grupos, a veces fanáticos, de penitentes y flagelantes, cuya presencia subrayaba con estridencia las palabras y los gestos del predicador. Otros compañeros organizaban la celebración de la liturgia, la catequesis, las procesiones, administraban la confesión, socorrían a pobres y desamparados, visitaban a los enfermos y preparaban al pueblo a fin de que la predicación cayera ya en terreno abonado, revistiera gran expectación y solemnidad y lograra efectos clamorosos. Y junto a todos ellos no faltaron nunca notarios o copiadores que, verdaderos estenógrafos, tomaban notas o copiaban párrafos enteros, gracias a los cuales conocemos hoy, aunque fragmentariamente, la *vis* arrolladora del verbo del gran predicador, y sabemos que bien merecía la fama que le rodeaba. Esos esbozos, esquemas, fragmentos o recopilaciones nos han llegado en catalán y en latín y han sido editados en diversas ocasiones.

Hay que recordar forzosamente su predicación con los sarracenos y los judíos. A la conversión de éstos se dedicó especialmente San Vicente entre los años 1412 y 1416. El espíritu de su Orden y el funcionamiento de los *studia* de lenguas orientales en el reino de Aragón le empujaron con éxito a aquella tarea. Benedicto XIII le estimuló a predicar a los judíos y obligó a éstos a asistir a los sermones del Santo. Este, junto con el papa, fue uno de los promotores de la gran disputa de Tortosa, en 1413, que tanta resonancia tuvo entre judíos y cristianos.

Inició y concluyó el proceso de canonización el papa valenciano Calixto III en 1455, pero fue Pío II quien promulgó la bula de canonización en 1458.

Francesc Eiximenis

Uno de los personajes más interesantes y significativos del siglo XIV es Eiximenis. Nacido en Gerona alrededor de 1327, entró en los franciscanos y recorrió las Universidades de París, Oxford, Cambridge, Colonia y Roma, conociendo de cerca la vida de los estudiantes. Ello le proporcionó una visión directa de la vida y los problemas de los diversos pueblos, que empaparía sus escritos, llenándolos de vivacidad e interés.

Siendo muy joven, se ganó la confianza del papa de Aviñón, Urbano V, quien le hizo miembro de un tribunal que debía juzgar sobre la autenticidad de las revelaciones de Pedro IV de Aragón. A partir de 1383 residió en Valencia, y es allí donde despliega toda su actividad de escritor y de hombre político. Confesor del príncipe D. Juan, consejero de la reina D.ª María de Luna, teólogo del Consejo de Valencia y asesor de Martín I el Humano, a quien en 1392, y desde Valencia, transmitió una letra aconsejándole sobre la manera de gobernar Sicilia.

La vida política y religiosa de su tiempo llegó a pasar por él en muchos momentos. En 1391, Valencia conoció días de turbulencia debido a las rivalidades entre bandos de la nobleza y a la determinación de atribuciones entre el poder civil y el eclesiástico sobre los clérigos. Eiximenis logró el apaciguamiento y la solución de aquellos conflictos. Actuó como comisario apostólico entre Martín I y Benedicto XIII para organizar dos cruzadas contra los moros de las costas de Berbería. En los tiempos del rey D. Juan deliberó con el Consejo de Valencia sobre el viaje del papa Luna a la ciudad.

En cuanto al problema del cisma de Occidente, Eiximenis es sorprendentemente cauto o quizá ambiguo. Cosa extraña, cuando en su tiempo las personas más destacadas se significaban por su postura radical en pro o en contra de una de las dos obediencias. Eiximenis es, en la práctica, partidario del papa de Aviñón, del que recibe favores constantes; pero en sus escritos se mantiene indiferente y neutral; y en un escrito de 1398, *De triplici statu mundi*, se muestra defensor de la legitimidad del papa de Roma. Lo cierto es que en el reinado de Martín el Humano formó parte de una junta de teólogos que el rey convocó en Zaragoza con el fin de encontrar una solución al largo cisma. Benedicto XIII lo llamó en 1408 para participar en el concilio de Perpiñán, en el mes de noviembre de aquel año lo nombró patriarca de Jerusalén y en diciembre lo consagró obispo de Elna.

Fue uno de los iniciadores de la reforma franciscana en el reino de Aragón y uno de los estructuradores de la enseñanza pública en Valencia. En efecto, el Consejo de la ciudad le había comisionado en 1399, junto con otros maestros, para redactar unos estatutos para la enseñanza pública. Los posteriores acuerdos tomados por los Consejos demuestran a las claras la influencia que tuvieron sus escritos en la dirección de la vida social y política. Aquellos Consejos declaran su agradecimiento por los «grandes y muchos trabajos y servicios que sostiene y hace por la cosa pública de la ciudad».

En su obra de escritor queda reflejada su grande actividad, su conocimiento directo del mundo, la inquieta vida de la sociedad de su tiempo y las varias costumbres del siglo XIV. Su obra máxima y la que le dio más renombre es, sin duda, *El cristià*, verdadera enciclopedia del cristianismo en trece libros, y cuyo libro XII contiene el *Regiment de la cosa pública*, interesantísimo exponente de las ideas políticas y religiosas de la época y que debe situarse en el género literario de las obras *De regimine principum*, que florece por doquier a partir del siglo XIII. El *Llibre dels àngels* fue traducido inmediatamente al latín, francés, castellano (en cuatro traducciones) y al flamenco. En 1396 escribió el *Llibre de les dones*, de intención moralizante y nada antifeminista, con atinados consejos y normas de vida para las doncellas, las casadas, las viudas y las religiosas. Es una deliciosa visión de la vida femenina del XIV, subrayando aspectos culturales e incluyendo los conocimientos musicales de las damas de la nobleza al estilo de la *ars nova* francesa.

Inspirándose en San Gregorio, escribió en Valencia el *Pastorale*, dedicado al obispo de la ciudad, que contiene una guía general para los clérigos y un comentario sobre el estado episcopal y sus deberes pastorales. Tiene también una *Ars praedicandi*, manual de predicación, y una *Vida de Jesucrist*. En el *De triplici statu mundi*, que hemos citado, se muestra muy influido por las ideas de Joaquín de Fiore. Murió en Perpiñán en 1409.

Nicolás Eimeric

La figura de Eimeric ocupa el siglo XIV aragonés como el ejemplo de un inquisidor inflexible, lleno de celo por la fe ortodoxa; celo «a las veces áspero y mal encaminado», como escribió Menéndez y Pelayo. Hombre de gran saber, al modo escolástico, fue escriturista, biógrafo, teólogo, jurista y buen predicador.

Nacido en Gerona en 1320, ingresó allí mismo en la Orden de los Predicadores en 1334, donde se formó bajo la dirección de Dalmau Moner del que escribió la vida, publicada luego por Diago. En 1352 se doctoró en teología en París y regresó a Barcelona, donde fue nombrado maestro de estudiantes. En 1357 sucedió a Nicolás Roselli en el cargo de inquisidor general del reino de Aragón. Intervino en el proceso que condenó al beguino Nicolás de Calabria, lo que le valió unas enemistades que no cejaron hasta que en 1360 el capítulo general de Perpiñán le depuso de su cargo. En 1362 fue nombrado vicario general de su Orden y, poco después, provincial de la provincia de Aragón, pero Urbano V invalidó la elección por culpa de algunas irregularidades cometidas por unos capitulares. Dedicó aquellos años de vida en el interior de su comunidad a escribir y a predicar.

En 1366 volvió a ser nombrado inquisidor general. Fue en este tiempo cuando dirigió sus intemperancias contra los lulistas, de los que ya antes se había declarado irreconciliable enemigo. Las raíces hondas de aquella intransigencia y de la censura inquisitorial que vendrá después hay que buscarlas en las luchas doctrinales en que se hallaba empeñado el siglo XIV, y especialmente en el antagonismo entre nominalistas y realistas. «Desde mediados de siglo —escribe Carreras Artau—, el nominalismo había invadido, cada vez más, las altas esferas eclesiásticas y universitarias; y la teología oficial sentía recelo ante cualquier doctrina que, al exponer la esencia de Dios, o su vida trinitaria, o el misterio de la encarnación, u otras verdades teológicas, ahondara demasiado en la distinción de sus aspectos, personas o actividades. Varias condenaciones y prohibiciones académicas se habían sucedido en el espacio de unos años contra esta clase de doctrinas. Eimeric, que, sin llegar hasta el nominalismo, compartía con él la oposición decidida al realismo, experimentaba una aprensión igual ante el sistema de Llull, caracterizado por un rasgo fundamental ontologista. Más de la mitad de las proposiciones reseñadas por Eimeric se explican por esa disparidad radical de su concepción teológica. Añádanse a lo dicho otras divergencias ideológicas de no menor relieve: el intelectualismo de Eimeric, frente al voluntarismo que informa toda la concepción ética luliana; el criticismo, que le hace rechazar la exagerada confianza de Llull en la uerza demostrativa de la razón, y el aristotelismo, que contrasta con la ●sicología platonizante de Llull.

El rigor inflexible del inquisidor topó con la resistencia de los lulistas y on las simpatías del poder real por el maestro mallorquín. Y, al perfilarse ●n movimiento de adhesión popular al lulismo, Eimeric se decidió a ata-▪arlo abiertamente y a acabar con aquel estado de cosas. Formuló ante el ●apa la denuncia de las obras de Llull, que, según él, contenían afirmacio-▪es erróneas y sospechosas de herejía. El papa acogió la denuncia y expi-●ió dos bulas (junio y septiembre de 1372). Por la primera mandaba al ▪etropolitano de Tarragona que examinara las obras de Llull, y, caso de ●ncontrar en ellas errores contra la fe, las destruyera por el fuego; por la ●egunda ordena a' la curia barcelonesa que le mande el ejemplar de *Arbre e filosofia d'amor.* Cerciorado de que los catalanes no andaban muy dili-▪entes en la instrucción del proceso contra Llull, él mismo designó en la ●uria pontificia una comisión integrada por más de veinte maestros en ●ología, bajo la presidencia del cardenal de Ostia. Eimeric compareció ante ▪ comisión con una lista de más de quinientas proposiciones, extraídas de ●us obras, que reputaba erróneas. La comisión declaró sospechosos más de ▪oscientos artículos, y Gregorio XI prohibía públicamente, el 6 de febrero ▪e 1376, las veinte obras de Llull presentadas por Eimeric y las tesis censu-adas por la comisión.

Eimeric publicó todos aquellos resultados en su famoso *Directorium in-uisitorum,* escrito en Aviñón en 1376 y editado cinco veces en el siglo XVI.

Los lulistas tenían de su parte al rey, y lograron que éste, Pedro IV, ●esterrara de su reino a Eimeric. Este se fue a Aviñón. Muy bien recibido ●or Gregorio XI, fue su compañero en su retorno a Roma. Producida la ●scisión bajo Urbano VI, Eimeric, como buen catalán, optó por el papa ●lemente VII, muerto el cual siguió al lado de Benedicto XIII. Teólogo ●ficial de la curia, es un convencido defensor del poder total del papa *in ▪iritualibus et in temporalibus.* Al final de la larga controversia *de potestate ▪apae,* los de Aviñón siempre sostuvieron la opinión de los hierocráticos. ▪s muy notable, pues, la teoría monista de Eimeric. Y ello explica, una vez ▪ás, que tuviera todo el apoyo de aquellos papas.

Además del lulismo, atacó con energía a los astrólogos, nigromantes y ▪quimistas, así como a los joaquimitas y espirituales.

En 1388 dejó de ser inquisidor general. En 1393, Juan I volvió a deste-▪arlo. En Aviñón siguió escribiendo incansablemente hasta 1397, en que ●etornó definitivamente a Gerona, donde murió en 1399.

El catálogo de las obras de Eimeric puede verse en la obra de Roura ▪oca, que cito en la bibliografía. La más famosa es el *Directorium inquisito-▪m,* escrito en Aviñón en 1376 e impreso en Barcelona 1503, Roma 1578, ▪597, Venecia 1591 y 1607, que es una exposición estructurada de la doc-▪ina y del procedimiento del oficio de inquisidor, que anduvo durante ▪glos en manos de los oficiales de la Inquisición. En 1390 escribió en Avi-▪ón un *Dialogus contra Lullistas,* ardoroso ejemplar de literatura polémica, ▪e tonos muy violentos, escrito para ser leído por el pueblo, que se había ●rincherado en favor de los lulistas.

V. CRONISTAS E HISTORIADORES

Por J. F. CONDE

A finales del siglo XII y durante la primera parte del XIII se intensific;
la producción historiográfica en los reinos cristianos, a cargo, fundamen
talmente, de eclesiásticos. Un clérigo castellano culto, probablemente al
guno de los obispos que asistieron al Lateranense IV, escribe en latín la
Crónica de los reyes de Castilla, que comienza con la muerte de Fernán Gon
zález (970) y llega hasta el 1236, año de la conquista de Córdoba por Fer
nando III. Tiene un valor especial para las biografías de los monarca
contemporáneos el autor [113].

Lucas de Tuy, canónigo regular de San Isidoro de León y posterior
mente obispo de Tuy (1239-1249), compone varias obras de índole histó
rica, a través de las cuales resulta fácil percibir la fascinación que este capi
tular leonés sentía por la personalidad del Hispalense. En dos de ellas, d
tema estrictamente isidoriano, la *Vita et translatio Sancti Isidori* y el *Liber d
miraculis Sancti Isidori,* intenta potenciar la devoción al Santo en su iglesi
de León, y para ello no tiene inconveniente en dar rienda suelta a la fanta
sía, haciendo tabla rasa de la verdad histórica [114]. La aportación más im
portante del Tudense a la historiografía del doscientos fue la compilació
conocida con el título de *Chronicon mundi,* que termina en el reinado d
Fernando III. Combina en ella la historia universal y la nacional, si
guiendo pautas trazadas ya por el propio San Isidoro, y manipula con mu
cha libertad las obras del historiador visigodo y las crónicas altomedievale
empleadas como fuentes. Al tratar episodios cercanos a su época, se vuelv
más personal; pero a lo largo de todo el trabajo pone de manifiesto un;
credulidad «que más parece de hombre de campo que de cortesano» [115]
No obstante, tiene el mérito de haber introducido en la narración tema
épicos leoneses, lo cual supone una notable innovación, rompiendo, ade
más, la aridez característica de esta clase de literatura. En realidad, e
Chronicon mundi, redactado por encargo de la reina Berenguela, podría se
considerado también como una especie de anticipación de los tratados des
tinados a la educación de príncipes, que tanto abundarán más tarde. En e
prólogo del libro primero, el autor expone las cualidades que deben ador
nar al buen rey, y al comenzar el segundo insistirá en el valor propedéu
tico y moralizante de los acontecimientos pasados [116]. Lucas de Tuy com

[113] Edit. y estudio: G. CIROT, *Une chronique latine inédite des rois de Castille (1236):* BH I
(1912); 15 (1913); ID., *Appendices à la Chronique...:* BH 19 (1917); 20 (1918); 21 (1919); ID
Recherches sur la Chronique...: BH 21 (1919); 25 (1923).
[114] Falta aún una monografía crítica sobre los trabajos del Tudense. Ofrece numeros;
referencias: J. PÉREZ LLAMAZARES, *Los benjamines de la Real Colegiata de San Isidoro de Leó*
p.105s; ID., *Clérigos y monjes* p.128ss. También se atribuye a Lucas de Tuy la *Vita S. Martii
legionensis.* A. Viñayo González (*San Martín de León y su Apologética antijudía* [Madric
Barcelona 1948] p.217-263) publica esta *Vita* con su versión castellana.
[115] B. SÁNCHEZ ALONSO, *Historia de la historiografía española* vol.1 p.126; ed. A. SCHOTT, e
«Hispania Illustrata» vol.4 (Francfort 1603-1608). Texto romanceado: *Crónica de Españ*
ed. J. PUYOL (Madrid 1926).
[116] «Puse este prohemio y prefaction en la primera fuente del volumen porque aprenda

uso además otra obra, de índole polémica, contra un supuesto núcleo e albigenses afincados en la capital del reino de León: *De altera vita fidei-ue controversiis adversus albigensium errores libri tres*. Las noticias fiables ue nos ofrece en ella para evaluar la realidad histórica de este fenómeno eligioso son mínimas. El tratado, en su conjunto, responde mejor a las aracterísticas de una obra teológica, donde D. Lucas pone de manifiesto l conocimiento que tenía sobre muchos de los planteamientos teóricos de sta herejía, adquiridos en sus viajes allende los Pirineos [117].

La producción histórica del arzobispo de Toledo Rodrigo Ximénez de Rada († 1247) supera notoriamente a la del Tudense tanto en perfección ormal como en calidad intrínseca. Su obra principal: *Rerum in Hispania estarum chronicon*, llamada también *Historia gothica*, tiene, asimismo, un ierto carácter oficial, ya que fue redactada por encargo del propio Fer-ando III. El Toledano refleja en ella una clara preocupación por los te-nas nacionales, relegando lo universal o las historias de pueblos extranje-os a un lugar secundario, o reservándoles tratados complementarios. La istoria de España, que para D. Rodrigo comienza fundamentalmente con l pueblo visigodo —lo mismo que para San Isidoro—, gira sobre los goz-es de la historia de León y Castilla. Las noticias relativas a Navarra o Aragón entran siempre en la narración de manera marginal, a pesar del rigen navarro del autor. Para redactarla maneja infinidad de fuentes, ue reelabora de acuerdo con las exigencias estilísticas de un buen lati-ista, pero manteniéndose fiel a los contenidos de las mismas. En este specto resulta llamativo el conocimiento que tenía de la historiografía rábiga, fruto sin duda del rico acervo cultural de origen islámico acu-nulado en la ciudad de Toledo durante la centuria anterior por los traba-os de la «primera escuela de traductores». Don Rodrigo da entrada en los bros de la *Historia gothica* a temas épicos castellanos omitidos por Lucas de uy y recoge indiscriminadamente elementos legendarios o fabulosos. Se-ía evidentemente prematuro buscar ya en esta obra demasiados atisbos e discernimiento crítico. A pesar de todo, la *Historia gothica* representa un vance importante sobre la historiografía al uso entonces. En el mismo glo XIII tendrá varias versiones y constituirá una fuente generosamente tilizada por el equipo de redactores de Alfonso X al escribir la *Primera ónica general* [118].

El titular de la metrópoli de Toledo lleva a cabo obras históricas de nenor entidad, entre las que destaca la *Historia arabum*, que pone también e relieve sus conocimientos de literatura árabe [119].

s generosos príncipes por sangre e por claros fechos a governar los reynos a sí subiectos no nenos sabia que piadosamente que con mano valiente y poderosa...» (ed. J. Puyol, p.3); onviene a los varones de virtud los fechos de los pasados traer muchas vezes a memoria, orque de los bienes pasados aprendan a darse a las buenas costumbres y obras y en los malos men exemplo para se quitar de ellos» (ibid., p.149).

[117] Edit. J. DE MARIANA (Ingolstadt 1612). Durante el siglo XVII fue impresa otras dos eces. Un estudio crítico sobre este supuesto núcleo de herejes: J. FERNÁNDEZ CONDE, *Albigen-s en León y Castilla a comienzos del siglo XIII*, en «León Medieval. Doce estudios» (León 1978) .97ss.

[118] Ed. M. D. CABANES PECOURT, *Rodericus Ximenius de Rada. Opera* (Valencia 1968), fac-mil de la ed. de los PP. Toledanos del cardenal Lorenzana (Madrid 1793).

[119] El texto de la *Historia Arabum*: ibid., p.242-283. Además: la *Historia Romanorum*

Durante esta época se cultiva mucho el género histórico de los *Anales*
Por lo general más sobrios que las crónicas a la hora de consignar la
distintas noticias, ponen el énfasis en la precisión cronológica de las mis
mas; pero cometen todavía muchos errores, sobre todo cuando recoge
acontecimientos muy alejados del momento de la redacción. Los *Anale*
toledanos I y II, redactados ya en castellano, que se componen a mediado
del siglo XIII, revelan un gran interés de su autor por los temas relaciona
dos con el mundo islámico, fenómeno perfectamente normal si tenemo
en cuenta que entonces se pone en marcha el gran movimiento cultural d
la llamada «segunda escuela de traductores de Toledo» [120]. También per
tenece al mismo género el *Chronicon cerratense*, escrito en latín por Rodrig
de Cerrato, que alcanza la muerte de Fernando III [121].

El monasterio de San Juan de Ripoll fue el ambiente en el que se com
pusieron las *Gesta comitum barcinonensium*. Esta obra, escrita en latín y e
varias etapas —la última ya en el siglo XIII—, presenta las características d
una historia áulica u oficial. Los condes o reyes catalano-aragoneses so
siempre tratados encomiásticamente [122]. También pertenecía a Ripoll, cen
tro muy importante para la cultura catalana de la Edad Media, el autor de
Chronicon rivipullense: unos anales que comienzan con el nombramiento d
Poncio Pilato en el año 27 de la era cristiana y llegan hasta finales del XII
En ellos ocupan un lugar importante las noticias de índole eclesiástica. E
Chronicon dertusense II, que traspasa los umbrales del siglo XIII, tiene, posi
blemente, idéntico origen monástico que el anterior, y muestra asimism
un interés preferente por los asuntos de la Iglesia [123].

El *Liber regum*, conocido igualmente con el título de *Chronicon villarense*
fue escrito en navarro-aragonés sobre el año 1200, probablemente por u
monje del monasterio navarro de Fitero. Con pretensiones de universalis
mo histórico, pero lleno de errores e imperfecciones, tiene el mérito de se
la primera crónica peninsular en romance [124]. Las *Crónicas navarras,* un
serie de fragmentos históricos, todos muy breves, incluidos en el texto de
Fuero general de Navarra, presentan la estructura peculiar de los anales. Lo
cinco primeros fueron redactados también en navarro-aragonés alrededo
de 1200. El último fragmento, que llega hasta el año 1276, en latín [12
Con la producción histórica de Alfonso X comienza una etapa nuev

p.209-223; la *Ostrogothorum historia* p.224-228, la *Hunnorum, Vandalorum, Suevorum, Alanoru*
et Silinguorum historia p.229-241.

[120] Ed. H. FLÓREZ, ES XXIII p.381-409. Los *A. Toledanos III* son del siglo XIV. Las *Efem*
rides riojanas están formadas por un conjunto de anales denominados *Chronicon Ambrosianu*
ES XXIII p.304-305; *Chronicon Burgense:* ibid., p.305-310 y *Chronicon Compostellanum:* l.c
p.317-324.

[121] Ed. H. FLÓREZ, ES II p.211-213. El llamado *Anónimo de Sahagún,* cuyo texto actual
probablemente del siglo XIV, tiene una segunda parte, redactada a mediados de la centur
anterior, con datos significativos de la historia social y política de entonces (cf. R. ESCALON.
Historia del monasterio de Sahagún apénd.1 p.350-365).

[122] Ed. L. BARRAU-DIHIGO y J. MASSÓ TORRENTS (Barcelona 1925) (textos llati i català)

[123] El texto del *C. rivipullense:* J. L. VILLANUEVA, *Viage literario...* vol.5 p.241-249. Y el d
Dertusense II: ibid., p.236-240. El breviario de la iglesia de Roda contiene también el *Chronic*
rotense I y II, con noticias interesantes para la historia navarro-aragonesa de los siglos X-X
Publica ambos J. L. VILLANUEVA, *Viage literario...*, vol.15 p.329-335.

[124] Ed. L. COOPER, *El «Liber regum». Estudio lingüístico* (Zaragoza 1960).

[125] Ed. A. UBIETO ARTETA, en Textos Medievales 14 (Valencia 1964).

:n la historia de la historiografía española. La *Primera crónica general* y la *Grande e general storia*, a las que ya nos hemos referido al hablar del flore- :imiento literario promovido por el Rey Sabio, constituyen una clara nuestra de la conjunción de las tendencias presentes ya en la historiogra- ía anterior: el empleo y la selección de materiales tomados de fuentes más antiguas, el amplio uso de temas poéticos populares, la utilización de las aistorias árabes de fácil acceso para el equipo heterogéneo y poliglota que rabajaba a las órdenes del soberano castellano y la consagración del ro- nance para la narración histórica, al igual que para las obras literarias y ientíficas que se estaban componiendo entonces.

La *Primera crónica general* puede ser considerada, merecidamente, ·omo la primera historia de España propiamente dicha. Sus redactores, al ɔuscar los orígenes hispanos, superan, con mucho, la época visigoda para ratar de la mejor manera posible los períodos anteriores: «Nos don Al- ɔnso —se nos dice en el prólogo— mandamos ayuntar quantos libros ɔudimos aver de istorias en que alguna cosa contassen de los fechos dEs- ɔanna... et compusiemos este libro de todos los fechos que fallar se pudie- ɔn della, desdel tiempo de Noé fasta este nuestro». Además recogen, ya on cierta extensión, acontecimientos y noticias referentes a los distintos einos peninsulares, si bien el eje vertebrador de la narración sigue siendo, ógicamente, la historia de la monarquía astur-leonesa-castellana. Esta *Esto- ia de Espanna* representará el punto de partida obligado para los historia- lores posteriores, que en adelante intentarán preferentemente pergeñar aistorias particulares de reyes más o menos contemporáneos, como si se intieran dispensados de afrontar la redacción, siempre larga y difícil, de ına nueva historia general de la Península. «Las traducciones gallegas, ɔortuguesas, aragonesas y catalanas que se hicieron del Toledano, de la *Primera crónica* y de sus derivadas, indican que los países vecinos recono- ían y admiraban esta manifestación del pensamiento ibérico debida a Zastilla» [126]. La *Crónica de los reyes de Castilla (1248-1305)*, escrita por un lérigo —el arcediano de Toledo Jofre de Loaysa († 1307-1310)— con el ɔropósito de continuar la *Historia gothica*, de Ximénez de Rada, se sitúa n esta nueva perspectiva lo mismo que las historias de los reyes del si- lo XIV [127].

La historiografía catalano-aragonesa se orienta también por derrote- os menos universalistas. El *Libre dels feyts* de Jaime I tiene todas las carac- :rísticas del personalismo intimista propio de las autobiografías. Su redac- ɔr fue, probablemente, el obispo de Huesca Jaime Sarroca (1272-1289), ero el rey debió de seguir muy de cerca el hilo de la narración, influ- endo directamente en la misma [128]. La *Crónica del rey en Pere (Pedro III) e dels*

[126] R. MENÉNDEZ PIDAL, *Primera crónica...* p.LIII (Estudio introductorio).
[127] Ed. A. MOREL-FATIO, *Chronique des rois de Castille (1248-1305)*: Bibliothèque de l'École les Chartes 59 (1898) 325-378 (versión latina del texto romance original, realizada por Ar- nando de Cremona).
[128] Referencias y bibliografía sobre las ediciones de la *Chronica* de Jaime I: B. SÁNCHEZ ALONSO, *Fuentes de la historia española...* vol.1 p.288-289. Cf. también: L. NICOLAU D'OLWER, *a crónica del Conqueridor i els seus problems:* Estudis Universitaris Catalans 11 (1926) 79-88.

seus antecessors passats, compuesta por Bernat Desclot, un noble probablemente catalán, contrasta de modo llamativo con la del rey Jaime por su impersonalismo y por el afán de exactitud, rigor e imparcialidad, que preludian una historiografía mucho más moderna. En la primera parte del siglo XIV, y dentro de este apartado de la historiografía de los reinos orientales, destaca la compilación titulada *Crónica navarro-aragonesa*, escrita en castellano con claros residuos lingüísticos catalanes, y la *Chronica* de Ramón Muntaner. Este autor vuelve a imprimir en la narración histórica el sello de lo personal y autobiográfico, recogiendo en ella las experiencias de sus expediciones a Oriente con los ejércitos catalanes y aragoneses, y además le infunde un claro espíritu nacionalista. La *Crónica* de Pedro IV el Ceremonioso (1336-1387), redactada por varios autores, bajo la dirección inmediata del soberano, completará este importante ciclo historiográfico [129].

La *Gran conquista de Ultramar*, compuesta en castellano quizás durante el reinado de Sancho IV o en los primeros años del XIV, constituye ya el «primer ejemplo de literatura caballeresca», como anota Alborg. Su autor trata de describir el desarrollo de las cruzadas del siglo XII, siguiendo textos franceses y provenzales, especialmente el *Roman d'Eracle:* una adaptación francesa de la *Historia rerum in partibus transmarinis gestarum*, de Guillermo de Tiro, y recoge numerosas leyendas épicas o caballerescas, entre las que destacan, por ejemplo, las referentes a Carlomagno [130].

VI. LA MUSICA RELIGIOSA

Por J. F. CONDE

El año 1254, Alfonso X otorga al Estudio General de Salamanca la llamada «carta magna de la Universidad». Con ella dotaba 11 cátedras de materias diversas, entre las cuales se menciona una de *organum*, la forma más antigua de polifonía que venía utilizándose en toda Europa, y que alcanza precisamente su máximo desarrollo en la escuela de Notre Dame de París a principios del siglo XIII. Al incluir el Rey Sabio dicha disciplina como parte integrante de la organización académica del Estudio salmantino, ponía de manifiesto, una vez más, las tendencias universalistas de su ambicioso programa cultural. En realidad, durante esta centuria tanto la música religiosa como la profana experimentaron, en los distintos reinos de la Península, un florecimiento igual o posiblemente superior a que se estaba produciendo en otros países extranjeros.

A lo largo del doscientos, en los monasterios y cabildos catedralicios siguen cantándose y componiéndose tropos o comentarios literarios

---

[129] Sobre la *Crónica navarro-aragonesa:* B. SÁNCHEZ ALONSO, *Historia...* vol.1 p.243 y *Fuentes...* vol.1 p.236. Una edición reciente de las grandes crónicas catalanas: F. SOLDEVILA, *Les quatre grans cròniques (Jaume I, Bernat Desclot, R. Muntaner, Pere III)* (Barcelona 1971).
[130] Ed. P. DE GAYANGOS: BAE XLIV (Madrid 1853; nueva ed. 1951); cf. A. REY, *Las leyendas del ciclo carolingio en la «Gran conquista de Ultramar»:* Romance Philology 3 (1949-1950) 172-181.

nelódicos para los textos litúrgicos de la misa. Los tropos correspondientes a las partes variables desaparecerán paulatinamente a partir del XIII, pero los del ordinario perdurarán hasta el concilio de Trento, al igual que en otras latitudes de la Iglesia. Abundan, además, los ejemplos de *Verbeta*, un tipo de tropo muy popular que se cantaba en el oficio divino después del sexto nocturno de maitines. Las secuencias, denominadas también *proas*, fueron muy empleadas asimismo en la liturgia de la época. Muchas de ellas, copiadas en códices de iglesias catedrales o monásticas, provenían de monasterios del mediodía de Francia, de Saint-Pierre de Moissac y de Saint-Martial de Limoges especialmente. Otras, sin embargo, tuvieron orígenes netamente autóctonos. Pedro Ferrer, monje de San Cugat del Vallés, que escribía a principios del siglo, y el franciscano Gil de Zamora, el preceptor de Sancho IV (1284-1295), sobresalen en esta clase de composiciones. El códice musical del monasterio de las Huelgas (siglo XIV) contiene hasta 31 secuencias, muchas de las cuales debieron de componerse seguramente antes de 1300.

Los principales troparios y manuscritos musicales de los siglos XII-XIII proceden de las iglesias pertenecientes a la provincia eclesiástica tarraconense, vinculada de manera especial a Francia, la auténtica patria de los tropos, desde que estas melodías hacen su aparición en el siglo IX. Destacan los códices de Vich, Gerona, Tarragona, Tortosa y San Juan de Ripoll, en Cataluña; de San Juan de la Peña, en Aragón. En Castilla, los de San Millán de la Cogolla, Burgos, Toledo. Dichos códices musicales de origen español, «comparados con los conservados en Alemania, Francia, Inglaterra e Italia, son, en verdad, muy pocos; pero, aparte de la rareza, algunas de sus composiciones ofrecen dos cualidades que es necesario resaltar, a saber: el carácter profundamente místico y emotivo y el tipismo popular que se descubre en tales melodías» [131].

Las *Cantigas* de Alfonso X, una colección de 423 canciones monódicas escritas por el Rey Sabio y por los trovadores de su corte, que conocemos por el título de *Cantigas de Santa María*, constituye, sin duda, la obra de música lírica sobre texto vulgar más importante de toda Europa durante el Medievo.

La música de las mismas se conserva en tres manuscritos: el de Toledo, con melodías de 128 cantigas [132], y dos de El Escorial: uno con la notación musical de 193; el otro, que H. Anglés considera el *codex princeps*, con de 416. Los tres manuscritos, especialmente los escurialenses, fueron copiados por músicos muy expertos en notación mensural y ricamente miniados. Los miniaturistas y los autores de la notación pertenecían al equipo de eruditos que trabajaba a las órdenes del soberano de Castilla [133].

[131] H. Anglés, *La música en la España de Fernando el Santo y Alfonso el Sabio*, en «Scripta musicologica H. Anglés» vol.1 p.565-566.

[132] J. Ribera, *La música de las Cantigas* (Madrid 1922); hace la edición a partir de este manuscrito, que se conserva en la Biblioteca Nacional de Madrid. Su teoría sobre el origen árabe de la música de las *Cantigas* y de las melodías trovadorescas no puede sostenerse ya.

[133] Una minuciosa descripción de los tres manuscritos: H. Anglés, *La música en las Cantigas...* vol.2: *Transcripción musical* p.15ss. Un manuscrito que se conserva en Florencia, cuyo contenido es similar al de Toledo, carece de notación musical. La edición facsímil y el estudio del Ms. T.I.1 de El Escorial: Alfonso X el Sabio, *Cantigas de Santa María. Edición facsímil del*

La mayoría de las canciones presentan la forma de «virolais», similares a la de los gozos de la Virgen, tan populares en Cataluña, o a la de las laudes italianas de la época y de los «rondeaux». El «virolai» y el «rondeau» eran las dos formas clásicas de acompañamiento peculiares de las danzas cortesanas, sin que ello signifique que las *Cantigas de Santa María* fueran compuestas pensando en la danza. La ejecución de este tipo de canciones exigía la presencia de un solista para las estrofas, que sería acompañado por el pueblo, respondiendo con un estribillo a cada estrofa. De hecho, son muy pocas las cantigas que carecen de estribillo.

Las fuentes de inspiración de los autores de este conjunto de canciones debió de ser muy variada. Algunas recuerdan piezas gregorianas y temas de canto litúrgico; otras melodías pertenecen a motetes latinos o evocan los motivos de *lieder* franceses; una parte de ellas recoge temas épicos del folklore tradicional de distintos países, populares en todas partes durante el siglo XIII; y, finalmente, las de otra serie son totalmente originales [134].

La riqueza miniaturística de los códices de las *Cantigas* tiene, además una importancia excepcional para la historia de la organografía española universal. En esas miniaturas, y de modo particular en las del manuscrito *princeps,* pueden llegar a individuarse hasta treinta instrumentos distintos, tocados por juglares judíos, moros y cristianos.

La producción de polifonía religiosa, en la que se dejó sentir con fuerza la influencia de la música francesa e inglesa, tuvo también mucha importancia en los distintos reinos peninsulares, aunque las formas polifónicas características del *Ars antigua,* el «organum», el «conductus» y el «motete», venían componiéndose en España, al igual que en otros países desde hacía bastante tiempo.

Santiago de Compostela, meta de innumerables peregrinos especialmente a partir del siglo XII, fue la escuela musical más destacada del reino leonés. El *Codex-Calixtinus,* compuesto en la primera parte de dicha centuria, contiene ya muchas canciones a dos voces —veintiuna en total— y el extraordinario *Congaudeant catholici,* la primera pieza polifónica europea a tres voces.

Desde la segunda parte del siglo XII, la polifonía castellana, impulsada en buena medida por influencias foráneas, experimenta también un notable desarrollo. Alfonso VIII de Castilla (1158-1214), un decidido mecenas de los trovadores, estaba casado con Leonor de Inglaterra, a la que acompañarían seguramente músicos de su misma nacionalidad. Los continuos

códice T.I.1 de la Biblioteca de San Lorenzo del Escorial. Siglo XIII 2 vols. (Madrid 1979); segundo volumen de estudios: *El «Códice Rico» de las Cantigas de Alfonso X el Sabio.*

[134] «No es difícil advertir en la colección alfonsina la presencia de sedimentos musicales de culturas pretéritas que cruzaron o se establecieron en nuestro suelo, y los indígenas ibéricos supieron asimilar y transformar en producto netamente europeo. Los especialistas en etnografía musical comparada descubren en el cancionero hispánico tonadas cantadas en Afganistán y Turquestán» (J. M. LLORÉNS CISTERÓ, *Cantigas de Santa María del rey Alfonso X Sabio. La música;* vol.2: *El «Códice Rico»...* p.327. Los cancioneros galaico-portugueses de época con temas profanos que conservamos no tienen notación musical. El fragmento de la siete *Cantigas d'amigo,* del coruñés Martín Codax —seis con melodía escrita—, constituyen única muestra elocuente de cómo se cantarían esta clase de canciones de carácter secular.

compromisos bélicos que jalonan el largo reinado de Fernando III no constituyeron un obstáculo serio para que este rey conquistador impulsara decididamente las artes musicales. Sabemos que mantuvo estrechas relaciones con la corte francesa de San Luis (1226-1270), en cuya época Notre-Dame y la Saint-Chapelle eran escuelas musicales de enorme influencia en Europa. El *Setenario*, redactado después de la muerte del Rey Santo, le describe como un hombre «mañoso en todas las buenas maneras que buen cavallero debiere usar, ca él sabía bien botardar et alanzar... et pagándose de omes cantadores et sabiéndolo él fazer; et otrosí pagándose de omes de corte que sabían bien de trobar et cantar, et de joglares que sobiesen bien tocar estrumentos, ca desto se pagaba él mucho et entendía quí lo facía bien et quien non» [135]. Las relaciones internacionales de Alfonso X y su mecenazgo para toda suerte de ciencias y artes resultan de sobra conocidos.

Burgos, ciudad que la corte escogía frecuentemente para residencia, juntamente con Toledo, fueron los dos centros musicales más destacados de Castilla. El códice musical de las Huelgas, citado más arriba, conserva numerosas composiciones polifónicas para el ordinario de la misa, así como motetes y «conductus». Junto a los de origen francés abundan los escritos por músicos españoles. De los 59 motetes, 21 concretamente aparecen por primera vez en este manuscrito. Los restantes proceden de allende los Pirineos [136]. Toledo se configura como una especie de «sucursal» de la escuela musical de Notre-Dame, según la expresión del musicólogo H. Anglés.

Las influencias extranjeras sobre la polifonía catalano-aragonesa apuntan en la misma dirección que en las escuelas castellanas. San Juan de Ripoll, por ejemplo, estaba ya muy relacionado con el monasterio de Saint-Martial de Limoges desde la alta Edad Media. El importante cenobio catalán, juntamente con el de Scala Dei (Tarragona) y las catedrales de Tortosa y Tarragona, fueron los centros de producción e irradiación de música polifónica más destacados en esta centuria. Además del maestro Pedro Ferrer, que muere el año 1231, justo cuando Leoninus, el famoso *magister magnus* de Notre-Dame estaba comenzando su obra, se conocen los nombres de otros músicos catalanes de este período, que llevan, normalmente, el título de «cantores» [137].

Por la misma época existía igualmente una escuela de polifonía en Pamplona, que parece presentar afinidades con la música polifónica inglesa, pero tenemos pocas referencias sobre ella. Comenzó, probablemente, en el siglo anterior, durante el reinado de Sancho VI el Sabio (1154-1194). Conviene recordar que una hija de este soberano se había casado con el rey de Inglaterra Ricardo Corazón de León [138].

[135] H. ANGLÉS, *La música en la España de Fernando el Santo...*, en «Scripta musicológica» vol.1 p.566ss.
[136] ID., *El Codex Musical de las Huelgas* 3 vols. (Introducció: I; Facsímil: II; Transcripció: III) (Barcelona 1931).
[137] H. Anglés (*La música a la corona d'Aragó durant el segles XII-XIV*, en «Scripta musicológica» vol.2 p.849) cita algunos de ellos.
[138] ID., *Historia de la música medieval en Navarra* p.105ss.

En Castilla y Aragón se escribió también música para danzas destinadas a solemnizar algunas celebraciones litúrgicas destacadas. Pero la ejecución de danzas sacras durante los oficios religiosos debió de resultar excepcional, y la jerarquía eclesiástica se mostró siempre contraria a esta costumbre en previsión de los posibles abusos que pudiera ocasionar [139] Después de instituir Urbano IV la festividad del Corpus Christi el año 1264, comenzaron a introducirse en las procesiones españolas de dicha fiesta coros de cantores y danzantes para expresar de manera significativa su alegría y la devoción al Santísimo Sacramento. Los privilegios concedidos por los monarcas castellanos a la cofradía de los seises de Sevilla, que danzaban ante el altar en varias solemnidades litúrgicas, se remontan ya a siglo XIII [140]. El *Llibre vermell* de Montserrat —escrito en el siglo XIV a base de tradiciones que pertenecen, sin duda, a la centuria anterior— conserva la música de las danzas practicadas por los romeros en el templo de este santuario a lo largo de la noche y en la plaza del mismo durante el día Parece que es el único ejemplo musical de esta clase que perdura en Europa [141].

VII. «EL SIGLO DE LOS SANTOS»

Por J. F. CONDE

Al repasar el santoral hispano de la Edad Media, llama la atención en seguida la nómina de santos que viven y mueren en el siglo XIII, tanto por el relieve histórico de los mismos como por su categoría personal. La lista de nombres se hace más significativa si la comparamos con la de los siglos precedentes y, sobre todo, con la del siglo XIV, prácticamente en blanco Vicente de la Fuente, desconocedor de la crisis económica, moral y disciplinar que experimentó la Iglesia de los reinos peninsulares durante el período álgido de las conquistas de Alfonso IX de León, Fernando III de Castilla y Jaime I de Aragón, no duda en calificar esta época de heroica desde el punto de vista político y religioso, y dedica varias páginas de su *Historia de la Iglesia de España* a reseñar la serie de «varones eminentes en virtud y saber que ilustraron este siglo en todos conceptos fecundo» [142].

En efecto, la centuria se abre ya con la muerte de dos personalidades sobresalientes que alcanzaron el reconocimiento oficial de santidad: San Martín de León († 1203) y San Julián de Cuenca († 1208). El primero de ellos, un peregrino de altos vuelos, como lo será un poco más tarde su

---

[139] El concilio de Valladolid del 1228, redactado al hilo de los cánones del Lateranen se IV, ordena que «los clérigos no sean en compañas do están joglares et trashechadores...» (J.Tejada y Ramiro, *Colección*... vol.3 p.326). Y el de Lérida del año siguiente:«Absténganse le clérigos... de todo oficio o trato secular, especialmente si fuere indecoroso. No sean juglares, truhanes ni farsantes» (ibid., p.333).

[140] S. de la Rosa, *Los seises de la catedral de Sevilla* (Sevilla 1904).

[141] H. Anglés, *«Él Llibre vermell» de Montserrat y los cantos y la danza de los peregrinos durante el siglo XIV*, en «Scripta musicológica» vol.1 p.621-661.

[142] V. de la Fuente, o.c., vol.3 p.283.

compatriota el cronista Lucas de Tuy, fue canónigo en las dos canonías regulares de la capital leonesa: San Marcelo y San Isidoro. Hacia 1185 comienza a escribir su conocida obra exegética de marcada intencionalidad antijudaica, que lleva el título de *Concordia,* puesto por él mismo [143].

San Julián, que nace en Burgos durante la primera mitad del siglo XII, de una familia distinguida, estudia en la floreciente escuela episcopal de Palencia, donde pudo haber coincidido con otro burgalés ilustre: Domingo de Guzmán. Posteriormente, se dedica al ministerio de la predicación, al igual que el fundador de los dominicos, y termina rigiendo los destinos de la diócesis de Cuenca doce años (1196-1208), granjeándose allí el calificativo de «vere pater pauperum» por las obras de caridad hechas a expensas del trabajo propio y del de su criado Lesmes.

San Martín de Finojosa, hijo de un noble guerrero castellano, fue monje cisterciense en el monasterio de Santa María de Huerta, donde logra prosperar en la perfección y disciplina monásticas durante el período de mayor esplendor del Cister en la Península: la segunda parte del siglo XII. Colabora estrechamente con Alfonso VIII en la fundación de la célebre abadía de bernardas de las Huelgas (Burgos), cuando ya ocupaba la sede episcopal de Sigüenza (1186-1193). Después de renunciar a la mitra terminó su vida en la tranquilidad del cenobio de Huerta (1213), del que había salido [144].

La Orden cisterciense, que a lo largo del siglo XIII presenta ya síntomas de decadencia en varios aspectos, sólo cuenta en el santoral con otro nombre, el del catalán San Bernardo Calvó. Bernardo Calvó era natural de Reus (Tarragona), y su padre, un caballero. Después de estudiar en el extranjero —Toulouse o Bolonia probablemente— ingresa en el monasterio cisterciense de Santa Creus, donde ocupará el cargo de abad hacia 1225. Unos años más tarde, el 1233 concretamente, nombrado obispo de Vich, sabrá combinar las exigencias propias de la vida de un prelado medieval con la austeridad del claustro, rodeándose de un grupo de monjes provenientes de su mismo monasterio. P. Linehan evalúa la ejecutoria episcopal de este monje afirmando que «fue, a todas luces, incompetente en la administración de los asuntos de su iglesia, como conviene a un santo» [145]. Pero habría que comprobar con seguridad si las estrecheces económicas experimentadas por la diócesis vicense durante el episcopado de este obispo se debieron a la incompetencia administrativa del mismo o más bien a la crisis generalizada que padecieron las distintas sedes durante las grandes empresas de la Reconquista a lo largo del doscienos. De hecho, San Bernardo Calvó formó parte del equipo de cistercienses que colaboraron con San Ramón de Penyafort y Pedro de Albalat en la implantación de los planes de reforma del Lateranense IV, predicada por el legado papal Juan de Abbeville. El prelado vicense participa activamente en las

[143] A. VIÑAYO GONZÁLEZ, *San Martín de León y su Apologética antijudía* (Madrid-Barcelona 1948); ID., *San Martino de León, peregrino universal* (León 1960).
[144] T. MINGUELLA Y ARNEDO, *Historia de la diócesis de Sigüenza...* vol.1 p.143-173.
[145] P. LINEHAN, *La Iglesia española...* p.38; cita a E. JUNYENT, *Diplomatari...* p.XLVIII-L y 238-257.

distintas asambleas eclesiásticas de aquel período y asiste también a varias empresas políticas de entonces. El año 1238, por ejemplo, le encontramos acompañando a Jaime I en la conquista de Valencia al frente de las tropas. Gregorio IX le nombró inquisidor de la provincia eclesiástica tarraconense para luchar contra los herejes, que constituían una amenaza para esta iglesia.

Los benedictinos, la Orden más característica de la Edad Media, tampoco escribieron un capítulo brillante en la hagiografía del siglo XIII. La decadencia de los «monjes negros» era ya profunda. El único benedictino reconocido popularmente como santo fue Gil de Casayo, un monje del monasterio de San Martín de Castañeda (Zamora), del que sabemos muy poco. Al parecer pasó los últimos años de su vida como eremita en el valle de Casayo, cerca del citado cenobio, y, después de la muerte —que debió de ocurrir en la primera parte de la citada centuria—, los naturales de dicha localidad comenzaron a tributarle honores de santo.

El grupo más destacado de santos en este siglo pertenece a las órdenes nuevas: las creadas para redimir cautivos y las mendicantes. El año 1213 muere San Juan de Mata, el fundador de los trinitarios con San Félix de Valois a finales del siglo anterior (1198). De origen francés —había nacido en una localidad de Provenza dependiente de la corona de Aragón—, su trayectoria apostólica tiene mucho que ver con la implantación de la nueva Congregación religiosa en la Península.

La Orden de Nuestra Señora de la Merced, creada con idénticos objetivos que la anterior, ofrece una primera parte de su historia jalonada por la presencia y las actividades de miembros destacados. San Pedro Nolasco (c. 1180-1249), el fundador, fue un mercader de origen provenzal asentado en Barcelona, que decidió poner las bases de una nueva institución para la redención de cautivos, de cuño netamente aragonés, alentado por Ramón de Penyafort. El núcleo originario de la misma lo constituyó un grupo de caballeros pertenecientes a la nobleza catalana. De hecho, los mercedarios se configuran, sobre todo durante la época inicial, como una orden militar más, y participan activamente en las empresas de reconquista. San Pedro Nolasco acompañó al rey Jaime en la toma de Valencia. La pertenencia de San Pedro Pascual al estamento de mercedarios parece ya fuera de duda. En otro lugar pusimos de relieve la importancia de los escritos apologéticos de este personaje valenciano, que murió degollado por los moros de Granada el 1300, siendo obispo de Jaén. En uno de los tratados de su extensa producción trató de explicitar las motivaciones de la labor literaria emprendida, diciéndonos que la había llevado a cabo «non por vanagloria, mas por deseo que non dexasen los christianos su ley, commo dexavan, por mengua que non entendían la verdadera ley que dexaran e la vanidad a que yban e en que cayan muchos» [146]. San Pedro Armengol († 1304), otro de los mercedarios famosos de los primeros tiempos, pertenecía a la casa de los condes de Urgel. La tradición le presenta durante su juventud capitaneando una partida de bandoleros, en-

---

[146] SAN PEDRO PASCUAL, *Obras completas* vol.3 p.91.

carnación típica del «malhechor feudal» de origen noble. Después de recibir el hábito de manos del fundador, realizó varias redenciones de cautivos y llegó a sufrir el martirio en una de ellas, si bien consiguió librarse de la muerte prodigiosamente. Pasa los últimos años de su vida en Santa María de los Prados (Tarragona), adquiriendo fama de taumaturgo entre la población vecina. Su culto es inmemorial. San Ramón Salón Surrons, más conocido por el sobrenombre de Nonato, aventaja, sin duda, en popularidad al anterior. Nace a finales de la centuria —sus padres estaban emparentados con las ilustres familias de Fox y Cardona—, y sobresale pronto en la tarea específica de los mercedarios: la redención de cautivos. Muere a mediados del siglo XIII (1240), y su culto entra en las Iglesias de Cataluña y de la Orden de la Merced bastante antes de que le canonizaran oficialmente en el siglo XVII. Santa María de Cervellón cierra el apartado del santoral mercedario del doscientos. Esta colaboradora íntima de San Pedro Nolasco, que pertenecía a una linajuda familia barcelonesa de ascendencia germánica, funda la primera casa de religiosas mercedarias juntamente con un grupo de damas catalanas del mismo rango social que ella, orientando el apostolado de la institución hacia obras asistenciales en hospitales y cárceles.

Los dominicos cuentan también con varios santos en los anales de la Orden durante el primer siglo de su historia. En la familia de los Guzmanes de Caleruega, donde nació y creció Domingo de Guzmán, el fundador de los frailes predicadores, llevan el título de beatos un hermano de éste llamado Mamés de Guzmán y la madre de ambos, Juana de Aza. San Ramón de Penyafort fue el dominico español de mayor proyección universal después de Santo Domingo. En el transcurso de su larga vida (c. 1185-1275) conseguirá ir integrando armónicamente, dentro de un esquema de serias exigencias ascéticas y religiosas, tareas extraordinariamente dispersas: fue un canonista excepcional, apoyó fundaciones monásticas nuevas, impulsó decididamente la aplicación de las reformas lateranenses, participó de manera a veces decisiva en el gobierno de la Iglesia de Aragón, colaboró estrechamente en diversos negocios políticos con Jaime I, activó las obras misioneras entre árabes y judíos, promocionó los *studia linguarum* de la Orden dominicana y fue general de la misma dos años (1238-1240). En Cataluña, después de su muerte, surge muy pronto una fuerte devoción popular hacia él, aunque no será canonizado hasta el año 1601. Otro dominico relacionado con los orígenes de la Orden fue el Beato Pedro González, conocido vulgarmente por San Telmo. Nace en Frómista (Palencia) durante el último tercio del siglo XII y estudia en las famosas escuelas episcopales palentinas, donde conoce a Santo Domingo de Guzmán. Comienza una brillante carrera beneficial, que abandonará en seguida para hacerse dominico y convertirse en predicador ambulante entre las tropas de Fernando III y a lo largo y ancho de Galicia. Simultanea las actividades apostólicas con trabajos de índole social, como la creación de varias cofradías y la ejecución de algunas obras de utilidad pública. Muere cerca de Tuy cuando era obispo de esta diócesis el cronista D. Lucas (1239-1249). Su tradición historiográfica está cuajada de leyendas y prodigios. Al poco de la muerte, ya se le atribuían infinidad de milagros de todo tipo [147].

San Fernando, el rey castellano contemporáneo de San Luis de Francia, que era además primo suyo, representa en el santoral el grupo más elevado de la pirámide social. Junto a él, y a caballo de los siglos XIII-XIV, destaca, asimismo, la figura de Santa Isabel de Portugal († 1336), hija de Pedro III de Aragón y de Constanza de Sicilia. Muy joven todavía, contrajo matrimonio con el soberano portugués Dionís, y se le llamó la «reina pacificadora» por los buenos oficios realizados en varios conflictos políticos valiéndose de sus amplias y poderosas relaciones familiares.

A mediados del siglo XIII sufre el martirio en Zaragoza el niño Domingo del Val a manos de judíos. Los pormenores de este episodio se sitúan en el contexto de las leyendas y tradiciones, muy extendidas entonces en España y en otros países europeos, sobre muertes de niños inocentes y sacrilegios con imágenes de cera del Salvador perpetrados por la minoría hebrea [148].

Desde el punto de vista social, el paradigma del santo en el doscientos presenta marcados ribetes elitistas y parece un producto casi exclusivo de la clase nobiliaria, en pleno período de consolidación durante el siglo XIII. La mayoría de los personajes citados más arriba pertenecieron a familias de linaje noble, por lo general de segunda categoría. Después de una etapa de estudios o de vida mundana abrazan la vida regular, y muchos llegan a ocupar cargos de gobierno: alguna abadía o sede episcopal, todo en perfecta consonancia con el estamento social del que habían salido. San Pedro Nolasco parece ser el único proveniente del grupo de los «piadosos mercaderes» que fueron capaces de trocar la vida de los negocios por la austeridad del claustro. Lo heroico, otra de las características de esta época de reconquista, está también encarnado en los santos pertenecientes a órdenes dedicadas preferentemente a la redención de cautivos. San Pedro Pascual, San Pedro Armengol y San Ramón Nonato, que sufrieron el martirio en el cautiverio, constituyen tres ejemplos muy venerados por sus contemporáneos, y, sobre todo, por las generaciones inmediatas posteriores a su muerte. La Orden de la Merced fue en sus comienzos, como ya indicamos, una orden de caballería.

Las nuevas congregaciones fundadas por algunos de estos santos se organizan sobre esquemas tradicionales —recuérdese la influencia de la Regla de San Agustín en la constitución de las primeras comunidades dominicanas— y los proyectos que propugnan tratan de responder a los planes generales de reforma dictados por la Santa Sede. Santo Domingo, por ejemplo, reasume perfectamente en su Congregación religiosa los principales capítulos de acción pastoral promulgados por el Lateranense IV. La

---

[147] En el *Legendario de la iglesia de Tuy: Legenda Beati Petri confessoris:* ES XXIII p.245-263; *Miracula post mortem servi Dei:* l.c., p.263-285. Cf. también F. DE FRACHETO, *Vitae Fratrum Ordinis Praedicatorum,* ed. B. REINCHART (Lovaina 1896); ed. castellana (BAC n.22 [Madrid 1966] 2.ª ed.) p.685: «De diversos milagros del bienaventurado fray Pedro González»; la obra de G. de Fracheto se compuso ya en 1258-1259.

[148] Sobre este particular cf. J. AMADOR DE LOS RÍOS, *Historia social, política y religiosa de los judíos de España y Portugal* p.254ss (reimpr.: Madrid 1973).

orientación misionera del fundador de la Orden dominicana apunta fundamentalmente hacia los centros urbanos [149]; pero el de Caleruega, por su formación intelectual, por sus orígenes familiares y por su mentalidad social, «se hallaba en el polo opuesto al de los inquietos reformadores populares de las ciudades del siglo XIII» y al de los líderes de los movimientos espirituales, de carácter radical [150]. La mayoría de los santos reseñados adquirieron el carisma de la verdadera popularidad después de la muerte.

Por otra parte, resulta verdaderamente llamativo el no toparnos en el santoral de esta centuria con nombres de miembros de la Orden franciscana, cuya influencia en los distintos reinos peninsulares puede, sin duda, parangonarse a la de los frailes predicadores.

Además, puede también ser significativo el hecho de que sólo dos de los santos citados: Santo Domingo y San Bernardo Calvó, fueran canonizados durante la baja Edad Media. Los restantes no lograrán el refrendo formal de santidad hasta los siglos XVII y XVIII, en pleno florecimiento de la espiritualidad barroca, muy propensa a admitir tradiciones y leyendas en las que abundaran los elementos extraordinarios o prodigiosos. Bien es verdad que, a veces, las poblaciones en las que los santos habían desplegado su actividad religiosa o las órdenes a las que habían pertenecido ya les atribuyen culto desde tiempo inmemorial. En estos casos, la canonización, como tal, venía a constituir un mero reconocimiento oficial.

---

[149] «Bernardus valles, montes Benedictus amabat, / oppida Franciscus, celebres Dominicus urbes»: dístico antiguo publicado en *Santo Domingo de Guzmán visto por sus contemporáneos,* ed. M. GELABERT-J. M. MILAGRO-J. M. DE GARGANTA (BAC n.22) p.19.

[150] Cf. ibid., p.9-10.

CAPÍTULO V

LA RECESION DEL IDEAL DE RECONQUISTA EN LA BAJA EDAD MEDIA

Por Javier Faci Lacasta y Antonio Oliver

BIBLIOGRAFIA

La obra político-cultural de Alfonso X el Sabio. El «Fecho del Imperio»

BALLESTEROS, A., *Alfonso X el Sabio* (Barcelona 1963); BALLESTEROS, A., *Alfonso X de Castilla y la corona de Alemania:* Revista de Archivos, Bibliotecas y Museos, XXXIV (1916) 1-23; 187-219; ALFONSO X EL SABIO, *Primera Partida, según el Manuscrito Add. 20.787 del British Museum,* ed. por J. A. Arias Bonet, con estudios complementarios de G. Ramos, J. M. Ruiz Asencio y J. A. Arias Bonet (Valladolid 1975); GARCÍA GALLO, A., *El Libro de las Leyes de Alfonso el Sabio. Del Espéculo a las Partidas:* Anuario de Historia del Derecho Español, XXI-XXII (1951-52) p.345-528; GARCÍA GALLO, A., *Nuevas observaciones sobre la obra legislativa de Alfonso X:* AHDE, XLVI (1976) p.609-670; GIMÉNEZ Y MARTÍNEZ DE CARVAJAL, J., *El Decreto y las Decretales, fuentes de la Primera Partida de Alfonso el Sabio:* Anthologica Annua, II (1953) p.239-348; GIMÉNEZ Y MARTÍNEZ DE CARVAJAL, J., *San Raimundo de Peñafort y las Partidas de Alfonso X el Sabio:* Anthologica Annua, III (1955) p.201-338; PROCTER, E. S., *Alfonso X of Castile* (Oxford 1951).

La monarquía castellana en la baja Edad Media

CLAVERO, B., *Mayorazgo. Propiedad feudal en Castilla (1369-1836)* (Madrid 1974); GAIBROIS, M., *Historia del reinado de Sancho IV de Castilla* (Madrid 1922-28); GONZÁLEZ MÍNGUEZ, C., *Fernando IV de Castilla (1295-1312). La guerra civil y el predominio de la nobleza* (Vitoria 1976); LADERO, M. A., *La Hacienda Real de Castilla en el siglo XV* (La Laguna 1973); LADERO, M. A., *España en 1492,* vol.I de la «Historia de América Latina»: Hechos-Documentos-Polémica (Madrid 1978); MITRE, E., *Evolución de la nobleza en Castilla bajo Enrique III* (Valladolid 1968); MOXÓ, S., *La alcabala. Sus orígenes, concepto y naturaleza* (Madrid 1964); MOXÓ, S., «De la nobleza vieja a la nobleza nueva. La transformación nobiliaria de Castilla en la baja Edad Media», en *Cuadernos de Historia* (anexos de la revista «Hispania») 3 (Madrid 1969); PÉREZ BUSTAMANTE, R., *El gobierno y la administración territorial en Castilla (1230-1474)* (Madrid 1976); PÉREZ PRENDES, J. M., *Cortes de Castilla* (Barcelona 1974); SUÁREZ FERNÁNDEZ, L., *Juan I rey de Castilla* (Madrid 1955); SUÁREZ FERNÁNDEZ, L., *Nobleza y monarquía. Puntos de vista sobre la historia castellana del siglo XV* (Valladolid 1959); VALDEÓN, J., *Enrique II de Castilla: la guerra civil y la consolidación del régimen (1366-1371)* (Valladolid 1966); VALDEÓN, J., *Los conflictos sociales en el reino de Castilla en los siglos XIV y XV* (Madrid 1975).

ARAGÓN Y CATALUÑA EN EL MEDITERRÁNEO. CONFLICTOS CON LA SANTA SEDE

O. CARTEELIERI, *Peter von Aragon und die sizilianische Vesper* (Heidelberg 1904); J. VINCKE, *Documenta selecta mutuas civitatis Arago-Cathalaunicae et Ecclesiae relationes illustratia* (Barcelona 1936); ID., *Staat und Kirche in Katalonien und Aragon während des Mittelalters* I (Münster 1931); L. NICOLAU D'OLWER, *L'expansió de Catalunya a la Mediterrània oriental* (Barcelona 1926); R. LOENERTZ, *Athènes et Neopatras, Regestes et documents pour servir à l'histoire ecclésiastique des duchés catalans (1311-1395):* Archivum Fratrum Praedicatorum 18 (1958) 5-91; CH.-E. DUFOURCQ, *L'Espagne catalane et le Maghrib aux XIIIᵉ et XIVᵉ siècles* (París 1966); F. SOLDEVILA *Història de Catalunya* (Barcelona ²1963); ID., *Jaume I i Pere el Gran* (Barcelona 1965); J. M. POU I MARTÍ, *Conflictos entre el pontificado y los reyes de Aragón en el siglo XIII:* Miscel. Hist. Pont. XVIII: «Sacerdozio e Regno da Gregorio VII a Bonifacio VIII» (Roma 1954) p.139-160; A. FÁBREGA, *Actitud de Pedro III el Grande de Aragón ante la propia deposición fulminada por el papa Martín IV:* Miscel. Hist. Pont. XVIII: «Sacerdozio e Regno da Gregorio VII a Bonifacio VIII» (Roma 1954) p.161-180; L. NICOLAU D'OLWER, *El Pont de la mar blava* (Barcelona 1928); F. SOLDEVILA, *Sardegna nella Cronaca di Pietro il Cerimonioso:* Atti del VI Congresso Intern. di Studi Sardi (Cagliari 1957).

DERROTEROS DEL REINO Y DE LA IGLESIA DE NAVARRA EN LA BAJA EDAD MEDIA

GOÑI GAZTAMBIDE, J., *Los obispos de Pamplona del siglo XV y los navarros en los concilios de Constanza y Basilea:* Estudios de la Edad Media de la Corona de Aragón 7 (1962) 358-547; 8 (1966) 261-409; ZUNZUNEGUI, J., *El reino de Navarra y la diócesis de Pamplona durante la primera época del Cisma de Occidente (1378-1394)* (San Sebastián 1942); GARCÍA VILLADA, Z., *Historia Eclesiástica de España* III (Madrid 1936) p.259-273; IRURITA, M. A., *El municipio de Pamplona en la Edad Media* (Pamplona 1959); MARTÍN DUQUE, A. J., *El reino de Navarra en el siglo XIV:* Anuario de Estudios Medievales 7 (1970-71) 153-164; LACARRA, J. M., *Las Cortes de Aragón y de Navarra en el siglo XIV:* Anuario de Estudios Medievales 7 (1970-71) 644-652.

I. LA OBRA POLITICO-CULTURAL DE ALFONSO X EL SABIO. EL «FECHO DEL IMPERIO»

Por J. FACI

Cuando se inició el reinado de Alfonso X, en 1252, todo hacía presagiar una época fecunda de logros y realizaciones. Su padre, Fernando III, había dado un enorme impulso al proceso reconquistador, recogiendo hábilmente los frutos de la política de su abuelo Alfonso VIII, y realzado el prestigio de la monarquía castellana a cotas hasta entonces desconocidas. Sin embargo, el reinado del Rey Sabio, iniciado con los mejores auspicios, pronto se verá torcido por un cúmulo de problemas externos e internos, tanto políticos como económicos y sociales. Ello hace que el balance político de tal reinado (1252-1284) no sea positivo, aunque tampoco merezca un juicio abiertamente contrario. Podría afirmarse que algo comienza a cambiar en Castilla durante este reinado: se cierra, momentáneamente y para mucho tiempo, una época caracterizada por la expansión político-militar y un optimismo desenfrenado que hacían presagiar una rápida culminación de la lucha contra los musulmanes, iniciándose una fase de

ontemporización con los mismos, prácticamente limitados al consolidado
eino de Granada. Las luchas internas, que tendrán su culminación en el
:ambio de dinastía de 1369, en un contexto general de crisis demográfica
 económica, caracterizan el período.

Conviene dejar bien claro que no se trata de un proceso específica-
nente hispánico, sino que algo semejante sucede en los principales reinos
:uropeos. En el Imperio, la muerte de Federico II (1250) abre una crisis
)rofundísima y duradera, que tendrá como balance la imposibilidad de
levar a la práctica el sueño imperial de los Stauffen y el nuevo protagonismo político de las grandes monarquías feudales (Francia, Inglaterra,
Castilla, Aragón, etc.), que recogen la herencia de los poderes supranacio-
nales. En el orden socioeconómico, el período que se inicia hacia mediados
del siglo XIII marca el comienzo de la tan invocada «crisis de la baja Edad
Media», si bien en algunas regiones el crecimiento y la expansión se prolongaron hasta bien entrado el siglo XIV. La recesión y el estancamiento
:conómicos son los signos distintivos de esta «crisis», con sus secuelas tradicionales: agotamiento de las nuevas tierras, estancamiento y luego disminución de la población urbana, disminución del volumen del comercio,
:tcétera. En medio de esta pavorosa «crisis» se sitúa la «peste negra», sin que
a historiografía llegue a completa unanimidad sobre el papel que en ella
desempeña. Para unos (corriente dominante hasta hace muy poco) fue la
:ausa determinante de todo el proceso. La sana reacción contraria, encabezada por el historiador y economista inglés Postan y su escuela, que han
hecho un tipo de análisis de corte maltusiano, ha llevado, quizá, a una
:xcesiva minimización de la peste.

Es, por tanto, en este contexto de cambio, o de sus comienzos, donde
hay que inscribir el reinado de Alfonso X. Recibía una pesada herencia,
:onstituida por la brillantez del reinado anterior, en que la monarquía
castellana había aumentado increíblemente la superficie de su territorio y
había alcanzado un prestigio indiscutido.

Los inicios del reinado de Alfonso parecen manifestar una voluntad de
:ontinuación con el de su padre, pues no en vano el rey, siendo infante,
había tenido un elevado protagonismo político, especialmente en la conquista de Murcia. Sevilla, recién conquistada, aguardaba su reorganización político-administrativa, culminada con el «repartimiento de Sevilla»
de 1253, estudiado ejemplarmente por J. González [1]. Tras un paréntesis
de unos pocos años se emprende la conquista de la plaza norteafricana de
Salé (1260), lo que manifiesta muy a las claras la óptica de los reyes castellanos, según la cual la reconquista de Andalucía tendría como corolario
natural la realización del ideal de cruzada en Africa. La expedición de
Salé, narrada de forma sucinta por Ibn Jaldun, no fue sino un brillante y
efímero hecho de armas, ya que la ciudad fue recuperada por los musulmanes tras sólo veinticinco días de dominación cristiana [2].

En febrero de 1262 las tropas cristianas se apoderan de la ciudad de
Niebla, pequeño pero importante y rico enclave de la Baja Andalucía. De

[1] J. GONZÁLEZ, *El repartimiento de Sevilla* (Madrid 1951).
[2] A. BALLESTEROS, *Alfonso X el Sabio* (Barcelona 1963) p.280.

entre la oscuridad de los datos que rodean a la conquista destaca la noticia del empleo, por primera vez, de la pólvora como instrumento bélico. En el mismo año tuvo lugar la conquista definitiva de Cádiz, que abría el camino al Atlántico y que tanta influencia tendría en la historia política y comercial de Castilla. Y decimos definitiva porque, según Ballesteros, autor de una obra exhaustiva sobre el reinado del Rey Sabio, se habría producido una previa y efímera posesión de la ciudad en tiempos de Fernando III [3]. Este optimismo conquistador se ve bruscamente truncado por la formidable rebelión mudéjar de 1264, apoyada, al parecer, desde Granada. La preparación del levantamiento de los musulmanes recién sometidos debió de ser minuciosa y muy ambicioso el plan de su desarrollo. Centrada en Sevilla, la rebelión alcanzó hasta Murcia y Alicante. Tras las vacilaciones iniciales, producidas por lo inesperado del levantamiento, el rey reaccionó con firmeza, recuperando rápidamente las plazas perdidas, como Jerez y Medina Sidonia. La guerra fue más prolongada en Murcia, donde no se liquidó hasta 1266, y eso gracias al apoyo de Jaime I de Aragón.

Las repercusiones de la sublevación mudéjar fueron muy grandes, ya que ésta era exponente de los problemas de convivencia de las diversas comunidades étnicas y religiosas como consecuencia de una conquista rápida y llena de contradicciones, que había supuesto el brusco empobrecimiento de capas importantes de la población musulmana. En el futuro, contingentes importantes se irán desplazando hacia Granada o hacia el norte de Africa, reforzando así la resistencia frente al impulso conquistador cristiano. La falta de brazos en el campo, relacionada con esta emigración mudéjar, provocará indefectiblemente el crecimiento de la gran propiedad, nobiliaria o monástica (sobre todo de órdenes militares), dedicada a cultivos extensivos (como el olivo) o a la cría de ganado, y que irá marcando las peculiaridades socioeconómicas de Andalucía.

El episodio político más importante y representativo del reinado de Alfonso X es el llamado «fecho del Imperio», expresión que designa las prolongadas pretensiones del rey castellano al trono imperial, vacante desde la muerte de Federico II, en 1250. Esta fecha señala una inflexión importante en la historia medieval europea, ya que con el genial emperador Stauffen moría la última posibilidad de llegar a una realización plena y coherente de la idea imperial, fracasada ante la tenacidad del papado, el otro gran poder supranacional que dominaba hasta el momento el panorama político medieval.

Conrado IV, hijo de Federico II, no gozó en ningún momento del apoyo político de los príncipes alemanes, mientras que las posesiones italianas de los Stauffen quedaban desgajadas y en posesión de Manfredo, hijo bastardo del emperador. Además, Conrado IV tuvo que hacer frente a las pretensiones de un *gegenkönig*, el conde Guillermo de Holanda, que tampoco consiguió un apoyo unánime. La muerte de ambos pretendientes, la de Conrado en 1254 y la de Guillermo en 1256, abrió de nuevo la cuestión sucesoria en el Imperio. Los partidos güelfo y gibelino se aprestaron a la búsqueda del candidato más idóneo.

[3] A. Ballesteros, o.c., p.325ss.

En este contexto se inscribe la embajada de la gibelina ciudad de Pisa a Castilla para solicitar de Alfonso X la presentación de su candidatura a la elección imperial. Sobre el príncipe castellano recaían derechos sucesorios relativamente directos, ya que era hijo de Beatriz de Suabia, prima de Federico II. Alfonso acogió favorablemente la embajada y firmó, en marzo de 1256, un compromiso con la república italiana aceptando estas pretensiones. Era el inicio de una larga y complicada aventura que terminaría negativamente para Castilla y que sería una fuente inagotable de problemas y de gastos para una empresa que los castellanos nunca alcanzaron a comprender.

El otro candidato a la elección imperial era Ricardo de Cornualles, hermano del rey de Inglaterra Enrique III, al que le había sido ofrecida la corona por parte del papado incluso antes que a Guillermo de Holanda, siendo entonces rechazada por el inglés. Finalmente, Enrique III y su hermano aceptaron la candidatura, en una ambiciosa combinación política, en la que los derechos a la corona siciliana recaerían en Edmundo, hijo de Enrique III.

La elección imperial duró gran parte del año 1256, y tuvo el carácter de una auténtica subasta del título, que, aunque devaluado, seguía siendo importante. Las presiones diplomáticas se mezclaron con la simple compra de votos por parte de los candidatos. Cuando la candidatura de Ricardo parecía firmemente asentada, el arzobispo de Tréveris, en su calidad de príncipe elector, defendió los derechos de Alfonso. En una primera elección fue proclamado en Francfort (enero de 1257) Ricardo de Cornualles, mientras que en abril del mismo año lo era Alfonso X de Castilla. La hábil acción diplomática del embajador García Pérez, junto con los abundantes maravedises conseguidos de la reciente devaluación monetaria, o, como se decía en aquel momento, «quiebra» de la moneda, habían dado su fruto. En agosto de 1257 llegó a Castilla la embajada alemana, que comunicaba oficialmente al rey su elección como «Rey de Romanos», aceptada solemnemente por éste, que prometió trasladarse a Alemania en breve plazo. La llegada a Burgos de Enrique de Brabante, primo carnal de Alfonso y uno de sus principales partidarios en Alemania, parecía confirmar este rápido éxito en el «fecho del Imperio».

Se inició, por el contrario, un largo período de luchas e incertidumbres en el que la complejidad de la situación europea del momento y la posición marginal del reino castellano respecto a ella impidieron la consolidación de la elección. Tampoco hay que olvidar la amenaza musulmana, que al no estar totalmente conjurada, podía en cualquier momento reclamar la atención castellana. Ricardo de Cornualles no llegó a ver completamente reconocidos sus derechos, a pesar de su pomposa coronación en Aquisgrán. La política pontificia, tanto por parte de Alejandro IV como de sus sucesores, Urbano IV, Clemente IV y Gregorio X, fue hábil y sutil. Su único interés, convertido casi en obsesión, consistía en impedir la llegada al trono imperial de otro Stauffen, que podría aspirar a una nueva unión de las posesiones imperiales en Alemania e Italia, con lo que los estados de la Iglesia se verían ahogados. Conjurado definitivamente este peligro con la muerte de Conradino, hijo de Conrado IV, poco después de la batalla de Tagliacozzo (1268), la actuación pontificia consistió en un cambio constante de posiciones y preferencias a favor de uno u otro candidato, viendo con buenos ojos, en el fondo, la continuación del interregno, mientras reclamaba su derecho de apoyar al pretendiente más digno.

El «fecho del Imperio», tras prolongarse durante años, concluyó con un fracaso estrepitoso para Alfonso X, que, tras diversos avatares, viejo y cansado, renunció definitivamente a sus derechos en 1275. El balance de tan obsesiva cuestión no puede ser más negativo: los castellanos nunca comprendieron exactamente el alcance y contenido del título imperial ni los beneficios que podrían reportarles, tal como sucedería siglos más tarde con Carlos V. Por el contrario, las diversas devaluaciones monetarias, provocadas las más de las veces para generar recursos con los que seguir manteniendo tan quiméricas pretensiones, empobrecieron al reino y dificultaron las relaciones comerciales. Por si fuera poco, los últimos intentos de Alfonso por convertirse en emperador se mezclaron abiertamente, sin que ésta fuera la única causa, con la gran revuelta nobiliaria de los últimos años de la vida del monarca. Producida ésta por los afanes antiabsolutistas de la alta nobleza castellana, encabezada por los Lara y algunos parientes del rey, como su hermano el infante D. Felipe, supieron los conjurados sin embargo, aprovechar el amplio y profundo descontento que los constantes tributos extraordinarios producían en la población.

El reinado del Rey Sabio se cierra de forma triste y dramática con el complicado pleito sucesorio, que amargó sus últimos días. El conflicto se abrió con la muerte, en 1275, del primogénito del rey, D. Fernando de la Cerda. Se contraponían, en ese momento, dos concepciones jurídico-políticas diferentes: la tradicional castellana, que anteponía los derechos sucesorios del segundogénito a los del hijo del primogénito, y, por tanto consideraba rey legítimo a D. Sancho, y la recién implantada, y aún no aplicada, de las *Partidas,* que, recogiendo al pie de la letra las concepciones del derecho romano, suponía lo contrario. Las constantes vacilaciones del rey y las divisiones de la levantisca nobleza castellana complicaron en gran medida el asunto, que, tras muchas alternativas, culminó con el destronamiento del viejo rey en los últimos años de su vida por parte de su propio hijo, Sancho.

Los años de reinado de Alfonso X resultan, por tanto, un período altamente contradictorio. Por una parte, Castilla sigue siendo la potencia hegemónica en la Península, como había sucedido durante el reinado de su padre. El ritmo reconquistador se hace más lento, pero se produce la ocupación efectiva de lo conquistado anteriormente, una auténtica asimilación de los territorios incorporados. La economía castellana sufre los naturales desequilibrios provocados por tan espectacular crecimiento territorial, así como por efecto de las ya mencionadas devaluaciones monetarias, de contenido político, aunque el alcance de dichas devaluaciones sobre el conjunto de una economía mayoritariamente agraria y ganadera no debe exagerarse. En todo caso, incidieron gravemente sobre la naciente burguesía de negocios, que, al igual que en los demás países euroɔeos, había roto la uniformidad de la economía feudal anterior. Finalmente, en este reinado se pusieron las primeras bases para el futuro desarrollo de la Mesta, institución creada en tiempos de Alfonso X a partir de la unificación de algo que antes existía de forma dispersa, y que canalizaría y centralizaría en el futuro la distribución de la lana, producto de primera importancia para la economía castellana de la baja Edad Media [4].

Sin duda alguna, el aspecto más significativo e importante de este reinado viene constituido por la ingente labor cultural y científica, que situó al reino castellano en posición relevante en el panorama intelectual europeo del momento. En esta labor resaltan tanto la figura personal del monarca como la del entorno de que supo rodearse. La universalidad de conocimientos y aficiones del rey y su círculo iba a la par con un profundo espíritu de tolerancia intelectual, patrimonio universal de los verdaderos hombres de ciencia. Esto le permitió rodearse de los más ilustres colaboradores musulmanes y judíos, aprovechando de este modo las peculiares condiciones que ofrecía la Península.

Impulsó de forma decisiva las actividades de la Escuela de Traductores de Toledo, fundada a principios del siglo XII, hasta el punto de que se suele hablar de una «segunda escuela de traductores». El interés fundamental recayó en las traducciones de obras de carácter científico (matemática, física, medicina y, sobre todo, astronomía), sin descuidar por ello las versiones literarias *(Calila e Dimna)*, historia (traducciones del Corán y de fuentes históricas musulmanas que se incluirán en la *General Estoria)*, etc. La principal novedad de esta «segunda escuela toledana» radica en que se traducirán las obras no ya al latín, como anteriormente, sino al romance castellano. Junto a esta potenciación de la escuela toledana se estimuló la continuidad de las de Murcia y Sevilla, fundándose en esta última ciudad un Estudio General y una escuela de latín y arábigo, que pronto se convertirán en centros culturales de primera magnitud.

La obra histórica de Alfonso X se plasma en la composición de dos monumentales obras de diferente valor: la *Primera Crónica General de España* y la *General Estoria* (a veces también llamada *Grande Estoria* o *General e Grande Estoria)*. La primera de ellas es universalmente considerada como un auténtico monumento de la historiografía hispánica y encontró un editor reciente de la talla de Menéndez Pidal [5]. Sirviéndose de su asombrosa erudición, M. Pidal llegó a sólidas e irrefutables conclusiones sobre la *Primera Crónica:* sería posterior en su elaboración a la *General Estoria* y escrita por más de una mano [6]. Esta última afirmación fue hecha ya por Ocampos en el siglo XVI y por Floranes en el XVIII, mientras que M. Pidal, concretando más, afirma que la cuarta parte con seguridad, y probablemente también la tercera, son obra del reinado de Sancho IV. La obra, por tanto, debió de comenzar a redactarse hacia 1270, interrumpiéndose su escritura

[4]   R. PASTOR, *La lana en Castilla antes de la organización de la Mesta,* en *Conflictos sociales y estancamiento económico en la España medieval* (Barcelona 1973) p.133-173; J. KLEIN, *La Mesta. Estudio de la historia económica española* (Madrid ²1979).
[5]   ALFONSO X EL SABIO, *La Primera Crónica general de España,* ed. por R. Menéndez Pidal (Madrid 1955; 1.ª ed., 1906).
[6]   M. PIDAL, o.c., prólogo, p.XVIII-XIXss.

para emprender la elaboración de la primera parte de la *General Estoria*, siendo continuada posteriormente.

Los 1.135 capítulos de la *Primera Crónica General* constituyen un in tento de reconstrucción de la historia hispánica desde el origen de lo tiempos hasta la muerte de su padre y antecesor, Fernando III el Santo. E plan general de la obra se adapta, en algunos aspectos, al que se había seguido en obras históricas anteriores, y en especial el del obispo Tole dano, de principios del siglo XIII. Hay, sin embargo, novedades significati vas: la extensión y profundidad con que se trata la historia romana y sobre todo, el afán de integración de la historia peninsular en el marco de la historia universal, sin hacer dos compartimientos estancos. Destaca, mismo tiempo, la amplitud de las fuentes utilizadas y un cierto afán de objetividad, como siempre, relativa.

La *General Estoria*, denominación que ha preferido Solalinde [7], su mo derno editor, es obra de muy diferente talante. Su elaboración se em prendió por el afán del monarca de superar el marco de la historia local castellana, lo que era explicable en un mundo abiertamente cosmopolita y en un soberano que tenía aspiraciones al Imperio. El ambicioso plan de la obra estribaba en el intento de reconstrucción y narración de todos los acontecimientos de la historia universal hasta la propia vida de Alfonso. Quedó en un intento frustrado, pues ni siquiera alcanzó a narrar la vida de Cristo. De ahí que sus aportaciones sean menores, aunque tenga el interés de ofrecer un abundante empleo de fuentes musulmanas.

Dentro de la fecunda labor intelectual del reinado, la obra jurídica y legislativa destaca con luz propia. Se inscribe en el marco político de la época, caracterizada por el vigoroso empuje de las monarquías feudales hacia una centralización político-administrativa que consolide su supre macía económica sobre el resto de las fuerzas sociales. El derecho romano sirvió de instrumento adecuado para este intento, ya que al haber sido recopilado y fijado sobre una tradición absolutista, la del Imperio romano tardío, ofrecía un modelo político basado en el poder personal y en un relativo grado de centralización administrativa. El proceso de utilización del derecho romano con fines políticos se remontaba ya a algún tiempo atrás, puesto que en el siglo XII se habían servido del mismo, aunque en grado incipiente, Federico Barbarroja o Enrique II Plantagenet. Sin embargo, en este sentido, como en tantos otros, el siglo XIII es una épo ca de culminación. Las *Constituciones de Melfi*, dictadas por Federico II en 1231, pueden considerarse como plenamente insertas en la tradición ro manista.

Lo primero que llama la atención en la obra legislativa de Alfonso X es la pluralidad de sus textos, que hace difícil su interpretación. García Gallo, el más moderno estudioso del tema, ha querido ver una coherencia e in tencionalidad en toda esta labor jurídica. El *Setenario*, obra sin duda con cebida por su padre, sería un pequeño tratado de carácter teórico y doc trinal, no exento de carga moral. Las opiniones de García Gallo respecto a

---

[7] ALFONSO X EL SABIO, *General Estoria*, ed. por A. G. Solalinde (Madrid 1930).

os otros tres textos jurídicos, *Espéculo, Partidas* y *Fuero Real* [8], han revolu-
cionado la creencia tradicional, que consideraba a estas tres obras como
independientes. El citado autor, sin embargo, estima, y apuntala sus ar-
gumentaciones con un impresionante aparato erudito, que se trata de textos interrelacionados entre sí y derivados unos de los otros. La hipótesis
sería que la primacía correspondería al *Espéculo* o *Fuero del Libro*, del que
derivarían, por una parte, las *Partidas*, que arrancarían de todo el tono
doctrinal del *Espéculo*, y por otra, el *Fuero de las Leyes* o *Fuero Real*, que
acentuaría los aspectos prácticos y de aplicación del *Espéculo*, realizándose
ambas reelaboraciones una vez muerto Alfonso X [9].

El *Espéculo* o *Libro del Fuero* sería, en opinión de García Gallo, una primera redacción de las *Partidas*, tal como se demuestra en el cotejo de sus
cinco libros conservados con el texto de las primeras *Partidas*. No obstante,
existen algunas diferencias, importantes en algunos casos, como la relativa
al orden sucesorio al trono, que tantos problemas planteó en los últimos
años de vida del rey, aunque éste reconoció la vigencia del orden tradicional castellano. Desheredó a su segundogénito, Sancho IV, por su comportamiento de abierta rebelión y no por carecer de títulos de legitimidad.

Las *Partidas* constituyen la culminación de la obra legislativa del Rey
Sabio y destacan con luz propia entre todos los textos jurídicos medievales,
aunque es probable que su elaboración se hiciera, como antes se ha indicado, después de su muerte, por los mismos equipos de trabajo que él
formara. El valor mágico del número siete, al igual que había sucedido en
el *Setenario*, sirve para explicar su contenido y división.

No se trata de un código en sentido estricto, sino de una obra de predominante valor doctrinal y teórico. No debieron de tener fuerza legal,
como demuestra el texto del *Ordenamiento de Alcalá* de Alfonso XI, que las
impone como fuente supletoria de derecho. Podrían catalogarse como una
auténtica enciclopedia de saber jurídico. Sus fuentes más importantes fueron, sin duda, el derecho romano del *Corpus Iuris Civilis* justinianeo y el
derecho canónico, que tanto desarrollo había alcanzado en la curia pontificia en la primera mitad del siglo XIII, como han puesto de relieve los
trabajos de Giménez y Martínez de Carvajal [10]. También recogen derecho
tradicional castellano, integrándolo originalmente dentro de la sistemática
del romano-canónico. Su distribución es la siguiente: la primera, la más
estudiada, trata de las fuentes del derecho y de cuestiones religiosas y
eclesiásticas; la segunda, del derecho público; la tercera, de la organización judicial y del derecho procesal; las cuarta, quinta y sexta, de derecho
civil, y la séptima, de derecho penal.

La influencia de las *Partidas* fue enorme en el mundo medieval, más
por su carácter inspirador y teórico que por su aplicación práctica. Se tra-

---

[8] A. GARCÍA GALLO, *El Libro de las Leyes de Alfonso el Sabio. Del Espéculo a las Partidas:*
Anuario de Historia del Derecho Español, XXI-XXII (1951-52) p.345-528; ID., *Nuevas observaciones sobre la obra legislativa de Alfonso X:* AHDE, XLVI (1976) p.609-670.
[9] GARCÍA GALLO, *Nuevas observaciones...* p.665.
[10] J. GIMÉNEZ Y MARTÍNEZ DE CARVAJAL, *El Decreto y las Decretales fuentes de la Primera
Partida de Alfonso el Sabio:* Anthologica Annua, II (1953) p.239-348; ID., *San Raimundo de
Peñafort y las Partidas de Alfonso X el Sabio:* Anthologica Annua, III (1955) p.201-338.

dujeron a diversos idiomas (Pedro IV de Aragón mandó hacer una traducción al catalán) y fueron glosadas y comentadas en numerosas ocasiones. Las enormes dificultades que plantea su estudio han provocado, sin embargo, que no se haya trabajado todavía suficientemente sobre ellas y que aún no dispongamos de una rigurosa crítica del texto completo. Muy otra fue la orientación del *Fuero Real* o *Fuero de las Leyes*. La opinión lo había considerado como el primer texto de la obra alfonsina y un esfuerzo unificador del disperso derecho local y territorial castellano. Según este planteamiento, el levantamiento o por lo menos oposición nobiliaria, con la colaboración de los concejos, ocurrido en 1272, habría sido contra este *Fuero Real*. El planteamiento de García Gallo supone que lo fue en contra del *Libro del Fuero* o *Espéculo,* que se habría intentado implantar, en sus aspectos más concretos, en contra de los «fueros viejos» nobiliarios y concejiles. Sea como fuere, la oposición, plasmada en 1272, acabó con este fugaz intento uniformizador y se volvió al reconocimiento del antiguo derecho local o territorial. Habrá que esperar hasta el *Ordenamiento de Alcalá* para que triunfe esta corriente homogeneizadora y reforzadora del poder monárquico.

Hay que destacar, finalmente, la importancia y riqueza de la obra literaria y poética de Alfonso X. Las *Cantigas* o *Loores de Santa María,* un conjunto de 417 poemas escritos en gallego, constituye uno de los puntos de partida de la lírica en lengua vernácula. Sus rimas son sorprendentemente variadas y manifestan una indudable influencia provenzal. Se han conservado algunos maravillosos códices miniados, salidos del escritorio regio.

Resaltamos de nuevo el carácter paradójico de este reinado, donde Castilla alcanzó, en algunos aspectos, las cotas más altas de su prestigio, y en otros vivió horas dramáticas que hacían presagiar tiempos difíciles. Se sitúa en estos momentos en que la plenitud comienza a rozar los inicios de una crisis, ya claramente manifestada en el traumático problema sucesorio. La obra de afirmación del poder monárquico quedó inconclusa, los conflictos monarquía-nobleza no harán más que aumentar y la monarquía feudal castellana atravesará peligrosos momentos. Junto a ello, los logros intelectuales y culturales fueron indudables.

II.   LA MONARQUIA CASTELLANA EN LA BAJA EDAD MEDIA

Por J. FACI

Antes de señalar los rasgos evolutivos fundamentales de la monarquía castellana durante la baja Edad Media son necesarias algunas precisiones previas. En primer lugar, acerca del contenido y alcance del término baja Edad Media, no siempre claro, y en especial referido a la evolución de la monarquía. La mayor parte de los historiadores actuales admite la existencia de una nueva época histórica, que comenzaría a finales del XIII y que comprendería, por tanto, los dos últimos siglos medievales. Vendría caracterizada por un agudo contraste con los siglos inmediatamente anteriores, de plenitud medieval y de expansión constante, en tanto que en los bajomedievales se asistiría a una recesión demográfica y económica prácticamente generalizada. Se trataría de la gran «crisis» del XIV, que se prolongaría aún bien entrado el XV, con sus secuelas características: despoblamiento, recesión económica y tensiones sociales y espirituales.

La evolución política en las monarquías europeas durante este período parece tener unas características homogéneas. En casi todas ellas se asiste a un fortalecimiento del poder monárquico, en medio de un conflicto constante con otras fuerzas, especialmente la nobleza. Esta potenciación de las monarquías no sigue una línea clara y precisa, sino que experimenta frecuentes altibajos. Se producen cambios de dinastía: violentos en la Inglaterra y Castilla del XIV, por simple extinción biológica en Francia. La nobleza de los principales países, acosada además por su disminución de rentas como consecuencia de la recesión económica, se resiste desesperadamente a esta pérdida de poder político o, más exactamente, poder militar directo, ya que conservará parte de su fuerza política merced al acrecentamiento y consolidación de su posición económica. Pero, desde finales del siglo XV, en los albores de la época moderna, estará absolutamente sujeta a las directrices monárquicas.

En la monarquía castellana, el proceso adquiere quizá un dramatismo y violencia especiales, y los altibajos del poder monárquico serán particularmente importantes. Tras la muerte de Alfonso X, que deja el poder monárquico consolidado en el plano teórico merced a sus grandes logros de teoría jurídico-política, pero desgarrado por los enfrentamientos civiles de la última época de su reinado, la monarquía atravesó dificultades enormes durante las minorías sucesivas que siguieron a la muerte prematura de Sancho IV. Alfonso XI, auténtico ejecutor testamentario de su bisabuelo Alfonso X, consolidó el poder monárquico, inició una vigorosa centralización y promulgó un texto de particular importancia: el *Ordenamiento de Alcalá* de 1348. La guerra civil que se produjo en el reinado de su hijo Pedro I encumbró violentamente a la dinastía de los bastardos Trastamaras en la persona de Enrique II. Este, a pesar de apoyarse en la nobleza y verse obligado a promulgar sus famosas «mercedes», continuó la obra centralizadora de su padre, también proseguida por su hijo Juan I. A la muerte de éste, nuevamente se produjo un temporal eclipse del poder monárquico, que, con altibajos, duró hasta los Reyes Católicos, con quienes culmina el proceso en fechas aproximadas a las de otras monarquías europeas. Estas alternativas, a pesar de su importancia, no permiten hablar de una crisis del poder monárquico en la baja Edad Media. Por el contrario, el proceso, como se ha señalado, es de afirmación, y podemos encontrar un hilo conductor que nos guíe desde sus inicios hasta, quizá, el mismo episodio de Villalar, donde toda la alta nobleza castellana se puso al lado del rey en su lucha contra los comuneros, que representaban, claramente, los intereses de parte de la pequeña nobleza y del artesanado.

En esta breve exposición sobre el proceso intentaremos señalar cuáles fueron los instrumentos en que se apoyaron los monarcas en su búsqueda de un poder omnímodo. En primer lugar es de resaltar la creación de unas armas teóricas, de carácter jurídico. En otro lugar hemos señalado la importancia doctrinal de las *Partidas*, que, a pesar de no tener una consagración normativa hasta el *Ordenamiento de Alcalá* de 1348 (y sólo en calidad de derecho supletorio), fueron una fuente constante de exaltación de la teoría romanista del poder regio, en la que se inspiraron todos sus fortalecedores. El *Ordenamiento*, por su parte, constituye un texto de orientación diferente, menos teórico y doctrinal y más práctico y dispositivo. En la ley primera del título XXVIII introduce un «Orden de prelación de normas», en expresión de Lalinde [1], que significaba en la práctica un triunfo del ordenamiento territorial sobre el local. Los derechos y fueros locales siguen subsistiendo, pero el camino hacia la integración normativa y el triunfo del derecho común estaba ya vigorosamente iniciado.

Por otra parte, la baja Edad Media es una época de importante auge de la teoría política exaltadora de la autoridad regia, y este fenómeno también afectó al reino castellano. En efecto, circuló profusamente en Castilla el *De Regimine principum*, de Egidio Colonna o Egidio Romano, tratadista político de finales del XIII que estuvo en la corte capeta en tiempos de Felipe III y, siguiendo a Santo Tomás, incorpora a la teoría política los principios básicos de la *Política*, de Aristóteles, aunque a veces mal entendidos, como agudamente puso de relieve Carlyle [2]. Tal es el caso de las relaciones del príncipe y la ley, asunto en que Egidio, sin comprender bien el pensamiento aristotélico, se inclina por un simple sometimiento del príncipe a la ley natural y no al ordenamiento positivo. De aquí que este tratado se situara en una esfera radicalmente absolutista.

Sin embargo, el mismo Carlyle ha querido ver en la práctica política castellana del siglo XIV un cierto desarrollo de una concepción contractual o pactista, tal como se desprende de su análisis de algunas disposiciones de Cortes [3]. De todas formas, parece evidente que la tradición contractual debió de ser pronto olvidada en Castilla y que la tendencia de conjunto apunta claramente hacia un triunfo de la concepción del absolutismo monárquico.

Además de unos instrumentos teóricos, la monarquía castellana bajomedieval, al igual que sus homónimas europeas de la época, desarrolló unas instituciones concretas de gobierno encaminadas a conseguir un mayor control y centralización del reino, así como también creó los rudimentos de una fiscalidad regia, arma para dotar a la monarquía de unos recursos propios considerables. El origen de todo este entramado institucional es anterior y arranca claramente de las propias instituciones feudales, aunque es en estos momentos cuando alcanza una perfección e independencia nuevas.

Las principales reformas políticas las lleva a cabo la dinastía trastamarista, encumbrada tras la cruenta guerra civil de 1369. Enrique II, que se

---

[1] J. LALINDE, *Iniciación histórica al Derecho Español* (Barcelona 1978) p.140.
[2] R. W. y A. J. CARLYLE, *A History of mediaeval political theory in the West* v.5 (Edimburgo 1950) p.75.
[3] R. W. y A. J. CARLYLE, o.c., v.6 p.65ss.

erige en continuador de la obra de su padre, hizo compatible una actuación reformista con la necesidad de encumbrar con sus «mercedes» a esta «nobleza nueva» que le había llevado al trono, como la llamó Moxó[4]. Apoyándose en los legistas, Enrique II inició una serie de reformas, que culminaron en las decisiones adoptadas en las Cortes de Toro de 1371, en las que se creaba un nuevo tribunal, la audiencia, al que calificó Valdeón de «Tribunal Supremo de Justicia»[5]. En el ordenamiento se fijaba en siete el número de oidores, así como las atribuciones de éstos y sus altos salarios. Los fallos no tendrían apelación posible. Doce alcaldes estarían por debajo de los oidores, juzgando en condiciones diferentes a aquéllos. La audiencia fue sufriendo sucesivas remodelaciones, y su emplazamiento varió en diversas ocasiones, hasta que en 1442 se asentó de forma definitiva en Valladolid (llamándose también Chancillería), ciudad que había pasado a desempeñar una cierta capitalidad. Se había convertido, en todo este proceso, en un poderoso instrumento al servicio de una monarquía progresivamente centralizada.

La reorganización del Consejo Real, que derivaba de la curia regia ordinaria, se inició en las Cortes de Valladolid de 1385. Estaría compuesto por doce personas, cuatro por cada estamento de las Cortes, cuya representación permanente parecía querer ostentar[6]. Las disposiciones no se cumplieron, y en 1387 se introdujeron modificaciones tan importantes como la sustitución de los cuatro miembros del tercer estado por cuatro letrados. Con estas y otras medidas, el organismo perdía independencia y quedaba firmemente vinculado a la voluntad regia. Su papel político, no obstante, sería muy importante, y en los enfrentamientos internos dominar el consejo será siempre una aspiración primordial. Su composición varió con el paso del tiempo, llegándose a producir un aumento espectacular de sus miembros en tiempos de Juan II y D. Alvaro de Luna, volviendo con Enrique IV a sus cauces originarios.

Surgieron también las hermandades, como instrumento para el fortalecimiento del orden público, constantemente alterado por la abundancia de ladrones y salteadores. Sus orígenes más remotos se remontan a finales del siglo XIII, aunque con una orientación diferente a la del XIV. El precedente más directo de las hermandades de la segunda mitad del XIV fue el de la llamada Hermandad Vieja, creada por los habitantes de Toledo, Talavera y Ciudad Real para proteger de ladrones y salteadores sus colmenas y rebaños. En 1386, Juan I aprovechó el modelo y quiso extenderlo a todo el reino, con exclusivas miras de mantenimiento del orden público. Cada concejo tenía que aportar, por turnos, un número de hombres de armas que persiguieran a los malhechores hasta un radio de ocho leguas. Perdían, por tanto, su carácter de ligas o asociaciones de ciudades. Con

[4] S. Moxó, «De la nobleza vieja a la nobleza nueva. La transformación nobiliaria en la Baja Edad Media», en *Cuadernos de Historia* (anexos de la revista «Hispania») 3 (Madrid 1969) p.1-210.

[5] J. Valdeón, *Enrique II de Castilla: la Guerra Civil y la consolidación del régimen* (Valladolid 1966) p.361.

[6] L. Suárez, *España cristiana. Crisis de la Reconquista. Luchas civiles*, en vol. XIV de la Historia de España» dirigida por M. Pidal (Madrid ²1976) p.288.

altibajos, las hermandades continuarán su acción durante toda la baja Edad Media, hasta ser absolutamente reorganizadas por el programa de reformas de los Reyes Católicos.

Las Cortes fueron también una institución importante, al menos durante parte de la baja Edad Media. Suárez, con expresión acertada, calificó los últimos años del siglo XIV como de «pleamar de las Cortes» [7]. Es cierto que durante el XV decreció su importancia, y que ésta tampoco fue muy grande durante algunas fases del XIV. El reinado de Juan I, con la gran reorganización emprendida por éste, así como la minoría de Enrique III, parecen ser los puntos culminantes de este auge de la institución. Ya antes, las turbulentas minorías de principios del siglo habían presenciado una actividad grande, aunque ésta había sido sucedida posteriormente por el vacío del reinado de Pedro I, que sólo convocó Cortes en una ocasión: en Valladolid el 1351.

Mucha e importante es la bibliografía acerca del origen y fundamento de las Cortes. Grandes historiadores, medievalistas o institucionalistas, se han cuestionado acerca de su naturaleza, y en ocasiones ha habido desacuerdos importantes. Como simple exponente basta poner de relieve las interpretaciones discordantes de dos recientes investigadores del tema como son Pérez Prendes y Valdeón. Para el primero, continuando la visión acerca de la naturaleza del estado medieval de Torres López, las Cortes serían fundamentalmente una consecuencia del deber de *consilium* feudal, sin que pudiesen atentar contra el poder personal del monarca. Así lo expuso en un trabajo de 1962 y en un libro más reciente [8]. Valdeón, por el contrario, continuando una interpretación anterior, considera a las Cortes como incompatibles como un régimen personalista: «... lo que demuestra, indirectamente, que de alguna manera las Cortes fiscalizaban la actuación del poder regio y que no eran un simple organismo consultivo» [9]. Parece obvio que se trata de dos planteamientos de signo distinto, fundamentalmente jurídico el de Pérez Prendes y de carácter más general el de Valdeón, y es posible que, en algunos casos, no resulten absolutamente incompatibles.

Las convocatorias se hicieron con bastante regularidad durante el siglo XIV, con un notable descenso en el XV, unificándose las cortes castellanas y leonesas desde comienzos del siglo XIV, siendo nutrida la asistencia a las mismas de representantes de los tres estamentos o brazos. Según algunos autores, compartieron el poder legislativo con el rey, aunque algunos, como el citado Pérez Prendes, piensan que dicha prerrogativa sólo residía en el monarca. Sin embargo, es cierto que importantes instrumentos legislativos tuvieron su origen en asambleas de Cortes, tal como el famoso *Ordenamiento de Alcalá* de 1348, que tan decisiva importancia tuvo en el panorama jurídico castellano; o el «ordenamiento sobre administración de jus-

[7] L. Suárez, o.c., p.295.

[8] J. M. Pérez Prendes, *Cortes de Castilla y Cortes de Cádiz:* Revista de Estudios políticos, 126 (1962); Id., *Cortes de Castilla* (Barcelona 1974, *passim*), espec. p.22ss.

[9] J. Valdeón, *Las Cortes castellanas en el siglo XIV:* Anuario de Estudios Medievales, 7 (Barcelona 1970-71) p.633-644; 634.

icia» de las Cortes de Toro de 1371, que suponía la creación de la Audiencia; o la actuación de las Cortes de Valladolid de 1385, que configuraba el funcionamiento básico del Consejo Real. En este sentido hay que destacar asimismo la decisión de las Cortes de Valladolid de 1351, las únicas convocadas en el reino de Pedro el Cruel, que ordenaron la realización de la pesquisa acerca de la situación de las behetrías castellanas y que dio lugar, poco después, a la promulgación del *Libro de las Merindades de Castilla,* más conocido por *Becerro de las Behetrías,* uno de los testimonios más preciosos sobre la situación socioeconómica y política de Castilla durante el siglo XIV.

La creación de una fiscalidad regia, de una hacienda pública, era un instrumento imprescindible para el fortalecimiento económico de las monarquías, sin el cual no era posible su despegue político. En este campo, las principales monarquías europeas experimentaron un vigoroso empuje durante la baja Edad Media, si bien en algunas de ellas, como la inglesa, existían unos poderosos antecedentes, creados con la conquista normanda, que había institucionalizado la percepción fija del *danegeld* anglosajón a través del *Exchequer.*

El problema de principio que se planteaba era saber si los monarcas tenían derecho a la percepción estable y fija de impuestos. No se consideraba tal derecho como algo lógico y natural, ya que muchos pensaban que los reyes debían obtener sus recursos de sus propios bienes territoriales, viviendo en calidad de grandes señores feudales, tal como lo habían venido haciendo hasta una época no muy lejana. Sabido es cómo el piadoso Carlos V de Francia, en su lecho de muerte, en 1380, había abolido todos los impuestos que habían permitido a la monarquía francesa recuperar el terreno perdido ante los ingleses. También es conocido cómo en un país como Inglaterra, donde la tradición impositiva de la monarquía tenía raíces más hondas, la implantación de un *poll-tax* o capitación fue la chispa que originó el estallido de la revuelta de los trabajadores ingleses de 1381.

En Castilla, la creación de una fiscalidad regia parece seguir unos pasos menos seguros que en otras monarquías europeas. Si en la obra política de Carlos V de Francia se contemplaba la implantación de impuestos directos, como las cargas sobre los hogares o tallas, combinados con otros indirectos, las ayudas, y con monopolios regalistas, como las gabelas o impuestos sobre la sal, en Castilla los inicios de una fiscalidad de la Corona parecen vinculados a la generalización de un impuesto indirecto como la alcabala, llevada a cabo por Alfonso XI en 1342 ante las necesidades financieras provocadas por los planes para la conquista de Algeciras. Este impuesto sobre las ventas, a pesar de su anterior existencia como impuesto de alcance limitado, fue transformado por Alfonso XI; el más importante estudioso sobre el tema, Moxó, afirma que «... los precedentes que hemos señalado —especialmente aquellos que nos la representan en íntima relación con el tráfico de mercaderías y su propio carácter de impuesto indirecto, al que después nos referiremos— sitúan a la alcabala como fenómeno propio de la baja Edad Media y la genuina representación en Casti-

lla del movimiento hacia el restablecimiento del impuesto general y obliga
torio que se observa en el Occidente europeo» [10].

El impuesto se percibió, en un principio, con carácter temporal, mas su
estabilización se fue imponiendo de forma paulatina. Aunque en principio
estaba limitado sólo a algunos productos, a los que gravaba en sus comienzos con un 5 por 100 y más tarde con un 10, se fue ampliando a una gama
más amplia de ellos, lo que supuso un incremento de su percepción, teniendo en cuenta el constante aumento de los intercambios durante la
baja Edad Media debido a la fuerza de las ferias y mercados. Como ha
señalado Ladero, la alcabala se convirtió en el más importante de los ingresos ordinarios de la hacienda castellana en la baja Edad Media [11]. A ella
seguían las aduanas y diezmos, almojarifazgos, portazgos, pesquerías, así
como la explotación de las regalías. Entre los extraordinarios, de desarrollo más tardío, destacaban la cruzada, los subsidios, espolios de obispos
difuntos y rentas de sedes vacantes.

El aparato hacendístico se fue perfeccionando a lo largo de este período, hasta llegar, en los albores de la Edad Moderna, a estar a la altura
de los más desarrollados de las monarquías europeas. El cargo supremo
seguía siendo, a finales del siglo XV, el de mayordomo mayor, aunque se
había quedado en una dimensión casi honorífica. Sin embargo, el peso
mayor recaía sobre la Contaduría Mayor de Hacienda, tal como señala
Ladero en su sólido estudio antes citado, al que seguimos en esta exposición [12]. Esta Contaduría organizaba la gestión y encargaba los pagos a la
Contaduría Mayor de Cuentas, en un sistema de división muy frecuente
en las instituciones hacendísticas medievales.

También la baja Edad Media presenció una lenta pero constante transformación del aparato militar de la monarquía, en línea con otras monarquías contemporáneas. La evolución apuntó, como en otros países, hacia
una generalización progresiva de los ejércitos mercenarios, cada vez más
profesionalizados, una decadencia de la caballería y un desarrollo de nuevas técnicas militares, como el empleo creciente de la artillería. En este
sentido, la guerra civil entre Pedro I y su hermano Enrique sirvió de escenario perfecto para el contacto con ejércitos extranjeros, ya que este conflicto se inscribe en el marco más amplio de la Guerra de los Cien Años. La
presencia en Castilla de tropas francesas e inglesas debió de estimular estas
transformaciones citadas. La marina castellana, por su parte, adquirió en
los siglos bajomedievales una importancia y desarrollo espectaculares, que
la llevarían a convertirse en una de las más poderosas, desempeñando un
papel crucial en el conflicto franco-inglés y perfeccionando sus técnicas.

Un aspecto interesante del conflicto político entre nobleza y monarquía lo representa la evolución de los grandes señoríos concedidos a
miembros del linaje regio, con parentesco más o menos próximo, y que
denominamos habitualmente con el término francés *apanage*. La historiografía no ha solido tener en consideración, o enmarcarlos en esta proble

[10] S. MOXÓ, *La alcabala. Sus orígenes, concepto y naturaleza* (Madrid 1963) p.23.
[11] M. A. LADERO, *La Hacienda castellana en el siglo XV* (La Laguna 1973) p.38.
[12] M. A. LADERO, o.c., p.18.

nática, tal tipo de señoríos, pero un reciente y enjundioso trabajo de Pastor Zapata analiza el fenómeno de manera lúcida en el caso del Marquesado de Villena [13]. Situado en zona fronteriza con la Corona de Aragón, a aballo entre las actuales provincias de Cuenca, Albacete, Alicante y Murcia, constituía un dominio de una extensión y riqueza considerables. La primera concesión se le hace a D. Manuel, hermano de Alfonso X, que queda vinculado a su linaje. Las vicisitudes que nos muestra Pastor Zapata en su trabajo permiten observar cómo la Corona castellana estuvo particularmente interesada en su incorporación en los momentos de máximo apogeo y exaltación del poder regio, siendo, por tanto, un testimonio del cúmulo de contradicciones de este conflicto político de la baja Edad Media.

Se ha señalado antes que la nobleza castellana, aunque renunciando progresivamente a una parte de su poder político directo, el puramente militar, ve acrecentada su situación económica y social. Los grandes linajes de la «nobleza nueva» encumbrada en la guerra civil, así como los no extinguidos de la «nobleza vieja», consolidarán firmemente sus patrimonios territoriales y sus privilegios jurisdiccionales. La institución del mayorazgo les permitirá cortar el proceso de fragmentación de sus dominios y vincular éstos firmemente al linaje. Aunque, como ha señalado Clavero, su base doctrinal es antigua, su desarrollo como tal institución arranca de la segunda mitad del siglo XIV [14] y está en relación con el proceso similar en la monarquía.

Al mismo tiempo, la nobleza laica y eclesiástica, o por lo menos una parte importante de ella, se benefició enormemente del gran incremento del comercio de la lana a Flandes a partir de mediados del XIV, en que la exportación inglesa a los mercados flamencos fue decreciendo. Esta exportación lanera, organizada a través de la Mesta, que alcanza en el siglo XV su momento más floreciente, enriqueció considerablemente a la nobleza castellana, vinculándola al mismo tiempo a los desarrollos artísticos y culturales de una zona tan evolucionada como los Países Bajos. Esto se produjo, naturalmente, en perjuicio de los intereses de los fabricantes de paños castellanos, en algunas ciudades de la meseta como Cuenca, Segovia y Toledo, que en vano clamaron en las cortes del reinado de Enrique IV por la limitación de estas exportaciones de lanas, que tenían como contrapartida la importación de ricos paños flamencos.

Vemos configurada así, de forma rápida y esquemática, la evolución de la monarquía en la baja Edad Media castellana. En este como en tantos otros aspectos de nuestra historia medieval, se observa la similitud básica de la Península con otros reinos europeos. La monarquía sale fortalecida de su pugna política con la nobleza, se provee de unos instrumentos de gobierno y se apoya en una teoría política de corte absolutista. La nobleza se debilita políticamente, pero se fortalece económica y socialmente. La

---

[13] J. L. Pastor Zapata, *Un ejemplo de «apanage» hispánico: el Señorío de Villena (1250-45): Revista del Instituto de Estudios Alicantinos*, n.31 (*separata*).

[14] B. Clavero, *El mayorazgo. Propiedad feudal en Castilla (1369-1836)* (Madrid 1974) 296ss.

obra de los Reyes Católicos no se lleva a cabo en el vacío, sino que se inscribe en un amplio contexto, cambiante y no lineal, pero claro. Los puntos de evolución y contacto, por tanto, entre los finales de la Edad Media y el comienzo del mundo moderno son mucho más importantes de lo que a primera vista pudiera pensarse.

III. ARAGON Y CATALUÑA EN EL MEDITERRANEO. CONFLICTOS CON LA SANTA SEDE

Por A. OLIVER

A pesar de la tenaz oposición de Luis IX de Francia, del papa Urbano IV y del propio Alfonso X de Castilla [1], se había llevado a término, ya en vida de Jaime I, el casamiento entre el infante Pedro de Aragón y Constanza de Sicilia. Constanza, *la genitrice dell'onor di Cicilia e d'Aragona* [2], «era la pus bella creatura e la pus sàvia e la pus honesta que nasqués aprés Madona Santa Maria» [3]; hija de Manfredo, era la posible heredera de Sicilia. Pero Manfredo era enemigo de la Iglesia y de Carlos de Anjou. Jaime I declaró entonces (16 de julio de 1262) que nunca había sido su propósito dar favor, auxilio o consejo al rey Manfredo contra la Iglesia romana. Y, en punto de muerte, entre las recomendaciones hechas a su primogénito le intimaba a que le imitara en el amor que siempre había tenido a la santa Iglesia [4].

Pedro III, a pesar de reinar sólo durante nueve años (1276-1285), fue rey poderoso y lleno de autoridad. *El Grande,* le ha llamado la historia. Y a causa del problema de Sicilia vivió en perenne conflicto con la Santa Sede.

A la hora de subir al trono Pedro el Grande, en 1276, la cuestión de la Corona siciliana parecía definitivamente zanjada a favor de los Anjou y de la Iglesia, dado que el ejército gibelino había sido derrotado en la batalla de Tagliacozzo en 1268, y poco después había sido decapitado en Nápole el último vástago de los Hohenstaufen, Corradino, primo de Constanza.

Pero, en contrapartida, el papa Nicolás III, Orsini (1277-1280), veía con malos ojos tanto el crecimiento desmesurado del poder angevino en Italia como el despotismo con que Carlos I oprimía a los sicilianos, y así propendió a apoyar las aspiraciones de Pedro el Grande.

Pero Nicolás III moría el 22 de agosto de 1280. Y Carlos I logró la elección al solio papal de un íntimo amigo de su casa: Simón de Brie, que se llamó Martín IV (1281-1285).

---

[1] Hijo de Beatriz de Suabia, el rey de Castilla era emperador electo de Alemania y aspirante a la herencia de los Hohenstaufen y, por ende, al reino de las Dos Sicilias. Por eso, e carta a Jaime I, llega a decirle: «De nenguna cosa non podríedes seer tan mal aconsejado ni en que más fiziéssedes vuestro danno... Nengún omne del mundo tan grande tuerto nun quam recibió de otro como nos recibriemos de vos».
[2] DANTE, *Purgatorio,* canto III, versos 115-116.
[3] MUNTANER, *Crónica* c.XI.
[4] F. SOLDEVILA, *Jaume I i Pere el Gran* (Barcelona 1965) p.39-40.

Martín IV y Pedro III

Con la elección del nuevo papa, Pedro se veía enfrentado con la casa de Francia y con el poder del pontificado. Muy pronto el papa recordó al rey de Aragón el vasallaje de sus reinos respecto de la Santa Sede y la obligación de pagar a la Iglesia romana el censo al que se había obligado su abuelo Pedro el Católico en 1204. Y poco después le embargó el diezmo de las rentas eclesiásticas que Nicolás III le había concedido para la lucha contra los infieles.

El 31 de marzo de 1282 estalló en Palermo la revolución de las *vísperas sicilianas*. Fue una insurrección espontánea del pueblo contra la tiranía y la opresión de los angevinos. A pesar de que lo afirma el papa en la bula de excomunión del rey (21 de marzo de 1283)[5], no puede probarse que Pedro tuviera parte alguna en la sublevación, como lo señala el hecho de que, al principio, nadie pensó en acudir al rey aragonés, sino al papa, supremo señor feudal; y solamente cuando se supo que el papa exigía la sujeción incondicional de los sicilianos a Carlos I acudieron aquéllos a Pedro III.

En esos tiempos andaba Pedro en preparativos de guerra, que llamaron fuertemente la atención de las cortes de Francia, Castilla, Mallorca, Inglaterra y del propio papa. En carta de 3 de diciembre de 1281, que publicó Finke[6], el monarca explica al papa que ha recibido a los legados pontificios, los cuales le han hablado de la paz entre los reyes de Francia y Castilla, así como del proyecto de conquista de Tierra Santa, a la que el rey quiere colaborar personalmente yendo a Palestina. El rey habla de Sicilia sin hacer ver segundas intenciones.

El 6 de junio de 1282, ya desatada la rebelión, partía la flota catalana hacia Menorca y desde allí al puerto de Al-Coll, en la costa de Túnez.

Lo que Pedro buscaba con aquella expedición a Túnez era en realidad una cabeza de puente en el norte de Africa, justamente enfrente de Sicilia.

Al enterarse del levantamiento de los sicilianos y de que las ciudades, una tras otra, se unían a los sublevados, el papa excomulga a los rebeldes[7], Carlos de Anjou, con un ejército que tenía preparado para invadir el imperio bizantino, puso cerco a Messina. Al verse asediados, los sicilianos enviaron una embajada a Pedro, ofreciéndole la Corona de Sicilia, a la que tenía derecho por su esposa. Pedro aceptó, y a fines de agosto de 1282 partía la armada de Al-Coll; el 30 llegaba a Trápani, y más tarde, a Palermo, siendo recibido entusiásticamente. Poco después se coronaba rey en Palermo, sucediéndose las victorias una tras otra, hasta que Roger de Lluria se hizo con Malta y Gozzo en junio de 1283. Carlos, derrotado en Nicótera y obligado a situarse en la otra parte del estrecho, se vio perdido. Pero el papa puso a su favor toda su fuerza espiritual.

---

[5]   OLIVIER-MARTIN, *Les Registres de Martin IV* (París 1901) n.310 p.129-131. Cf. J. M. POU I MARTÍ, *Conflictos entre el pontificado y los reyes de Aragón en el siglo XIII:* Miscel. Hist. Pont., .XVIII: «Sacerdozio e Regno da Gregorio VII a Bonifacio VIII» (Roma 1954) p.156.
[6]   *Acta Aragonensia* III (Berlín-Leipzig 1922) 1.
[7]   Bula *Cogit nos,* 7 de mayo de 1282; Potthast, Reg. 21895.

La excomunión contra el rey de Aragón

En la bula *Longa retro series* (18 de noviembre de 1282), Martín IV denun
ciaba y sometía públicamente a proceso a Pedro III y a todos aquellos que
le habían ayudado en la conquista de Sicilia [8]. Con toda severidad el papa
acusa al rey de haber invadido Sicilia y de retener, sin que le asista derecho
alguno, la Corona de aquella tierra, que es propia de la iglesia.

Que el de Aragón no puede alegar derechos lo atestigua, según el
papa, toda la historia de los hechos: ante todo, ese derecho no se lo había
otorgado al rey el papa, a quien pertenecía. Tampoco le pertenecía —con
tra las pretensiones del rey— a su esposa, doña Constanza, nieta del empe
rador Federico II, de la dinastía de los Hohenstaufen, perseguidores de la
Iglesia romana, e hija de Manfredo, bastardo de Federico. Federico, en
efecto, había sido privado de su dignidad por Inocencio IV en el concilio
de Lyón, y Manfredo, excomulgado y depuesto por Alejandro IV. Por
otra parte, la Santa Sede había concedido la investidura de aquel reino a
Carlos de Anjou, tío del actual rey de Francia. Felipe III.

Hay más, añade el papa: además de haber conculcado los derechos de
la Iglesia sobre la isla, Pedro ha violado el juramento de perpetua fideli
dad de su reino a esta misma Iglesia, otorgado por su propio abuelo Pe
dro II en manos de Inocencio III (en noviembre de 1204). Y en lugar
de defender la fe católica, perseguir la herejía y proteger la libertad, incolu
midad y derechos de la Iglesia, según lo prometido, amparándose en una
supuesta campaña contra los moros en Africa [9], ha animado y fomentado
la sangrienta rebelión de la isla contra los Anjou, para poder invadir y
ocupar, según él deseaba, aquellas tierras propiedad de la Iglesia. Eviden
temente, el rey era contumaz contra las advertencias y los avisos del papa.
Y en un arrebato de indignación y de elocuencia, el papa concluye: «Esto
son los servicios que presta el rey de Aragón a Dios y a la Iglesia; éstos son
los favores que él se prometía hacer a la Iglesia; éstos, sus apoyos a la fe
católica; ésta es la manera como procura y ayuda la exaltación de la reli
gión cristiana; así es como persigue y ataca a los enemigos de Dios, de la fe
de la Iglesia y de la misma religión; con tales honores pone notas de gloria
a su dignidad real; con esos títulos hace honor a su vida, a su fama, a su
dinastía» [10].

Por tanto, el papa excomulga al rey Pedro y a todos sus aliados. Las
ciudades, villas y castillos del reino de Sicilia sujetos a él incurren en en
tredicho. Los invasores deberán retirarse, de grado o por la fuerza, y lo
nativos les negarán todo auxilio y se someterán incondicionalmente al re
Carlos. Pedro de Aragón no podrá llamarse rey de Sicilia ni comportarse
como tal y los sicilianos no reconocerán su vasallaje. Y, finalmente, dicho
monarca, antes de la fiesta de la Purificación de María, se someterá ple

---

[8] A. FÁBREGA, *Actitud de Pedro III el Grande de Aragón ante la propia deposición fulminada po*
el papa Martín IV: Miscel. Hist. Pont., v.XVIII: «Sacerdozio e Regno da Gregorio VII
Bonifacio VIII» (Roma 1954) p.161-180. espec. 161-162.

[9] SOLDEVILA, *Jaume I i Pere el Gran...* p.109-110; POU I MARTÍ, *Conflictos...* p.156-157.

[10] *Les Registres de Martin IV...* p.111a. Cf. O. CARTELLIERI, *Peter von Aragón und die sizilia*
nische Vesper (Heidelberg 1904); M. AMARI, *La guerra del Vespro Siciliano* (París 1843).

amente a los dictados del papa y dará completa satisfacción a la Iglesia y al ey Carlos por la contumacia y desprecio con que ha obrado. De lo contra-io, será desposeído de la propiedad de sus bienes y el papa podría verse bligado a privarle de todos sus reinos, incluso el de Aragón.

Para finales de 1282 Pedro III y Carlos I se habían retado a duelo, que endría lugar en Burdeos, territorio del inglés, en mayo del año siguiente. ?edro compareció, pero el duelo no hubo lugar, dado que la plaza no era a neutral, después que el papa había intimado al inglés que hiciera impo-ible la realización de aquel desafío [11].

Persistiendo el aragonés en su posición en Sicilia, aun en su ausencia, el apa, desde Orvieto, renovó sus censuras el 13 de enero de 1283.

El 21 de marzo de 1283, con la bula *De insurgentis,* cumplía el papa, de orma tajante, sus amenazas: «Y para que tan justas amenazas no lleguen a acerse injustas, sometidas a escarnio, si la justicia de ellas se ve privada de u aplicación; y a fin de que tan descarada locura no siga creciendo, al uedar sin venganza, hemos juzgado inaplazable castigar con nuestra sen-encia a dicho Pedro, rey de Aragón, y a su intolerable terquedad. Así, ues, con el consejo de nuestros hermanos, declaramos disponibles al nismo rey de Aragón y a los territorios de su reino y, obligados por nues-ro deber de justicia, privamos, por esta nuestra sentencia, al mismo rey de ..ragón de su reino, de sus tierras y del honor real y declaramos abiertas a ocupación de los católicos aquellas tierras y aquel reino» [12].

Como en el famoso caso de la excomunión y deposición del emperador nrique IV, al que tanto se parece el presente, el papa declara a los súbdi-is del aragonés absueltos del juramento de fidelidad hacia su rey, así mo de cualquier obligación y prestación de homenaje, siendo írritos los actos y estipulaciones que con él o sus cómplices se hubiesen estipulado o n lo sucesivo se estipularen. Y se prohibía a todos los súbditos, bajo pena e excomunión y entredicho,«que recibieran o tuvieran por rey o señor al ..sodicho Pedro, antiguo rey de Aragón, o le respondieran con sus im-iestos o derechos reales» [13].

Para que no quedara duda alguna, y quizá ante el temor de que la ntencia no tuviera los efectos deseados, el papa ratificaba solemnemente i sentencia en la plaza de la catedral de Orvieto el día de Jueves Santo, 15 de ¡ril del mismo año, por la bula *Detestabiles excessus;* lo mismo hacía en el ía de la Ascensión, 27 de mayo, en la *Propter notorios excessus,* y todavía el ¡ de noviembre en la *Petri quondam regis;* igual el 6 de abril de 1284 en la *die coenae Domini,* y el 18 de mayo de aquel año en la *Infandis crudelitatis* ·rrendae [14].

Por otra parte, el 27 de agosto de 1283, y por medio de su legado Juan holet, cardenal de Santa Cecilia, ofrecía el papa a Felipe III de Francia, y ira uno de sus hijos, que no fuese el heredero, la investidura de los rei-

[11] SOLDEVILA, *Jaume I e Pere el Gran...* p.113-121, donde se describen al pormenor las creíbles peripecias del viaje del rey de Aragón.
[12] *Les Registres de Martin IV...* n.310; Potthast 21998.
[13] Ibid.
[14] Potthast 22013, 22026, 22077, 22123, 22141.

nos de Aragón y Valencia, así como del condado de Barcelona, prome
tiéndole recursos para la guerra que debería emprender contra Pedro II
para desposeerle de su reino y asegurándole indulgencias para cuanto
colaborasen directamente en lo que el papa declaraba desde entonces ver
dadera cruzada. El candidato fue el segundo de los hijos del Atrevido
Carlos de Valois[15]. El papa confirma a Carlos como rey de Aragón y le
confiere la investidura del reino con la bula del 3 de mayo de 1283. Pero
ya no eran los tiempos de Gregorio VII.

El triunfo de las ideas romanistas procedentes de Bolonia, que hemo
visto en la corte de Jaime I y que tendrán pronto su cuartel general en la
del nieto de éste, Felipe el Hermoso de Francia, hizo que los legistas de
entorno del aragonés estuvieran bien pertrechados de ideas para hace
frente a la arremetida canónica de Roma.

La corte aragonesa consideró inválida desde el principio la sentenci
de deposición dictada por el papa. Según los legistas del rey, el papa, com
señor feudal de Sicilia, tenía plenos derechos sobre la investidura del re
de la isla, pero a tales derechos correspondía la obligación de tutelar
amparar los que a su vez tenía el rey de Aragón, que era vasallo del papa
que, además, había sido llamado por los naturales sicilianos. Por otr
parte, cuando un señor no acudía en ayuda de sus vasallos en necesidad
como era el caso de los sicilianos oprimidos por la tiranía angevina, ésto
tenían el derecho de recurrir a las armas y pedir la ayuda a quien pudier
ayudarles. Además, el papa había excomulgado y depuesto al rey de Ara
gón sin las tres amonestaciones previas indispensables. «El Sumo Pontífice
terca e impetuosamente, más de hecho que de derecho, promulgó contr
nosotros y nuestras gentes unos procesos y sentencias, sin habernos avi
sado ni citado, y sin podernos en modo alguno acusar de andar remisos e
el reconocimiento de sus derechos»[16].

En las *Gesta comitum barcinonensium,* anotaba el cronista contemporá
neo, «el papa Martín, francés de nación, sin haber citado al rey don Pedro
dictó sentencia contra él en público consistorio, privándole de reino y tie
rras y sometiendo a su reino a entredicho general. Por ello ordenó, contr
todo orden de derecho y contra toda razón, que su legado Juan Caule
también francés..., predicara la indulgencia y aprestara su ejército contr
el rey don Pedro»[17].

Actuación política de Pedro III frente a la sentencia papal. En el interior de sus reinos

El rey tuvo siempre en cuenta la sentencia del papa contra su actuació
en Sicilia, y, en punto de muerte, declaró solemnemente que si había ocu
pado Sicilia no era para perjudicar a la Iglesia romana, sino para defende

[15] J. VINCKE, *Staat und Kirche in Katalonien und Aragón während des Mittelalters* I (Münst
1931).
[16] J. VINCKE, *Documenta Selecta mutuas civitatis Arago-Cathalaunicae et Ecclesiae relation
illustrantia* (Barcelona 1936) n.24.
[17] *Gesta Comitum Barcinonensium* (ed. Barrau-Dihigo, Massó Torrents, Barcelona 192
c.XXVIII n.32.

sus propios derechos, apoyados, esta vez, en la petición de auxilio de los sicilianos[18].

Seguro del derecho que le amparaba, y convencido además de que el papa, francés, era un instrumento en las manos de los Anjou, Pedro, aun declarando reconocer y acatar la autoridad del papa, y sin adoptar jamás ninguna medida política ofensiva contra él, se aprestó con todos sus recursos a defenderse de los efectos de la sentencia.

El 6 de mayo de 1283, el rey prohibía al arzobispo de Tarragona, bajo pena de muerte, que publicara la sentencia papal: «Os requerimos, mandamos y advertimos y de forma terminante os imponemos que bajo adverencia ni orden ninguna os atreváis, ni abierta ni ocultamente, a publicar de la manera que fuere ni a permitir que otros publiquen las sentencias o cualquiera de los procesos promulgados contra Nos, contra nuestras gentes o nuestras tierras... Y si alguien los publicare, será castigado sin apelación con la pena capital»[19]. Y con el fin de evitar el escándalo de sus vasallos, pocos días después mandaba a sus representantes en el territorio peninsular que castigaran con pena de muerte a cualquier dignatario eclesiástico que se atreviera a publicar las sentencias del papa[20].

Pero el cardenal legado Juan Cholet llegó a presionar con amenazas de tal manera que, a pesar de las órdenes tajantes del rey, algunos prelados catalanes hubieron de publicar la sentencia del papa, aunque fuera de manera muy disimulada. Así, el 3 de junio de 1283, el obispo de Urgel ofrecía sus excusas al infante don Alfonso, explicando que se había visto obligado a publicar la sentencia papal coaccionado por el cardenal legado[21].

Por su parte, el rey, que seguía llamándose *Dei gratia Aragonum et Siciae rex*, ejercía con normalidad su potestad real, incluso en asuntos de política religiosa[22], de la que, asesorado por sus juristas, se consideraba injustamente desposeído. Hemos de insistir en que la posición del rey era de una pura resistencia pasiva y que nunca se arrogó derechos que no tuviera sobre las iglesias a raíz de aquella contienda con el papa. Cuando, en 1284, quedó vacante la abadía de Monte Aragón, cuya provisión pertenecía a la Santa Sede, el rey acudió al papa presentándole como candidato a su hermano Fernando, sin abdicar, empero, de ninguno de sus títulos, de los que el papa le había privado: *Petrus, Dei gratia Aragonum et Siciae rex*.

[18] DESCLOT, *Crònica* c.CLXVIII (ed. Coll, V 151).
[19] VINCKE, *Documenta...* n.24. Prohibiendo la misma publicación se escribía a los obispos de Barcelona, Tortosa, Valencia, Gerona, Lérida, Huesca, Tarazona y Vich; a los abades de San Salvador de Brea, San Pere de Gallicans, Besalú, Amer, Santa María de Roses, Vilabertrán, Banyoles, San Felíu de Guíxols, San Pere de Roses, Santa Cecilia, San Benito de Bages, San Juan de las Abadesas, Camprodón, Estany, San Cugat del Vallés, San Lorenzo del Munt, Monte Aragón, San Juan de la Peña, Fontclara, Santes Creus, Ager, Bellpuig y Cardona; a los priores de San Pablo, Santa Ana, Tarrasa; a los prebostes de Manresa y Solsona; y a los franciscanos y dominicos de Valencia, Teruel, Daroca, Calatayud, Tarazona, Zaragoza, Huesca, Lérida, Tarragona, Tortosa, Barcelona, Vilafranca, Gerona, Vich, Castellón de Ampurias, Játiva y Montblanc.
[20] 15 de mayo de 1283: VINCKE, *Documenta...* n.25.
[21] VINCKE, *Documenta...* n.27.
[22] Véase VINCKE, *Documenta...* n.28-47.

En el exterior

Mientras en el interior de sus reinos Pedro se comportaba como acabamos de ver, en el exterior desplegaba toda su diplomacia ante la Santa Sede, haciendo protestas de fidelidad y sumisión y suplicando que fueran oídas sus excusas y razones. Pero los Anjou hicieron fracasar toda clase de esfuerzos y tentativas de una inteligencia con el papa. No hubo manera de atajar la cruzada proclamada contra él por Martín IV y llevada adelante por la casa de Francia. Y así, mientras la lucha continuaba en Sicilia, el rey se apercibía para defenderse de la cruzada.

La flota catalana estaba mandada en aquella sazón por el gran almirante Roger de Lluria, a quien su mejor estrella llevaba a una meteórica ascensión. El 8 de junio de 1283 obtenía en el puerto de Malta una resonante victoria sobre Carlos de Anjou. Su resultado fue el dominio de Malta y Gozzo. En los primeros meses de 1284 se entregan a los catalanes numerosas poblaciones de la Calabria y fracasaba estrepitosamente una tentativa para liberarlas de Carlos, príncipe de Salermo, el hijo de Carlos de Anjou. El mismo príncipe de Salerno, acompañado de nobles franceses, provenzales y napolitanos, se le enfrentó con su flota frente a las costas de Nápoles. El encuentro dio como resultado una rotunda victoria de los catalanes, que hicieron prisionero al propio príncipe con muchos de sus acompañantes el 5 de junio de 1284, y le llevaron preso a Barcelona. El mes de septiembre el almirante se apoderaba todavía de la isla de Gerba.

Acabado por tantos desastres, Carlos I se retiraba a Foggia, donde moría el 7 de enero de 1285, sucediéndole su hijo, prisionero.

Pero la cruzada estaba en marcha. Hemos visto que Martín IV, a través de su legado Cholet, había ofrecido a Felipe III de Francia, para uno de sus hijos, que no fuera el heredero, la investidura de los reinos de Aragón y Valencia, así como del condado de Barcelona, asegurándole recursos pecuniarios para la guerra que había de emprender contra Pedro III con el fin de desposeerle de su reino, promulgando indulgencia para todos aquellos que colaboraran en aquella empresa, que era declarada cruzada. El elegido había sido Carlos de Valois.

La acción combinada del rey de Francia y del papa Martín cobraba cuerpo: la cruzada estaba en marcha. Y Pedro se encontraba casi solo ante el peligro. Su hermano Jaime II de Mallorca se había inclinado por el papa y el rey de Francia; los países occitanos, en vez de ayudarle, ofrecían fuertes contingentes a los cruzados; su aliado y sobrino Sancho IV de Castilla estrechaba lazos de paz y amistad con el francés; su reciente alianza con el emperador de Constantinopla, Andrónico Paleólogo, se revelaba inoperante, y se mantenían a la expectativa, sin comprometerse, el emperador de Alemania y el propio Eduardo I de Inglaterra, cuya hija, Leonor, era la prometida del infante Alfonso, heredero del reino. Y aun en el interior de sus tierras muchos miembros de la clerecía iban cediendo ante las presiones del legado del papa, y los aragoneses, malavenidos con el rey después de los conflictos de las Cortes de Tarazona y Zaragoza, se encerraban en sus tierras y no respondían a la llamada de su rey. Las tierras rosellonesas que se atrevieron a presentar cara a los cruzados fueron duramente castigadas: Elna fue saqueada; eran allanadas y destruidas las iglesias; los clérigos, humillados y agredidos [23].

El 8 de junio de 1285, los cruzados, precedidos por los estandartes pontificios, con el legado papal, el rey de Francia y su propio hijo Carlos, nombrado ya rey de Aragón, forzaron el paso de los Pirineos y conquistaron Roses, Peralada y Castelló d'Empuries, donde el legado coronó a Carlos de Valois como conde-rey. El 7 de septiembre caía Gerona en su poder. Pero en aquellos mismos días Roger de Lluria compensaba en el mar el terreno que en tierra iban perdiendo sus compatriotas, logrando frente a Roses una brillante victoria sobre la escuadra francesa.

En tierra, una epidemia se cebó en los cruzados y alcanzó al mismo rey francés. El rey enfermo, su hijo, el futuro Felipe el Hermoso y el ejército cruzado emprendieron la retirada. Los almogávares tuvieron tiempo para ensañarse en la retaguardia del ejército, al que desbarataron completamente. Es la conocida jornada del Coll de Panissars (1 de octubre de 1285), que tan cuidadosamente describen Desclot y Muntaner [24].

Apenas llegado a Perpiñán, moría Felipe III, el 8 de octubre de aquel año de 1285. Ese año fue nefasto para todos los contendientes en la empresa de Sicilia. Vimos ya que Carlos I de Nápoles moría en Foggia el 7 de enero. El 28 de marzo moría en Perugia su gran defensor el papa Martín IV. Felipe el Atrevido moría en Perpiñán el 8 de octubre, y aún, el 11 de noviembre, moriría en Villafranca Pedro III de Aragón.

Ni la excomunión ni la cruzada tuvieron, pues, los efectos que el papa había deseado. Lecoy de la Marche ha escrito que los franceses creían que «viniendo en nombre de la Iglesia y detrás del estandarte de San Pedro serían acogidos con los brazos abiertos, o a lo menos pacíficamente, por los fieles católicos del reino de Aragón, y que éstos no tomarían parte a favor de un príncipe excomulgado. No habían contado con el patriotismo local, vivamente sobreexcitado por su misma presencia. La invasión del extranjero exaltó, como siempre, la cabeza de aquellos indómitos montañeses, y el amor a la independencia se impuso en ellos a cualquier otro sentimiento» [25].

El hecho de que el clero, salvo algunas excepciones, a las que hemos aludido, estuviera con el pueblo al lado de su rey dice qué opinión se tenía en estas tierras sobre la excomunión papal y, aún más, predice ya los tiempos, a punto de llegar, de Felipe IV de Francia y Bonifacio VIII, con la contienda en la que los prelados, legistas y pueblo francés estuvieron también al lado del rey.

Fábrega señala acertadamente dos diferencias radicales: la falta de una polémica literaria, en nuestro caso, y la retractación final del rey Pedro [26].

---

[23] Lo cuenta el mismo rey en carta de 23 de mayo de 1285 al obispo de Gerona: VINCKE, *Documenta...* n.43.
[24] DESCLOT, *Crònica* c.CLXVII; MUNTANER, *Crònica* c.CXXXVIII y CXXXIX. Cf. A. LECOY DE LA MARCHE, *Relations politiques de la France avec le royaume de Majorque* I (París 1892) p.272-273.
[25] LECOY DE LA MARCHE, *Relations...* p.245.
[26] *Actitud de Pedro III...* p.174.

Retractación y muerte de Pedro III

Derrotados los cruzados, y mientras se aprestaba para atacar a su hermano Jaime II de Mallorca, que se había aliado con aquéllos, Pedro, atacado de fiebres malignas, supo que iba a morir. Estaba en Vilafranca del Penedés y era el 1 de noviembre de 1285.

Ayudado de la *Crónica* de Desclot y del documento notarial de retractación que obra en los registros del Archivo de la Corona de Aragón en Barcelona, Fábrega ha recompuesto así las circunstancias de aquellos días.

Primeramente llamó a su hijo Alfonso y le encareció que continuase la empresa punitiva contra Mallorca. Después hizo llamar al arzobispo de Tarragona, Bernat de Olivella; al obispo de Valencia, Jaspert de Botonac; al de Huesca, Jaime Sarroca, y a otros muchos prelados y caballeros. Delante de todos ellos declaró que había entrado en Sicilia no en deshonor ni perjuicio de la Iglesia romana, sino en defensa de su propio derecho; que el señor apostólico había atacado a él y a su tierra muy duramente y sin culpa de él ni de su tierra; mas, siendo así que está escrito que la sentencia del pastor, justa o no justa, debe ser observada, así había aceptado él, desde el punto que la conoció, la sentencia de la censura que contra él había lanzado el apostólico. Y que ahora muy humildemente pedía, como podía, que de aquella sentencia lo absolviera el arzobispo de Tarragona, allí presente; que él estaba dispuesto, en cuanto podía, a acatar todo mandato de la Iglesia, así como de hacer todo lo que fuere derecho y razón en aquel asunto y ofrecer toda clase de excusas y garantías.

La declaración contiene detalles que han de ser destacados. El rey declara que siempre acató la sentencia del papa. Y, sin embargo, hemos visto que el rey ni abandonó su título, ni entregó los reinos de Aragón y Sicilia, ni dejó de ejercer sus funciones en el terreno civil ni eclesiástico. Aquí hay que ver una sutil distinción de sus consejeros: el rey no había tomado ningún tipo de revancha ni ofensiva contra los estados pontificios, y había reconocido públicamente la autoridad del papa, alejándose, como excomulgado, de los sacramentos y los oficios de la Iglesia.

El rey cita, además, el *Decretum* de Graciano [27]: *Quod sententia episcopi, sive iusta sive iniusta fuerit, tenenda est.* Con ella, ayudado de sus canonistas, explica, por un lado, su aceptación de una sentencia que él declara injusta y por otro, la demanda de absolución y ofrecimiento de garantías en vista a la muerte cercana.

Presididos por el arzobispo de Tarragona, los prelados deliberaron que, para absolver al rey, bastaba exigirle un juramento genérico de obedecer a la Iglesia, dejando de lado la cuestión de Sicilia. Aceptó el rey, y allí mismo, aquel día 1 de noviembre, le absolvieron públicamente.

A partir de ese momento, desaparecen de la *Crónica* de Desclot el arzobispo de Tarragona y el obispo de Huesca. Quedan junto al rey el obispo de Valencia, Botonac, su fiel consejero, y el guardián de los franciscanos de Vilafranca. Como si no estuviera tranquilo con la retractación anterior

---

[27] FÁBREGA, *Actitud de Pedro III...* p.176. Es el tiempo del esplendor de decretistas y decretalistas.

el rey da orden de soltar a los prisioneros de la cruzada y hace confesión ante el franciscano, estando presente como testigo, por voluntad del rey, fray Galcerán de Tous, cisterciense del monasterio de Santes Creus. Después de la confesión, el rey pide al confesor que declare en público si le cree digno de recibir la comunión. Quería morir en paz con la Iglesia y rehabilitado como cristiano ante sus vasallos. «Gentes de mi tierra y de otros lugares van diciendo que he sido siempre un mal cristiano, y especialmente ahora, cuando he defendido mi tierra frente al apostólico y al rey de Francia, quienes, a mi entender, me hacían tuerto grande». El fraile, mucho más escrupuloso que lo habían sido días antes los obispos, declaró que sí era digno de la comunión, pero poniendo bien en claro que «es por las obras que habéis hecho desde algunos días acá y por las palabras que nos habéis dicho». Así recibió don Pedro el viático y murió luego en paz el 11 de noviembre[28].

Cuáles fueron aquellas palabras y hechos del rey en sus últimos días y cuán riguroso había sido con él el franciscano nos lo dice el documento mencionado. No se trata de un acto secreto de confesión, sino de un acto público extendido ante el notario real y los testigos Jaspert de Botonac, obispo de Valencia; Huguet de Mataplana, Ponç y Bertrán de Vilafranca, que por entonces se mantuvo secreto.

Por él sabemos que el franciscano, no satisfecho con las promesas genéricas de obedecer a la Iglesia, había mandado al rey *(mandato sibi facto ex parte dicti guardiani confessoris sui)* restituir a la Iglesia el reino de Sicilia, liberar a todos los prisioneros hechos en la presente guerra y devolver las iglesias, en especial las de Zaragoza, Barcelona, Tarazona y Gerona. «Es decir —añade Fábrega—, le había exigido abandonar su antigua actitud de acatar pero no cumplir los mandatos que creía injustos del papa, y de continuar, a pesar de la excomunión, proveyendo los cargos de las mencionadas iglesias». Sólo después que el rey aceptó aquellas condiciones, declara el acta notarial que su confesor oyó la confesión, le absolvió y le admitió a los sacramentos de la Iglesia, dándole ante todos la comunión.

«Tenemos así iluminado —continúa Fábrega— no sólo el orden de los sucesos de los últimos días, sino el cambio sustancial de la conducta del rey ante la excomunión. Hasta la acción del guardián franciscano, don Pedro acató pero no cumplió, y el arzobispo de Tarragona y el obispo de Valencia ni a la hora de la muerte le exigieron el cumplimiento específico, como no se lo habían exigido en vida. Ese parecer debió guiarle hasta entonces en formar su consciencia cristiana. En cambio, cuando en la noche del 1 al 2 de noviembre se encuentra ante la conminación del franciscano, no de declarar injusta ni de mala fe su ocupación de Sicilia, pero sí de acatar al papa cumpliendo a la letra su determinación, aunque le parezca contra el propio derecho, el monarca entra en una grave crisis espiritual no sentida hasta entonces. En su angustia, deja a un lado al arzobispo de Tarragona y se vuelve al prelado de Valencia, Botonac, haciendo valer lo mucho que él le había amado, la confianza que le tenía y lo bien que siempre le había

---

[28] Véase FÁBREGA, *Actitud de Pedro III...* p.177.

aconsejado, y suplicándole lo hiciera ahora *no como a rey, sino como a hombre muerto o que en breve espera morir*» [29].

Es claro, pues, que Pedro renunció al reino de Sicilia. Y gracias a ello murió como cristiano y no fue el fraguador, como lo será su sobrino Felipe el Hermoso, de una nueva época de relaciones entre el poder espiritual y el temporal.

Los sucesores de Pedro III

Pedro el Grande dejaba como sucesor en el reino de Aragón a su primogénito Alfonso, y en el de Sicilia —al que secretamente había renunciado a punto de morir— a su hijo Jaime. Alfonso III, amigo de la paz, se esforzó por acercarse a la Iglesia, y en la circunstancia de su coronación en Zaragoza, envió una legación al papa Honorio IV para llegar a un acuerdo. En cambio, su hermano Jaime, que se coronó rey de Sicilia en Palermo el 2 de febrero de 1286, se mantenía frente a ella y fue excomulgado por el mismo papa el 11 de abril y el 23 de mayo del mismo año.

Alfonso, buscando siempre el acercamiento, aceptada la mediación de Eduardo de Inglaterra, consintió en Olerón, en 1287, se liberase a Carlos II el Cojo, al que mantenía prisionero, mediante la entrega de su hijo y otras condiciones, que no se aceptaron. Pero el 28 de octubre del año siguiente, en Canfranc, y con la aprobación del papa Nicolás IV, se concedió la libertad a Carlos II, exigiéndole la entrega de sus tres hijos mayores (uno de los cuales fue el futuro San Luis, franciscano y obispo de Tolosa). Estos pasaron a Cataluña, mientras su padre era coronado rey de Sicilia por el propio papa. Y en un nuevo esfuerzo de buena voluntad, el mismo Alfonso III firmaba, en febrero de 1291, la paz de Tarascón. Una paz humillante, por la que pedía perdón al papa, recibía la absolución de las censuras que pesaban sobre él y sus reinos y se comprometía a expulsar con las armas, si fuera preciso, a su hermano Jaime del trono de Sicilia.

Pero Alfonso III fallecía en Barcelona el 18 de junio de 1291, habiendo dispuesto que le sucediese en el reino de Aragón su hermano Jaime y en el de Sicilia su hermano Fadrique. Y de hecho, apenas partió Jaime para tomar posesión de su reino de Aragón, se apresuraron los sicilianos a proclamar rey a Fadrique, contra todas las iras papales.

Jaime II y Bonifacio VIII

Después de largos esfuerzos, Bonifacio VIII logró que se firmara una paz que él creía definitiva entre las casas de Francia, Aragón y Anjou. Es la paz de Anagni, de la que da cuenta la bula *Splendor gloriae*, del 21 de junio de 1295. La *paz de Anagni* establecía el enlace matrimonial de Jaime II con Blanca, la hija de Carlos de Anjou; el mismo Jaime restituiría Sicilia a la Santa Sede y ésta la entregaría a los angevinos; se levantaban todas las

---

[29] FÁBREGA, *Actitud de Pedro III...* p.178.

excomuniones, entredichos y censuras; la casa de Francia renunciaba a todos los derechos que sobre Aragón, Valencia y Cataluña le había concedido Martín IV; las dos partes se devolverían los mutuos rehenes. Las Baleares serían restituidas a su rey Jaime[30] y Jaime II de Aragón —por una cláusula secreta— entraría en posesión de las islas de Córcega y Cerdeña[31], de las que fue investido en Roma el 4 de abril de 1297 por la bula *Super reges et regna*.

Federico III de Sicilia

Tercer hijo varón de Pedro el Grande, tercer rey de la nueva dinastía siciliana y tercer Federico de la línea imperial, fue investido el 11 de diciembre de 1295 por el Parlamento siciliano con el título de *Señor de la isla,* y, poco después, el 25 de mayo de 1296, solemnemente coronado rey de Sicilia en la catedral de Palermo.

Fue entonces cuando Bonifacio VIII urgió a Jaime II el cumplimiento de sus promesas. Por la bula *Redemptor mundi* (20 de enero de 1297) le otorgó el título de gonfaloniero, capitán general y almirante de la Santa Sede para llevar socorro a Tierra Santa y castigar a los rebeldes y enemigos de la Iglesia. Aunque Jaime acosó a su hermano dos veces, no llegó a ahogarle. El papa y Carlos le censuraron su actitud y buscaron quien quisiera llevar adelante aquella empresa ya inútil. Por fin, el 19 agosto de 1302, por la *paz de Caltabellota,* reconocían a Federico el señorío sobre Sicilia, con el título de *rey de Trinacria.* Tal señorío duraría solamente durante la vida de Federico; a su muerte, Sicilia volvería a pasar a poder de los Anjou. Pero veinte años más tarde (1322), Federico, sordo a las protestas del papa y de los Anjou, hizo que los sicilianos juraran como heredero y sucesor a su primogénito Pedro. Y así la dinastía aragonesa no sólo se mantuvo en Sicilia en el siglo XIV, sino que en el XV llegó a expulsar de Nápoles a los angevinos.

La política papal sobre Sicilia dio lugar a uno de los tejidos matrimoniales políticos más enrevesados de la Edad Media: de los hijos de Carlos II de Anjou, Roberto casó con Violante, hermana de Jaime II de Aragón y, viudo de ella, casó de nuevo con Sancha de Mallorca, hija de Jaime II. Hemos visto ya que otra hija de Carlos, Blanca, estaba casada con Jaime II de Aragón; otra, María, era la esposa de Sancho de Mallorca, y, finalmente, Leonor fue la esposa de Federico de Sicilia. Y con todo, en la cuestión política eran irreconciliables (!) las dos familias.

En unión con Fernando IV de Castilla, Jaime II tomó parte, en 1309, en una campaña contra Granada, que el papa había declarado cruzada; campaña que no dio gran resultado, como sucedió igualmente con la de su hijo Alfonso III, yerno de Fernando IV, con Alfonso XI de Castilla, en 1329.

[30] LECOY DE LA MARCHE, *Relations...* p.352-354.368-369.
[31] F. SOLDEVILA, *Història de Catalunya* (Barcelona ²1963) p.396 n.71.

La Gran Compañía Catalana y la expedición a Oriente

Contemporáneo de los personajes más señeros de las letras de sus reinos —Ramón Llull, Arnau de Vilanova y Ramón Muntaner—, la gran figura de Jaime II abrió definitivamente Cataluña al mar.

En paz con la Iglesia, Jaime II, en un gran despliegue de acción diplomática, logra la reapertura de las iglesias cristianas en tierras del sultán (1303), la confirmación del derecho de dar pasaportes (1305), la liberación de los cautivos y la licencia para mantener iglesias en aquellos dominios (1315), y, finalmente, la custodia del Santo Sepulcro por frailes catalanes (1322-1327)[32]. Jaime II ejercía un verdadero protectorado sobre los cristianos de Oriente.

Sus proyectos de cruzada a Tierra Santa, atizados constantemente por Ramón Llull, ya octogenario, en sus llamadas apremiantes al papa, príncipes y pueblo cristiano, habían llevado al rey a la alianza con el rey de Armenia, el Can de los Tártaros y el rey de Chipre. El comercio era constante y las relaciones estaban aseguradas por los vínculos político dinásticos: viudo de Blanca de Anjou, el propio Jaime II se casaba con María, la hermana de Enrique II de Chipre; el infante Fernando de Mallorca se casaba, también en segundas nupcias, con Isabel de Ibelín, hija del senescal del reino, en 1315; y la hija de Federico III de Sicilia, Constanza, se unía con el mismo monarca chipriota en 1318[33]. El consulado catalán de Famagusta, en la isla, desplegaba una inmensa actividad.

Es en tales circunstancias cuando tiene lugar «uno de los capítulos más sorprendentes y novelescos» de la historia catalana en el Mediterráneo: la expedición de la *Gran Compañía Catalana*, sus luchas contra turcos y bizantinos y la fundación de los ducados de Atenas y Neopatria[34]. Hecho novelesco y sorprendente, escribe Soldevila, por las peripecias de conjunto que suscita, por el fastuoso encumbramiento de oscuros aventureros hasta las cimas deslumbradoras de honores y poder, por el trágico fin de casi todos ellos; pero natural y normal dentro del desarrollo expansivo de un pueblo marinero como Cataluña. La expedición es la consecuencia de la afirmación catalana en el Mare Nostrum, después de las conquistas de Jaime I y de los largos años de lucha por Sicilia. La paz de Caltabellota (1302) había dejado a miles de almogávares y caballeros privados de la guerra, que era su vocación y su vida. Fue entonces cuando acudió a ellos Andrónico Paleólogo, que se veía amenazado por los turcos, que ocupaban ya casi toda el Asia Menor. La oferta y las condiciones eran magníficas y tentadoras. A las órdenes de Roger de Flor, nacido en la corte de Federico II, antiguo templario y excelente marinero ex pirata, llegó la Compañía a Constantinopla el año 1303. Eran en su mayoría almogávares, aventureros, con su temperamento hecho a la vez de vicios y de virtudes. El contemporáneo griego Nicéforo Gregoras, nada parcial, pondera la valentía de sus ata-

[32] L. NICOLAU D'OLWER, *L'Expansió de Catalunya a la Mediterrània oriental* (Barcelona 1926) p.30 y 37; CH.-E. DUFOURCQ, *L'Espagne catalane et le Maghrib aux XIIIe et XIVe siècles* (París 1966).
[33] NICOLAU D'OLWER, *L'Expansió...* p.165.
[34] SOLDEVILA, *Història de Catalunya...* p.417.

ques, su coraje en la lucha, su disciplina militar, la fuerza irresistible de sus armas [35]. Y así obtuvieron fulgurantes triunfos: batalla tras batalla, los turcos fueron vencidos y empujados hasta las puertas de Cilicia. Y cuando, cansados de sus excesos, los griegos asesinaron en 1305 a Roger de Flor, con numerosos caballeros catalanes, fueron a su vez derrotados por los almogávares enfurecidos, que los aplastaron cuantas veces se enfrentaron con ellos. Y con los griegos fueron abatidos los búlgaros, los alanos, los genoveses, lo mismo que el duque franco de Atenas, Gualter de Brienne, con su deslumbrante caballería, en 1311, en la batalla del Cefís. Fueron las virtudes guerreras las que llevaron a aquellos aventureros a constituir el último ejército de cristianos que acampó junto a las puertas de Cilicia; las que hicieron posible que Roger de Flor obtuviera en feudo del Paleólogo toda el Asia Menor, menos las grandes ciudades; que, después de su asesinato, la península de Gallípoli fuera, a lo largo de dos años, un estado catalán independiente en lucha con el Imperio bizantino; que la Gran Compañía llegara a adentrarse, entre enemigos, por tierras de Tracia, Macedonia y Tesalia y acabara fundando un estado catalán con los ducados de Atenas y Neopatria [36].

Pero aquellos hombres, cargados de valor y de glorias, no eran hombres para la paz. Lo había visto ya el rey de Sicilia, que les equipó para que emprendieran aquella aventura. Aun cuando habían logrado los mayores honores y las más altas dignidades del Imperio (Roger de Flor se llamaba césar; Berenguer de Entença, megaduque; Ferrán de Aunés, almirante, y estaban casados con princesas de sangre imperial: Roger con María, sobrina del emperador e hija del zar de Bulgaria; Ferrán de Aunés, con otra pariente del emperador; Rocafort, con la hermana del zar de Bulgaria), no llegaron a sentir ni amor ni respeto por la autoridad ni el pueblo bizantinos, y ni siquiera por política lograron disimular su interior desprecio contra las ceremonias, las intrigas, la decrepitud de los dignatarios del Imperio.

Con ello sucedió que aquellos caballeros vivían entre enemigos que los temían y los odiaban. El asesinato de Roger de Flor y de sus caballeros fue una demostración de aquel estado de cosas y de la incapacidad de aquellas mesnadas para toda función de gobierno. Jaime II de Aragón y Federico III de Sicilia comprendieron que la Compañía no servía a sus sueños de expansión mediterránea; hubo de perder sus esperanzas Carlos de Valois, casado desde 1301 con Catalina de Courtenay, pretendida heredera del Imperio, de que aquel ejército le conquistara la corona imperial; y el mismo papa vio diluirse su confianza de que aquellos hombres fueran los liberadores del Santo Sepulcro [37].

Con todo, muerto Roger de Flor, fue mandado todavía a Oriente como caudillo de la Compañía un príncipe de la casa de Mallorca, el infante aventurero Ferrán, hijo de Jaime II y nieto del Conquistador. No fue aceptado. Y tras encarnizadas luchas de sus jefes, la Compañía con-

[35] Citado por NICOLAU D'OLWER, *L'Expansió...* p.55.
[36] NICOLAU D'OLWER, *L'Expansió...* p.55-115.
[37] SOLDEVILA, *Història de Catalunya...* p.421.

quista y se establece en Atenas y en el ducado de Neopatria. Establece en sus puertos el comercio, organiza la vida municipal según los *Usatges* y monta la estructura eclesiástica a base de prelados catalanes[38]. Por su parte, Ferrán de Mallorca, de acuerdo con sus primos Federico III de Sicilia y Jaime II de Aragón, así como con su hermano Sancho de Mallorca, se propone la conquista del principado de Morea. Haciendo valer los derechos de su esposa, Isabel de Sabrán, en 1315 ocupó Clarenza y casi todo el principado. La fortuna duró poco, pues un año más tarde es vencido y muerto en la batalla de la Manolada (1316). Hecho efímero, es una expresión más de la voluntad de expansión en el Mediterráneo. Como lo es también el hecho de la ida a Gerda del cronista de la Compañía, el gran Ramón Muntaner, enviado todavía por Federico III en 1310, y que logra asegurar la posesión y defensa de aquel baluarte insular frente a las costas de Africa[39].

Por otra parte, Jaime II de Aragón, después de veinticinco años de haberle sido conferida por Bonifacio VIII la investidura de Cerdeña, se decide a emprender su conquista. Parte de Barcelona el infante Alfonso con veinte galeras y otras naves, colabora Valencia con otras veinte y ponen veinte más los mallorquines. Las operaciones duraron cerca de un año (1323-1324), y al fin la isla fue conquistada para Aragón[40]. A la muerte de Jaime II en 1327, el cuadro de la expansión en el Mediterráneo era el siguiente: la casa real de Aragón-Cataluña en Aragón, Cataluña, Valencia, Baleares y Sicilia; ducados catalanes en Atenas y Neopatria; dominio de Ferrán de Mallorca en Morea; Cerdeña, anexionada; Malta, Gozzo, Gerba y los Quérquenes, dependientes de príncipes catalanes; relaciones dinásticas y comerciales con Chipre; Túnez, Tlemecén y Bugía, tributarios; protectorado sobre los cristianos de Oriente[41]. La vocación mediterránea de la casa catalano-aragonesa era evidente. El Mare Nostrum volvía a ser un mar abierto; el Renacimiento estaba a la puerta.

IV. DERROTEROS DEL REINO DE LA IGLESIA DE NAVARRA EN LA BAJA EDAD MEDIA

Por A. OLIVER

En la plena y baja Edad Media, el reino de Navarra continúa en la inestabilidad y el temor a perder la independencia, tan amenazada y de la que se muestra tan celoso. Para escapar de la tenaza de Castilla-Aragón, empieza a girar en la órbita de Francia. Y cuando se hizo la promesa de

[38] R. LOENERTZ, *Athènes et Neopatras, Regestes et documents pour servir à l'histoire ecclésiastique des duchés catalans (1311-1395):* Archivum Fratrum Praedicatorum 18 (1958) 5-91.

[39] NICOLAU D'OLWER, *El Pont de la mar blava* (Barcelona 1928) p.23-25.

[40] A. ARRIBAS PALAU, *La conquista de Cerdeña por Jaime II de Aragón* (Barcelona 1952); F. SOLDEVILA, *Sardegna nella Cronaca di Pietro il Cerimonioso:* Atti del VI Congreso Intern. di Studi Sardi (Cagliari 1957).

[41] SOLDEVILA, *Història de Catalunya...* p.430.

esponsales entre la reina Juana (1274-1304) con el heredero de la corona francesa, el futuro Felipe IV el Hermoso de Francia (nieto de Jaime I de Aragón), Navarra se alejaba de los reinos peninsulares y tropas francesas arrasaban el barrio de la *Navarrería*, en Pamplona en 1276. Francia utilizó a Navarra como instrumento en contra de la política catalano-aragonesa, llegando a producirse, en 1283, una incursión franco-navarra en Aragón, a la que respondió Pedro III de Aragón con otra de represalia, al año siguiente, entrando por la huerta de Tudela. Los capetos reinaron sobre Navarra desde 1284 hasta 1328. Al extinguirse aquéllos, el problema de sucesión se resolvió en Francia a favor de los Valois y en Navarra en favor de los Evreux. Con ellos lograron los navarros otra vez la independencia; pero aquella dinastía francesa los llevó a enredarse en los conflictos de la Guerra de los Cien Años. Carlos II de Navarra (1349-1387) se ocupó más de la política europea que de la de su reino. Se puso de parte de Pedro I de Castilla en su lucha contra Enrique de Trastamara; pero la victoria de Enrique le hizo perder su prestigio y le llevó al Tratado de Briones (1379). En la Guerra de los Dos Pedros (1356-1369), ayudó primero al de Castilla y, desde 1363, al IV de Aragón. Su hijo, Carlos III de Navarra (1387-1425), heredó un reino agotado. Y a lo largo del siglo XV continuaron las vicisitudes y la inseguridad, hasta que, por la convención de Granada, en 1492, los Reyes Católicos se hicieron protectores de los reyes de Navarra, defendiendo su neutralidad frente a Francia. Entonces pudieron los reyes de Navarra instalarse y ser coronados en Pamplona. El papa Alejandro IV, en 1357, había concedido al obispo de Pamplona el derecho de ungir y coronar a los reyes navarros.

Las luchas entre los diferentes núcleos de población y más tarde entre navarros y franceses fueron constantes y no aquietadas hasta 1422 por Carlos III de Navarra. La Iglesia estuvo sometida a aquellas agitaciones y a sus consecuencias. En 1216, el obispo Guillermo de Santonge, en una constitución sinodal, lanza excomunión contra los usurpadores de monasterios, que en el territorio eran muchos y poderosos. Y poco después llegó a excomulgar a Sancho el Fuerte, que atentaba contra la libertad de la Iglesia. El arzobispo de Tarragona, en un sínodo celebrado en Pamplona en 1230, lanzó la excomunión contra los que acumulaban beneficios con cura de almas. Los sínodos tuvieron gran importancia en la Iglesia de Navarra: los de 1313 y 1315 cuidaron de la formación y dignidad del clero y de la piedad del pueblo. El obispo Arnalt de Barbazán (1318-1355) solucionó el grave problema del dominio temporal de la Iglesia de Pamplona, reunió al clero con frecuencia y solicitó ayuda para el papa Juan XXII, en lucha con Luis de Baviera. Los sínodos de 1330, 1341, 1346, 1349 y 1354 insistieron en la observancia de la disciplina eclesiástica, en la elevación del nivel cultural, en el fomento del orden y la justicia, en la dignificación del culto y en la uniformidad de la liturgia. El último de esos sínodos editó para uso de los párrocos un compendio de teología, redactado en lengua vulgar, que llegó a ser la base de la formación de buena parte del clero hasta la gran reforma del siglo XVI.

El obispo Miguel Sánchiz de Asiaín (1356-1364), siguiendo la tan enraizada costumbre de los sínodos, reunió a su clero en dos ocasiones: en 1357 y en 1360, para tratar el tema de los beneficios eclesiásticos, tan polémico en los tiempos del papado de Aviñón. Su sucesor, Bernard de Folcaut (1364-1377), reunió otra vez al clero en 1373 para tratar del tema de los espolios. Fue él quien negoció en Brujas un acuerdo entre Gregorio XI e Inglaterra.

El papa Benedicto XIII favoreció a la diócesis —que en 1399 se alejaría de su obediencia, siguiendo el ejemplo de Francia, y al mismo tiempo que los reinos de Castilla, Nápoles y Provenza—, creando cardenal al obispo Martín de Zalba, el primer cardenal navarro, consejero y confidente del propio papa, en 1390. Bajo su mandato, un sínodo de 1388 promulgó normas acerca de la liturgia del santoral.

La aportación de Navarra y la actitud de su embajada en el concilio de Constanza se estudian en el vol.III 1.

CAPÍTULO VI

RELIGIOSIDAD POPULAR Y PIEDAD CULTA

Por JAVIER FERNÁNDEZ CONDE

BIBLIOGRAFIA

LA INSTRUCCIÓN RELIGIOSA DEL PUEBLO

CH. HEZARD, *Histoire du catéchisme depuis la naissance de l'Église jusqu'à nos jours* (París 1900); E. MANGENOT, *Catéchisme:* DThC 2 (París 1910) 1895-1968; P. RI-CHÉ, *Recherches sur l'instruction des laics du XIe au XIIe siècles:* Cahiers de Civil. Médié-vale 5 (1962) 175-182; J. SÁNCHEZ HERRERO, *Las diócesis del reino de León. Siglos XIV y XV* p.243-245.

LA PRÁCTICA SACRAMENTAL

A. VILLIEN, *Histoire des commandéments de l'Église* (París 1936); A. GARCÍA GA-LLO, *El concilio de Coyanza. Contribución al estudio del derecho canónico español en la alta Edad Media:* AHDE 20 (1950) 275-633 (se cita la tirada aparte de este trabajo, publicado por la misma revista en Madrid, 1951); J. SÁNCHEZ HERRERO, *Concilios provinciales y sínodos toledanos de los siglos XIV y XV* (La Laguna 1976); F. J. FERNÁN-DEZ CONDE, *Gutierre de Toledo, obispo de Oviedo (1377-1389). Reforma eclesiástica de la Asturias bajomedieval* (Oviedo 1978) p.151-155.

EL CULTO Y LA DEVOCIÓN A LOS SANTOS

V. DE LA FUENTE, *Vida de la Virgen María con la historia de su culto en España* 2 vols. (Barcelona 1879); M. RICHETTI, *Historia de la liturgia* 2 vols. (Madrid 1955-1956); H. A. P. SCHMIDT, *Introductio in Liturgiam occidentalem* (Roma 1959); G. MA-RÍA ROSCHINI, *La Madre de Dios según la fe y la teología* 2 vols. (Madrid 1958) 2.ª ed.; J. A. SÁNCHEZ PÉREZ, *El culto mariano en España* (Madrid 1943); J. VIVES, *Santoral visigodo en calendarios e inscripciones:* AST 14 (1941) 31-58; ID., *Boletín de hagiografía hispánica:* HS 1 (1948) 229-243; ID., *El supuesto pasionario hispánico de San Millán de la Cogolla:* HS 12 (1959) 445-454; ID., *El santoral de los calendarios de San Cugat del Vallés:* HS 26 (1973) 247-269; J. VIVES-A. FÁBREGA GRAU, *Calendarios hispánicos anteriores al siglo XII:* HS 2 (1949) 119-146.339-380; ID., *Calendarios hispánicos ante-riores al siglo XIII:* HS 3 (1950) 145-161; J. JANINI, *Los calendarios emilianenses del siglo XI:* HS 15 (1962) 177-196; A. FÁBREGA GRAU, *Pasionario hispánico (siglos VII-XI)* (Madrid-Barcelona 1953); L. LÓPEZ SANTOS, *Hagiotoponimia:* Enciclopedia Lingüística Hispánica 1 (1960) 579-614; J. BRAUN, *Die Reliquiare des christlichen Kultus und ihre Entwicklung* (Friburgo de Brisgovia 1940); L. VÁZQUEZ DE PARGA-J. M. LACARRA-J. URÍA RIU, *Las peregrinaciones a Santiago de Compostela* 3 vols. (Ma-drid 1948-1949); J. GUDIOL, *De peregrins i peregrinatges religiosos catalans:* AST 3 (1927) 93-119.

LA PRESENCIA DEL DEMONIO

R. BERNHEIMER, *Wild Men in the Middle Ages. A Study in Art, Sentiment and Demonology* (Londres 1952); V. RISCO, *Satanás. Historia del diablo* (Barcelona 1956); D. GRIVOT, *Le Diable. Essai sur les représentations du diable dans l'art médiéval* (París 1960); C. PAYTUVI, *El diablo* (Barcelona 1961); E. CASTELLI, *De lo demoníaco en el arte* (Santiago de Chile 1963); H. MODE, *Fabulous, Beasts and Demons* (Londres 1975).

FIESTAS POPULARES

L. DE HOYOS SAINZ, *Cómo se estudian las fiestas populares y tradicionales:* RDTP 2 (1946) 343-367; E. CASAS GASPAR, *Costumbres españolas de nacimiento, noviazgo, casamiento y muerte* (Madrid 1947); ID., *Ritos agrarios. Folklore campesino español* (Madrid 1950); J. AMADES, *Costumari català. El curs de l'any* 5 vols. (Barcelona 1950-1954); A. CAPMANY, *Calendari de llegendes, costums i festes tradicionals catalanes* (Barcelona 1951); N. DE HOYOS SANCHO, *Refranero agrícola español* (Madrid 1954); *El folklore español,* obra colectiva, ed. por J. M. GÓMEZ-TABANERA (Madrid 1968); J. CARO BAROJA, *El carnaval. Análisis histórico-cultural* (Madrid 1979) 2.ª ed.; ID., *La estación del amor. Fiestas populares de mayo a San Juan* (Madrid 1979); J. ROMEU, *Folklore religioso:* DHEE II (1972) 943-948 (con abundantes referencias bibliográficas).

SUPERSTICIONES Y DESÓRDENES MORALES MÁS GRAVES

J. VIVES, *El folklore religioso en España. Bibliografía de 1940-1960:* Gesammelte Autsätze zur Kulturgeschichte Spaniens 20 (1962) 303-312; M. MENÉNDEZ Y PELAYO, *Artes mágicas, hechicerías y supersticiones en España desde el siglo VIII al XV* (Madrid 1918) 2.ª ed.; J. A. SÁNCHEZ, *Supersticiones españolas* (Madrid 1948); J. CARO BAROJA, *Algunos mitos españoles. Ensayo de mitología popular* (Madrid 1941); A. DEL LLANO ROZA DE AMPUDIA, *Del folklore asturiano. Mitos, supersticiones, costumbres* (Madrid 1922; 3.ª ed. Oviedo 1977); C. CABAL, *La mitología asturiana. Los dioses de la muerte. Los dioses de la vida. El sacerdocio del diablo* (Oviedo 1972); L. CASTAÑÓN, *Supersticiones y creencias de Asturias* (Salinas [Asturias] 1976); J. AMADES, *La terra. Supersticions i creences* (Barcelona 1936); R. VIOLANT SIMORRA, *Mitología, folklore y etnología del fuego en Cataluña:* RDTP 7 (1951) 602-651; 8 (1952) 67-116; V. MARTÍNEZ RISCO, *Los «nubeiros» o tempestarios de Galicia:* Bol. Mus. Arqueol. de Orense 1 (1943) 71-91; F. BOUZA-BREY, *La mitología del agua en el Noroeste hispánico:* Archivo Agustiniano 23 (1947) 1-5.89-104; J. M. BARANDIARÁN, *Mitología vasca* (Madrid 1960).

LA PRÁCTICA COLECTIVA DE LA CARIDAD

A. ROMEU DE ARMAS, *Historia de la previsión social en España. Cofradías. Gremios. Hermandades. Montepíos* (Madrid 1944); L. VÁZQUEZ DE PARGA-J. M. LACARRA-J. URÍA RIU, *Las peregrinaciones a Santiago de Compostela* 3 vols. (Madrid 1948); M. JIMÉNEZ SALAS, *Beneficencia eclesiástica:* DHEE vol.1 (Madrid 1972) p.213-238; *A Pobreza e a Assistência aos pobres na Península Ibérica durante a Idade Média:* Actas das las Jornadas Luso-Espanholas de Historia Medieval (Lisboa 1972; 2 vols. Lisboa 1973); J. SÁNCHEZ HERRERO, *Cofradías, hospitales y beneficencia en algunas diócesis del valle de Duero. Siglos XIV y XV:* H 34 (1974) 5-51; ID., *Las diócesis del reino de León. Siglos XIV y XV* (León 1978); A. ALVAREZ MORALES, *Las hermandades, expresión de movimiento comunitario en España* (Valladolid 1974); J. VILLAMIL Y CASTRO, *Reseña histórica de los establecimientos de beneficencia que hubo en Galicia durante la Edad Media y de la erección del Gran Hospital Real de Santiago, fundado por RR. CC.:* Galicia Histórica I (1901-1902); J. TOLIVAR FAES, *Hospitales de leprosos en Asturias durante las Edades Media y Moderna* (Oviedo 1966); M. NÚÑEZ DE CEPEDA, *La beneficencia en*

Navarra a través de los siglos (Pamplona 1940); R. I. BURNS, *Los hospitales del reino de Valencia en el siglo XIII:* AEM 2 (1965) 135-154.

EL TEATRO RELIGIOSO

Repertorios bibliográficos.—J. STRATMAN, *Bibliography of medieval Drama* (Nueva York 1972); W. T. MCCREADY, *Bibliografía temática de estudios sobre el teatro español antiguo* (Toronto 1966).—Sobre el teatro medieval en general: E. K. CHAMBERS, *The medieval Stage* 2 vols. (Oxford 1903); A. BONILLA Y SAN MARTÍN, *Las bacantes o el origen del teatro* (Madrid 1921); K. YOUNG, *The Drama of the medieval Church* 2 vols. (Oxford 1933; 1967 ed. facsímil); B. HUNNINGER, *The Origin of the Theater* (La Haya-Amsterdam 1955); O. B. HARDISON, *Christian Rite and Christian Drama in the Middle Ages. Essays in the Origin and early History of the modern Drame* (Baltimore 1965); R. AXTON, *European Drama of the early Middle Ages* (Londres 1974).—Sobre el teatro medieval español: M. DE RIQUER, *Història de la literatura catalana* 3 vols. (Barcelona 1964; 2.ª ed., 1980); R. B. DONOVAN, *The Liturgical Drama in Medieval Spain* (Toronto 1958); N. D. SHERGOLD, *A History of the Spanish Stage from medieval Times until the End of the seventeenth Century* (Oxford 1967); H. LÓPEZ MORALES, *Tradición y creación en los orígenes del teatro castellano* (Madrid 1968); J. L. ALBORG, *Historia de la literatura española* vol.1 (Madrid 1970) p.177-221; A. D. DEYERMOND, *Historia de la literatura española.* I: *La Edad Media* 2.ª ed. (Barcelona 1973) p.360-373; ID., *Historia y crítica de la literatura española.* I: *Edad Media* (Barcelona 1980) p.451ss; F. LÁZARO CARRETER, *Teatro medieval* 4.ª ed. (Madrid 1976); F. LÓPEZ ESTRADA, *Introducción a la literatura medieval española* 4.ª ed. (Madrid 1979) p.468-485.

LA ÉPICA Y LA LÍRICA EN ROMANCE

F. LÓPEZ ESTRADA, *Introducción a la literatura medieval española* 4.ª ed. (Madrid 1979); A. DEYERMOND, *Historia y crítica de la literatura española* vol.1 (Barcelona 1979); *Historia de las literaturas hispánicas no-castellanas,* coordinada por J. M. DÍEZ BORQUE (Madrid 1980). En las tres obras se ofrecen abundantes referencias bibliográficas.

I. LA INSTRUCCION RELIGIOSA DEL PUEBLO

La deficiente formación del clero durante el primer período de la Edad Media, puesta de relieve en un capítulo anterior, constituyó un obstáculo grave para la instrucción adecuada de los fieles. En la primera parte del siglo XIII, cuando muchas iglesias españolas estaban afrontando ya en serio la renovación de las escuelas clericales, todavía había beneficiados, según el concilio de Valladolid (1228), «que no sabían fablar latín». Y el de Lérida, celebrado un año más tarde, vuelve a denunciar el mismo defecto en la preparación de los miembros de los cabildos y de los encargados de la pastoral parroquial, síntoma evidente de un nivel cultural bajo [1]. Sin conocer el latín no podían realizar con verdadera dignidad y sentido los oficios litúrgicos, fuente habitual de formación y consolidación de su fe y de la de sus feligreses.

Para ejercer el ministerio de la palabra, otro de los cauces normales de

---

[1] Para el conc. de Valladolid: J. TEJADA Y RAMIRO, o.c., vol.3 p.325. El de Lérida: ibid., p.332.

la instrucción de los fieles, los eclesiásticos más cultos utilizarían viejos homiliarios en latín, que tampoco podían constituir un instrumento demasiado útil a la hora de fundamentar la religiosidad del pueblo cristiano. Además, la misma lengua los hacía inaccesibles a la mayoría de los pastores.

Durante los primeros siglos medievales, la instrucción catequética fue, asimismo, muy elemental. El concilio de Coyanza (1055), al que acudieron muchos prelados españoles con propósitos claramente restauradores, ordena en el canon tercero que «los clérigos enseñen de memoria a los hijos de la Iglesia y a los niños el símbolo y el padrenuestro». Y el congregado en Compostela al año siguiente, recogiendo el espíritu de Coyanza, vuelve a repetir la misma disposición, que no tiene precedente en la disciplina eclesiástica anterior [2]. Los responsables de la cura pastoral se limitaban a conseguir que sus feligreses supieran de memoria las verdades fundamentales de la fe cristiana, y tal vez algunos de ellos, los menos, fueran más allá, tratando de explicar el contenido de las mismas. Para este menester acudirían a obras compuestas a lo largo de la época carolingia, en las que se explanaban dichas verdades. Conocemos una obra anónima del género, redactada en el siglo X: *Qualiter Sancti Apostoli composuerunt symbolum* [3]. En la duodécima centuria, los clérigos mejor informados podían consultar el famoso *Elucidarium* de Honorato d'Autún o quizás la obra de Hugo de Saint-Victor titulada *De quinque septenis seu septenariis* [4].

El tipo de enseñanza basada en el aprendizaje memorístico de los artículos centrales de la fe cristiana seguirá vigente en los siglos siguientes. Las disposiciones de algunos sínodos del XIII volverán a recomendarla con insistencia. Pero durante esta centuria comienzan a componerse en la Península, sobre todo en los reinos orientales, obras de índole catequética. Y a lo largo del XIV se multiplicarán ya los catecismos en lengua vernácula, como tendremos ocasión de exponer más adelante [5].

II. LA PRACTICA SACRAMENTAL

En España, al igual que en otras partes de la Iglesia, las celebraciones litúrgicas de los sacramentos y del domingo, así como las de los días festi-

[2] El conc. de Coyanza: ibid., p.97. Y el de Compostela, p.103. En otra versión es todavía menos exigente: «Todos los arcedianos, sin distinción alguna, deben saber de memoria el símbolo y la oración dominical» (p.107).

[3] El texto de esta pequeña obra, recogida en un manuscrito de la catedral de Córdoba, compuesta en el siglo X, se reduce a una sencilla enumeración de los artículos de la fe atribuidos a cada apóstol: «Petrus dixit: 'Credo in Deum Patrem omnipotentem'. Iohannes dixit: 'Credo in Iesum Christum...'», etc. (PL 72,579-580). En un manuscrito misceláneo compuesto durante el siglo XI en un monasterio centroeuropeo y depositado más tarde en la catedral de Gerona —hoy conservado por la Biblioteca de la Universidad de Barcelona—, fueron copiados dos «trataditos» de índole catequética. Uno destinado a catecúmenos. El segundo, para bautizados (cf. J. M. CASAS HOMS, *Dos antiguos tratados catequéticos*: Gesammelte Aufsätze zur Kulturgeschichte Spaniens 16 [1960] 76-84).

[4] Cf. P. BOGLIONI, *Pour l'étude de la religion populaire au Moyen Âge: le problème des sources*: «Foi populaire. Foi savante» (París 1976) p.141.

[5] Cf. el capítulo 8 de este tomo II-2.º

vos, constituían el centro de la religiosidad del pueblo. Las devociones paralitúrgicas o privadas, derivadas frecuentemente de estas celebraciones rituales, irán floreciendo poco a poco, y de manera especial en los últimos siglos medievales.

El bautismo, como primer sacramento de la iniciación cristiana, fue siempre importante en la consideración popular, y la legislación de los obispos se ocupó de él no pocas veces, bien para corregir pequeños abusos o para formular cautelas que los impidieran. Durante la primera época, caracterizada por una pobreza cultural en todos los órdenes, faltan lógicamente tratados dedicados a este sacramento. Serán dos autores extranjeros del siglo XII: Hugo de Saint-Victor y Pedro Lombardo, quienes elaboren los primeros trabajos sistemáticos de teología bautismal, inspirándose en las obras de escritores antiguos, entre los cuales figuran también las aportaciones de San Isidoro [6].

Los obispos que acudieron a Coyanza, cuando disponían que todos los neófitos se bautizaran en las vigilias de Pascua y Pentecostés, prohibiendo además el bautismo de los niños fuera de esas fechas, salvo en caso de enfermedad, estaban reafirmando la disciplina habitual de la Iglesia universal y de la hispana [7]. Sin embargo, al ir haciéndose más infrecuente el bautismo de adultos, se generaliza la costumbre de bautizar cuanto antes a los recién nacidos. El concilio de Salamanca (1335) ordenará a los párrocos que administren el primero de los sacramentos a los párvulos «tan pronto como puedan cómodamente». Los sínodos tardomedievales tratan ya de corregir las pequeñas relajaciones de la nueva práctica, fijando plazos cortos, sólo de varios días, para que los padres hicieran bautizar a sus hijos dentro de ellos [8]. Las asambleas conciliares del siglo XIV encomendarán a los responsables de las iglesias parroquiales la confección de los padrones de sus feligreses, que habrían de completarse anotando asimismo en ellos el cumplimiento pascual de cada parroquiano; y para propiciar la conversión de judíos y moros, determinan que el ingreso de éstos en la Iglesia no tenga secuelas económicas negativas [9].

En las islas Baleares se ha conservado, hasta los tiempos actuales, la costumbre de colgar en el «vestido de cristianar» un libro pequeño, lujosamente bordado, que contiene varios trozos de los cuatro evangelios; con frecuencia, el comienzo de los mismos, y sobre todo el prólogo del cuarto: los «evangelios de bautizo». Los ejemplares de estos textos son modernos, pero la hermosa tradición, muy arraigada también por otras lati-

---

[6] B. NEUNHEUSER, *Baptême et Confirmation* (La doctrine du baptême et de la confirmation à l'époque carolingienne et dans la haute scolastique) p.176ss.

[7] Se trata del párrafo primero del can.5 del texto más primitivo de este concilio (cf. A. GARCÍA GALLO, *El concilio de Coyanza:* AHDE 20 [1950] 24). La disposición falta en el texto ovetense, copiado setenta y cinco años más tarde. Probablemente, dicha disciplina ya había comenzado a entrar en desuso.

[8] El obispo ovetense D. Gutierre, en un sínodo celebrado el año 1377, asume una disposición de otro antecesor suyo en dicha sede que urgía la administración del bautismo a los recién nacidos dentro del plazo de ocho días. Al año siguiente, en otro sínodo, el mismo prelado reduce a seis el plazo (cf. F. J. FERNÁNDEZ CONDE, *Gutierre de Toledo...* p.151).

[9] El ordenamiento sobre los padrones parroquiales en el can.16 del concilio de Salamanca (1335): J. TEJADA Y RAMIRO, o.c., vol.3 p.577. Las garantías económicas para los conversos en el can.10 del concilio de Peñafiel (1302), o.c., p.441.

tudes de la Península, hunde sus raíces en la Edad Media. De hecho, la devoción al prólogo del Evangelio de San Juan era muy fuerte en toda la Iglesia medieval, que otorgaba a su lectura las virtualidades salvíficas y taumatúrgicas de una bendición. En el siglo XII, allende los Pirineos se leía a los enfermos antes de administrarles la extremaunción. En el XIII comienza a recitarse al final de la misa. Y también fue utilizada su recitación en las bendiciones del tiempo o del espacio —de los cuatro puntos cardinales—, al igual que en la bendición de los campos el día de la Cruz de Mayo. Así, pues, este adorno sagrado de los recién bautizados estaba destinado a recabar para la nueva vida cristiana, que acababa de nacer, la bendición de Cristo como señor y creador de todo, lo mismo que se hacía en las fiestas de carácter agrario [10].

La confirmación, reservada al obispo como ministro ordinario, desde los primeros tiempos de la Iglesia se administraba, por lo general, inmediatamente después del bautismo. En España, al igual que en otras partes, la estrecha vinculación entre los dos sacramentos va desapareciendo poco a poco a lo largo de la Edad Media. Durante los siglos bajomedievales sobre todo, se consolida la práctica de confirmar a los siete años o más tarde. Quizás las ocupaciones de los obispos, comprometidos habitualmente en negocios seculares, tuvo que ver mucho en la afirmación de tal costumbre. Algún concilio tardío hace referencia a las negligencias de los prelados en esta parcela de su ministerio específico. Por otra parte, llama la atención el énfasis que pone uno celebrado en Lérida a finales del siglo XII (1173) al tratar el parentesco contraído por padrinos y ahijados tanto del bautismo como de la confirmación. Dicho parentesco, que constituía un impedimento dirimente del matrimonio, afectaba también, según la citada reunión de obispos, a los propios hijos de los padrinos [11].

La legislación sinodal y conciliar se ocupa muchas veces de distintos aspectos relacionados con la celebración de la eucaristía, el sacramento que culmina el proceso de iniciación cristiana. El domingo era la fiesta eucarística por excelencia, y la misa dominical tenía para el hombre medieval una importancia singular. Si la iglesia parroquial constituía para él un signo de su villa o ciudad, la reunión religiosa de los domingos se convertía también en la expresión habitual de su vida social. La disciplina eclesiástica de las distintas iglesias hispanas trató siempre de velar por el cumplimiento del precepto dominical, que, además de la asistencia a misa, el verdadero núcleo religioso del día, incluía una serie de elementos complementarios. El concilio de Coyanza traza ya, en el canon sexto, un cuadro completo de las normas relativas a la vida religiosa del día del Señor: «amonestamos que todos los cristianos concurran a la iglesia a las vísperas del sábado, y en el domingo por la mañana oigan misa y todas las horas; que no se ocupen de obras serviles, ni emprendan viajes, como no sea para orar, enterrar a los muertos, visitar enfermos, servir al rey o contener el

---

[10] Cf. G. Llompart, *Dos notas de folklore religioso levantino: «Evangelios de bautizo» y «Peregrinos de representación»*: RDTP 22 (1966) 7-25.
[11] J. Tejada y Ramiro, o.c., vol.3 p.284.

ímpetu de los sarracenos» [12]. La infracción del descanso dominical aparece sancionada alguna vez con penas que llegan hasta la excomunión, y no faltan tampoco condenas para judíos y moros que se atrevieran a trabajar el día del Señor [13].

El pueblo fiel, estimulado por sus pastores, procuró superar el hermetismo de la lengua latina, empleada oficialmente en la misa e incomprensible para la mayoría, utilizando recursos que le permitieran la inteligencia y una experiencia más personal de los misterios celebrados. En una versión del *Setenario* figura ya el texto romanceado del canon. El manuscrito que lo contiene es del siglo XIV, pero presenta formas más antiguas. El hecho, posible indicio de la devoción popular no satisfecha con las fórmulas estereotipadas y arcanas del ritual, es contemporáneo a la aparición de textos bíblicos romances y de las oraciones en lengua vernácula de los rezos no litúrgicos [14]. Las explicaciones alegóricas del sacrificio eucarístico ofrecieron también al pueblo la posibilidad de asistir a misa de forma más comprometida. Este tipo de explicaciones proliferaron en la Iglesia desde el siglo VIII al XV. Sus autores intentaban con ellas que los fieles descubrieran en los silencios, en las palabras, en los gestos o movimientos del ministro, y hasta en los mismos colores litúrgicos, la representación de los principales momentos de la vida de Cristo, especialmente de su pasión y resurrección, e incluso hitos destacados de toda la historia de la salvación. En las *Partidas* se puede encontrar una breve explicación de la misa orientada en este sentido [15]. Y la obra de Gonzalo de Berceo *Del sacrificio de la misa* contiene también numerosos elementos alegórico-dramáticos. Semejante proclividad de la piedad popular hacia lo simbólico-dramático resulta perfectamente coherente con la estrecha vinculación existente entre la liturgia y el teatro religioso medieval, que pondremos de relieve más adelante.

Para los fieles, la asistencia a la misa los días de precepto no comportaba, de suyo, la comunión. En la Edad Media, recibir la comunión era un hecho infrecuente. Si durante los primeros siglos de la Iglesia la participación de la eucaristía implicaba de manera habitual la recepción del Cuerpo de Cristo, a lo largo de la primera época medieval dicha práctica se fue haciendo obsoleta a pesar de las recomendaciones de los autores más espirituales y de las disposiciones de las distintas reglas monásticas [16]. Parece que a partir del siglo XI se consolida la costumbre de comulgar tres veces al

---

[12] O.c., p.98.

[13] «Recae en oprobio de la religión cristiana que los judíos y moros, que viven entre los cristianos, vendan sus géneros en domingo y días festivos y ejerzan en público en dichos días artificios y obras mecánicas. Y no debiendo los cristianos permitir bajo ningún pretexto que se ofenda a la Majestad divina, prohibimos tajantemente a dichos judíos y sarracenos vender mercancías y ejercer artes y obras mecánicas en los domingos y días festivos, en los que los cristianos realizan su culto, debiendo de ser obligado a ello por los ordinarios locales y por los jueces seculares bajo cuya jurisdicción viven y aplicándoles otras penas temporales. Y si los jueces seglares miraren este particular con negligencia, serán compelidos por la censura eclesiástica» (J. TEJADA Y RAMIRO, o.c., vol.3 p.618: concilio de Palencia de 1388).

[14] M. MORREALE, *El canon de la misa en lengua vernácula y la Biblia romanceada del siglo XIII:* HS 15 (1962) 203-219.

[15] Cf. *Part.* 1 tít.4 1.47ss.

[16] Cf. M. RIGHETTI, *Historia de la liturgia* vol.2 p.506ss; M. D. KMOWLES, *La Iglesia en la Edad Media* vol.2 de la NHE p.161-163.

año (Navidad, Pascua y Pentecostés), o cuatro a lo sumo: también el día de Jueves Santo. El Lateranense IV, en la conocida constitución *Unius utriusque sexus,* establece la comunión una vez al año por Pascua como mínimo, y la legislación conciliar o sinodal española repetirá sistemáticamente la misma disciplina a partir de los concilios de Valladolid (1228) y de Lérida (1229), que recogen las disposiciones lateranenses. La devoción eucarística de los clérigos no parece que rayara tampoco a mucha altura. Los obispos de la Tarraconense, reunidos en la capital de la metrópoli el año 1317, se limitan a determinar para los beneficiados no-sacerdotes la comunión dos veces al año, o menos, si mediare la dispensa de su confesor. Los rectores de las iglesias y los demás sacerdotes tendrían que celebrar misa, al menos, tres veces al año [17]. Con los monjes, los obispos debieron de ser más exigentes. Unos estatutos de reforma redactados por Gutierre de Toledo para un monasterio asturiano de benedictinos a finales de la Edad Media prevé que la comunidad acceda a la comunión los primeros domingos de cada mes [18]. En Castilla, el rito de la paz y la ofrenda del pan bendito parece que suplieron de algún modo la comunión sacramental [19].

Los concilios y sínodos hispanos salen también al paso de pequeñas corruptelas relacionadas con la celebración eucarística y tratan de conseguir que todo lo utilizado en ella fuera adecuado. En una época de producción cerealista variada, y no siempre de buena calidad, era necesario, por ejemplo, velar por la calidad del pan de la misa. Por eso, nada tiene de extraño que, a mediados del siglo X, el rey leonés Ramiro II ofrezca a San Pedro de Cardeña una tierra para fabricar las hostias consumidas en el cenobio burgalés con el trigo producido allí [20].

La estructura del sacramento de la penitencia y la forma de administrarlo tiene en España una evolución similar a la experimentada en otras iglesias no-peninsulares. La disciplina penitencial de la época visigótica [21], vigente después de la invasión sarracena, sufrió transformaciones importantes durante los siglos IX y X. En este período, y bajo el influjo de clérigos foráneos, se redactaron los *Libri paenitantiales* españoles: el *Poenitentiale*

[17] J. TEJADA Y RAMIRO, o.c., vol.3 p.475. En otro concilio celebrado en Tarragona el año 1329, se ordena que «los párrocos y los demás prelados celebren misas siempre que puedan cómoda y honestamente» (o.c., p.541). Esta disposición se hace eco de una constitución del Lateranense IV que condena las fiestas de algunos clérigos y prelados, así como su negligencia en el culto divino, pues sólo «celebran la misa apenas cuatro veces al año y, lo que es aún peor, se abstienen de asistir a la misma» (R. FOREVILLE, *Lateranense IV* p.172).

[18] F. J. FERNÁNDEZ CONDE, *Gutierre de Toledo...* p.398. Dicho estatuto fue compuesto entre 1380 y 1381; su autor hace referencia al incumplimiento de esta práctica por los monjes.

[19] Cf. J. SÁNCHEZ HERRERO, *Las diócesis del reino de León...* p.303, recogiendo la conocida estrofa berciana *Del sacrificio de la misa:* «Fue entonces establecido, en vez de comulgar, / que cutiano viniesen todos la paz tomar. / Porque cada domingo no podían comulgar, / fue el pan benedicto puesto en so logar».

[20] A. García Gallo *(El concilio de Coyanza),* al estudiar las normas de derecho sacramental referentes a la eucaristía en las p.312-313, cita la donación del soberano leonés. El texto completo de la misma, datado el año 944: L. SERRANO, *Becerro gótico de Cardeña* n.LIII p.66-67.

[21] Sobre la penitencia antigua en la península Ibérica cf. G. GÖLLER, *Das spanisch-westgothische Busswesen vom 5. bis zum 8. Jahrhundert:* Römische Quartalschrift 37 (1929) 245-313; M. SOTOMAYOR MURO-T. GONZÁLEZ, *La Iglesia en la España romana y visigoda (siglos I-VIII),* en *Historia de la Iglesia de España* (BAC) vol.1 p.298-303.565-568.

silense (800 aprox.), el *Vigilanum* o *Albeldense* (800 aprox.), el *Cordubense* (siglos IX-X) y los *Canones paenitentiales del Pseudo-Jerónimo* (siglos IX-X). En ellos se reflejan influencias claras de los penitenciales extranjeros, especialmente de los irlandeses e ingleses, como el de Cummean y el de Teodoro, que introducen nuevas directrices en la práctica penitencial [22].

Las obras españolas, el *Silense* sobre todo, al lado de la penitencia pública o canónica, que incluía la separación de la comunión eclesiástica y de la eucaristía, el ingreso en el orden de los penitentes, la satisfacción personal por los pecados graves y, finalmente, la reconciliación oficial, recoge ya la penitencia privada sin excomunión y formas intermedias o de transición, en las que la excomunión no conlleva la satisfacción expiatoria del pecador, y una excomunión que puede terminar antes o después de que se cumplan las obras propiamente penitenciales. A esta pluralidad de formas, que en el fondo supone una suavización del rigorismo penitencial, se une también un criterio de benevolencia a la hora de fijar las «tarifas» correspondientes a cada género de pecados. «Los pocos cánones rigoristas, trasladados del concilio de Elvira, no reflejan la disciplina del momento, sino, más bien, un afán coleccionista del autor, incoherente y aun contradictorio con lo restante del penitencial, si no se los entiende de una manera compatible con la absolución final» [23].

En los siglos siguientes, la penitencia canónica cederá de forma decisiva, imponiéndose casi exclusivamente la privada administrada por los sacerdotes. El concilio de Coyanza (1055), a pesar de sus propósitos restauradores y de sus referencias a la *Hispana,* no puede sustraerse ya a esta corriente de benignidad penitencial que se abre camino definitivamente. En el capítulo cuarto nombra a los abades-arcedianos y a los simples presbíteros ministros ordinarios de la reconciliación penitencial, y sólo sanciona con la excomunión a los autores de una serie de delitos más graves —adulterio, incesto, crimen, latrocinio, hechicería y bestialidad—, si los mismos, después de la correspondiente admonición, no se convirtieran e hicieran penitencia [24]. Las circunstancias complejas que atravesaba la Iglesia de los reinos hispanos, en pleno período de reorganización y consolidación, no eran lógicamente favorables para implantar el rigorismo penitencial característico de épocas pretéritas. Por otra parte, en España, a partir del siglo XI, también comienzan a prodigarse las llamadas «peregrinaciones penitenciales» y las absoluciones generales otorgadas por la jerarquía a quienes se alistaran en las campañas contra los musulmanes o prestaran algún servicio excepcional a la Iglesia [25].

[22] Una aproximación general a los libros penitenciales, con abundantes referencias bibliográficas: C. VOGEL, *Les «Libri paenitentiales»* (Turnhout-Bélgica 1978). Sobre los españoles, p.79-80. El texto de los cuatro: S. GONZÁLEZ RIVAS, *La penitencia en la primitiva Iglesia española* (Salamanca 1949) p.173ss. Cf. también: F. ROMERO OTAZO, *El penitencial silense* (Madrid 1928); G. LE BRAS, *Pénitentiels espagnols:* R. de Droit français et étranger 10 (1931) 115-131; J. PÉREZ DE URBEL-L. VÁZQUEZ DE PARGA, *Un nuevo penitencial español:* AHDE 14 (1942) 5-32.

[23] S. GONZÁLEZ RIVAS, o.c., p.154. Las afirmaciones se refieren al texto del Silense, que el autor analiza de una forma especial.

[24] El texto: A. GARCÍA GALLO, o.c., p.23; cf. también ibid., p.313-318.

[25] Una panorámica general sobre teología y la práctica penitencial en esta época en B. POSCHMANN, *Die abendländische Kirchenbusse im frühen Mittelalter* (Breslau 1928); ID., *Pénitence et onction des malades* (París 1966) p.109-135; C. VOGEL, *Le pécheur et la pénitence au Moyen Âge* (París 1969); J. RAMOS-REGIDOR, *El sacramento de la penitencia* (Salamanca 1975) p.205-236.

Con todo, el estilo de «penitencia tarifada» —a cada pecado su correspondiente sanción—, peculiar de los libros penitenciales, durará todavía algún tiempo. La teología penitencial subyacente en la constitución *Unius utriusque sexus*, del Lateranense IV, que apela al «discernimiento y a la prudencia» de los sacerdotes a la hora de juzgar la situación pecaminosa de cada penitente y de imponerle los oportunos remedios medicinales, supone una ruptura definitiva con la forma cuasi mecánica de administrar este sacramento, tan en boga en los siglos anteriores. Ya hemos puesto de relieve que semejante orientación había propiciado la floración de un nuevo género de literatura teológica desde comienzos del siglo XIII: las llamadas *Sumas de confesores* [26].

La citada constitución lateranense, bien conocida en España, según se sugirió más arriba, urgirá asimismo la confesión anual como obligación mínima. Y también impondrá definitivamente el deber de confesar los pecados al propio párroco. La legislación de las iglesias peninsulares se hará eco de ello repetidamente. A mediados del siglo XIII encontramos en Navarra una especie de brote de rigorismo penitencial, que llama la atención por su singularidad. El obispo de Pamplona Pedro Ximénez de Gazólaz (1241-1266) redacta unos estatutos, destinados a sus canónigos regulares, que en el aspecto disciplinar estaban atravesando horas bajas. Para los canónigos simples, el confesor sería el prior. Para las dignidades, el propio obispo. En caso de necesidad —la ausencia de los citados confesores por ejemplo—, los capitulares, si confesaban sus faltas graves a otros sacerdotes, quedaban gravados con la obligación de poner por escrito esas faltas y someterlas de nuevo a sus respectivos confesores ordinarios, aunque ya estuvieran perdonadas [27].

Los textos sinodales, abundantes sobre todo a partir del siglo XIII, incluyen con mucha frecuencia listas de pecados graves, que en parte coinciden, reservados al obispo e incluso al propio papa. La práctica durará hasta nuestros días [28].

La legislación eclesiástica española, siguiendo lo ordenado por la disciplina general de la Iglesia, insiste repetidamente en la necesidad de administrar el viático y la extremaunción a los enfermos y trata de corregir las negligencias tanto de éstos como de los propios pastores. Sobre la extremaunción en concreto existía cierto clima de animadversión popular. En España, al igual que en otras Iglesias foráneas, se había extendido una especie de creencia supersticiosa, según la cual quienes recibieran dicho sacramento, si después sanaban corporalmente, ya no podían andar con

---

[26] Cf. la p.217 de este tomo II-2.º

[27] J. Goñi Gaztambide, *Un interesante decreto episcopal del siglo XIII sobre la confesión:* HS 6 (1953) 139-149.

[28] En la conocida *Summa septem sacramentorum*, del arzobispo de Tarragona Pedro de Albalat, se enumeran como reservados al obispo los siguientes pecados: «Incendiarios, verberatores clericorum vel religiosorum, simoniacos et illos qui portant arma sarracenis, vel aliquod suffragium contra christianos eis faciunt, heretici credentes, fautores, receptatores, defensores eorundem, fractores ecclesiarum, qui Deum vel Sanctos et precipue qui Beatam Virginem blasfemant» (P. H. Lineham, *Pedro de Albalat, arzobispo de Tarragona, y su «Summa septem sacramentorum»:* HS 22 [1969] 20). Más referencias sobre listas diocesanas de pecados reservados en sínodos del siglo XIV: F. J. Fernández Conde, *Gutierre de Toledo...* p.153.

los pies descalzos ni «aver allegamiento a su muger» legítima. Algunos sínodos tienen que salir al paso de semejante superchería [29]. La celebración cristiana de la muerte también fue objeto de la preocupación pastoral de los obispos. El pueblo fiel vibró siempre con mucha intensidad ante este momento trascendental de la vida humana, rodeándolo de numerosas prácticas, en las que con frecuencia se entremezclaba lo religioso, lo meramente secular o profano y las tradiciones de origen ancestral, reflejo o continuidad de las viejas religiones precristianas, según apuntaremos más adelante. Dentro del campo litúrgico propiamente dicho aparecen unidas la piedad y la superstición en las series de misas votivas *pro defunctis*, recogidas por algún misal medieval para ser celebradas con un orden preestablecido, ayunos y otras ceremonias especiales. Uno mallorquín, editado a comienzos del siglo XVI, pero mucho más antiguo, ofrece el texto de varias de ellas: las treinta de San Gregorio; las ciento una del papa Clemente, conocidas en la isla como *misas de mossèn Nagrell*, un canónigo de Mallorca que había viajado a Aviñón en el siglo XIV; las treinta y tres de San Amador, que aparecen también en una leyenda catalana del trescientos; las trece, llamadas popularmente de la *serventa;* las cuarenta y cinco de San Gregorio y las cinco de San Agustín [30].

Los autores de las donaciones *pro anima* y de muchas mandas testamentarias entregaban a las iglesias parroquiales, a las canónicas o a los monasterios tierras y toda clase de bienes para asegurarse sufragios después de la muerte. El valor de las mismas era lógicamente correlativo a la posición social de los donantes. Gutierre de Toledo, titular de una diócesis de mediana importancia como Oviedo, ordena en su testamento, redactado a finales del XIV, que reciten por él después de morir dos mil salterios e igual número de misas. La cifra resulta todavía módica si tenemos en cuenta que unos años antes Gil de Albornoz, otro prelado mucho más relevante que D. Gutierre, mandaba en su testamento la celebración de cincuenta mil misas [31].

Las oblaciones hechas para obtener sufragios también incluían alimentos. Frecuentemente hacían referencia a la celebración de un banquete o «pitanza» por los asistentes a las exequias, sufragado con los frutos o rentas de lo donado. En realidad, la costumbre de los banquetes funerarios fue muy antigua en toda la Iglesia y tuvo, al principio sobre todo, claras resonancias paganas [32]. A mediados del siglo XI, los obispos reunidos en Coyanza tratan de regular esta costumbre, plenamente consolidada, estable-

---

[29] El citado obispo D. Gutierre, que preside la sede de Oviedo a finales del XIV, dedica una larga constitución a este sacramento y denuncia la citada superstición (cf. F. J. FERNÁNDEZ CONDE, o.c., p.153). Un sínodo leonés de principios del XIV ya se hacía eco del temor supersticioso que rodeaba la extremaunción (cf. J. SÁNCHEZ HERRERO, *Los sínodos...* p.240), B. Poschmann (*Pénitence et onction des malades* p.214) hace referencia a la misma creencia, existente en algunas partes de la Iglesia. Sobre el origen y la evolución de este sacramento: PH. HOFMEISTER, *Die heiligen Öle in der morgen und abendländischen Kirche*, Würzburgo 1948.
[30] G. LLOMPART, *Aspectos populares del purgatorio medieval:* RDTP 26 (1970) 253-274.
[31] El testamento del prelado de Oviedo: F. J. FERNÁNDEZ CONDE, *Gutierre de Toledo...* p.298-305. En él también se incluyen otras mandas menores con fines exequiales. El del cardenal Albornoz: J. BENEYTO PÉREZ, *El cardenal Albornoz, canciller de Castilla y caudillo de Italia* p.333-346.
[32] M. RIGHETTI, *Historia de la liturgia* vol.1 p.999-1002 (El «refrigerium»).

ciendo que «los clérigos y legos que asistieren a los convites que se dan después de las exequias, coman el pan del difunto, de modo que ofrezcan algún bien por su alma; a cuyos convites deberá llamarse también a los pobres y desvalidos para que aproveche al alma del difunto». La redacción primitiva del canon que contiene dicha disposición excluye formalmente a los laicos de los ágapes funerarios, a excepción de los más menesterosos. Estos, por carecer de recursos, no podían hacer ofrendas al difunto. Semejante cautela, formulada por los Padres de aquel concilio, trataba seguramente de evitar que se celebraran ágapes junto al mismo sepulcro o que se ofrecieran alimentos al difunto, prácticas de origen pagano condenadas ya en la *Hispana* [33]. Los concilios y sínodos medievales prohíben, asimismo, los duelos hechos con demostraciones estrepitosas y desproporcionadas. Un sínodo celebrado en Toledo el año 1323 denuncia de forma tajante a hombres y mujeres que andaban «por las calles ahullando y dando horribles gritos en las iglesias et otras partes» al producirse una defunción, por entender que tales manifestaciones constituían una falta de fe en la resurrección futura. La legislación civil de la época se mueve en la misma dirección [34].

Las ordenaciones sacerdotales, y de manera especial las llamadas «misas nuevas», eran una ocasión propicia para que los recién ordenados o sus familias ofrecieran fiestas, en las cuales tomaba parte todo el pueblo y la clerecía de la localidad. A través de los textos legales eclesiásticos, se puede vislumbrar que la fastuosidad y los dispendios de esta clase de celebraciones resultaban con frecuencia onerosos para los nuevos clérigos, gravados además por las cargas abusivas que les imponían las autoridades jerárquicas en el momento de su promoción. Un sínodo ovetense bajomedieval manda a los arciprestes «que no lieven carnero, nin blanca, nin las cient aves, que solían, de los clérigos que canten misa nueva, nin coman con ellos salvo de grado». Los concilios de Lérida (1229) y de Valladolid (1322) ya habían salido al paso de esta clase de irregularidades, castigando a los obispos, clérigos influyentes y legos que impedían a los nuevos ordenados ejercer sus ministerios hasta que no les agasajaran y convidaran o les dieran dinero [35].

La ordenación jurídica del matrimonio, así como su análisis teológico, quedaron prácticamente perfilados durante los siglos centrales de la Edad Media. La legislación hispana relacionada con este sacramento se limita a recoger la disciplina general de la Iglesia. Los sínodos y concilios aluden con frecuencia a las competencias en las causas matrimoniales, a los impedimentos de afinidad o parentesco, a la prohibición de los matrimonios clandestinos y denuncian algunos de los delitos más graves contra este sacramento, especialmente el adulterio y el incesto. Sin embargo, las *Parti-*

---

[33] A. García Gallo, *El concilio de Coyanza...* p.24-25, el texto de las dos redacciones del canon; y p.318-19, un breve análisis de las mismas.
[34] El sínodo de Toledo: J. Sánchez Herrero, *Concilios provinciales y sínodos...* p.178. Cf. también F. J. Fernández Conde, *Gutierre de Toledo...* p.166, con referencias a la legislación civil castellana sobre este aspecto.
[35] El sínodo ovetense: J. F. Fernández Conde, o.c., p.182 nt.162. Los concilios citados: Tejada y Ramiro, o.c., vol.3 p.338 y 496.

das consagran jurídicamente la legitimidad de la barraganía para los laicos, aun después de reconocer que este tipo de unión entre el hombre y la mujer estaba considerado por la Iglesia como pecaminoso [36]. La *Benedictio thalami* —versión cristiana de la oración que la pronuba dirigía a las divinidades protectoras de la casa en la religión romana— era una ceremonia, complementaria de la liturgia matrimonial, muy arraigada en todas partes. Figura en los rituales hispanos utilizados hasta el siglo XI y había comenzado a aparecer en los no-peninsulares desde el siglo VIII. Cuando el concilio de Coyanza prohíbe a los clérigos asistir a los banquetes nupciales, a no ser que fueran a impartir la bendición, debe de estar refiriéndose a esta vieja ceremonia [37]. Por lo demás, en torno a la institución matrimonial proliferaron una serie de costumbres de carácter festivo con algunas connotaciones sacras o muy próximas a lo sacro, de las que nos ocuparemos posteriormente.

III. EL CULTO Y LA DEVOCION A LOS SANTOS

El culto y la devoción a los santos, mártires o confesores, consolidados ya en los primeros siglos de la Iglesia, se intensifican durante la Edad Media. El hombre medieval siente la necesidad de patronos más poderosos que los señores feudales, porque, a pesar del cerrado sistema de relaciones de dependencia y de protección propias de la forma de producción y de organización social características del feudalismo, los individuos de los distintos estamentos experimentan un agudo sentimiento de inseguridad existencial. Padecen, de hecho, inseguridades de subsistencia, de orden social y político, e incluso inseguridades materiales. Tienen miedo a los poderes maléficos, al demonio, a la muerte que les acecha como un fantasma, a las sanciones rigurosas de la Iglesia, a la vida futura. Dios mismo, el *Dominus* por excelencia, representado habitualmente en la iconografía románica con atributos de soberano universal, les inspira más temores que confianza filial. Por eso buscan intermediarios, abogados más cercanos y accesibles. Cristo —de manera especial a partir del siglo XII—, la Virgen María, los ángeles y los santos desempeñan, sobre todo, esa función protectora que está a la base de la piedad cristiana del Medievo, tanto peninsular como de otras partes. Las grandes directrices de la religiosidad medieval son muy parecidas en toda la Iglesia, aunque sus manifestaciones externas puedan presentar formas variadas y peculiares [38].

La devoción a Jesucristo en los siglos altomedievales discurre funda-

[36] *Part.* IV tít.14 1.1-3.
[37] A. FRANZ, *Die kirchlichen Benediktionen im Mittelalter* vol.2 p.176ss; M. RIGHETTI, O.C., vol.2 p.1015ss. Sobre este aspecto del derecho sacramental promulgado por los obispos de Coyanza: A. GARCÍA GALLO, O.C., p.24 (texto) y p.329 (comentario).
[38] Unas pinceladas sobre ese sentimiento de inseguridad, propio del hombre medieval: J. LE GOFF, *La civilización del Occidente medieval* p.433s. Sobre el origen del culto a los mártires: H. DELEHAYE, *Les origines du culte des martyrs* (Bruselas 1933) 2.ª ed. En el siglo V parece que el culto a los santos confesores, junto al de los mártires, estaba muy extendido ya en toda la Iglesia. En España, sin embargo, no se dio culto a los santos confesores, como norma general, durante la época visigoda (cf. J. FERNÁNDEZ ALONSO, *La cura pastoral en la España romanovisigoda* p.372).

mentalmente por cauces litúrgicos. En las iglesias se honra a Cristo, que participa de esa soberanía universal del Padre. Es el Pantocrátor, que incluso en la cruz aparece aureolado de majestad y lleva el emblema de la realeza: la corona de vencedor de la muerte y del mal. Los santorales de los libros litúrgicos hispanos redactados inmediatamente antes o al tiempo de la invasión musulmana —el *Sacramentario de Tarragona*— y durante los siglos IX-XI incluyen las fiestas dedicadas a los misterios centrales de la vida del Señor, habituales en toda la Iglesia desde antiguo: la Navidad, con la Circuncisión y la Epifanía, y la Pascua, con la Ascensión y Pentecostés [39]. Paulatinamente, la figura de Cristo se hace más cercana, y la devoción popular empieza a ver en ella al Salvador no sólo en el aspecto espiritual, que tanto preocupaba al creyente medieval, sino también en el material y político. Al fin y al cabo, los pequeños reinos cristianos que iban organizándose al norte de la Península estaban comprometidos en una lucha contra el Islam, cuya caracterización de guerra religiosa se abre ya paso a partir del siglo XI. El Salvador será la advocación titular de muchas iglesias construidas entonces.

La fiesta de la Invención de la Santa Cruz —la Cruz de Mayo—, que también figura en los santorales mozárabes de la época, se celebra en estrecha vinculación con el ciclo de las fiestas agrarias de primavera, al que nos referiremos en otro lugar.

A partir del siglo XII, la figura de Cristo se humaniza progresivamente, y las prácticas de piedad relacionadas con el Salvador rebasan el ámbito propiamente litúrgico para dar cabida a expresiones más espontáneas y personales. La devoción a la humanidad de Cristo, al niño Jesús por ejemplo, crece al mismo tiempo que la piedad mariana de entonces, que contempla de manera especial a la Virgen como Madre. El culto al misterio de la pasión y muerte del Señor adquiere formas y matices más sensibles. Las listas de reliquias confeccionadas en torno al año 1100 y durante los siglos siguientes incluyen casi siempre varias relacionadas con la pasión y los instrumentos empleados en ella [40]. «Estos instrumentos —afirma Le Goff— no sólo presentan un aspecto concreto, realista, sino que además ponen de manifiesto la sustitución de las insignias monárquicas tradicionales por otras nuevas. Desde este momento, la realeza de Cristo es, ante todo, la del Cristo coronado de espinas, anunciador del tema del *Ecce Homo*, que invadirá la espiritualidad y el arte del siglo XIV» [41].

En España, lo mismo que en otros lugares de Europa, el afán de revivir de forma intensa los misterios de las principales fiestas litúrgicas del Señor propicia el comienzo de las representaciones dramáticas, como indicaremos al tratar del teatro medieval. Por otra parte, las *Procesiones del*

---

[39]   Sobre el santoral visigodo cf. J. VIVES, *Santoral visigodo en calendarios e inscripciones*, AST 14 (1941) 31-58; J. FERNÁNDEZ ALONSO, o.c., p.370-371.

[40]   En una relación de las reliquias de San Salvador de Oviedo, compuesta en Francia a finales del XI, se citan, entre otras, las siguientes: «de vera Cruce Domini maximam partem; de sepulcro Domini; partem spinee corone; de sindone Domini» (F. J. FERNÁNDEZ CONDE, *La Iglesia de Asturias en la alta Edad Media* p.160-161). En otra relación autóctona un poco anterior a la francesa se hace referencia al sudario que envolvió la cabeza de Cristo en el sepulcro.

[41]   J. LE GOFF, o.c., p.224.

Encuentro durante el tiempo pascual, tan arraigadas en el folklore postridentino de muchos pueblos de Levante y de toda la Península, tienen, asimismo, raíces bajomedievales [42].

La devoción a la humanidad de Cristo va unida también a la eucarística, que se afirma y acrecienta igualmente en los postreros siglos del Medievo. El sacramento de la eucaristía, en definitiva, actualiza para los creyentes el acontecimiento salvífico de la muerte y resurrección de Cristo y hace presente en la tierra su humanidad triunfante y gloriosa. De ahí el éxito enorme de la fiesta del Corpus Christi, instituida por Urbano IV a mediados del siglo XIII (1264) para toda la Iglesia universal y confirmada por sus sucesores. La procesión que completa esta celebración festiva comenzó en Colonia a finales de dicho siglo y fue imponiéndose en casi todas partes durante el siguiente. Las iglesias peninsulares de los reinos nororientales tienen ya procesión del Corpus en la primera parte del XIV. Las de Castilla, desde mediados de la misma centuria. La capacidad dramática del pueblo aprovechó, lógicamente, esta demostración festiva y deslumbrante para dar cabida en ella a las más variadas representaciones.

La Virgen María ocupa, sin lugar a dudas, el primer lugar en la devoción popular de la Edad Media. El número de los patronímicos marianos de las iglesias supera de forma clara al de otros santos. Y el nombre de María fue también el preferido de las mujeres, con mucha diferencia sobre otros nombres de santas. Pero el fenómeno no puede considerarse característico de la piedad medieval. Ocurre ya lo mismo en la Iglesia visigoda y en otras Iglesias no-peninsulares de la época anterior [43].

Durante los siglos altomedievales, la expresión normal de la devoción mariana tenía lugar dentro del marco litúrgico, como ocurría con la devoción a Cristo. Los santorales hispanos de esos siglos incluyen ya tres fiestas dedicadas a la Virgen: la Encarnación del Verbo y Maternidad de María, el 18 de diciembre; la Anunciación, el 21 de marzo, ambas muy relacionadas con la personalidad y la obra de San Ildefonso de Toledo, el gran propagador de esta devoción en el siglo VII [44]; y la Asunción, fijada para el 15 de agosto, la festividad de la Virgen más antigua y solemne de las celebradas por la Iglesia universal. Parece que su implantación en España se debe a influencias de la liturgia oriental. Las discusiones que surgieron entre los siglos IX y XII sobre esta última prerrogativa de María no tuvieron prácticamente resonancias en las Iglesias españolas [45].

---

[42] G. LLOMPART, *La llamada «Procesión del Encuentro» en la isla de Mallorca y la filiación medieval del folklore postridentino:* RDTP 23 (1967) 167-180.

[43] Sobre la onomástica y la patronímica marianas en Asturias: A. VIÑAYO GONZÁLEZ, *La vocación mariana en Asturias:* AL 34 (1964) 31-108; sobre advocaciones marianas en el reino leonés: J. SÁNCHEZ HERRERO, *Las diócesis...* p.313ss. Sobre el culto a la Virgen en la época visigoda: J. FERNÁNDEZ ALONSO, *La cura pastoral...* p.386ss; L. SOTILLO, *El culto de la Virgen santísima en la liturgia hispano-visigótico-mozárabe:* Misc. Comill. 22 (1954) 89-192; G. GIRONÉS GUILLEM, *La Virgen María en la liturgia mozárabe:* A. del Sem. de Valencia 7 (1964) 1-163.

[44] J. VIVES, *Santoral visigodo...* p.49; J. FERNÁNDEZ ALONSO, o.c., p.389.

[45] F. FITA, *La Asunción de la Virgen y su culto antiguo en España:* BAH 56 (1910) 427-435; también: M. GORDILLO, *La Asunción de María en la Iglesia española (siglos VII-XI)* (Madrid 1922); ID., *La Asunción de María en la Iglesia española:* Razón y Fe 144 (1951) 25-38; G. GIRONÉS GUILLEM, *Notas al texto de la fiesta mozárabe de la Asunción:* Miscelánea Férotin 45 (1965) 49-258. Sobre la referida polémica cf. G. M. ROSCHINI, *La Madre de Dios* 2.ª ed. (Madrid 1958) vol.1 p.147.

Desde el siglo XI, y sobre todo a lo largo de los dos siguientes, la devo
ción a María experimenta un auge extraordinario en todas partes. Lo
cistercienses, denominados popularmente «hermanos de Santa María»
tuvieron mucho que ver en ello. Aparte de dedicar sus iglesias a María, l
espiritualidad de los monjes blancos se alimentó durante mucho tiempo e
las obras de San Bernardo, el gran cantor de las virtudes de la Madre d
Cristo, entre las que destaca la virginidad y la humildad, al lado de otra
secundarias, que la hacían sumamente cercana y atractiva en un períod
de evolución general de la religiosidad hacia formas cada vez más huma
nizadas. «Repasad atentamente toda la historia evangélica —dirá el Sant
en uno de sus sermones—, y si sorprendéis en María el menor reproche, l
menor dureza, el menor signo de la más ligera indignación, os tolero qu
tengáis miedo de acercaros a ella. Pero si, por el contrario, como así ocu
rre, la encontráis en todo llena de gracia y de ternura, llena de manse
dumbre y de misericordia, dad gracias a quien, en su piadosa misericor
dia, os ha concedido la medianera de quien nada tenéis que temer» [46]. Lc
premonstratenses difundían por la misma época y con parecido fervor est
devoción, y en el siglo siguiente harán lo propio las nuevas órdenes mer
dicantes. Además, entonces comienzan a circular en toda Europa colec
ciones de milagros, de los que María es protagonista destacada, que util
zaron generosamente predicadores y poetas, aumentando de ese modo l
piedad hacia ella. En España, Gonzalo de Berceo, Alfonso X y Gil de Za
mora las tuvieron a la vista para sus composiciones de tema mariano, com
ya quedó apuntado. Por otra parte, durante la baja Edad Media, en plen
desarrollo del amor cortés, algunos trovadores utilizarán esquemas cor
ceptuales y líricos, característicos de esta clase de poesía, para ensalzar a l
Madre de Dios, dando así un nuevo y particular empuje a la piedad ma
riana [47].

La festividad de la Inmaculada Concepción no se impone plenament
en España hasta muy avanzado el Medievo. Esta fiesta encuentra bastante
dificultades en toda la Iglesia antes de formar parte oficialmente de lc
distintos calendarios litúrgicos. Aunque había comenzado ya a celebrars
en ambientes monásticos palestinenses desde el siglo VIII, propagándos
pronto a las Iglesias de los territorios sometidos política o culturalmente
Bizancio —si bien con un contenido teológico que hacía referencia a l
prodigiosa concepción de María y no a su inmunidad original—, no pe
netra de forma definitiva en las Iglesias de Inglaterra, Francia y Aleman
hasta pasada la mitad del XI y a lo largo del XII. La controversia que estall
entre los teólogos medievales sobre el particular: primero San Bernardo
más tarde los dominicos, contrarios al privilegio inmaculista y, sobre tod
a su celebración litúrgica, y los doctores de las otras órdenes mendicante

---

[46] El texto de San Bernardo: *Dominica infra Octavam Assumptionis B.V. Mariae, sermo* 2: P
183 p.430. Traducción castellana: *Historia de la Iglesia*, de FLICHE-MARTIN, vol.9 (ed. cast
llana) p.35.
[47] Cf. T. MARÍN, *Dos sermones inéditos sobre la Asunción:* HS 8 (1955) 395-407; son del s
glo XIII-XIV y tienen cierto sabor popular, incorporando ejemplos sencillos, tradiciones y leye
das, muy del gusto de la época. El autor, sin embargo, revela cierta cultura bíblico-patrística
el conocimiento de escritores eclesiásticos como San Bernardo. Cf. J. BENITO LUCAS, *El ten
mariano en la poesía castellana de la Edad Media* (Madrid 1971).

le manera especial los franciscanos, acérrimos defensores de ambas cosas,
etardó, sin duda, la consolidación plena de esta solemnidad religiosa [48].
.as primeras noticias sobre su existencia en España apuntan a Navarra y
on de finales del siglo XII [49]. Durante la centuria siguiente, y sobre todo a
o largo del siglo XIV, la festividad de la Inmaculada Concepción se gene-
aliza con relativa rapidez, primero en los reinos orientales y después en
.astilla y León. Las Iglesias de Cataluña fueron pioneras. La canónica de
sarcelona pide ya a su obispo el año 1281 la institución de esta fiesta para
oda la diócesis, y las restantes sedes catalanas irán implantándola paulati-
.amente en distintos años del trescientos [50]. Escritores de la talla de Ra-
nón Llull, San Pedro Pascual, Pedro Tomás, Juan Bassols, Francisco
Martí o los autores de las obras tituladas *Libre de Benedicta tu* y el *Liber de
nmaculata Beatissime Virginis Conceptione,* ambos de la escuela lulista, figu-
an entre los defensores más representativos del privilegio inmaculista en
os reinos de Aragón [51]. Los soberanos aragoneses de finales del XIV no se
uedaron a la zaga en este aspecto. Juan I desde Valencia publica el año
394 un célebre edicto, en el cual, después de una introducción llena de
azonamientos teológicos, ordena que se guarde en todos los dominios de
a Corona la fiesta de la Inmaculada y prohíbe al mismo tiempo que nadie
.able o predique contra la pía sentencia inmaculista. Martín el Humano,
n 1398, confirmará lo establecido por su antecesor, abundando también
n parecidas razones de índole teológica [52]. A niveles más populares, la
ofradía de la casa del Senyor Rei, fundada en Zaragoza el año 1333 por el
afante Pedro bajo la advocación de la Inmaculada, trabajó incansable-
nente para extender el culto a la Virgen, adornada con este privilegio [53].

Un libro litúrgico de Lérida compuesto el siglo XII: el *Breviarium Iler-
ense,* incluye, junto a las fiestas marianas tradicionales, la Anunciación, la
xpectación y la Asunción, otras dos: la Natividad de María y la Purifica-
ión. La Inmaculada Concepción se implantará en esta diócesis más
arde [54].

[48] Sobre dicha controversia cf. G. M. ROSCHINI, o.c., vol.1 p.148s. Cf. también: H. GRAEF,
aría. *La mariología y el culto a través de la historia* (Barcelona 1968).
[49] Cf. G. ROSCHINI, o.c., vol.2 p.616-617.
[50] E. JUNYENT, *El cicle concepcionista de la seu de Barcelona:* AST 11 (1935) 169-178. La
esta de la Inmaculada se introduce en el calendario de San Salvador de Oviedo como fiesta
e precepto durante el episcopado de D. Gutierre de Toledo (1377-1389) (cf. F. J. FERNÁN-
EZ CONDE, *Gutierre de Toledo...* p.191-192). Sínodos anteriores en los que se incluyen calenda-
os similares, el de Palencia, de 1345, o el de Toledo, de 1356, no los nombran. Noticias
ueltas sobre el origen de esta festividad en las distintas diócesis hispanas: LESMES FRÍAS,
ntigüedad de la fiesta de la Inmaculada Concepción en las iglesias de España:* Misc. Comill. 23
955) 81-156.
[51] Cf. J. M. GUIX, *La Inmaculada y la corona de Aragón en la baja Edad Media (siglos XIII-XV):*
isc. Comill. 22 (1954) 193ss. Entre los adversarios cita a Guido de Terrena, Juan de Mon-
on y Nicolau Eimeric. De los literatos catalanes favorables al dogma nombra, entre otros, a
iximenis y a B. Metge.
[52] Cf. J. M. GUIX, a.c., p.270-275.
[53] Ibid., p.305ss. La citada cofradía tuvo orígenes aristocráticos, pero poco a poco fue
corporada a sectores más populares.
[54] Ibid., p.314. G. M. Roschini (o.c., vol.2 p.622) afirma que la fiesta de la Purificación se
lebraba ya en algunos lugares de España, Francia y Alemania en el siglo VIII. Sobre el
esarrollo de la fiesta de la Natividad en la Iglesia: G. M. ROSCHINI, o.c., vol.2 p.648ss; ya
arece en un calendario mozárabe del siglo X (cf. J. VIVES, *Santoral visigodo...*: a.c., p.39 y
).

Hasta el siglo XII, las imágenes dedicadas a María no tenían por lo general ningún título especial, y con frecuencia recibían el nombre del lugar en el que sus iglesias estaban ubicadas. Pero a partir de esa época y al ir creciendo la devoción mariana comienzan a multiplicarse las distinta advocaciones. Un códice del monasterio de Santa María de Ripoll, po ejemplo, escrito probablemente en el siglo citado, contiene ya una larga letanía de atributos dedicados a la Madre de Dios, que el autor anónimo trata de probar a base de razones tomadas de la Sagrada Escritura, para terminar recomendando a los fieles el culto a la Virgen los sábados. De hecho, escribe este breve tratado con la intención de que fuera utilizado en los actos de piedad sabatina. Por los mismos años aproximadamente se componen fuera de España las primeras preces litánicas dedicadas a Santa María[55]. A finales de la Edad Media, el tipo de advocaciones bíblico teológicas dará paso a otras, como la de Nuestra Señora de los Remedios del Socorro, de la Misericordia, que tienen mucho que ver con las funcio nes asistenciales ejercidas por las cofradías puestas bajo el patronazgo de la Virgen o por aquellas a las que pertenecían muchos devotos marianos[56]

Los templos dedicados a Santa María y los santuarios propiamente ma rianos se extienden con rapidez por toda la Iglesia desde el concilio de Efeso (siglo V). Los santuarios españoles de la primera Edad Media tomar el título del lugar en el que se construyeron; a veces, una población o hito destacado de los caminos de peregrinación más frecuentados entonces Santa María de Roncesvalles, Nuestra Señora de Rocamador, Nuestra Se ñora del Puy, Nuestra Señora de Montagut del Camino, Santa María de Irache (todos en Navarra); Nuestra Señora de Valvanera (Logroño) Santa María de Montserrat, Nuestra Señora de Bonrepós (Lérida), la Vir gen de Nuria (Gerona). En otras ocasiones llevan el nombre de árboles arbustos, fuentes, cuevas, rocas, etc.: Nuestra Señora de Covadonga Santa María del Moral (ambos en Asturias), Nuestra Señora del Espino (Burgos), Nuestra Señora del Henar (Segovia), Nuestra Señora de la Oliva (Toledo), Nuestra Señora de Fuensanta (Murcia), Nuestra Señora de la Peña (Segovia, Huesca, Zaragoza...). Resulta notable el hecho de que la imágenes veneradas en muchos de ellos estén aureoladas por leyendas que hacen referencia a hallazgos o apariciones de las mismas acaecidos en cir cunstancias maravillosas. Todos los elementos que rodean esas tradicio nes, aparte de su ingenuidad, ponen también de manifiesto ciertas remi niscencias de creencias ancestrales, de época muy antigua, en las que e hombre rendía culto, más o menos explícito, a las fuerzas ocultas y miste riosas de la naturaleza[57]. Los santuarios bajomedievales recibirán las de

[55] A. SINUÉS RUIZ, *Advocaciones de la Virgen en un códice del siglo XII:* AST 1 (1948) 1-34.
[56] B. PORRES ALONSO, *Advocación y culto de la Virgen de los Remedios en España:* HS 2 (1970) 3-77. Esta advocación debió de comenzar ya en el siglo XIV, aunque su existencia est documentada con seguridad el siglo siguiente.
[57] J. AMADES, *Imágenes marianas de los Pirineos orientales:* RDTP 11 (1955) 80-118. 274-30(El autor reseña una serie de imágenes y santuarios marianos rodeados de leyendas prodigic sas y relacionados con elementos naturales, que dejan entrever la pervivencia de esas cree cias religiosas primitivas. El fenómeno también se registra en santuarios de otras regiones peninsulares. Un amplio elenco de santuarios marianos españoles, con referencias bibliogr ficas y algunas noticias históricas, en DHEE vol.4 (Madrid 1975) p.2207-2381. Cf. tambié

lominaciones de las nuevas advocaciones a Nuestra Señora, que van im-
oniéndose a lo largo del trescientos y sobre todo en los siglos posteriores.
En la última parte del Medievo, especialmente durante el siglo XIV, se
lifunden por todos los reinos peninsulares oraciones marianas, llamadas a
erdurar mucho tiempo y con fuerte arraigo popular: el rezo asiduo de la
alve Regina, el *Angelus* y los *Gozos de la Virgen*. La salve, sin duda la oración
nás universal de las dedicadas a la Virgen después del *avemaría*, com-
·uesta en torno al 1100 por un autor todavía desconocido, tuvo una difu-
lión rapidísima a lo largo y ancho de la Iglesia gracias a la influencia de los
·enedictinos y de las órdenes medicantes. Un concilio de la provincia ecle-
iástica de Toledo, celebrado en Peñafiel el año 1302, dispone que «dia-
iamente, depués de Completas, se cante en alta voz en todas las iglesias la
alve Regina», con oraciones por el Sumo Pontífice y por el rey[58]. La
ecitación del *angelus* experimenta una evolución histórica parecida a la
·e la salve. El papa Juan XXII (1316-1334) fue un decidido impulsor de
sta plegaria, concediendo indulgencias a quienes la practicaran. En las
iócesis hispanas se generaliza a partir de este pontificado aviñonés. El
·bispo de Oviedo D. Gutierre, por ejemplo, ordena en unas constituciones
·e 1381 que se restaure el rezo doméstico del *angelus* todas las noches al
·que de la campana de las iglesias, «según que por la mayor parte de todo
·l mundo es acostumbrado por los cristianos»[59]. La recitación o canto de
·s gozos tuvo asimismo una gran acogida tanto en España como más allá
·el Pirineo. Al principio, estas piezas marianas presentaban la forma de
·cuencias o prosas litúrgicas para ser cantadas después del *Alleluia*. Pero
·n seguida cada uno de los gozos se convierte en motivo de cantos popula-
·s extralitúrgicos en latín, en lengua vernácula o en las dos a la vez. El
úmero inicial de los gozos marianos era variable; paulatinamente fue
·jándose en siete. La nueva devoción tuvo mucha aceptación en los reinos
·rientales de la Península. La *Balada dels set Goytxs de Nostra Dona*, un canto
·n catalán del famoso *Llibre Vermell* que los romeros monserratinos ento-
·aban durante sus veladas nocturnas con pasos de danza, probablemente
· compusq ya en el siglo XIII. Un cantoral valenciano del XV ofrece el
·xto de los *Septem Gaudia*, con música de fuerte sabor popular. Los con-
·uistadores llevaron también a Mallorca esta práctica mariana. Ramón
·lull, gran devoto de la Virgen, dedica siete capítulos de su *Doctrina pueril*
· comentar cada uno de los siete gozos. Las iglesias castellanas conocieron

. MANFREDI, *Santuarios de la Virgen* (Madrid 1954); T. DOMÍNGUEZ VALDEÓN, *El culto de
·aría en la región leonesa* (León 1924); R. DEL ARCO Y GARAY, *Notas del folklore altoaragonés*
·ladrid 1943); J. CLAVERÍA, *Iconografía y Santuarios de la Virgen en Navarra* 2 vols. (Madrid
·42-1944); M. CAPÓN FERNÁNDEZ, *María y Galicia* (Santiago 1947); A. FÁBREGA, *Santuarios
·arianos de Barcelona* (Barcelona 1954); A. VIÑAYO GONZÁLEZ, *La devoción mariana en Asturias*:
·L 34 (1964) 31-108; G. MUNAR, *Los santuarios marianos de la isla de Mallorca* (Palma de Ma-
·rca 1968).
   [58] J. TEJADA Y RAMIRO, o.c., vol.III, p.441-42. Algún autor atribuye la autoría de esta
·ación mariana al obispo compostelano San Pedro Mezonzo (985-1003): G.M. ROSCHINI,
·c., vol.II p.554ss.; cf. también: M. R. GARCÍA ALVAREZ, *El origen y el autor de la «Salve
·gina»* (Madrid 1965).
   [59] F. J. FERNÁNDEZ CONDE, *Gutierre de Toledo...* p.191. Cf. también E. JUNYENT, *Intro-
·cción del toque del Angelus en la diócesis de Vich por un decreto episcopal de 1322*: AST 28 (1955)
·5-268.

también esta devoción, Alfonso X el Sabio titula así la primera de las *Can* tigas: «Esta é a primeira cantiga de loor de Santa María, ementando os VI goyos que ouve de seu Fillo». Y Juan Ruiz encabeza cuatro composicione del *Libro de buen amor* con otros tantos gozos marianos[60]. La implantación del *rosario* servirá, asimismo, para consolidar y exten der la práctica de los gozos. La nueva plegaria mariana, extraordinaria mente popular en su forma más primitiva: la meditación de los misterio del Señor y la recitación metódica del avemaría, estuvo muy vinculada las tareas evangelizadoras de Domingo de Guzmán. Algunos discípulo del fundador de la Orden dominicana fueron los grandes propagadore de la misma. El Beato Romeo de Llivia, de quien se dice que «rezaba cad; día mil veces el avemaría», la extendió por el mediodía francés. Migue Fabra, otro de los colaboradores inmediatos de Domingo de Guzmán, hiz< lo propio en Cataluña, Mallorca y Valencia. Ramón de Penyafort perte nece también a este grupo de pioneros del rosario. En el siglo XIV, la nuev; práctica devocional sufre una inflexión, pero a partir del XV experiment; nuevo auge y adquiere su estructura definitiva. Los miembros de la Ordei de Predicadores, siguiendo la inspiración del fundador y el espíritu de l; primera época, volverán a convertirse en los principales propagadores d< esta forma de invocación a la Virgen María[61].

El culto a los santos en España durante los primeros siglos medievale se dirige de forma preferente a los mártires. El *Sacramentario de Toled* (siglo X), por ejemplo, carece todavía de misa propia para confesores. Ei realidad, a lo largo de la época visigótica, el culto litúrgico era práctica mente exclusivo de los mártires, hispanos o foráneos. El *Oracional* visigod< sólo tiene oraciones de dos santos no mártires: San Martín de Tours y Sai Emiliano —*San Millán*—, ambos de gran renombre por sus virtudes tau matúrgicas, y el primero, sobre todo, de reconocida devoción en mucha partes de la Iglesia[62].

La evolución del *Pasionario hispánico*, el libro litúrgico que recoge la pasiones de los mártires, cuyo culto comenzaba a consolidarse en el m< mento de la composición e incorporación de las mismas o bien era ya ui hecho desde mucho antes, puede resultar bastante indicativo sobre la tra yectoria de la piedad martirial en la Península hasta la supresión definitiv del rito visigótico-mozárabe. Durante los años que siguen a la invasió< islámica continúan redactándose piezas litúrgicas tanto en ambientes m< zárabes como en los núcleos cristianos del Norte. El *Pasionario* se enr< quece con unas quince pasiones nuevas, varias importadas de otras Iglesia

---

[60] A. SERRA BALDO, *Els «Goigs de la Verge Maria» en l'antiga poesía catalana:* Homenatge A. Rubió i Lluch (Barcelona 1936) p.367-386; A. LLORÉNS, *Els «Goigs de la Mare de Déu»* l'antiga liturgia catalana: AST 28 (1955) 127-132; F. BALDELLO, *Los «Goigs de la Mare de Déu* AST 28 (1955) 183-197. Sobre la devoción a los gozos en Mallorca: G. LLOMPART, *Los cruzer marianos mallorquines en la baja Edad Media:* RDTP 30 (1974) 19-27. Cf. también: J. AMADF J. COLOMINAS, *Els Goigs* (Barcelona 1948).

[61] J. M. COLL, *Apóstoles de la devoción rosariana antes de Lepanto en Cataluña:* AST 28 (195. 245-254.

[62] Algunos santos famosos de la época visigoda que no sufrieron el martirio: San Ild< fonso, San Isidoro, San Leandro, etc., aparecen también en los santorales mozárabes de l< siglos VIII-XI, celebrándose ya entonces el día de su muerte (cf. J. VIVES, *Santoral visigodo* p.55).

unas nueve o diez escritas por clérigos autóctonos. De estas últimas llaman la atención las actas de los Varones Apostólicos, compuestas lejos de a Bética por un autor lleno de fantasía y con muy pocos escrúpulos históicos. La decadencia literaria del siglo IX, «el siglo de hierro de la Iglesia iispana», en expresión acertada de Fábrega Grau, afectó también las taeas de creación litúrgica. Entre las pasiones foráneas incorporadas entones destaca la de Santa Agueda, cuya devoción popular será muy fuerte en oda la Edad Media gracias a su patronazgo femenino, y la de Santiago el 1ayor, que comienza a divulgarse por la Península después de la invenión de su sepulcro en Galicia. Los numerosos santos cordobeses que surieron el martirio a mediados de este siglo no tendrán pasiones propias iasta el siguiente. A lo largo del siglo X, especialmente desde el año 950, y le manera particular durante el XI, el *Pasionario* experimentó un creciniento espectacular. El número de pasiones importadas, del Oriente sobre odo, aumenta extraordinariamente, a la vez que aparecen muchas nuevas ergeñadas por autores peninsulares. De éstas son notables las de San Acisclo, el santo de origen cordobés, con un culto muy antiguo en la lituria visigoda, que acapara la titularidad de numerosas iglesias de los reinos ristianos septentrionales, y de su compañera la legendaria y extraña Victoria. Y la de los Santos Facundo y Primitivo, mártires oriundos de León o e Orense, cuyo culto, probablemente no anterior al siglo VII, tiene una otable difusión, que coincide precisamente con la primera afirmación conómica y social experimentada por el monasterio castellano de Sahaún a partir de mediados del siglo X. En el XI, el número de piezas del *asionario hispánico* se duplica [63].

Al ir imponiéndose el rito romano en las distintas iglesias peninsulaes, se acrecienta el calendario de festividades importadas. Junto a las onmemoraciones de mártires que figuraban en el santoral romano, se atroducen otras de confesores de la misma procedencia, que serán bjeto de veneración durante la segunda parte de la Edad Media.

Resulta difícil establecer un orden preciso de preferencias en la evoción que el pueblo profesaba a los santos. Los datos aportados por studios de hagiotoponimia, de los patronímicos y de la onomástica iedievales, que tenemos en la actualidad, son todavía parciales y sólo ueden ofrecernos referencias aproximativas. Es claro que el arcángel an Miguel ocupaba un lugar destacado de esa hipotética escala referencial, tanto en España como fuera. Su fiesta aparece ya en el alendario visigodo y en todos los mozárabes altomedievales. Parece que Iglesia hispana veía en este santo, al principio por lo menos, el icedáneo cristiano de Endovélico, el dios de la salud en la mitología rerromana. Y como en la concepción antropológica de la primitiva

---

[63] Para la evolución de este libro litúrgico cf. A. FÁBREGA GRAU, *Pasionario hispánico...* Barcelona 1953). En la p.273, el autor remata así sus conclusiones: «Hacia la segunda mitad el siglo XI, es decir, por los años de la supresión del rito visigodo o mozárabe a fines del silo XI, el *Pasionario hispánico* estaba integrado por 26 festividades de mártires españolas, 13 de intos romanos, 8 festividades de las iglesias italianas (excepto Roma), 11 santos de las Galias, de Africa, 47 festividades de mártires orientales y 1 de la región centroeuropea. En total ntenía 115 fiestas de santos».

Iglesia la enfermedad era considerada una secuela del pecado, est
médico angélico asume, al mismo tiempo, las prerrogativas del defenso
de las almas contra las tentaciones y embates de Satán. También se l
consideró en casi todas partes el protector del pueblo cristiano
convirtiéndose, asimismo, en patrono destacado de pueblos y ciudades
La liturgia romana atribuye a San Miguel, además, la función d
conducir las almas de los muertos al cielo, haciéndose eco de un
creencia pagana semejante [64].

De los apóstoles, San Pedro aventaja, con mucho, a los demás, sobr
todo en las listas onomásticas de los primeros siglos. El santoral visigod
incluye ya las dos fiestas características de este santo: el 29 de junio, l
conmemoración de su muerte juntamente con San Pablo, al igual qu
la liturgia romana y la mayoría de las liturgias de la Iglesia universal, y l
Cátedra de San Pedro en Roma, el 22 de febrero. Las relaciones cad
vez más frecuentes de los reinos españoles con Roma a partir del añ
1000 aproximadamente y la asiduidad de las visitas de fieles y clérigos
la Santa Sede desde la misma época fueron factores que favorecieror
el aumento de la devoción al primero de los apóstoles [65]. La devoción
Santiago, cuyo culto comienza a figurar en los libros litúrgicos mozára
bes desde el siglo VIII, experimentará, asimismo, un florecimient
extraordinario durante los siglos centrales del Medievo gracias al aug
de la peregrinación jacobea que tenía como meta Compostela. Lo
restantes apóstoles figurarán también en los santorales altomedievale
—aunque no todos en cada uno de ellos—, siendo sus fiestas d
precepto en la baja Edad Media. Algunos sínodos del siglo XIV qu
pretenden reducir el número de días festivos apelando a razones d
tipo social: «porque los omnes traballen et el diablo non los falle ociosos
porque los pobres se agravian por la muchedumbre de las fiestas»
mantienen siempre las de los doce apóstoles [66].

San Juan Bautista gozó de enorme popularidad en toda la Iglesi
desde el siglo IV, entrando también en los calendarios litúrgicos con do
conmemoraciones festivas: el nacimiento y la degollación. Los calenda
rios y santorales medievales hispanos, siguiendo los visigodos, mantie
nen ambas celebraciones. La primera de ellas será, además, de precept
La estrecha vinculación de la solemnidad litúrgica del nacimiento d

[64] Cf. A. CASTILLO DE LUCAS, *San Miguel, defensor y sanador de los cuerpos y de las alma*
RDTP 17 (1961) 145-156.

[65] En la catedral de Huesca aparecieron varios himnos dedicados a San Pedro, que pr
sentan diversos motivos bíblicos y simbólicos. Uno de estos himnos se hace eco de la ideolog
subyacente en la lucha de las investiduras y de la Reconquista española (cf. CL. BLUME-G. N
BREVES, en Anal. Hymn. M. Oev. 34 [1900] p.256-57; J. SZÖVERFFY, *Huesca et les Hymnes*
Saint Pierre: HS 3 [1956] 87-110; ID., *The Legends of St. Peter in Medieval Latin Hymns:* Tradit
10 [1954] 275-322).

[66] Cf. F. J. FERNÁNDEZ CONDE, *Gutierre de Toledo...* p.338 y 149-150, donde se hace ref
rencia a otros sínodos con disposiciones similares. La introducción de la fiesta de San Mate
en la Península es relativamente tardía. Entra en la liturgia mozárabe toledana a finales d
siglo IX, pasando después a León, Castilla y Córdoba. En Cataluña, la celebración litúrgi
fue más tardía, si bien la devoción popular a este apóstol se manifiesta desde el siglo X en
dedicación de iglesias y en la onomástica (cf. A. FÁBREGA GRAU, *Orígenes del culto a San Mat*
en España: AST 29 [1956] 25-48).

San Juan —el 24 de junio— y las fiestas del ciclo de primavera favorecerá la creación de un rico folklore, en el que se entremezcla lo profano, lo sacro, lo supersticioso y las tradiciones religiosas precristianas, para formar una abigarrada liturgia popular que alcanzaba el punto culminante la «noche de San Juan», como tendremos ocasión de ver más adelante[67]. San Martín de Tours fue otro de los santos venerados en España desde la época visigoda, como ya se apuntó más arriba. La introducción de su culto en la Península está relacionada con la conversión del pueblo suevo al cristianismo, del que Martín de Braga le proclama patrono. Desde el siglo XI, la llegada de numerosas colonias de francos a España en calidad de mercaderes, de monjes o de peregrinos jacobeos contribuirá de forma decisiva a extender y consolidar la devoción al santo turonense. Por otra parte, la fecha de su celebración litúrgica: el día 11 de noviembre, al final del ciclo de la recolección, quedó grabada en la conciencia popular por ser uno de los días señalados con mucha frecuencia en los contratos agrarios para comenzar a pagar las rentas estipuladas. En alguna de las regiones peninsulares, sobre todo durante la primera Edad Media, las advocaciones patronímicas del obispo taumaturgo superan a todas las demás[68].

Varios mártires de origen español venerados ya en la Iglesia visigoda ocuparon también un lugar destacado en las preferencias religiosas del pueblo a lo largo del Medievo. Tal es el caso de San Vicente de Valencia o de Zaragoza, cuya fama había traspasado ya los Pirineos antes de la invasión islámica, y de Santa Eulalia de Mérida, muy conocida, asimismo, fuera de las fronteras peninsulares. La devoción a Santa Eulalia de Barcelona —su culto era un hecho en el siglo VII—, restringida en principio a la diócesis catalana, se difundió mucho más lentamente que la de su homónima emeritense. La invención de las reliquias a finales del siglo IX y la entrada de su pasión en el *Pasionario hispánico* contribuyeron, sin duda, a hacerla más popular[69].

Muchas de las grandes figuras de la época visigoda —Ildefonso, Isidoro, Leandro, Julián de Toledo, Gregorio de Elvira, Fructuoso de Braga y otros— honradas ya en los calendarios mozárabes con el título de santos fueron también objeto de veneración en ámbitos más o menos reducidos y durante bastante tiempo. El concilio de Peñafiel, del año 1302, ordena que toda la metrópoli toledana celebre solemnemente la festividad de San Ildefonso, «prelado y rector de la iglesia patriarcal de Toledo». Quizás en el trasfondo de esta tardía exaltación del antiguo «patriarca», al lado de la devoción existente, operaban, además, razones

---

[67] Algunos calendarios antiguos orientales hacen referencia a una tercera fiesta en honor de San Juan: la concepción, que, al parecer, fue admitida también en el sur de Italia, España e Inglaterra. En la actualidad sólo perdura en un calendario bizantino, fijada para el 23 de septiembre (cf. M. RIGHETTI, o.c., vol.1 p.950).

[68] Sobre el culto a San Martín de Tours en la época visigótica cf. J. FERNÁNDEZ ALONSO, *La cura pastoral...* p.377-378. En Asturias, durante los primeros siglos medievales (VIII-XII), el número de los títulos de iglesias dedicadas al santo turonense sólo era inferior al de los marianos (cf. F. J. FERNÁNDEZ CONDE, *La Iglesia de Asturias en la alta Edad Media* p.148).

[69] Sobre la devoción y el culto a estos tres mártires cf. A. FÁBREGA GRAU, *Pasionario hispánico* p.92-107.78-86 y 108-119.

de prestigio frente a la archidiócesis de Tarragona, que en un concilio anterior había decretado lo mismo respecto a la celebración de la fiesta de Santa Tecla, la legendaria mártir, compañera de San Pablo[70].

Durante los primeros siglos de la reconquista van surgiendo en los distintos reinos cristianos relevantes personalidades eclesiásticas, que consiguen hermanar los valores de orden religioso con aportaciones culturales o civilizadoras destacadas. Algunos, después de su muerte, alcanzarán en seguida el honor de santos en la veneración popular. Tres de ellos, cuya vida discurre desde mediados del siglo IX hasta comienzos del XI: San Froilán de León († 905), San Rosendo († 977) y San Pedro Mezonzo († 1003), tuvieron una ejecutoria histórica con líneas de fondo bastante similares, fácilmente detectables en el contexto de sus semblanzas hagiográficas, enriquecidas de elementos legendarios. Los tres de origen gallego, después de una experiencia monástica más o menos intensa, en la que cumplen además tareas repobladoras, de inestimable valor para la consolidación social del reino astur-leonés, terminan rigiendo los destinos de sedes episcopales tan importantes como León, Mondoñedo y Compostela respectivamente. Las glorias del riojano Santo Domingo de Silos, nacido hacia el año 1000 en las proximidades de Nájera, nos son bien conocidas gracias a la obra poética de su compatriota Gonzalo de Berceo. Fue abad del monasterio de San Sebastián de Silos, que logra restaurar y convertir en pieza clave de la afirmación política y cultural de Castilla. En los reinos orientales brillará un poco más tarde la personalidad de Oleguer de Barcelona, primero obispo de esta ciudad y después titular de la metrópoli de Tarragona († 1137). También supo compaginar perfectamente las funciones pastorales específicas del ministerio episcopal con los compromisos políticos propios de la lucha contra los musulmanes, en la que toma parte como legado pontificio. Su canonización no llegará oficialmente hasta el siglo XVII, pero el reconocimiento popular lo tuvo por santo bastante antes. Pedro II de Aragón había solicitado ya de Martín IV, e año 1281, su canonización. La vida de San Isidro Labrador (1080-1130 fue menos brillante desde el punto de vista político y social. Su biógrafo del siglo XIII destaca en él, sobre todo, la ejemplaridad de un cristiano extremadamente sencillo. La sanción oficial de la santidad del labrador madrileño tendrá que esperar, asimismo, hasta el siglo XVII[71]. San Pelayo, el niño que muere mártir en Córdoba el año 925, gozó también de mucha popularidad en ambientes cristianos de los reino

[70] J. Tejada y Ramiro, o.c., vol.3 p.441. El citado concilio de Tarragona (1239) (ibid. p.368). Otro concilio celebrado en la misma ciudad el 1329 volverá a hacerse eco de la disposición anterior (ibid., p.538).

[71] J. González, *San Froilán de León* (León 1946); E. Sáez Sánchez, *Los ascendientes de Sa Rosendo. Notas para el estudio de la monarquía astur-leonesa durante los siglos IX y X:* H 8 (1948 3-76.179-238. Sobre San Pedro Mezonzo: A. López Ferreiro, *Historia de la S.A.M. Iglesia d Santiago de Compostela* vol.2 (Santiago 1899) p.381-431. Sobre el abad silense: M. Férotin *Histoire de l'abbaye de Silos* (París 1899) p.26-67; R. Ríus Serra, *Los procesos de canonización d San Olegario:* AST 31 (1958) 37-62; F. Fita, *Leyenda de San Isidro por Juan Diácono:* BAH (1886) 97-157; Z. García-Villada, *San Isidro Labrador en la historia y en la literatura:* RF 6 (1922) 36-43; 63 (1922) 37-53. Más noticias sobre santos españoles de la época posvisigótica J. Vives, *Hagiografía;* DHEE vol.2 p.1074.

septentrionales. La *Vita vel Passio Sancti Pelagii*, compuesta por Raguel, un presbítero cordobés, poco antes de que el cuerpo del Santo fuera trasladado a León desde Córdoba (967) a instancias de Elvira, la hermana del rey Sancho I, tuvo una difusión notable en Castilla y en el reino leonés.

Años más tarde, las reliquias del joven mártir serán llevadas a Oviedo para ponerlas a buen recaudo en el monasterio femenino de San Juan Bautista, por miedo a una posible profanación durante los días difíciles de las *razzias* de Almanzor. Las monjas del cenobio ovetense potencian mucho la devoción a San Pelayo, que llega a desplazar de la titularidad al antiguo patrono, y la difunden en toda la región asturiana[72].

El enorme desarrollo que experimentan las actividades asistenciales y caritativas por obra de las cofradías y hospitales en el siglo XII y a lo largo de toda la baja Edad Media propició la aparición de nuevas devociones a santos relacionados, de manera real o legendaria, con esta clase de cometidos. El fenómeno ocurre también en otras iglesias no-peninsulares. Muchos hospitales que abren sus puertas a leprosos y *malatos* con enfermedades de la piel, se ponen bajo la advocación de San Lázaro, el cual, según la tradición, habría muerto a causa de la lepra. Alguna cofradía, no muchas, toma por patrona a Santa Marta, modelo de hospitalidad en el Evangelio. Los santos Fabián y Sebastián, y más tarde San Roque, se convierten en abogados muy socorridos contra la peste, la terrible amenaza de la sociedad bajomedieval. Santa Lucía era invocada en todas partes para los males de la vista. Y San Blas contra los de garganta; otras iglesias foráneas le atribuían el patrocinio sobre los niños y los ganados[73].

Dos santos españoles, Santo Domingo de la Calzada y San Juan de Ortega, se distinguieron por dedicar muchas de sus energías al cuidado de los caminos de Santiago de Compostela[74]. Los peregrinos extranjeros difunden por el norte de la Península el culto y la devoción a la mártir gallega Santa Marina, titular de varias iglesias en Asturias y en el País Vasco. En los abigarrados ambientes de las rutas jacobeas se gesta la leyenda de San Julián el Hospitalario, conocida más allá de los Pirineos. Y la confluencia de varias tradiciones legendarias de origen oriental fue configurando otra nueva, llamada a pervivir mucho tiempo: la de San Cristóbal como abogado de peregrinos y caminantes, muy extendida en España al final de la Edad Media, de manera especial en la mitad septentrional, justamente por los lugares más relacionados con las rutas de peregrinación[75].

[72] M. C. DÍAZ Y DÍAZ, *La pasión de San Pelayo y su difusión:* AEM 6 (1969) 97-116 (estudio y texto).
[73] La devoción a San Roque es tardía. Fue muy intensa en Valencia, pero las primeras noticias sobre la misma datan del siglo XV (cf. V. SORRIBES, *La devoció valenciana a Sant Roc:* AST 28 [1955] 321-337).
[74] Sobre Santo Domingo de la Calzada: L. VÁZQUEZ DE PARGA-J. M. LACARRA-J. URÍA RIU, *Las peregrinaciones...* vol.2 (Madrid 1949) p.162-169. Sobre San Juan de Ortega: N. LÓPEZ MARTÍNEZ, *San Juan de Ortega* (Burgos 1963).
[75] L. L. CORTÉS Y VÁZQUEZ, *La leyenda de San Julián el Hospitalario y los caminos de la peregrinación jacobea del occidente de España:* RDTP 7 (1951) 56-83; G. LLOMPART, *San Cristóbal*

Las corrientes de devoción que suscitaban los santos, especialmente
los más populares, implicaban a todos los estamentos sociales. Pero la
posición que ocupaba cada familia en la escala social y el poder
económico de las mismas determinó, de algún modo, la elección de
patronos personales. La onomástica de los consellers de Cataluña, por
ejemplo, resulta bastante significativa. Al principio, esta institución
creada a mediados del siglo XIII, estaba formada por personalidades
muy influyentes en la vida ciudadana. Y justamente durante su primera
época se percibe la tendencia de las familias de estos funcionarios a
escoger nombres de prestigio para sus miembros. Guillermo fue el más
usado. También recurrían con frecuencia a los nombres de los condes
de Barcelona, de los primeros reyes de Aragón y de los fundadores de
órdenes monásticas de relieve. Pero a medida que la citada institución
va haciéndose más permeable y dando cabida a personas de distintos
niveles, sobre todo desde mediados del XV, desaparece paulatinamente
la preocupación de los consellers por llevar nombres de patronos
prestigiosos y utilizan los habituales. Por otra parte, los dirigentes de la
vida político-económica, el rey, la nobleza, la burguesía, influían, sin
duda, en la forma de concebir y evocar las imágenes de muchos santos,
incluso de los más populares. Santiago, por ejemplo, representa
normalmente, los atributos de la nobleza castellana. A San Jorge, uno de
los santos de mayor devoción en Cataluña, se le recuerda de manera
habitual por la leyenda de su lucha contra el dragón, que le convierte
en referencia modélica para la nobleza guerrera. En San Pedro, los
caballeros admiraban de forma particular la fortaleza que había
demostrado durante el martirio. San Nicolás de Bari, que podría haber
constituido un buen patrono para reyes y nobles, fue abogado de los
comerciantes y de las empresas mercantiles gracias a sus virtualidades
taumatúrgicas a la hora de hacer limosnas generosas [76].

La veneración y el culto a las reliquias de mártires y santos fue otra
forma de piedad popular extraordinariamente arraigada a lo largo de la
Edad Media en todas partes. Las reliquias, al hacer presente al santo de
una manera más directa e inmediata que su propia imagen, ofrecían al
hombre medieval mayores garantías y satisfacían mejor sus ansias de
proteccionismo espiritual. «El mal —como dice Heer— queda atado en
el ámbito al que llega la campana. Los santos enterrados en la iglesia

como abogado popular de la peregrinación medieval: RDTP 21 (1965) 293-313; cf. también:
H. Friedrich Rosenfeld, *Der heilige Christophorus. Seine Verehrung und seine Legende* (Leipzig
1937). La curiosa génesis de la consolidación del patrocinio de San Telmo sobre los marine-
ros: J. Gella Iturriaga, *La bella tradición santelmista hispano-lusa:* RDTP 17 (1961) 126-135.
    [76] Cf. A. Durán y Sanpere, *Los antiguos consellers de Barcelona y sus nombres de pila:* AST 28
(1955) 369-377; J. Vincke, *La institución real aragonesa y la piedad del pueblo en la baja Edad
Media:* AST 28 (1955) 473-478. La onomástica personal de origen germánico fue frecuente
en Cataluña durante los siglos X y XI, reduciéndose en el XII. Desde entonces son habituales
los nombres cristianos más tradicionales. Los nombres de origen eclesiástico resultan escasos
en los siglos IX-XI, y numerosos a partir de fines del XI (cf. A. Griera, *Nomenclatura hagiográ-
fica y personal en la Marca Hispánica hacia el año 1000:* Gesammelte Aufsätze zur Kulturgeschichte Spaniens 11 [1955] 35-42); cf. también: J. Miret y Sans, *Los noms personals y geogràfics
de la encontrada de Tarrasa en els segles X y XI:* Bol. de la R. Acad. B. Letras de Barcelona 7
(1914) 385-407.485-509.

desempeñan un gran papel en todo esto, aunque no sea más que con una diminuta partícula de su cuerpo, la cual se siente como altamente *radiactiva,* capaz de difundir salud y salvación»[77]. El prestigio de las iglesias y santuarios se medía por la riqueza de los relicarios que poseían. Los abusos de todo tipo generados por esta forma de devoción —coleccionismo, falsificaciones, supercherías y numerosas supersticiones— fueron frecuentes. Parece que las iglesias españolas no podían compararse a las europeas y orientales en cuanto a variedad y número de reliquias se refiere, por lo menos en los primeros siglos medievales. La «Guía de peregrinos» del *Liber Sancti Iacobi,* al ilustrar a los viajeros sobre las reliquias de santos localizadas a lo largo del camino jacobeo, sólo menciona las de Santo Domingo de la Calzada, de Facundo y Primitivo de Sahagún, el cuerpo de San Isidoro de León y, finalmente, el del apóstol Santiago[78]. Sin embargo, a partir del siglo XII, con el fenómeno de las cruzadas y el aumento del número de viajeros que visitan la Península y de españoles que emprenden el camino de Tierra Santa o de otros santuarios situados más allá de las fronteras peninsulares, las listas de reliquias de las catedrales y de las iglesias de menor entidad serán cada vez más numerosas. La mayoría de ellas incluyen un trozo de la *vera crux* y algún ejemplar verdaderamente llamativo, que pone de relieve la extraordinaria credulidad del hombre religioso de aquella época.

Uno de los relicarios más famosos de la Edad Media fue, sin duda, el de la Cámara Santa de San Salvador de Oviedo. Un pequeño alijo de reliquias escondido por fugitivos visigodos en las montañas asturianas después de la invasión islámica, enriquecido posteriormente con nuevas aportaciones, la devoción de Alfonso VI a San Salvador y, sobre todo, la literatura propagandística del obispo Pelayo (1101-1130), contribuyeron a la formación de un santuario de peregrinos, que durante la baja Edad Media se convierte en visita casi obligada de quienes acudían a Santiago de Compostela[79].

La práctica de la peregrinación fue otra de las constantes de la piedad popular desde los primeros siglos y en toda la Iglesia. En el siglo XIII, Alfonso X, recogiendo la experiencia del trato con peregrinos que existía desde hacía tiempo en sus reinos, describe así la figura de esta clase de viajeros: «Romero tanto quiere decir como home que se parte de su tierra et se va a Roma para visitar los santos lugares en que yacen los cuerpos de Sant Pedro et de Sant Pablo et de los otros que prisieron hi martirio por Nuestro Señor Iesu Cristo. Et pelegrino tanto quiere decir como extraño que va visitar el sepulcro de Ierusalén et los otros santos lugares en que Nuestro Señor Iesu Cristo nació et visquió et prisó muerte en este mundo o que anda en pelegrinaie a Santiago o a otros lugares santuarios de

---

[77] F. HEER, *El mundo medieval* p.71.

[78] Cf. L. V. DE PARGA-J. M. LACARRA-J. URÍA RIU, *Las peregrinaciones...* vol.1 p.209.

[79] Cf. F. J. FERNÁNDEZ CONDE, *La Iglesia de Asturias en la alta Edad Media* p.146-147; ID., *El Medievo asturiano (siglos X-XII): Historia* de Asturias (Ayalga) (Salinas 1979) p.210-215, donde se subrayan todas las consecuencias de índole socioeconómica de la ruta de peregrinos de San Salvador de Oviedo.

luenga tierra et extraña. Et las maneras destos romeros et pelegrinos son tres: la primera es quando por su propia voluntat et sin premia ninguna va en pelegrinaie a alguno destos santos lugares; la segunda es quando lo face por voto o por promisión que fizo a Dios; la tercera quando alguno es tenudo de lo facer por penitencia quel fuese puesta que ha de cumplir»[80]

Santiago de Compostela fue el centro de peregrinación más importante de la Península en la Edad Media. El *locus Sancti Iacobi* se convirtió además, juntamente con los santuarios de San Pedro y San Pablo de Roma, en el santuario de mayor afluencia de Occidente. Si desde el siglo IX el cuerpo de este apóstol tuvo un culto intenso en tierras gallegas a partir de entonces la irradiación de la devoción a su sepulcro va adquiriendo proporciones cada vez mayores. Durante el siglo XI, la «internacionalización de la ruta jacobea» es ya una realidad, que alcanzará su apogeo a lo largo del XII y de los dos siguientes. El francés Giraldo de Beauvais, uno de los autores de la *Historia compostelana,* compuesta precisamente a mediados de la duodécima centuria, describe entusiasmado los caminos de Santiago, atiborrados de viajeros que apenas dejaban sitio para transitar por ellos. Según la citada fuente, la veneración al santuario gallego estaba ya extendida «por la Galia, Inglaterra, Alemania, todas las provincias cristianas y las principales de España, que lo honran como patrono y protector»[81]. De hecho, esta devoción era fuerte en Cataluña desde el siglo XI.

Aunque las noticias que quedan sobre peregrinos de los primeros siglos hacen casi siempre referencia a personajes relevantes, el *Liber Sancti Iacobi* pone también de manifiesto la existencia de romeros de todas las condiciones sociales. Al lado de los peregrinos libres y verdaderamente devotos, circulaban otros que lo eran bastante menos, entre los cuales figuran aquellos que emprendían el viaje a Compostela obligados por una penitencia canónica o para cumplir alguna sanción impuesta por las autoridades civiles: los peregrinos forzados, que menciona la ley de las *Partidas* en tercer lugar. Santiago de Galicia era un lugar muy socorrido a la hora de realizar esta clase de satisfacciones penales, tanto de carácter eclesiástico como civil.

«Con el siglo XV se inicia un nuevo tipo de peregrino caballeresco, para el que la meta piadosa del viaje era poco menos que un pretexto para tener ocasión de ver países y costumbres exóticas, frecuentar urbes extranjeras y lucir su valor, habilidad y destreza en los torneos»[82]. En realidad, más allá de la significación propiamente religiosa que comportó el fenómeno de Santiago de Compostela, su importancia política, social, económica y cultu-

[80] *Part.* I tít.24 1.1. Las dos leyes siguientes tratan también de los romeros y de las romerías.

[81] Un estudio minucioso de la evolución histórica de las peregrinaciones durante estos siglos: L. VÁZQUEZ DE PARGA-J. M. LACARRA-J. URÍA RIU, *Las peregrinaciones...* vol.1 p.39ss. El texto de la *Historia compostelana:* ES XX p.350-351 (l.2 c.50).

[82] L. VÁZQUEZ DE PARGA-J. M. LACARRA-J. URÍA RIU, *Las peregrinaciones...* vol.1 p.89. La edición del *Liber Sancti Iacobi:* M. WHITEHILL (Santiago de Compostela 1944). Estudios sobre el famoso libro misceláneo: P. DAVID, *Etudes sur le livre de Saint-Jacques attribué au Pape Calixte II:* Bull. de Études Portugaises et de l'Institut Français au Portugal 10 (1945); 13 (1949); L. VÁZQUEZ DE PARGA... vol.1 p.171ss.

ral fue enorme para el desarrollo de la vida de los reinos españoles durante los siglos bajomedievales, según se ha indicado en otra parte de esta obra. Santa María de Montserrat fue el santuario por excelencia del nordeste peninsular y también una meta de peregrinación muy frecuentada por romeros autóctonos o foráneos, el segundo en importancia después de Santiago de Galicia. El abad Oliba funda el monasterio a comienzos del XI (1025) partiendo de una ermita dedicada a la Virgen que existía allí desde el siglo IX. Desde entonces, el fácil acceso de los viajeros extranjeros a este monasterio-santuario, la esmerada atención espiritual de sus monjes a todos los visitantes y el apoyo que le prestan varios soberanos aragoneses a lo largo de la baja Edad Media propiciarán la consolidación del mismo. Además, la importancia de Barcelona como centro de comercio internacional favorece, asimismo, las visitas a Montserrat de extranjeros franceses, ingleses y alemanes, que compaginaban sus intereses económicos con los espirituales, al igual que ocurría en Santiago de Compostela. Sin embargo, los mayores contingentes de peregrinos provenían de las iglesias de los reinos de la corona de Aragón[83].

El *Llibre Vermell*, la famosa compilación monserratina del siglo XIV, que recoge varias obras más antiguas, fue concebido como un manual para la atención espiritual de los romeros que recalaban al santuario de la «Madona Bruna». El códice ofrece, entre otras piezas, un sermonario latinocatalán de clara orientación popular, sobre todo en la parte vernácula; el *Liber miraculorum S. Mariae de Monserrato*, opúsculos ascéticos de gran interés; el libro de *Hores de la Creu*, para contemplar devotamente la pasión de Cristo, y la *Balada dels set goytxs de Nostra Dona*, una de las primeras muestras de esta clase de literatura mariana escritas en lengua vulgar, ya citada más arriba[84].

Los peregrinos que llegaban a Cataluña camino de Montserrat solían visitar también las reliquias de Santa Eulalia de Barcelona, de San Narciso de Tarragona y de Santa María de Ripoll, el gran monasterio cisterciense conocido en todo el mundo cristiano. Barcelona se convierte, además, en punto de partida para muchos viajeros autóctonos, castellanos y no peninsulares, que peregrinaban hacia santuarios extranjeros. De éstos, Tierra Santa fue, sin duda, la meta que gozó de mayor atracción. Roma mucho menos, especialmente durante la baja Edad Media. Los catalanes, arago

---

[83] A. M. ALBAREDA, *Historia de Montserrat* (Montserrat 1945); ID., *L'abat Oliva, fundador de Montserrat* (Montserrat 1935). Cf. también: J. VIELLIARD, *Pèlerins d'Espagne à la fin du Moyen Âge. Ce que nous apprennent les sauf-conduits délivrés aus pèlerins par la chancillerie des rois d'Aragón entre 1379 et 1422:* AST 12 (1936) 265-300; F. UDINA MARTORELL, *Els guiatges per als pèlerins a Montserrat als segles XIII-XV:* AST 28 (1955) 467-471. G. Schreiber (*Katalanischen Motive in der deutschen Volksfrömmigkeit:* AST 12 [1936] 85-112) pone de relieve la existencia del culto a Santa Eulalia de Barcelona en Hannover y da otras noticias sobre la presencia de motivos devocionales catalanes en ambientes alemanes.

[84] La descripción de este manuscrito: A. M. ALBAREDA, *Manuscrits de la biblioteca de Montserrat:* Anal. Montserratensia 1 (1917) 3-9; 3 (1919) 164-173; C. BARAUT, *Els manuscrits de l'antiga biblioteca del Monestir de Montserrat:* l.c., 8 (1954-55) 342-348; ID., *Textos homilètics i devots del Llibre Vermell de Montserrat:* AST 28 (1955) 24-44. Entre los opúsculos ascéticos: *Meditationes piissimae de conditione humanae conditionis* (pseudobernardiano), *De interiori domo seu de conscientia aedificanda* (anónimo del XII), *Viridarium de viciis et virtutibus* (de Roland de Comitibus) y el *Tractatus de decem praeceptis legis, de quatuordecim fidei articulis et de septem ecclesiae sacramentis* (atribuido a R. Llull).

neses y navarros frecuentaban asimismo algunos santuarios franceses a los que resultaba fácil viajar, como San Martín de Tours, Saint-Michel, Notre-Dame de Puy o de Roc-Amadour.

Muchos laicos trataban de imitar la vida ascética de las órdenes fundadas por Santo Domingo y San Francisco ingresando en las terceras órdenes para seguir las líneas básicas de la piedad dominicana y franciscana. A veces, parece que con mucha frecuencia, semejante pertenencia respondía a intereses bien ajenos a las motivaciones de índole religiosa. Las cortes de Soria (1380), por ejemplo, salen al paso del abuso cometido por «muchos omnes et mugeres que se han fecho e se fazen de cada día frayres de la terçera regla de Sant Françisco» para no pagar los correspondientes impuestos, excusándose por tal afiliación, pero reteniendo todos los bienes que les pertenecían[85].

La vida eremítica —desde el siglo XII vivían en torno a Montserrat muchos ermitaños— y los emparedamientos fueron dos formas de ascesis, practicadas con cierta asiduidad por monjes y en ocasiones por laicos[86].

IV. LA PRESENCIA DEL DEMONIO

Para el hombre medieval, el demonio tenía todas las características del gran rival de sus patronos espirituales: los santos, los ángeles, la Virgen y, en última instancia, el mismo Dios. «El santo más popular no ha ocupado, en el pensamiento de la Edad Media, un lugar tan considerable como el demonio. Se veía el diablo en todas partes: agitando los cuerpos de los poseídos, incendiando los monasterios, induciendo a tentación a los eremitas, rompiendo los mástiles de los navíos en peligro, hablando por boca de los ídolos, apaleando a los buenos servidores de Dios»[87]. Varios autores de la baja Edad Media recogen en sus obras la creencia tópica del niño consagrado a Satán y salvado a última hora por la Virgen María antes de caer definitivamente bajo el domino del Maligno. La versión catalana de la leyenda de San Amador, por ejemplo, responde a la tipología de esta forma de proteccionismo mariano[88]. El tema del pecador, devoto de María, librado al final por ella de las garras del demonio, fue otro de los temas frecuentes de la literatura medieval mariana. Gonzalo de Berceo, en sus *Milagros de Nuestra Señora*, recoge alguno de estos prodigios que figuraban ya en las colecciones de *miracula*, conocidas en toda Europa durante los siglos XII y XIII. Harán lo mismo Alfonso X en sus *Cantigas* y Gil de Zamora.

Los poderes extraordinarios del demonio lo convertían en un ser ver-

[85] *Cortes de los antiguos reinos de León y Castilla* II p.303.

[86] J. Sánchez Herrero (*Las diócesis del reino de León...* p.332-334) ofrece varias referencias sobre la existencia de emparedados, hombres y mujeres, probablemente más abundantes éstas, en todo el reino leonés durante la baja Edad Media. Una amplia panorámica sobre esta forma de ascetismo en la Iglesia peninsular: *España eremítica* (Pamplona 1970) (VI Semana de Estudios Monásticos). Cf. también J. PÉREZ DE URBEL, *Eremitismo*: DHEE 11 (1972) 801-804.

[87] G. DE TERVARENT-B. DE GAIFFIER, *Le diàble voleur d'enfants. À propos de la naissance des Saints Étienne, Laurent et Barthélemy*: AST 12 (1936) 33.

[88] Ibid., p.33-34.

daderamente temible para los hombres, que veían en él al competidor de Dios. «El demonio y el buen Dios —afirma Le Goff—: he aquí la pareja que dominará la vida de la cristiandad medieval. La lucha entre ambos explica, a los ojos de los hombres de la Edad Media, todo el desarrollo de los acontecimientos» [89]. Por ambientes catalanes poco cultos circularon hasta la época presente leyendas, probablemente muy antiguas, en las cuales Dios y el diablo se enfrentaban y contendían en verdaderos torneos de capacidad creadora. La victoria se decantaba siempre del lado del Señor del bien [90]. Pero el demonio era temido, sobre todo, por su capacidad de seducción. En círculos monásticos se leían las exhortaciones de los grandes autores espirituales de los siglos bajomedievales, que, impresionados, quizás, por las extravagantes narraciones de las tentaciones de San Antonio y de otros Padres antiguos, pintaban con colores muy vivos los esfuerzos del diablo para apartar a los monjes observantes del camino recto. La iconografía medieval, la del románico especialmente, constituye un reflejo elocuente de este sentimiento de temor, característico tanto de los sectores cultos como de los más populares, generalizado en toda la Iglesia. «Jamás —dice E. Mâle— tuvo la imagen del demonio tanta potencia como en el arte monástico del siglo XII» [91]. La iconografía gótica de las iglesias españolas ofrece también pruebas de la pervivencia de los mismos sentimientos respecto a este personaje turbador [92].

Los hombres podían participar de esos poderes extraordinarios del demonio pactando con él. Semejante pacto —magia negra— conllevaba la apostasía o renuncia a la fe cristiana. Quienes poseyeran tales poderes diabólicos —magos, hechiceros, brujos— adquirirían la capacidad de dominar fuerzas y fenómenos naturales, cuya entidad era todavía un misterio, y de producir efectos maléficos en los animales y las personas. Muchas enfermedades desconocidas o muertes acaecidas en circunstancias extrañas se explicaban fácilmente atribuyéndolas a hechizos o embrujamientos. Según una opinión muy extendida, Pedro IV el Ceremonioso (1336-1387) habría muerto embrujado. También se creía que su hijo Juan I (1387-1395) estaba hechizado. Su mujer, Violante de Bar, acude en 1387 a las autoridades de Lérida para demandar ayuda contra ese mal. Un libro anónimo del siglo XIV titulado *Cigonimia*, y atribuido al obispo de Lérida Jaime Sitjó (1341-1348), tenía como argumento principal el enseñar los medios oportunos para «deshacer maleficios» [93].

La legislación eclesiástica medieval de las distintas iglesias peninsulares se ocupó repetidamente de estas prácticas religiosas aberrantes para condenarlas. Nos referiremos a ella más adelante, al examinar el mundo de las supersticiones.

[89] J. LE GOFF, *La civilización del Occidente medieval* p.225.
[90] J. AMADES, *El diable:* Zephyrus 4 (1953) 375ss, V. Risco (*Satanás...* p.56.57) ofrece varias ilustraciones españolas bajomedievales del demonio vencido por los ángeles, especialmente por San Miguel.
[91] E. MÂLE, *L'art religieux du XIIe siècle en France* p.372, cit. en la *Historia de la Iglesia* de FLICHE-MARTIN, vol.9 (ed. castellana, Madrid 1977) p.177.
[92] I. MATEO GÓMEZ, *Temas profanos en la escultura gótica. Las sillerías de coro* p.359ss.
[93] Cf. J. AMADES, a.c., p.380.

V. FIESTAS POPULARES

Durante la Edad Media, la celebración de las distintas fiestas litúrgicas constituía el momento privilegiado de reunión de las comunidades locales, y también la oportunidad de tomar conciencia de sí mismas y expresarse como tales. Además, el pueblo celebraba fiestas y ritos no litúrgicos enraizados en tradiciones muy antiguas, que enlazaban incluso con prácticas religiosas precristianas. Tales ritos o celebraciones festivas estaban relacionados, a su vez, con los momentos esenciales de la vida humana o con los períodos cruciales del calendario agrícola anual. Estas dos clases de referencias, al tocar la raíz misma de la existencia humana, engendraron costumbres que trascendían lo meramente profano o secular para entrar en el ámbito de lo religioso y lo mágico, integrando perfectamente sacralidad y secularidad. Por eso el folklore medieval, como el de otras épocas, de manera especial las más antiguas, tiene casi siempre una dimensión religiosa.

Las celebraciones rituales y festivas relacionadas con la evolución de la vida humana podrían clasificarse en cuatro grupos distintos. En el primero, las relativas al ciclo de los orígenes de la vida. El segundo, formado por las que hacen referencia a la consolidación y consistencia de esa vida humana (infancia y primera juventud). Otro de celebraciones en torno al matrimonio y la familia. Y finalmente, las costumbres o ritos que rodean el momento trascendental de la muerte.

La serie de creencias y celebraciones rituales sobre los orígenes de la vida, por lo general de carácter supersticioso o mágico, fue variadísima [94]. Muchas de ellas trataban de asegurar la fecundidad de las mujeres casadas y de evitar la mácula de la esterilidad. El agua —especialmente de la noche de San Juan—, determinados alimentos y algunas piedras «fecundantes» fueron utilizados con frecuencia para estos fines. Cerca del santuario de Sant Felíu de Llobregat, donde era venerada la Virgen de la Salud, había una piedra grande conocida por el nombre de *Pedra dels fills* [95]. En el santuario pirenaico de Nuria existe una olla capaz de hacer fecundas a las mujeres que metan en ella su cabeza. La ermita de San Elías (Oñate) y Santa María de Ujué (Navarra) eran, asimismo, lugares visitados por las estériles en demanda de remedio para su mal. En Cataluña, el contacto

---

[94] En esta parte de nuestra obra utilizamos material documental recogido en la obra de E. CASAS GASPAR, *Costumbres españolas de nacimiento, noviazgo, casamiento y muerte*. Dicho trabajo, extraordinariamente rico de información, a la hora de fijar los hitos fundamentales de la evolución de las leyendas y costumbres adolece de falta de precisión cronológica, como tantos otros de la misma índole. Seguramente que muchas tradiciones recogidas por E. Casas Gaspar y citadas también aquí no son de origen medieval, sino mucho más antiguas. Con todo, durante los siglos medievales siguieron plenamente vivas y perduraron hasta la época actual. Si algunas nacieron en los últimos siglos medievales o quizás en los albores de la Edad Moderna, sus raíces son, en la mayoría de los casos, anteriores. La bibliografía sobre el tema es muy copiosa y se encuentra bastante dispersa. El valor de la misma resulta desigual. Tenemos la impresión de que muchas de las leyendas y creencias recogidas en obras y artículos de folkloristas antiguos contienen imprecisiones, que las hacen poco fiables para aventurar sobre ellas una hipótesis interpretativa. A la etnografía y sus ciencias afines les queda aún por recorrer un camino muy largo en este terreno.

[95] J. AMADES, *La cuna en Cataluña*: RDTP 12 (1956) 447-448.

con las cunas vacías podía producir efectos positivos o negativos respecto a la maternidad [96]. Durante el embarazo se ponían èn práctica muchos ritos destinados a evitar maleficios y garantizar un buen alumbramiento [97]. Algunas advocaciones marianas y varios santos poseían, según las creencias populares, poderes obstétricos especiales. Tal era el caso de la Virgen de diciembre (fiesta de la Expectación del Parto), Nuestra Señora de la Cinta de Tortosa [98], Santa Catalina, y en la baja Edad Media San Ramón Nonato por su legendario nacimiento. También existían infinidad de ceremonias para ayudar a las nuevas madres y a los recién nacidos durante la lactancia y la primera infancia. La costumbre de los «galactógenos» estaba muy extendida. Parece que en Asturias las mujeres lactantes tenían la costumbre de llevar, colgadas del cuello, las llamadas piedras de leche. Y Santa Agueda era invocada en muchas partes como patrona contra las enfermedades de los pechos. La misma celebración del bautizo, que consagra todo el proceso de la nueva vida del bautizado, también estaba rodeado de prácticas supersticiosas.

Las celebraciones festivas y los ritos religiosos del segundo ciclo: infancia y primera juventud, tenían, por lo general, finalidades profilácticas o proteccionistas. Desconocemos la existencia de ceremonias relacionadas con los ritos de iniciación, tan importante en las religiones precristianas. El estudio de los juegos infantiles podría, tal vez, desvelar pervivencias religiosas o mágicas muy antiguas. La primera comunión, fijada por los moralistas y teólogos medievales para los diez u once años, y la confirmación, separada del bautismo en la Edad Media y administrada no antes de los siete años, venían a sancionar de manera oficial la entrada de los niños en la comunidad adulta.

Las costumbres festivas y rituales correspondientes al tercer período de la vida humana: el matrimonio y la familia, fueron asimismo numerosas y duraron mucho tiempo. Algunas persisten todavía, aunque no tengan ya connotaciones propiamente religiosas [99]. Las ceremonias para adivinar el porvenir matrimonial, practicadas por las solteras o durante el noviazgo, eran variadísimas. La noche de San Juan constituía uno de los momentos privilegiados a la hora de realizarlas. También se recurría a diversas clases de sortilegios para conseguir el favor de la persona amada. Las leyendas relativas al empleo de «filtros de amor» dejaron muchas huellas en la literatura. Algunos santos, muchos santuarios y no pocas fuentes estaban particularmente dotados de virtudes casamenteras, según las creencias de las gentes sencillas [100]. Los esponsales y la misma celebración

[96] Ibid., p.447ss.
[97] L. DE HOYOS SAINZ, *Folklore del embarazo:* Las Ciencias 7 (1942) 821-828.
[98] R. O'CALLAGHAN, *Resumen histórico de la Santa Cinta* (Tortosa 1903). El culto a la Virgen de la Cinta, según Casas Gaspar, aparece ya en Toledo el siglo VII, extendiéndose más tarde a Valencia, donde llegó a ser popular (cf. É. CASAS GASPAR, *Costumbres españolas...* p.43).
[99] E. CASAS GASPAR, *Las ceremonias nupciales. Estudio de los ritos de segregación, tránsito, defloración, encubrimiento, agregación, profilácticos, propiciatorios, de fecundidad, de lanzamiento, circunvalación y fortuna* (Madrid 1931) 2.ª ed.; J. AMADES, *Les esponsalles. Costums i creences* (Barcelona 1935); N. DE HOYOS SANCHO, *Costumbres referentes al noviazgo y a la boda en la Mancha:* RDTP 4 (1948) 454-469.
[100] E. CASAS GASPAR, *Costumbres españolas...* p.103-118.

sacramental del matrimonio iban acompañados de prácticas y creencias
supersticiosas, de origen muy antiguo sin duda, destinadas a favorecer las
buenas relaciones de los esposos y, sobre todo, la fecundidad conyugal
Los calendarios de días y meses favorables o adversos a esta clase de celebraciones fue fijándose con bastante rigidez y de forma parecida en casi
todas partes. Los anillos matrimoniales se emplearon a veces como talismanes. Y los regalos que se intercambiaban entre sí los novios o sus familias, en ocasiones, aparte de la función económica, la única que actual
mente prevalece, llegaron a tener las características de un verdadero rito
mágico, capaz de unir misteriosamente a quienes los hacían. La comida
nupcial poseía una significación particular. En ciertas localidades guardaban el «pan de boda», y si florecía, se convertía en signo acusador de la
infidelidad de uno de los esposos. También se practicaban otras pruebas
de la virginidad, con la tipología característica de auténticas ordalías [101]
La entrada de la bendición del tálamo en la liturgia cristiana y sus reminis
cencias paganas fueron ya apuntadas en otra parte.

Las celebraciones relacionadas con el fenómeno de la muerte, siempre
inquietante y misterioso, constituyen el apartado más rico de este mundo
festivo-religioso medieval. En ellas, quizás mejor que en cualquier otro
tipo de rituales, se percibe la fusión de las tradiciones precristianas y de los
elementos provenientes del culto cristiano. La existencia de señales pre-
monitorias de la muerte —aullidos de perros, por ejemplo— era una
creencia habitual que aún permanece entre gentes poco cultas.

Durante la agonía y en el instante de la muerte solían encenderse ci-
rios, considerados como representaciones del espíritu del moribundo o de
difunto. «En la tradición popular española, el alumbramiento en honor y
memoria de los difuntos —todavía en plena vigencia— es también el más
extendido rito en todas las regiones, y las candelas en general enciéndense
sobre sus propias tumbas en los cementerios... Como en otras tradiciones
mortuorias, es la zona del mar Cantábrico la más rica y constante en mani
festaciones» de esta clase [102]. Las operaciones de amortajamiento se ajustaban, asimismo, a rituales y costumbres peculiares de cada región. Las
órdenes mendicantes introdujeron el uso de vestir al difunto con el hábito
propio de las mismas, dándole la categoría de sacramental. Y en algunas
partes colocaban dentro del féretro un auténtico bagaje de cosas, entre las
cuales no faltaban los alimentos. Las resonancias paganas de semejante
práctica son evidentes. Probablemente, en estas ofrendas estaba subyacente, de forma más o menos explícita, el temor supersticioso de los vivos
al alma del finado, que pretendían aplacar de ese modo. Los velatorios y la
compañía prestada al cadáver desde el momento de la muerte hasta su
enterramiento debieron de tener algo que ver con esa experiencia de temor, unida al natural sentimiento de condolencia, que aún conservan en
la actualidad. Tales prácticas de acompañamiento dieron lugar a otras
muy variadas y a veces verdaderamente llamativas, como la conocida en

[101] ID., o.c., p.260ss.
[102] L. DE HOYOS SAINZ, *Folklore español del culto a los muertos:* RDTP 1 (1944) 44.

Galicia con el nombre de *Avellón* [103]. Los llantos desproporcionados, condenados por la legislación civil y eclesiástica del Medievo, y las plañideras a sueldo estuvieron en vigor mucho tiempo, especialmente por tierras gallegas y en otras regiones septentrionales. A la vuelta de la iglesia tenía lugar el banquete ofrendado a los participantes en el entierro y el reparto del «pan del difunto» a los pobres, como gesto de hospitalidad, para hacer una demostración de prestigio social o tal vez respondiendo a tradiciones precristianas, según indicamos incidentalmente más arriba al citar una disposición del concilio de Coyanza (1055) sobre el particular. Además, se hacían colectas para sufragar los gastos de dichas comidas y para reunir recursos suficientes, destinados a los sufragios funerarios. Esto último siguió practicándose en muchos sitios hasta la época presente. Algunas localidades tenían la costumbre de organizar un banquete el día de Todos los Santos en recuerdo de los familiares fallecidos [104]. Todavía hoy se consumen confituras típicas en las fiestas de los Santos y de los Difuntos, a comienzos de noviembre. El luto, cuyas motivaciones profundas resultan difíciles de precisar, adoptó formas muy variadas según las distintas regiones españolas. Por otra parte, la devoción a las ánimas del purgatorio, juntamente con la creencia de su posible presencia en el mundo de los vivos, fueron dos sentimientos hondamente arraigados de la devoción popular del Medievo. En todas las regiones, y en Galicia de manera especial, existía la convicción de que las «almas en pena» andaban errabundas debido a motivos de orden religioso o moral; por ejemplo: en demanda de sufragios pendientes o expiando penas personales graves. En algunos sitios, durante la cena de la noche de Navidad o de Difuntos solían dejar un plato vacío para los últimos parientes muertos. Las procesiones de ánimas —la Santa Compaña, la Hoste, la Hueste, la Güestia—, de las que formaban parte los últimos muertos de las localidades, eran consideradas como realidades indiscutibles. El hecho de encontrarse una persona con semejantes desfiles procesionales tenía para ella el valor de premonición sobre su próxima muerte [105].

Al hablar del teatro medieval haremos referencia a las *danzas de la muerte*. Ya a fines de la Edad Media, y sobre todo durante la primera época de la Moderna, comienzan a circular por toda Europa tratados sobre el *Ars bene moriendi:* meditaciones relacionadas con la muerte, al estilo del capítulo 23 del libro primero de la *Imitación de Cristo,* de Tomás de Kempis. El primero de esos tratados, escrito todavía en latín, el *Opusculum tripartitum,* se debe a la pluma de J. Gerson (1363-1429). El primer texto vernáculo peninsular del género fue la versión en lengua catalana de un ejem-

---

[103] J. M. Gómez Tabanera, citando a A. Brañas, describe así esta curiosa ceremonia: «mozos y mozas, luego de comer, beber y divertirse en una habitación contigua a la cámara mortuoria, iban a visitar al cadáver, dando tres vueltas en torno al mismo y recitando versos de todos sabidos, por haber sido ya anteriormente transcritos» (J. M. GÓMEZ TABANERA, *El curso de la vida humana...:* o.c., p.121).

[104] L. DE HOYOS SAINZ, *Folklore español...* p.47ss.

[105] V. RISCO, *La procesión de ánimas y las premoniciones de muerte:* RDTP 2 (1946) 380-429. Cf. también: P. GARCÍA DE DIEGO, *Supersticiones:* RDTP 9 (1953) 140-156; J. M. CASTROVIEJO, *Apariciones en Galicia* (Santiago 1955).

plar de autor extranjero, llevada a cabo durante la primera parte del siglo XV [106].

Las fiestas relacionadas con la estructura del calendario anual podrían clasificarse en tres grandes grupos, íntimamente vinculados a la evolución del ritmo estacional y agrario: fiestas de finales y comienzo del año o fiestas de invierno; fiestas de primavera y del solsticio de verano; y fiestas de la recolección a fines de verano y durante el otoño.

El primer ciclo, que abarca desde diciembre a marzo, se caracteriza por una serie de celebraciones carnavalescas con una tipología bastante similar. En todas ellas se subvierten de forma convencional los supuestos habituales de convivencia y el orden preestablecido. Estos ritos festivos, de origen muy antiguo, figuran en el patrimonio religioso-cultural de la mayoría de los pueblos. Con ellos, los distintos grupos humanos querían celebrar el paso de un ciclo temporal a otro. Y en todos estaba presente, de forma más o menos explícita, el deseo de abolir el «tiempo viejo»: el período a punto de caducar, y de preparar el «tiempo nuevo» que comenzaba. Las representaciones de farsas y mascaradas pretendían liberar al grupo social de las transgresiones pasadas, de la influencia maléfica de los espíritus, de las enfermedades y de cualquier mal que lo amenazara, para emprender así con garantías el «nuevo ciclo» cronológico [107].

Diciembre con el solsticio de invierno, enero o marzo fueron los meses de comienzos de año para muchos pueblos. Para los vascos, por ejemplo, parece que empezaba en el solsticio invernal [108]. El calendario antiguo de los romanos fijaba esos comienzos en el mes de marzo. Durante la República trasladaron la fecha a las calendas de enero. Y en estos meses de transición del año viejo al año nuevo celebraban fiestas tan significativas como las *Saturnalia,* del 17 al 23 de diciembre y en el marco cronológico del solsticio de invierno; las *Lupercalia,* el 15 de febrero, y las *Matronalia* —de las mujeres casadas—, dos semanas más tarde, justamente a finales del ciclo anual cuando éste comenzaba en marzo [109]. Los elementos peculiares del carnaval y las mascaradas —con esa visión invertida del mundo real y el deseo subyacente de regeneración cósmica— eran fundamentales en las tres fiestas romanas de invierno. La cultura y la religión cristianas no consiguieron erradicar estas y otras costumbres ancestrales practicadas tanto en España como fuera. Las farsas y las mascaradas carnavalescas estuvieron en vigor desde la época romano-visigoda y a lo largo de toda la Edad Media. Las noticias sobre fiestas de locos, del «obispillo», de desfiles de guirrios, zamarrones o mazarrones, cuya existencia está perfectamente documentada en muchas partes de la Península, traspasan los límites tem-

---

[106] A. FÁBREGA GRAU, *Els primitius textos catalans de l'Art de ben morir:* AST 28 (1955) 79-104.

[107] M. ELIADE, *Tratado de historia de las religiones* (Madrid 1954) p.365ss: el tiempo sagrado y el mito del eterno retorno; cf. también, del mismo autor, *El mito del eterno retorno* (Madrid 1972).

[108] J. CARO BAROJA, *El carnaval* p.162.

[109] Cf. K. LATTE, *Römische Religionsgeschichte* (Munich 1967) 2ª ed.; M. MESLIN, *La fête des Kalendes de janvier dans l'empire romain* (Bruselas 1970); P. LAMBRECHTS, *Les Lupercales, une fête prédéiste?,* en «Hommages a J. Bidez-F. Cumont, p.167-176 (Bruselas 1949); J. GAGÉ, *Matronalia. Essai sur les dévotions et les organisations des femmes dans l'ancienne Rome* (Bruselas 1963).

porales del Medievo para adentrarse en la Edad Moderna, perdiendo paulatinamente su honda significación mágico-religiosa hasta convertirse en realidades puramente folklóricas [110]. Aunque la Iglesia española, al igual que la universal, miró siempre con ojeriza a esta clase de celebraciones, en la práctica acabó tolerándolas y permitiendo que constituyeran el verdadero clima popular de muchas fiestas litúrgicas, colocadas seguramente en estos meses con el propósito de cristianizar o al menos de contrapesar las viejas tradiciones paganas. A lo largo del mes de diciembre —el tiempo de las antiguas celebraciones solsticiales—, el calendario litúrgico presenta, además de la fiesta de Navidad [111], las de San Nicolás de Bari (el 6) y de los Santos Inocentes (el 28). Durante estos dos días tenían lugar las bromas de la fiesta del obispillo, en el transcurso de la cual los niños de coro de muchos cabildos de España elegían a uno de ellos para representar el papel de obispo. Por los Inocentes y a comienzos de enero, en numerosos pueblos peninsulares se celebraban las fiestas de locos, y en algunas regiones, las del Norte sobre todo, eran los días preferidos para los desfiles de guirrios y zamarrones. La Iglesia colocó precisamente a principios del año las solemnidades de la Circuncisión y Epifanía del Señor. En la primera quincena de febrero, período de preparación de la fiesta de los lobos en la religión romana —las citadas *Lupercalia*—, la liturgia cristiana celebra las festividades de la Candelaria, San Blas y Santa Agueda (días 2, 3 y 5 respectivamente), pródigas en costumbres de fuerte sabor popular. La devoción a esta mártir del siglo III, que llega a convertirse en patrona de las mujeres, estuvo muy extendida por todas las latitudes hispanas. En bastantes pueblos de Castilla y Aragón, ese día una de las casadas o viudas, y en algunas partes la alcaldesa de la cofradía femenina, tomaban el mando de la localidad, trastrocando los cauces ordinarios de convivencia. Varios pueblos de Navarra introducían en la celebración de la Santa elementos de carácter claramente supersticioso [112]. Finalmente, en el mes de febrero, durante la semana anterior al miércoles de Ceniza —cerca asimismo de los días de las viejas *Matronalia* romanas—, se festejaba el Carnaval por excelencia, volviendo a reaparecer, potenciados, todos los rituales farsescos de las fiestas del ciclo de invierno antes de inaugurarse los rigores penitencia-

---

[110] J. Caro Baroja (*El carnaval...* p.50ss) ofrece una rica información documental sobre estas fiestas y algunas otras a las que no hacemos aquí referencia. En las p.227-228 cita un texto del *Libro de Alexandre* y cierta disposición del concilio de León de 1017, que ponen de relieve la existencia de zamarrones.

[111] En Cataluña y el alto Aragón existieron durante mucho tiempo costumbres y ritos relacionados con el fuego de Navidad: el tizón de Navidad, que no debía apagarse hasta la Nochebuena siguiente para encender el nuevo fuego, o la tronca de Navidad catalana, con funciones similares y convertida en talismán protector de la vida hogareña (cf. G. VIOLANT Y SIMORRA, *Mitología, folklore y etnografía del fuego en Cataluña*: RDTP 7 [1951] 602-651; 8 [1952] 67-116).

[112] Sobre las celebraciones farsescas en torno a la festividad de Santa Agueda: E. CASAS GASPAR, *Ritos agrarios. Folklore campesino español* p.188-192; N. DE HOYOS SANCHO, *Fiestas en honor de Santa Agueda*: RDTP 7 (1951) 446-456; según este autor, en algunas localidades navarras, la noche de Santa Agueda encendían en las torres de las iglesias hogueras para predecir las tormentas veraniegas. La descripción de las fiestas femeninas de Santa Agueda en distintas partes de España: J. CARO BAROJA, *El carnaval...* p.372ss. Las famosas de Zamarramala (Segovia), p.376-377.

les de la Cuaresma litúrgica [113]. El carnaval precuaresmal, personificado a veces por un muñeco (el *pelele*) o incluso por un hombre de carne y hueso, emprende su lucha con la santa Cuaresma, adornada por las prendas del ayuno y las prácticas penitenciales, y termina sucumbiendo ante ella. Juan Ruiz describe magistralmente esta disputa singular en las célebres estrofas del *Libro de buen amor* tituladas «De la pelea que ovo don Carnal con la Quaresma» [114].

El segundo ciclo del calendario anual determinado por el ritmo estacional y agrario, las fiestas de la primavera y del solsticio de verano (21 de junio), tiene como ejes principales las celebraciones de mayo y las de San Juan Bautista (24 de junio). En España y en casi todas partes se creía desde siempre que esta época del año era el momento privilegiado de la fecundidad vegetal-animal y del amor. El autor del *Libro de Alexandre* describe ya de forma culta esa creencia popular generalizada sobre mayo en unos versos extremadamente elocuentes [115]. El vigor de mayo, o mejor, el vigor de la naturaleza vegetal, animal y humana en este mes, han dado origen a múltiples representaciones y rituales festivos, algunos de los cuales permanecen todavía vivos en muchos pueblos hispanos. Los más conocidos de ellos son, sin duda, el del árbol de mayo, el «mayo», plantado en las plazas vecinales; los muñecos o peleles colgados de dicho árbol y los jovenes revestidos de follaje, sucedáneos del mayo arbóreo y denominados también con el nombre de «mayos»; las fiestas de «mayas», o jóvenes vestidas de novias, vinculadas, de algún modo, al árbol de mayo; las bodas ficticias de «mayos y mayas» y las enramadas puestas por los mozos ante las casas de las mozas. En el calendario litúrgico que corresponde a este período tan cargado de festivo pintoresquismo, la Iglesia ha colocado algunas fiestas, cuya celebración recoge elementos típicos de esa corriente folklórico-religiosa de inspiración naturalista, prácticamente universal y de raigambre precristiana. La fiesta de la Cruz de Mayo o de la Invención de la Santa Cruz fue la más importante de todas ellas (3 de mayo). Ese día, en numerosas localidades peninsulares se bendecían cruces ya existentes en caminos y plazas o se plantaban otras nuevas, pequeñas y hasta de la altura de un árbol, destinadas a sustituir al «mayo» vegetal o por lo menos a parangonarlas con él y con sus capacidades benéficas. No conviene olvidar que la

---

[113] Otros trabajos sobre celebraciones del carnaval español: V. Risco, *Notas sobre la fiesta del carnaval en Galicia:* RDTP 4 (1948) 163-196; E. Casas Gaspar, *El carnaval en España:* Homenaje a don Luis de Hoyos Sainz vol.2 (Madrid 1950) p.80-87.

[114] El texto en Clásicos Castellanos n.17 vol.2 p.80ss; ed., int. y notas por J. Joset. Según este autor, no consta que el Arcipreste se hubiera inspirado en una obra francesa semejante: *La bataille de Caresme et de Charnage*, como opina Caro Baroja. La temática de las estrofas de Juan Ruiz respondía a un substrato literario y tradicional muy corriente en toda Europa.

[115] «El mes era de mayo, un tiempo glorioso, / quando fazen las aves un solaz deleitoso, / son cubiertos los prados de vestido fermoso, / da sospiros la dueña, la que non ha esposo. / Tiempo dulz e sabroso por bastir casamientos, / ca lo tempran las flores e los sabrosos vientos, / cantan las donzelletas sos mayos a conventos...» (ed. D. A. Nelson, estrofas 1950-1951). Cita también este texto J. Caro Baroja, *La estación del amor...* p.23, calificándolo de *locus classicus* de la poesía medieval sobre el mes de mayo. La obra de Caro Baroja ofrece, además, infinidad de materiales, sistematizados y analizados, que tenemos muy en cuenta en estas páginas. Cf. también: A. González-Palencia-E. Mele, *La maya. Notas para su estudio* (Madrid 1944); M. Moral Moral, *Marzas y mayos:* RDTP 18 (1962) 258-265.

liturgia del Viernes Santo canta a la cruz de Cristo como al árbol «del que estuvo clavada la salvación del mundo». En dicha fiesta, algunos pueblos solían también hacer rogativas y bendecir los campos. La fiesta de San Gregorio Nacianceno (9 de mayo) tenía que ver con el poder regenerador de las aguas. Estas, bendecidas en dicha festividad y gracias al poder intercesor del Santo, adquirían virtudes extraordinarias en orden a favorecer la fecundidad agraria. En plena primavera se celebraban, asimismo, las rogativas llamadas *Litaniae maiores* (25 de abril, día de San Marcos), semejantes a las procesiones paganas que recorrían las campiñas —*Ambarvalias*— para conseguir de las divinidades la consolidación de las cosechas. Las *Litaniae minores* estaban fijadas en el calendario litúrgico tres días antes de la Ascensión. Y la recitación de las mismas iba a veces acompañada de prácticas supersticiosas[116].

La variada tipología de las fiestas de mayo vuelve a repetirse, con mayor riqueza de creencias mágico-supersticiosas, durante las fiestas solsticiales de San Juan Bautista. El fuego, símbolo del sol, y el agua fueron, y siguen siendo todavía, los elementos básicos de estas celebraciones. El culto al fuego y a las aguas, componentes esenciales de toda la vida cósmica, que hunde sus raíces en las más remotas épocas de la humanidad, se practicó también en España desde muy antiguo. Las hogueras de San Juan, que cubrieron y cubren esa noche las regiones de la Península, ponen de relieve, como afirma Caro Baroja, «que éstas tienen un carácter fundamentalmente preservativo, pues se cree que mediante ellas el hombre, los animales y las plantas, pueden prosperar de un lado, librándose de toda clase de maleficios por otro. Saltando sobre las hogueras, aspirando el humo, danzando a su alrededor, pasando niños sobre ellas dos personas mayores», se logra obtener infinidad de gracias materiales y espirituales[117]. Las posibilidades de las aguas sanjuaneras son también indefinidas y propicias para toda clase de sortilegios. Lo mismo ocurre con la abundante gama de «plantás de San Juan», dotadas de extraordinarios poderes benéficos[118]. La Iglesia, haciendo coincidir la solemnidad de San Juan y las fiestas del solsticio de verano, trató, una vez más, de contrarrestar las corrientes paganas persistentes en ellas recordando a los cristianos los poderes de San Juan, que había bautizado a Cristo en el Jordán, sobre toda clase de aguas. La devoción al Precursor, tanto dentro de España como en toda la Iglesia, fue extraordinaria, según indicamos ya antes. Por otra parte, el folklore que enriquece estas celebraciones religioso-profanas termina el día de San Pedro (29 de junio). Las relaciones del jefe de los apóstoles con las aguas y su patronazgo sobre los pescadores estuvieron presentes en la tradición festiva de muchos pueblos.

[116] Cf. J. CARO BAROJA, o.c., p.102s. Sobre las fiestas litúrgicas de rogativas: M. RIGHETTI, *Historia de la liturgia* vol.I p.850ss.

[117] Cf. V. GARCÍA DE DIEGO, *Cuestionario sobre la noche de San Juan:* RDTP 2 (1946) 157-160; J. TABOADA, *La noche de San Juan en Galicia:* RDTP 8 (1952) 600-632; J. ROMEU FIGUERAS, *La nit de Sant Joan* (Barcelona 1953); S. JIMÉNEZ SÁNCHEZ, *De folklore canario. El mes de San Juan y sus fiestas populares:* RDTP 10 (1954) 176-189; J. CARO BAROJA, *La estación del amor...* p.110ss.

[118] Una lista de las «plantás de San Juan»: J. TABOADA, a.c., p.617-622. Cf. también: J. CARO BAROJA, *La estación del amor...* p.202ss.

El tercer ciclo del calendario agrario cubre la última parte del verano y el otoño —los meses de julio-noviembre aproximadamente— y está íntimamente ligado al fenómeno de la recolección, de tanta trascendencia para la vida social y económica del hombre de todos los tiempos, y de manera particular para el medieval, cuya subsistencia dependía, en gran medida, de la tierra cultivada.

Las religiones precristianas, la romana entre ellas, tenían también fiestas importantes relacionadas con las labores de esta época del año, que dieron lugar a costumbres y prácticas festivas variadísimas. En la península Ibérica pervivieron muchas de ellas, algunas denunciadas ya por San Martín de Dumio en la conocida obra *De correctione rusticorum* por su clara impronta supersticiosa. Aparecen de nuevo los «mayos» y las hogueras como elementos característicos de las fiestas patronales de los pueblos. En ciertas localidades se celebran también juegos de mujeres de tipo farsesco [119]. Son frecuentes, además, las ofrendas del «ramo» en las solemnidades patronales y determinadas comidas que recuerdan viejos ritos de fecundidad o de ofrendas primiciales. Muchas danzas o bailes de corte aparentemente guerrero reproducían asimismo, y de forma inconsciente, comportamientos mágico-religiosos vinculados al mismo fenómeno de la fertilidad, continuando de ese modo antiguas celebraciones paganas que compaginaban lo agrario y lo bélico. La mayoría de los pueblos festejaba a sus patronos a lo largo de este período del año, el más holgado de todos desde el punto de vista económico. Las fiestas litúrgicas representativas del mismo fueron y siguen siendo en todas partes la Asunción (15 de agosto), la Natividad de María (8 de septiembre) —fiesta mariana bastante frecuente en los santuarios de montaña de algunas regiones norteñas—, San Miguel (29 de septiembre) y San Martín de Tours (11 de noviembre), la fecha habitual para comenzar los pagos de rentas anuales, especialmente en la baja Edad Media. La fiesta de Todos los Santos, que al principio se celebraba durante el tiempo pascual, fue trasladada en el siglo IX al 1.º de noviembre, sin que puedan determinarse con seguridad las razones últimas del cambio. No parece improbable que influyeran en él motivaciones relacionadas, de algún modo, con el mismo fenómeno de la recolección [120].

---

[119] Es famosa la fiesta de un pueblo de Soria que tiene a las mujeres como protagonistas: M. BRUGAROLA, *La pinochada de Vinuesa (Soria):* RDTP 6 (1950) 307-314.

[120] En los calendarios orientales antiguos, Todos los Santos se celebraban a los pocos días de la Pascua de Pentecostés o de Resurrección, o el 13 de mayo. Bonifacio IV (608-615) escoge esta última fecha para consagrar el panteón romano a *Sancta Maria ad Martyres*, prevaleciendo ese día sobre los otros para la celebración de la referida festividad. Gregorio IV (827-844) consigue de Ludovico Pío un decreto para la traslación de la fiesta al día 1.º de noviembre, tiempo de las cosechas, al parecer más propicio para abastecer a los peregrinos que acudían a Roma para venerar a los mártires el día de Todos los Santos (cf. M. RIGHETTI, o.c., p.964ss). Sobre el folklore religioso de este ciclo estacional cf. también: J. RAMÓN FERNÁNDEZ OXEA, *Ramos procesionales y de mayordomos:* RDTP 17 (1961) 93-125. Las fiestas agrícolas y patronales iban unidas frecuentemente a las ferias de la localidad (cf. L. DE HOYOS SAINZ, *Fiestas agrícolas:* RDTP 4 [1948] 15-35).

VI. SUPERSTICIONES Y DESORDENES MORALES MAS GRAVES

La religiosidad del hombre medieval contenía muchos elementos de carácter supersticioso, entendido lo supersticioso como aquellas formas de creencia y de práctica religiosa que no procedían de la fe o de la liturgia cristianas rectamente interpretadas. Lo hemos insinuado repetidamente al hablar de las fiestas litúrgicas y populares en las páginas anteriores. Además, en otras partes de la Iglesia el clima de superstición era similar o más intenso todavía que en la Península.

Sin embargo, el calificativo de supersticioso predicado de muchos comportamientos medievales no resulta unívoco con el significado que esta aberración tiene en la actualidad. Muchas de las prácticas o creencias típicas del Medievo que hoy tildaríamos, sin más, de supersticiosas, no lo eran para el hombre de entonces, que procedía frecuentemente de esa forma por pura ignorancia. Estaba habituado a descubrir la presencia de lo trascendente en acontecimientos naturales que nada tienen que ver con la intervención inmediata de los seres sobrenaturales. Por otra parte, la formación bíblica de entonces, incluso la de los más cultos, no podía descubrir todavía el antropomorfismo de la acción salvadora de Dios, característico de muchos pasajes de los libros sagrados, especialmente del Antiguo Testamento. Cuando Sampiro afirma en su *Chronicon* que el Señor había hecho detenerse al sol durante una hora en la batalla de Simancas para que Ramiro II y las tropas cristianas desbarataran a las musulmanas, está recordando un pasaje similar de la Biblia[121]. Esta forma ingenua de entender lo religioso era común a todos los grupos sociales, desde los más ignorantes hasta los mejor instruidos. El cronista citado poseía una cultura notable. Los estamentos nobiliarios participaban de la misma sensibilidad religiosa, y los propios reyes pensaban de manera semejante. Alfonso el Batallador, por ejemplo, creía en agüeros, según el testimonio de la reina Urraca, que aduce ese delito como una parte del duro alegato contra el soberano aragonés[122]. Y es cosa sabida que tanto las ordalías como las pruebas judiciales del agua caliente o del fuego estuvieron en vigor mucho tiempo. Otra larga serie de supersticiones procedía de un modo de entender lo religioso heredado, en la mayoría de los casos de forma no refleja, de antiguas tradiciones religiosas precristianas de índole naturalista y vitalista. No conviene olvidar que la población medieval era fundamentalmente campesina, y vivía muy atenta al curso de los acontecimientos naturales, de los que dependía la subsistencia diaria. Nada tiene de extraño que recurriera fácilmente a explicaciones trascendentes, atribuyendo, sin

---

[121] «Et reversus est Sol in tenebras in universo mundo per unam horam. Rex noster catholicus hec audiens, illuc ire disposuit cum magno exercitu. Et ibidem dedit Dominus victoriam regi catholico qualiter die II feria inminente festo Sanctorum Iusti et Pastoris. Delecta sunt ex eis LXXX milia maurorum» (ed. J. Pérez de Urbel, p.325-326). La versión silense de la *Crónica de Sampiro* no hace referencia al fenómeno del sol; pero, en cualquier caso, el autor de la versión pelagiana fue también un obispo historiador: Pelayo de Oviedo.

[122] «Ipse... nulla discretionis ratione formatus, auguriis confidens et divinationibus corvos et cornices posse nocere, irrationabiliter arbitratus» (*Historia compostelana* l.1. c.64: ES XX p.116; cit. Por B. Martínez Ruiz, *Notas sobre las creencias y supersticiones de los caballeros medievales:* CHE 3 [1945] 165).

más, a Dios la responsabilidad de todo lo benéfico, y al diablo o a los malos espíritus, la causalidad de lo maléfico.

Con todo, y a pesar de lo difícil que resulta trazar la línea divisoria precisa entre lo supersticioso y lo que se entendía por verdaderamente religioso y cristiano, los concilios y los sínodos españoles se pronunciaron repetidas veces contra varias prácticas —no tanto contra las creencias subyacentes en las mismas— de naturaleza supersticiosa. Las más frecuentes fueron la magia —el arte de conseguir efectos prodigiosos recurriendo a medios ordinarios o al poder del demonio— y la adivinación o sorterería. La hechicería y la brujería, secuelas ordinarias de las prácticas mágicas, abundarán, sobre todo, en los siglos bajomedievales y durante los primeros tiempos de la Edad Moderna [123]. El «mal de ojo», por ejemplo, fue una creencia muy extendida en toda la Península tanto a lo largo de la Edad Media como después. Para combatirlo funcionaba también una rica gama de amuletos y talismanes. Parece que Galicia tenía este tipo de superstición profundamente arraigado en la conciencia del pueblo [124].

La predicción del futuro —la adivinación y la sortererría— fueron asimismo creencias y artes muy populares en todo el Medievo, a pesar de las repetidas sanciones eclesiásticas contra esta clase de extrapolaciones de lo religioso. A muchos animales de color negro se les consideraba de mal agüero, y algunos de ellos, al parecer, habían tenido categoría de sagrados en la antigüedad [125]. Personalidades tan recias como la del Cid procuraban escrutar los augurios de las aves y había clérigos expertos en realizar sortilegios. Un sínodo de León ordena el año 1267, bajo pena de excomunión, «que ningún clérigo sea encantador, nen adevinador, nen sortorero, nen aqueyador». Y sabemos de algún obispo castigado por practicar la nigromancia [126].

El concilio de Valladolid (1322), haciéndose eco de esta corriente de graves desórdenes, se muestra intransigente contra «la superstición de los sortilegios, hechiceros, encantadores y adivinos» [127].

El cultivo de la astrología, que se intensifica en los distintos reinos peninsulares gracias a las numerosas traducciones de literatura oriental realizadas en la Península desde el siglo XII, también contribuyó a favorecer el clima de superstición dentro de los ambientes más cultos. Alfonso X el Sabio considera este conocimiento como una verdadera ciencia, pero mu-

[123] C. DI MARIA, Enciclopedia della magia e della stregoneria (Milán 1967); J. GRAU, La magia (Barcelona 1965); J. CARO BAROJA, Las brujas y su mundo (Madrid 1968) 2.ª ed.
[124] V. RISCO, Apuntes sobre el mal de ojo en Galicia: RDTP (1961) 66-92.
[125] Cf. R. VIOLANT Y SIMORRA, Los animales de color negro en las supersticiones españolas: RDTP 9 (1953) 272-328.
[126] R. Martínez Ruiz (a.c., p.163) cita varios textos cidianos en los que aparece esta preocupación del héroe castellano por los augurios de las aves. La disposición sinodal de León (cf. J. TEJADA Y RAMIRO, o.c., p.390). Pedro Muñiz, arzobispo de Santiago de Compostela (1207-1224), fue acusado de nigromante y encerrado en un eremitorio por orden del papa Honorio III. Miguel Jiménez de Urrea, obispo de Tarazona (1309-1317), pasaba por ser un experto en nigromancia (cf. J. SÁNCHEZ HERRERO, Las diócesis... p.358).
[127] J. TEJADA Y RAMIRO, o.c., vol.3 p.503. El concilio se muestra muy cauto para la aplicación de la llamada «purgación canónica» —la demostración de la inocencia jurando ante el altar o sobre los evangelios— y condena la vulgar —el recurso a la prueba del hierro caliente y del agua hirviendo— bajo pena de excomunión.

hos otros hombres de la época recurren a ella para llevar a cabo prácticas divinatorias [128].

El fuerte arraigo de elementos religiosos precristianos, que no desaparecieron con la implantación definitiva del cristianismo; la perplejidad constante experimentada por el hombre medieval ante fenómenos tan cotidianos como el poder fecundante del sol y de la lluvia, las tormentas y otros semejantes, unida a la falta de discernimiento adecuado para captar el ámbito específico de lo cristiano, propiciaron, asimismo, la gestación de verdaderas mitologías, vertebradas en torno a seres supranaturales que controlaban dichos fenómenos. Esos seres eran temidos porque podían causar trastornos graves; algunos de ellos poseían virtudes benéficas y maléficas —tal es el caso de las «meigas» gallegas y las «xanas» asturianas—, sin que faltaran tampoco otros caracterizados por su talante travieso y burlón. Aunque los nombres de dichos personajes mitológicos no coincidan en las distintas regiones, su tipología y sus funciones son bastante similares. Este mundo religioso, variopinto y complejo, existía ya en la primera época de la Iglesia, perdurando durante el Medievo y penetrando, más tarde, en los siglos modernos [129].

Ante las lluvias y las tempestades, detrás de las cuales el hombre creía descubrir un poder infernal y destructor, fue surgiendo en muchos sitios un folklore religioso, mezcla de superstición y de ritos cristianos paralitúrgicos, destinado a lograr la adecuada protección contra esas fuerzas sobrehumanas. Los ramos benditos plantados en los campos para defenderlos del granizo, de los rayos, de las brujas conductoras de nubes y tormentas, los rezos específicos, el toque de campana, las invocaciones singulares y los conjuros contra el mal tiempo pertenecen al acervo tradicional de todos los pueblos peninsulares [130]. El valor hierofánico de algunas piedras, reconocido universalmente y desde las épocas más remotas, constituyó la base de creencias y leyendas que pervivieron mucho tiempo en numerosas localidades españolas [131].

Uno de los motivos más pintorescos de la devoción popular lo constituyen las llamadas «cartas del cielo»: supuestos mensajes enviados por el Señor de manera prodigiosa para algún predestinado. Esta forma devocional, de origen oriental y bastante extendida en los primeros siglos, dio lugar a la composición de ejemplares griegos, latinos, árabes, siríacos y etíopes. Existen también réplicas en catalán y en castellano. Las catalanas, unas en prosa y otras versificadas, comienzan a aparecer a lo largo del siglo XIV. Las castellanas son un poco posteriores [132].

---

[128] «Et son dos maneras de adevinanza: la primera es la que se face por arte de astronomía, que es una de las siete artes liberales, et ésta segunt el fuero de las leyes non es defendida de usar a los que son ende maestros et la entienden verdaderamente... mas los otros que non son ende sabidores non deben obrar por ella... La segunda manera de adevinanza es de os agoreros, et de los sorteros, et de los fechiceros, que catan en agüero aves, o de estornudos, o de palabras...» *(Part.* VII tít.23 1.1).

[129] En la introducción bibliográfica correspondiente a este apartado se hace referencia a varias obras relacionadas con la mitología de las distintas regiones.

[130] J. ROMEU FIGUERAS, *Folklore de la lluvia y de las tempestades:* RDTP 7 (1951) 292-326.

[131] J. AMADES, *Piedras de virtud:* RDTP 7 (1951) 84-131.

[132] R. ARAMÓN I SERRA, *Dos textos versificats en català de la carta tramesa del Cel:* Estudis Universitaris Catalans 14 (1929) 279-298; J. AMADES, *Cartas del cielo:* RDTP 14 (1958) 39-51;

A la luz de la legislación conciliar y sinodal, los desórdenes morales más frecuentes en la Iglesia española eran semejantes a los cometidos por los fieles de otras latitudes. El catálogo de transgresiones graves recogido en las actas del concilio de Coyanza: «que los abades-arcedianos y presbíteros, en observancia de los sagrados cánones, inviten a penitencia a los adúlteros, incestuosos, sanguinarios, ladrones, homicidas y hechiceros», se repetirá casi sistemáticamente, y con algunas variantes, en numerosas asambleas legislativas posteriores [133]. El delito de incesto, que condenan otras asambleas conciliares, coincide seguramente con la irregularidad cometida por quienes contraían matrimonio en un grado de parentesco prohibido por los cánones. Con todo, los pecados sexuales de diversas especies fueron habituales en todas las capas de la población a lo largo del Medievo. Las acciones contra las personas, que frecuentemente llegaban al homicidio, y los latrocinios constituyeron también el objeto de reiteradas condenas jerárquicas, signo inequívoco de su profundo arraigo en la sociedad de la época. Las fuentes literarias confirman, por su parte, la extensión y la importancia de estas plagas sociales en todos los reinos peninsulares. Pero quienes las sufrían de manera especial eran los sectores más bajos. En los grupos privilegiados, la violencia, como medio de consolidar la posición privilegiada, estaba prácticamente institucionalizada. La clerecía, quizás un número minoritario de sus miembros, tampoco era ajena a todas estas lacras morales [134].

Otro de los delitos cometidos con relativa frecuencia eran los incendios realizados de forma intencionada. Figura ya denunciado en algún concilio de los siglos XI y XII, pero los bajomedievales hacen referencia a él varias veces. El enfrentamiento de los grupos nobiliarios y los graves desórdenes político-sociales de la última parte de la Edad Media crearon un ambiente propicio para que se produjeran estos daños personales o colectivos [135]. La violación de la inmunidad de las personas y bienes de la Iglesia fue objeto repetidas veces de la atención de los legisladores eclesiásticos y civiles.

VII. LA PRACTICA ASOCIADA DE LA CARIDAD

La Iglesia peninsular, al igual que la de otras partes, por medio de sus instituciones específicas o gracias a la ayuda de los laicos asociados en gru-

G. LLOMPART, *Nótulas sobre «cartas del cielo»*: RDTP 27 (1951) 33-39. El autor ofrece los textos de una carta castellana del siglo XVI y de otra catalana del XIX. Recoge una cita de G. van der Leeuw, según el cual el «libro de Mormon es el último eslabón de la cadena de cartas del cielo».

[133] A. GARCÍA GALLO, *El concilio de Coyanza...* p.23.

[134] «Cuando la justicia seglar cogiere *in fraganti* a algún clérigo cometiendo delito de hurto, rapiña, homicidio, rapto de mujeres o falsificación de moneda... el preso será castigado canónicamente» (can.27 del concilio provincial de Lérida, 1229). El can.28 establece que los clérigos culpables de tales delitos, merecedores de la pena capital, «sean degradados de sus órdenes» (J. TEJADA Y RAMIRO, o.c., vol.3 p.339).

[135] Sobre los incendiarios cf. el concilio de Tulujas (Rosellón), del año 1065 (J. TEJADA Y RAMIRO, o.c., vol.3 p.123); el de Lérida, de 1173 (ibid., p.286); o el de Tarragona, de 1239 (l.c., p.349).«La malicia detestable, devastadora y abominable de los incendios» había sido ya condenada solemnemente por el Lateranense II (1139) en su can.18.

)os bien definidos —cofradías—, asumió, prácticamente en exclusiva, la
area de atender el sector más necesitado de la sociedad, al menos a lo
argo de toda la primera parte del Medievo. Las dificultades de subsisten-
:ia, la muerte precoz, el hambre y, en general, la pobreza eran calamida-
les que acechaban siempre, aun en los períodos de crecimiento y de desarrollo económicos, a muchas personas ubicadas en distintos estratos socia-
es. Pero estos males se convirtieron, sobre todo, en «la dote de las clases
)obres, a las que la explotación feudal forzaba a vivir al borde del límite
alimenticio y a las que una mala cosecha precipitaba en el abismo del ham-
)re» [136].

Las dramáticas palabras de Le Goff constituyen también un diagnós-
:ico válido para la sociedad de los distintos reinos peninsulares. La existen-
:ia de pobres es un hecho constatado desde muy pronto por actas conciliares y documentos de todo tipo. La caracterización exacta de la pobreza,
siempre difícil de realizar debido a los múltiples aspectos que comporta, ha
sido elaborada por M. Mollat de forma clara y suficientemente amplia, y
sirve, sin duda, para definir la situación real de los *pauperes* en el Medievo
hispano. «El pobre —afirma Mollat— es aquel que, de manera permanente
o temporal, se encuentra en una situación de debilidad, de dependencia,
de humillación, caracterizada por la privación de medios, variables según
las épocas y las sociedades, de poder y de consideración social: dinero,
relaciones, influencia, poder, ciencia, cualificación técnica, linaje, vigor físico, capacidad intelectual, libertad y dignidad personales. Vive mala-
mente al día y no tiene posibilidad de superar su precaria situación sin la
ayuda de los demás» [137].

Durante la alta Edad Media, las iglesias y los pequeños cenobios de los
reinos cristianos españoles eran suficientes para subvenir las necesidades
más perentorias de los indigentes ubicados en un marco social esencialmente rural. Parece que en los primeros tiempos de la Reconquista siguieron la tradición visigoda relacionada con el ejercicio de las funciones asistenciales y caritativas. En vez de dedicar una cuota fija de los ingresos
eclesiásticos a los necesitados, las cantidades a repartir entre los pobres,
peregrinos, viudas y huérfanos quedaban a discreción de los obispos y
rectores de las iglesias monásticas y parroquiales [138]. Las donaciones de los
particulares a entidades eclesiásticas, cuya frecuencia y valor serán cada
vez mayores con el paso de los siglos, mencionan en muchas ocasiones a los
servos Dei que vivían en ellas. Cuando el canon quinto del concilio de Coyanza (1055) regula la presencia de los clérigos en los banquetes funerarios, prescribe al mismo tiempo que se invite a esta clase de comidas a los
pobres y débiles. Seguramente que existían iniciativas privadas de carácter

---

[136] J. LE GOFF, *La civilización del Occidente medieval* p.329-330.
[137] M. MOLLAT, *Les pauvres au Moyen Âge. Étude social* p.14. Cf. también un estudio de la
realidad social de la pobreza y de los pobres en la baja Edad Media en J. L. MARTÍN, *La
pobreza y los pobres en los textos literarios del siglo XIV*, en «A pobreza e a assistência...» vol.2
p.587-635; y J. VALDEÓN BARUQUE, *Problemática para un estudio de los pobres y de la pobreza en
Castilla a fines de la Edad Media:* l.c., vol.2 p.889-918.
[138] Sobre la asistencia caritativa en la Iglesia visigótica cf. G. MARTÍNEZ DÍEZ, *El patrimonio
eclesiástico en la España visigoda* p.84ss; J. ORLANDIS, *La asistencia a los pobres en la Iglesia visigótica*, en «A pobreza e a assistência...» vol.2 p.699-715.

asistencial en estos primeros siglos, además de las canalizadas a través de las donaciones hechas a las distintas iglesias, pero resulta difícil valorar su significación cuantitativa y social. Más tarde, a lo largo de los siglos XIII y XIV sobre todo, al imponerse la costumbre de hacer testamento, las mandas espontáneas en favor de los pobres serán habituales y cuantiosas.

A partir del siglo XI, con el perfeccionamiento de las estructuras diocesanas y parroquiales, se institucionalizan las funciones asistenciales de las iglesias, practicadas hasta entonces de forma más o menos arbitraria, y comienzan a surgir diversas obras vinculadas a las catedrales y a las parroquias, que garantizaban de manera permanente una ayuda a los necesitados. Los pobres de solemnidad —*matricularii*— reciben ayuda de los cabildos catedralicios regularmente. La almoina de la catedral de Barcelona, por ejemplo, asistía a los menesterosos por lo menos desde el siglo XII, y en otras sedes de la Tarraconense funcionaron también instituciones similares. Se sabe además que en las parroquias existían, asimismo, organismos destinados a subvenir las necesidades de otras clases de pobres. Durante la baja Edad Media, en ocho parroquias barcelonesas estaba abierto el llamado *Bací, Colecta* o *Plat* de los pobres vergonzantes [139]. El más antiguo de estos organismos, ligado a la iglesia parroquial de Santa María del Mar, ejercía sus funciones específicas desde la última parte del siglo XIII. Las iglesias de los reinos occidentales tendrían seguramente instituciones benéficas o caritativas semejantes. En la catedral de Zamora y en una de las parroquias urbanas de aquella sede existía una obra llamada el *Arca de la Misericordia,* con objetivos parecidos a los perseguidos por las obras pías catalanas [140].

En la undécima centuria, y sobre todo a lo largo de las siguientes, florecieron también por todos los reinos peninsulares asociaciones de índole religioso-social con finalidades asistenciales: las cofradías. El renacimiento de la vida ciudadana con el auge del artesanado y del comercio y la atracción ejercida por los núcleos urbanos sobre la población campesina circundante, propiciaron la aparición de grupos de personas desarraigadas e indigentes en torno a las nuevas urbes, originando problemas sociales específicos que demandaban un tipo de ayuda distinta a la prestada tradicionalmente por los eclesiásticos [141]. Las cofradías, de las que ya formaban parte los laicos, trataron de remediar esta presencia más intensa y visible de la pobreza. Con todo, la escasez de grandes concentraciones urbanas en España es un hecho claro hasta muy avanzada la Edad Media, y, sin embargo, la abundancia de esta clase de agrupaciones voluntarias fue una

---

[139] Sobre estas instituciones caritativas cf. C. BATLLE, *La ayuda a los pobres en la parroquia de San Justo de Barcelona,* en «A pobreza e a assistència...» vol.1 p.59-71; J. BAUCELLS I REIG, *La pia almoina de la seo de Barcelona. Origen y desarrollo:* l.c., p.73-135; J. F. CABESTANY-S. CLARA-MUNT, *El «Plat dels pobres» de la parroquia de Santa María del Pi de Barcelona (1401-1428):* l.c., p.157-218; M. RIU, *La ayuda a los pobres en la Barcelona medieval: el «Plat dels pobres vergonyants» de la parroquia de Santa María del Mar:* l.c., vol.2 p.783-811.

[140] J. SÁNCHEZ HERRERO, *Las diócesis...* p.403. Las referencias documentales que ofrece este autor sobre dicha obra son del siglo XV.

[141] M. Mollat hace suya la expresión «la misère est fille de la ville» (M. MOLLAT, *Pauvres et assistés au Moyen Age,* en «A pobreza e a assitència...» vol.1 p.23). Para este autor como para muchos otros, las catástrofes económicas, sociales y demográficas del siglo XIV supusieron un hito muy importante en la historia de la pobreza y de la asistencia a los pobres.

ealidad patente. Por eso, sin infravalorar la influencia de la economía y
le la sociedad urbanas como causas importantes del asociacionismo que
urge con fuerza en los siglos medios del Medievo, a la hora de analizar la
énesis de este fenómeno conviene tener en cuenta factores propios de la
sicología social de la época: la «necesidad de unirse o asociarse —afirma
W. Ullmann— se explica por sí misma, si recordamos debidamente que la
:dad Media se caracterizó por el sentimiento de inseguridad y por la ca-
encia de una protección eficaz. Basta observar la debilidad de los medios
le protección de la propiedad privada y la tentación que ello suponía para
quellos que estaban en posición menos afortunada; tampoco resulta difí-
il darse cuenta de los estragos que causaban las enfermedades y las catás-
rofes naturales y de que no había idea de seguridad ni de ningún tipo de
ecurso —como los que existen hoy— para contrarrestar tales efectos»[142].

La tipología de las cofradías creadas, aparentemente variada, tiene
nuchos elementos comunes. Podrían delinearse posiblemente dos grupos
listintos: aquellas en las que predominaba la función benéfico-religiosa y
as profesionales. Las primeras, dedicadas a la Virgen o a un santo, cele-
raban anualmente las fiestas patronales y atendían a sus miembros en
aso de necesidad y de muerte. Además, socorrían a otros menesterosos,
ecibiéndolos en las alberguerías u hospitales que fundaban, si sus recur-
os se lo permitían. Empiezan a surgir en el siglo XI, y durante los dos
iguientes experimentaron un extraordinario desarrollo. Una de las pri-
neras que conocemos en los reinos occidentales es la de San Esteban de
Astorga; funcionaba con seguridad durante el siglo XI, pero probable-
nente había comenzado ya su andadura histórica a finales del anterior. La
ofradía de Nuestra Señora de Roncesvalles, fundada el año 1110 en Sa-
amanca para atender al hospital del mismo nombre, estaba formada por
loce clérigos y otros tantos laicos[143].

Las cofradías de tipo profesional comienzan a multiplicarse desde el
iglo XII. A los objetivos benéfico-piadosos añadían la defensa de los inte-
eses propios de la profesión de quienes las componían, por lo general
ersonas de un mismo oficio artesanal, poniendo especial cuidado en las
yudas económicas y en la previsión social de los mismos. También existie-
on cofradías o hermandades constituidas por elementos pertenecientes a
n determinado grupo o estamento social, que tenían, lógicamente, un
arácter defensivo frente a otros grupos más poderosos. Así las hubo de
echeros, de libertos, de caballeros, de clérigos. Los monarcas fomenta-
on, a veces, la creación de las fraternidades de caballeros para determi-
ados fines de tipo militar o político[144].

---

[142] W. ULLMANN, *Principios de gobierno y política en la Edad Media* p.220.
[143] Sobre las dos cofradías citadas: J. SÁNCHEZ HERRERO, *Las diócesis...* p.445ss y p.468. En
a misma obra (p.440-480), este autor ofrece una relación de las cofradías de las diócesis del
eino de León cuya existencia ha podido constatar documentalmente. Muchas son ya del
iglo XV.
[144] Algunos ejemplos: L. J. MCCRANK, *The foundation of the Confraternity of Tarragona bay
rchbishop Oleguer:* Viator 9 (1978) 157-177; A. ANDRÉS, *Estatutos de la cofradía de San Benito de
ulebras (siglo XIII):* Universitas (Zaragoza) 11 (1934) 13-22; Arnalt de Barbazán, obispo de
amplona (1318-1355), aprobó las constituciones de la cofradía de San Blas, de Pamplona, y
as de «Oculi mei», en San Nicolás y San Cernín, de dicha ciudad (cf. J. GOÑI GAZTAMBIDE,

Las cofradías o hermandades de clérigos tuvieron una especial significación desde el punto de vista eclesiástico. Nacen a lo largo de los siglos XII-XIII, al aumentar el número de miembros de la clerecía adscritos a las parroquias de las ciudades más importantes. Estos se unían para defender sus derechos e intereses, sobre todo los económico-beneficiales, frente a las autoridades civiles o jerárquicas. A finales del siglo XII, por ejemplo, los miembros del clero parroquial de Toledo, asociados en una hermandad, chocan violentamente con el cabildo de la ciudad por asuntos pecuniarios, teniendo que entender en el litigio el tribunal papal. Parece que la clerecía de Toledo y de las restantes sedes sufragáneas llegaron a una rebelión abierta contra las autoridades eclesiásticas, provocando una intervención del papa Lucio III (1181-1185), que prohíbe tales confraternidades. Años más tarde (1199), Inocencio III reiterará la sanción [145]. A finales del siglo XIII, al crearse las grandes hermandades castellanas para hacer frente a la caótica situación sociopolítica de aquellos años, miembros destacados del clero, familiarizados ya con este tipo de asociaciones, formarán parte también de ellas [146].

Para la historia de la espiritualidad medieval tuvieron, asimismo, importancia las cofradías penitenciales. Sus miembros participaban en el misterio de la pasión de Cristo y de María mediante la práctica de actos penitenciales. Los Hermanos de la Penitencia de Cristo, en Salamanca, se constituyen como fraternidad a mediados del siglo XIII. Al final del Medievo proliferarán las cofradías de disciplinantes [147].

La hospitalidad con los pobres y peregrinos, así como la atención y cuidado de los enfermos, fue otra de las constantes del ejercicio asociado de la caridad. El año 1322, el cardenal Guillermo de Godin promulgaba para las casas religiosas la siguiente constitución: «Queriendo que los clérigos, y más aún los rectores de las iglesias, sean, en cumplimiento de su oficio, hospitalarios con los transeúntes, establecemos que los rectores y curas de las parroquias ejerzan la caridad, según sus facultades, con los

Historia de los obispos de Pamplona. Siglos XIV-XV p.174); F. FITA, *El fuero de Uclés:* BAH 14 (1889) 346-350 (estatutos de la cofradía de Santiago, de Uclés); J. RODRÍGUEZ FERNÁNDEZ, *El pendón isidoriano de Baeza* (León 1972) (cofradía del siglo XII que conmemora la victoria del mismo nombre alcanzada por Alfonso VII con la ayuda de este santo. Parece que el rey y lo obispos que intervinieron en dicha fundación querían constituir una cofradía que solemnizara el suceso y fomentara la devoción a San Isidoro); P. RASSOW, *La cofradía de Belchite* AHDE 3 (1927) 200-226; A. UBIETO ARTETA, *La creación de la cofradía militar de Belchite* EEMCA 5 (1952) 427-434; M. DE LAURENCÍN, *Libro de la Cofradía de Caballeros de Santiago de la Fuente:* RABM 9 (1905) 1-23; J. GOÑI GAZTAMBIDE, *Historia de la Bula...* apénd.3 p.644-64. (Hermandad de Santa María del Pilar, para combatir partidas de agarenos); Jaime II de Aragón funda una cofradía en 1315 para combatir en la cruzada (M. DE BOFARULL, *Colección de documentos inéditos del Archivo de la Corona de Aragón* vol.40 p.49-53); J. MADURELL MARIMÓN, *Dos manuscritos de la «Confraria del senyor Rey»:* HS 21 (1968) 429-480; M. GUAL CAMARENA, *Una cofradía de negros libertos en el siglo XV:* EEMCA 5 (1952) 457-466; J. M. MARCH, *La confraria dels correus en la ciutat de Barcelona sota la invocació de la Verge Maria en la capella d'en Marcús:* AST 6 (1930) 107-126 (del siglo XV).
[145] Todos los episodios: J. F. RIVERA RECIO, *La Iglesia de Toledo...* vol.2 p.133ss. Cf. también: A. SIERRA CORELLA, *El cabildo de párrocos de Toledo:* RABM 49 (1928) 97-114; J. GONZÁLEZ, *La clerecía de Salamanca durante la Edad Media:* H 3 (1943) 409-430.
[146] L. FERNÁNDEZ MARTÍN, *La participación de los monasterios en la hermandad de los reinos de Castilla, León y Galicia (1282-1284):* HS 25 (1972) 5-35.
[147] Cf. J. SÁNCHEZ HERRERO, *Las diócesis...* p.468; cf. también en la relación de las cofradías que nos ofrece este autor alguna orientada a esta finalidad.

religiosos pobres y con los peregrinos que van de camino. En donde haya casas de hospicio, destinadas especialmente a este objeto, cuidarán los rectores y curas de que nada falte en ellas y que la hospitalidad se conceda cual corresponde. Los ordinarios del lugar tratarán de que los rectores de las iglesias realicen dicha función de manera adecuada» [148]. Con este ordenamiento, el legado papal intentaba reactivar una vieja tradición hospitalaria, cuyos inicios podrían situarse en la fundación de un gran hospital llevada a cabo por el metropolitano de Mérida Masona († 606) [149]. Durante los primeros siglos medievales, las «casas de hospicio», de las que hablan las actas del concilio de Valladolid, debían de estar anexionadas a las residencias episcopales de cada ciudad y a los monasterios, todavía pequeños y de pocos recursos económicos. Tanto la Regla de San Benito como la de San Isidoro inculcaron a los monjes el ejercicio esmerado de la caridad hospitalaria. Con todo, no existen noticias de la creación de hospitales hasta el siglo X. En esta centuria, Ramiro II de León, por ejemplo, otorga una donación al monasterio de Sahagún (945) para que los miembros de aquella comunidad monástica pongan en marcha un hospital de peregrinos. El conde castellano García Fernández hace lo mismo (971) en San Pedro de Cardeña [150]. A partir del siglo XI, las referencias relacionadas con esta clase de fundaciones son ya frecuentes. Se construyen hospitales en las ciudades que comienzan a desarrollarse lentamente y junto a los caminos de peregrinación que conducían a los santuarios más frecuentados. Un buen número de tales fundaciones, al principio de proporciones modestas, estuvieron a cargo de las cofradías, que también velaban por su mantenimiento. Otras se debían a la iniciativa de particulares. El obispo Pelayo de León pone en marcha el año 1084 el de Santa María de Regla. Diego Gelmírez despliega también una amplia actividad en la ciudad del Apóstol, reparando hospitales arruinados por las guerras de la época de la reina Urraca y fundando uno de nueva planta. En el mismo siglo XII funcionan tres centros hospitalarios en la ciudad de Barcelona: Santa Margarita dels Masells (leprosos), creado por el obispo y los canónigos; el de Sant Llatzer, también para los aquejados de la lepra, y un tercero en la parroquia de Santa María del Mar, levantado a expensas del mercader Bernat Marcús [151]. El rey castellano Alfonso VIII (1158-1214) culmina su amplia labor asistencial con la erección del magno Hospital del Rey, en la ciudad de Burgos, dotándolo munificentemente [152]. Alguna abadía francesa de relieve, como Santa María de Roc-Amadour, tenía alberguerías propias en la

---

[148] J. TEJADA Y RAMIRO, o.c., vol.3 p.491.

[149] «Deinde Xenodochium fabricavit, magnisque patrimoniis ditavit, constitutisque ministris vel medicis, peregrinorum et aegrotantium usibus deservire praecepit, taleque praeceptum dedit, ut cunctae urbis ambitum medici indisinenter percurrentes quemcumque serum seu liberum, christianum seu judeum, reperisent aegrum, ulnis suis gestantes ad xenodochium deferrent» *(De Vita PP. Emeritensium*: ES XIII p.359).

[150] L. SÁNCHEZ DE PARGA-J. M. LACARRA-J. URÍA RIU, *Las peregrinaciones...* vol.1 p.292ss.

[151] Los hospitales de las sedes del reino de León en la Edad Media: J. SÁNCHEZ HERRERO, *las diócesis...* p.481ss. Sobre los de Barcelona: M. RIU, *La ayuda a los pobres de Barcelona...*, en *A pobreza e a assistência...* p.787-788.

[152] J. GONZÁLEZ, *El reino de Castilla en la época de Alfonso VIII* vol.1 p.610-613. Cf. también: A. RODRÍGUEZ ALBO, *El monasterio de Santa María la Real de las Huelgas de Burgos y el Hospital el Rey* (Burgos 1907).

Península para atender a los peregrinos. Las órdenes militares, San Juan de Jerusalén especialmente, desempeñaron, asimismo, una función importante en el campo de la asistencia social y caritativa.

El camino de Santiago estaba jalonado de centros asistenciales de mayor o menor envergadura. Había hospitales «en San Juan de la Peña (Huesca), Leyre e Irache (Navarra), Nájera (Logroño), Santa Coloma y San Pedro de Cardeña (Burgos), Carrión de los Condes y Benevivere (Palencia), Sahagún, San Pedro de Dueñas y San Salvador de Astorga (León) Ferreiros y otros» [153]. Burgos, etapa obligada del viaje a Santiago, llegó a tener más de 30 instituciones hospitalarias a lo largo de la Edad Media. La ciudad de León, 17; Astorga, 20; Zamora, 11; Salamanca, 28; Palencia, 4 Valladolid, 9 [154].

La lepra, término genérico que servía para denominar varias enfermedades de la piel, contaba con centros especiales, puestos frecuentemente bajo la advocación de San Lázaro (lazaretos). Las mandas testamentarias destinadas a esta clase de instituciones benéficas fueron siempre abundantes y muy generosas. El testamento de un arcediano de Oviedo datado el año 1367, destina parte de los bienes de su autor a 12 leproserías ubicadas en la región asturiana. La pelagra, llamada más tarde «lepra asturiana», estuvo muy extendida por Asturias, Galicia y otras regiones peninsulares, así como fuera de España [155].

A finales del Medievo, muchos hospitales antiguos no estaban ya en condiciones de hacer frente al aumento de población experimentado por algunas ciudades ni de responder adecuadamente a la demanda provocada por las calamidades de aquella época, de manera especial las ocurridas en los períodos de pestes del siglo XIV. A partir del XV se produce un movimiento de construcción de grandes centros hospitalarios, que nacen gracias a la concentración de otros más pequeños, pertenecientes, por lo general, a distintas cofradías. El Hospital de la Santa Creu de Barcelona por ejemplo, erigido por Benedicto XIII el año 1401, recibe el patrimonio de otros seis, cuyas rentas se fusionaron para hacer frente a la nueva situación de la ciudad, que había crecido extraordinariamente [156]. El Hospital de las Cinco Llagas de Astorga nace en la época moderna por la unión de los bienes de varias cofradías medievales.

Durante este período final del Medievo, los municipios participan y claramente en el mantenimiento de las instituciones hospitalarias, al lado de las obras de beneficencia patrocinadas por las cofradías y las iniciativas privadas.

Los peregrinos de los reinos de Castilla y Aragón que viajaban a Roma disponían también allí de hospitales propios. Los orígenes del de Castilla

[153] L. VÁZQUEZ DE PARGA-J. M. LACARRA-J. URÍA RIU, *Las peregrinaciones...* vol.1 p.302.
[154] La estadística cubre el período de los siglos XI-XV. Y está tomada de J. SÁNCHEZ HERRERO, *Las diócesis...* p.481-507. No se incluyen en ella otros hospitales situados fuera de las respectivas ciudades episcopales.
[155] L. VÁZQUEZ DE PARGA-J. M. LACARRA-J. URÍA RIU, *Las peregrinaciones...* p.407ss. Para el testamento aún inédito: Arch. Cap. Oviedo, serie B, carp.5 n.11 (cf. S. GARCÍA LARRAGUETA, *Catálogo de pergaminos de la catedral de Oviedo* n.409 p.146: regesto).
[156] Cf. *L'Hospital de Santa Creu i Sant Pau. L'Hospital de Barcelona* (Miscélanea; Barcelon 1972).

]ue suelen retrotraerse hasta la última parte del siglo XIII, atribuyendo su
'undación al infante D. Enrique, hermano de Alfonso X el Sabio, están
)oco claros. Más tarde se unirá a la iglesia de Santiago de los Españoles,
)bra de Alfonso de Paradinas a mediados del siglo XV. El Hospital de los
Jatalanes y Aragoneses fue edificado bajo el pontificado de Inocencio VI
1352-1362) por iniciativa de dos señoras mallorquinas. Años más tarde,
Pedro IV el Ceremonioso promoverá un plan de ayuda para restaurarlo.
Posteriormente quedará vinculado a la iglesia de Santa María de Montse-
'rat [157].

VIII. EL TEATRO RELIGIOSO

Las actividades dramáticas de los reinos medievales cristianos de la
'enínsula surgen y evolucionan en estrecha relación con las celebraciones
itúrgicas, al igual que en otras partes de Europa. Las fiestas de índole
)aralitúrgica o profana, de manera especial las características de los gran-
.es ciclos del calendario anual, a las que nos hemos referido en las páginas
nteriores de este mismo capítulo, constituyeron también un ambiente
1uy propicio para la gestación de los primeros dramas del Medievo y sir-
ieron, sin duda, para incorporar en ellos elementos de raigambre popu-
ir. Por otra parte, el gran teatro clásico escrito, ya en plena decadencia la
ltima época del Imperio, aunque no desaparece por completo durante los
rimeros siglos medievales, no debió de influir mucho en la formación de
ιs primeras piezas dramáticas de la alta Edad Media. En realidad, la tradi-
ión teatral latina había quedado reducida a las representaciones de los
istriones —herederos del arte de los *mimi* del bajo Imperio—, que a lo
ιrgo de los siglos medievales reciben el nombre de *joculatores* o *juglares*.
stos actores «realizaban ejercicios gimnásticos, ejecutaban bufonadas,
antomimas, burdas parodias mezcladas con comentarios satíricos, baila-
an y hasta desnudaban sus cuerpos» [158]. Esa clase de actividades lúdicas,
)n valores más o menos dramáticos, pero muy cercanos a los gustos del
ueblo, existió siempre y tuvo que determinar, en no pequeña medida, la
)rmación del nuevo teatro, especialmente el profano. En el siglo XIII, los
ιerejes» utilizaban las técnicas de los histriones para desprestigiar a los
érigos [159].

[157] J. Fernández Alonso, *Las iglesias nacionales de España en Roma. Sus orígenes:* AA 4
956) 9-96; J. Vincke, *Inicios del «Hospitale Cathalanorum et Aragonensium» en Roma:* HS 11
958) 139-156.
[158] F. Lázaro Carreter, *Teatro medieval...* p.10.
[159] Las obras de Terencio, por ejemplo, fueron utilizadas en las escuelas cristianas como
xtos académicos para estudiar la lengua latina, y también tuvieron algún imitador durante
alta Edad Media fuera de la península Ibérica. En los ambientes culturales españoles se
)nocía, juntamente con Terencio, a Plauto y a Séneca, pero sólo en la tardía Edad Media y
ιrante el Renacimiento (cf. J. García Soriano, *El teatro universitario y humanístico en España*
'oledo 1945] p.3-4; E. J. Webber, *The Literary Reputation of Terence and Plautus in Medieval*
ιd *Renaissance Spanish:* Hispanic Review 29 [1956] 191-206). Cf. también M. R. Lida de
Alkiel, *La tradición clásica en España* (Barcelona 1975), especialmente la p.341ss. Lucas de
ιy, en su obra *De altera vita fideique controversiis adversus Albigensium errores libri III*, da cuenta
: las actividades de los «supuestos herejes albigenses» de León: «Idem haeretici, cum aliter
)n valeant decipere, *mimorum speciem induunt et cantinelis et sacrilegis iocis* ea quae fiunt a

La liturgia cristiana, vertebrada sobre la celebración de los misterio fundamentales de la vida de Cristo: la Pascua, el Nacimiento y la Epifanía fue un marco adecuado para la aparición de los primeros dramas medieva les. La estructura narrativa de dichos misterios, así como su celebración cultual, tenían elementos que constituían ya una invitación para tratar d representarlos dramáticamente tanto dentro de la liturgia —la costumbr de leer algunos milagros del Evangelio y la Pasión por varias persona durante los cultos es una práctica todavía frecuente— como fuera de ella en celebraciones paralitúrgicas. La aparición del drama sacro, inspirad en dichas ceremonias, fue un fenómeno bastante generalizado en la Eu ropa cristiana del Medievo.

Los últimos estudios de Donovan sobre los *tropos* contribuyeron a clari ficar notoriamente las relaciones entre liturgia y teatro [160]. El tropo, segúi la descripción de este autor, uno de los investigadores más importantes d dicho género literario, era «una especie de ampliación verbal de pasaje litúrgicos, ya como introducción, como interpolación o como conclusió de varias de sus formas» [161]. Florece en ambientes monásticos de Suiz (Saint-Gall) y Francia desde el siglo IX, extendiéndose en seguida a Ingla terra, Alemania, Italia y España. Esas divagaciones literarias sobre texto litúrgicos fijos, que comienzan a ser cantadas o recitadas en forma de diá logo por varias partes del coro o por clérigos, acabarán representándos de manera muy rudimentaria, pudiendo entonces considerarse como ver daderos dramas sacros.

El tropo más conocido y extendido tanto en la Península como fuer fue el *Quem queritis*, recitado en la misa de Pascua antes del introito [16] A partir de él van surgiendo, paulatinamente y en muchas partes, las senc llas piezas litúrgico-dramáticas relacionadas con la temática de la *Visitat sepulchri*. El *Officium pastorum*, otro género vinculado a la liturgia navideñ; se parece al anterior. El *Ordo prophetarum*, un cortejo de profetas veterote; tamentarios en el que se incluía el *Canto de la Sibila*, predecían la venida d Señor. El *Ordo stellae*, con los Reyes Magos como principales protagonista

ministris Ecclesiae in Psalmis et ecclesiasticis officiis subsanationibus et derisionibus, fo dumt» (l.3 c.2). La valoración de este fenómeno religioso de León: F. J. FERNÁNDEZ COND *Albigenses en León...*: León Medieval. Doce estudios p.94ss.

[160] Los estudios del investigador canadiense se ciñen al análisis de los tropos y tropari españoles. Sobre los tropos en general: H. HUSMANN, *Tropen und sequenzenhandschrift* (Münich-Duisburg 1964) (catálogo); C. BLUME-G. M. DREVES, *Analecta hymnica medii ae* vol.47 y 49 (Leipzig 1905-1906); R. JONSSON, *Corpus Troporum* (Estocolmo 1975); O. MARCL SON, *Corpus Troporum* (Estocolmo 1976); G. WEISS, *Monumenta monodica Medii Aevi* (Kass 1970); W. H. FRERE, *The Winchester Troper* (Londres 1894); G. VECCHI, *Troparium sequentiari Nonantulanum* (Módena 1955); L. GAUTIER, *Histoire de la poésie liturgique au Moyen Âge. L Tropes* (París 1886); J. CHAILLEY, *L'école musicale de Saint-Martial de Limoges jusqu'à la fin du X siècle* (París 1960); R. CROCKER, *The Troping Hypothesis*: Musical Quarterly 52 (196€ E. ODELMAN, *Commet-a-t-on appelé les tropes? Observations sur les rubriques des tropes*: Cahiers Civ Médiév. 18 (1975) 15-36.

[161] R. B. DONOVAN, *The Liturgical Drama...* p.10.

[162] «La forma más primitiva de tropo parece ser la *secuencia*, original, probablemente, (algún convento del noroeste de Francia. Consistía en una breve interpolación que se hacía cantar el *Alleluia* del domingo de Pascua, aprovechando la larga modulación jubilosa con qi se prolonga la *-a* final de dicha palabra» (F. LÁZARO CARRETER, o.c., p.17, citando a P. ZU THOR, *Histoire littéraire de la France médiévale* [París 1954]; B.-D. BERGER, *Le drame liturgique Pâques du Xe au XIIIe siècle. Liturgie et Théâtre* [París 1976]).

ertenecía al ciclo litúrgico de Epifanía. En el siglo XII comienzan a comonerse obras dramáticas de carácter religioso, pero más alejadas de los empos fuertes de la liturgia. Discurrían sobre la vida de algún santo nobie por sus anécdotas biográficas y sus poderes taumatúrgicos. La leenda de los milagros de San Nicolás, el santo obispo oriental trasladado a ari a finales del siglo XI, sirvió de motivo para numerosas piezas teatrales. l mismo tiempo, los dramas religiosos, al igual que otros géneros literaos, adoptan las lenguas vernáculas de cada país. Al hacerse más comrensibles, sus argumentos ganaron en popularidad y a la vez abrieron las uertas de la representación a los mismos laicos. La participación indisiminada de actores y, sobre todo, la presencia de histriones o juglares, vezados ya a las actividades escénico-lúdicas, servirían para enriquecer la tructura de los primitivos dramas sacros, contribuyendo, sin duda, a su rogresiva secularización.

Las noticias sobre la existencia de tropos en los reinos castellanos recoladas y ofrecidas por Donovan son muy escasas. Los dos más antiguos eron copiados a finales del siglo XI en breviarios del monasterio burgas de Santo Domingo de Silos. Ambos pertenecen al género de la *Visitatio* *ulchri*. El conocido *Códice Pseudo-Calixtino* de Santiago de Compostela iglo XII) contiene otro del mismo género, y todo parece indicar que su xto fue utilizado en representaciones escénicas. La *Consueta* de Granada coge también el texto tardío de un tropo (siglo XVI) correspondiente al clo pascual, destinado claramente a la escenificación. Se sabe que procea de Palma de Mallorca, «uno de los principales centros europeos del rama litúrgico medieval». De la catedral granadina pasó a Guadix y a des episcopales tan alejadas como Zaragoza y Palencia [163].

La cosecha de tropos en las iglesias de los reinos orientales, sobre todo Cataluña, Baleares y Valencia, resultó mucho más copiosa. El investidor benedictino antes citado encontró numerosos testimonios fehacienes de la existencia de tropos y dramas litúrgicos en las catedrales catalanas en muchos monasterios. El tropario más antiguo (siglo XI) procede de nta María de Ripoll, cenobio muy relacionado con el francés de Saintartial de Limoges, célebre por su producción tropística; pero los monjes talanes supieron componer también piezas originales y convertirse en verdadero centro propagador de este género literario-dramático [164]. os monjes de Ripoll, cuya influencia cultural y musical en Compostela rece clara, pergeñaron asimismo en el siglo XII un drama sacro de tema scual con una estructura más compleja que la de los primitivos [165]. En ataluña se pueden encontrar, además, modelos de tropos correspondienes a los tres ciclos litúrgicos fundamentales. Las iglesias de Aragón, sin nbargo, son bastante más pobres en este aspecto, especialmente durante s siglos medios medievales. Los tropos de la catedral de Huesca, uno scual y el otro del ciclo de Navidad, copiados a finales del siglo XI o

[163] Sobre los tropos castellanos cf. R. B. DONOVAN, o.c., p.51-66. En las páginas 120ss alta la importancia de las aportaciones mallorquinas al drama medieval. La producción pística de Portugal fue escasa.
[164] R. B. DONOVAN, o.c., p.76ss.
[165] F. LÁZARO CARRETER, o.c., p.35.

durante la primera parte del XII, tienen ascendencia francesa. Probable
mente se utilizaron para la representación escénica. A finales de la Eda
Media, la actividad dramática de dicha iglesia debía de ser intensa. Du
rante el siglo XV se lleva allí a la escena una pieza dedicada a San Vicent
Mártir, y en el siguiente también hubo representaciones pascuales y d
Navidad [166]. El tropo oscense antiguo, perteneciente al género de la *Visit
tio sepulchri*, se reproduce en un misal zaragozano del siglo XV.

La catedral de Toledo nos ofrece la muestra española más antigua d
teatro religioso escrita en lengua vernácula: el *Auto o Representación de l
Reyes Magos*. De esta venerable pieza dramática se conserva solamente u
fragmento breve de 147 versos, y por su contenido pertenece al *Ordo stella
del ciclo de Epifanía. Fue compuesta a mediados del siglo XII, y no a part
de textos litúrgicos, de tropos por ejemplo, sino de otros dramas foráneo
concretamente franceses, que desarrollaban temas semejantes. El análisi
lingüístico de la misma parece revelar la procedencia gascona del autor
uno de los innumerables clérigos de allende los Pirineos afincados en Te
ledo durante la duodécima centuria. «Los francos de Toledo —afirm
R. Lapesa— tuvieron actividad literaria; entre ellos nació la gesta de *Mayn
o Mocedades de Carlomagno*, para la que aprovecharon episodios de la leyend
toledana relativa a los amores de Alfonso VI con la mora Zaida. El *Au
prueba que los clérigos no iban a la zaga de los juglares épicos. El *Auto «
los Reyes Magos* queda así encuadrado en los hechos históricos más repr
sentativos del siglo XII en el centro y occidente de España: la asimilació
de los inmigrantes francos y la consecuente oleada europeísta, una de la
que a lo largo de nuestra Edad Media contrapesaron el influjo orie
tal» [167].

También se representaba en la catedral de Toledo durante las fiest
de Navidad el *Canto de la Sibila*, el extraño personaje que ponía en esos dí
una nota disonante anunciando los tiempos postreros y el juicio final. S
texto castellano es muy tardío, probablemente del siglo XV, pero el latir
había sido llevado a la escena, o al menos cantado, bastante antes. De he
cho, ejemplares latinos de esta clase de obras dramático-musicales, qu
pertenecen al ya citado *Ordo prophetarum*, se encuentran en un homiliar
visigótico de la catedral de Córdoba y en varias iglesias de la Tarrac
nense [168]. Un manuscrito de la catedral de León del siglo XIII conserv

[166] J. L. ALBORG, *Historia de la literatura española* vol.1 p.185. Cf. también R. B. DONOVA
o.c., p.56-57.
[167] El texto de la obra: R. MENÉNDEZ PIDAL, *Auto de los Reyes Magos*, en «Crestomatía d
español medieval» vol.1 p.71-77. Las connotaciones lingüísticas del autor gascón: R. LAPES
De la Edad Media a nuestros días p.37-47. Un compendio de bibliografía específica: J. M. R
GUEIRO, *El «Auto de los Reyes Magos» y el teatro litúrgico medieval:* Hispanic Review 45 (197
149-164.
[168] R. B. DONOVAN, o.c., p.39ss; F. LÁZARO CARRETER, o.c., p.29-31; J. M. Lloréns (*Músi
religiosa:* DHEE 3 [Madrid 1973] p.1756) hace referencia a versiones del mismo en Ripc
Vich, Gerona y Barcelona. «Los rituales de la Tarraconense, como los de Cataluña y Castil
nos lo presentan, aun en el siglo XVI, con polifonía a cuatro voces y con el estribillo *Al jorn
judici* o bien *juicio fuerte*, que a fines del siglo XV suplantó al cántico monódico del pueblo.
trata de un canto extraño, impregnado de lúgubre desolación, que no se asemeja a na
conocido. Se desarrolla sobre una de esas curiosas gamas características de la música orien
de procedencia mozárabe». Cf. también: J. LÓPEZ YEPES, *Una representación de las Sibilas y «*

ambién un texto de la curiosa obra profética, con una estructura similar al
lel toledano [169].

La conocida disposición legal de las *Partidas* sobre representaciones
Iramáticas, repetidamente citada por la mayoría de los investigadores del
eatro medieval español, contiene varias noticias de interés para conocer la
ituación de estas actividades artístico-religiosas en los reinos occidentales:
Los clérigos —dice el texto alfonsí— ... non deben jugar tablas nin dados,
iin volverse con tafures, nin atenerse a ellos, nin aun entrar en tabernas a
)eber, fueras ende si lo feciesen por premia andando caminos; *nin deben
er facedores de juegos por escarnio,* porque los vengan a ver las gentes cómo
os facen, et si otros homes los fecieren, non deben los clérigos hi venir,
)orque se facen hi muchas villanías et desaposturas; nin deben otrosí estas
osas facer en las eglesias, ante decimos que los deben ende echar deshon-
adamientre sin pena ninguna a los que los fecieren; ca la eglesia de Dios
ue fecha para orar et non para facer escarnios en ella; et así lo dixo Nues-
ro Señor Iesu Christo en el Evangelio, que la su casa era llamada casa de
)ración, et non debe ser fecha cueva de ladrones. *Pero representaciones hi ha
ue pueden los clérigos facer, así como de la nascencia de Nuestro Señor Iesu
Iristo, que demuestra cómo el ángel vino a los pastores et díxoles cómo era nacido, et
trosí de su aparecimiento, cómo le vinieron los tres reyes adorar, et de la resurrec-
ión, que demuestra cómo fue crucificado et resurgió al tercer día.* Tales cosas
omo éstas, que mueven a los homes a facer bien et haber devoción en la
e, facerlas pueden; et demás porque los homes hayan remembranza que
egunt aquello fueron fechas de verdat; mas esto deben facer apuesta-
niente et con grant devoción et en las cibdades grandes do hobiere arzo-
)ispos o obispos, et con su mandado dellos o de los otros que tovieren sus
roces, et non lo deben facer en las aldeas, nin en los lugares viles, nin por
çanar dineros con ello» [170].

La primera parte del texto pone de manifiesto la existencia en Castilla
le juegos de escarnios: pantomimas satíricas y bufas ejecutadas por cléri-
çois y laicos tanto fuera como dentro de las iglesias. Con tales representa-
iones, los actores intentaban divertir a las gentes y procurarse, a la vez, el
)ropio sustento. Para ello mezclarían en las mismas elementos profanos y
eligiosos de manera jocunda y desenvuelta. Estos juegos, fomentados sin
luda por las celebraciones populares de los tiempos fuertes del calendario
igrícola, enlazaban seguramente con los mimos e histriones del bajo Im-
)erio y de la época visigótica y estuvieron muy arraigados en otros países
turopeos [171]. Por su naturaleza generarían muchas veces abusos de todo
ipo, y la legislación eclesiástica se sintió también en la obligación de prohi-
)ir a los ministros de la clerecía que tomaran parte en ellos. El concilio de
Jalladolid de 1228, importante para la historia de la aplicación de los de-

*Planctus Passionis» en el Ms.80 de la catedral de Córdoba: aportaciones al estudio de los orígenes
el teatro medieval castellano:* RABM 80 (1977) 345-567.
   [169] R. RODRÍGUEZ, *El Canto de la Sibila en la catedral de León:* Arch. Leon. 1 (1947) 9-29.
   [170] *Part.* I tít.6 1.34.
   [171] F. Lázaro Carreter (o.c., p.38) no está seguro de que exista esta continuidad entre los
uegos de escarnio prohibidos en las *Partidas* y las prohibiciones de abusos semejantes en la
intigua legislación conciliar toledana. La tesis positiva de Alborg (o.c., p.202-208) se apoya en
studios precedentes.

cretos reformadores del Lateranense IV, como indicamos en otro luga:
manda a los clérigos que no participen «en compañas do están joglares e
trashechadores», por ser éstos oficios deshonestos. El de Lérida, celebrad
al año siguiente y en el mismo contexto reformista, se expresa de maner
semejante y equipara los juglares a los «truhanes y farsantes». Ya en e
siglo XIV, el concilio de Tarragona (1317) vuelve a incluir el menester de l
juglaría entre los vetados al estamento clerical [172]. A pesar de la ojeriz
oficial de la Iglesia hacia los juegos de escarnio, durante el siglo XV est
clase de divertimientos seguían celebrándose dentro de los templos co:
bastante arraigo y asiduidad. El concilio provincial de Aranda (1473) de
nuncia las «comedias, mojigangas, portentos, espectáculos y otras muchi
simas diversiones deshonestas y de distintos géneros» que tenían luga
dentro de las funciones religiosas en las fiestas de Navidad, San Esteban
San Juan, Santos Inocentes y en otros días especiales; concretamente
cuando había una misa nueva. Tales representaciones bullangueras, qu:
iban acompañadas frecuentemente de la recitación de versos torpes y dis
cursos burlescos, «estorbaban la celebración del culto divino y quitaban l
devoción al pueblo» [173]. Varias asambleas eclesiásticas posteriores dejaro:
asimismo constancia de la pervivencia de estos juegos [174]. Aunque no pro
venían directamente de la liturgia, se entremezclaban en las funciones cul
tuales e influyeron en la evolución del teatro religioso y, sobre todo, en e
profano cuando comenzaron a salir de las iglesias.

La segunda parte del decreto de las *Partidas* citado más arriba consti
tuye una referencia, importante y discutida a la vez, sobre la existencia e:
Castilla de representaciones específicamente sacras. Una lectura sin pre
juicios del mismo parece poner de manifiesto que en el siglo XIII era:
conocidas las representaciones de los principales misterios de la vida d:
Cristo: Navidad, Epifanía y Pascua. El autor de la compilación legislativ
trata de fomentar la participación de los clérigos en esta clase de activida
des dramáticas, las cuales, en contra de lo que ocurría con los juegos d:
escarnio, servían para aumentar la devoción del pueblo fiel. El legislador
queriendo evitar los posibles abusos que pudieran introducirse en esto:
dramas sacros, termina formulando algunas cautelas: la devoción de lo
actores, la vigilancia de los obispos y la gratuidad de las actuaciones [175].

[172] El concilio de Valladolid: J. TEJADA Y RAMIRO, *Colección de cánones...* vol.3 p.326. El d
Lérida: ibid., p.333. El de Tarragona: ibid., p.476: «no ejerzan pública y personalmente e
oficio de carniceros, pescadores o taberneros, ni tengan casas de juego, ni vayan a gasta
tiempo en ellas, ni tampoco cometan usura. No serán juglares, bufones, farsantes, rufiane:
carboneros, horneros, corsarios o piratas, a no ser que sea contra los infieles; ni tampoc:
sayones...» El can.16 del Lateranense IV había sido ya explícito en esta clase de prohibicione
(cf. R. FOREVILLE, *Lateranense IV* p.171-172).

[173] El concilio de Aranda: J. TEJADA Y RAMIRO, o.c., vol.5 p.24. El decreto conciliar ter
mina afirmando: «no tratamos de prohibir, ni en los expresados días ni en otros, las represen
taciones honestas y piadosas que mueven al pueblo a devoción».

[174] El sínodo de Alcalá de 1480 se hace también eco de esta problemática, siguiendo la:
pautas del concilio de Aranda: «munchas veces en algunas fiestas del año e otros días, so colo
de comemorar cosas santas y contemplativas, se facen juegos torpes e feos e se disen palabra:
deshonestas y de grand disulución, que provocan más a derisión e distraen de contemplació:
que non atraen a devoción de la tal fiesta o solenidad» (J. SÁNCHEZ HERRERO, *Concilios provin
ciales y sínodos toledanos de los siglos XIV y XV* p.309-310).

[175] H. LÓPEZ MORALES (*Tradición y creación en los orígenes del teatro castellano* p.68ss) repre

La puesta en escena de los dramas religiosos correspondientes a los principales tiempos litúrgicos, reflejada en las *Partidas,* siguió practicándose en los reinos castellanos —siempre con menor intensidad que en los de Aragón— a lo largo de toda la Edad Media. El citado concilio de Aranda, que probablemente tuvo en cuenta el texto de la compilación alfonsí, alude de forma clara a la persistencia de esta piadosa costumbre. Sánchez Herrero, analizando el ceremonial de la iglesia de Palencia y las cuentas de fábrica de la catedral leonesa en el siglo XV, pudo espigar una serie de datos que atestiguan la realidad de unas representaciones rudimentarias vinculadas a la celebración de los tres ciclos litúrgicos característicos, y también cierta dramatización de la Pasión. Pentecostés era celebrado también en Palencia con algunos elementos escénicos [176]. Las noticias sobre dramaturgia de temas hagiográficos en los reinos castellanos resultan sumamente escasas y genéricas durante la Edad Media. Cataluña, sin embargo, contó ya desde el siglo XIV con un importante teatro de este género [177].

En los siglos XIV y XV, el teatro religioso de los reinos orientales de la Península experimentó un fuerte desarrollo. Un factor importante de esta renovación dramática fue, sin duda, la aparición de los espectáculos, al principio de carácter profano, conocidos como *entremeses* o *rocas:* las mojigangas, pantomimas o ingenios espectaculares, que eran representados en los palacios para alegrar los banquetes solemnes y los desfiles populares conmemorativos de algún episodio destacado de la vida política de la época. Este tipo de escenificaciones comenzó a figurar ya en las crónicas catalano-aragonesas desde el siglo XIII. La inclusión en el drama sacro de las nuevas técnicas aparatosas y de los recursos brillantes, propios de los entremeses festivos, sirvió para modificar su sencilla estructura escénica, surgiendo así el género de teatro religioso que ha venido en llamarse «misterio», cultivado con asiduidad por las iglesias de la corona aragonesa durante el cuatrocientos. El titulado la *Assumpció de Madona Sancta Maria* se remonta a los primeros años del siglo XV. El de Elche comenzó a representarse también en dicha centuria. Su forma actual ha sufrido, con el paso del tiempo, las lógicas e inevitables modificaciones [178].

Las rocas o entremeses asumen, además, connotaciones sacras al vincularse a la fiesta del Corpus, instituida el año 1264, y, sobre todo, a la proce-

senta la posición más crítica respecto a la significación real de las *Partidas.* Para él son «una obra de síntesis y no un reflejo de la realidad en su momento. En lo relativo al drama, Alfonso X calca el texto del derecho canónico, reforzado por las recientes declaraciones de Inocencio III». Una breve réplica a dicha opinión: J. ALBORG, o.c., vol.1 p.191-192. F. Lázaro Carreter (o.c., p.38) desconfía también del elevado valor significativo que hasta entonces se había dado al texto alfonsí en este punto.

[176] J. SÁNCHEZ HERRERO, *Las diócesis del reino de León. Siglos XIV y XV* p.288-292.

[177] J. ROMEU, *Teatre hagiogràfic* vol.1 p.32ss; R. B. DONOVAN, o.c., p.96 y 126; F. LÁZARO CARRETER, o.c., p.40.

[178] Sobre la naturaleza de los entremeses en su vertiente profana y sacra: F. LÁZARO CARRETER, o.c., p.45ss. Parece, según este autor, que, en los ambientes de habla catalana, la palabra «entremés» se especializó para designar las carrozas y peanas sobre las que iban las estatuas y las personas. El texto del misterio de la *Assumpció:* J. PIE, en R. de la Asoc. artístico-arqueológica barcelonesa (1893). Para el misterio ilicitano: J. PALOMARES PERLASIA, *«Festa» o Misterio de Elche* (Barcelona 1955). Un breve elenco bibliográfico sobre el teatro medieval del área lingüística catalana: A. COMAS, *Literatura catalana:* o.c., p.601-602.

sión eucarística de esta solemnidad, que comienza a celebrarse en la Iglesia bajo el pontificado del papa aviñonés Juan XXII (1316-1334). En la diócesis barcelonesa hubo ya procesión del Corpus en 1322. Las restantes sedes catalanas, Valencia y Palma de Mallorca imitaron muy pronto a Barcelona. Los primeros entremeses incorporados a estas procesiones eran representaciones escultóricas o de personajes vivos sobre temas de la Sagrada Escritura e imágenes de santos. A finales del siglo XV y, sobre todo, a comienzos del siglo siguiente, las escenas estáticas empiezan a tener características propiamente dramáticas al ser animadas por actores que ajustan ya la representación a un texto escrito, y transforman así los entremeses sacros del primer período en verdaderos misterios. *El Paradis terrenal*, por ejemplo, fue uno de los más conocidos [179].

Las noticias sobre entremeses profanos en tierras castellanas durante la baja Edad Media son escasas, y en cualquier caso no parece que tuvieran la magnitud y la espectacularidad de los catalanes o levantinos. A lo largo de estos siglos bajomedievales tampoco hay referencias precisas sobre representaciones de misterios propiamente dichos en el interior de los templos, similares a los de las iglesias de la Tarraconense. Con todo, las procesiones del Corpus comienzan a celebrarse ya el mismo siglo XIV. Burgos tenía procesión eucarística hacia 1370, y a lo largo del cuatrocientos fue incorporando a la fiesta danzas y juegos, incluso dentro del templo [180]. La procesión del Corpus leonés está documentada el año 1392, y a mediados de la centuria siguiente entraron en ella varios juegos. Por esa época parece que había representaciones en los desfiles eucarísticos de Valladolid, sin que sepamos exactamente cómo eran. En Sevilla también. El año 1499, la procesión salmantina cuenta con escenificaciones parecidas a los entremeses sacros y el 1501 fue escenificado el *Auto del Dios de Amor* [181].

A finales de la Edad Media, la religiosidad popular de muchas localidades castellanas encontró, además, en las solemnidades litúrgicas del Corpus, el ámbito adecuado para expresarse con libertad, incorporando a los cultos representaciones pantomímicas y juegos de escarnio, de los que subsisten todavía algunas reliquias. En Castrillo de Murcia (Burgos), por

[179] Para la institución de la fiesta del Corpus: M. RIGHETTI, *Historia de la liturgia* vol.1 p.869ss. La introducción del entremés en el Corpus de Cataluña y Levante: J. ROMEU FIGUERAS, *La dramaturgia catalana medieval. Urgencia de una valoración:* Est. Escén. Cuader. del Inst. del Teatro Esp. 3 (1958) 49-73; H. CORBATO, *Los misterios del Corpus en Valencia* (Berkeley 1932); A. DURÁN Y SAMPERE, *La fiesta del Corpus* (Barcelona 1943); J. MÁRQUEZ, *El culto eucarístico y la paz de Gerona:* Actas del XXXV Congreso Euc. Intern. II p.478; G. LLOMPART, *La fiesta del Corpus Christi y representaciones religiosas en Barcelona y Mallorca (siglos XIV-XVIII):* AST 39 (1967) 25-45; B. W. WARDROPPER, *Introducción al teatro religioso del siglo de oro (La evolución del auto sacramental: 1500-1648)* (Madrid 1953); F. G. VERY, *The Spanish Corpus Christi Procession: a literary and folkloric Study* (Valencia 1962).

[180] N. LÓPEZ MARTÍNEZ, *Sínodos burgaleses del siglo XV:* Burgense 7 (1966) 238; en un sínodo celebrado durante el episcopado de Domingo (1366-1380) se prescribe la procesión del Corpus. Las constituciones están datadas el 1368. El año 1500, un sínodo celebrado bajo la autoridad de Pascual de Ampudia ordena que en la procesión del Corpus «no se fagan los dichos juegos y juglares; pero bien permitimos e damos lugar que, si algunas representaciones honestas algunas personas quisieren fazer, que las fagan yendo detrás del Sacramento o después de dicha processión e tornado el Sacramento a la yglesia mayor...» (o.c., p.374).

[181] Sobre el Corpus leonés: J. SÁNCHEZ HERRERO, o.c., p.293. Noticias referentes a Valladolid y Sevilla: F. LÁZARO CARRETER, o.c., p.54. Sobre el Corpus de Salamanca: J. SÁNCHEZ HERRERO, o.c., p.293.

ejemplo, sigue aún viva la ceremonia del «Colacho», nombre tomado del protagonista de una curiosa farsa eucarística. Este personaje, llamado en los últimos tiempos medievales «Birria» o «Mamarracho», personifica alegóricamente al diablo, el antitipo del Señor exaltado en el misterio eucarístico. Durante la celebración que rodea la fiesta del Corpus y a lo largo de la procesión intenta por todos los medios distraer la devoción de los fieles, hasta quedar vencido al final por el Sacramento: «El día del Corpus —constata un autor burgalés— se disfraza un sujeto de botarga, llamado Colacho, con cara tapada y un rabo de buey en la mano. Le insultan todos, y él tiene derecho de arrear un pie de paliza soberana al que coge por su cuenta. Cuando estén reunidos en misa, entra el Colacho en la iglesia saltando por entre las sepulturas y las mujeres, a las que pega con la cola, hasta el presbiterio. Allí se queda parado y va remedando las ceremonias que se hacen en la misa, tan burlescamente que algún párroco se ha querido oponer, aunque inútilmente, a esta costumbre pagana»[182]. Existen referencias sobre otras celebraciones parecidas en varias fiestas eucarísticas castellanas. Podría pensarse que semejante ceremonia burlesca introducida en la liturgia del Corpus pudiera constituir un testimonio más de la pervivencia de la tradición pantomímica, arraigada siempre en el pueblo, que enlazaba, como ya indicamos, con los viejos mimos e histriones.

Gómez Manrique (1412-1491) fue el representante más significativo del teatro del siglo XV en Castilla. Aparte de sus conocidos momos, compuso obras de tema religioso. La *Representación del nacimiento de Nuestro Señor,* que escribió para las monjas del convento de Calabazanos (Palencia), de una estructura escénica extraordinariamente sencilla, enlaza con los antiguos dramas sacros del *Officium pastorum*[183]. Las *Coplas fechas para la Semana Santa,* del mismo autor, probablemente estaban destinadas también para la puesta en escena. El *Auto de la huida a Egipto,* anónimo, es un poco más tardío. A finales de la centuria, Alonso del Campo compone el *Auto de la pasión,* inspirándose en el poema de Diego de San Pedro titulado la *Pasión trobada*[184]. Pueden encontrarse, además, elementos dramáticos en otras obras de carácter narrativo y de temática religiosa, como en la *Vita Christi* de Iñigo de Mendoza[185].

[182] D. HERGUETA Y MARTÍN, *Folklore burgalés* p.166; cf. asimismo: I. GARCÍA RAMILA, *Fiestas y romerías tradicionales y famosas en tierras burgalesas:* Bol. Inst. Fernán González 9 (1953) 462; E. PÉREZ CALVO, *El Corpus Christi y sus derivaciones folklórico-alegóricas. El Colacho burgalés, una pantomima sacramental* (Memoria de licenciatura presentada en la Facultad de Teología de Burgos, Burgos 1973; inédita). El autor estudia ampliamente la ceremonia del Colacho, sus connotaciones, antecedentes y puntos de contacto con otras ceremonias de las fiestas del Corpus.

[183] El texto modernizado de la *Representación:* F. LÁZARO CARRETER, o.c., p.107-115; cf. S. ZIMIC, *El teatro religioso de Gómez Manrique (1412-1491):* BRAE (1977) 353-400; H. SIEBER, *Dramatic symmetry in Gómez Manrique's. La representación del nacimiento de Nuestro Señor:* Hispanic Review 33 (1965) 118-135.

[184] C. TORROJA MENÉNDEZ-M. RIVAS PALÁ, *Teatro en Toledo en el siglo XV. «Auto de la Pasión», de Alonso del Campo,* anejo 35 al BRAE (Madrid 1977); D. S. VIVIÁN, *«La Pasión trobada», de Diego de San Pedro, y sus relaciones con el drama medieval de la Pasión:* AEM 1 (1964) 451-470. Cf. también: J. AMICOLA, *El Auto de la huida a Egipto, drama anónimo del siglo XV:* Filología 15 (1971) 1-29 (texto).

[185] C. STERN, *Fray Iñigo de Mendoza and medieval dramatic ritual:* Hispanic Review 33 (1965) 197-245.

Las danzas de la muerte, un tipo de representaciones didáctico-morales que surge al otro lado de los Pirineos desde el siglo XIV, tuvieron también su réplica en la literatura castellana y catalana. La *Danza de la muerte* de El Escorial fue escrita durante la primera parte del XV, pero su naturaleza propiamente dramática o su puesta en escena aparecen todavía poco claras [186].

Juan del Enzina y Lucas Fernández, que comienzan a escribir su importante elenco de obras teatrales, profanas y religiosas, en los últimos años del cuatrocientos, así como Gil Vicente, con una extraordinaria producción dramática en portugués y castellano, constituyen, a la vez, la culminación de la dramaturgia medieval y el pórtico del gran teatro religioso del siglo de oro peninsular.

La tradición del drama sacro en Castilla y León, muy inferior a la de los reinos orientales, como ya apuntamos varias veces, parece, con todo, una clara realidad. El argumento de casi todas las obras representadas se ajustaba o estaba estrechamente vinculado a los grandes temas de la liturgia. Cada año se representaban siguiendo el ritmo del calendario litúrgico, y la mayoría de ellas, sin texto escrito, se llevaban a la escena siguiendo una tradición oral o por la fuerza de la costumbre. Todavía ocurre así en la actualidad con la escenificación de piezas o representaciones dramáticas durante la Semana Santa o en algunas fiestas destacadas del ciclo litúrgico. Donovan es posible esté en lo cierto cuando supone que la pérdida de tales textos se debe a que, quizá, nunca se escribieran [187]. A Deyermond le parece que, «de existir representaciones dramáticas religiosas en romance entre los siglos XII y XV, debieron de ser muy escasas» [188]. En cualquier caso, consideramos excesivamente categórico y radical el dictamen de López Morales cuando afirma que «la idea de presentar una tradición dramática castellana que arranca del *Auto de los Reyes Magos* y se continúa sistemáticamente en Enzina es del todo inexacta» [189].

Sin embargo, la teoría de Donovan sobre la escasez de tropos litúrgicos en Castilla y León no resulta del todo convincente. El benedictino canadiense hace responsable de tal penuria al movimiento de Cluny, muy influyente en los reinos castellanos durante los siglos XI y XII, porque los monjes negros reformados, según él, no eran partidarios de esta clase de literatura religioso-musical, prefiriendo importar de fuentes francesas vernáculas piezas como la del *Auto de los Reyes Magos*. Pero no conviene olvidar que los cluniacenses también ejercieron mucha influencia en las iglesias del noroeste peninsular, especialmente en Cataluña, donde las colecciones de tropos tienen verdadera importancia. Y Santa María de Ripoll fue precisamente un centro de irradiación del espíritu de Cluny.

---

[186] M. MORREALE, *Para una antología de la literatura castellana medieval: la «Danza de la muerte»:* Estratto dagli Anali del Corso di Lingue e Letterature Straniere presso l'Università di Bari VI (Bari 1963). El texto modernizado de la *Danza de la muerte* escurialense: F. LÁZARO CARRETER, o.c., p.227-248. Cf. J. CLARK, *The Dance of the Death in the Middle Ages and the Renaissance* (Glasgow 1950). Un amplio estudio: J. SAUGNIEUX, *Les danses macabres de France et d'Espagne et leurs prolongéments littéraires* (París 1972).

[187] R. B. DONOVAN, o.c., p.73.

[188] A. D. DEYERMOND, *Historia de la literatura española.* I: *Edad Media* p.365.

[189] H. LÓPEZ MORALES, *Tradición y creación...* p.87.

Por otra parte, la antigua discusión sobre la prevalencia de lo litúrgico o de la tradición clásica en los orígenes del teatro no parece que pueda zanjarse con una respuesta disyuntiva. Las funciones litúrgicas, cargadas en sí mismas de significación y de posibilidades dramáticas, constituyeron el objeto y la referencia generadora de no pocas piezas teatrales del Medievo. Y, al mismo tiempo, las actuaciones de los *joculatores* —continuadores de las viejas artes histriónicas— sirvieron para incorporar elementos nuevos a las obras religiosas, contribuyendo además a popularizarlas y darles un tono cada vez más profano o secular. Asimismo, las celebraciones festivas, características de los tiempos fuertes del calendario agrícola, eran también un ambiente muy propicio para el renacimiento del teatro en la Edad Media. A la hora de valorar los orígenes y la consolidación de este género literario durante los siglos medios, creemos que no pueden soslayarse ninguno de estos tres factores indicados.

IX. LA EPICA Y LA LIRICA EN ROMANCE

En España lo mismo que en otros países europeos, las literaturas en lengua vernácula nacen y se consolidan, en general, a partir del siglo XI. La poética y la retórica latinas, utilizadas en los géneros lírico y épico, constituyeron, sin duda, una referencia formal obligada, gracias a la cual fueron gestándose las literaturas nacionales, estrechamente vinculadas también en su origen, como el teatro, a las celebraciones festivas y a la cultura popular. En la Península, las primeras composiciones romances contaron además con la influencia inspiradora del árabe y del hebreo, el patrimonio lingüístico de amplios grupos de la población [190].

Las obras escritas en latín en los distintos reinos hispanos durante estos siglos tuvieron normalmente por autores a miembros de la clerecía, como ya hemos puesto de relieve en otra parte. Todo parece indicar que los clérigos propiamente dichos —con el paso del tiempo, el término adquirirá la significación amplia de hombre culto— influyeron de manera notable en la formación de las primeras obras vernáculas, bien de modo indirecto, enseñando el arte de componer; bien directamente, utilizando ellos mismos la lengua romance para hacer comprensibles al pueblo sus enseñanzas al quedar el latín relegado al uso de un grupo cada vez más reducido de lectores, o también participando al lado de los juglares en la recitación de los cantares de gesta y de las primeras piezas líricas que iban creándose [191].

Los primitivos cantares de gesta fueron compuestos con vistas a la transmisión oral, para ser recitados por juglares: los personajes «que se ganaban la vida actuando ante un público para recrearle con la música, o con la literatura, o con charlatanería, o con juegos de mano, de acroba-

---

[190] Cf. E. AUERBACH, *Lenguaje literario y público en la baja latinidad y en la Edad Media* (Barcelona 1969). En España, según este autor, la influencia del latín no fue tan importante como en otras partes en la formación de la literatura vernácula. P. Renucci (*L'aventure de l'humanisme européen au Moyen-Âge: VIe-XIVe siècles* p.54ss) pone de relieve la importancia de las traducciones en este renacimiento europeo de los siglos XI y XII.

[191] F. LÓPEZ ESTRADA, *Introducción a la literatura medieval española* p.117ss.300ss (4.ª ed.).

tismo, de mímica» [192]. Tanto en España como fuera, la participación de los clérigos en el arte de la juglaría debió de resultar un fenómeno relativamente frecuente. Algunos de los monjes «vagamundos», llamados al orden por el concilio de Palencia (1129), pudieron ser, tal vez, los precursores de aquellos clérigos que un siglo más tarde recibían la reprimenda de la asamblea conciliar celebrada en Valladolid (1228), porque andaban en compañía de «joglares et trashechadores». Los obispos reunidos entonces en la ciudad castellana se hacían eco, como ya indicamos, de una constitución redactada por el Lateranense IV (1215). La condena volverá a repetirse en otros concilios españoles de la baja Edad Media.

Las glosas emilianenses y *silenses* se deben a la pluma de monjes pertenecientes a las comunidades de estos monasterios, que escribían en el siglo X, mucho antes de que aparecieran los primeros poemas épicos escritos. Estos son también anónimos. Los juglares se limitaban, por lo general, al papel de transmisores de los mismos. Pero no conviene olvidar que las dos obras más significativas del género: el *Poema de Mio Cid* y el *Poema de Fernán González,* reflejan claras vinculaciones con cenobios tan importantes como San Pedro de Cardeña y San Pedro de Arlanza respectivamente.

Con todo, sería erróneo exagerar la significación histórico-eclesiástica o el contenido propiamente religioso de la épica medieval hispana. Los autores no perseguían en sus obras objetivos formalmente eclesiales, aunque en algún caso —piénsese en el *Poema de Fernán González*— se asomen a la composición poética intereses de índole eclesiástica. Pero el cuadro de valores éticos sobre los que descansa la narración tienen carácter fundamentalmente secular y social.

El *Poema de Mio Cid,* el más largo e importante de todos ellos, en su forma actual fue redactado a comienzos del siglo XIII por un tal Per Abbat, de cuya personalidad histórica no sabemos nada [193]. En torno al tema central que articula el discurso narrativo: la pérdida y la recuperación de la honra del protagonista, se hace presente una serie de elementos morales muy estimables: el valor de la constancia y del esfuerzo humanos al margen de toda connotación mítico-prometeica, tan característica de otros poemas épicos no-nacionales; la energía personal, aparejada con la serenidad y el equilibrio; la fidelidad al propio soberano, a pesar del injusto proceder de éste; la prudencia, a veces no exenta de sagacidad, y la alta estimación de las relaciones familiares, que convierten al Cid en un padre de familia modélico. «Hasta tal punto —afirma Alborg— son llanos y entrañables los sentimientos conyugales y paternales del Cid, que ha podido verse en él un carácter excesivamente cotidiano y normal, bien diferente de otros héroes épicos con sus gestos teatrales y desmedidos. Pero esta

[192] R. Menéndez Pidal, *Poesías juglarescas y juglares* (5.ª ed.) p.12ss. El autor señala también las semejanzas del poeta árabe con el juglar, la distinción entre juglar y trovador y el fácil paso del juglar a clérigo o viceversa, poniendo algún ejemplo notable. También hace referencia a la existencia de juglaresas.

[193] Sobre la compleja problemática de la autoría y de las fases de composición del *Poema* puede verse una copiosa bibliografía en A. Deyermond, *Historia crítica de la literatura española. Edad Media* p.93-97, en cuyo elenco se incluyen, lógicamente, los estudios fundamentales de R. Menéndez Pidal; cf. también: M. Eugenia Lacarra, *El «Poema de Mio Cid». Realidad, historia e ideología* (Madrid 1980) p.222ss.

condición no es sino reflejo del gran realismo del poema, que capta los hechos en toda su sencilla verdad» [194].

El poema cidiano persigue también objetivos de índole específicamente social. Su autor o autores, a quienes los temas de la Reconquista y del nacionalismo castellano no parecen preocuparles demasiado, pretenden, sobre todo, convertir la figura del Cid en prototipo del caballero que labra personalmente su propia grandeza frente al grupo de la alta nobleza cortesana y de linaje, consolidada ya en el siglo XII. No tratan de establecer una especie de confrontación político-social entre la poderosa nobleza tradicional y esa nobleza de segundo rango en vías de ascenso gracias a los éxitos bélicos alcanzados, sino de justificar la situación de encumbramiento de los nuevos magnates, forjada en el campo de batalla, que postulaban todos los privilegios y la preeminencia política del viejo círculo nobiliario. Pero las tesis sociales del poema no tienen nada de subversivo ni de revolucionario. La única novedad sería la defensa más o menos explícita de la permeabilidad de los grupos superiores para quienes acumularan suficientes méritos, prestigio y fortuna personales. Por lo demás, se mantiene el derecho de la alta nobleza a seguir detentando los bienes territoriales conquistados y a transmitirlos hereditariamente, y sigue considerándose al soberano como el vértice integrador de la sociedad estamental, configurada ya cuando el poema estaba en período de gestación [195].

Si la autoría del *Poema de Mio Cid* corresponde realmente a un miembro de la clerecía en sentido estricto, las tesis centrales de la cosmovisión reflejada en el mismo se adaptan muy bien a la mentalidad del estamento clerical. La teoría de los tres *ordines* —los que oran, los que combaten, los que trabajan— hacía tiempo que había sido formulada con claridad en ambientes franceses, y sus principales propagandistas eran personalidades destacadas de la Iglesia. Además, la defensa de los derechos y privilegios de la nobleza advenediza servía, asimismo, para homologar la posición relevante, en lo político y en lo económico, del alto clero, los obispos y los abades, titulares de señoríos cada vez más poderosos [196].

El *Poema de Fernán González,* redactado a mediados del siglo XIII en Arlanza a partir de cantares de gesta anteriores, armoniza con éxito los ideales patrióticos castellanos y los intereses económicos de este cenobio. Las estrechas vinculaciones del héroe con Arlanza y su generosidad hacia aquella comunidad, netamente reflejadas en esta obra, patentizan de manera clara la intencionalidad propagandística de su autor, sin duda un monje del monasterio burgalés [197]. El poema titulado *Roncesvalles,* del que

[194] J. L. ALBORG, *Historia de la literatura española* (2.ª ed.) p.63-64.
[195] Sobre este aspecto del poema: N. GUGLIELMI, *Cambio y movilidad social en el «Cantar del Mio Cid»:* Anales de Historia Antigua y Medieval 12 (1963-1965 [1967]) 43-65; y M. EUGENIA LACARRA, *El Poema de Mio Cid...* p.265-267. Cf. también C. BLANCO AGUINAGA-J. RODRÍGUEZ PUÉRTOLAS-I. M. ZAVALA, *Historia social de la literatura española (en lengua castellana)* vol.1 p.54-57.
[196] G. DUBY, *Los tres órdenes o lo imaginario del feudalismo,* ed. castellana (Madrid-Barcelona 1980). Para la arquitectura social en la baja Edad Media peninsular: L. DE STEFANO, *La sociedad estamental de la baja Edad Media española a la luz de la literatura de la época* (Caracas 1966).
[197] La edición de este poema: R. MENÉNDEZ PIDAL, *Reliquias de la poesía épica española* (Madrid 1951). Bibliografía sobre el mismo: A. D. DEYERMOND, *Historia de la literatura española. Edad Media* vol.1 p.75.

sólo se conserva un pequeño fragmento y cuyo texto original fue com
puesto durante el siglo XIII en ambientes de fuerte influencia ultrapire
naica —probablemente, en dialecto navarro-aragonés—, reproduce moti
vos literarios carolingios [198].

El *Planto por la caída de Jerusalén* o el *¡Ay, Iherusalem!* es un canto d
cruzada épico-lírico, género muy cultivado por los autores franceses, ale
manes y provenzales junto a la poesía de temas amorosos y políticos. Des
conocemos su autoría y la data cronológica exacta. Debió de componers
en la segunda parte del siglo XIII, respondiendo a la preocupación genera
lizada del papado y de la cristiandad por relanzar la cruzada, sobre tod
después de la caída de la Ciudad Santa en manos de los kharizmianos e
año 1244. Sabemos que los concilios ecuménicos de Lyón (1245 y 1274
tratan con decisión del grave problema y de las medidas más oportuna
para emprender la reconquista de Tierra Santa. El poema castellano nac
en este clima y tiene todas las apariencias de un breve pregón utilizado po
propagandistas y predicadores para reavivar la cruzada en el pueblo, y
que a dicha empresa se podía colaborar con soldados y con dinero. Lo
versos de la pieza poética amalgaman y combinan elementos juglarescos
los característicos de la clerecía. «Juglaría y clerecía —afirma E. Asensio—
sirven para distinguir los niveles de la lengua y la técnica poética, que s
dan entrelazados en la misma obra» [199].

La lírica primitiva es un producto literario que refleja perfectamente e
complejo mosaico étnico e ideológico de la población peninsular durant
los siglos centrales del Medievo. Las relaciones de los cristianos con mu
sulmanes y judíos, la cultura de mozárabes y mudéjares y la influencia d
la lírica provenzal tanto en ambientes catalanes, siempre atentos a los cam
bios artísticos experimentados allende los Pirineos, como en los reinos oc
cidentales gracias a los peregrinos jacobeos, fueron las corrientes espiri
tuales en las que se gestó la lírica mozárabe, la gallego-portuguesa, la caste
llana y la catalana de esta época.

Las «jarchas», esas breves estrofas que comienzan a escribirse durant
el siglo XI en lengua árabe vulgar o romance y sobre las que los poeta
árabes y hebreos construían sus poemas cultos —las «moaxajas»—, carecer
de significación eclesiástica propiamente dicha. De origen popular, no tie
nen autor conocido y sus contenidos son siempre amorosos [200].

Con la primera lírica galaico-portuguesa de los siglos XII-XIII ocurr
algo parecido. Conocemos los nombres de varios poetas, algunos pertene

---

[198] R. MENÉNDEZ PIDAL, *Roncesvalles. Un nuevo cantar de gesta español del siglo XIII:* RF
(1917) 105-204; cf. también J. ANTONIO FRAGO GARCÍA, *Literatura navarro-aragonesa*, en «His
toria de las literaturas hispánicas no-castellanas» p.247 (con referencias bibliográficas). U
elenco de los principales temas épicos: J. L. ALBORG, *Historia de la literatura española* vol.
p.80-82.

[199] El texto: MARÍA DEL CARMEN PESCADOR DEL HOYO, *Tres nuevos poemas medievales*
NRFH 14 (1960) 242-250. Un estudio sobre el mismo: E. ASENSIO, *Poética y realidad en
cancionero peninsular de la Edad Media* p.263-292.

[200] E. GARCÍA GÓMEZ, *La lírica hispano-árabe y la aparición de la lírica románica:* Al-Andalu
21 (1956) 303-333; ID., *Las jarchas romances de la serie árabe en su marco* (Barcelona 1975
2.ª ed.; S. M. STERN, *Hispano-Arabic Poetry* (Oxford 1974). Para un planteamiento de la pro
blemática en torno a las «jarchas» con abundante bibliografía: M. FRENK ALATORRE, *Las jar
chas mozárabes y los comienzos de la lírica románica* (México 1975).

en incluso a la clerecía, pero en general todos ellos manifiestan un interés muy escaso por asuntos religiosos o específicamente eclesiásticos. Esta lírica, con claras influencias de la poesía provenzal y occitana, pone el acento preferentemente en temas de índole profana, aunque, a decir verdad, durante estos siglos la divisoria entre lo profano y lo religioso se diluye casi por completo o resulta siempre muy tenue. Las *cantigas de amor* y las *cantigas de amigo* discurren, en general, sobre el amor cortés y sus diversas connotaciones. En las *cantigas de romería,* el conjunto de poemas que constituye uno de los grupos específicos de las cantigas de amigo, se vislumbran algunos aspectos de la religiosidad popular de la Península, relacionada con el clima festivo de las ermitas y santuarios o de las rutas de peregrinos. Pero no parece que deba subrayarse excesivamente la dimensión religiosa de las mismas.

E. Asensio está en lo cierto cuando afirma que «esta utilización de la ermita como escenario para entrevistas amorosas, exhibiciones de belleza y rebeldías de niña mal guardada nos hace dudar de que semejantes poemas hayan tenido ninguna devota en la fiesta. Los juglares y segreles, que nos han dejado lo que podríamos llamar el ciclo de las romerías, suelen componer verdaderas series de tres hasta siete cantares, presentando diversos momentos y situaciones sentimentales en torno a la misma ermita. *Son secuencias imaginativas no ligadas con la vida del autor o de la historia del lugar; ficciones en que la mezcla de lo sagrado sirve, como en tantos otros poemas medievales, para dar un cierto regusto al amor.* La escasa trascendencia de lo religioso aparece cuando las confrontamos con las cantigas de Santa María del Rey Sabio, en las que se siente la cercanía de lo sobrenatural, la complejidad de las tareas de los hombres, la alternativa de la gracia y del pecado» [201]. En las *cantigas d'escarnho,* los autores critican los distintos estamentos sociales e incluso tratan de parodiar y desmitificar el propio amor cortés. Algunas se ocupan, asimismo, de la vida desordenada de los clérigos. Este problema aparecerá más tarde en muchas obras castellanas y catalanas [202].

Gonzalo de Berceo es el representante más destacado de la lírica religiosa peninsular hasta la época de Alfonso X el Sabio. Nacido en el pueblecito de Berceo, diócesis de Calahorra, su vida discurrió estrechamente vinculada al monasterio de San Millán de la Cogolla, donde recibe una formación adecuada y al que sirve como clérigo secular, quizás en calidad de notario del abad del cenobio. Escribe a lo largo de la primera parte del siglo XIII, sobrepasando la mitad de la centuria, y en sus poemas se ajusta a las pautas estilísticas cultas propias de la cuaderna vía —el poeta riojano fue considerado siempre como uno de los autores representativos del lla-

---

[201] E. ASENSIO, o.c., p.32. Un análisis de la primitiva lírica galaico-portuguesa: o.c., p.7-133. Al final incluye una «apostilla bibliográfica» amplia (p.120-133). Cf. también P. VÁZQUEZ CUESTA, *Literatura gallega,* en «Historia de las literaturas hispánicas no-castellanas» p.621ss.

[202] Los textos de la primitiva lírica gallega-portuguesa: *Cancionero de Ajuda* (Halle 1904) 2 vols.; E. MONACI, *El Canzionero Portoghese della Biblioteca Vaticana* (Halle 1875); E. MOLTENI, *Il Canzoniere portoghese Colocci-Brancuti* (Halle 1880); J. J. NUNES, *Cantigas d'Amigo dos trovadores galego-portugueses* (Coimbra 1928; Lisboa 1973 reimp.); ID., *Cantigas d'Amor dos trovadores galego-portugueses* (Coimbra 1932; Lisboa 1972 reimp.); M. RODRIGUES LAPA, *Cantigas d'escarnho e de maldizer dos Cancioneiros galego-portugueses* 2.ª ed. (Vigo 1970).

mado mester de clerecía—, pero pretende al mismo tiempo tratar de forma sencilla los asuntos de índole religiosa y transmitir al pueblo, con la facilidad y la gracia de los juglares, las enseñanzas espirituales, abandonando el esquematismo frío y rígido de los sermones de la literatura didáctica utilizado por el estamento eclesiástico, del que también él formaba parte. Además, en algunas de sus obras, en las hagiográficas especialmente, sabe conjugar muy bien la intencionalidad religiosa y la propaganda interesada a favor de su monasterio [203].

Las vidas de San Millán, de Santo Domingo de Silos, de Santa Oria y la narración no íntegra del martirio de San Lorenzo completan el capítulo de poemas de tema hagiográfico. Para la *Vida de San Millán,* Berceo emplea como fuente principal la *Vita Beati Aemiliani,* de Braulio de Zaragoza, y la enriquece a base de tradiciones relacionadas con el monasterio emilianense. Entre los milagros del Santo narrados por el poeta destaca uno póstumo, en el que San Millán aparece al lado de Santiago militando contra los moros. Una vez conseguida la victoria por la parte cristiana, los leoneses, capitaneados por el rey Ramiro, y los castellanos, por el conde Fernán González, prometen pagar tributos —los votos— a San Millán y al Apóstol respectivamente. Gonzalo de Berceo pretende fortalecer así una tradición de claras vertientes económicas para el cenobio de la Rioja, apoyada también en un supuesto diploma de Fernán González de contenido similar, conocido seguramente por el poeta. La *Vida de Santo Domingo de Silos* depende, asimismo, de otra fuente latina: la *Vita Sancti Dominici,* del abad Grimaldo, que había sido discípulo del Santo. El poema berciano está estructurado, al igual que la *Vida de San Millán,* siguiendo un esquema ternario: el boceto biográfico introductorio, los milagros del Santo durante su vida y los póstumos. Berceo quiso compaginar también en él la devoción a Santo Domingo y la propaganda del cenobio burgalés. Silos y San Millán de la Cogolla mantenían estrechas relaciones de cooperación recíproca, firmando acuerdos entre sí. La formalización de dichos acuerdos debió de constituir la ocasión próxima de la composición del segundo poema hagiográfico. La *Vida de Santa Oria,* inspirada asimismo en una *Vita* latina escrita por Munio, confesor de la Santa, se diferencia de las otras dos obras tanto en la organización interna como en su contenido. Se pueden distinguir en ella no tres, sino siete secciones bien determinadas, y las visiones de Oria constituyen el motivo central de la mayor parte de los versos. Por ello, algunos autores prefieren incluir este poema en el género de la «literatura de visiones» y no en el de «vidas de santos». Un trabajo reciente dedicado al estudio y reconstrucción del texto de dicha pieza lírica prefiere titularla *Poema de Santa Oria,* cualificación menos determinativa que la de *Vida* en sentido estricto. Los matices de carácter utilitario e interesado no aparecen aquí de forma tan clara como en las dos obras anteriores, pero el autor ha tenido buen cuidado de consignar que el sepulcro de la santa visionaria estaba en San Millán de la Cogolla [204].

---

[203] Un amplio elenco bibliográfico sobre Berceo y la lírica del siglo XIII: A. DEYERMOND, *Historia crítica...* vol.1 p.136-140.
[204] El texto de las obras de Berceo: B. DUTTON, *Gonzalo de Berceo. Obras completas* vol.1:

De los tres poemas marianos compuestos por Gonzalo de Berceo: *Loores de Nuestra Señora, Planto que fizo la Virgen el día de la Passión de su Fijo Jesu Christo* y *Milagros de Nuestra Señora,* el tercero tiene un valor especial tanto por su extensión como por el contenido. El autor utiliza para esta obra una colección latina de leyendas marianas, género muy abundante en toda Europa durante los siglos XII y XIII, en pleno auge de la devoción a María. Con todo, la falta de originalidad temática de los *Milagros* no le restan ni calidad poética ni frescura espiritual. El poeta supo tratar cada uno de los temas poniendo en ellos su sello personalísimo y sus pretensiones de sencillez, impregnando todo el poema de una inmediatez y cercanía que le confieren un aire popular y hasta cierto punto original. Berceo se muestra, a lo largo de toda la composición, como devoto sincero y fervoroso de la Virgen, y ha merecido, con justicia, el título de «juglar de María»; pero también es cierto que sus versos están determinados y reproducen en buena medida las corrientes culturales y la cosmovisión social de la época, lógicamente sin crítica ni distanciamientos revisionistas. El amor del poeta riojano a la Virgen María, de la que exalta, sobre todo, su maternidad divina y sus virtualidades taumatúrgicas, viene a ser la versión sacralizada del amor cortés cantado por los trovadores laicos. De hecho, en la última lírica provenzal, el trovador secular se convierte en trovador mariano. María es la nueva *midoms.* A ella se dirigen sus devotos cantores con los mismos esquemas utilizados por los trovadores profanos [205]. Además, por las estrofas de los *Milagros* desfilan todos los estamentos del Medievo ordenados y jerarquizados. «De campesinos a obispos —según consta Puértolas—, todo el espectro de la sociedad medieval aparece dominado por los poderes sobrenaturales de María, abogada y defensora, pero que también sabe castigar cuando es preciso». El clérigo de San Millán no atisba todavía los males y el pecado inherentes a un entramado social sólidamente fundamentado en la jerarquización y la consiguiente desigualdad. La Virgen salva a todos aquellos devotos que confían en ella, sin atender a su posición estamental. La igualdad y el bienestar de la colectividad serán únicamente notas escatológicas del futuro reino de los cielos. Con todo, el historiador de la literatura arriba citado parece ir demasiado lejos cuando afirma que el propósito de Berceo, más allá de las supuestas ingenuidades, no es otro que el de la preservación del orden establecido, invocando la posibilidad del milagro cotidiano y de una vida eterna» [206]. Berceo refleja en sus poemas la sociedad que lo circunda. No pretende de ningún modo situarse en una perspectiva postuladora de reformas estructurales, sencillamente porque no ve la necesidad de las mismas; pero tampoco intenta formalmente con sus estrofas apuntalar y fortalecer el orden social vigente.

Vida de San Millán de la Cogolla (Londres 1967); vol.2: *Milagros de Nuestra Señora* (1971); vol.3: *Duelo de la Virgen, Himnos, Loores de Nuestra Señora* y *Signos del juicio final* (1975); vol.4: *Vida de Santo Domingo de Silos* (1978). El texto de Santa Oria: I. URÍA MAQUA, *El Poema de Santa Oria* (Logroño 1976); ID., *El Poema de Santa Oria: cuestiones referentes a su estructura y género:* Berceo 94-95 (1978) 45-55.

[205] Cf. J. MENÉNDEZ PELÁEZ, *Nueva visión del amor cortés* (Oviedo 1980), especialmente p.294-295 y 175.

[206] Los párrafos citados literalmente: C. BLANCO AGUINAGA-J. RODRÍGUEZ PUÉRTOLAS-I. M. ZAVALA, *Historia social de la literatura española* vol.I p.65-67.

El tercer grupo de poemas bercianos: *De los signos que aparescerán antes del juicio* y *El sacrificio de la misa,* tienen un carácter más doctrinal y cate quético [207].

El *Libro de la infancia y muerte de Jesús* o *Libre dels tres Reys d'Orient* y la *Vida de Santa María Egipcíaca,* obras anónimas compuestas en la primera parte del XIII, son también poemas hagiográficos escritos sin los recursos habituales de la cuaderna vía. El autor del *Libro de la infancia* acude a los evangelios apócrifos para completar aquellos períodos de la vida de Jesús oscurecidos en los textos canónicos. La Virgen ocupa también un lugar destacado en la primera parte del mismo y el desconocido poeta conocía composiciones bercianas; concretamente, los *Loores de Nuestra Señora.* La segunda pieza lírica describe a la legendaria protagonista como un para digma de la mujer pecadora y arrepentida. A principios del siglo VII se habría compuesto la primera biografía de esta «santa» y posteriormente fueron multiplicándose las versiones en distintas lenguas. La castellana es una de ellas. Los dos poemas reflejan claramente los rasgos característicos de la juglaría, armonizados con los recursos propios del mester de clerecía como en otras obras de la época [208].

El *Libro de Apolonio* y el *Libro de Alexandre,* obras representativas del mester de clerecía y escritas igualmente en la primera mitad del siglo XIII tienen las características de las llamadas «novelas de aventuras», aunque los personajes centrales, el rey Apolonio de Tiro y Alejandro Magno, sean históricos. Desconocemos las relaciones de sus autores con el estamento eclesiástico, y ambas carecen de preocupaciones específicamente religio sas, aunque no falten en ellas propósitos moralizadores. Los dos poemas manifiestan un alto aprecio de la tradición clásica, y sus compositores, el del segundo sobre todo, poseían un conocimiento notable de los escritores latinos y griegos, adquirido a través de obras medievales, de las que de penden [209]. La literatura vernácula de estos siglos bajomedievales demues tra, generalmente, un claro interés por actualizar los temas antiguos, ha ciendo de ellos una lectura con características peculiares. Para los autores medievales, los clásicos, encarnaban de manera relevante la categoría de *auctoritas*, tan apreciada en el mundo literario y sapiencial del Medievo Las leyendas mitológicas fueron aprovechadas también por los tratadistas cristianos, vaciándolas de contenidos metafísicos y atribuyéndoles un valor ejemplar y gnómico, siguiendo de forma más o menos explícita —como indica López Estrada— la vieja teoría de Evemero, según la cual las haza ñas de los dioses antiguos no eran más que las gestas de los grandes héroes divinizados. Los escritores medievales tampoco tienen inconveniente en

[207] También se atribuyen a Berceo varios himnos, editados por B. Dutton en 1975. Cf. l nt.204 en este mismo capítulo.
[208] M. ALVAR, *Poemas hagiográficos de carácter juglaresco* (Madrid 1967). Los textos de am bos poemas: ID., *Libro de la infancia y muerte de Jesús (Libre dels tres Reys d'Orient)* (Madrid 1965) *Vida de Santa María Egipcíaca* (Madrid 1970-1972) 2 vols.
[209] M. ALVAR, *El Libro de Apolonio* (Madrid 1976) 3 vols.; D. A. NELSON, *El Libro de Alexan dre*. Reconstrucción crítica (Madrid 1979). Cf. también: M. ALARCOS LLORACH, *Investigaciones sobre el Libro de Alexandre* (Madrid 1948).

relacionar sincrónicamente acontecimientos o personajes medievales y antiguos, cometiendo así graciosos anacronismos [210].

La primitiva poesía catalana, profana y religiosa, se inscribe en el área de influencia lírica del provenzal. Ramón Llull fue el primer gran poeta que escribió en catalán. Se tratará de él con detenimiento en otra parte de este volumen [211].

[210] F. FLÓREZ ESTRADA, *Introducción a la literatura medieval española* p.133ss («Consideración de los antiguos en la Edad Media»).

[211] Sobre los orígenes de la literatura catalana vernácula cf. M. DE RIQUER, *Historia de la literatura catalana,* vol.1; ANTONI COMAS, *Literatura catalana,* en «Historia de las literaturas hispánicas no-castellanas» p.429ss. Un conjunto de seis sermones, escritos en torno a 1200 y conocido con el título de *Homilies d'Organyà,* fue considerado por mucho tiempo como el primer texto catalán en prosa. Sobre Ramón Llull cf. las p.221ss de este volumen. Sobre las Homilies de Organyà, p.102 de este tomo II-2.º

CAPÍTULO VII

LA CORTE PONTIFICIA DE AVIÑON Y LA IGLESIA ESPAÑOLA

Por JAVIER FERNÁNDEZ CONDE y ANTONIO OLIVER

BIBLIOGRAFIA

LA SANTA SEDE Y LA CRUZADA ESPAÑOLA

A. GIMÉNEZ SOLER, La expedición a Granada de los infantes D. Juan y D. Pedro en 1319: RABM 11 (1904) 353-360; 12 (1905) 24-36; ID., La corona de Aragón y Granada. Historia de las relaciones entre ambos reinos (Barcelona 1908); H. FINKE, Acta Aragonensia (1291-1327) 3 vols. (Berlín-Leipzig 1907-1922); ID., Nachträge und Ergänzungen zu den Acta Aragonensia: Gesammelte Aufsätze zur Kulturgeschichte Spaniens, 4 (1933) 355-536; A. CANELLAS, Aragón y la empresa del Estrecho en el siglo XIV. Nuevos documentos del Archivo Municipal de Zaragoza: EEMCA 2 (1946) 7-73; F. MIQUELL ROSELL, Regesta de letras pontificias del Archivo de la Corona de Aragón (Madrid 1948); J. GOÑI GAZTAMBIDE, Historia de la bula de la cruzada en España (Obra fundamental para esta temática; Vitoria 1958); L. PÉREZ MARTÍNEZ, Regesta de las bulas de 1232 a 1415 del Archivo Capitular de Mallorca: AA 11 (1963) 161-188.

LA POLÍTICA DE AVIÑÓN EN ESPAÑA

G. DAUMET, Étude sur les relations d'Innocent VI avec le roi Pedro I de Castille au sujet de Blanche de Bourbon (Roma 1897); ID., Mémoire sur les relations de la France et de la Castille de 1255 à 1320 (París 1897); ID., Étude sur l'alliance de la France et de la Castille au XIVᵉ et XVᵉ siècles (París 1898); E. BERGER, Jacques II d'Aragón, le Saint-Siège et la France: Journal des Savants (1908) 281-294.348-359; J. VINCKE, Staat und Kirche in Katalonien und Aragón während des Mittelalters (Münster im Westfalen 1931); ID., Documenta selecta mutuas civitatis Arago-cathalaunicae et Ecclesiae relationes illustrantia (Barcelona 1936); G. MOLLAT, Les Papes d'Avignon 1305-1378 (París 1949) (aquí se hace referencia a la 10.ª edición, París 1964); R. GARCÍA-VILLOSLADA-B. LLORCA, La Iglesia en la época del Renacimiento y de la Reforma católica (1303-1648), vol.3 de la «Historia de la Iglesia» (BAC, Madrid 1960); E. MARTÍNEZ FERRANDO, La tràgica història dels reis de Mallorca (Barcelona 1960); ID., Jaume II o el seny català ò Alfons el Benigne (2.ª ed. Barcelona 1963); J. VALDEÓN BARUQUE, Enrique II de Castilla: la guerra civil y la consolidación del régimen (1366-1371) (Valladolid 1966); L. SUÁREZ FERNÁNDEZ-J. REGLA, España cristiana. Crisis de la Reconquista. Luchas civiles, vol.14 de la «Historia de España» dirigida por R. MENÉNDEZ PIDAL (Madrid 1966); J. TRENCHS ODENA, Benedicto XII y Aragón (Barcelona 1971) (tesis doctoral inédita); J. ZUNZUNEGUI ARAMBURU, Bulas y cartas secretas de Inocencio VI (1352-1362) (Roma 1970); J. M. LACARRA, Historia política del reino de Navarra desde *sus orígenes hasta su incorporación a Castilla* 3 vols. vol.3 (Pamplona 1973); ID., *Historia del reino de Navarra en la Edad Media* (Pamplona 1975); J. GOÑI GAZTAMBIDE, *Historia de los obispos de Pamplona. Siglos XIV-XV* (Pamplona 1979).

CENTRALISMO ADMINISTRATIVO Y FISCALISMO DE AVIÑÓN.
SUS INCIDENCIAS EN LA IGLESIA ESPAÑOLA

I. E. GÖLLER, *Die Einnahmen der apostolischen Kammer unter Johann XXII* (Paderborn 1910); K. G. SCHÄFER, *Die Ausgaben der apostolischen Kammer unter Johann XXII, nebst den Jahresbilanzen von 1316-1375* (Paderborn 1914); ID., *Die Ausgaben der apostolischen Kammer unter Benedikt XII, Klemens VI, und Innocenz VI. 1335-1362* (Paderborn 1914); I. E. GÖLLER, *Die Einnahmen der apostolischen Kammer unter Benedikt XII* (Paderborn 1920); V. L. MOHLER, *Die Einnahmen der apostolischen Kammer unter Klemens VI* (Paderborn 1931); K. H. SCHÄFER, *Die Ausgaben der apostolischen Kammer unter den Päpstten Urban V und Gregor XI. 1362-1378, nebst Nachträgen und einen Glossar für alle drei Ausgabenbände* (Paderborn 1937); H. HOBERG, *Die Einnahmen der apostolischen Kammer unter Innocenz VI* (Paderborn 1955) (las noticias económicas relativas a España se incluyen en el conjunto de referencias sobre el fiscalismo de los distintos pontífices); G. MOLLAT, *La collation des bénéfices ecclésiastiques à l'époque des papes d'Avignon. 1305-1378* (París 1921); J. ZUNZUNEGUI ARAMBURU, *La Cámara Apostólica y el reino de Castilla durante el pontificado de Inocencio VI (1352-1362):* AA 1 (1953) 156-184; J. GOÑI GAZTAMBIDE, *El fiscalismo en España en tiempo de Juan XXII:* AA 14 (1966) 65-99; B. GUILLEMAIN, *La Cour pontificale d'Avignon (1309-1376). Étude d'une société* (París 1966).

LA OBRA DEL CARDENAL GIL ALVAREZ DE ALBORNOZ

H. J. WURM, *Kardinal Albornoz, der zweite Begründer des Kirchenstaats* (Paderborn 1892); G. MOLLAT, *Albornoz (Gil-Alvarez-Carrillo):* DHGE 1 (1912) 1117-1125; J. BENEYTO PÉREZ, *El cardenal Albornoz, canciller de Castilla y caudillo de Italia* (Madrid 1950); J. F. RIVERA RECIO, *Los arzobispos de Toledo en la baja Edad Media (siglos XII-XV)* p.85-87 (Toledo 1969); B. ALONSO, *Alvarez de Albornoz, Gil:* DHEE 1 (1972) 51-55; *Diplomatario del cardenal Gil de Albornoz. Cancillería pontificia (1351-1353),* presentación e introducción: E. SÁEZ, y estudio diplomático: J. TRENCHS ODENA (Barcelona 1966); *El cardenal Albornoz y el colegio de España,* Miscelánea dirigida por E. VERDERA Y TUELLS, 3 vols. (Zaragoza 1972-1973).

CONQUISTA Y EVANGELIZACION DE CANARIAS

J. ALVAREZ DELGADO, *El Rubicón de Lanzarote:* Anuario de Estudios Atlánticos 3 (1957) 430-561; ID., *Primera conquista y cristianización de Gomera:* Anuario de Estudios Atlánticos 6 (1960) 445-492; ID., *La conquista de Tenerife. Un reajuste de datos hasta 1496:* Revista de Historia Canaria (1959) 169-196 y (1960) 71-93; J. ABREU GALINDO, *Historia de la conquista de las islas Canarias* (Santa Cruz de Tenerife 1959); M. BONET, *Expediciones de Mallorca a las islas Canarias (1342-1352):* Bol. Soc. Arqueol. Luliana 6 (1896) 285-288; B. BONNET Y REVERÓN, *Las Canarias y la conquista franco-normanda. Juan de Béthencourt* (La Laguna 1944); ID., *Las expediciones a las Canarias en el siglo XIV* (Madrid 1946); D. V. DARIAS Y PADRÓN, *Historia de la religión en Canarias* (Santa Cruz de Tenerife 1957); I. OMAECHEVARRÍA, *En torno a las misiones del archipiélago canario:* Missionalia Hispanica (1957) 539-560; A. RUMEU DE ARMAS, *La exploración del Atlántico por mallorquines y catalanes en el siglo XIV:* Anuario de Estudios Atlánticos 10 (1964)163-178; E. SERRA RÁFOLS, *Los mallorquines en Canarias:* Revista de Historia 7 (1941) 195-209 y 280-287; ID., *Más sobre los viajes catalano-mallorquines a Canarias:* Revista de Historia 9 (1943) 280-292; ID., *La missió de Ramón Llull i els missioners mallorquins del segle XIV:* Studia monographica et recensiones 11 (1954) 169-175; H. SANCHO DE SOPRANIS, *Los conventos franciscanos de la misión de Canarias (1443-1487):* Anuario de Estudios Atlánticos 5 (1959) 375-397; J. VICENS, *Comienzos de las misiones cristianas en las islas Canarias:* Hispania Sacra 12 (1959) 193-207; J. VINCKE, *Primeras tentativas misionales en Canarias (siglo XIV):* Analecta Sacra Tarraconensia 15 (1942) 291-301; ID.,*Comienzos de las misiones cristianas en las islas Canarias:* Hispania Sacra 12 (1959) 193-207; ID., *Der verhinderte Kreuzzug Ludwigs von Spanien zu den Kanarischen Inseln:* Spanische Forschungen der Görresgesellschaft 17 (1961) 57-71; ID., *Die Evangelisation der Kanarischen Inseln im 14. Jahrhundert im Geiste Raimund Lulls:* Estudios Lulianos 4 (1960) 307-314; J. ZUNZUNEGUI, *Los orígenes de las misiones en las islas Canarias:* Revista Española de Teología 1 (1941) 361-408.

I. LA SANTA SEDE Y LA CRUZADA ESPAÑOLA

Por J. F. CONDE

Las intervenciones de los papas de Aviñón en la Península a lo largo del trescientos fueron, por lo menos, tan frecuentes y determinantes como en la centuria anterior. La reanimación de la cruzada contra el reino nazarí de Granada, prácticamente paralizada desde la última parte del siglo XIII y en los primeros años del XIV, constituyó, sin duda, un objeto primordial de la política aviñonesa. No pocas veces, los papas, al preparar las distintas campañas militares, se vieron obligados a ejercer funciones de mediación entre los reinos cristianos, enfrentados con frecuencia por cuestiones de diversa índole.

Las dificultades políticas surgidas en Castilla durante las prolongadas minorías de Fernando IV (1295-1301) y de Alfonso XI (1312-1325), que provocaron numerosos conflictos y revueltas protagonizados por las distintas facciones nobiliarias y propiciaron las ambiciones hegemónicas de Portugal y las agresiones de Aragón, neutralizaron, lógicamente, cualquier acción efectiva contra Granada, el último reducto musulmán en la Península, bien defendido y muy probado. En Aragón, ni Jaime II (1291-1327) ni Alfonso IV (1327-1336) demostraron demasiado entusiasmo a la hora de continuar la reconquista del territorio islámico. Su atención política se centraba preferentemente en lograr la hegemonía del Mediterráneo, al servicio de los intereses y de la expansión mercantilista de Cataluña. El pequeño reino pirenaico de Navarra, demasiado alejado del teatro de operaciones y estrechamente ligado a los vaivenes de la política de los soberanos franceses, tampoco tenía fuerzas suficientes ni capacidad de maniobra para comprometerse a fondo en una operación militar contra Granada.

La conquista de los territorios que componían el reino granadino en el sur de España, que con la cooperación de todos los reinos cristianos peninsulares no parecía un proyecto excesivamente arduo, constituía una premisa importante para realizar con más seguridad la siempre esperada cruzada a Tierra Santa. Por eso, la Sede Apostólica apoyó decididamente los diversos planes de cruzada tan pronto como eran formulados por soberanos o personajes relevantes de la nobleza. Los papas de Aviñón, especial-

362		*J. Fernández Conde y A. Oliver*

mente los primeros, no regatearon las gracias espirituales características de esta clase de expediciones bélicas, ayudando también económicamente a los reyes con los ingresos pontificios provenientes de las rentas eclesiásticas. Pero en el terreno de lo cremístico se mostraron más cautelosos, recortando no pocas veces las extraordinarias y exorbitadas peticiones de los soberanos, particularmente del aragonés y del castellano, que veían ya en las rentas de las iglesias una fuente de financiación de sus problemas presupuestarios, siempre agobiantes en una época caracterizada por la impronta de crisis general. Por otra parte, los pontífices asentados a orillas del Ródano, muy vinculados a los intereses de la corona francesa, estaban mejor dispuestos, por lo general, hacia sus soberanos cuando se trataba de concederles las rentas de la Iglesia para la cruzada de Tierra Santa, empresa que, a decir verdad, nunca fue tomada demasiado en serio por dichos reyes durante esta centuria.

Con el reconocimiento oficial de la mayoría de edad de Fernando IV (1301) comienza ya a planearse, primero en Castilla y después en Aragón, la continuación de la lucha contra Granada. La Santa Sede cooperará habitualmente con su ayuda moral y material; pero los proyectos irán fracasando sucesivamente. Así, en 1303 y en 1305 el rey de Castilla apoya los intentos de cruzada del gran maestre de la orden militar de Santiago, pero no logra resultados positivos. El año 1308 las cosas se prepararon mejor. En diciembre, Fernando IV y Jaime II llegan a un acuerdo, que formalizan en Alcalá de Henares, para emprender juntos el ataque a Granada desde distintos puntos de partida. El papa Clemente V concede a los dos reyes el importe de la décima de tres años, y ante la insistencia del aragonés, escribe a los prelados de su reino pidiéndoles que secunden esta campaña con un subsidio voluntario. Jaime II, que cuidó esmeradamente la orquestación diplomática de su operación militar, presentándola como un preámbulo para emprender el pasaje a ultramar, en el que prometía participar personalmente, no quedó satisfecho de las concesiones económicas pontificias. Y, además, todo terminó en fracaso. El ejército castellano abandona el cerco de Algeciras en noviembre de 1309, y el de Aragón hará lo mismo dos meses más tarde para evitar un posible desastre. Tres años después, el 1312, el rey castellano trata de aprovechar una grave crisis política que estalla en Granada, y reanuda la guerra —esta vez sin el aragonés—, contando también con el apoyo económico de la sede aviñonesa. La muerte inesperada del joven monarca paralizó la empresa.

Parece que Jaime II utiliza fundamentalmente la guerra de Granada como una baza política, gracias a la cual trataba de obtener de Aviñón la mayor participación posible en las rentas de la Iglesia. Lo dejó entrever en la operación diplomática montada con ocasión de la cruzada conjunta de 1309; y semejante sospecha se hace todavía más patente durante la celebración del concilio de Vienne, al que acuden sus embajadores con indicaciones muy precisas. En realidad era una buena ocasión para relanzar la cruzada granadina, porque entre los diversos fines que perseguía esta asamblea conciliar figuraba el de alentar la cruzada contra los sarracenos. Las tesis aragonesas expuestas al pontífice pretendían demostrar que la conquista de Granada, lejos de constituir una rémora para la cruzada de Oriente, la facilitaba; presentándola además como una acción fácil y rápida, si para ella contaban con la ayuda militar y financiera de otros reyes e glesias extranjeras[1]. Clemente V no se dejó impresionar por los razonamientos de los embajadores de Jaime II. La décima de los seis años, que obtiene de la asamblea conciliar, la destina íntegramente a la cruzada ultramarina, la cual, en el caso de realizarse, no pasaría por España.

Durante la minoría de Alfonso XI, el rey aragonés encuentra el campo libre para protagonizar la guerra contra Granada y utilizarla en provecho de sus propios intereses económicos y políticos. Juan XXII, el nuevo papa de Aviñón (1316-1334), estaba mejor dispuesto, si cabe, que su antecesor a la hora de secundarlo; pero Jaime II se muestra habitualmente mucho más ambicioso al demandar ayudas económicas al pontífice que para proponerle verdaderas alternativas militares, capaces de hacer avanzar la Reconquista en el sur de España. Sus embajadores tratarán de conseguir una y otra vez de la Santa Sede el importe de la décima seisenal concedida a la cruzada de ultramar en el concilio de Vienne, encontrándose siempre con la rotunda negativa de Juan XXII, meticuloso y extraordinario administrador de los recursos financieros de la Cámara Apostólica. El año 1321, cuando el infante Alfonso, primogénito del rey Jaime, solicita del papa subsidios destinados a la conquista de Córcega y Cerdeña —islas feudatarias de la Sede Apostólica—, pretextando, una vez más, que esta acción constituía una preparación inmediata a la cruzada ultramarina, volverá con otra negativa sin paliativos. Jaime II, en los últimos años de su reinado, descarta claramente la posibilidad de la cruzada granadina. Entonces, agobiado por las deudas contraídas durante la conquista de Córcega (1324) y agotadas ya las disculpas válidas en orden a la consecución de nuevas subvenciones pontificias, acude a medios más expeditivos para apoderarse de las rentas de las iglesias. En 1325, el infante Alfonso saqueó las catedrales de Vich, Barcelona y Gerona, contrayendo por ello las consiguientes censuras eclesiásticas.

El papa Juan XXII se persuade poco a poco de que la conquista definitiva de Granada sólo puede llevarse a cabo efectivamente con la participación prioritaria de Castilla, y trata de conseguirla de manera decidida. En 1317 encomienda la predicación de la cruzada a los arzobispos de Toledo y Sevilla, juntamente con el de Córdoba; nombra jefe de la misma al infante D. Pedro y le concede una ayuda sustanciosa: el importe de 150.000 florines anuales durante tres años, a cargo de las tercias y de la décima impuestas a Castilla para la cruzada oriental. Al año siguiente hace otra concesión semejante al infante D. Juan. El responsable castellano de la cruzada se compromete, por su parte, a «hacer la guerra estando personalmente en la frontera tres años y tener cierto número de caballeros y cierta cantidad de galeras en el mar todo el año y duplicarla en el verano; que en la tierra que

---

[1] Las instrucciones de los embajadores de Jaime II: H. Finke, *Päpsttum und Untergang des Templerordens* vol.2 p.234-237.

conquistase no quedase ningún sarraceno, a no ser que quisiera bautizarse; que las mezquitas se destinasen a iglesias y que de cada diez ciudades, villas o castillos que tomase, una fuese para la Iglesia de Roma, franca de toda jurisdicción; y que en todos los lugares que conquistase, la Iglesia tuviese la décima y la primicia, y que no pudiese hacer paz ni tregua con los sarracenos sin consentimiento de la Iglesia de Roma» [2]. La campaña militar empieza con éxito. En 1319 se conquistan algunas plazas fuertes; pero la expedición terminará muy pronto y desastrosamente. El mes de junio de dicho año, los dos infantes castellanos mueren, uno después de otro y en un cortísimo espacio de tiempo, al volver de una operación victoriosa en la vega granadina.

El rey de Granada trata en seguida de sacar partido del desastre de los castellanos. Primero firma una paz de cuatro años con los procuradores de las ciudades andaluzas, que le permitirá reorganizarse. En 1324, aprovechando la anarquía política de Castilla, desencadena una ofensiva victoriosa que finaliza con la ocupación de varias localidades fronterizas. Juan XXII, seriamente alarmado por el sesgo que iban tomando los acontecimientos, vuelve a exhortar reiteradamente sobre la urgencia de reemprender la guerra contra los granadinos. El cardenal legado Guillermo de Godin, obispo de Sabina, que viene a España el año 1320 para poner en marcha la reforma de la Iglesia, recibe también del pontífice aviñonés el encargo de reavivar el espíritu de la cruzada.

Al llegar a la mayoría de edad, Alfonso XI asume el ideal de reconquista como uno de los principales objetivos de su reinado. Antes de emprender la primera expedición bélica en 1327, comienza las negociaciones con el papa para conseguir recursos económicos. Los éxitos iniciales podían servir de estímulo a la generosidad del pontífice aviñonés; pero las extraordinarias exigencias del castellano hicieron fracasar las gestiones. Un año más tarde vuelve a solicitar ayuda, y Juan XXII le concede entonces las tercias, la décima y los privilegios de cruzada por un cuatrienio. Todo parecía indicar que esta vez la empresa castellana se inauguraba bajo los mejores auspicios, porque en seguida comenzaron a sumarse a los proyectos de Alfonso XI efectivos de reyes y nobles no castellanos. Alfonso IV de Aragón se asocia a la cruzada, desplegando, además, una amplia campaña diplomática para conseguir nuevas adhesiones. Paulatinamente van prometiendo su asistencia Juan de Luxemburgo, Juan de Bohemia, Felipe III de Navarra, que consigue también el apoyo de Eduardo III de Inglaterra, Felipe VI de Valois, el mismo rey de Portugal y numerosos magnates de allende los Pirineos. Renacen las esperanzas de logros resonantes. Todo el mundo pensaba ya en una cruzada similar a la de las Navas del siglo anterior. Pero la magnitud de los preparativos no respondió en absoluto a los resultados efectivos. En el fondo, los soberanos seguían viendo en los planes de reconquista la gran ocasión de percibir dinero

² J. Goñi Gaztambide, *Historia de la bula...* p.288.

de las arcas pontificias, y el papa, buen conocedor de la situación política de la época y de las intenciones reales de cada soberano, irá respondiendo a todos ellos con prerrogativas que se situaban, en lo económico sobre todo, muy por debajo de las pretensiones de los respectivos peticionarios. A partir de 1330, las deserciones van sucediéndose una detrás de otra. Todos los que habían prometido su participación uno o dos años antes, presentan ahora diversas disculpas para ir retirándose. Sólo Castilla consigue mantener unos meses la lucha en Andalucía contra los benimerines, conquistando algunas plazas importantes. Alfonso XI, demasiado ocupado por los continuos conflictos internos provocados por la poderosa nobleza, una de cuyas cabezas visibles era el infante D. Juan Manuel, no podrá impedir que las tropas del sultán de Marruecos se apoderen de Gibraltar el año 1333. Alfonso IV de Aragón, imitador más o menos consciente de las actitudes políticas de su padre y tan preocupado como él por la utilización de los bienes de la Cámara Apostólica, se movió únicamente en el terreno de las buenas intenciones. Cuando se convenció de que ya no podía obtener los privilegios económicos solicitados reiteradamente a la Santa Sede, trató de impedir, al menos, que las rentas de sus iglesias salieran de las fronteras aragonesas hacia Francia. Felipe IV había obtenido del papa aviñonés la décima seisenal con la excusa de un hipotético viaje a ultramar. Y, para frenar la lógica evasión de dinero, el aragonés ordenó a sus prelados, reunidos en Tarragona el 1335, que se abstuvieran de cobrar los impuestos ordenados por el papa en sus respectivas jurisdicciones[3].

El rey castellano tampoco se andaba con miramientos a la hora de utilizar los bienes eclesiásticos. En 1339, el nuevo papa de Aviñón, Benedicto XII (1334-1342), protestará contra la incautación de las tercias de las rentas de la Iglesia, llevada a cabo unilateralmente por el soberano sin ninguna clase de autorización pontificia. El papa fulmina contra él la excomunión, pero lo absolverá pronto. El peligro de la cristiandad hispana ante la amenaza de los benimerines era ya un hecho, y se imponía con urgencia una política de unificación de esfuerzos entre los distintos reyes cristianos para rechazar esta postrer acometida africana. La diplomacia de Benedicto XII, encaminada a limar asperezas o a resolver conflictos entre los reinos peninsulares, fue intensa y eficaz.

Los nuncios aviñoneses cruzaron repetidamente los Pirineos con misiones pacificadoras. En 1336, los enviados papales trabajaron activamente para resolver la crisis que enfrentaba a Castilla y Navarra por la posesión de un castillo. Los problemas entre Alfonso XI y Pedro IV, el nuevo rey de Aragón, eran muy serios a causa de la animosidad del joven soberano hacia su madrastra Leonor, hermana del rey castellano. Los nuncios de Aviñón lograron también preparar el camino para la

---

[3] La orden real no provocó el lógico conflicto. El mismo papa suspendió en todas partes la tributación ordenada (cf. J. M. VIDAL, *Benoît XII. Lettres communes* n.3953.3954 y 4999).

cooperación de ambos monarcas en la tarea urgente de la cruzada
contra los sarracenos. Aragón y Castilla establecen el 1339 una alianza
para emprender la guerra conjuntamente. La reconciliación de Alfon
so XI con el infante D. Juan Manuel, conseguida el año anterior, resul
tó decisiva para el acercamiento de las dos principales potencias de la
Península. El proceso de entendimiento con el soberano de Portugal
Alfonso IV, resultó más arduo y complicado. Las relaciones adulterina
de Alfonso XI y Leonor de Guzmán, unidas al estado de relegación
permanente que padecía la esposa legítima, María de Portugal, consti
tuían un grave obstáculo a la hora de formalizar treguas duradera
entre ambos reyes. Por espacio de dos años (1337-1339), el obispo de
Rodez, Bernardo de Albi, en calidad de enviado especial de la Santa
Sede, no regateará esfuerzos para conseguir una aproximación que
hiciera posible la cooperación militar castellano-portuguesa. En la parte
oriental de la Península la diplomacia aviñonesa también tuvo que
trabajar de firme. Al papa reformador —en Benedicto XII, el ideal de
cruzada y el de la reforma de costumbres a todos los niveles marchaban
parejos— le preocupaban la marcada inclinación de Pedro IV de
Aragón hacia la cultura y los modos de vida islámicos, así como las
intenciones hegemónicas de éste respecto al reino de Mallorca, cuya
autonomía trataba de liquidar. El pontífice intentará convencer al rey
aragonés del peligro que suponían estas dos tendencias ético-políticas
ante una inminente acometida del Islam [4].

En otoño de 1339, las tropas castellanas, cuyos efectivos navales
habían sido reforzados por una pequeña flota catalana mandada por el
almirante Gilabert de Cruïlles, reanuda la lucha contra granadinos y
benimerines. La primera confrontación con el ejército del sultán de
Marruecos Abu-l-Hassán, que había desembarcado en la Península
resultó victoriosa para los cristianos. En ella encontró la muerte el hijo
del soberano marroquí, que comandaba la expedición. La reacción de
Abu-l-Hassán fue fulminante. Cruza el Estrecho, derrota la escuadra
castellana de Jofre Tenorio, que muere en la refriega, y pone sitio a
Tarifa juntamente con el rey de Granada. El desastre constituía una
severa advertencia para Alfonso XI. Inmediatamente se apresura a
conseguir un apoyo serio de Portugal y Aragón que le permitiera

[4] En 1337, el papa reconvenía a Pedro IV en estos términos: «Tú te rodeas de jóvenes sarracenos, ágiles y desenfrenados tanto en la mesa, mientras se te sirve la comida, como en la cámara; los admites a tus obsequios y coloquios familiares pública y privadamente, y lo que es más horrendo a los oídos de los fieles, no te avergüenzas de vestir algunas veces a la usanza mora. No te excuses diciendo que ellos te instruyen en el arte de la guerra y en el ejercicio de las armas. Tienes ahí cristianos más doctos en esas materias. Y si quieres ser instruido por los sarracenos, no por eso debes admitirlos tan pronto a tus coloquios y obsequios secretos y familiares, completamente alejados y a solas. Tales familiaridades representan un grave peligro para la salvación de tu alma, para tu honor y tu fama. Por eso te ruego que te abstengas de ellas en adelante y te rodees de personas prudentes, de edad madura, que te aconsejen y acompañen en todo momento...»; texto latino completo de la carta papal: J. M. VIDAL-G. MOLLAT, *Benoît XXII. Lettres closes et patente*, n.1271. Los párrafos traducidos: J. GOÑI GAZTAMBIDE, *Historia de la bula...* p.319. Cf. también G. DAUMET, *Une sémance du pape Benoît à Pierre d'Aragón pour ses relations fréquentes et intimes avec les musulmanes:* BH 7 (1905) 305-307.

nfrentarse a los benimerines con mayores garantías de éxito. El papa, or su parte, refuerza en Génova las gestiones llevadas a cabo por Castilla para contratar a sueldo navíos genoveses e impedir que éstos restaran ayuda a los sarracenos. Benedicto XII no se limitó a prestar ayuda diplomática. Una vez más, y siguiendo la conducta de sus antecesores, concede al rey astellano las gracias de la cruzada, que habría de predicarse en los einos de Castilla, Aragón, Navarra y Mallorca, así como las tercias y la écima de Castilla y León por un trienio. La posibilidad de participar militar o económicamente en la empresa de la cruzada antiislámica uedaba abierta a todo el mundo, de cualquier nacionalidad que fuera.

Pero este llamamiento solemne del papa contra los sarracenos no avo resonancias tan fuertes como el de las Navas, un siglo antes, o el e la cruzada de 1330, que habían puesto en movimiento a varios reyes y a muchos nobles de todo Occidente. El autor de la *Crónica de* *. Alfonso el Onceno*, con el claro propósito de ensalzar a su biografiado atribuyéndole todos los méritos del éxito final de la campaña, dice de él que «non ovo tiempo para se apercibir, nin para poder llamar algunas entes de otros regnos, nin fuesen a esta batalla con él, si non los de su eñorío et aquellas pocas gentes que la estoria ha contado que traxo el ey de Portogal; ca magüer que el papa le avía otorgado la cruzada para esta guerra en los regnos de Aragón et de Cataluña et en el regno de as Mallorcas, non venieron del regno de Aragón, si non un caballero... t del regno de Mallorcas dos escuderos que la estoria ha contado que murieron en la batalla»[5]. Sin embargo, las cosas no sucedieron xactamente así. Entre la convocatoria de la cruzada —marzo de 340— y la batalla decisiva del río Salado —octubre del mismo año—, Alfonso XI tuvo tiempo suficiente para activar la participación de ontingentes militares no-castellanos, y, a juzgar por lo que dicen lgunos relatos extranjeros sobre los acontecimientos, todo parece adicar que en la famosa batalla intervinieron también cruzados avarros, aragoneses y no-peninsulares. Sí es cierto que el peso de la ucha lo llevaron el rey castellano con el de Portugal y Gil Alvarez de Albornoz, arzobispo de Toledo.

---

[5] BAE n.LXVI p.329; D. CATALÁN, *Gran Crónica de Alfonso XI* vol.2 p.440.
[6] En BAE, l.c., p.328-329, hace el autor una comparación entre la batalla de las Navas y la el Salado, concluyendo: «parando mientes en todas estas cosas, pueden los omes entender ue, como quiera que en amos fechos mostró Dios muy cumplidamente gran miraglo; et más estas batallas fueron vencidas por el poder de Dios más que por fuerza de armas; pero aresce que mucho más virtuosa fue esta sancta batalla, que fue vencida cerca de Tarifa»).CATALÁN, l.c., p.44). *El poema de Alfonso XI* describe así la preparación del soberano antes de mprender el combate: «Alegró el coraçon / quando el día llegó, / a Dios fizo oración, / de oraçon le rogó // e diz: 'Señor de Verdat, / Padre e Fijo, e Spírito Santo. / Un Dios, nuestra rinidat, / nuestro escudo, nuestro manto, // que me feziste tu rey e me posiste en altura, / e o, Señor, por tu ley / pongo el cuerpo en aventura. // Contra ti so muy errado / desde el empo en que nasçí; / bien conosco mi pecado / e el mal que meresçí. // ... Yo, Señor, a ti me rno / con muy grand devoçión, / a ti, Padre, Señor bueno, / pido merçet e perdón'. // ... En na tiemda luego entrava / aqueste buen rey sin miedo, / con don Gil se apartava, / el arbispo de Toledo. // Allí tomó penitençia / e muy bien lo absolvieron, / con muy grand bedençia / el cuerpo de Dios le dieron» (YO TEN CATE, *El Poema de Alfonso XI* p.421-424). ios le dieron» (YO TEN CATE, *El «Poema de Alfonso XI»* p.421-424).

La victoria de Castilla, ayudada por Portugal, en los vados del río Salado el 30 de octubre de 1340, que los contemporáneos describen con todas las connotaciones propias de una guerra religiosa, y cuyo resultado final atribuyen más al poder de Dios que a la fuerza de las armas [6], puso en franquía para los soldados de Alfonso XI la fortaleza de Tarifa, sitiada desde unos meses antes por granadinos y marroquíes, y sirvió para animar al rey castellano a proseguir las campañas de reconquista con redoblado esfuerzo.

El nuevo pontífice aviñonés, Clemente VI (1342-1352), secundará económica y espiritualmente los proyectos militares del rey castellano que en 1343 cercaba la ciudad de Algeciras, de gran importancia estratégica ante la posible acometida de Abu-l-Hassán, que se estaba reponiendo en Marruecos del descalabro sufrido el año anterior. Esta vez apoyaron la cruzada de Castilla nobles ingleses y franceses, el rey de Navarra Felipe de Evreux y las flotas de Portugal, Aragón y Génova. En marzo de 1344 fue conquistada aquella plaza fuerte después de la batalla del río Palmones [7].

Las victorias de Alfonso XI en el Estrecho contra los musulmanes le hicieron concebir, sin duda, proyectos más ambiciosos. La conquista definitiva del pequeño reino granadino y la posibilidad de llevar la guerra a Africa parecían ya metas relativamente cercanas. En el mismo año de la conquista de Algeciras se produce otro acontecimiento que de algún modo suponía un giro novedoso de la política pontificia respecto al rumbo de las cruzadas. Clemente VI, a petición del conde Luis de España o de la Cerda, creaba el principado de Fortunia —el archipié-lago de las Canarias— y lo concedía a este noble, en calidad de feudo de la Santa Sede, mediante el pago de 400 florines anuales, para que procediera a su ocupación y los indígenas isleños pudieran recibir la fe cristiana. Las «islas Afortunadas», conocidas ya por los autores latinos, empezaron a entrar en la escena política de las potencias occidentales durante el siglo XIV. A principios de este siglo ponían el pie en ellas los marinos genoveses —Lanzarote recuerda el nombre de la expedición del comerciante genovés Lancelloto Malocelli en 1312— y comienzan forjarse diversos planes de conquista sobre las mismas. El papa preocupado por fortalecer las alianzas entre Francia y Castilla contra Inglaterra, veía en la persona del conde castellano-francés la pieza idea para llevar adelante la empresa, porque su estirpe lo relacionaba con los principales soberanos contemporáneos. En efecto, Luis de España era bisnieto de Alfonso X y nieto de Blanca, hija de San Luis, y residía en Francia, donde su padre, Alfonso de la Cerda, se había asentado después de renunciar definitivamente al trono del Rey Sabio. Don Luis era además conde de Claramont, almirante de Francia (1341) embajador del rey francés en Aviñón. Para facilitarle el camino Clemente VI perfiló cuidadosamente todos los detalles de la expedición

---

[7] L. SERRANO, *Alfonso XI y el papa Clemente VI durante el cerco de Algeciras*, en «Cuadernos de trabajos de la Escuela española de Historia y Arqueología de Roma» n (Madrid 1915).

nilitar a Fortunia. A finales de 1344 escribe a los reyes de Aragón, 'ortugal y Castilla, así como a otros soberanos menos relacionados con os asuntos africanos, presentándoles el nuevo príncipe y solicitando de ·llos protección y ayuda para su empresa. En enero de 1345 convierte licha empresa en cruzada, con las correspondientes gracias espirituales. 'ero no tuvo una acogida favorable. Alfonso XI, por ejemplo, al recibir as peticiones del papa, se niega rotundamente a colaborar, por onsiderar la conquista de Africa como un derecho inalienable de la orona de Castilla. Portugal se manifiesta de manera similar, y los estantes soberanos tampoco se mostraron dispuestos a secundar los royectos pontificios. La muerte del conde Luis de España (1348) aaraliza la empresa ideada por Clemente VI. A partir de entonces se rán sucediendo expediciones misioneras o de carácter militar, que erminarán en la centuria siguiente con la inclusión de las Canarias en ·l ámbito de la soberanía de los monarcas castellanos [8].

El rey Alfonso XI continúa la escalada militar en el sur de la 'enínsula, que le permitirá dejar expedito el camino y asegurar la etaguardia en el caso de proseguir la guerra en territorio africano. El ño 1349 pone sitio a Gibraltar, y trata de obtener otra vez el valioso oncurso naval de Génova mediante el apoyo diplomático de la Santa ·ede. Pero no consiguió ver culminada la conquista de la plaza perdida nos años antes. «La primera et grande pestilencia que es llamada nortandad grande» —la célebre peste negra— acaba con la vida del nonarca (el 26 de marzo de 1350), por no haber hecho caso a sus onsejeros cuando le pedían «que se partiese de la cerca, por quanto norían muchas campañas de aquella pestilencia, et estaba el su cuerpo n grand peligro» [9]. La muerte del rey castellano y el subsiguiente evantamiento del cerco de Gibraltar constituyen un hito importante en ı historia de la Reconquista. La cruzada contra los musulmanes uedará interrumpida durante más de un siglo. A partir de entonces ólo se efectuarán algunos intentos irrelevantes, que no prosperarán. Es nás, el sentido de cruzada sufrirá un profundo deterioro, especïal- nente a lo largo de la crisis que siguió a la revolución de los ´rastamara. La guerra que enfrenta a Castilla y a Portugal en el ontexto geopolítico de la guerra de los Cien Años, cuyo momento

---

[8] La documentación sobre este primer acercamiento de la Santa Sede y de los reinos ′istianos al archipiélago canario: J. ZUNZUNEGUI, Los orígenes de las misiones en las islas znarias: RET I (1940-1941) 361-408; J. VINCKE, Primeras tentativas misionales en Canarias iglo XIV): AST 15 (1942) 291-301. La respuesta del rey de Portugal: «Sed quis potest oncedere quod non habet? Quis enim agris suis scientibus aquam in suis prediis ortam 1 aliorum vicinorum fluere permittat? Nonne caritas ordinata a se incipere debet?... entes autem armorum et navigia nostra et si multo ampliora existerent, pro guerra uam habemus et habere intendimus cum perfidis potentibus et nobis proximis agarenis nquam nobis et regnis nostris per quam necessaria nullatenus possumus excusare et ipsa 1 aliorum auxilium deputare...» (J. ZUNZUNEGUI, o.c., p.394-395). Sobre Luis de España: . DAUMET, Louis de la Cerda ou d'Espagne: BH 15 (1913) 38-67; cf. también: J. VINCKE, ∂r verhinderte Kreuzzug Ludwigs von Spaien zu den Kanarischen Inseln: G. Aufsätze zur ultturgeschichte Spaniens 17 (1961) 57-71. En las p.408ss de este mismo capítulo, A. Oliver aaliza pormenorizadamente el proceso de la conquista y evangelización de las Canarias.
[9] Crónica de D. Alfonso el Onceno: l.c., p.391-392.

culminante será la batalla de Aljubarrota (1385), se inscribe también er
la compleja problemática del cisma de Occidente. Las cruzadas concedr
das por Clemente VII y Urbano VI a favor de Castilla y de Portuga
respectivamente no hacen más que exacerbar una lucha de legitimida
des políticas, detrás de la cual subyacían las distintas obediencias de lo
reinos peninsulares y sus específicas alianzas con Francia e Inglaterra

Pedro IV de Aragón (1336-1387), respecto a la empresa de la
Reconquista en el sur de la Península, sigue una trayectoria mu
parecida a la de sus antecesores. Sin negarse plenamente a tomar part
en dicha empresa, la colaboración que prestó a Alfonso XI fue siempr
escasa, limitándola a lo indispensable para poder solicitar ayuda
económicas de Aviñón. En vísperas de la gran campaña del Salado, po
ejemplo, el soberano aragonés regateaba en la corte papal, por medi
de su embajador, la obtención de amplios subsidios para una hipotétic
cruzada, que no llegaría a realizarse. En realidad, lo que verdadera
mente le interesaba en aquellos momentos eran las secuelas políticas er
Aragón de los primeros lances de la guerra de los Cien Años y l
conquista de Mallorca, que llevaría a cabo pocos años más tard
(1343-1344).

La atención de la corona aragonesa, una vez descartada la cruzad
ultramarina, estuvo siempre muy atenta a los acontecimientos político
económicos del Mediterráneo central y oriental. Las relaciones diplomá
ticas, frecuentes y amistosas, con los sultanes de Egipto, a la par qu
ventajas económicas, ofrecían a los soberanos aragoneses la posibilida
de ejercer una acción protectora sobre los Santos Lugares y facilitar e
acceso de los peregrinos a los mismos. Ya indicamos en otro capítul
que Jaime II había conseguido de Egipto, a finales del siglo XII
importantes garantías para los españoles que viajaran a Tierra Santa
Este mismo rey, en las primeras décadas del siglo XIV, envía varia
misiones diplomáticas al sultán egipcio Malek-en-Naser Mohammed,
logra fortalecer la política de ayuda a los peregrinos cristianos
consiguiendo para ellos la protección personal del soberano musulmár
En una embajada de 1322 obtiene de él que la guardia y administració
del Santo Sepulcro fuera confiada a doce frailes de Santo Doming
pertenecientes a los reinos de Aragón. La expedición dominicana lleg
a realizarse, pero los religiosos tuvieron que regresar muy pronto, si
que conozcamos las causas. Los siguieron los franciscanos, que conse
guirán mantenerse en el Santo Sepulcro gracias a las mejoras d
habitabilidad y de seguridad, negociadas también por el rey aragoné
con el soberano egipcio [10].

A la muerte de Jaime II (1327), los reyes de Nápoles, Roberto d
Anjou y Sancha de Mallorca, toman el relevo en la obra de protecció

[10] El texto de las dos embajadas de Jaime II a favor de los dominicos y franciscanos
S. EIJÁN, *El patronato de los Santos Lugares en la historia de Tierra Santa* vol.1 p.7 y 9-11. Ur
estudio minucioso y detallado sobre el comercio de los soberanos catalano-aragoneses cor
el Islam, formalmente prohibido por la Santa Sede, y su actividad diplomática en lo
distintos estados del norte de Africa: A. MASÍA DE ROS, *La corona de Aragón y los estados de
norte de Africa* (Barcelona 1951). Cf. especialmente: p.65ss.

le los santuarios de Tierra Santa y de los religiosos que los atendían. El ultán de Egipto concede a estos príncipes cristianos «el cenáculo del eñor y la capilla en que apareció el Espíritu Santo a los apóstoles y tra capilla en la que Cristo, después de la resurrección, se mostró a los nismos apóstoles», y la misma Sancha construyó por su cuenta «un ugar en el monte Sión, bajo el cual sabido es se encuentran situados el enáculo y dichas capillas, con destino a los frailes de esa Orden franciscanos]», comprometiéndose a mantener dicho convento a sus xpensas, a la vez que fortalece la presencia de los hijos de San rancisco en los distintos santuarios cristianos de Tierra Santa. Ante la liligencia desplegada por estos reyes, Clemente VI les concede en 1342 l derecho de patronato sobre los Santos Lugares, autorizándolos a roveer las necesidades espirituales y cultuales de los mismos con «doce railes idóneos elegidos de toda la Orden» [11].

Pedro IV de Aragón sucede paulatinamente a Roberto y Sancha en l citado derecho de patronato, lo cual permitirá a este soberano umentar en aquella zona del Mediterráneo su influencia, que irá aciéndose más intensa a partir de 1360 con la incorporación del reino e Sicilia a la Corona aragonesa y la soberanía de Aragón sobre los ucados de Atenas y Neopatria. Pero los objetivos del Ceremonioso especto a Tierra Santa eran también religiosos. De hecho, continúa la aisma línea proteccionista sobre los santuarios cristianos y sobre las ersonas que ejercían allí su ministerio que habían seguido los primeros atronos. El año 1361 dirige una embajada al sultán de Egipto con arias peticiones minuciosamente detalladas en diez puntos, que reco-en las instrucciones enviadas al cónsul aragonés de Alejandría. Entre llas destaca la petición de una basílica en el valle de Josafat, la emanda de autorización para que los frailes pudieran moverse bremente y sin pagar tributos por los dominios del sultán, la concesión n exclusiva para estos religiosos de la guardia y servicio del Santo epulcro y de la iglesia de Belén, sin que fueran molestados por los ristianos «armenos, jacobitas, griegos, nestorianos o georgianos» ni por s sarracenos, y el permiso para que estos religiosos pudieran disponer bremente de sus cosas y procurarse el vino necesario para la :lebración de la misa [12].

Juan I (1387-1395) y Martín el Humano (1395-1410), sucesores de edro el Ceremonioso, seguirán preocupándose por la conservación y ostenimiento de los santuarios de Tierra Santa, aportando también ara ello subsidios económicos. En este aspecto, los secundarán algunas eces los reyes castellanos. Andando el tiempo, el patronato de los antos Lugares recaerá sobre los reyes de España [13].

---

[11] El texto de la concesión pontificia: S. EIJÁN, o.c., p.16-18.
[12] El texto de estas peticiones: J. VINCKE, *Pedro IV de Aragón y la Tierra Santa. Instrucciones de la embajada del año 1361 al sultán de Egipto:* AST 13 (1937-1940) 84-88.
[13] Sobre las relaciones de España y Tierra Santa en general cf. S. EIJÁN, *Relaciones mutuas de España y Tierra Santa a través de los siglos* (Santiago de Compostela 1912); ID., *Hispanidad en Tierra Santa. Actuación diplomática* (Madrid 1943); A. SURYAL ATIYA, *Egipt d Aragón Embassies and diplomatic correspondence between 1300 and 1330 A. D.:* Abhand-

II. LA POLITICA DE AVIÑON EN ESPAÑA

Por J. F. CONDE

A lo largo de todo el siglo XIV, los papas aviñoneses estuvieron siempre muy atentos a los asuntos de la Iglesia española, interviniendo constantemente en negocios de carácter eclesiástico, muchos de los cuales tenían claras connotaciones políticas. Algunas actuaciones de los enviados pontificios y de los mismos pontífices entendían en materias estrictamente políticas. Aparte del interés de las mismas para las relaciones de los distintos reinos entre sí, a la Santa Sede le preocupaba también el giro que tomaban esta clase de problemas en la Península por su clara incidencia en la corte francesa, a cuyos intereses se servía en Aviñón con esmero.

Las disposiciones de Clemente V relacionadas con el tortuoso y complejo proceso que termina suprimiendo a los templarios (1307 1312), encontraron en todos los reinos españoles, a excepción del de Navarra, una acogida mucho más crítica y reticente que en la Francia de Felipe IV el Hermoso [14]. El año 1305, Esquiu de Floyran se entrevistaba en Lérida con Jaime II para darle a conocer las graves acusaciones y delitos que comenzaban entonces a propalarse contra la Orden del Temple, pero el rey aragonés no le hizo ningún caso. Como es sabido, Felipe IV —interesado, sin duda, en utilizar los cuantiosos bienes de los caballeros templarios— aprovecha muy bien los dos años siguientes para recoger toda clase de cargos contra esta Orden, con el propósito de impresionar al papa y conseguir de él la supresión o, a menos, la integración de la misma en la Orden de San Juan de Jerusalén. Clemente V, a petición del propio Jacobo de Molay, el gran maestre del Temple, decide abrir una investigación en toda regla sobre las acusaciones presentadas. Pero el 13 de octubre de 1307 Felipe el Hermoso, sin esperar los trabajos y los resultados de las investigaciones arresta por sorpresa a todos los templarios, apoderándose de sus bienes y arrancando de ellos confesiones a base de tormentos y vejaciones. El pontífice aviñonés, indignado en principio por las acciones ilegales del monarca francés, acaba por ceder, e insta a los prelados de las naciones en las que existieran casas de templarios a que procedieran contra ellos —agosto de 1308—, mandándoles un poco más tarde —noviembre del mismo año— que arrestaran a todos los miembros de esta Orden secuestraran sus bienes.

lungen für die Kunde des Morgenlandes 23 (1938); F. QUECEDO, Influencia diplomática de España en Tierra Santa: H 9 (1949) 5-27. Como obra básica: G. GOLUBOVICH, Bibliote bio-bibliográfica della Terra Santa e dell'Oriente francescano 4 vols. (Quaracchi [Florenci 1906-1919).

[14] Para la actuación de los distintos reyes hispanos contra los templarios cf.: H. FINK Päpsttum und Untergang des Templerordens 2 vols. (Münster 1907); G. MOLLAT, Les Pap d'Avignon (1305-1378) p.390-402; A. JAVIERRE MUR, Aportación al estudio del proceso contra Temple de Castilla: RABM 69 (1961) 47-100; J. M. LACARRA, Historia de Navarra p.343. Cf también A. BENAVIDES, Memorias de D. Fernando IV de Castilla 2 vols. (Madrid 186 especialmente la p.605ss del primer volumen; el segundo recoge varios documentos de interés para este asunto.

Las autoridades del reino de Navarra fueron las primeras que actuaron en contra del Temple, procediendo en seguida al arresto de los religiosos y al embargo de sus bienes. En realidad, la historia del reino de Navarra de estos años discurre en estrecha vinculación con la de Francia. La primera esposa de Felipe IV, la reina Juana, era navarra, y el hijo primogénito, Luis el Hutin, fue coronado rey en Pamplona justamente el año 1307. Nada tiene de extraño que los gobernantes del pequeño reino pirenaico siguieran al pie de la letra las instrucciones del soberano de París y que llegaran incluso a sobrepasarse en su celo por esta causa, arrestando también con los templarios navarros a algunos aragoneses residentes en Tudela y Pamplona.

Jaime II se muestra mucho más cauto. Presionado asimismo por el soberano francés, que le escribe el mes de octubre de 1307 animándolo a proceder inmediatamente contra los templarios, toma las cosas con calma antes de actuar. Probablemente ambicionaba los bienes de la Orden tanto como Felipe IV, pero seguía considerando a sus miembros de gran utilidad para la seguridad del reino, especialmente de las zonas fronterizas. Para ir sobre seguro escribe al papa manifestándole el dolor y el asombro experimentados ante las acusaciones divulgadas contra estos caballeros e indicándole que no estaba dispuesto a emprender ninguna medida represiva hasta tanto no recibiera instrucciones precisas de la Sede Apostólica [15]. Además, envía sendas cartas a los reyes de Castilla y Portugal, en las que deja constancia de la honestidad y la buena fama de la Orden, así como de los numerosos servicios prestados siempre por ésta en sus reinos [16]. Con todo, los procesos celebrados en París contra los miembros del Temple y las escandalosas confesiones de muchos de ellos precipitaron los acontecimientos en Aragón. Jaime II, sin esperar ya la respuesta pontificia, cede a las peticiones del inquisidor Llorget, y en diciembre de 1307 ordena la detención de todos los templarios de sus reinos y nombra jueces para su causa a los obispos de Valencia y Zaragoza. Durante los primeros momentos de desconcierto, los caballeros del Temple se hicieron fuertes; pero sus castillos fueron cayendo rápidamente en manos del soberano. Finalmente, el maestre provincial pide al arzobispo tarraconense, Guillén de Rocabertí, la convocatoria de un concilio que examinara los supuestos delitos cometidos por ellos. El mes de noviembre de 1312 varios prelados reunidos en Tarragona proclamaban la inocencia de la Orden [17]. Pero era tarde. El 22 de marzo de aquel año, el concilio ecuménico de Vienne había determinado la abolición de la misma en toda la Iglesia.

---

[15] «Paterne benignitatis affectu —dice Clemente V en un breve posterior— regie magnitudinis recepimus litteras inter alia continentes quod dolorem et admirationem super commissis per fratres ordinis militie Ierosolimitani, prout tue celsitudini fuerat timatum, conceperas vehementem, et quod super ipsis nolebas sicut nec etiam noveras expedire contra fratres procedere... donec super illis providencia Sedis apostolice in hac arte tibi rescriberet» (A. Benavides, *Memorias de D. Fernando IV de Castilla* vol.2 colección diplomática] n.CDI p.593).

[16] H. Finke, o.c., vol.1 nt.3 p.286.

[17] Una referencia sobre este concilio y el de Salamanca de 1310: J. Tejada y Ramiro, *lección de cánones...* vol.3 p.447ss.

Fernando IV, al igual que Dionís de Portugal, participaba de las ideas del aragonés en este enojoso proceso; pero también hubo de ceder, como el portugués, a las instancias del papa. Clemente V encomienda la investigación sobre los templarios a los arzobispos de Toledo y Santiago de Compostela y a los obispos de Palencia y Lisboa en agosto de 1308, facultando a los mismos prelados para administrar los bienes que el Temple poseía en Castilla. La causa, sustanciada en Medina del Campo el mes de abril de 1310, fue favorable a los acusados, a pesar de los testimonios emitidos por varios testigos, que dejaban entrever la existencia de delitos ocultos en la vida de la Orden aunque, a decir verdad, eran siempre vaguedades o referencias de segunda mano[18]. Un concilio reunido en Salamanca el mismo mes de octubre de aquel año proclamaba por unanimidad la inocencia de los miembros del Temple.

Los bienes de los templarios españoles tuvieron destinos diversos. Ya el 1307, al comenzar las acciones contra ellos, algunas casas comenzaron a liquidar sus posesiones para convertirlas en dinero contante, previniendo un desenlace negativo de los acontecimientos. Ese mismo año un caballero templario hacía al comendador de Mallorca la siguiente advertencia: «Porque yo os hago saber que los comendadores venden y piensan vender todas las cosas de que pueden haver dineros, y los encomiendan dineros y bienes a sus amigos, y vos debíais vender algunas cosas de vuestra bailía y hacer dineros, y haced igual, *porque yo entiendo que la Orden del Temple se deshace*»[19]. Aunque las disposiciones de Clemente V en el concilio de Vienne sobre las posesiones del Temple fueron precisas en general al designar a los freires del Hospital como los destinatarios de las mismas, para Aragón, Mallorca, Castilla y Portugal quedaron en suspenso. Los embajadores de Jaime II ejercieron una fuerte presión sobre el papa a fin de conseguir que los bienes de la Orden del Temple pasaran a la de Calatrava, de origen español, o a otra orden nueva que se comprometiera de manera especial en la prosecución de la empresa de la Reconquista. El año 1317, Juan XXI autoriza la creación de la Orden de Nuestra Señora de Montesa con caballeros de Calatrava y los bienes de los templarios del reino de

---

[18] A. Javierre Mur (o.c., p.53ss) hace referencia a varias de estas declaraciones. La de un testigo llamado Rodrigo Díaz tiene interés: «Item dixit que audivit a plurius in dom domini Regis, quod dominus Alfonsus [Alfonso X] quondam Rex Castelle, ad hoc u sciret secretum ordinis Templariorum, induxit quendam iuvenem de camara sua a ingrediendum ordinem Templi loquendo cum eo in secreto qualiter volebat quo ingrederetur dictam ordinem ea intentione ut remaneret ibi per unum annum, et quo post modum exiret de ordine ad testificandum eum de secreto... Vocato post annum domino Rege in secreto ut sibi diceret veritatem, fuit ei valde dificile dicere, dicendo quod pocius vellet decapittari quam dicere illud in secretum... Et quod dixit dictus iuven qualiter ingressu religionis fuit inductus ad negandum Christum et negavit spuendo supe Crucem et quod comittebant vicium sodomiticum et quod plura vicia indecent comittebant et quod interficiebant detegentes suum secretum...» (ibid., p.99). La declaración completa del citado testigo, p.98-100. Cf. también: A. Mercati, *Interrogatorio a Templari a Barcellona (1311): Gesammelte Aufsätze zur Kulturgeschichte Spaniens* 6 (193 240-251.

[19] El texto: J. Mirei y Sans, *Les cases des Tenplers y Hospitalers eu Catalunya* p.37 (Barcelona 1910).

Valencia. Las posesiones de los templarios de otros reinos de la corona de Aragón habrían de ser entregados al Hospital. En Portugal se funda el 1319 la Orden de Cristo para suceder y heredar al Temple. En Castilla y León la anarquía reinante después de la muerte de Fernando IV (1312) hacía difícil cualquier ejecutoria económica uniforme. La Corona, los ricoshombres y otras órdenes militares autóctonas se apoderaron de una buena parte del patrimonio templario. Juan XXII confirmará a los miembros del Hospital como herederos legítimos de dicho patrimonio, pero éstos sólo pudieron recuperar una parte del mismo, viéndose comprometidos en varios pleitos por dicha causa.

Después del concilio de Vienne, los templarios españoles fueron obligados a dispersarse y a tomar opciones distintas a pesar de su inocencia, reconocida y proclamada por los concilios de Salamanca y de Tarragona. Andando el tiempo, Juan XXII les permitirá ingresar en otras órdenes monásticas.

Al poco tiempo de ser elevado a la Sede Apostólica Juan XXII (1316) comienza a planear la división de la metrópoli de Tarragona, por considerarla demasiado extensa y difícil de atender de manera adecuada. En principio parece que las motivaciones de esta decisión papal eran fundamentalmente de índole pastoral, enmarcándose dentro de un plan más amplio de reajustes de metrópolis y obispados llevado a cabo en Francia por razones similares[20]. Pero, en realidad, la iniciativa partió de Jaime II, gracias a la cual esperaba estructurar de modo más conveniente sus dominios, ajustando mejor las fronteras políticas y los límites de las jurisdicciones eclesiásticas. La diócesis de Albarracín, por ejemplo, era sufragánea de Toledo y dependía políticamente de Aragón. El obispado de Cartagena, sometido eclesiásticamente al metropolitano de Castilla, incluía territorios pertenecientes a la corona aragonesa. El mismo obispo de Pamplona tenía bajo su jurisdicción episcopal el arciprestazgo de Vandosella, que caía también en el ámbito de los dominios de Aragón.

El papa dudaba entre Zaragoza y Valencia para elegir la sede de la nueva archidiócesis, pero escoge pronto a Zaragoza, influido, sin duda, por los consejos de Dalmau de Pontons, el vicecanciller de Jaime II, que viajó a Aviñón en noviembre de 1317 con el objeto de secundar y agilizar las propuestas de su soberano. La ciudad del Ebro era, en frase de Dalmau, «más honorable y mejor situada geográficamente»[21].

[20] Sobre la erección de la metrópoli de Zaragoza: J. VINCKE, *Die errichtung des Erzbistums Saragossa:* Gesammelte Aufsätze zur Kulturgeschichte Spaniens 2 (1930) 114-132; ID., *Die Staat und Kirche in Katalonien und Aragón während des Mittelalters* vol.1 p.373-382; J. GOÑI GAZTAMBIDE, *Una bula de Juan XXII sobre la división de la provincia de Tarragona:* HS 7 (1954) 87-92; D. MANSILLA REOYO, *Formación de la provincia eclesiástica de Zaragoza (18 de julio de 1318):* HS 18 (1965) 249-263.

[21] El texto de la carta de Dalmau de Pontons comunicándole a Jaime II las dudas del pontífice: J. VINCKE, *Die Errichtung...* p.129-130. Este oficial, haciéndose intérprete de los deseos del rey aragonés al respecto, incluye, entre las posibles sufragáneas de Tarragona, el obispado de Mallorca, «qui exemptus esse dicitur». Por entonces se estaba tratando también en la erección del obispado de Barbastro. Respecto a este negocio, Dalmau le comunicaba a su soberano: «De ecclesia Barbastrensi... nihil sibi dixit, cum non constaret mihi de voluntate vestra».

El primer proyecto de reajustes que presenta Jaime II al pontífice era extraordinariamente ambicioso y trataba de eliminar de modo drástico en sus reinos las jurisdicciones eclesiásticas foráneas [22]; pero los planes resultaban demasiado innovadores para que pudieran prosperar sin la oposición de los prelados afectados. La metrópoli de Toledo, parcialmente perjudicada, se mantuvo al margen de los acontecimientos. El año 1317, cuando el papa examinaba los proyectos de reestructuración eclesiástica presentados por Jaime II, Castilla atravesaba un duro período político de interinidad a causa de la minoría de edad de Alfonso XI, debatiéndose entre graves conflictos nobiliarios, que hacían muy difícil cualquier acción diplomática seria. Felipe V el Largo, rey de Francia y de Navarra (1316-1322), y el obispo de Pamplona pretendían que esta importante diócesis, emancipándose de Tarragona, pasara a depender de una metrópoli francesa o que, al menos, se convirtiera en sede exenta. Por otra parte, también llegaron a Aviñón protestas procedentes del arzobispo de Tarragona Ximeno de Luna. Este, juntamente con algunos sufragáneos suyos reunidos en un concilio (22 de febrero de 1318), escribía a Juan XXII pidiéndole que revocara la proyectada división. Algunos prelados de la Tarraconense, quizás los catalanes, «preferían seguir como estaban, porque la provincia eclesiástica andaba escasa de rentas y encontraba dificultades graves para repeler las innumerables agresiones de los laicos; si se debilitaba más por la división, podría sucumbir a los conatos de los agresores» [23].

Ante la insistencia del pontífice, el arzobispo de Tarragona cede y llega a un acuerdo con Jaime II, quien presenta otro proyecto nuevo, que obtendrá fácilmente la aprobación de la curia papal. Era menos ambicioso que el anterior. Zaragoza tendría como sufragáneas a Huesca, Tarazona, Pamplona y Calahorra. La vieja sede metropolitana de Tarragona ejercería su jurisdicción sobre Barcelona, Lérida, Gerona, Tortosa, Vich, Urgel y Valencia. Santa María de Albarracín quedaría sometida a Zaragoza, zanjándose así la vieja disputa entre los arzobispados de Toledo y de Tarragona por esta sede.

Juan XXII constituye oficialmente la metrópoli de Zaragoza el 18 de julio de 1318. Cuando un mes más tarde le comunica la noticia al rey de Aragón, volverá a justificar esta decisión recurriendo a motivaciones pastorales «et aliis suadentibus iustis causis» [24]. Entre estas supuestas causas justas figuraba, sin duda alguna, el decidido interés de Jaime II, que de este modo conseguía ordenar el mapa eclesiástico de sus dominios con una

[22] El texto del proyecto de Jaime II: J. VINCKE, *Documenta selecta...* p.216-218. De Zaragoza dependerían Huesca, Tarazona, Calahorra, Pamplona —sin los pueblos que tenía en Aragón—, y de nueva creación Jaca —con territorios de Huesca, Lérida y Pamplona— y Játiva —formada a base de los pueblos del obispado de Cartagena dependientes de Castilla—; finalmente, Teruel, adonde se trasladaría la sede de Albarracín. Serían sufragáneas de Tarragona: Gerona, Vich, Urgel, Barcelona, Lérida, Tortosa, Valencia y los nuevos obispados de Besalú y Cervera.

[23] La carta de Juan XXII en la que se insistía al arzobispo de Tarragona en la necesidad de la división (24 de abril de 1318) hace referencia a la petición de los prelados de la Tarraconense; el documento papal: J. GOÑI GAZTAMBIDE, o.c., p.91-92. También hubo una fuerte oposición en el cabildo de Tarragona: D. MANSILLA REOYO, o.c., p.257-260.

[24] La bula de erección de la nueva metrópoli: J. VINCKE, *Staat und Kirche...* p.381. El texto de la carta de Jaime II: ID., *Die Errichtung...* p.130-132.

relativa racionalidad: las diócesis de Cataluña y la de Valencia, dependiendo de Tarragona; las de Aragón y la de Pamplona, sometidas a la jurisdicción de Zaragoza. Respecto a Santa María de Albarracín, ganaba la partida a Castilla, que no estaba en condiciones de renovar antiguas reivindicaciones [25].

El rey de Navarra Felipe III de Evreux (1328-1347) pretende también emular a Jaime II en la adecuación de las demarcaciones eclesiásticas a las fronteras políticas. Para ello pide a Juan XXII la transformación de la iglesia colegial de Tudela en una catedral, la cual podría ser dotada con las propias rentas, más aquellas otras que el obispo y el cabildo de Tarazona tenían en Navarra. Así, la parte de Navarra sometida a la jurisdicción de un obispo aragonés quedaría plenamente integrada en los dominios del soberano navarro. Pero el proyecto no prospera. La influencia de la diplomacia aragonesa pesaba más que la de Navarra. El reajuste propuesto, al llegar a conocimiento del nuevo rey de Aragón, Alfonso IV (1327-1336), quedará completamente descartado [26].

La acción determinante de los reyes de Aragón sobre la política de la Santa Sede en los distintos reinos hispanos se hace especialmente patente durante el primer cuarto del siglo XIV. Los embajadores aragoneses viajan frecuentemente a Aviñón, donde despliegan una capacidad de maniobra muy superior a la de otros colegas suyos. Castilla, hasta la mayoría de edad de Alfonso XI, no podrá competir con sus vecinos orientales en este terreno. Lo hemos podido constatar ya al tratar del reajuste jurisdiccional producido por la creación de la nueva metrópoli de Zaragoza. El nombramiento del infante D. Juan —el tercer hijo varón de Jaime II— para la primada de Toledo, efectuado por Juan XXII el mes de noviembre de 1319, constituye otra prueba elocuente de ese pretendido hegemonismo del soberano aragonés [27]. Este infante, sin duda uno de los personajes más relevantes de la historia de la pastoral española del siglo XIV [28], había sido el candidato de su padre para ocupar la sede de Tarragona a la muerte de Guillén de Rocabertí (1315); pero en aquella ocasión el papa no secundó los planes del rey aragonés, porque «de ningún modo podía admitir aquella demanda sin ofensa de Dios y lesión de su conciencia por el defecto de edad que el señor infante D. Juan tenía —poco más de quince años—, y que así había parecido al consejo de los cardenales» [29].

Don Juan Manuel, el magnate que en Castilla era la personalidad más destacada del poder nobiliario, estaba casado con una hermana del infante

[25] Sobre los orígenes del obispado de Albarracín: J. F. RIVERA RECIO, La erección del obispado de Albarracín: H 14 (1954) 27-52. Cf. también: J. ZUNZUNEGUI ARAMBURU, Para la historia de la diócesis de Segorbe-Albarracín en la primera mitad del siglo XIV: AA 16 (1968) 11-24.

[26] J. GOÑI GAZTAMBIDE, Historia de los obispos de Pamplona. Siglos XIV-XV p.192-193.

[27] Sobre este personaje cf. J. DE JANER Y DE MILÁ DE LA ROCA, El patriarca D. Juan de Aragón, su vida y sus obras (Tarragona 1904); A. LAMBERT, Juan de Aragón y Anjou: DHGE 3 (1924) 1408-1413; R. AVEZOU, Un prince aragonais archevêque de Tolède au XIVe siècle: BH (1930) 326-371; J. E. MARTÍNEZ FERRANDO, Jaime II de Aragón. Su vida familiar vol.1 (Barcelona 1948) p.141-151; J. F. RIVERA RECIO, Los arzobispos de Toledo en la baja Edad Media p.77-79 (Toledo 1969).

[28] Cf. la p.443 de este volumen.

[29] A. RISCO, Algo sobre el infante D. Juan de Aragón y por qué renunció al arzobispado de Toledo: RF 77 (1926) 30.

aragonés. Es muy probable que el noble castellano viera en este nombramiento la posibilidad de utilizar fácilmente a su joven pariente —a cuyo
ministerio arzobispal iba anejo el cargo de canciller real— para reforzar e
poder político propio frente a los otros magnates que aspiraban también a
la regencia de Alfonso XI. Pero las cosas ocurrieron de manera muy distinta, porque el nuevo metropolitano de Toledo, desde el principio de su
ejecutoria episcopal, se revela como un celoso defensor de los derechos de
su sede y un decidido promotor de la reforma eclesiástica, que procurará
promover en sínodos y concilios, sin plegarse a las maniobras ni de su
cuñado ni de otros poderosos.

El malestar contra el hijo del rey aragonés asentado en la primada de
Toledo surge y crece paulatinamente. El año 1321, recién llegado a la
ciudad del Tajo, choca con D. Juan Manuel al negarse a reconocerlo por
tutor del rey[30]. En 1323, Jaime II percibía ya el error político de este
nombramiento eclesiástico, y comienza a realizar gestiones en la curia pontificia para que hicieran a su hijo cardenal y lo trasladaran a la sede arzobispal de Narbona, porque en Toledo vivía «tanquam margarita inter por-
cos», mientras que en la sede francesa se encontraría «inter suos et in
domo sua»[31]. Las dificultades del infante-arzobispo tocaron el punto álgido el año 1325, al llegar Alfonso XI a la mayoría de edad. Don Juan
Manuel, que quería acaparar la privanza del joven soberano, trata de ir
eliminando las influencias de los otros tutores y de todas aquellas personas
que pudieran hacerle sombra. El arzobispo era una de ellas, a pesar de que
le había apoyado contra los otros dos regentes. Para lograr su objetivo,
D. Juan Manuel consigue del rey que releve al prelado del cargo de canciller,
acusándolo de no haber querido pagar determinados servicios en las tierras de la iglesia toledana, mientras él desempeñaba las funciones de tutor
del soberano de Castilla[32].

---

[30] El 3 de junio de 1321, Jaime II escribe a D. Juan Manuel explicándole que su hijo, el
arzobispo, no puede recibirle como tutor del rey, porque, al parecer, tenía instrucciones del
papa en este sentido (cf. J. E. MARTÍNEZ FERRANDO, o.c., vol.2 [documentación] n.355 p.263-
264; cf. también n.356 [3-7-1321] y n.357 [6-7-1321] p.264-266). Probablemente, el arzobispo apoyaba la línea política que confiaba la solución del pleito entre los distintos tutores a
las cortes de Palencia, convocadas por María de Molina, que presuponían la renuncia de
D. Juan Manuel. Pero la reina se murió el 30 de junio de 1321. Algún tiempo más tarde, al
dividirse las fidelidades de la nobleza entre tres tutores: D. Juan Manuel, D. Juan el Tuerto y
D. Felipe, el infante-arzobispo favoreció el partido de su cuñado, lo mismo que Toledo. El
infante D. Juan escribía en 1325 a su hermano Alfonso (Alfonso IV de Aragón) una carta
llena de amargura, denunciando las maniobras de D. Juan Manuel: «Et ut plenius ingratitu-
dinem dicti domini Iohannis [Juan Manuel] cognosceret... exposuimus etiam sibi qualia in
curiis preteritis, quando fuit in tutorem receptus, pro eo feceramus et contra omnes maiores
regni pro honore suo, nos, quantum decebat, et forte plus, exponentes, quodammodo inimi-
citias et signanter domini infantis Philippi incurreramus» (A. GIMÉNEZ SOLER, Don Juan Manuel. Biografía y estudio crítico p.675). Sobre este personaje castellano cf. también: H. F.
STURCKEN, Don Juan Manuel (Nueva York 1974).
[31] J. VINCKE, El trasllat de l'arquebisbe Joan d'Aragó de la seu de Toledo a la de Tarragona: AST
6 (1930) 127.
[32] En una carta de Jaime II a D. Juan Manuel (agosto 1324) justifica a su hijo por no
querer pagar los servicios que el magnate castellano había impuesto a la sede toledana (cf.
J. E. MARTÍNEZ FERRANDO, o.c., vol.2 n.415 p.300-301). La carta del infante Juan a su hermano
Alfonso (1325) también se hace eco de la acusación, que pone en boca del propio rey, diciendo además D. Juan que «a tempore quo sibi [D. Juan Manuel] denegaveramus servitia,

El infante aragonés deja Toledo en 1326, sin renunciar al cargo de canciller ni a la titularidad de la sede, que seguirá gobernando mediante vicarios, y se retira a los dominios de Aragón. Desde entonces comienzan una serie de gestiones diplomáticas del soberano aragonés para conseguirle a su hijo otro arzobispado. Primero pensó en Ruán, después en Narbona de nuevo. Pero ambos proyectos fracasaron. Jaime II muere (1327) sin ver solucionado el problema del infante-arzobispo. Poco tiempo más tarde, el 7 de abril de 1328, Juan XXII concede a D. Juan la encomienda de Santa María de Montserrat; el 16 de agosto del mismo año le otorga el título honorífico de patriarca de Alejandría, y al día siguiente, decretado el traslado del titular de Tarragona, Ximeno de Luna, a la metrópoli toledana, nombra al infante administrador de la metrópoli tarraconense. El nuevo titular de la primada de Castilla era también un aragonés[33].

Jaime II, durante los últimos años de su reinado, empieza a preparar en serio la conquista de Cerdeña. Esta isla, juntamente con la de Córcega, había sido concedida a la corona de Aragón en el tratado de Anagni, como feudo de la Santa Sede. Desde dicho tratado, Jaime II «va a convertirse en un fiel servidor de la pauta pontificia, en contraste con el gibelinismo de sus antecesores y de su hermano [Fadrique]»[34]. En efecto, durante su largo reinado (1291-1327), las relaciones entre Aragón y Aviñón estuvieron marcadas por la impronta del buen entendimiento y de la cooperación, salvo en lo económico, donde las arcas papales se mostraron siempre mucho menos espléndidas de lo que deseaba el rey aragonés. Hemos tenido ya ocasión de comprobarlo a través de varios acontecimientos reseñados. A partir de 1320, la ocasión parecía propicia para conseguir la ayuda incondicional de la Santa Sede en esta empresa de conquista pendiente. El año 1321, Alfonso, el heredero de la corona de Aragón, solicita de Juan XXII la décima seisenal de la cruzada a Tierra Santa para ultimar los preparativos de la conquista de Córcega y Cerdeña. Pero, como en otras ocasiones, el pontífice responde negativamente a las peticiones aragonesas. Los gastos de las luchas contra el Imperio justificaban ahora la actitud pontificia. Después de varios tanteos, los embajadores de Aragón sólo consiguen subsidios insignificantes: una pequeña cantidad a cuenta de la décima bienal, la décima por dos años a partir de 1325 y la disminución del importe del censo que la corona aragonesa pagaba a la Santa Sede por los derechos sobre Cerdeña. Todo ello representaba muy poco en comparación al elevado costo que supuso la conquista de la isla (1323-1326). La Iglesia de Aragón, sin embargo, presionada por las insistentes

istum odium in corde gessit» (cf. A. GIMÉNEZ SOLER, o.c., p.674-675). En otra carta de D. Juan a su padre, datada en Alcalá el mismo año, dice que se encuentra «fatigatum aliqualiter et anxium propter plura gravamina que dominus, rex noster, toti ecclesie sui regni et personis ecclesiasticis facere incepti, ductus vel pocius seductus consilio aliquorum» (J. E. MARTÍNEZ FERRANDO, l.c., n.436 p.317-318).
    [33] G. MOLLAT, *Jean XXII (1316-1334). Lettres communes* vol.7 n.40837 41117 42198 42202 y 42206.
    [34] A. ARRIBAS PALAU, *La conquista de Cerdeña por Jaime II de Aragón* (Barcelona 1952) p.44.

demandas económicas del rey y de su hijo Alfonso, se comprometió en la empresa sarda con fuertes cantidades de dinero [35].

El «güelfismo» de Jaime II, especialmente interesado en los asuntos de Italia y del Mediterráneo, constituye, de algún modo, el paradigma de las actitudes de los restantes reyes de la Península ante el grave conflicto entre el Papado y el Imperio, que estalló con toda su crudeza en los primeros años del pontificado de Juan XXII, y que no se solucionará ya hasta la muerte de Luis de Baviera (1347). La Iglesia de los distintos reinos españoles aportará dinero a la cruzada predicada por Juan XXII contra los nuevos herejes e infieles de Italia, los partidarios del emperador, contribuyendo a la misma con cantidades correspondientes a la décima seisenal, destinada en principio a la reconquista de Tierra Santa, y con ayudas voluntarias, solicitadas por el papa para la misma finalidad [36].

En la atmósfera enrarecida por las polémicas sobre la pobreza evangélica y sobre las relaciones entre el poder espiritual y el temporal, extraordinariamente agudizadas al producirse el enfrentamiento abierto de Juan XXII y Luis de Baviera, la suprema potestad pontificia fue defendida con extraordinrio vigor por la pluma de un español: el canonista Alvaro Pelayo (1280-1352) [37].

Este conocido escritor de origen gallego, que había comenzado a medrar en la carrera beneficial gracias a la tutela de Sancho IV de Castilla, estudia en Bolonia hacia 1300. Allí fue discípulo del célebre jurista Guido de Bayso, y llegó a obtener bajo su dirección la máxima cualificación académica. Después de enseñar decretos durante algún tiempo en aquella famosa Universidad, «renuncia a todos sus beneficios, distribuye sus bienes entre los pobres e ingresa en la Orden de los Frailes Menores». El año 1306 toma el hábito franciscano en Asís. A continuación emprende varios viajes por Italia y en 1318 se asienta en el convento romano de Araceli. Desde la época de su profesión se muestra partidario de la pobreza, tal como la entendían los hermanos más rigurosos.

La práctica de la pobreza franciscana era un tema bastante conflictivo en la Orden desde los años de su fundación. Durante el pontificado de Juan XXII, como es sabido, las discusiones relativas a este tema adquirieron tonos muy violentos al tratar la cuestión teórica de la pobreza de

[35] Sobre las aportaciones ofrecidas por la Iglesia aragonesa a Jaime II y a su hijo Alfonso: A. ARRIBAS PALAU, *La conquista de Cerdeña por Jaime II de Aragón* p.165ss. Sobre las gestiones económicas efectuadas en Aviñón: ibid., p.130ss. Cf. también: A. FÁBREGA GRAU, *Ayuda económica de la Iglesia a Jaime II de Aragón para la conquista de Cerdeña:* AA 11 (1963) 11-46; según este autor, la ayuda de la Iglesia aragonesa al rey de Aragón para la anexión de Cerdeña alcanzó una cifra muy cercana a la mitad del coste total de la empresa.

[36] Cf. J. GOÑI GAZTAMBIDE, *Historia de la bula...* p.293.

[37] Sobre la filosofía política de esta época: R. SCHOLZ, *Die Publizistik zur Zeit Philipps des Schönen und Bonifaz VIII* (Stuttgart 1903); ID., *Unbekannte Kirchenpolitischen Streitschriften aus der Zeit Ludwigs des Bayern* 2 vols. (Roma 1911-1914). Para una panorámica general: E. ISERLOH, *Kirchenbegriff und Staat in der Polemik des 14. Jahrhunderts. Der laizistische Staat bei Marsilius von Padua:* Handbuch der Kirchengeschichte III/2 p.438-453, trad. castellana, vol.4 p.571-589). Las disputas sobre la pobreza: K. BALTHASAR, *Geschichte des Armutsstreites im Franziskanerorden* (Münster 1911); T. VON NEW DURHAM, *The doctrine of the Franciscan Spirituels* (Roma 1963). Para una panorámica general: E. ISERLOH, *Die Spiritualenbewegung und der Armutsstreit:* Handbuch der Kirchengeschichte III/2 p.453-460; trad. castellana, vol.4 p.589-597.

Cristo y de los apóstoles. La crisis que surge entonces provoca la ruptura entre los frailes menores y el enfrentamiento de un grupo de ellos con el papa. El canonista gallego, que defiende las tesis de los espirituales, no llega, sin embargo, a las posturas extremas de los más radicales. Tres personalidades destacadas: el general Miguel de Cesena, Bonagratia de Bérgamo y Guillermo de Ockham, se pasan a las filas del gran enemigo del pontífice aviñonés en la primavera de 1328 [38].

A principios de 1328, Luis IV de Baviera entraba en Roma para ser coronado emperador según el ritual laico previsto por Marsilio de Padua en el *Defensor pacis*. Unos días más tarde, después de un proceso presidido por el emperador que termina con la condena y deposición de Juan XXII, los representantes del pueblo romano eligen un antipapa, el franciscano Pedro Rainalducci de Corvara, a quien llamaron Nicolás V. Alvaro Pelayo, que conocía a su hermano de Orden, lejos de aceptarlo como sumo pontífice, se mantiene fiel a la obediencia de Aviñón y traza un esbozo muy negativo del rebelde [39]. Juan XXII premia la fidelidad del jurista español llamándolo a la corte aviñonesa y promoviéndolo al cargo de penitenciario (1329-1331). Lo nombra después obispo titular de Coron —Peloponeso— (1332), y al año siguiente, residencial de Silves, en Portugal.

Entre las obras de Alvaro Pelayo destaca, sin duda alguna, la titulada *De statu et planctu Ecclesiae*. La escribió durante su estancia en Aviñón. En ella, el canonista franciscano, haciéndose eco de los errores del *Defensor pacis* —que negaba cualquier clase de jurisdicción eclesiástica en el fuero externo y colocaba al emperador por encima del papa y del concilio universal, convirtiéndolo en el verdadero jefe de la Iglesia—, defiende apasionadamente la potestad suprema del romano pontífice en lo espiritual y en lo temporal: «El papa —afirma— es soberano universal de todo el pueblo cristiano, y por derecho, de todo el mundo; así, pues, todo hombre, voluntaria o involuntariamente, le está sometido como a superior» [40]. Estas y otras ideas parecidas, de evidente carácter hierocrático, no son nuevas. Se sitúan en el contexto de la tradición eclesiástica, que habían formulado ya los teóricos del siglo XII, y que se mantuvo con algunas modulaciones a lo largo del siglo siguiente, encontrando su expresión más acabada en el tratado *De ecclesiastica potestate,* de Egidio Romano (1302), y en la bula *Unam sanctam,* publicada por Bonifacio VIII el mismo año. En realidad, semejante filosofía política, analizada dentro del conjunto de todo el pensamiento de Alvaro Pelayo, no constituye un tipo de hierocracia absoluta,

---

[38] El pensamiento de Alvaro Pelayo sobre la pobreza: A. AMARO, *Fr. Alvaro Pelagio. Su vida, sus obras y su posición respecto de la pobreza teórica en la Orden franciscana bajo Juan XXII (1316-1334):* Archivo Ibero-Americano 1 (1916) 5-32.192-213; 2 (1916) 5-28.

[39] «Petrum de Corbaria, quem cognovi in Aracoeli decimantem mentem, Mth. XXII, et annetum, in quibusdam abstinentiis exterioribus et in aperto, et in abditis loculos compilantem, et inter mulierculas romanas quasi continuo residentem, et gloriam aucupantem, sicut mihi testimonium perhibuerunt minister illius provinciae romanae et custodes, tum cum essemus in magno concilio, de facto eius et aliorum, qui Ecclesiae et Ordini rebellaverant in Anagnia» *(De statu...* I 37).

[40] Ibid., I 4.37.45. Sobre el pensamiento político de A. Pelayo: N. IUNG, *Un franciscain théologien du pouvoir pontifical au XIVe siècle: Alvaro Pelayo, évêque et pénitencer de Jean XXII* (París 1931).

como pudiera parecer si nos atuviéramos solamente al significado de expresiones aisladas. Nuestro autor, al igual que la mayoría de los defensores del poder pontifical que le precedieron, cuando atribuye al papa la potestad suprema sobre lo temporal, piensa fundamentalmente en el derecho a la misma que le corresponde, pero no a su ejercicio. Dicho ejercicio compete de manera ordinaria a la autoridad secular[41].

La llegada al trono aragonés de Pedro IV el Ceremonioso (1336-1387) y la consolidación de Alfonso XI en Castilla durante la década de 1330 gracias a sus primeros éxitos militares y al sometimiento progresivo de las poderosas facciones nobiliarias formadas en su larguísima minoridad, determinan una nueva etapa en las relaciones entre la curia aviñonesa y los reinos españoles. Ambos soberanos, y lo mismo Pedro I (1350-1369), sucesor de Alfonso, lucharán por la hegemonía política peninsular, provocando frecuentes conflictos y enfrentamientos bélicos, que a veces superan el ámbito de las dos grandes potencias y adquieren alcance peninsular. Los enviados de los pontífices aviñoneses tratan de solucionarlos a base de gestiones mediadoras, que casi nunca resultarán completamente neutrales. El apoyo pontificio a Castilla y a Aragón estará mediatizado, de ordinario, por los avatares de la guerra de los Cien Años, en la que el rey francés era actor principal, y por los intereses de la corte francesa, a los que la curia de Aviñón atenderá siempre de manera preferencial[42].

El concubinato público de Alfonso XI con Leonor de Guzmán —tiene ya con ella un primer hijo tres años antes de que naciera el descendiente legítimo— y el abandono casi total de su esposa, María, hija de Alfonso IV de Portugal, constituyeron motivos permanentes de discordia entre los dos reinos vecinos. El papa Benedicto XII intentó varias veces atraer al soberano castellano al buen camino y fortalecer los lazos de paz y la cooperación entre Portugal y Castilla, como premisa especialmente útil para proseguir la guerra contra el Islam en el Estrecho, según indicábamos más arriba. Pero todo fue inútil. Leonor de Guzmán, con la que Alfonso llegó a tener diez hijos, va aglutinando en torno suyo a un grupo de partidarios de enorme influencia durante la ejecutoria política del más enérgico de los Alfonsos. La Iglesia castellana, y en concreto los arzobispos de Toledo Ximeno de Luna (1328-1338) y su sobrino Gil Alvarez de Albornoz (1338-1350), fueron siempre transigentes con la anómala situación moral del soberano y apoyaron decididamente los planes de Leonor. Gil de Albornoz le debía a la «soberana en funciones» la mitra arzobispal, ya que, a la muerte de Ximeno, el candidato de la reina María para ocupar la silla metropolitana de Toledo era el deán Don Vasco —Blas Fernández de To-

[41] A. Pelayo es autor también de un *Speculum regum*, editado parcialmente: R. SCHOLZ, *Unbekannte Kirchenpolitischen...* X p.514-529. Asimismo, del *Collyrium adversus haereses*, ed. y trad. portuguesa: M. PINTO DE MENESES (Lisboa 1954-1956). De una colección de sermones: *Quinquagesilogium*, y de un sermón *De visione beatifica*, hoy desaparecido. Sobre la tradición manuscrita, las ediciones y la bibliografía de este autor: A. DOMINGUES DE SOUSA COSTA, *Estudos sobre Alvaro Pais* (Lisboa 1966).

[42] Ya nos referimos en páginas anteriores a las relaciones de la curia papal relativas a la preparación y realización de las luchas del Estrecho contra los musulmanes.

ledo[43]—. Durante los años de gobierno de la sede primada, D. Gil se convierte en una pieza clave de la política de Alfonso XI, que encontrará siempre en él un extraordinario colaborador para los asuntos de la guerra contra el Islam y un hábil diplomático en las gestiones de acercamiento de Castilla a Francia[44].

La muerte de Alfonso XI el año 1350 en el sitio de Gibraltar provocó un giro trascendental en la vida de Gil de Albornoz. Al subir al trono el hijo de María de Portugal, la estrella de Leonor de Guzmán se oscurece paulatinamente, produciéndose, a la vez, la desintegración de su equipo. A mediados de aquel mismo año, Gil de Albornoz deja inesperadamente Castilla, reclamado por la curia de Aviñón, y no regresará ya más. Existen varias explicaciones sobre esta repentina fuga del prelado castellano. Todo parece indicar que éste, ante el curso de los acontecimientos, tuvo miedo de convertirse en una víctima de la nueva situación política, y prefirió atender en seguida la llamada de Aviñón, donde recibe el nombramiento cardenalicio el mes de diciembre de 1350. De hecho, no hubo ningún enfrentamiento importante entre Pedro I y Albornoz antes de la precipitada huida de éste. Sólo conocemos una reclamación que hace el soberano al arzobispo, relacionada con ciertos bienes de la Orden de Santiago, adquiridos por el prelado mientras Leonor de Guzmán controlaba el gobierno de la misma. Pero el arzobispo, que entonces se encontraba ya en Aviñón, estaba en condiciones de presentar los títulos acreditativos de propiedad. No parece que semejante episodio justifique adecuadamente el extrañamiento definitivo de Gil de Albornoz[45].

La llegada del metropolitano de Toledo a la curia papal será rica en consecuencias para la política de Aviñón en Italia y para el futuro de Pedro I. En torno al nuevo cardenal va formándose un nutrido grupo de españoles, clérigos y laicos, que buscaban asilo y protección frente al gobierno del rey castellano, fuertemente marcado por una impronta antinobiliaria. Cuando se plantee con toda su virulencia la revolución de los Trastamara a lo largo de los años sesenta, este grupo de exiliados moverá los hilos en la corte pontificia y en Francia para aglutinar fuerzas contra el soberano legítimo de Castilla y apoyará decididamente la causa de Enrique II.

[43] Dice el autor de la *Crónica de D. Alfonso el Onceno* que, una vez muerto Ximeno de Luna, el rey pensó en Albornoz, «et, por los servicios que le avia fecho, el Rey envió mandar et rogar al cabildo de la iglesia de Toledo que le esleyesen por arzobispo. Et como quier que Don Vasco, deán de aquella iglesia, oviese todas las más voces por sí, pero porque el Rey ge lo enviara mandar et rogar mucho afincadamente, todos tovieron que era razón facer lo que el Rey les enviaba rogar; et esleyéronle por arzobispo» (BAE, *Crónica de D. Alfonso el Onceno* c.185 p.292; D. Catalán, *Gran crónica...* c.212 p.194).

[44] Algunas referencias sobre la actuación política y eclesiástica del nuevo arzobispo de Toledo: J. Beneyto Pérez, *El cardenal Albornoz, canciller de Castilla y caudillo de Italia* p.58ss (Madrid 1950). Cf. también las p.405ss de este capítulo.

[45] J. Beneyto Pérez, o.c., p.157ss. H. Grassotti (*En torno al exilio del cardenal Albornoz*, en «El cardenal Albornoz y el Colegio de España» vol.1 p.317-343) introduce el concepto de *ira regis* como una de las razones explicativas de la huida precipitada de Albornoz. Analizando cronológicamente los acontecimientos que mediaran entre la subida al trono de Pedro I y la huida del prelado, no parece que esta razón pueda mantenerse sin más. Posteriormente, el rey castellano escribirá al papa pidiendo la vuelta del cardenal (cf. G. Daumet, *Étude sur les relations d'Innocent VI avec le roi Pedro I de Castilla* p.82).

Durante la década de los años cincuenta, Inocencio VI envió a España tres legaciones importantes: la del obispo de Senez (1354-1355), circunscrita a negocios relacionados con el reino castellano-leonés, y la de los cardenales Guillermo de la Jugie (1355-1358) y Guy de Boulogne (1358-1361). Estas dos últimas, de horizontes más amplios: la negociación de la paz entre Castilla y Aragón, enfrentados en un largo y complejo conflicto.

El primer objetivo de la embajada del obispo francés [46] perseguía la solución definitiva de un antiguo negocio, que todavía coleaba: la devolución de los bienes de los templarios a sus legítimos herederos. En los pontificados de Juan XXII y Clemente VI no se había podido zanjar el problema. Alfonso XI, al parecer, intentaba imitar a los reyes de Aragón y Portugal, creando una orden nueva como ellos; pero se encontró repetidamente con la negativa pontificia. Por otra parte, los bienes de la Orden suprimida eran una fuente más de ingresos para las campañas militares del rey castellano en Andalucía. La llegada al trono de Pedro I podía constituir la ocasión de poner en orden las cuentas pendientes de los templarios. Pero un acontecimiento inesperado vino a entorpecer los planes pontificios. El joven rey castellano, después de haber conseguido de los obispos de Avila y Salamanca la anulación de su matrimonio canónico con Blanca de Borbón, procedía en Cuéllar, probablemente el mes de marzo de 1354, a la celebración de un nuevo matrimonio. Esta vez la esposa era Juana de Castro, perteneciente a una familia gallega. El obispo de Senez, antes de salir de Aviñón, recibe la orden de afrontar la grave situación político-eclesiástica creada. El problema de los bienes de los templarios quedará completamente relegado.

El matrimonio de Pedro I de Castilla había empezado a tener gran interés político y a tratarse diplomáticamente bastante antes de la muerte de Alfonso XI (1350). La alianza de Castilla con Francia o con Inglaterra era de enorme importancia para el equilibrio internacional debido a la confrontación de las dos potencias vecinas, sobre todo después de las primeras fases de la llamada guerra de los Cien Años. La Santa Sede apoyó diplomáticamente el matrimonio del heredero castellano y una dama emparentada con la casa real francesa. Alfonso XI, atento fundamentalmente a la guerra del Estrecho, preconizaba una línea de neutralidad respecto a Francia e Inglaterra, llegando incluso a estipular alianzas y capitulaciones matrimoniales para su heredero con los reyes de ambas naciones. Al final de su reinado, la balanza se inclinó del lado inglés, y todo estaba a punto para el matrimonio de Pedro y una hija de Eduardo III. La muerte de ésta (1348) hizo fracasar el proyecto [47].

Los comienzos del reinado de Pedro I significaron un notable cambio

[46]   Para un análisis minucioso de esta embajada: J. ZUNZUNEGUI ARAMBURU, *La misión del obispo de Senez al reino de Castilla (1354-1355):* AA 8 (1960) 11-41. Cf. también del mismo autor: *Bulas y cartas secretas...* n.62 p.58-61; n.66 p.66-67...

[47]   G. DAUMET, *Étude sur l'alliance de la France et de la Castille au XIVᵉ et au XVᵉ siècles* p.3-5 y p.125-130; TH. RYMER, *Foedera, conventiones, litterae et cuiuscumque generis acta publica inter reges Angliae et alios quosvis imperatores, reges, pontifices, principes vel communitates ab ineunte saeculo duodecimo, videlicet ab anno 1101, ad nostra usque tempora habita seu tractata* (Londres 1727) vol.4 p.648-649; vol.5 p.334ss.

de dirección en la política castellana. Desde 1351 a 1353 controla los resortes del poder Juan Alfonso de Alburquerque, el brazo derecho de la reina madre, María de Portugal. Este magnate se muestra en seguida partidario de la alianza de Castilla y Francia, y, consiguientemente, de un matrimonio francés para su soberano. El año 1352, los embajadores castellanos formalizan con los franceses un acuerdo: Pedro I se casará con Blanca de Borbón y el gobierno francés tendría que pagar a Castilla, en concepto de dote, una fuerte cantidad de dinero. El papa Clemente VI, que patrocinaba la candidatura de Blanca de Navarra, vio también con buenos ojos el matrimonio de Pedro I y la hija del duque de Borbón, unido por lazos de parentesco muy estrechos a la corte de Francia. En definitiva, Castilla quedaba igualmente ligada a la política francesa. Las bodas se celebraron en Valladolid el mes de junio de 1353, pero los acontecimientos iban a tomar un sesgo totalmente inesperado. López de Ayala constata en la *Crónica del rey D. Pedro* que éste «casó no de buena voluntad». Probablemente defraudado con el gobierno francés, que no había pagado ninguna cantidad de la dote según los plazos estipulados por las capitulaciones, abandonó en seguida a su esposa para unirse a María de Padilla, con la que había comenzado a tener relaciones el año anterior. A principios de 1354, Pedro I «envió por los obispos D. Sancho de Avila e D. Juan de Salamanca, e díxoles que él no era casado con la reyna D.ª Blanca por muchas protestaciones que ficiera; e mostró delante ellos sus razones quales él por bien tovo, e mandóles que pronunciasen que él podía casar con quien le ploguiese. E los obispos, con muy grand miedo que ovieron, ficiéronlo así e dixeron... que el casamiento que el rey ficiera con D.ª Blanca de Borbón era ninguno e que bien podía el rey casar con quien quisiese... e luego ficieron públicamente bodas en la villa de Cuéllar el rey y D.ª Juana, e llamáronla la reyna D.ª Juana» [48].

La reina Blanca no tenía ya el apoyo de Juan Alfonso de Alburquerque, caído en desgracia el año anterior. Ahora los resortes del poder habían pasado a manos de los parientes de María de Padilla. En torno al antiguo valido se aglutina un importante grupo de nobles —entre los que figuraba Enrique de Trastamara y dos de sus hermanos—, y prelados tan importantes como Blas Fernández de Toledo, un sucesor de Gil de Albornoz en la sede primada. Todos ellos, persiguiendo finalidades muy distintas, adoptan como bandera la defensa de los derechos de Blanca de Borbón. El nuevo pontífice aviñonés, Inocencio VI (1352-1362), orienta su política en la misma dirección, prestando apoyo incondicional a la desgraciada soberana de origen francés y fortaleciendo de paso el partido de la oposición nobiliaria.

El obispo de Senez llega a Castilla «por poner bien en estos fechos», según dice López de Ayala, «e estovo en el regno grand tiempo, e non pudo librar ninguna cosa e tornóse para el papa» [49]. En efecto, después de haberse entrevistado con Pedro I y de realizar varias gestiones, da por

[48] P. LÓPEZ DE AYALA, *Crónica del rey D. Pedro*: BAE vol.66 p.444.
[49] Ibid., p.449.

terminada su legación a comienzos de 1355. El 19 de enero, antes de emprender el viaje de retorno a Aviñón acompañado por el arzobispo de Toledo y los obispos de Plasencia y Sigüenza, lanza la excomunión contra el rey y pone en entredicho el reino de Castilla, a excepción de los lugares y personas que defendían a D.ª Blanca y militaban en el bando de la nobleza rebelde[50].

En la intransigencia de Aviñón con la conducta irregular y anticanónica del rey castellano operaban también motivaciones de índole económica y política. La Cámara Apostólica, desde los primeros tiempos del gobierno de Pedro I, venía encontrando muchas dificultades a la hora de percibir el importe de la décima eclesiástica, que era utilizada sin escrúpulos por los oficiales reales. Clemente VI consigue llegar a un acuerdo amistoso con el soberano, como mal menor: le permite seguir percibiendo dichos ingresos a condición de que abonara 12.000 florines a la Santa Sede. Pero el rey hace caso omiso de lo estipulado y además usurpa con frecuencia los espolios de los prelados difuntos, un impuesto que correspondía a las arcas pontificias[51]. Desde el punto de vista político, el nuevo papa, defendiendo la causa de la reina Blanca, defendía a la vez la alianza francocastellana, que había constituido una de las finalidades contempladas en los largos preparativos de este matrimonio desgraciado[52].

En la primavera de 1355, después de la llegada del obispo de Senez a Aviñón, Inocencio VI prepara otra legación con destino a la península Ibérica. Esta vez el responsable de la misma era un cardenal, Guillermo de la Jugie, y los objetivos de la embajada, en principio, similares a los de la anterior: restablecer la paz en Castilla, profundamente alterada por la guerra civil que había estallado entre el rey y la nobleza; solucionar la situación de Blanca de Borbón y defender la libertad de las personas y de los bienes de la Iglesia. La absolución de las penas de excomunión y entredicho que pesaban sobre el soberano y sobre Castilla quedaba, asimismo, en manos del legado papal[53]. Cuando éste entra en Castilla unos meses más tarde, la situación era completamente favorable a Pedro I, que había mirado con mucho recelo la llegada del enviado aviñonés. En mayo, las tropas petristas entraban en Toledo, desarticulando un foco importante de resistencia de los rebeldes, y unos meses más tarde el monarca castellano estaba ya en condiciones de sitiar la ciudad de Toro, el último baluarte de la rebelión nobiliaria. La reina Blanca había sido trasladada a Sigüenza y encerrada en el castillo como prisionera. Pedro Gómez Barroso, el obispo de la diócesis saguntina que había apoyado a la soberana

[50] Cf. el texto del documento en J. SITGES, *Las mujeres del rey D. Pedro I de Castilla* (Madrid 1910) p.369-373.
[51] Cf. la p.395 de este capítulo.
[52] Cf. G. DAUMET, *Étude sur les relations d'Innocent VI avec le roi Pedro I de Castille au sujet de Blanche de Bourbon* (Roma 1897).
[53] Un análisis detallado de esta embajada: J. ZUNZUNEGUI ARAMBURU, *La legación del cardenal Guillermo de la Jugie a Castilla y Aragón (1355-1358):* AA 12 (1964) 129-156; ID., *Bulas y cartas secretas de Inocencio VI (1352-1362)* (Roma 1970); desde el n.152 (Aviñón, 25-5-1355) p.163ss publica una serie de documentos que preparaban la legación del cardenal Guillermo de la Jugie.

francesa en Toledo, corrió la misma suerte que ella. Lo encarcelaron en Aguilar de Campoo después de haberle confiscado sus bienes.

A finales de 1355, el legado pontificio llega a Toro para entrevistarse con Pedro I, que asediaba la ciudad y en aquellos momentos controlaba perfectamente la marcha de los acontecimientos. Según López de Ayala, el cardenal presentó al rey tres demandas de parte del papa: «que le ploguiese que non fuese más en prisión Pedro Barroso»; en segundo lugar, el «legado del papa fabló con el rey por traer los fechos a buena concordia entre él e la reyna D.ª Blanca, su muger, e por la facer librar de la prisión»; finalmente, «fabló el cardenal con el rey en los fechos de entre él e la reyna D.ª María, su madre, e el conde D. Enrique e el maestre D. Fadrique sus hermanos e otros caballeros», que estaban en Toro, solicitando para ellos un trato adecuado. Sólo consiguió la libertad personal del obispo de Sigüenza, pero no la devolución de sus bienes confiscados[54]. Al año siguiente, el pontífice aviñonés resucita las antiguas reclamaciones de los hospitalarios sobre los bienes del Temple, todavía sin recuperar; pero no conseguirá nada efectivo[55].

La posición del rey castellano, sobre todo después de la caída de la ciudad de Toro el mes de enero de 1356, era cada vez más fuerte. Liquidada la guerra civil, estaba ya en condiciones de planear empresas internacionales de envergadura. El grupo de exiliados eclesiásticos, al frente de los cuales se encontraban el cardenal Gil de Albornoz y Pedro Gómez Barroso, consigue ir creando un clima adverso contra Pedro I en la curia papal y en Francia; pero durante estos primeros años no lograrán resultados espectaculares. El rey contraataca prohibiendo el pago de las rentas de los beneficiados que residían fuera de sus reinos. La medida económica, sin duda aceptada con agrado por el campesinado y las ciudades, tuvo además la virtud de herir en lo más sensible a los clérigos afectados, ahondando, al mismo tiempo, el abismo que se irá creando entre Aviñón y Castilla[56]. En adelante, la amenaza de un proceso por adulterio contra el soberano en Aviñón preocupará a éste mucho menos.

En agosto de 1356 comienza la primera guerra abierta entre Pedro I de Castilla y Pedro IV de Aragón. El acto de piratería del aragonés Francés de Perellós contra unas naves de Piacenza frente a Sanlúcar de Barrameda y ante la presencia del rey castellano, fue la chispa que provocó el conflicto. Pero el incidente constituía sólo un pretexto. En el fondo comenzaba a debatirse, una vez más, la hegemonía peninsular de las dos potencias. El cardenal Guillermo, cuya embajada en Castilla había resultado un fracaso prácticamente total, asume la responsabilidad de negociar la paz. La sede aviñonesa nombra además un nuevo embajador, el obispo de Comminges Bertrand de Cosnac, para que le secundara en dicha tarea[57].

[54] P. LÓPEZ DE AYALA, o.c., p.468.
[55] J. ZUNZUNEGUI ARAMBURU. *La legación del cardenal Guillermo...* p.143-144; ID., *Bulas...* n.188.190.191... p.196ss.
[56] J. ZUNZUNEGUI ARAMBURU, *Bulas...* n.201.207.209.210... p.212ss.
[57] Sobre este personaje cf. B. GUILLEMAIN, *La cour pontificale d'Avignon* p.188ss; G. MOLLAT, *Cosnac, Bertrand de:* DHGE XIII (1956) 932-933; J. ZUNZUNEGUI ARAMBURU, *Bulas y cartas secretas...* n.260 p.266-267; n.261 p.267ss.

Rotas ya las hostilidades, el cardenal legado, después de muchos esfuerzos, consigue, en febrero de 1357, una primera tregua de quince días, que favorecía claramente los intereses de Aragón, cuyos preparativos bélicos discurrían con mucha lentitud. Pedro I, que entonces llevaba la iniciativa militar, rompe inesperadamente dicha tregua y conquista Tarazona con gran facilidad. El legado papal logra arbitrar otro armisticio dos meses más tarde, beneficioso asimismo para los aragoneses, todavía en clara situación de inferioridad frente al ejército castellano. En sus cláusulas se estipulaba que el rey de Castilla entregara al cardenal Tarazona con sus castillos, y el de Aragón hiciera lo propio con Alicante. Antes de finales de año, los contendientes firmarían la paz, determinándose previamente a quién correspondía la soberanía legítima sobre dichas plazas. Ambas partes se comprometían a respetar el armisticio bajo pena de excomunión y una fuerte sanción económica.

Pero los acontecimientos se escaparon de las manos del cardenal legado. Al no cumplir Pedro I todos los extremos de lo acordado, el mediador, presionado por los aragoneses, lo excomulga desde Tudela en julio de 1357. Establecido ya Guillermo de la Jugie en Aragón, procesa al soberano de Castilla por adulterio, excomulgándolo de nuevo el mes de noviembre de aquel año en Huesca. En mayo de 1358 llega a Aviñón y da por terminada su legación, sin conseguir ningún resultado importante: en Castilla queda intacto el problema de Blanca de Borbón. La confrontación militar castellano-aragonesa distaba mucho de estar resuelta.

La lógica de los acontecimientos va configurando de manera nueva las posiciones políticas de los distintos reinos peninsulares y los juegos de alianzas entre ellos, dentro del amplio y complejo contexto de la guerra de los Cien Años. La hostilidad de Inocencio VI hacia Pedro I aleja cada vez más de Aviñón y de Francia al rey castellano, obligándole, prácticamente, a buscarse aliados en otra dirección. Los encontrará en Portugal e Inglaterra. Francia, a su vez, espera de Aragón el apoyo que otrora le prestara Castilla. Y Pedro IV, favorecido de diversas maneras por la curia aviñonesa a lo largo del conflicto castellano-aragonés, entra en el ámbito de la influencia política de la corte francesa. Por otra parte, Enrique de Trastamara, el bastardo de Alfonso XI, se establece en Aragón desde finales de 1356, convirtiéndose en vasallo del Ceremonioso y en «cabeza natural de la otra Castilla, descontenta, nobiliaria y en el destierro»[58], que había escapado a las «justicias» del rey D. Pedro. Aviñón también mirará con buenos ojos el partido del Trastamara, favoreciéndolo en más de una ocasión.

Los preparativos para una guerra a gran escala, efectuados por las partes contendientes durante el verano de 1358, hicieron pensar a Inocencio VI en otra legación que tratara de conseguir la paz entre los dos reyes cristianos. El elegido para ella fue Guy de Boulogne, una de las personas mejor preparadas y más experimentadas de la curia aviñonesa en estos menesteres[59]. El nuevo legado papal llega a España durante la primavera

[58] L. SUÁREZ FERNÁNDEZ-J. REGLA CAMPISTOL, o.c., p.55.
[59] Sobre la personalidad de este cardenal y el análisis de su legación en la Península cf. J. M. MENDI, *La primera legación del cardenal Guido de Boulogne a España (1358-1361)* p.17ss. (Vitoria, discurso inaugural del curso 1964-1965 en el seminario diocesano).

de 1359 y comienza visitando a ambos monarcas con el propósito de conocer personalmente sus respectivas exigencias a la hora de formalizar el posible acuerdo de paz. Por dos veces trató de concertar treguas, sin resultados positivos. El enfrentamiento naval de las dos potencias en aguas de Cataluña y Baleares durante aquel verano y la incursión victoriosa de Enrique de Trastamara por tierras castellanas hacían prácticamente inviable un proyecto de pacificación duradero. Además, la presencia del partido castellano en Aragón, engrosado paulatinamente por nuevos exiliados que huían de las iras de su soberano, constituía otro obstáculo muy difícil de salvar en cualquier negociación. A principios de 1360, Guy de Boulogne concierta una conferencia de paz en la ciudad navarra de Tudela, a la que asistieron delegados aragoneses y castellanos. Dice López de Ayala que «estovieron estos procuradores de los reyes con el cardenal algunos días *e non se pudieron avenir,* ca el conde D. Enrique se aparejaba para entrar en Castilla e cuidaba que muchos de los que estaban con el rey [Pedro I], quando le viesen entrado en Castilla, se pasarían e vernían para él» [60].

La nueva ofensiva contra Castilla, dirigida por Enrique de Trastamara con el apoyo de Aragón, se lleva a efecto el mes de abril de 1360. Sus tropas, después de varios éxitos iniciales, se ven obligadas a retroceder en Pancorvo, cerca ya de Burgos, ante el ejército petrista, y sufren una importante derrota en Nájera. El cardenal legado vuelve de nuevo a jugar un papel importante como mediador, deteniendo a Pedro I cuando perseguía desde Logroño a sus enemigos. En mayo del año siguiente, Guy de Boulogne logra concertar inesperadamente un tratado de paz. Este tratado —la paz de Terrer—, conseguido cuando todos los indicios presagiaban otra escalada de la contienda hegemónica, preveía el perdón mutuo de las partes enfrentadas y la entrega de las plazas que cada una de ellas había conquistado. Las negociaciones llevadas a cabo por el legado pontificio tuvieron, sin duda alguna, importancia; pero en el ánimo de Pedro I pesó, sobre todo, la revolución política de Granada. Muhammad V, partidario y amigo suyo, había sido depuesto por Abu Sa'd, el rey Bermejo, y resultaba aventurado para Castilla emprender una acción en toda regla contra Aragón sin la debida seguridad de las fronteras granadinas.

Del perdón general establecido en la paz de Terrer quedaban excluidos el infante D. Fernando de Aragón, aspirante al trono de Castilla; el conde Enrique de Trastamara y varios castellanos rebeldes. Tres años antes, Pedro I había lanzado contra ellos la acusación de traidores, y no podían obtener su reconciliación. El cardenal legado, atendiendo las razones de Pedro IV de Aragón, declara inválida la sentencia del rey castellano. Semejante decisión hería en lo más vivo los sentimientos de este soberano. Tan pronto como estuvieron arreglados los problemas internos de Granada, Pedro I vuelve a emprender la guerra, interrumpida artificialmente por la paz de Terrer.

La nueva fase de la lucha castellano-aragonesa, que comienza a mediados de 1362, tiene ya un alcance mayor que las anteriores. Al lado de Pedro I milita el rey de Navarra Carlos II, aliado de Castilla desde mayo de este año, y contingentes de tropas de Portugal y Granada. La ofensiva del soberano castellano fue rápida y espectacular, adentrándose profundamente en tierras aragonesas y llegando a amenazar seriamente ciudades tan importantes como Zaragoza y Valencia. Pero el 2 de julio de 1363 volverá a formalizarse otro concierto de paz en Murviedro. En él se excluían, una vez más, a los exiliados de Castilla y quedaban notablemente favorecidas las aspiraciones hegemónicas de Pedro I. Uno de los artífices de dicha paz fue el abad de Fécamp, colaborador del cardenal Guillermo de Boulogne en la legación que había terminado dos años antes.

Desde 1366 a 1369, los reinos castellanos se convierten en escenario de una guerra civil en toda regla, conocida como la revolución Trastamara, con secuelas graves para el equilibrio peninsular, que se prolongarán varios años. El conde D. Enrique, aspirante único al trono del monarca reinante después de la muerte del infante Fernando de Aragón (1363), apoyado por compañías de mercenarios reclutadas en el sur de Francia —las compañías blancas— y después de sufrir una estrepitosa derrota en Nájera ante Pedro I (1367), que contaba con el valioso apoyo de soldados ingleses comandados por el príncipe de Gales, logra dos años más tarde en Montiel la victoria sobre dicho soberano, a quien, además, da muerte personalmente [61].

Enrique de Trastamara representaba, fundamentalmente, los intereses de la nobleza castellana; no sólo de «aquellos nobles del destierro» que habían militado abiertamente contra Pedro I, sino de casi todos. «A los tres meses de su entrada en Castilla —afirma Valdeón—, Enrique II había logrado el apoyo incondicional a su causa de la mayor parte del estamento nobiliario. A su lado figurarán meses más tarde, en la batalla de Nájera, combatiendo contra su antiguo señor. Su postura ya estaba definida y no la traicionaron. Nájera dio a Pedro I una etapa de respiro. Pero su posición [la de Pedro I] estaba demasiado ligada al apoyo inglés, pues las fuerzas militares de Castilla se habían pasado en su casi totalidad a su rival. Enrique regresó antes de finalizar el año 1367, y contando con el concurso fiel de las fuerzas que luchaban para derrocar el régimen personalista de Pedro I, reconquistaría lentamente el trono. La adhesión de la nobleza se mostró decisiva» [62].

Al lado de la nobleza se alineó mayoritariamente el clero, especialmente el clero alto. En definitiva, los abades de los grandes monasterios y los obispos participaban de los mismos intereses que el estamento nobiliario. No conviene olvidar, además, que algunos prelados habían sido víctimas del furor del rey castellano. Por otra parte, enfrentarse a Pedro I significaba para ellos combatir «sus pecados», generosamente orquestados

[61]   Una viva narración del desenlace trágico de Montiel: P. LÓPEZ DE AYALA, o.c., p.589ss.

[62]   J. VALDEÓN BARUQUE, *Enrique II de Castilla: la guerra civil y la consolidación del régimen (1366-1371)* p.89-90. Para el desarrollo de la guerra civil es fundamental el estudio de este autor. En él se encuentran abundantes referencias bibliográficas. Cf. además: A. GUTIÉRREZ DE VELASCO, *Los ingleses en España (siglo XIV):* EAMCA 4 (1951) 215-319; P. E. RUSELL, *The english intervention in Spain and Portugal in the time of Edward and Richard II* (Oxford 1955); L. SUÁREZ FERNÁNDEZ, *Nobleza y monarquía. Puntos de vista sobre la historia castellana del siglo XV* 2.ª ed. (Valladolid 1975).

por la propaganda enriqueña: su desastrosa vida matrimonial, su disimulado filojudaísmo y sus alianzas frecuentes con los sarracenos de Granada.

La contienda que se dirime en la Península tuvo, además, fuertes resonancias y connotaciones internacionales, propiciando, una vez más, la remodelación de los sistemas de alianzas. Detrás de Enrique II estuvo siempre Francia. La amistad entre la corona francesa y la dinastía Trastamara se mantendrá firme a lo largo de una centuria[63]. Portugal defenderá la causa del legitimismo petrista. Inglaterra seguirá una conducta similar. La posición de Aragón, favorable en principio al conde D. Enrique, que tantas veces había combatido desde tierras aragonesas contra Pedro I, será más fluctuante. Navarra mantendrá una actitud parecida. Su rey Carlos II procuró uncirse siempre al carro de quien llevara la iniciativa o preludiara un inmediato desenlace victorioso en las distintas fases del conflicto. Los reyes hispanos enfrentados a Enrique II tratarán de sacar de esta compleja contienda, como es lógico, el mayor provecho territorial para sus respectivos dominios.

La Santa Sede sigue unas pautas que estaban ya prácticamente marcadas por la orientación política casi generalizada de la Iglesia castellanoleonesa y por los planes de Francia. Cuando Enrique de Trastamara decide acometer de manera decisiva la empresa que terminaría con el derrocamiento de Pedro I, encuentra en Aviñón apoyo moral y económico muy importantes. Urbano V se compromete a pagar, a partes iguales con Aragón y Francia, la suma de los 300.000 florines que importaba la contratación de las compañías blancas. El año 1370, después de la victoria de Montiel, y cuando Enrique II buscaba angustiosamente vías de salida para romper el bloqueo diplomático y militar de Castilla, llevado a cabo por las restantes potencias peninsulares, llega a Sevilla una embajada de Aviñón presidida por Bertrand de Cosnac, el obispo de Comminges, y Agapito de Colonna con la misión de negociar la paz entre el rey castellano y los portugueses. Semejante intervención pontificia venía a constituir un reconocimiento tácito de la legitimidad del usurpador por parte de la suprema autoridad de la Iglesia, abriendo las puertas a ulteriores acuerdos, gracias a los cuales Enrique II podrá consolidarse plenamente en el trono. En 1371, el nuevo papa, Gregorio XI, premiará a Fernando I de Portugal, concediéndole las rentas eclesiásticas de dos años por la firma de la paz de Alcoutim con Castilla. Y dos años más tarde, el cardenal Guy de Boulogne consigue que el rey portugués y el castellano firmen otro tratado de paz en Santarem y den por terminadas las hostilidades, surgidas entre ambos al apoyar Fernando I la candidatura de Juan de Gante, duque de Lancaster, a la corona castellana. A finales de verano del mismo año, el cardenal legado, que conocía y secundaba la política de Castilla, cuya amistad con Francia había cristalizado plenamente, da una sentencia arbitral al objeto de dirimir las diferencias existentes entre Carlos II de Navarra y Enrique II. Los resultados fueron netamente favorables al Trastamara. Logroño, Vitoria y Salvatierra con sus territorios, ocupados por el sobernano

---

[63] G. DAUMET, *Étude sur l'alliance de la France et de la Castille au XIVᵉ et au XVᵉ siècles* (París 1898).

navarro durante la guerra civil, fueron devueltos a Castilla. El monasterio de Fitero, el castillo de Tudején y otras tres fortalezas se adjudicaron a Navarra[64]. La serie de alianzas matrimoniales proyectadas por Enrique II en los primeros años de su reinado con el propósito de afianzar la posición de Castilla en la Península encontraron también el refrendo habitual de Aviñón.

El legado papal Guy de Boulogne no pudo ver culminada su obra de pacificación de los distintos reinos peninsulares. Murió en Lérida el año 1373, antes de que Enrique II y Pedro IV solventaran de manera definitiva sus conflictos. Esto no se conseguirá hasta dos años más tarde con el tratado de Almazán. El Ceremonioso devolverá entonces al rey castellano Molina y otros territorios ocupados, recibiendo a cambio una importante indemnización económica.

La diplomacia de los papas aviñoneses también realizó grandes esfuerzos para conseguir la pervivencia del reino de Mallorca frente a las pretensiones anexionistas de la corte aragonesa. Este pequeño reino, que comprendía la mayor parte de las Baleares, la baronía de Montpellier y Vallespir, el condado de Rosellón y otros tres condados pirenaicos, desde la última parte de la centuria anterior era feudatario del soberano aragonés, y tenía una importancia estratégica enorme para las relaciones y el equilibrio político-militares de Francia y Aragón. La firme política desplegada por Juan XXII sirvió para defender la minoría de Jaime III de Mallorca (1324-1344) contra las insurrecciones internas y contra las ambiciones hegemónicas de Jaime II de Aragón. El pontífice hubo de emplearse a fondo, acudiendo a la excomunión y al discreto apoyo de la corte francesa para sacar adelante sus objetivos. Pero la crisis llegará a su punto culminante entre 1342-1344, al proyectar el Ceremonioso la incorporación definitiva de Mallorca a la corona aragonesa. Clemente VI envía varias legaciones destinadas a frenar los planes de este soberano. Con todo, no pudo impedir la conquista del reino mallorquín por las tropas aragonesas (1344). Jaime III encontrará en Aviñón una buena acogida después del desastre. Los esfuerzos de este rey y los de su hijo Jaime IV para recuperar la corona resultaron inútiles. Gregorio XI (1370-1378), siguiendo las indicaciones de la corte francesa, intenta hacer de árbitro entre la casa de Aragón y la de Anjou, que desde 1375 ostentaba el derecho al trono de Mallorca, y nombra plenipotenciario suyo al cardenal Gilles Aycelin. Pero la posibilidad de una sentencia arbitral fue recusada por Pedro IV, que no reconocía en la sede de Aviñón la suficiente imparcialidad para sustanciar aquel problema[65].

---

[64] Pormenores sobre esta sentencia arbitral: J. M. LACARRA, *Historia del reino de Navarra en la Edad Media* p.390ss.

[65] Sobre estos acontecimientos: J. MOLLAT, *Les papes de Avignon...* p.442ss. Cf. también: A. LECOY DE LA MARCHÉ, *Les relations politiques de la France et du royaume de Majorque* (París 1892); F. GIUNTA, *Ferrer de Abella e i rapporti tra Giacomo II e Giovanni XXII:* Studi Medievali in onore di Antonio de Stefano (Palermo 1956) p.231-262; G. MOLLAT, *Clément VI et la Péninsule Ibérique:* Journal des Savants (1960) 121-128; ID., *Grégoire XI et la Péninsule Ibérique:* ibid. (1964) 255-260. Las relaciones de Aragón con los viajes de Urbano V y Gregorio XI a Roma: J. VIVES, *Galeres catalanes enviades al Papa Urbá V:* AST 8 (1932) 63-85; ID., *Les galeres catalanes pel retorn a Roma de Gregori XI en 1376:* AST 6 (1930) 131-185.

La Iglesia de Pamplona y la Santa Sede cooperaron, en buena medida, a la consolidación de la casa de Evreux en Navarra. A pesar de ello, los conflictos de índole político-eclesiástica fueron también frecuentes en este estado pirenaico [66].

III. CENTRALISMO ADMINISTRATIVO Y FISCALISMO DE AVIÑON. SUS INCIDENCIAS EN LA IGLESIA ESPAÑOLA

Por J. F. CONDE

El centralismo administrativo de la Santa Sede, cada vez más intenso a lo largo de la baja Edad Media, se hace especialmente complejo y pesado durante la estancia de los papas en Aviñón. Las intervenciones constantes de cada uno de ellos en los asuntos de las iglesias particulares y la participación habitual de los mismos en los problemas políticos de los distintos reinos cristianos propiciaron la formación de un aparato curial bien estructurado, pero a la vez complicado y muy costoso. Por otra parte, las guerras que los papas hubieron de mantener en Italia contra Luis de Baviera y contra los nobles rebeldes constituyeron otra sangría económica de grandes proporciones, aumentada además con los dispendios y el lujo de algunos de los pontífices que asentaron sus reales en la ciudad del Ródano. Para mantener el gran aparato curial que se iba perfilando y afrontar los gastos ordinarios y extraordinarios del gobierno de la Iglesia, los papas aviñoneses fueron organizando y fijando un sistema fiscal que gravaba con numerosos impuestos los diversos beneficios eclesiásticos, cuya provisión dependía directa o indirectamente de la corte de Aviñón. «Juntamente con el desmesurado favoritismo de paisanos y parientes en la colación de beneficios eclesiásticos, ese sistema provocó entonces y después viva crítica, y vino a ser un importante elemento de los *gravamina* para siglos posteriores. Lo malo es que, a despecho y pesar de todos los intentos de reforma, partes considerables de este absolutismo papal se han mantenido hasta hoy» [67].

En efecto, las apariencias o las sospechas de venalidad que rodeaban muchos nombramientos emanados de la cancillería pontificia, el talante formalmente beneficial que los velaba, relegando a un plano muy secundario el carácter ministerial de los mismos, juntamente con el frívolo recurso a la excomunión y al entredicho para sancionar a los deudores morosos, provocarán abundantes y duras denuncias en distintas partes de la Iglesia. Por otra parte, las autoridades políticas de los reinos cristianos, algunos de ellos en vías de consolidación hegemónica o con graves problemas económicos de cara a la financiación de sus empresas militares, no podían ver con buenos ojos la salida de grandes cantidades de dinero,

---

[66] Para este período de la historia eclesiástica de Navarra cf. J. GOÑI GAZTAMBIDE, *Historia de los obispos de Pamplona. Siglos XIV-XV* (Pamplona 1979).
[67] K. AUGUST FINK, *Die Kurie in Avignon:* Handbuch der Kirchengeschichte, vol.3 /2; trad. castellana, vol.4 p.545.

proveniente de las rentas beneficiales, que cruzaban las fronteras de sus respectivos dominios camino de las arcas de la Cámara Apostólica de Aviñón, ubicada geográfica y políticamente en el área de influencia de la corte francesa. Además, el uso que los administradores aviñoneses hacían muchas veces de los dineros eclesiásticos era difícil de justificar. Nada tiene de extraño que el malestar contra Aviñón fuera un sentimiento generalizado. Los rectores de los reinos peninsulares y los responsables de sus iglesias participaban también de él.

Los *servitia communia* constituían la tasa más importante que los beneficiados pagaban a la Cámara Apostólica al recibir el nombramiento pontificio, en la confirmación del mismo, al ser consagrados, o cuando los trasladaban a otro beneficio distinto. Desde la primera parte del siglo XIII era un impuesto obligatorio. Durante el pontificado de Bonifacio VIII había quedado fijado en el tercio de la renta beneficial anual. Y a partir de la mitad del XIV sufrirá varias modificaciones. Los titulares de los beneficios españoles entregaban a la Cámara de Aviñón una suma muy importante. Equivalía, aproximadamente, a la décima parte de lo aportado por las restantes iglesias de la cristiandad en este capítulo fiscal [68]. Aunque todo estaba perfectamente estipulado, los prelados de las diócesis peninsulares, al igual que los de otras latitudes, tenían numerosos conflictos con los oficiales de la Cámara Apostólica a causa de las cantidades impagadas de los *servitia*, que a veces persistían todavía en el momento de su traslado a otro episcopado o abadía e incluso a la hora de la muerte. Las censuras pontificias sobre estos eclesiásticos morosos fueron frecuentes. El 1333, por ejemplo, la curia de Aviñón secuestró las rentas episcopales del titular gerundense Gastón de Moncada hasta que éste no saldara todo lo adeudado [69]. Juan, obispo de Lugo (1326-1348), que había tomado con cierta alegría la amortización de los servicios comunes, fue excomulgado y suspendido de su oficio durante varios años [70]. Juan XXII, extraordinariamente meticuloso e intransigente en política económica, excomulgaba el año 1328 a un patriarca, cinco arzobispos, 30 obispos y 46 abades de diversas nacionalidades por no haber solventado sus respectivos *servitia communia* [71].

Uno de los principales impuestos recaudados por los colectores pontificios en el lugar del beneficio era la décima [72]. Esta clase de tributación,

[68] J. VINCKE, *Els comtes-reis de Barcelona i els «servitia» papals vers el 1300:* AST 7 (1931) 339-350; J. ZUNZUNEGUI ARAMBURU, *La Cámara Apostólica y el reino de Castilla durante el pontificado de Inocencio VI (1352-62):* AA 1 (1953) 172; J. GOÑI GAZTAMBIDE, *El fiscalismo pontificio en España en tiempo de Juan XXII:* AA 14 (1966) 65-66; este autor, siguiendo la obra de E. Göller *(Die Einnahmen...* p.652-685), cifra la cantidad aportada por los obispos españoles durante el pontificado de Juan XXII para pagar sus *servitia* en 118.035 florines. A lo largo del pontificado citado, la Cámara Apostólica ingresó por servicios comunes 1.123.003 florines de oro (cf. E. GÖLLER, *Die Einnahmen...* p.45-46).
[69] E. GÖLLER, o.c., p.270 y 280.
[70] A. CLERGEAC, *La curie et les bénéfices consistoriaux. Étude sur les communes et menus services* p.248-251; J. GOÑI GAZTAMBIDE, o.c., p.66.
[71] E. GÖLLER, o.c., p.45-46.
[72] El importe de la décima no correspondía exactamente a un décimo de la totalidad de la renta beneficial. Era una cantidad fijada en el siglo XIII por los agentes pontificios. En la segunda mitad del XIV, época de pestes y de hambres, los papas rebajaron dicha cantidad,

arbitrada por los papas de Aviñón a manera de ayuda extraordinaria para organizar la cruzada a Tierra Santa, fue utilizada por ellos mismos con finalidades tan distintas de las originarias como la financiación de las guerras de Italia para recuperar los Estados pontificios. Además, frecuentemente concedían el importe de la décima a los soberanos de los distintos países para empresas que tenían muy poco que ver con la reconquista de los Santos Lugares. Los colectores aviñoneses experimentaron en España resistencias similares a las encontradas en otras naciones. Los reyes, especialmente los de Castilla y Aragón, a fuerza de recibir la concesión de este impuesto beneficial, llegaron a considerarlo una fuente de ingresos casi ordinaria de su economía siempre deficitaria. La recaudación de la décima seisenal, decretada en el concilio de Vienne para la cruzada, estuvo pendiente durante bastante tiempo. La Iglesia de Pamplona, por ejemplo, todavía no la había hecho efectiva en su integridad el año 1326 [73].

En Castilla, el cobro de la décima se hizo particularmente difícil, porque no había sido tasada por los oficiales de la Cámara Apostólica. Durante su pontificado, Clemente VI (1342-1352) encarga la ejecución de este cómputo fiscal, pero no pudo conseguir que llegara a realizarse. Además, Pedro I, desde los primeros años de su reinado, utilizaba libremente los dineros de dicho impuesto. Ya aludimos más arriba a los problemas que surgieron entre él y Clemente VI por tales motivos. Este pontífice terminó concediendo al rey de Castilla la totalidad de la décima de seis años a cambio de un ingreso fijo de 12.000 florines para la Cámara Apostólica. Pero el acuerdo resultó letra muerta para Pedro, que seguirá utilizando estos ingresos sin ningún tipo de miramientos. Inocencio VI (1352-1362) encarga entonces al arzobispo de Toledo que reúna la suma estipulada con el rey castellano, cobrándola de los beneficios de su archidiócesis (1354). Posteriormente, al no conseguir resultados positivos de éste, reparte la cantidad requerida entre los tres metropolitanos de Castilla y León: el de Santiago de Compostela, el de Sevilla y el de Toledo. Cada uno de ellos reuniría los 4.000 florines, deduciéndolos de las rentas de los beneficiados de sus respectivas sufragáneas, sin que ningún prelado pudiera presentar válidamente derechos de exención que le eximieran de la contribución. Sólo quedaban libres de la misma los beneficios que tuvieran los cardenales de las tres provincias eclesiásticas y los de la Orden militar de San Juan de Jerusalén [74].

Las anatas —los frutos del primer año que seguía a la colación de un beneficio— eran ya en el siglo XIII un tipo de impuesto muy codiciado por los reyes. Sabemos, por ejemplo, que los de Aragón habían pretendido utilizarlas más de una vez. Clemente V comienza a exigirlas en Inglaterra. Juan XXII, a finales de 1316, reserva para la Cámara Apostólica estos

fijando nuevas tasas. Cuando los baremos no estaban establecidos, los beneficiados y los colectores arbitraban cantidades estimativas, proporcionadas al valor del beneficio (cf. G. MOLLAT, *Les papes...* p.533-534).

[73] J. GOÑI GAZTAMBIDE, *Historia de los obispos...* vol.2 p.194-196.
[74] Cf. p.396ss; J. ZUNZUNEGUI ARAMBURU, o.c. p.163ss. Al final del trabajo publica varios documentos relacionados con este problema. Cf. también *Bulas y cartas secretas...* n.52 p.45-46; n.53 p.46-47...

réditos del primer año de la mayoría de los beneficios vacantes entonces o que vacaran durante los tres años siguientes en Aragón, Castilla, Inglaterra, Alemania y en varias provincias eclesiásticas ubicadas en territorio francés, pero no dependientes políticamente de Francia. Benedicto XII, el papa reformador, no quiso urgir el pago de este impuesto, que resultaba bastante oneroso. Sus sucesores, sin embargo, ampliaron el alcance del mismo a pesar de las numerosas protestas que había suscitado desde su implantación. Ya el año 1323, Juan XXII, considerado habitualmente como el «inventor, el autor y el padre de las anatas» [75], tenía que enviar a los dominios de Aragón un colector especial para cobrar las cantidades pendientes de este impuesto. En Castilla, la percepción de las anatas encuentra también muchas resistencias entre los beneficiados [76].

Las rentas de los beneficios vacantes, llamadas asimismo frutos intercalares, es decir, el producto económico de un beneficio en el período que permanecía sin titular, comenzaron a ser reclamadas por Clemente V, y Juan XXII generalizó la costumbre de exigirlas. En varias ocasiones reservó para la Cámara Apostólica los ingresos de los beneficios cuya provisión dependía de la sede aviñonesa. No era raro que el dinero de este capítulo fiscal pasara a otras manos o que el nuevo beneficiado, ignorante de la reserva pontificia o elegido indebidamente, las utilizara como si le correspondiera legítimamente. Los oficiales pontificios tuvieron que intervenir con cierta frecuencia para recuperarlo, solucionando a veces las diferencias mediante acuerdos que satisficieran los intereses de las partes implicadas. En España conocemos varios de estos casos [77].

Otro gravamen fiscal muy relacionado con los dos anteriores, con el último especialmente, era el llamado derecho de espolio: la facultad de apoderarse de los bienes muebles de los beneficiarios después de su muerte. En principio lo pusieron en práctica los obispos con los beneficiados de sus respectivas diócesis; pero al ir acumulando la sede aviñonesa las prerrogativas de muchos nombramientos, reclamó al mismo tiempo el ejercicio de este derecho sobre los bienes no raíces del beneficiado difunto, que había detentado anteriormente el correspondiente beneficio. Con Juan XXII se generalizó el uso de este impuesto, y sus sucesores lo reservaron habitualmente para la Cámara Apostólica [78]. La práctica del derecho de espolio dio lugar a numerosos conflictos en todas partes. Los intereses económicos de la Santa Sede chocaban muchas veces con los de los herederos del difunto, con los de los laicos más o menos cercanos a los bienes de los respectivos beneficios o con los de los oficiales reales. Todos ellos tenían un acceso más fácil e inmediato a dichos bienes que los colectores aviñoneses. La documentación de la época ofrece referencias abun-

[75] G. Mollat, *Les papes...* p.534.
[76] J. Goñi Gaztambide, *El fiscalismo...* p.72-73; J. Vincke, *Die Krone von Aragón und die Anfänge der päpsttlichen Annaten:* Römische Quartalschrift 40 (1932) 177-182.
[77] J. Zunzunegui Aramburu, o.c., p.172; J. Goñi Gaztambide, o.c., p.73-74.
[78] Sobre la percepción de esta carga fiscal: F. de Saint-Palais d'Aussac, *Le droit de dépouille (ius spolii)* Estrasburgo 1930; G. Mollat, *A propos du droit de dépouille:* RHE 29 (1933) 316-343; Id., *l'applications du droit de dépouille sous Jean XXII:* R. des Scienc. Relig. 19 (1939) 50-57.

dantes sobre la problemática suscitada por la exacción de este tipo de tributación fiscal.

Las diócesis gallegas se vieron complicadas en varios pleitos motivados por la percepción de esta molesta carga. Algunos de ellos resultaron verdaderamente ruidosos. Los despojos de los prelados difuntos caían, por lo general, en manos de algún laico significativo o de clérigos que presentaban resistencias serias a los colectores pontificios. El arzobispo de Compostela Berenguer de Landorra, de origen francés y maestro general de los dominicos antes de ocupar la sede del Apóstol (1317), fue uno de los nombrados por Juan XXII para recaudar el *ius spolii* de las vacantes producidas entonces en las diócesis vecinas. Al morir Ruy Fernández de Sotomayor, obispo de Tuy (1323), el citado comisario papal encontró una fuerte oposición para cumplir sus cometidos en los herederos del difunto, en varias personas laicas y en los mismos oficiales regios [79]. Cuando fallece el arzobispo compostelano (1325), el destino de sus efectos muebles, y especialmente el de su biblioteca, crearon también dificultades. Berenguer, antes de recibir el nombramiento arzobispal, había donado legítimamente al convento de Rodez su biblioteca. Pero Juan Fernández de Limia, que le sucede en Santiago de Compostela, no quería desprenderse de aquel lote de libros. La sede de Aviñón consiguió en esta ocasión que fuera respetada la voluntad del clérigo francés [80].

Al fallecer el obispo de Sigüenza Simón de Cisneros (1326) estalló otro escándalo de notables proporciones. Los cabezaleros de las rentas beneficiales tomaron subrepticiamente una parte de los bienes del prelado difunto. El arzobispo de Zaragoza, encargado por el pontífice aviñonés para poner orden en aquel asunto, arrestó a los raptores y los encerró en la cárcel. Pero una hermana de Jaime II de Aragón, monja del monasterio de Sigena, los sacó violentamente de la cárcel, los puso bajo su protección y los defendió contra los oficiales del papa. Después de varios lances, se llegará a una composición y a la absolución de los foreros culpables [81]. Todavía resultó mucho más clamoroso el pleito entablado en la ejecución del derecho de espolio del titular orensano Gonzalo Núñez de Novoa (1332). Juan Fernández de Trinidad, canónigo de esta sede, otro capitular lucense y un caballero, después de haber tomado indebidamente los bienes del obispo, hicieron frente a las reclamaciones y censuras provenientes de Aviñón. Detrás de todo ello persistían las secuelas de un turbio asunto en el que, al parecer, había tomado parte como protagonista el propio prelado gallego. Este, en pleno ejercicio de sus funciones episcopales, había impedido al tesorero de su catedral el viaje a la curia aviñonesa con el fin de ventilar cuestiones personales. Y, además, desoyendo las reconvenciones pontificias, le sometió a una prisión tan estricta, que le causó la muerte. El

[79] J. GOÑI GAZTAMBIDE, *El fiscalismo...* p.67-68.
[80] ID., a.c., p.68-69. Los libros disputados eran, entre otros, las «Concordantias, Evangelia Sanctorum Mathei et Marchi per beatum Thomam confessorem glossata, Summam eiusdem Sancti Thome in duobus voluminibus et multa alia opera eiusdem Sancti, Augustinum De verbis Domini, Moralis Gregorii super Iob, Omelias ipsius super Ezechielem et Evangelia, ac Pastorale, Postillas super Exodum», public. J. GOÑI GAZTAMBIDE, a.c., p.97.
[81] J. GOÑI GAZTAMBIDE, a.c., p.69-70.

citado Juan de Trinidad quitó de en medio al intratable obispo Gonzalo mediante el recurso al veneno, bien para vengarse de él por haber dado muerte a un compañero de cabildo, o tal vez como vía rápida de hacerse con los bienes muebles del prelado [82].

En otras diócesis castellanas, las crisis de índole socioeconómica que provocaron las recaudaciones de los derechos de espolio tuvieron desenlaces menos clamorosos. Juan Fabri, un canónigo compostelano de origen francés como Berenguer de Ladorra, comisionado por Juan XXII para recoger los bienes muebles de García de Ayerbe, obispo de León (1332), ante las protestas del cabildo, abandona su cometido por orden del papa y se hace cargo de ellos Juan del Campo, el sucesor del prelado anterior [83]. Años más tarde, concretamente el 1354, serán los oficiales de Pedro I quienes se opongan a la recogida de los espolios del leonés Diego Ramírez de Guzmán. El abad de Sahagún, designado por Inocencio VI para tales menesteres, logra que dichos oficiales depongan su actitud. La oposición de los canónigos de Astorga, que también creían tener derecho a los efectos personales de Ramírez de Guzmán, quedará superada por un proceso sustanciado en Aviñón [84].

Las trabas puestas por Pedro I a los colectores aviñoneses constituyeron un capítulo importante de la historia de los enfrentamientos de la curia aviñonesa y el soberano de Castilla. A la muerte del obispo burgalés Lope de Fontecha (1351), por ejemplo, los funcionarios pontificios realizan varias gestiones para llevar a efecto el cobro de este impuesto reservado a la Cámara Apostólica; pero tropezaron con las autoridades reales, que les confiscaron todo lo recaudado. Don Pedro ponía, además, toda clase de obstáculos para tratar de impedir que los comisarios del papa sacaran fuera de los dominios castellanos las cantidades recolectadas [85].

Algunas veces rodearon la ejecución del derecho de espolio transacciones que resultaban poco edificantes. Al morir el arzobispo de Toledo Gonzalo de Aguilar (1353), Gil Alvarez de Albornoz, antecesor suyo en la sede metropolitana, y varios clérigos residentes en la curia aviñonesa llegaron a un acuerdo con la Cámara Apostólica para hacerse cargo de los bienes del metropolitano difunto a cambio de cierta cantidad de dinero a ingresar por ellos en las arcas papales [86]. En otras ocasiones, las operaciones relativas a la recaudación de los espolios presentaban ribetes más pintorescos. Así, Inocencio VI, al enterarse el año 1354 del rumor que corría sobre una grave enfermedad de Blas Fernández de Toledo, titular de la provincia eclesiástica toledana, encomienda al colector Augerio y a dos clérigos castellanos la recogida de los efectos del arzobispo. Pero éste seguirá viviendo todavía bastantes años más [87].

[82] ID., p.70-72.
[83] J. TRENCHS ODENA, *Aspectos de la fiscalidad pontificia en la diócesis de León (1300-1362)*, en «León Medieval. Doce estudios» (León 1978) p.127.
[84] J. TRENCHS ODENA, a.c., p.127; J. ZUNZUNEGUI ARAMBURU, a.c., p.169-170; ID., *Bulas y cartas secretas...* n.116-117.
[85] J. ZUNZUNEGUI ARAMBURU, a.c., p.167. En 1360, Inocencio VI ruega a Pedro I que no obstaculice las entregas de los colectores a la Cámara Apostólica (ibid., apénd.10 p.182-183). Cf. también del mismo autor: *Bulas y cartas secretas...* n.204 p.215-216.
[86] J. ZUNZUNEGUI ARAMBURU, a.c., p.168; ID., *Bulas y cartas secretas...* n.18 p.14-15.
[87] Ibid., p.170; ID., *Bulas y cartas secretas...* n.123 p.130-132.

En Navarra, la Cámara Apostólica no pudo percibir los derechos de espolio hasta la muerte de Juan XXII. Al fallecer Arnalt de Barbazán 1318-1355), el colector pontificio Fulco Perrier trató de recoger sus bienes, pero encontró una oposición cerrada en las autoridades de Pamplona, que llegaron incluso a intervenir militarmente para que no pudiera llevarse a efecto aquella exacción fiscal. El arzobispo de Zaragoza promulgó a sentencia de excomunión en la que habían incurrido los agresores al proceder contra los comisionados del papa. Un año más tarde, la oportuna transacción deja las cosas en su sitio. Con Miguel Sánchez de Asiain 1357-1364) volverá a suceder lo mismo. Esta vez el responsable de las dificultades fue Carlos II, que se había apoderado de los bienes del prelado desaparecido. La historia se repetirá a la muerte de Bernat de Folcaut 1364-1371), un obispo que tenía fama de potentado [88]. Los problemas de la Santa Sede en las iglesias de Aragón creados por la exigencia de este molesto impuesto fueron, sin duda, similares a los originados en otros reinos hispanos [89].

A pesar de las secuelas negativas que se derivaban no pocas veces de la ejecución de esta carga fiscal, el comportamiento de los colectores era, por lo general, moderado, y tenía en cuenta los marcos de la legalidad, respetando los derechos patrimoniales del difunto y sus disposiciones testamentarias legítimas. Pero en un terreno tan delicado como éste no faltaron actuaciones abusivas y escandalosas. Lo ocurrido con los espolios del obispo de Burgo de Osma Gonzalo (1348-1354) constituye una muestra de ello. Inocencio VI encomendó la percepción de los bienes muebles del prelado difunto a dos canónigos castellanos y más tarde estipuló un acuerdo con varios servidores del palacio papal a cambio de una cantidad de dinero destinada a la Cámara Apostólica. Los funcionarios aviñoneses llegaron a Castilla provistos de amplias facultades concedidas por el pontífice, y realizaron su cometido extralimitándose notoriamente al recoger bienes que no les correspondían. El sucesor del difunto Gonzalo en la sede osomense tuvo que denunciar a los comisarios aviñoneses, que fueron condenados posteriormente por la curia papal [90].

Las procuraciones, otro de los impuestos que se pagaban en el lugar del beneficio, provenían de los tributos que los beneficiados abonaban al obispo cuando éste realizaba la visita pastoral. Durante el pontificado de Juan XXII, los prelados comenzaron a ofrecer una parte de dichos tributos, cobrados ya en dinero contante —la mitad o un tercio de los mismos—, a cambio de la dispensa de la citada obligación pastoral. Los pontífices siguientes reservarán para la Cámara Apostólica cantidades estipuladas por este concepto como una contribución fija, propiciando el deterioro y el abandono de esta función episcopal [91]. Los titulares de las metrópolis es-

[88] J. GOÑI GAZTAMBIDE, *Historia de los obispos...* vol.2 p.204-207.226-227.265. Cf. también de este autor: *El derecho de espolio en Pamplona en el siglo XIV:* HS 11 (1958) 157-174.
[89] Un minucioso proceso en torno a la percepción de ~~los espolios~~ del obispo de Tortosa, D. Jaime, entablado por el colector Fulco Perrier: J. ZUNZUNEGUI ARAMBURU, *La percepción de los espolios del obispo de Tortosa D. Jaime Cyon (1348-1351):* AA 13 (1965) 361-390.
[90] J. ZUNZUNEGUI ARAMBURU, a.c., p.168-169.
[91] «Cette mesure fiscale eut les plus déplorables résultats: en même temps que s'évanoui-

pañolas obtuvieron de Juan XXII, el año 1327, licencia para percibir la obligaciones de la visita en numerario, autorizándoles a realizarla me diante procuradores. Podrían, además, visitar varias iglesias un mism día, con tal de que las necesidades de reforma no fueran apremiantes. La cantidades recaudadas ingresarían en las arcas papales a manera de subsi dio voluntario para la lucha contra los enemigos de la Iglesia. Las tasas d tales procuraciones suscitaron quejas entre los miembros del clero. Los d Barcelona, por ejemplo, protestaron por considerarlas excesivas. El obisp Juan, titular de Lugo (1326-1348), llegó a dictaminar en un sínodo que su clérigos no abonaran esta clase de impuesto [92].

La curia de Aviñón también exigía, a veces, los llamados «subsidio voluntarios o caritativos», destinados a cubrir los gastos de emergencia imprevistas. En realidad, el aspecto gratuito de dichos subsidios tenía mu cho de mera formalidad, ya que los papas presionaban a los beneficiado renuentes a base de penas y censuras. El año 1325, Juan XXII solicitó a la iglesias de la corona de Aragón y de Castilla un subsidio voluntario e demanda de fondos para proseguir la guerra contra Luis de Baviera. En cuentra buena acogida entre los prelados españoles, si bien éstos, a la hor de efectuar los pagos, se mostrarán bastante remisos. Años más tarde, e 1359, Inocencio VI, acuciado por los gastos de la guerra de Italia, envía España un experto de la Cámara Apostólica, llamado Juan Garriga, par que recabara otro impuesto voluntario de las sedes hispanas. El legad también tuvo buena acogida y promesas positivas; pero no pueden eva luarse con exactitud los resultados económicos finales de su misión [93].

El sistema fiscal de Aviñón se apoyaba en una red de personas comi sionadas por la Cámara Apostólica, que recorrían los países para hace efectivos los diversos capítulos fiscales según iban consolidándose por l costumbre o por las disposiciones positivas de la curia papal. En el si glo XIV, los responsables principales de estas operaciones financieras se ha bían convertido ya en funcionarios fijos, y desde Clemente VI recibe oficialmente el nombre de colectores. Cada uno de ellos estaba al frente d una demarcación territorial —colectoría— y tenía a sus órdenes vario subalternos. Estos personajes, aun procediendo de acuerdo con las nor mas establecidas en la Cámara aviñonesa, por su meticulosidad, por e rigor que frecuentemente exhibían y por el recurso fácil y frecuente a la sanciones canónicas, concitaron no pocas veces la animosidad popular nobiliaria y fueron víctimas de la misma, teniendo que hacer frente a vic lencias e incluso soportar agresiones graves [94].

rent les émoluments attachés à la visite pastorale, les prélats semblèrent ne plus considéré l'accomplissement comme un devoir de conscience. Ils étaient, d'ailleurs, excussable (G. MOLLAT, *Les papes...* p.536).

[92] J. GOÑI GAZTAMBIDE, *El fiscalismo...* p.76-78.
[93] J. GOÑI GAZTAMBIDE, *El fiscalismo...* p.74-75. Sobre la legación económica de Juan G rriga: ARCH. VAT., *Reg. Vat.* n.241 f.107v-108r; publ. J. ZUNZUNEGUI ARAMBURU, a.c., apén n.8 p.180-181; ID., *Bulas y cartas secretas...* n.367 p.373; n.377 p.384-385; n.378 p.385-387. E 1355 había hecho la misma demanda a los prelados de Aragón: ID., *Bulas y cartas secretas...* n.17 p.182-183.
[94] P. M. BAUMGARTEN, *Aus Kanzlei und Kammer* (Friburgo de Br. 1907); G. MOLLAT, *Cor tribution à l'histoire de la chambre apostolique à XIVe siècle:* RHE 45 (1950) 82-94; ID., *Les papes.*

España no fue una excepción en este aspecto. La intransigencia del colector Guillermo, obispo de Sabina, prohibiendo la sepultura eclesiástica del obispo Gonzalo de Lugo (1326) hasta que sus parientes no satisficieran los 18.852 maravedís que debía, tuvo, como dice Mollat, todas las características de una «barbarie bouffonne», que no podía suscitar más que maluerencias y odio contra la curia aviñonesa. El obispo insolvente permaneció en aquella situación mucho tiempo. Benedicto XII, doce años más arde, permitirá que lo entierren cristianamente [95].

Conocemos varios episodios de pillaje, que reflejan el malestar de la población civil y de los mismos eclesiásticos contra los agentes del fiscalismo aviñonés. Durante el pontificado de Juan XXII, por ejemplo, Amelio de Beronio, canónigo de Tours y colector apostólico en España, al pasar por Peñafiel, cerca de Valladolid, fue acometido por dos miembros del clero —un arcediano de Orense y el guardián de los franciscanos de Salamanca—, juntamente con D. Juan, señor de Vizcaya, para robarle cierta antidad de dinero destinada a la Cámara Apostólica. En otro atentado, Rodrigo Alvarez de las Asturias, personaje destacado en el mundo político de Alfonso XI, quitó también al citado colector 600 florines. El papa encarga a una comisión de obispos, los titulares de Salamanca, Palencia y Oviedo, la recuperación del dinero sustraído, castigando a los raptores con penas canónicas. Parece que estos prelados pudieron conseguir su objetivo. El año 1333, el magnate asturiano obtendrá el correspondiente perdón después de haber efectuado la restitución debida [96].

En ocasiones, los riesgos corridos por los colectores o por sus oficiales eran todavía mayores. Almaraz de Cabrespí, un colector aviñonés que ejerce preferentemente estos menesteres en los dominios de la corona de Aragón desde 1338 a 1348, se vio obligado a enviar un subalterno a Cuenca para informarse de la situación de los espolios del prelado de aquella sede Gonzalo Ibáñez Palomeque, fallecido el 1346. La mitra y los ornamentos del difunto cayeron en poder de personas desconocidas y el enviado de Cabrespí «desapareció o fue asesinado», según el testimonio del propio colector, que no volverá a tener noticias de su paradero [97].

Juan Garriga, que actúa como colector durante el pontificado de Inocencio VI, sufrió también una agresión por motivos similares. Cuando acía el viaje en barco a la altura de las costas de Granada, llevando dinero y abundantes objetos de valor pertenecientes a la Cámara aviñonesa, le atacaron dos naves que practicaban la piratería. Los piratas abordaron el navío del oficial aviñonés y lo hundieron después de apoderarse de todo el botín pontificio. Al parecer, el patrono de una de las naves agresoras en-

.539ss. Dos modelos de rendición de cuentas de colectores apostólicos a la curia: J. ZUNZU-EGUI ARAMBURU, *Las cuentas de los colectores apostólicos en Castilla durante el pontificado de Ino-encio VI*: AA 14 (1966) 441-461.
[95] J. M. VIDAL, *Benoît XII. Lettres communes* n.6351.
[96] Cf. J. GOÑI GAZTAMBIDE, *El fiscalismo...* p.81 nt.98. Sobre el citado colector: D. MANSI-LA REOYO, *La diócesis de Burgos vista a través de la documentación del archivo capitular en los si-los XIII y XIV*: AA 9 (1961) 445 n.69 y 70.
[97] J. RÍUS SERRA, *La colectoría de Almaraz de Cabrespí con el inventario de los bienes del obispo errer Colom (1334-1340)*: AST 15 (1930) 361-396; sobre el episodio del oficial enviado a Cuenca, p.383.

tregó la mayor parte de lo robado a las autoridades de Cartagena. El papa encomienda esta vez a los obispos de Cartagena y Oviedo, y posteriormente al metropolitano de Sevilla, las gestiones de recuperación de los bienes arrebatados al colector [98].

El año 1372 se produjo otro violento incidente de características similares a las de los anteriores en la parte noroccidental de la Península. Esta vez el protagonista del atentado fue un obispo de Oviedo llamado Alfonso (1371-1376). Sus gentes atacaron con armas al colector pontificio Arnaldo de Vernolio en tierras leonesas, y, después de herirlo y quitarle las ropas, lo llevaron cautivo a la ciudad de Astorga. Gregorio XI reaccionó en seguida, nombrando varios eclesiásticos para que procedieran contra el prelado. Ante la contumacia de éste, termina excomulgándolo y ordenando que le secuestren los bienes de la mesa episcopal. El conflicto debió de arreglarse pronto y a satisfacción de ambas partes. El titular de San Salvador de Oviedo ofreció probablemente la reparación adecuada de sus delitos y pudo seguir gobernando tranquilamente la sede asturiana [99].

Todo parece indicar que a lo largo del siglo XVI los agentes fiscales de Aviñón en Castilla y León transportaban personalmente a la Cámara Apostólica la mayor parte de los dineros y bienes recaudados, presentando de ese modo un blanco cómodo a la codicia o al descontento de los naturales de dichos reinos. El recurso a las compañías bancarias o comerciales, que venían operando en la Península desde el siglo anterior, como ya indicamos en un capítulo precedente, no debió de ser tan frecuente como en Aragón. Allí los funcionarios aviñoneses podían encontrar fácilmente banqueros o mercaderes italianos y del sur de Francia, que trabajaban sobre todo en Barcelona y Mallorca. Las operaciones económicas con ellos les resultaba un medio cómodo y seguro a la hora de hacer efectivas sus recaudaciones a la Cámara papal. Sabemos, sin embargo, que los colectores de los reinos occidentales acudían también a veces a mercaderes, cuyo principal centro de operaciones era Sevilla [100].

Estas transacciones efectuadas por los hombres de la curia aviñonesa con los mercaderes o las compañías comerciales garantizaba, ciertamente, la llegada rápida y segura del dinero pontificio a su destino; pero al mismo tiempo propiciaban y hacían mucho más patente todavía el mercantilismo y la venalidad a la que estaban sometidas las cosas y los asuntos de la Iglesia, constituyendo, sin duda, otro de los factores determinantes de la enemiga contra la curia de Aviñón.

    [98] J. Zunzunegui Aramburu, *Bulas y cartas secretas...* n.281 p.285-287; n.282 p.287; n.296 p.298-300; n.320 p.321-322.
    [99] G. Mollat, *Lettres secrètes et curiales du pape Grégoire XI (1370-1378)* n.1618. Un análisis detallado del episodio: J. Fernández Conde, *Gutierre de Toledo, obispo de Oviedo (1377-1389)* p.73-74.
    [100] Cf. Y. Renouard, *Les relations des papes d'Avignon et des compagnies commerciales et bancaires* (París 1941); R. García-Villoslada-B. Llorca, *La Iglesia en la época del Renacimiento...* p.129-130 y nt.21. En 1358, por ejemplo, Inocencio VI encarga a los colectores apostólicos de Castilla que entreguen los bienes de la Cámara Apostólica a varios mercaderes residentes en Sevilla. Estos eran de Montpellier, de Magalona y de Italia. Al mismo tiempo autoriza a dichos mercaderes para hacerse cargo de los efectivos de los colectores (cf. J. Zunzunegui Aramburu, *Bulas y cartas secretas...* n.345 y 346 p.351-352).

El perfeccionamiento del aparato económico de la Cámara Apostólica durante el siglo XIV corre parejo al progresivo centralismo administrativo desplegado por los restantes organismos curiales aviñoneses. Con ello se va consolidando un proceso que había comenzado ya en las centurias anteriores. El año 1265 Clemente IV, con la decretal *Licet ecclesiarum*, se reservó para sí el derecho de nombrar los responsables de los beneficios cuyos titulares murieran en la curia. Desde Bonifacio VIII (1294-1303), los distintos pontífices aviñoneses irán haciendo cada vez más amplia esta prerrogativa, que llegará a límites verdaderamente llamativos en vísperas del cisma. Gregorio XI (1370-1378) acaparó durante su pontificado la facultad de nombrar a los titulares de los beneficios mayores en toda la iglesia. «Bajo el último papa de Aviñón— afirma Mollat—, la decadencia del principio electivo llegó a su punto más bajo, y las colaciones de beneficios no sometidos a elección quedaron prácticamente fuera del control de quienes tenían el derecho ordinario de la colación. *Probablemente, en ningún período de la historia el pontificado romano llegó a ejercer su poder de jurisdicción en una medida tan amplia»* [101].

En España, los cabildos hicieron todo lo posible por seguir actuando el derecho de elección que les competía tradicionalmente, frente al creciente centralismo de Aviñón. El cabildo de Toledo, por ejemplo, siempre que moría un arzobispo intentaba proceder a la elección del sucesor lo antes posible, para anticiparse a la correspondiente reserva y elección que pudiera hacer el papa. Ocurrió así a la muerte de Gonzalo Díaz Palomeque (1299-1310) y de Gutierre Gómez de Toledo (1311-1319). Pero a lo largo del siglo XIV los capitulares toledanos sólo pudieron elegir a sus pastores en contadas ocasiones: Gil Alvarez de Albornoz y Gonzalo de Aguilar fueron dos de los elegidos capitularmente. Los restantes recibieron la mitra mediante la designación directa de Aviñón. Por otra parte, los cabildos metropolitanos o diocesanos tenían que afrontar, además, las presiones de sus respectivos reyes, que intentaban imponer a sus propios candidatos. Pero, en tales circunstancias, los canónigos, aun aceptando al candidato oficial de la corte, seguían manteniendo la formalidad jurídica de la elección. Por el contrario, la Santa Sede no era tan condescendiente con las presentaciones de personas efectuadas por los soberanos peninsulares. La curia pontificia desecha con cierta frecuencia los candidatos de los reyes de Aragón, porque los intereses políticos aragoneses no siempre resultaban coincidentes con los de Aviñón [102]. Otras veces, la decisión del papa tenía a ofrecer vías de salida airosas para aquellas elecciones que resultaban comprometedoras. Así, a la muerte del arzobispo de Toledo Gómez Manrique (1362-1375) había dos candidaturas firmes para sucederlo: la

[101] G. MOLLAT, *Les papes...* p.553ss.

[102] ID., p.558; H. FINKE, *Acta Aragonensia* vol.1 n.135.140.142-144.147-149; vol.2 739.784ss.796. Los esfuerzos baldíos de los reyes aragoneses Jaime II y Alfonso IV por conseguir un cardenal de sus dominios: J. VINCKE, *Der Kampf Jacobs II und Alfons IV von Aragón um einem Landeskardinal:* Zeitschrift der Savigny-Stiftung für Rechtsgeschichte. Kanonistische Abteilung 21 (1932) 1-20; R. OLIVER BERTRAND, *Alfonso IV el Benigno quiere un cardenal de sus reinos:* EEMCA 4 (1951) 156-176. No lo conseguirán hasta la época de Pedro IV. Nicolás Rosell, de la Iglesia tarraconense e inquisidor, será promovido al cardenalato por Inocencio VI en 1356.

de un sobrino del prelado fallecido, que era la persona de Enrique II, y e
deán de la catedral, que tenía la mayoría del cabildo. Gregorio XI solu
ciona el problema designando para la primada de Castilla al obispo d
Coimbra, que a la sazón se encontraba en la curia: Pedro Tenorio, el per
sonaje más relevante de la Iglesia castellano-leonesa durante la primer;
parte del cisma de Aviñón [103].

Los nombramientos episcopales realizados directamente por la sed
aviñonesa no parece que encontraran en España una repulsa tan enco
nada como en Alemania e Inglaterra. Sí conviene advertir que, a pesar de
progresivo intervencionismo de la curia papal en estos asuntos de las igle
sias locales, sería inexacto hablar de una invasión de prelados extranjero
para ocupar sedes de las distintas provincias eclesiásticas. A lo largo de l
centuria, en los episcopologios de muchas diócesis no figura ningún forá
neo. En varios sólo uno o, a lo sumo, dos. El caso de la diócesis de Pam
plona, con tres prelados franceses entre 1316 y 1317 y otro más a media
dos de siglo —Pedro de Monteruc (1355-1356)—, constituye ciertament
un fenómeno excepcional, por lo demás perfectamente explicable habid
cuenta de las relaciones políticas y geográficas del reino pirenaico de N;
varra y de la influencia de la casa francesa de Evreux en la misma Iglesi
iruñesa. Por eso, los trastornos que se produjeron durante la recogida d
los espolios de Arnalt de Barbazán (1355) contra los oficiales aviñonese
no sólo tuvieron las características de una protesta con un trasfondo ec
nómico de base, sino que supusieron, además, una clara toma de postur
de los navarros contra el centralismo administrativo de Aviñón, oponiér
dose al nuevo obispo de San Fermín, el citado Pedro de Monteruc, u
clérigo francés de la diócesis de Limoges, sobrino de Inocencio VI y nom
brado directamente por este pontífice para la sede pamplonesa. El nuev
obispo será elevado a cardenal por su tío el año 1356 antes de recibir l
consagración episcopal [104].

Aunque no podemos afirmar, sin más, que en el siglo XIV «principiaro
a darse los obispados a los curiales de Aviñón, muchos de los cuales n
llegaron a poner los pies en sus diócesis» [105], sí es cierto que abundaro
extraordinariamente los beneficiados extranjeros de rango inferior, d
manera especial los canónigos. Las cortes recogerán el malestar y el sent
popular adversos contra estos clérigos, que constituían, entre otras cosa
una competencia económica para los naturales de los distintos reinos hi
panos.

IV.   LA OBRA DEL CARDENAL GIL ALVAREZ DE ALBORNOZ

Por J. F. CONDE

Este personaje fue, sin duda, la figura más relevante de todas las esp;
ñolas que pasaron por la curia de Aviñón o se afincaron en ella antes d

[103] L. SUÁREZ FERNÁNDEZ, *Don Pedro Tenorio, arzobispo de Toledo (1375-1399):* Estudi
dedicados a Menéndez Pidal vol.4 (Madrid 1953) p.601-627.
[104] J. GOÑI GAZTAMBIDE, *Los obispos...* vol.2 p.70-78 y 204-207.
[105] V. DE LA FUENTE, *Historia eclesiástica de España* vol.4 p.395.

cisma. Nació en Cuenca a finales del siglo XIII. Su padre, García Alvarez de Albornoz, era un caballero conquense, mientras que la madre, Teresa de Luna, pertenecía a una familia aragonesa de rango superior. Entre los Luna de Aragón se encuentran personalidades muy importantes, especialmente en la historia eclesiástica del trescientos. Ximeno de Luna, obispo de Zaragoza (1296-1317) y posteriormente titular de las sedes arzobispales de Tarragona y Toledo; Pedro López de Luna, el primer arzobispo de la metrópoli cesaraugustana (1317-1345); Lope Fernández de Luna, arzobispo también de Zaragoza (1351-1380) y compañero de Albornoz en las campañas de Italia, y el mismo Pedro de Luna, que ocupará la sede pontificia de Aviñón (1394); todos ellos pertenecían al tronco de la familia de D. Gil por vía materna [106]. El futuro cardenal comienza su carrera eclesiástica a la sombra del obispo Ximeno y estudia en Toulouse, graduándose con brillantez en derecho. La sólida formación jurídica adquirida entonces imprimió una fuerte impronta en su mentalidad, que irá haciéndose patente a lo largo de todas las actuaciones destacadas en las que toma parte como hombre de gobierno dentro de la Iglesia, y en el campo de la diplomacia o de la política.

De vuelta a Castilla, una vez terminada la etapa universitaria, tiene acceso a la corte de Alfonso XI, apoyado seguramente por la influencia de su tío Ximeno de Luna, titular de la metrópoli toledana desde 1328. Comienza su carrera política actuando en calidad de capellán y consejero del soberano. Nombrado arzobispo de Toledo el año 1338, cargo al que iba anejo el de canciller real, fue siempre un colaborador muy eficaz de la reorganización política emprendida por el monarca castellano, secundándolo también sin reservas en el impulso que éste quiso dar a la Reconquista. De hecho, Albornoz participó activamente en los hitos más destacados de la batalla del Estrecho: el Salado (1340), el sitio y la toma de Algeciras (1342-1344) y el cerco de Gibraltar (1349), que fracasó con la muerte inesperada de Alfonso XI [107].

Como titular de la metrópoli de Toledo, asume los proyectos de reforma delineados en las constituciones del cardenal Guillermo de Godin, que habían sido promulgadas el año 1322 en el concilio de Valladolid. Gil de Albornoz convoca varios concilios provinciales y sínodos diocesanos, de los que salió una legislación eclesiástica cuyo tema central era la reforma de la vida de la clerecía y la elevación de su cultura, para que pudieran ejercer adecuadamente las tareas ministeriales. El reformismo religioso y moral de Albornoz —mucho más formal y teórico que profundo, como iremos más adelante al enjuiciar el valor de la reforma promovida por los obispos desde las asambleas sinodales o conciliares— debió de provocar

[106] S. DE MOXO, *Los Albornoz. La elevación de un linaje y su expansión dominical en el siglo XIV*, n «El cardenal Albornoz y el Colegio de España» vol.1 p.17-80; A. BOSCOLO, *Documenti aragonesi sulla famiglia Alvarez di Albornoz: o.c.*, p.81-89; F. URGORRI CASADO, *Las primeras biografías españolas del cardenal Gil de Albornoz: o.c.*, p.141-173; L. SIERRA NAVA, *Las «memorias históricas» del bibliotecario del cardenal Lorenzana sobre Gil de Albornoz: o.c.*, p.175-211.
[107] A. JARA, *Albornoz en Castilla* (Madrid 1914); J. GAUTIER-DALCHÉ, *A propos d'une mission France de Gil de Albornoz: opérations navales et difficultés financières lors du siège d'Algésiras 341-1350)*, en «El cardenal Albornoz...» vol.1 p.247-263.

reacciones contrarias en algunos ambientes eclesiásticos de la época. E *Libro de buen amor*, redactado con toda probabilidad bajo el influjo de est oposición, constituye una buena prueba del malestar de parte de la clere cía a los proyectos renovadores del metropolitano de Toledo [108]. Cuando el año 1350 sube al trono castellano Pedro I, Gil de Albornoz que en vida de Alfonso XI había favorecido el partido de Leonor de Guz mán, la concubina de este soberano, tiene que abandonar precipitada mente los dominios de Castilla y se instala en Aviñón, como ya indicamos El papa Clemente VI lo promueve a cardenal el mismo año de la huida, lo coloca también al frente de la Penitenciaría Apostólica, comenzando as para el arzobispo toledano la segunda época de su trayectoria histórica muy diferente a la anterior, aunque no menos fecunda e importante [109] Desde entonces no perderá nunca de vista los derroteros que tomaba l vida política castellana bajo el reinado de Pedro I, convirtiéndose en ani mador del antipetrismo, que fue cristalizando paulatinamente entre lo componentes de la curia papal. Pero sus enormes dotes de organizador, d militar y de estadista encontrarán un vastísimo campo de acción en Itali Inocencio VI primero y posteriormente Urbano V le encomendaron l reconquista y la pacificación de los Estados pontificios, que durante l etapa aviñonesa del papado habían ido cayendo en manos de señore cuyo comportamiento era con frecuencia completamente arbitrario, mc viéndose con absoluta independencia respecto a la Sede Apostólica.

La primera legación pontificia de Aviñón en Italia comienza el veran de 1353 y dura cuatro años. Inocencio VI lo nombra vicario suyo par todas las «partes, provincias y tierras, ciudades y diócesis» pertenecientes a patrimonio de San Pedro. Le señala como objetivo prioritario «establece la paz y mantener en el amor fraterno a las personas eclesiásticas o secula res, duques, príncipes, marqueses, condes y nobles, comunidades, unive: sidades, pueblos y todos y cada uno de aquellos que estuvieran enfrenta dos». Lo titula oficialmente «celador de la paz, amante de la justicia, amig de la verdad, de probada fidelidad en negocios difíciles, reformador... e lo espiritual y en lo temporal». Y lo inviste de la misma autoridad pontif cia para llevar adelante la compleja empresa [110]. Durante esta primera l gación, Albornoz consigue someter a Juan de Vico, señor de Viterbo, y pac ficar la Tuscia, la Umbría y la Sabina. Después de sofocar los desórdene que provocaron los ciudadanos de Roma en torno a la muerte de Cola c Rienzo (1357), conquista el ducado de Espoleto y organiza la guerra co tra Malatesta, que tenía de su parte otros caudillos poderosos. En pler lucha contra Ordelaffi, para la cual Inocencio VI había ordenado predica

[108] M. CRIADO DE VAL, *El cardenal Albornoz y el Arcipreste de Hita*, en «El cardenal Alk noz...», vol.1 p.91-97; E. SÁEZ-J. TRENCHS, *Juan Ruiz de Cisneros (1295/1326-1351-52)*, au del Buen amor, en «El Arcipreste de Hita: El libro, el autor, la tierra, la época» (Barcelo 1973) p.365-369. Cf. también: J. TRENCHS ODENA, *Albornoz y Aviñón: relaciones con la Cáma Apostólica (1325-1350)*, en «El cardenal Albornoz...» vol.1 p.263-286.

[109] B. GUILLEMAIN, *La Sacré Collège au temps du cardinal Albornoz (1350-1367)*, en «El car nal Albornoz...» vol.1 p.355-368; P. LECACHEAUX, *Un formulaire de la Pénitencerie apostoliq au temps du Cardinal Albornoz (1357-1358)*: Mélanges d'Archéologie et d'Histoire 18 (189 37-49.

la cruzada (1356), el cardenal español fue relevado inesperadamente de su cargo. La influencia y las intrigas de sus enemigos, de los Visconti especialmente, en la corte pontificia consiguieron que el papa nombrara para Italia un nuevo legado: el abad de Cluny, Androin de la Roche (1357). El nuevo vicario papal se demostró pronto impotente a la hora de proseguir la obra iniciada por Gil de Albornoz. El año 1358, Inocencio VI vuelve a recurrir otra vez al prelado español. La sumisión del rebelde Ordelaffi y la entrega de Bolonia a la Santa Sede fueron los resultados más sobresalientes de esta segunda legación albornociana, que dura hasta 1364. Androin de la Roche sustituye por segunda vez al cardenal Albornoz en las negociaciones de paz de Aviñón con los Visconti.

El año 1365, Gil Alvarez de Albornoz emprende la tercera misión importante en Italia, aceptando de Urbano V el encargo de legado en Nápoles. Durante su corta estancia en este Estado ayuda a la reina Juana a reorganizar políticamente sus dominios y culmina con éxito las tareas diplomáticas, consiguiendo la formalización de un pacto entre los Estados pontificios, Nápoles, Florencia y Pisa para defenderse mutuamente de las bandas armadas que pululaban por las tierras de la península italiana (1366). Los territorios de la Iglesia estaban ya expeditos para el retorno del papa a Roma. Albornoz, antes de morir, pudo saludar a Urbano V en suelo italiano (1367).

La labor legislativa y cultural de Gil Alvarez de Albornoz constituye también un capítulo no menos trascendental de su ejecutoria histórica. En el transcurso de su primera legación lleva a cabo la compilación de las conocidas *Constitutiones Aegidianae*. Este famoso «corpus» legislativo, promulgado el año 1357 en el parlamento de Fano, servirá de base jurídica para el gobierno de los Estados de la Iglesia durante mucho tiempo. De hecho, las *Constitutiones* estuvieron en vigor, con algunos retoques, hasta el año 1816 [111]. La mayor aportación de Albornoz a la cultura fue, sin lugar a dudas, la creación del Colegio de San Clemente de Bolonia para estudiantes españoles de derecho. Comenzó a funcionar dos años después de la muerte del fundador (1369), albergando en sus instalaciones, a lo largo de la historia, a muchos juristas destacados, y contribuyendo, asimismo, a la revitalización de la Universidad boloñesa. Las constituciones de la institución albornociana constituirán una valiosa referencia para la puesta en marcha de otros centros universitarios en España, fundados posteriormente [112].

---

[110] El texto del nombramiento: E. SÁEZ-J. TRENCHS, *Diplomatario...* n.274 p.256-258. En los números siguientes, hasta el 353, se publica el impresionante «paquete» de concesiones de Inocencio VI al cardenal para ayudarle a cumplir los objetivos de la legación. Cf. también: G. MOLLAT, *Albornoz et l'institution des vicaires dans les États de l'Église (1353-1367)*, en «El cardenal Albornoz...» vol.1 p.345-354; S. CLARAMUNT-J. TRENCHS, *Itinerario del cardenal Albornoz en sus legaciones italianas (1353-1367):* o.c., p.369-432; E. DUPRÉ THESEIDER, *Egidio de Albornoz e la riconquista dello Stato delle terre della Chiesa:* o.c., p.521-567; H. BRESC, *Albornoz et le royaume de Naples de 1363 à 1365:* o.c., p.681-707.

[111] Una edición moderna: P. SELLA, *Constituzioni Egidiane dell'anno MCCCLVII* (Roma 1912). Recientemente: P. COLLIVA, *Il Cardinale Albornoz. Lo Stato de la Chiesa. Le «Constitutiones Aegidianae»* (Con un apéndice: *Il testo volgare delle Constitutiones di Fano del Ms. Vat. Lat. 3939): Studia Albornotiana* 32 (Bolonia 1977).

[112] P. BORRAJO-H. GINER DE LOS RÍOS, *El Colegio de España en Bolonia* (Madrid 1880);

V.   CONQUISTA Y EVANGELIZACION DE LAS CANARIAS

Por A. OLIVER

Una expedición genovesa dirigida por los hermanos Vivaldi había salido en 1291 hacia el Mar Tenebroso. Es probable que tocara alguna de las islas; pero aquella expedición se perdió y no quedó rastro de la aventura. Los primeros datos seguros de un viaje a las islas, que se llamaban aún *Afortunadas,* se refieren al de otro genovés, Lancellotto Marocello, quien en 1312 logró establecerse por más de veinte años en la isla más oriental del archipiélago. En 1339, la famosa carta del mallorquín Angelino Dulcert es la primera que ubica frente a la costa de Africa a la isla —a la que por el nombre del descubridor llama Lanzarote—, dibujándola junto con la de Fuerteventura e islotes adyacentes.

El viaje de Lancellotto determinó la primera expedición portuguesa a las Canarias. En 1341, el rey de Portugal mandaba una fuerte expedición a las órdenes del italiano Nicolosso da Recco, con abundancia de caballos y máquinas de guerra, que no tuvo éxito.

Desde aquel momento puede decirse que los mallorquines, de alguna forma, monopolizan la exploración y dominio de aquellas islas. El interés del reino independiente de Mallorca, ayudado por el hecho de que los mallorquines poseían una escuela náutica y cartográfica de primer orden, condujo a la fundación de un comercio autónomo con las Canarias. Ese interés era, sin duda, preponderantemente comercial: encontrar nuevos mercados y nuevas fuentes de riqueza. En ese ámbito hay que colocar las dos expediciones mallorquinas, de carácter privado, que en 1342 salieron de Palma a las órdenes de Domingo Gual y Francisco des Valers. De los contactos entre los dos archipiélagos queda el testimonio de la presencia de esclavos canarios en Mallorca. En 1351 eran doce los aborígenes grancanarios que en la isla mediterránea poseían la cultura occidental y eran bautizados como cristianos. Ello demuestra que, como veremos luego, en Mallorca se maduraba un proceso de transición del comercio a la evangelización.

Los colonizadores genoveses y portugueses eran cristianos, y podría sospecharse que hubieran intentado una misión en las Afortunadas. Pero un franciscano español que en 1350 visitó casi todas aquellas islas no encontró rastro alguno de una misión anterior [112*]. Los intereses materiales de los colonizadores les habían cerrado las puertas de la confianza de los nativos.

La curia papal de Aviñón fue la que primero se preocupó seriamente de la evangelización de las Canarias. Apoyándose sobre el indiscutido derecho que tenía el papa sobre las tierras de infieles, Clemente VI erigió el *Principado de la Fortuna* y otorgó la investidura de las islas a Luis de Es-

V. BELTRÁN DE HEREDIA, *El Colegio de San Clemente de Bolonia y los colegios mayores de España.* Anuario Cultura Italo-Español I (1941) 17-30; ID., *Primeros estatutos del Colegio Español de San Clemente en Bolonia:* HS 11 (1958) 187-224.409-426.

[112*] B. BONNET REVERON, *Las Canarias y el primer libro de geografía medieval escrito por un fraile español en 1350:* Revista de Historia 10 (1944) 205-227.

paña, príncipe medio francés, medio español, bisnieto de Alfonso X de Castilla y de Jaime I de Aragón, conde de Clermont y almirante de Francia, embajador a la sazón de Felipe VI de Francia en Aviñón. Con motivo de la coronación del nuevo príncipe, se promulgó en Aviñón la bula *Tuae devotionis sinceritas*, que atribuía a Luis la plena jurisdicción temporal sobre las islas, pero le imponía, al mismo tiempo, el deber de evangelizar a los infieles, autorizándole a fundar iglesias y monasterios en vistas a la futura constitución de un obispado. El príncipe y sus territorios quedaban vasallos de la Santa Sede. El príncipe prestó acto de vasallaje el 28 de noviembre de 1344.

Todos los monarcas cristianos de Occidente fueron invitados, a través de bulas papales, a prestar su colaboración a la cruzada de evangelización que se encomendaba al nuevo príncipe [113]. Alfonso XI de Castilla no quiso colaborar, al considerar lesionados los derechos de su corona sobre Mauritania, y Alfonso IV de Portugal se retrajo, alegando que se ignoraban los derechos que le confería la expedición portuguesa anterior del año 1341. Sólo Pedro IV de Aragón le prometió su ayuda. Y empezó prohibiendo a los mallorquines, cuya isla acababa de ocupar y anexionar, todo comercio autónomo con las islas del Atlántico [114]. En 1348 moría el príncipe Luis sin haber podido realizar la cruzada, que los genoveses obstruían implacablemente [115].

Serán, pues, los mallorquines quienes alcancen a organizar una verdadera y eficaz expedición y acción misionera, guiados por el ideal humano y cristiano de evangelización expuesto y practicado por su paisano Ramón Llull [116]. De forma que la evangelización de las Canarias es un verdadero ejemplo de la aplicación de las teorías del maestro sobre la cruzada intelectual. Así, aquella predicación no se hizo ni con guerras ni con violencia. Los mallorquines predicaron a Cristo con el ejemplo de su vida, con la práctica de la caridad, con su esfuerzo asistencial y con la enseñanza escrita y oral.

En Mallorca se organizaron cofradías de seglares que se encargaban de reunir fondos para la expedición y para el mantenimiento de la futura misión. Dos comerciantes de la isla, Juan Doria y Jaime Segarra, se hicieron cargo de los gastos de la empresa. Durante todo el año 1351 prepararon la expedición, en la que figuraban religiosos, sacerdotes y laicos, empapados todos ellos de espíritu luliano y de alguna manera dirigidos por el carmelita Fr. Bernardo. Rescataron de la esclavitud a doce indígenas canarios cautivos en Mallorca, adonde habían sido traídos, sin duda, una decena de años antes por la expedición de Gual y Des Valers. Aquellos canarios ya habían aprendido para entonces la lengua catalana y la religión cristiana («qui regenerati unda baptismatis ac eorum propria et in cathala-

[113] J. ZUNZUNEGUI, *Los orígenes de las misiones en las islas Canarias:* Revista Española de Teología 1 (1941) 387ss.
[114] J. VINCKE, *Die Evangelisation der Kanarischen Inseln im 14. Jahrhundert im Geiste Raimund Lulls:* Estudios Lulianos 4 (1960) 309.
[115] J. VINCKE, *Der verhinderte Kreugzug Ludwigs von Spanien zu den Kanarischen Inseln:* Spanische Forschungen der Goerresgesellschaft 17 (1961) 15-17.
[116] VINCKE, *Der verhinderte...* p.309.

nica lingua instructi» [117]), de forma que constituían el mejor punto de partida para el primer intento de cristianización de sus paisanos, a la vez que servirían de intérpretes y convencidos presentadores de los misioneros. Eran, entre todos, un grupo de unas treinta personas. «Usque ad triginta personas fideles et devotas Deo ac ydoneas ad instruendum in fide catholica et moribus honestis gentes ydolatras et paganos habitantes in eis doctrina verbi pariter et exempli, per quorum solertiam vigilem possint dictae gentes in eisdem fide ac moribus instrui et unitati sanctae matris ecclesiae aggregari» [118].

En esas expresiones late todo el ideal misional de Ramón Llull: reforma de la vida cristiana con la palabra y con el ejemplo; mayor responsabilidad y preparación, a fin de poder trabajar con más eficacia con argumentos de razón; expansión de la fe cristiana entre los infieles con la predicación y el testimonio; corresponsabilidad de todos los cristianos, incluidos los laicos, precisamente en aquellos momentos en los que los más responsables, la jerarquía, no acaban de decidirse a cumplir con su deber.

Los jefes de la expedición se dirigieron al papa solicitando gracias espirituales para los participantes y colaboradores. Y Clemente VI (el mismo que años antes había apoyado a Luis de España) el 15 de mayo de 1351, por la bula *Dum diligenter*, otorgaba cuanto se le pedía; indulgencia plenaria a todos aquellos que, arrepentidos y confesados, muriesen en el viaje. Y el 7 de noviembre, por la bula *Caelestis rex regum*, erigía la diócesis de las islas Afortunadas, y nombraba al carmelita Fr. Bernardo, de la confianza del rey de Aragón, obispo de la nueva diócesis, encargándole que titulara la sede con el nombre de la ciudad que escogiera por residencia y que edificara en ella la catedral, la cual, exenta de todo poder metropolitano, estaría directamente sometida al papa. Fray Bernardo debió de ser consagrado obispo por el cardenal Bertrand de Pouget hacia finales de aquel año 1351.

La expedición no partió hasta el 14 de mayo de 1352. Al autorizar la salida del barco de Mallorca, quiso Pedro IV (sin duda, con miras políticas, a fin de que las islas quedaran bajo la corona de Aragón) que el gobierno de la nave estuviera en las manos del mallorquín Arnau Roger, dejando a Doria y Segarra la responsabilidad de la tarea misional.

Vincke opina que fue aquella feudalización de la expedición la que le daría un color demasiado estridente de conquista, haciendo que, al llegar el barco a Telde, en Gran Canaria, los nativos, al ver las filas casi militares de los recién llegados, los atacaran furiosamente, los dominaran y los hicieran prisioneros. Sólo más tarde, convencidos de sus intenciones pacíficas, liberaron a los presos y les concedieron libertad para edificar capillas y llevar a cabo su tarea misional.

El obispo designado no debió de pisar nunca la tierra canaria. De hecho, en 1353 se encontraba en Aviñón y en 1354 estaba en Valencia, donde actuó como testigo en la jura del infante D. Juan, el heredero de

---

[117] E. SERRA, *Los mallorquines en Canarias*: Revista de Historia 7 (1941) 195-209 y 280-287.
[118] J. ZUNZUNEGUI, *Los orígenes de las misiones en las islas Canarias*: Revista Española de Teología 1 (1941) 395 n.16.

Pedro IV. A ruegos del rey, el papa Inocencio VI lo promovía al obispado de Santa Giusta, en Cerdeña, aquel mismo año. Y allí murió un año después. Le sucedió un dominico mallorquín, Fr. Bartolomé, nombrado obispo por Inocencio VI. El nuevo obispo debió de fallecer muy pronto y sin haber llegado a ocupar su sede. Parece que hay que admitir que aquellos primeros obispos dirigieron desde Mallorca el progreso de la misión, cuidando desde la isla mediterránea que no le faltaran los subsidios y ayudas materiales indispensables. En 1360, la confianza de los indígenas en los misioneros debió de fallar seriamente; la misión sufrió un colapso y los misioneros encontraron una muerte violenta [119].

La diócesis de Telde

Al cabo de varios años volvieron a restablecerse las buenas relaciones, de manera que, en julio de 1369, Urbano V nombraba a Fr. Bonanat Larín, OFM, como nuevo obispo de Telde, con la obligación de residir personalmente en la diócesis.

Fue entonces cuando estalló en Barcelona y Tortosa un inesperado entusiasmo misional. Bajo la protección del obispo Guillem de Torrelles y del infante Jaime de Aragón, se agruparon auténticos núcleos de misioneros. Clérigos regulares y seculares se ponían de acuerdo para aprender la lengua canaria con la intención de consagrar su vida a la evangelización de las islas. Digno de notar es que también aquellos religiosos se trazaron un programa según los ideales misioneros del maestro Ramón, llegando en su fervor a ponerse de acuerdo hasta en el detalle de sustituir los diversos hábitos religiosos por uno común igual para todos, como había indicado ya el mismo Llull. En aquella ocasión también, dos ricos comerciantes, Bernat de Marmau y Pere Estrada, sufragaron los gastos de la expedición y se declararon dispuestos a hacerse cargo del constante mantenimiento de los misioneros. Por la bula *Ad hoc semper* (septiembre de 1369) confería Urbano V a los misioneros toda clase de atribuciones, encomendándoles la cura pastoral de los habitantes de las islas [120].

Gracias a esta expedición y al largo pontificado del obispo Fr. Bonanat (1369-1390), la misión tuvo una espléndida eclosión y florecimiento. Mallorca volvió a colaborar con generosidad. En 1386 partía hacia Gran Canaria un nutrido grupo de ermitaños mallorquines para servir a las misiones y a los nativos con su vida de piedad, con su ayuda a la instrucción cristiana y con el trabajo de sus manos [121].

Hacia 1390 debió de fallecer el obispo Bonanat. En 1392 fue sustituido, según bula de Clemente VII, por el dominico Fr. Jaime Alzina, que

[119] J. VINCKE, *Comienzo de las misiones cristianas en las islas Canarias:* Hispania Sacra 12 (1959) 193-207.
[120] La idea de llevar un hábito unificado debió de partir de los propios misioneros, pero el papa la hizo suya para evitar que los generales de las diversas órdenes se opusieran: *Volumus autem quod, si huiusmodi fratres, qui ad praedictas insulas se transferunt, diversorum fuerint ordinum, in habitu superiori, si eis videatur..., se conforment* (ZUNZUNEGUI, *Los orígenes...* p.396 n.17).
[121] Los recomendó el rey Pedro IV a Urbano VI en 1386.

debió de partir muy pronto hacia su diócesis de Telde. La rápida provisión demuestra el esplendor de la misión en aquellos años.

Pero todo se vino de nuevo abajo cuando en 1393 irrumpieron en la floreciente misión vascos y sevillanos, quienes, con intenciones de pillaje y piratería, volvieron a desatar las iras de los nativos. Gran Canaria y Telde sobre todo fueron las más afectadas. Era el fin de Telde y de los misioneros. Según *El testamento de los trece frailes*, descubierto en 1403 por el conquistador francés Gaifier de la Salle, todos los ermitaños murieron como mártires, sospechosos ante los indígenas de tener contacto con los forasteros [122].

Desde entonces, los cristianos de Telde llevaron vida de catacumbas. El prelado debió de refugiarse en Mallorca. Con su muerte, cuya fecha nos es desconocida, termina la vida de la primera diócesis canaria.

Después de aquella ruina del obispado de Telde en 1393, por culpa de las *razzias* esclavistas, Enrique III de Castilla consideró que era necesario restablecer la población cristiana de las Afortunadas, y encargó la nueva conquista a Rubín de Bracamonte. Este la encomendó a su sobrino Juan de Béthencourt. Este desembarcó en Lanzarote en julio de 1402 junto con Gaifier de la Salle. Como capellanes de la expedición iban Juan le Verrier y el benedictino Pedro Boutier. Frente a Las Coloradas establecieron un fuerte, al que, por el color de la tierra, llamaron *Rubicón*.

Según Gaifier, se emprendió aquel viaje «para honra de Dios y mantenimiento y aumento de nuestra santa fe... a ciertas islas habitadas por gentes infieles de diversas leyes y diferentes lenguajes con intención de convertirlas y atraerlas a la fe». Siguiendo el sistema de los misioneros anteriores, llevaron de Francia dos esclavos canarios, Alfonso e Isabel, que previamente se habían bautizado y contraído matrimonio. Gracias a ellos fue posible el establecimiento pacífico en Rubicón, que se hizo en virtud de un pacto por el cual los franceses protegerían a los nativos contra las incursiones de los piratas, y su jefe, Güadafrá, se mantendría como príncipe independiente y aliado.

Béthencourt fue a Castilla a rendir homenaje al rey y a pedir nuevos refuerzos. En su ausencia, Bertín de Berneval apresó a cuarenta nativos, los vendió como esclavos y partió para España. En la sublevación que siguió, los nativos fueron vencidos. Los capellanes trabajaron denodadamente en su conversión. La víspera de Pentecostés de 1403 se bautizaron ochenta personas. Al año siguiente se bautizó también Guadafrá con todos sus súbditos. Los misioneros compusieron un catecismo adaptado a la mentalidad de los catecúmenos y neófitos.

Desde Castilla, Béthencourt obtuvo del papa Benedicto XIII privilegios para todos aquellos que le ayudaran a proseguir la obra de cristianización de las islas. Los sacerdotes consagraron la iglesia de la fortaleza, que pusieron bajo la advocación de San Marcial. Fue en ella donde Guadafrá y los nativos recibieron el bautismo. Dado el creciente número de cristianos, Benedicto XIII erigió, el 7 de julio de 1404, la diócesis de Rubicón, el

---

[122] B. BONNET, *El testamento de los trece frailes:* Revista de Historia 7 (1941) 288-305.

segundo obispado misional erigido en las Canarias, sucesor del de Telde. La nueva diócesis fue sufragánea de Sevilla.

Benedicto XIII, sin consultar a Béthencourt, que creía tener derecho de patronato sobre sus conquistas, nombró obispo de la nueva diócesis al franciscano Alonso de Sanlúcar de Barrameda, a quien el conquistador impidió tomar posesión de su sede, haciendo que Le Verrier ejerciera las funciones eclesiásticas según el primer privilegio del papa. Y aquí se hace presente la disensión entre el papa de Aviñón y el papa de Roma. El sucesor de Béthencourt, Maciot, consciente de que Benedicto XIII veía mal la política religiosa de los conquistadores en las islas, jugó con astucia y acudió a Roma. Y en 1408, Gregorio XII declaraba que la conquista de Canarias constituía una posición puente entre Berbería y Guinea, así como un lazo de conexión entre la cristiandad europea y los reinos cristianos orientales del famoso preste Juan.

Por su parte, Benedicto XIII suspendió las anteriores concesiones otorgadas a los conquistadores y empujó a Fr. Alonso a que tomara posesión de su sede. Al no atreverse el obispo, le suspendió en sus funciones; suspensión que levantó el papa sólo cuando el obispo, junto con un grupo de religiosos, decidió establecerse en la isla de Fuerteventura. De hecho, el papa había concedido a los franciscanos de Andalucía los privilegios necesarios para fundar casa en Canarias, autorizando a Fr. Juan de Baeza y a Fr. Pedro Pernía la fundación de un convento franciscano en Fuerteventura; fue Santa María de Betencuria la primera fundación monástica en las islas.

También esas empresas misionales del siglo XV estuvieron apoyadas por los mallorquines; pero lo más notable es que hacia la mitad del siglo vivió y murió allí en olor de santidad Fr. Juan de Santorcaz, que llevó allá nuevamente los sistemas y los escritos de Ramón Llull. Unos preciosos libritos que contienen, de mano del venerable franciscano, toda una serie de pequeños tratados lulianos en latín, que sirvieron de base a las instrucciones del maestro a sus novicios. He aquí otra proyección de las doctrinas del maestro Ramón en los novicios franciscanos canarios [123].

La sede de Rubicón se vio sacudida entre los avatares de la oposición de las sedes papales de Aviñón y de Roma. En 1418 sucedió al primer obispo el también franciscano Fr. Mendo de Viedma, a quien tampoco aceptaron Maciot y Le Verrier. Fray Mendo se apoyó en sus hermanos de Fuerteventura, partidarios del papa de Aviñón, y se quedó en la isla. Quizá se deba a ellos el hecho de que la corte de Castilla enviara en 1418 a Pedro Barba de Campos para obtener de Maciot la venta de Canarias al conde de Niebla. Mas, después del concilio de Constanza, el papa Martín V nombraba administrador apostólico de Lanzarote a Juan le Verrier en 1420. Juan II de Castilla fue recortando cada vez más el poder de los colonizadores, instando a Alfonso de las Casas a que conquistara Tenerife, Gran Canaria, La Palma y Gomera. Con el fin de atraer a los franciscanos, el

---

[123] E. M. PAREJA, *El manuscrito luliano Torca₂ I, del seminario de Canarias*, con una intr. acerca de *Los franciscanos de Fuerteventura*, por E. SERRA (La Laguna, Fac. de Filos. y Letras de La Laguna) 1949.

papa de Roma les confirmó los privilegios que tenían del de Aviñón. Fray Juan de Baeza le prestó obediencia, mas el obispo Mendo siguió fiel a Aviñón. Después de la muerte de Benedicto XIII en 1423, Guillén de las Casas (sucesor de Alfonso) y Fr. Juan de Baeza gestionaron en Roma la designación de otro franciscano para regir la diócesis de Fuerteventura, que, de ser sólo residencia, pasó a sede episcopal en 1424, para forzar así la sumisión de Fr. Mendo. Fue designado Fr. Martín de Las Casas (de la familia que gobernaba el archipiélago). Pero el año 1430, Fr. Mendo reconoció al papa Martín, y así, tras una efímera duración, fue anulado el obispado de Fuerteventura y Fr. Martín fue trasladado a la sede de Málaga en 1433.

El jerónimo Fr. Fernando Calvetos, obispo de Rubicón, obtuvo de Roma una bula en 1434 y otra en 1435 para poder trasladar su obispado de la isla de Lanzarote a la de Gran Canaria cuando ésta se conquistase. Pero su deseo no se realizó hasta cuarenta años más tarde, siendo obispo D. Juan de Frías, que es el último en llamarse obispo de Rubicón y el primero de Canarias, con sede en Las Palmas. Había intervenido directamente en la conquista de Gran Canaria desde 1480, en tiempos del gobernador Pedro de Vera. El traslado de catedral se llevó a cabo en 1485, y el primero en residir en la nueva sede fue el franciscano Miguel López de la Serna (1486-1491), el mismo que denunciara a los Reyes Católicos los excesos cometidos por Pedro de Vera con los gomeros que apresaba y vendía.

Todos aquellos obispos se mostraron verdaderos misioneros y defensores irreductibles de los nativos, así como de sus libertades. Los misioneros, doctos y mártires muchos de ellos, sembraron bien, y pronto pudo recogerse el fruto. Los problemas derivados del choque de culturas, de los intereses de los comerciantes, de la visión europea del cristianismo se hicieron sentir con toda su viveza. La iglesia de Rubicón, apoyada por los papas, luchó, a menudo desesperadamente, por la libertad y la defensa de los derechos de los conquistados, cosechando éxitos y fracasos, como hemos visto. Pero los esfuerzos para cambiar las costumbres, desterrar las prácticas esclavistas y practicar la caridad cristiana dieron al final sus frutos. Y todo ello será de decisiva importancia como experiencia previa a la evangelización del Nuevo Mundo.

Para la conquista de Fuerteventura se establecieron fuertes —como para el caso de Lanzarote— en Rique Roque y Val Tarajal. En enero de 1405, Guize, rey de Majorata, se rindió y pidió el bautismo para sí y los suyos, bautismo que les administró Le Verrier. En el mismo mes y año, Ayoze, rey de Jandía, se sometió también con 47 de sus vasallos y fue bautizado junto con todos ellos. A partir de entonces, los nativos de la isla iban en tropel a hacerse bautizar, y nació la iglesia y cenobio de Santa María de Betencuria, que ya conocemos.

La isla de Hierro fue dominada a traición, como un ejemplo más de la avidez de los colonizadores. Béthencourt había mandado como mediador ante Armiche, reyezuelo de la isla, al propio hermano de éste. El rey se presentó con 111 de sus vasallos ante Béthencourt y éste los recibió con muestras de gran amistad. Mas una vez que se sometieron, sin respetar la palabra dada, los hizo esclavos a todos y los repartió como botín de guerra. Gomera pasó a ser cristiana sin haber pasado por una conquista militar. El portugués Fernán Castro evangelizó a muchos nativos y los castellanos de Casaus y Peraza lograron la conversión de otros grupos. Gran Canaria, Tenerife y La Palma son evangelizadas después de trasladado el obispado de Rubicón. Es notable en este sentido el culto que los guanches paganos tributaron a una imagen de Nuestra Señora de la Candelaria, gracias a la obra de Antón Guimarés, que les informó del sentido cristiano de la imagen y de la conveniencia de colocarla en un lugar apropiado, logrando su traslado a la cueva de Achibinicó, llamada después de San Blas, a la orilla del mar.

Los obispos y los frailes franciscanos, entre los que los hubo de la categoría de San Diego de Alcalá y el Venerable Diego de Santorcaz, fueron los verdaderos misioneros de las Canarias.

CAPÍTULO VIII

DECADENCIA DE LA IGLESIA ESPAÑOLA BAJOMEDIEVAL Y PROYECTOS DE REFORMA

Por JAVIER FERNÁNDEZ CONDE

BIBLIOGRAFIA

LA CRISIS DEL SIGLO XIV. LA PESTE. INCIDENCIAS DE LA CRISIS EN LA IGLESIA
ESPAÑOLA

J. VALDEÓN BARUQUE, *Aspectos de la crisis castellana en la primera mitad del siglo XIV:* H 29 (1969) 5-24; ID., *La crisis del siglo XIV en Castilla: revisión de un problema.* R. de la Univers. Madrid 20 (1972) 161-184; L. SUÁREZ FERNÁNDEZ, *La crisis del siglo XIV en Castilla:* CH 8 (1977) 33-45; A. J. CANELLAS LÓPEZ, *El reino de Aragón en el siglo XIV:* AEM 7 (1970-1971) 119-152; F. UDINA MARTORELL, *La mutación de la segunda mitad del siglo XIV en la Corona de Aragón:* CH 8 (1977) 119-153; J. E. RUIZ DOMÉNEC, *La crisis económica de la Corona de Aragón. ¿Realidad o ficción historiográfica?:* CH 8 (1977) 71-117; J. MARTÍN DUQUE, *El reino de Navarra en el siglo XIV:* AEM 7 (1970-1971) 153-164; J. M. LACARRA, *Estructura económica y social del reino de Navarra en el siglo XIV:* CH 8 (1977) 227-236; CH. VERLINDEN, *La grande peste de 1348 en Espagne. Contribution à l'étude de ses conséquences économiques et sociales:* Revue Belge de Philol. et d'Hist. 17 (1938) 103-146; J. GAUTIER-DALCHÉ, *La peste noire dans les États de la Couronne d'Aragón:* BH 64 bis (1962) 65-80; A. LÓPEZ DE MENESES, *Documentos acerca de la peste negra en los dominios de la Corona de Aragón:* EEMCA 6 (1956) 291-447; ID., *Una consecuencia de la peste negra en Cataluña. El pogrom de 1348:* Sefarad 19 (1959) 92-131.321-364; PH. WOLFF, *The 1391 Pogrom in Spain. Social Crisis or not?:* Past and Present 50 (1971) 4-18; N. CABRILLANA, *La crisis del siglo XIV en Castilla: la peste negra en el obispado de Palencia:* H 28 (1968) 245-258; J. SOBREQUÉS CALLICÓ, *La peste negra en la península Ibérica:* AEM 7 (1970-1971) 67-102; A. UBIETO ARTETA, *Cronología del desarrollo de la peste negra en la península Ibérica:* CH 5 (1975) 47-66; J.-N. BIRABEN, *Les hommes et la peste en France et dans les pays européens et méditerranéens,* vol.1 (Mouton-París-La Haya 1975); A. LUTRELL, *Los Hospitalarios de Aragón y la peste negra:* AEM 3 (1966) 499-514; J. TRENCHS ODENA, *La archidiócesis de Tarragona y la peste negra: los cargos de la catedral:* VIII C. de H. de la Cor. de Aragón II/1 (Valencia 1969) p.45-64; H. KERN, *La peste negra y su influjo en la provisión de beneficios eclesiásticos:* ibid., p.71-83; PH. WOLFF, *Réflexions sur les troubles sociaux dans les pays de la Couronne d'Aragón au XIVᵉ siècle:* ibid., p.95-102; J. VALDEÓN BARUQUE, *Los conflictos sociales en el reino de Castilla en los siglos XIV y XV* (Madrid 1975); J. LÓPEZ SANTOS, *La encomienda en los monasterios de la Corona de Castilla* (Roma-Madrid 1961); A. GARCÍA GARCÍA, *Notas sobre la política eclesiástica de Alfonso XI:* Miscelánea José Zunzunegui vol.1 (Vitoria 1975) p.163-182; M.GONZÁLEZ JIMÉNEZ, *Nivel moral del clero sevillano a fines del siglo XIV:* Archivo Hispalense 183 (1977) 199-204. Otros aspectos particulares de la historia socio-religiosa del siglo XIV en los reinos hispanos en VIII C. de H. de la Cor. de Aragón t.2 3 vols.: *La Corona de Aragón en el siglo XIV* (Valencia 1969, 1970 y 1973); I Simposio de Historia Medieval: *La investigación de la historia hispánica del siglo XIV* (Madrid 1969), publ. AEM 7 (1970-1971); y «Cuadernos de Historia» vol.8: *La mutación de la segunda mitad del siglo XIV en España* (Madrid 1977), dirigido por F. UDINA MARTO RELL.

PROYECTOS DE REFORMA

J. GOÑI GAZTAMBIDE, *Una bula de Juan XXII sobre la reforma del episcopado caste llano:* HS 8 (1955) 409-413; F. FITA, *El concilio nacional de Palencia en 1321:* BRAI 52 (1908) 17-48; P. FOURNIER, *Le cardinal Guillaume de Peyre de Godin:* Bibl. d l'École des Chartes 86 (1925) 108-114; R. DARRICAU, *Le cardinal bayonnais Guil laume de Pierre Godin, O.P., 1260-1336:* Société des sciences, lettres et arts de Ba yonne 129 (1973) 125-141; J. ZUNZUNEGUI, *Para la historia del concilio de Valladolic de 1322:* Scriptorium Victoriense 1 (1954) 345-349; R. AVEZOU, *Un prince aragona archevêque de Tolèdo au XIVe siècle: Don Juan d'Aragón et Anjou:* BH 32 (1930) 326 371; G. MARTÍNEZ DÍEZ, *Concilios españoles anteriores a Trento:* RHCEE 5 (1976 299-350; F. VALLS I TABERNER, *Notes sobre la legislació eclesiàstica provincial que inte gra la compilació canònica Tarraconense del Patriarca d'Alexandria:* AST 11 (1935 251-272; J. M. PONS GURIDI, *Constitutions conciliars Tarraconenses (1229-1330):* AS 47 (1974) 65-128; L. FERRER, *Sínodo:* DHEE 4 (1975) 2487-2494; J. SANABRE, *Lo sínodos diocesanos de Barcelona* (Barcelona 1930); J. SAN MARTÍN, *Sínodos diocesano del obispo D. Vasco (1344-1352):* Publicaciones de la institución Tello Téllez de Me neses 2 (1949) 129-173; J. ZUNZUNEGUI, *Concilios y sínodos medievales españoles:* HS (1951) 188-199; ID., *Los sínodos diocesanos de Segorbe y Albarracín celebrados por Fra Sancho Dull (1319-1356):* Scriptorium Victoriense 1 (1954) 147-165; ID., *Los sínodo diocesanos de Huesca celebrados durante el pontificado de Gastón de Moncada:* ibid., (1957) 326-353; J. M. OCHOA MARTÍNEZ DE SORIA, *Los dos sínodos de Zaragoza bajo e pontificado de D. Pedro López de Luna (1317-1345):* Scriptorium Victoriense 2 (1955 118-159; ID., *Los sínodos de Zaragoza promulgados por el arzobispo D. Lope Fernández d Luna (1351-1382):* ibid., p.311-370; T. SOBRINO CHOMÓN, *Constituciones abulense de 1384:* HS 15 (1962) 453-468; N. LÓPEZ MARTÍNEZ, *Sínodos burgaleses del siglo XV* Burgense 7 (1966) 211-406; J. SÁNCHEZ HERRERO, *Concilios provinciales y sínodo toledanos de los siglos XIV y XV* (La Laguna 1976); ID., *Los sínodos de la diócesis de León en los siglos XIII al XV,* en *León y su Historia* vol.3 (León 1975) p.165-262; J. FER NÁNDEZ CONDE, *D. Gutierre, obispo de Oviedo (1377-1389)* (Oviedo 1978) (para lo sínodos ovetenses convocados por este prelado); A. GARCÍA GARCÍA, *Los concilio particulares en la Edad Media,* en *El concilio de Braga y la función de la legislació particular en la Iglesia* (Salamanca 1975) p.135-167.

NUEVOS CATECISMOS

J. SÁNCHEZ HERRERO, *Concilios provinciales...* p.174-176 *(Instructio de Juan d Aragón);* J. LUIS MARTÍN, *El sínodo diocesano de Cuéllar,* «Homenaje a Fr. Just Pérez de Urbel», vol.2 (Silos 1977) p.145-176; A. LINAGE CONDE, *El sacramental de sepulvedano Clemente Sánchez y el catecismo del obispo segoviano Pedro de Cuéllar:* Hel mantica 28 (1977) 295-313; D. W. LOMAX, *El catecismo de Albornoz:* Studia Alborno tiana 11 (1972) 213-233 (textos del *Tractatus* de Juan de Aragón y del catecismo atribuido al cardenal Albornoz); J. FERNÁNDEZ CONDE, o.c., p.451-56 *(Catecismo de D. Gutierre);* M. LÓPEZ MARTÍNEZ, a.c., p.225-230 *(Catecismo de Villacreces);* F. RU BIO, *Don Pedro Gómez Barroso, arzobispo de Sevilla, y su «Catecismo» en romance caste llano:* Archivo Hispalense 27 (1957) 129-146; R. A. DEL PIERO, *Dos escritores de la baja Edad Media castellana (Pedro de Veragüe y el arcipreste de Talavera, cronista real)* Anejos del Boletín de la Real Academia Española n.23 (Madrid 1970) p.39-76 (texto de la obra de P. Veragüe).

LA REFORMA ECLESIÁSTICA A FINALES DEL SIGLO XIV

L. SUÁREZ FERNÁNDEZ, *Historia del reinado de Juan I de Castilla* vol.1 p.351-372; E. NARBONA, *Vida y hechos de D. Pedro Tenorio, arzobispo de Toledo* (Madrid 1624); L. SUÁREZ FERNÁNDEZ, *Don Pedro Tenorio, arzobispo de Toledo (1375-1399)*, «Estudios dedicados a Menéndez Pidal», vol.4 (Madrid 1953) p.601-640; F. J. FERNÁNDEZ CONDE, *Gutierre de Toledo, obispo de Oviedo (1377-1389). Reforma eclesiástica en la Asturias bajomedieval* (Oviedo 1978); T. MINGUELLA Y ARNEDO, *Historia de la diócesis de Sigüenza y de sus obispos* vol.2 p.88-103 (J. Serrano); A. LÓPEZ, *Fray Fernando de Illescas, confesor de los reyes de Castilla Juan I y Enrique III:* Archivo Iber.-Americano 30 (1928) 241-252. Sobre los orígenes de los Jerónimos: J. DE SIGÜENZA, *Historia de la Orden de San Jerónimo* 2 vols. vol.1 (Madrid 1907) NBAE n.8; I. DE MADRID, *La Orden de San Jerónimo en España:* Studia Monastica 3 (1961) 409-427; ID., *La bula fundacional de la Orden de San Jerónimo:* Studia Hieronymiana vol.1 (Madrid 1973) p.57-74; B. JIMÉNEZ DUQUE, *Fuentes de la espiritualidad jerónima:* ibid., p.105-121. Sobre la introducción de los Cartujos en Castilla: I. M. GÓMEZ, *La cartuja en España:* Studia Monastica 4 (1962) 139-175; J. V. L. BRANS, *El Real Monasterio de Santa María del Paular* (Madrid 1956). Sobre los orígenes de San Benito de Valladolid: G. M. COLOMBÁS-M. M. GOST, *Estudios sobre el primer siglo de San Benito de Valladolid* (Montserrat 1954); E. ZARAGOZA PASCUAL, *Los generales de la Congregación de San Benito de Valladolid* vol.1: *Los priores (1390-1499)* (Silos 1975); L. SUÁREZ FERNÁNDEZ, *Reflexiones en torno a la fundación de San Benito de Valladolid*, «Homenaje a Fr. Justo Pérez de Urbel», vol.1 (Silos 1976) p.433-443. Sobre la reforma de los Franciscanos: F. DE LEJARZA-A. URIBE, *Las reformas en los siglos XIV y XV. Introducción a los orígenes de la Observancia en España:* Archivo Iber.-Americano 17 (1957); ID., *¿Cuándo y dónde comenzó Villacreces su reforma?:* ibid., 20 (1960) 79-94.

I. LA CRISIS DEL SIGLO XIV EN ESPAÑA

El siglo XIV es un período de grandes transformaciones en toda Europa. El Papado y el Imperio experimentan, como poderes universales, una profunda decadencia. El epicentro del espacio político y social se desplaza desde el Mediterráneo a las costas del Atlántico. Y la mayoría de los países sufren las incidencias negativas de varias crisis importantes, que configuran un período de depresión generalizada.

Parece que las condiciones meteorológicas de esta centuria resultaron particularmente adversas. Decrece la producción agraria, se estanca y decae el auge demográfico de los siglos precedentes y en todas partes se experimenta el terrible impacto de la peste. La moneda escasea y pierde fuerza debido a la política de devaluaciones repetidas, con el consiguiente freno del desarrollo de posibilidades financieras que pudieran compensar adecuadamente la disminución de la producción agrícola. Se pone en marcha un movimiento rápido de alza en los salarios y en el precio de los productos de primera necesidad, y surgen los lógicos desequilibrios económicos. Por otra parte, la guerra se convierte en mal endémico y cotidiano de la época, con su expresión más llamativa en la llamada *guerra de los Cien Años*, que afecta, de un modo u otro, a los distintos reinos de Europa.

Los trastornos causados por estas transformaciones están a la base de numerosas revueltas de campesinos y burgueses en busca de mejoras económicas y jurídicas o para tratar de sacudirse cargas fiscales excesivamente pesadas. El aumento de bandas armadas, frecuentemente incontroladas; el sentimiento de miedo a las enfermedades incurables y a la muerte, y las experiencias de una religiosidad exacerbada como respuesta a la amenaza de continuas calamidades crearon un clima insano de zozobra en el ambiente europeo de este siglo, que perdurará, más intenso si cabe, en los dos siguientes.

La península Ibérica participa de lleno en esta serie de mutaciones. Castilla, tradicionalmente más ligada a una economía dependiente de la tierra, sufre los ramalazos de la depresión general antes que los otros reinos hispánicos. La climatología inclemente determina la existencia de años difíciles, especialmente durante la primera mitad del siglo, con malas cosechas, hambres, aumento de la mortalidad y campos despoblados o yermos. La peste negra de 1348-1351 provoca un fuerte descenso demográfico, la primera gran mortandad, a la que seguirán intermitentemente en las décadas siguientes, hasta finales de siglo, otras menos importantes.

La crisis agraria, agudizada por la creciente escasez de mano de obra, propició también la subida de los productos alimenticios, encareciendo «todas las cosas a valer el tanto y medio de lo que solía: et duró esta careza grand tiempo» *(Crónica de Alfonso XI)*. Las catástrofes demográficas periódicas ocasionaron, asimismo, subidas fuertes en los salarios de menestrales y jornaleros, hasta reclamar la intervención de las Cortes para el reajuste de los mismos. Las devaluaciones de moneda y el movimiento inflacionista contribuyeron, por su parte, al deterioro y a la regresión económico-social castellana del 300.

Castilla tiene que afrontar, además, las consecuencias de la aguda crisis política que hunde sus raíces en el siglo XIII. La revolucionaria suplantación de Alfonso X en 1282, llevada a cabo por su hijo Sancho IV con el apoyo de la nobleza, constituye el punto de partida de una inestabilidad política continuada. A este trascendental hecho histórico seguirán las frecuentes turbulencias que originan las distintas alianzas nobiliarias en las largas minorías de Fernando IV y Alfonso XI. Las guerras contra Aragón y los numerosos conflictos del reinado de Pedro I aumentan ese clima de inestabilidad. La guerra civil desencadenada por Enrique de Trastamara y un amplio sector de la nobleza, que termina en Montiel (1369) derrocando al monarca legítimo; las campañas contra Portugal e Inglaterra y la invasión del territorio castellano por los ejércitos lusos e ingleses producirán toda la gama de secuelas negativas que caracterizan este tipo de acontecimientos. Finalmente, las empresas bélicas en las que se ve embarcada Castilla debido a la alianza de los primeros Trastamara con Francia, acentuará el ambiente de «guerra casi permanente» que perturba la sociedad castellana durante la mayor parte de la centuria.

A finales del siglo, sin embargo, se pueden detectar ya síntomas de recuperación. La situación más atlántica de Castilla, próxima, por lo tanto, al nuevo centro geopolítico europeo; el aumento espectacular de la producción pecuaria y la consolidación del comercio internacional serán otros tantos factores que estimularán, en gran medida, su recuperación a lo largo del siglo siguiente.

Aragón, con una economía más ligada al comercio y más abierta al Mediterráneo que la castellana, tarda en experimentar los efectos de la gran depresión del siglo XIV. Con todo, desde las últimas décadas de la centuria se perciben ya con claridad los indicios de una aguda crisis económica, social y política. Esta crisis de la sociedad aragonesa, que comienza precisamente cuando Castilla se orienta por caminos de recuperación, quizás no fue tan profunda y generalizada como suele decirse habitualmente; pero, en cualquier caso, resultará mucho más duradera que la castellana.

En Navarra también se detectan las señales de la crisis económica, social y política características de la centuria. Se produce un descenso notable de la población, que alcanza sus cotas más bajas hacia el año 1366. Las guerras y los gastos desmesurados de la Corona, al superar las posibilidades reales del país, supusieron una dura carga para los estamentos socialmente más bajos, sobre quienes recaía la mayor parte de los impuestos ordinarios o extraordinarios, como la «ayuda de monedaje», destinada a controlar las devaluaciones sistemáticas que los soberanos trataban de efectuar para recaudar numerario con facilidad y rapidez.

Se empobrece el campesinado y el grupo de nobles, cuya economía dependía, fundamentalmente, de las rentas provenientes de sus patrimonios rústicos. Los campesinos emprenderán el éxodo hacia la ciudad, huyendo de condiciones fiscales más onerosas cada vez o buscando la promoción jurídica y económica. Surge paulatinamente un patriciado urbano poderoso, relacionado con el comercio internacional y con la banca, y afincado preferentemente en Tudela, Estella y Pamplona.

Durante la segunda parte del siglo puede constatarse la existencia de cierto cambio coyuntural. Comienza un período de «creciente dinamismo» económico; pero semejante fenómeno dista mucho de ser algo generalizado, ya que, al ser promovido por la *élite* burguesa renovada, beneficiará de modo particular a ese grupo social.

El colapso del siglo XIV aparece con menos nitidez en la Granada nazarí. Después de la batalla del Estrecho, el pequeño reino meridional vive una época relativamente tranquila, y consigue fijar y regularizar con Castilla las relaciones de frontera, que resultarán fecundas para intercambios comerciales y culturales.

No consta que la peste negra haya tenido consecuencias muy graves en los territorios granadinos, que contaron con una población siempre creciente desde mediados de la centuria. Económicamente, Granada se convierte en colonia de mercaderes genoveses, y, gracias a la activa corriente comercial que pasa por sus puertas, puede compensar las deficiencias habituales de granos y ganados. Por otra parte, la agricultura tiende a especializarse en cultivos de productos caros, altamente comerciables; orientación que, al no responder a las necesidades más básicas de la población, podrá acarrear, a la larga, serias dificultades de subsistencia en caso de bloqueos políticos.

II. LA PESTE NEGRA

En el complejo panorama de transformaciones y de crisis que determinan la fisonomía del siglo XIV, la peste negra emerge como una realidad de gran trascendencia, y afecta casi por igual todos los reinos hispanos. Estamos mejor informados de los efectos de la epidemia en la corona de Aragón. Parece que llegó por mar, tocando en primer lugar las costas mallorquinas. En febrero de 1348, el lugarteniente Arnau de Lupia, gobernador general de la isla, escribe a todos los bailes de las villas para que inspeccionaran atentamente los barcos provenientes de los puertos de Levante, especialmente de Génova, Pisa, Romaña, Sicilia y Cerdeña, y prohibieran bajar a tierra a los tripulantes antes de haberse cerciorado si llevaban personas apestadas a bordo. Las precauciones resultaron inútiles, y el mal invadió la ciudad y las villas, dejando tras de sí las secuelas características: acumulación de riquezas en manos de las minorías poderosas, civiles y eclesiásticas, favorecidas por la abundancia de herencias o donaciones; intervenciones del monarca para pedir moratorias a los acreedores y disminución de la producción y de las recaudaciones tributarias. Sin embargo, el descenso demográfico de la población mallorquina, un 15 por 100 aproximadamente, fue bastante inferior al registrado en otras partes del reino aragonés.

En los primeros meses del mismo año, la peste llegó a Cataluña. El *Cronicón gerundense* cifra en dos tercios del total de habitantes las mortandades de Gerona y de la provincia de Tarragona[1]. Exagera evidentemente. La merma de muchas poblaciones rurales se debió además, al igual que en otras regiones, a la emigración de sus habitantes hacia las ciudades en busca de condiciones de vida más seguras y rentables. Con todo, la cantidad de víctimas de la epidemia fue alta. Los últimos estudios la sitúan entre un 40 y un 50 por 100.

En 1349, Pedro IV se dirige al arzobispo de Tarragona y al resto de prelados y autoridades de Cataluña para que publicaran en sus respectivas diócesis y circunscripciones las ordenaciones oficiales de salarios y precios, que se habían disparado a causa de la «ingens ac terribilis mortalitas gentium pestilencialis», hasta llegar a multiplicarse por cuatro o por cinco[2]. Al año siguiente, el soberano aragonés volverá a ocuparse del tema en las Cortes de Perpiñán.

Varios autores catalanes componen tratados médicos sobre la pestilencia. Uno de ellos, el de Jaume d'Agramont, se escribe precisamente el año 1348[3].

---

[1] «Anno MCCCXLVIII fuit maxima mortalitas hominum et mulierum taliter quod ex peste perierunt in ista diocesi Gerundae et etiam provintia Terrachone *duae ex tribus partibus hominum et mulierum;* et tunc maior pars mansorum payensium venerunt ad defectum heredum et fuerunt derelicti et desabitati» (cit. por R. D'ABADAL I DE VINYALS, *España cristiana. Crisis de la Reconquista. Luchas civiles* vol.14 de la *Historia de España* dirig. por R. MENÉNDEZ PIDAL, p.XXX (Prólogo).

[2] A. LÓPEZ DE MENESES, *Documentos acerca de la peste negra* n.79 p.361-363.

[3] J. D'AGRAMONT, *Regiment de preservació e epidímia o pestilència e mortaldats 1348*, ed. E. ARDERIU-J. M. ROCA (Lérida 1910). Más referencias sobre este tipo de literatura: J. SOBREQUÉS CALLICÓ, a.c., p.81-82.

Sabemos poco de las incidencias del mal en el reino valenciano. Un estudio realizado a partir de documentación notarial pone de relieve que la ciudad de Valencia había quedado sin cargos públicos en los años de la epidemia. Las luchas que enfrentaron entonces a la población se unieron a los quebrantos de la peste. El reino de Aragón, más alejado del mar, tampoco quedó al margen de la terrible calamidad. Pedro IV, huyendo del contagio, trata de buscar refugio en tierras aragonesas; pero la peste llega también allí, causando serios estragos. Según un autor, Zaragoza pierde el primer año de la«gran mortandad» 18.000 habitantes. Durante toda la centuria, la población de Teruel disminuye en un 35 por 100. El soberano aragonés tiene que tomar varias medidas de urgencia para paliar el desastre. Así, el verano de 1348 corta de raíz un fenómeno de intrusismo médico producido en territorio turolense. Al parecer, «algunos teutones, varones y mujeres, de menguada reputación y sin conocimientos de medicina y cirugía» se hacían pasar por expertos en la profesión [4]. Más tarde escribirá al papa solicitándole la dispensa permanente del impedimento de tercer grado de parentesco para contraer matrimonio, a fin de facilitar la creación de nuevas familias. Las Cortes de 1350 publicarán, asimismo, fueros destinados a solucionar los problemas de desajuste social causados por la disminución de la mano de obra y el consiguiente encarecimiento de los precios.

Los efectos de la peste negra en Navarra no resultaron menos considerables que en los reinos vecinos. Si la crisis demográfica no fue muy violenta en los valles pirenaicos, en las comarcas de La Ribera se presentó con mucha intensidad. El año 1366, la merindad de Estella, por ejemplo, había perdido el 78 por 100 de sus habitantes respecto a la población que tenía en el período anterior a la gran peste.

El año 1350 muere el rey castellano Alfonso XI víctima de la peste mientras sitiaba Gibraltar. Su *Crónica* afirma que la «llamada mortandad grande» se cebaba en Castilla, León y Extremadura desde hacía dos años. Las poblaciones más meridionales debieron de padecerla con mayor virulencia que las de la meseta y las septentrionales; pero no poseemos datos suficientes que permitan cuantificar, siquiera aproximativamente, las consecuencias demográficas del mal en los distintos reinos de la corona castellana. Según un estudio moderno hecho sobre la diócesis de Palencia, la epidemia habría afectado más a los medios rurales que a los urbanos, sobre todo en los lugares de la llanura y en los cercanos a vías de comunicación frecuentadas. Por otra parte, a mediados del siglo se produjo en Tierra de Campos un movimiento de desertización de los poblados; pero no se puede establecer con exactitud la relación de la epidemia de 1348 con este fenómeno de recesión demográfica, que además debió de ser mucho menos intenso de lo que sugiere el referido estudio [5].

---

[4] «Nonnulli teutonici, tam mares quam femine, et medice reputationis et minus experti in artibus medicine et cirugie, non advertentes qualiter ex eorum inabilitate seu insuficiencia dampna possunt et pericula maxima evenire... imprudenter in civitate Turolii et eius aldeis suas manus extendunt» (A. LÓPEZ DE MENESES, o.c., n.16 p.304-305).

[5] N. CABRILLANA, *La crisis del siglo XIV en Castilla: la peste negra en el obispado de Palencia*: H 18 (1968) 245-258. Algunas acotaciones sobre este trabajo: A. VACA LORENZO, *La estructura*

En mayor o menor proporción, la peste negra causó estragos a lo largo y ancho de todos los reinos de Castilla. En regiones tan apartadas de la meseta como Asturias todavía se mencionan el año 1383 los efectos de la «primera mortandat», que había reducido un tercio las posibilidades productivas de la mano de obra campesina dependiente del cabildo ovetense [6].

Pedro I, el nuevo rey castellano, tratará de salir al paso de los desbarajustes económico-sociales originados por la peste en las Cortes celebradas en Valladolid el año 1351. Según los ordenamientos de «menestreles y posturas» publicados en ellas, muchos súbditos «passavan muy grand mengua, porque se non labravan las heredades del pan et del vino et de las otras cossas que son mantenimiento de los omes. Et esto venía lo uno porque andavan muchos omes et mugeres baldíos et que non querían labrar, et lo otro porque aquellos que yvan labrar demandavan tan grandes preçios et soldadas et jornales, que los que avían las heredades non las podían conplir; et por esta razón que las heredades avían affincar yermas et sin lavores. Et otrossí... los menesteriales que labran et usan de otros offiçios que son mantenimiento de los omes que non pueden escusar, vendían las cosas de sus offiçios a voluntad et por muchos mayores preçios que valían; et desto que se seguían et venían muy grandes dannos a todos aquellos que avían de conprar dellos aquellas cosas que avían menester» [7].

Los problemas económicos producidos por la peste negra y las sucesivas mortandades que la siguen —descenso de la mano de obra, caída del índice de productividad, subida de salarios y precios, escasez de productos básicos, hambres— afectaron profundamente la convivencia de los distintos grupos sociales. Una de las alteraciones más importantes provocadas por esta calamidad fue, sin duda, la explosión violenta del sentimiento antisemita, arraigado y represado ya en amplios sectores de la población desde hacía tiempo. A lo largo de 1348 y en los años siguientes se llevaron a efecto auténticos «pogroms» contra las aljamas de los judíos en varias ciudades del reino de Aragón. La opinión pública, avalada por la autoridad de algún intelectual, les hacía responsables de la epidemia, al suponer que habían contribuido a la propagación de la misma emponzoñando las aguas y la atmósfera.

El asalto perpetrado a la *call* de Barcelona durante los primeros meses del citado año fue posiblemente el más llamativo. Vecinos de la ciudad arremetieron contra las casas de los hebreos, robando y destruyendo sus hogares y matando a muchos de ellos [8]. Pedro IV el Ceremonioso, quizás movido por intereses preferentemente económicos, saldrá al paso de semejante tropelía imponiendo castigos a los agresores cristianos. Al prodi-

socioeconómica de la Tierra de Campos a mediados del siglo XIV: Publicaciones de la Institución Tello Téllez de Meneses 39 (1977) 233-398.
   [6] Constituciones ordenadas por D. Gutierre Gómez de Toledo para su cabildo catedralicio el 1383; public.: J. FERNÁNDEZ CONDE, *Gutierre de Toledo...* p.203, 217.
   [7] *Cortes de León y de Castilla* II p.76. Sobre las incidencias de la pestilencia en el al-Andalus estamos poco informados. Se conoce la existencia de tres tratados médicos de la época, escritos por el almeriense Ibn Hatimah, el granadino Muhamad al-Saquiri y el de Ibn al-Khatib.
   [8] Este primer «pogrom» ha sido estudiado ampliamente por A. LÓPEZ DE MENESES, *Una consecuencia de la peste negra en Cataluña: el «pogrom» de 1348:* Sefarad 19 (1959) 92-131.

garse en otras partes disturbios de esta clase, o para prevenirlos, el soberano volverá a dictar medidas proteccionistas relativas a la comunidad hebraica. La mayoría cristiana de Castilla, mal dispuesta también hacia este grupo étnico, no parece que entonces cargara con esa culpabilidad a los habitantes de las aljamas; pero la inseguridad social, las dificultades de todo tipo y la mala fama de los judíos en Aragón irán caldeando el ambiente en los reinos castellanos para futuras persecuciones, que culminarán en el gran «pogrom» de 1391.

Con los judíos se hicieron igualmente sospechosos los extranjeros y los peregrinos, cuyo simple hábito provocaba desconfianza entre los naturales del país tanto si se trataba de foráneos que visitaban Santiago de Compostela como si eran españoles que marchaban a Roma o a cualquier centro de peregrinación de allende los Pirineos. En marzo de 1350, Alfonso XI pretende conseguir del papa la indulgencia jubilar para Santiago de Compostela con el propósito de evitar que la población hispana superviviente a la gran mortandad tuviera que viajar a Roma para ganar la gracia del Año Santo[9].

La sensación de inquietud y angustia afectó a todos los estratos sociales. «Las gentes estaban desconcertadas y consternadas, circulaban los más absurdos bulos acerca de la sin igual epidemia, y, con la muerte, la enfermedad o ausencia de autoridades, las turbas se entregaban a toda clase de excesos, como el saqueo de las casas de los ausentes y de los muertos»[10]. En efecto, muchas de las villas quedaron prácticamente sin autoridades para mantener el orden y para desempeñar los cargos públicos más indispensables. Los ambiciosos y maleantes campeaban a sus anchas, saqueando las casas de las familias fallecidas para apoderarse de sus dineros, muebles y enseres domésticos, exponiéndose ellos mismos al contagio y convirtiéndose, a la vez, en fáciles transmisores del mal. En algunas localidades de la corona de Aragón estallan conflictos que dividen la población en distintos bandos. En otras son tan frecuentes los latrocinios, que sus habitantes prefieren emigrar en demanda de seguridades personales.

El deterioro de la vida urbana debió de alcanzar cotas alarmantes en Cataluña. En 1351 se encuentran ya villas casi desiertas, con los edificios amenazados de ruina inminente. El año 1363, en Barcelona perduran aún señales inequívocas del desastre demográfico. El infante Juan de Aragón ordena al veguer barcelonés el tapiado de unas casas cercanas al convento de los dominicos de la ciudad, deshabitadas desde la peste negra, que se habían convertido paulatinamente en refugio de maleantes y prostitutas que escandalizaban al vecindario[11].

---

[9] A. López de Meneses, *Documentos...* n.95 p.377-378.

[10] A. López de Meneses, *Una consecuencia de la peste negra...* p.98-99.

[11] «Pro parte priori et conventus Predicatorum Barchinone ac vicinorum comorantium iuxta quoddam diverticulum sive carrero de En Queralt, in civitate Barchinone, in quo diverticulo, ante mortalitatem primam, erant constructe alique domus modico valoris, in quibus interdum inhabitant mulieres simplicis conditionis... Et quod peius est, tam mulieres publice quam pedisete et serve palam et publice, die noctuque intrant in dictum diverticulum ibique questiem suorum corporum exercent cum viris ribaldis lenonibus ac satellitibus ex quibus rixe et alia gravia inter ipsos et alios etiam honeste inde transeuntes conmiuntur indiferenter» (A. López de Meneses, *Documentos...* n.152 p.428-429).

Los datos que componen este sombrío panorama social, producto fundamentalmente de la gran peste, se refieren sólo a Aragón. Carecemos de noticias paralelas sobre Castilla. Probablemente, las secuelas negativas señaladas estuvieron mucho más mitigadas en la sociedad castellana, que padeció el impacto de la gran mortandad con menor dureza. Durante la segunda parte del siglo, al reproducirse intermitentemente en muchos lugares los brotes de la terrible calamidad, el tono de la vida de la sociedad española continuará con las mismas características.

Por otra parte, conviene señalar que en España no se constata la existencia de fenómenos de exaltación religiosa de carácter penitencial similares a los movimientos de flagelantes, conocidos y temidos en toda Europa.

III. LA INCIDENCIA DE LA CRISIS DEL SIGLO XIV EN LAS ESTRUCTURAS Y EN LA VIDA DE LA IGLESIA

La crisis agraria del siglo XIV afecta profundamente la economía de las instituciones eclesiásticas, que en buena parte dependía de los ingresos provenientes de patrimonios territoriales propios, explotados en régimen prestimonial y de diezmos ofrendados por el campesinado. La muerte de muchos campesinos a causa de la peste negra y de las otras catástrofes demográficas que jalonan toda la centuria, o la marcha de éstos hacia las ciudades, dejaba yermas e improductivas muchas tierras de la Iglesia y las localidades rurales sin población, creando serias dificultades de abastecimiento a las comunidades monásticas y a otros grupos clericales.

Un diploma redactado por la curia episcopal de Orense el año 1352 dice, por ejemplo, que «os herdamentos, viñas, casas e casares, cortiñas e chousas que som en termino desta çibdade de Ourense et arredor dela et ennos coutos do dito sennor obispo... se herman e despobran e se van a monte, que los lavradores delas as non poden, ne queren lavrar, por estas rasoes que se seguen et outras moytas que serían longas de desir: a hua rasón he por que os omes lavradores et aquelas que eran delas teedores como foreiros morreren na mortaydade e pestilençia que foy enno anno da era de mill e tresentos e oyteenta e seys annos [1348] en guisa que ficaron poucos para lavrar segundo he notorio en todo obispado de Ourense; a outra rasón he por que os omes que querelan que as ditas herdades et casares, casa, viñas, chousas e cortiñas son de tam grande foro et que tem grandes cárregas e trabucos que se non atreven a as lavrar et léixanas e desanpáranas... et vanse a outras partes hu echan herdades de mellores foros. Outrosí se non poden aver das ditas herdades o custo que meten ennas lavrar, por quanto os lavradores son poucos e mingoados e mays caros que non ante da mortaldade» [12].

Por los mismos años, los benedictinos de la provincia eclesiástica de Toledo, que cubría prácticamente toda Castilla, estaban planeando la reducción del número de miembros de cada monasterio para paliar así las

---

[12] Public. E. DURO PEÑA, *El monasterio de San Pedro de Rocas y su colección documental* p.68-69.

premiantes necesidades de subsistencia. Más tarde, en 1383 concretamente, el obispo de Oviedo, Gutierre Gómez de Toledo, redacta unas constituciones para su cabildo catedralicio, en las que suprime tres raciones ordinarias con el objeto de engrosar los ingresos de la mesa capitular, n dificultades desde la primera gran mortandad por el despoblamiento le sus posesiones y la reducción de una tercera parte de las rentas [13].

En los reinos orientales de la Península el panorama no era más halagüeño. Los soberanos aragoneses se vieron obligados a dictar medidas de urgencia en varias ocasiones para aliviar las contribuciones adeudadas a la Corona por varias instituciones eclesiásticas que se encontraban en apuros debido a la falta de ingresos.

La fuerte regresión demográfica de la época, secuela inevitable de los recuentes brotes de pestilencia que se fueron produciendo a lo largo del siglo XIV, afectó también en gran medida a la población eclesiástica, tanto secular como regular.

No podemos determinar con garantías de exactitud los índices de mortalidad del clero que formaba parte de los cabildos o de los curas adscritos a las parroquias. Las noticias que ofrece la historiografía tradicional al respecto son impresionantes. Un episcopologio tarraconense dice que en 1348 «moriren tots los rectors de l'archebisbat y no-s trobave capellà ni rare que volgués administrar los sagraments als ferits, y axí lo archebisbe donà llicència als jurats y llochs y vilas que-s cercassen ells propis sacerdots que ell a qualsevol se volguès exposar a la administració de dits sagraments los donave llicència, encara no fossin hàbils per a cura de ànimas». Posiblemente, las fuentes contemporáneas, impresionadas por los efectos funestos de la catástrofe, exageraron las dimensiones de la misma. De hecho, un estudio reciente sobre documentación relacionada con el citado arzobispado pone de relieve que las consecuencias negativas de la peste negra en el clero capitular y rural de Tarragona no habían sido tan graves como venía diciéndose. Y, respecto al cabildo de Barcelona, parece que se puede afirmar otro tanto [14].

Lógicamente, las epidemias tuvieron que cebarse con mayor intensidad en las comunidades monásticas, cuyo género de vida, muchas veces in condiciones de salubridad adecuada, era más propicio a contagios. Las cifras estimativas de mortalidad que suelen darse para la cristiandad europea en el transcurso de la peste negra: del 10 al 50 por 100 en comunidades grandes y de desaparición total de las pequeñas [15], resultan válidas seguramente para los monasterios hispanos. Así, hacia 1380, en San Martín de Soto de Dueñas, un cenobio rural asturiano, vivían solamente la abadesa y dos monjas. El año 1388, en el monasterio gallego de Santa Comba de Naves «non avía frades con que fazese aforamentos», extin-

---

[13] «Et otrossí de las mortandades acá han menguado las rentas de nuestra eglesia cerca la meatad dellas, ca en la primera mortandad fuerom abaxado las rentas la tercia parte, et después acá lo otro por desplobamiento de la tierra» (public. J. FERNÁNDEZ CONDE, o.c., p.331-332).

[14] J. TRENCHS ODENA, *La archidiócesis de Tarragona y la peste negra; los cargos de la catedral:* VIII C. de H. de la Corona de Aragón II/1 (Valencia 1969) 45-64.

[15] Cf. NHI vol.2 p.439.

guiéndose también entonces muchas comunidades pequeñas de Galicia [16] Por los mismos años o un poco antes, cierto monje del convento catalán de Santa María de Ribes se elige prior porque era el único superviviente de la peste [17]. Sabemos, sin embargo, que la peste negra afectó muy poco a los miembros de las casas de los Hospitalarios de Aragón; pero el hecho debe de constituir una excepción en el contexto de la historia monástica de la época. Esta Orden religiosa, avezada a ministerios sanitarios, estaba mejor equipada que las otras para luchar con éxito contra las epidemias [18].

Las estrecheces económicas sufridas por el estamento eclesiástico y la experiencia angustiosa de la cercanía de la muerte que diariamente o con mucha frecuencia arrebataba feligreses y diezmaba las comunidades monásticas y los grupos de clérigos, contribuyeron, sin duda, a aumentar la decadencia moral de la clerecía de ambos órdenes en los distintos reinos hispanos. Si en el siglo XIII existen ya claros indicios negativos sobre la calidad moral de muchos eclesiásticos, esta «desmoralización» alcanza cotas verdaderamente alarmantes a partir de 1300.

En realidad, la vida del clero secular, rural o ciudadano, no se diferencia prácticamente de la de los seglares pertenecientes a los estamentos bajos o medios. Vestían como ellos. Alardeaban de adornos lujosos, si podían, lo mismo que ellos. Participaban en toda clase de juegos, diversiones y fiestas. Comían y bebían igual que ellos. Y no había oficio, incluso algunos menos honestos, que no se atrevieran a desempeñar. Los concilios y sínodos de la baja Edad Media, ya desde la primera parte del siglo XIII, incluyen casi sistemáticamente —y seguramente sin mucha eficacia real— una constitución titulada De vita et honestate clericorum, en la que denuncian y prohíben numerosos abusos de esta índole [19].

Según la documentación conciliar y sinodal de la época, los vicios más importantes de la clerecía seguían siendo el absentismo de los beneficiados del lugar del beneficio, con el subsiguiente deterioro de la cura de almas; la simonía y toda la serie de abusos económicos, que la picaresca clerical podía cometer fácilmente al amparo del complicado sistema beneficial entonces vigente, y las infracciones celibatarias.

Todo parece indicar que la disciplina del celibato, reafirmada con claridad por el Lateranense V (1215) y por muchos concilios hispanos poste-

[16] E. DURO PEÑA, o.c., p.69.
[17] P. VILAR, El declive catalán en la baja Edad Media, en Crecimiento y desarrollo p.255.
[18] A. LUTRELL, Los Hospitalarios de Aragón y la peste negra: AEM 3 (1966) 499-514.
[19] El año 1228, el concilio de Valladolid ofrece ya un elenco de normas muy extenso relacionado con la vida y honestidad de la clerecía, en el que subyace con toda probabilidad la existencia real de los vicios correspondientes: «Stablecemos que todos los clérigos diligientes se aguarden muy bien de gargantez y de bebedez et que non usen de oficios desonestos... Item, establecemos que los clérigos no sean en compañas do están joglares, et trashechadores et que escusen de entrar en las tabiernas... et non joguen los dados nin las taulas. Item establecemos que los clérigos hayan corona guisada... et vestiduras, conviene a saber, non viadas, non a meatat, non felpadas, nin entreraiadas, nin vermeias, nin verdes, nin muy luengas, nin muy curtas, nin zapatos con betha, nin con cuerda, nin camisa cosediza end cuerpo, nin en la manga, nin saya con cuerda. Item establecemos que los clérigos non traian siellas, nin frenos, nin espuelas doradas... Item establecemos que non quieran usar de venganza de muerte, nin deben estar en los logares do vean matar omes, nin traian cuchiellos, nin armas» (J. TEJADA Y RAMIRO, o.c., vol.3 p.326).

riores, se había convertido en letra muerta. En Castilla concretamente, la barraganía —institución jurídica definida en las *Partidas*— era habitual entre los clérigos, tanto simples tonsurados como ordenados *in sacris,* a pesar de las repetidas prohibiciones de la autoridad eclesiástica. El poema *Disputa entre Elena y María,* compuesto hacia 1280, describe, normalmente y sin visos de anticlericalismo, la discusión entre dos hermanas sobre las excelencias de sus respectivos amantes: un clérigo y un caballero.

Las cosas no mejoraron en el siglo XIV, a pesar de que la barraganía clerical comienza a ser tratada en la legislación eclesiástica como concubinato. Las asambleas de Cortes se ocuparán también varias veces del problema. Las de Valladolid (1351) tratan de poner freno a la arrogancia de «muchas barraganas de clérigos, así públicas commo ascondidas e encobiertas, que handan muy sueltamiente sin regla, trayendo pannos de grandes quantías con adobos de oro e de plata, en tal manera que con ufanía e sobervia que traen, non catan revelençia nin onrra a las duenas onrradas e mugeres casadas», prescribiendo que fueran vestidas con un atuendo especial [20]. Las de Soria (1380) disponen la incapacidad legal de los hijos de los clérigos para heredar y reiteran la obligación del distintivo para sus mancebas. Las de Briviesca (1387) imponen sanciones económicas a esta clase de mujeres.

Sabemos además que había clérigos casados, es decir, seglares sin vocación sacerdotal específica, que recibían la tonsura clerical únicamente para gozar de algún beneficio eclesiástico y de los privilegios correspondientes a este estamento social [21]. Y, a veces, ciertos impostores, aprovechando la confusión disciplinar reinante entre los eclesiásticos, se hacían pasar por clérigos, sin tener nada que ver con las funciones y compromisos propiamente clericales.

El nivel cultural de los sacerdotes seculares tampoco rayaba, por lo general, a mucha altura, a pesar de los repetidos esfuerzos de los obispos para potenciar la formación de su clerecía. Tomando al pie de la letra muchas de las constituciones sinodales bajomedievales, se tiene la impresión de que los rectores de las iglesias desconocían los rudimentos más elementales e imprescindibles en orden a ejercer con alguna garantía el ministerio pastoral.

La literatura crítica de la época refleja claramente el estado de relajación del alto y bajo clero, dentro de una descripción más amplia de la decadencia moral que afectaba todas las capas de la sociedad. En el *Libro de buen amor,* compuesto durante la primera parte del siglo XIV, Juan Ruiz traza la imagen acabada del clérigo juglar, vividor, juerguista y amante de toda clase de placeres terrenales, al parecer bastante frecuente entonces. La «Cántica de los clérigos de Talavera» constituye por sí sola un elocuente esbozo de esa imagen clerical diluida a lo largo de toda la obra, en la que el desenfadado y jocundo arcipreste proyecta, sin duda, sus experiencias

[20] *Cortes* II p.14-15.
[21] El concilio de Palencia (1388) exige a los clérigos casados que quieran gozar del privilegio del canon haber contraído un solo matrimonio con doncella y llevar tonsura y traje clerical. Los concilios castellanos y catalanes se refieren frecuentemente al tema.

personales [22]. El canciller López de Ayala, que escribe a finales de la centuria de forma más austera y moralizante, fustiga con amargo humorismo en su *Rimado de palacio* la corrupción de los eclesiásticos de todas las categorías [23]. Por otra parte, la poesía satírica catalana contemporánea rezuma muchas veces sentimientos de anticlericalismo —mejor, de antimonasticismo—, que brotan de la constatación de una vida poco edificante de los religiosos.

Conservamos gran parte de un sermón pronunciado por cierto fraile agustino con ocasión de «una missa nueva». En él se juntan con profusa complacencia —probablemente, no exenta de exageración ni de intenciones polémicas— un verdadero elenco de defectos y vicios del clero secular: «Los clérigos malos —decía el predicador— no eran saçerdotes de Dios, sinon del diablo, e que fasían sacrifiçio al diablo, porque non tenían lo que avían prometido: religión e provesa; ante fasían lo contrario, cobdiçiando riquesas, e mulas, e cavallos, e heredades; e robavan las eglesias e non las servían, e que preçiavan más bever en las tavernas e jugar dados e andar por las plaças vagabundos, que non venir a las eglesias nin resar las oras; e que se pagavan más andar a caça con un galgo... Van a confessar con ellos los mesquinos de los labradores e dízele el clérigo: 'Daca tresientos maravedís; sinon, non te absolveré'... Aunque el clérigo fuesse viejo de sesenta annos, que antes cobdiçiava una moça de quinse annos que otra muger de quarenta annos para çaqlear [divertirse]... Et tienen fijos de sus mançebas, e lámanlos sobrinos» [24].

La situación del monacato tradicional tampoco era mejor. Monjes y monjas violaban frecuentemente el voto de pobreza, disponiendo de manera arbitraria de las rentas monásticas, que entregaban «a cavalleros et duennas et escuderos para sí et para sus mugieres et para sus fiios por

---

[22] «Yo vi en corte de Roma, do es la santidat, / que todos al dinero fazen gran omildat; / grand onra le fazían con grand solenidat: / todos a él se inclinavan, como a la magestat. // Fazié muchos priores, obispos e abades, / arçobispos, doctores, patriarcas, potestades; / a muchos clérigos nesçios dávalos dinidades; / fazié verdat mentiras, e mentiras verdades» (estr.493-494). «Monges, clérigos e fraires, que aman a Dios servir, / si varruntan que el rico está ya para morir, / quando oyen sus dineros que comiençan reteñir, / quál d'ellos lo llevará comiençan luego a reñir» (estr.506). En las estrofas 1.225ss, el autor nos cuenta «de cómo clérigos, e legos, e flaires, e monjas, e dueñas, e joglares salieron a reçebir a Don Amor»: «Las carreras van llenas de grandes proçesiones; / muchos omnes ordenados que otorgan perdones; / los clérigos seglares, con muchos clerizones; / en la proçesión iva el abad de Bordones...» (estr.1.235). La «Cántica de los clérigos de Talavera», en las estrofas 1.690-1.709.

[23] El Canciller, después de criticar al Papado y de deplorar la situación creada en la Iglesia por el Cisma, denuncia con vigor los pecados de los eclesiásticos, describiendo a continuación la imagen habitual del cura de aldea con trazos llenos de sarcasmo: «Non saben las palabras de la consagración, / nin curan de saber, nin lo han a coraçón; / si pueden aver tres perros, un galgo et un furón, / clérigo del aldea tiene que es infançón. // Luego los feligreses le catan casamiento / alguna su vezina; mal pecado, non miento; / et nunca por tal fecho resçiben escarmiento, / ca el su señor obispo ferido es de tal viento. // Palabras del bautismo et quáles deven ser, / uno entre çiento non quieren saber; / ponen asy en perigro et fazen peresçer / a sí et a otros muchos por su poco entender. // Si éstos son ministros, son lo de Satanás, / ca nunca buenas obras tú fazer les verás; / grant cabaña de fijos siempre les fallarás / derredor de su fuego, que nunca y cabrás. // En toda el aldea non ha tan apostada / como la su manceba, nin tan bien afeytada; / quando él canta misa, ella le da la oblada, / et anda, mal pecado, tal orden vellacada» (estr.223-227).

[24] El texto completo, en M. GONZÁLEZ JIMÉNEZ, *Nivel moral del clero sevillano a fines del siglo XIV:* Archivo Hispalense 183 (1977) 202-204.

ɔocas quantías de maravedís»; tomaban a título de inventario los preceptos relacionados con la regulación de la vida interna de los cenobios; vestían ujosamente; no respetaban la obligación de la clausura monástica; hacían abla rasa del voto de castidad, y en numerosos monasterios «el abbat et nuchos de los monges... non temiendo a Dios nin el estado en que estaꞁan, tenían mançebas publicamientre et fiios dellas».

En los monasterios ꞁurales, los monjes no se diferenciaban, prácticamente, de los campesinos le la localidad, «criavan aves et podencos et yban a caça con ellos», y jugaꞁan públicamente a los dados o al dominó como unos aldeanos más [25].

El autor del *Libro de buen amor*, al describir la primaveral y abigarrada ꞁrocesión que el día de Pascua sale al encuentro de Don Amor enumera ꞁntre los asistentes a casi todas las órdenes monásticas existentes en la ꞁpoca: Benedictinos, Cluniacenses y Cistercienses; las Ordenes Militares —Santiago, Hospital, Calatrava y Alcántara— y las mendicantes —Dominiꞁos, Agustinos, Franciscanos y Carmelitas—, juntamente con los Trinitarios ꞁ Mercedarios, sin que falten en el cortejo las congregaciones femeninas blancas e prietas, predicaderas e minoretas» [26]. En distintas partes del liꞁro, el Arcipreste va dejando, además, otras referencias sobre la vida meꞁos edificante de los frailes. Y no tiene nada de extraño que coloque en el nismo nivel de apreciación a los benedictinos y a los mendicantes. Estos ꞁltimos, pujantes y muy influyentes en el siglo anterior, durante el XIV ꞁntran ya en caminos de decadencia.

Por su parte, la literatura catalana contemporánea, las «novelles humoꞁistiques» o «contes plaents», lanzan frecuentes invectivas contra el monaꞁato en general. En la segunda parte de la centuria, el *Planys del cavaller ꞁlataró*, por ejemplo, acusa a los monjes de avaricia, de hipocresía y de ꞁncontinencia. Otra crítica humorística parecida se encuentra en el cuento ꞁoético titulado *Entremaliadures del diable* o en el *Testament de Bernart Serraꞁell*, compuesto ya después de 1400, con pinceladas negativas para los ꞁnendicantes [27]. El *Libre de fra Bernat*, escrito por el poeta gerundense ꞁrancesc de la Vie en las primeras décadas del cuatrocientos, constituye ꞁna auténtica bufonada, en la que se hace chacota de la vida licenciosa de ꞁɔs religiosos, sin que podamos saber a ciencia cierta hasta qué punto reꞁleja el autor un mundo de realidades o si se trata solamente de dar rienda ꞁuelta a su fabuladora imaginación. Con todo, no faltan testimonios doꞁumentales que hacen verosímiles las descripciones del poeta catalán [28].

---

[25] Los párrafos entrecomillados están tomados de la serie de constituciones dadas por el bispo Gutierre Gómez de Toledo para los monasterios de su diócesis ovetense, public. FERNÁNDEZ CONDE, o.c., p.395.391 y 397.

[26] Estr.1.236-1.241.

[27] Palabras de En Bernat en el infierno: «Mas quant reguart la crueltat / dalguns mesuins frares menors ez agostins, / carmelitans, / preychadors e capellans / ez autres gents / ui non vexats de greus turments» (cf. K. R. SCHOLBERG, *Sátira e invectiva en la España medieꞁl* p.217).

[28] El panorama que pintan las actas de un proceso presidido por el obispo ovetense . Gutierre hacia 1380 es desolador: las «abbatisas et sorores Sante Maria de Villamayor ac San-Martini de Soto [dos pequeños monasterios rurales asturianos de la Orden benedictina]... bricam vitam ducentes, factores libidinis anplexantes, proles nefandas in Dei oprobium et ique ex oribili coytu publice procreando, abieto obediencie jugo, paupertatis votum minime ꞁservantes, nec velum nec habitum gestantes monasticum, et observanciam regularem peni-

La corrupción moral de los altos prelados no aparece denunciada con tanto lujo de detalles en las crónicas y en los documentos de este período. La problemática de los obispos y de los abades poderosos se inscribe en la problemática general del estamento nobiliario, al que pertenecían por as cendencia, por consideración social y por «la voluntad de Dios y de la or denación natural por El creada», como dirá uno de los teólogos más im portantes de la época: el franciscano catalán Eiximenis [29]. Por eso el talante religioso y moral de los mismos dejaba bastante que desear en mucha, ocasiones, aunque no todos los dignatarios eclesiásticos de entonces mere cieran el duro juicio que proyecta sobre ellos San Vicente Ferrer: «Son altivos —dice el gran predicador dominico—, amigos del lujo, inclina dos a la censura, miden la fe al igual que las cosas terrestres y la propor cionan a sus rentas. Poco les importa el cuidado de las iglesias, raramente frecuentan a los que dan poco, no tienen amor a Dios ni modestia, su menor cuidado son la misa y la predicación, y toda su vida no es más que un gran escándalo».

Varios de ellos pertenecían a los más encumbrados linajes de la época El arzobispo de Toledo Juan (1319-1328), por ejemplo, era el tercer hijo de Jaime II de Aragón. Un primo hermano de Pedro IV el Ceremonioso ocupa sucesivamente la sede de Tortosa y la de Valencia (1369-1397) a instancias de su influyente pariente y llega a obtener la dignidad cardena licia. La mayoría de las familias poderosas podían contar entre sus miem bros a prelados, y varias de ellas a más de uno. Tal es el caso de los Toledo que a lo largo de la centuria tuvieron cuatro obispos de su apellido en la sede arzobispal del mismo nombre, en Palencia y en Oviedo. Los Barroso oriundos igualmente de Toledo, fueron también familia de obispos, entre los cuales destaca la personalidad de Pedro Gómez Barroso, titular de Se villa (1369-1371) y cardenal. La influyente casa de los Luna de Aragón acaparó, asimismo, numerosos cargos eclesiásticos. Ximeno de Luna obispo de Zaragoza y arzobispo de Tarragona, fue después metropolitano de Toledo, sucediéndole en este cargo el famosísimo Gil Alvarez de Al bornoz, hijo de Teresa de Luna. Pero López de Luna es el primer arzo bispo de Zaragoza (1318) y Lope Fernández de Luna regentará dicha me trópoli entre 1351 y 1380. Pedro Martínez de Luna, curial aviñonés y legado pontificio, se ceñirá la tiara pontificia con el nombre de Bene dicto XIII. Y podrían multiplicarse los ejemplos de prelados de familia importantes en los reinos de la corona castellana y aragonesa.

Muchos obispos del trescientos ocupaban cargos destacados en la ad ministración pública de los distintos reinos. La Cancillería Real estaba en manos de ellos y en el Consejo Real había siempre algún eclesiástico d

tus abiecisse, velud esculares propiis monasteriis relictis ignominiose discurrendo vagantes (public. J. FERNÁNDEZ CONDE, o.c., p.462-463).
[29] Sobre la concepción estamental de la sociedad hispana bajomedieval cf. J. BENEYT PÉREZ, La concepción jerárquica de la sociedad en el pensamiento medieval español, en Estudios a Historia social de España vol.1 p.555-556; L. DE STEFANO, La sociedad estamental de la baja Edad Media española a la luz de la literatura de la época (Caracas 1966); J. A. MARAVALL, L sociedad estamental castellana y la obra de D. Juan Manuel, en Estudios de historia del pensa miento español p.483-503.

renombre. Los soberanos les escogían muchas veces para desempeñar misiones diplomáticas delicadas y asistían con frecuencia a la guerra al frente de sus huestes.

Las revueltas internas originadas por la formación de distintas banderías o grupos políticos enfrentó muchas veces a los magnates eclesiásticos, comprometidos por intereses de familia y por las alianzas de grupos nobiliarios. Este tipo de dificultades fue especialmente agudo para el alto clero de Castilla durante el reinado de Sancho IV y en las largas minorías de Fernando IV y Alfonso XI.

En la primera mitad de la centuria, las Cortes dictaron varias disposiciones para frenar los abusos cometidos por el estamento eclesiástico al amparo de sus privilegios fiscales y jurídicos. Por otra parte, las tendencias antinobiliarias y el cesarismo de Alfonso XI y Pedro I, que utilizaron frecuentemente la Iglesia en beneficio de sus propios intereses políticos, chocaron violentamente en no pocas ocasiones contra la preeminencia social de los jerarcas.

Durante el reinado de Pedro I, cuya ejecutoria política no podía favorecer las aspiraciones siempre crecientes de la poderosa nobleza, los obispos se van alineando paulatinamente en la oposición. Obraban en contra del monarca castellano su utilización indebida de las rentas eclesiásticas, que se oponía, además, a los planes económicos de la sede pontificia de Aviñón; los desafueros cometidos contra algunos prelados, y el claro favor dispensado por la Corona a las comunidades de judíos y musulmanes. Ya en los primeros días del reinado de este soberano, Gil Alvarez de Albornoz, arzobispo de Toledo y estadista de gran categoría, tiene que abandonar Castilla por haber militado en las filas de quienes habían apoyado antes decididamente los proyectos de Leonor de Guzmán, amante de Alfonso XI y enemiga de la candidatura de D. Pedro. Al estallar la revolución trastamara y la guerra civil, la causa del usurpador contó desde el principio con el apoyo de algunos prelados, y, al ir clarificándose las posiciones, la mayoría de ellos se pasaron al bando del conde de Trastamara.

Pedro I, bien dispuesto por lo general hacia las órdenes mendicantes, atacó con dureza en diversas ocasiones a miembros del episcopado en los distintos reinos. El año 1355 mete en la cárcel a Pedro Barroso, obispo de Sigüenza y partidario de los Trastamara. En 1360, Blas Fernández de Toledo se ve obligado a abandonar precipitadamente la sede toledana para encaminarse a Portugal, lugar del destierro señalado por el monarca, que acababa de dar muerte a un hermano del prelado, y «non le placía que el dicho arzobispo estuviese en los sus reinos». Seis años más tarde mandará eliminar en Santiago al arzobispo Suero Gómez, pariente de D. Blas. Expulsa también de la diócesis al obispo de Calahorra, y después de la victoria de Nájera prende al arzobispo de Braga, Juan de Cardaillac, que se encontraba en Burgos y había apoyado decididamente a Enrique II.

Cuando Enrique II da muerte al monarca legítimo en Montiel (1369), logrando afianzarse en el trono castellano, premia el apoyo recibido de los nobles con las conocidas «mercedes enriqueñas», que hace también extensivas a los hombres de Iglesia más destacados en la guerra civil. El arzobispo de Toledo, Gómez Manrique, al recibir en 1369 las villas de Illescas y Talavera de la Reina, se convierte en beneficiario privilegiado del nuevo soberano. Algunos prelados de las diócesis gallegas, donde los brotes de petrismo habían sido fuertes, obtuvieron concesiones de esta clase. Y el obispo de Oviedo, Gutierre Gómez de Toledo, pieza clave para Juan I en las campañas contra su levantisco hermano el conde D. Alfonso, recibirá, a finales de 1383, el extenso y rico señorío de Noreña, en tierras asturianas. Pero, por lo general, el tipo de concesiones que hace el Trastamara a los jerarcas eclesiásticos de sus reinos consistía más en rentas que en territorios y jurisdicciones.

El alto clero de los reinos orientales hispanos no estuvo tan a merced de los vaivenes políticos del siglo XIV como el de Castilla. Para Cataluña esta centuria constituye una especie de período puente entre los frecuentes levantamientos nobiliarios del siglo anterior y las reivindicaciones de carácter parlamentario llevadas a cabo por la nobleza a lo largo del XV; los monarcas pueden ir aumentando la jurisdicción de la Corona a expensa de los grandes dominios señoriales. La nobleza eclesiástica sigue una tra yectoria parecida. Es más, en las disputas parlamentarias se sitúa más cerca de los intereses regios que de los defendidos por los señores laicos, a pesar de la comunión de ideales existente entre ambos estamentos.

En todos los reinos de la Península, los señores eclesiásticos, de cual quier entidad y categoría que fueran, tuvieron que vérselas además con otra amenaza formidable: la ambición de la nobleza laica, que pretendía aumentar sus dominios a costa de los patrimonios de las instituciones ecle siásticas. Las familias poderosas encubrían y cohonestaban frecuente mente sus pretensiones bajo la forma jurídica de encomienda: «y assí se daban estas encomiendas a las personas más graves y poderosas de la tie rra; hasta que se començó a mormurar que era meter el gato en el palo mar y que estos señores se ivan quedando con algunos derechos y hazien das de las iglesias, y sobre esto avía muchas diferencias, muertes y escánda los entre los vassallos de estos tales cavalleros y los de la Iglesia» [30]. Efecti vamente, los «encomenderos», en vez de defender la inmunidad jurídica la integridad territorial de los dominios de la Iglesia que habían recibido en calidad de encomienda, se aprovechaban de esta prevalencia jurídica para exigir tributos muy pesados a los prelados o abades titulares de lo mismos, imponer servidumbres personales indebidas a los hombres de di chos dominios como si fueran vasallos suyos, nombrar oficiales en ello por iniciativa propia o apoderarse paulatinamente de todo o de parte de los territorios encomendados.

Las violencias y usurpaciones cometidas por tal procedimiento fueron frecuentes, especialmente en los reinos de Castilla. Los cuadernos de Cor tes recogen en muchas ocasiones las quejas de las autoridades eclesiástica referentes a esta clase de abusos [31] y los soberanos promulgan varia

[30] L. A. de Carvallo (*Antigüedades y cosas memorables del principado de Asturias* p.387) ref riéndose a las encomiendas y a los encomenderos del obispado de Oviedo del siglo XIV.
[31] «Fazemos vos saber que todos los perlados que aquí se acercaron conusco en esta Cortes que feziemos aquí en Soria non dicieron en cómmo los perlados e abades e priores

disposiciones encaminadas a erradicarlos. Juan I se mostró particularmente enérgico. En las Cortes de Soria (1380) sale al paso de los desafueros cometidos por la nobleza contra la Iglesia en este terreno, estableciendo un procedimiento eficaz: la creación de un tribunal especial que entendiera en las reclamaciones de la jerarquía contra los encomenderos injustos y dictara las oportunas sentencias según las circunstancias concurrentes en cada reclamación. Diez años más tarde, en las Cortes de Guadalajara, suprimirá definitivamente la encomienda laica.

La injerencia de la nobleza en los negocios internos de las instituciones monásticas resultaba especialmente enojosa cuando el comendatario noble era nombrado también abad del monasterio encomendado, a efectos puramente formales y económicos. Pero semejantes irregularidades fueron mucho menos numerosas en España que en otras latitudes de la Iglesia.

Por otra parte, los responsables de los señoríos eclesiásticos se verán obligados a afrontar situaciones difíciles, creadas por la ruptura del equilibrio social entre los distintos estamentos o fuerzas políticas que se produjo a lo largo del siglo XIV. La nobleza castellana en concreto se comporta de forma particularmente agresiva y trata de afirmarse como grupo social preponderante, presionando con dureza sobre los grupos inferiores, y de manera especial sobre la población campesina, exasperada ya por múltiples calamidades climatológicas, demográficas y económicas. Surgen así, inevitablemente, una serie de movimientos de resistencia antiseñorial, a veces muy violentos, que jalonan toda la centuria. Estos movimientos conflictivos tienen como base las villas y los concejos —agrupados frecuentemente en hermandades para defender sus intereses—, que incorporaban también en sus filas a miembros de la pequeña nobleza y a muchos campesinos.

En las ciudades o territorios sometidos a la autoridad de los obispos estallaron múltiples revueltas con un objetivo fundamental común y bien definido: emanciparse de las respectivas jurisdicciones episcopales. Sabemos, por ejemplo, que a principios de siglo, hacia el año 1315, tuvo lugar un tumulto en Palencia contra el obispo, Gómez Peláez, señor de la ciudad, que fue reprimido con gran rigor por Alfonso XI. El tribunal regio condenó a muerte por ello a cuarenta ciudadanos principales palentinos después de confiscarles sus bienes en favor de la mitra. Desconocemos el motivo exacto de este conflicto, situado cronológicamente en un período de fuerte y generalizada reacción de los estamentos populares contra los poderosos. Parece que las relaciones existentes entre el obispo y los ciudadanos eran desde hacía tiempo bastante tensas, y en una disputa

abbadesas de los abbadengos de los monesterios de los nuestros regnos que recibían muy grant daño e perjuyzio de algunos condes e ricos omes e cavalleros e escuderos de nuestros regnos e tienen los dichos abbadengos e monesterios encomiendas, asy en echar pechos e servicios a los logares e vasallos de los dichos perlados e abbades e priores e abbadesas, como en les fazer premias que fagan algunas servidumbres. Otrosy que les toman e desapoderan de los dichos logares e vasallos...» (J. L. SANTOS, *La encomienda de monasterios en la Corona de Castilla* p.159).

callejera se produjo, casi sin pretenderlo nadie, una algarada que estuvo a punto de costarle la vida al prelado [32].

En Galicia, los levantamientos de carácter anticlerical fueron muy frecuentes a lo largo del siglo XIV, y en ocasiones prolongados y con desenlaces trágicos. Algunas veces, los protagonistas de los mismos eran las grandes familias, que atentaban contra los bienes y derechos de las instituciones de las iglesias; pero, normalmente, los provocaban grupos de burgueses de Santiago o de otras ciudades episcopales. Este grupo social, que contaba en muchos casos con el apoyo de personas del estamento nobiliario, desencadena auténticos movimientos comunales para sacudirse la autoridad señorial de los prelados sobre las ciudades y concejos, como en la época de Diego Gelmírez.

Así, en 1308, Fernando IV tiene que escribir a las autoridades gallegas para que lograran devolver a la iglesia compostelana todos «los préstamos iglesias et cotos et heredamientos et casares et otras cosas» que le habían sido arrebatadas injustamente por caballeros y hombres poderosos [33]. Rodrigo de Padrón, titular entonces de la sede compostelana, gastará muchas de sus energías en reivindicar y recuperar la jurisdicción sobre la ciudad. Lo consigue de Fernando IV en 1311, no sin antes vencer la tenaz resistencia de los burgueses. En una de las agitaciones provocadas por éstos muere el caballero Pelayo Valero, que era, probablemente, el jefe de los amotinados.

Este enfrentamiento, todavía poco clamoroso, no fue más que el preludio de otros que seguirán por motivos similares durante los años siguientes. Después de la muerte de Rodrigo de Padrón (1316), los burgueses de Compostela eligen un concejo revolucionario y arrastran por las calles de la ciudad el pendón arzobispal [34]. El nuevo titular de la sede del Apóstol, Berenguer de Landorra —francés de origen y general de los dominicos—, nombrado por Juan XXII en 1317, no podrá entrar pacíficamente en Santiago hasta finales de 1320. A lo largo de cuatro años, los compostelanos, secundados por el infante D. Felipe, por las autoridades de Galicia, por miembros de la nobleza e incluso por parte del clero, cerraron las puertas de la ciudad al prelado francés, incendiaron sus palacios urbanos y las habitaciones episcopales del castillo de la Rocha, que se levantaba en las afueras; desafiaron con las armas en la mano a las huestes del obispo y le acometieron con piedras lanzadas por máquinas de guerra. En una tregua permiten al arzobispo, al infante y al adelantado la entrada en la catedral, para sitiarles a continuación tan estrechamente, que, si quisieron sobrevivir, tuvieron que comerse sus propios caballos. El enérgico prelado no ahorró ningún medio para reconquistar la jurisdicción sobre Santiago

---

[32] La *Silva palentina* (p.219) describe así la algarada: «a la puerta de la iglesia [de San Antolín]... se solía hacer audiencia de los alcaldes que el mesmo obispo ponía, y llegando a este D. Gómez, obispo, cabalgando en una mula, hobo ciertas pláticas con los alcaldes y con otros, y de palabra en palabras se vino a que no solamente le dixesen injurias, más aún, a que pusiesen las manos en él; unos le tomaron por las riendas de la mula y otros diz que hirieron, y, escapándose de ellos, le siguieron a pedradas hasta su casa».

[33] A. López Ferreiro, *Historia* vol.5 p.283-384.

[34] V. Risco, *Historia de Galicia* p.165.

Acudió a las negociaciones, a la intimidación, a las sanciones canónicas, a la guerra y al asedio de las murallas. La muerte del adelantado Suárez de Deza, juntamente con otros once acompañantes, a manos de los hombres de D. Berenguer, precipitará los acontecimientos. Los habitantes de Santiago, probablemente atemorizados por el hecho, acceden a recibir al arzobispo como señor. Este tendrá que acudir todavía a las armas para allanar la resistencia de algunos nobles que se habían hecho fuertes en sus castillos.

Por los mismos años, los burgueses maltrataron en Lugo al titular de la sede, Juan Hernández; le quitan las llaves de la ciudad y las entregan al infante Felipe. Este asume los propósitos revolucionarios del concejo y levanta dos torres para defenderse de los obispos, que no podrán afirmar su autoridad sobre la ciudad durante bastante tiempo. En 1319, el concejo de Vivero se rebela contra el prelado mindoniense, y un poco más tarde se producirá otro levantamiento semejante de los habitantes de Mondoñedo [35].

Durante la segunda parte del siglo XIV, las cosas no mejoran para los nobles eclesiásticos de la corona castellana. Continuarán los problemas de los obispos con los concejos, secundados generalmente por la nobleza laica, que había medrado de forma notoria al socaire de la revolución trastamara. La rebelión de burgueses que estalla en Compostela el año 1371 se sitúa en las mismas coordenadas que las de la primera parte de la centuria. La mayoría de los habitantes de Santiago, partidarios de Fernando de Castro, el líder del legitimismo petrista en territorios gallegos, se apodera de las fortalezas de la ciudad, nombra oficiales y arroja fuera al arzobispo, Rodrigo de Moscoso. El prelado lanza desde el destierro la sentencia de entredicho contra los rebeldes, que reaccionan violentamente en las personas de los miembros del cabildo, tratando de forzarles a cumplir sus obligaciones litúrgicas a pesar del entredicho episcopal que pesaba sobre la iglesia del Apóstol. Al resistirse los capitulares, un grupo de amotinados les encierra en el tesoro de la catedral y bloquea la entrada de alimentos durante nueve días [36].

Los conflictos de la jerarquía de la Iglesia de los reinos orientales con la nobleza y con los concejos no fueron tantos como en Castilla y, sobre todo, resultaron mucho menos ruidosos. En ocasiones, los habitantes de las agrupaciones urbanas, desorientados por las epidemias y las mortandades, tan frecuentes en la segunda mitad del siglo, además de saquear las aljamas de muchas localidades daban también rienda suelta a su miedo y a su desesperación atacando instituciones eclesiásticas. El año 1353, la «universitas hominum civitatis Vici» asalta el centro administrativo del gran cenobio de Ripoll, ubicado en la Plana de Vich, destruyendo almacenes, cosechas y archivos con instrumentos acreditativos de los títulos de dominio del monasterio [37]. En otras ocasiones, los delitos anticlericales tenían como

[35] V. RISCO, o.c., p.165-166.
[36] A. LÓPEZ FERREIRO, *Historia* vol.6 p.190ss.
[37] R. D'ABADAL I DE VINYALS, Prólogo del vol.14 de la *Historia de España* dirigida por . MENÉNDEZ PIDAL, p.XLII-XLI.

protagonistas a simples malhechores, que se aprovechaban de la confusión
social reinante y de los vacíos de poder creados en los cuadros administra
tivos por las pestilencias para violar la inmunidad de las instalaciones de la
Iglesia y atentar contra las personas consagradas [38]. En realidad, esta clase
de maleantes, que cometía todo tipo de tropelías, bien individualmente o
al frente de una pequeña hueste, abundó bastante a lo largo de la baja
Edad Media en toda la Península, y dirigió sus golpes de forma indiscri
minada contra los señores laicos o los hombres de la Iglesia [39].

La situación privilegiada del clero, del alto en especial, tendrá que su
frir, además, los ataques provenientes de movimientos más específica
mente compesinos, sobre todo durante el último tercio de la centuria. E
año 1370, en Cataluña, los potentados laicos y la Iglesia logran incorpora
a las compilaciones jurídicas el «derecho de tomar y matar», que dejaba a
campesino servil a merced del poder señorial, frenando, por otra parte, la
corriente de emancipación de este sector de la sociedad, iniciada en el siglo
anterior. Se crea así una especie de casta formada a base de hombres de l
«remença», con fama de toscos y ambiciosos, mal mirados incluso por la
autoridades eclesiásticas, que en el concilio de Tarragona (1370) llegan a
prohibir las órdenes sagradas a los candidatos que tuvieran tales orígenes
El 1380 —todavía muy cerca de las grandes mortandades de las década
anteriores— comienza el período álgido de enfrentamientos entre la no
bleza laica o eclesiástica y los hombres del campo, cristalizando ya por
aquellos años lo que se ha llamado «la primera generación revolucionaria
del principado catalán. Las actividades de la misma constituyen el capítulo
inicial de la época de luchas, que durará casi un siglo y terminará con l
liberación efectiva del campesinado servil de Cataluña. Detrás de este gran
movimiento puede individuarse la presencia de algunos religiosos mendi
cantes, de extracción humilde como la de los propios trabajadores, cuya
palabras, cargadas de resonancias apocalípticas y de virtualidades dema
gógicas, dieron a estas luchas campesinas cierto colorido de misticismo [40]

No es la primera vez que se percibe, a lo largo del siglo XIV, la presenci
de religiosos o de clero bajo en movimientos de emancipación de los secto
res más débiles contra el alto clero o contra el clero bien situado económi
camente. En los levantamientos burgueses compostelanos, varios miem
bros del clero llano se alistaron en el grupo de los ciudadanos rebeldes a
obispo. Y a finales del trescientos, el fogoso fraile agustino que clamab
en Sevilla contra la relajación del clero secular no se olvida de incluir en e
elenco de desórdenes clericales la vida opulenta y despreocupada de cien

---

[38] No respetaban «ni iglesias ni clero: el día de Navidad de 1348, un sayón con espac
penetraba en la seu barcinonense a detener un clérigo, y luego en el palacio episcopal, donc
se había refugiado; en Zaragoza (poco antes del 7 de marzo de 1351) se asaltaba el arzobi
pado; en Vich, la casa del monje Joan Tolson, síndico de la ciudad y procurador del abad d
Ripoll; de las Puellas de Barcelona, el presbítero Joan Durán raptaba a las monjas Blanc
Pola y Fresca Marimón; unos desalmados escalaban con nocturnidad el convento de Sant
Clara de Calatayud y raptaban y violaban a dos religiosas; se asesinaba a Bernat de Vallsec
abad de San Cucufate de Vallés, y a Guerau Bruch, precentor de la catedral de Tarragona
(A. López de Meneses, *Una consecuencia de la peste...* p.130-131).

[39] Sobre esta problemática en Castilla cf. el libro reciente de S. Morata, *Malhechor
feudales* (Madrid 1978).

[40] Cf. *El declive catalán de la baja Edad Media*, en *Crecimiento y desarrollo* p.257ss.

os pastores que esquilmaban a su grey: «Et que las affrendas e limosnas que les davan —decía— que las no meresçían; e que los mesquinos de los abradores que trabajavan e quebravan los cuerpos por mantener a los clérigos e a sus mançebas e que les finchían las manos de dineros, e que los clérigos finchían las bolsas de los dineros a sus mançebas e que se yvan as mançebas de los clérigos por la calle, buen rabo tendido e la bolsa colgaba llena de dineros, que los clérigos les davan del trabajo de los mesquinos»[41].

Con todo, las voces de protesta contra la explotación del campesinado y de los sectores humildes por parte de los grupos privilegiados no constituye un lugar común en la mentalidad de la época. El autor del *Libro de la miseria del omne,* un clérigo probablemente, refleja en su obra la situación de malestar social provocado por la enorme distancia económica y jurídica que separaba a los siervos pobres de los poderosos señores, entre los que se encontraba el clero alto; pero parece admitir la realidad como mal irremediable[42]. Unos años antes, el Arcipreste de Hita se hacía eco también de la temática al componer el *Libro de buen amor.* En el diálogo de Don Melón y Trotaconventos, la vieja alude al miedo que sentía el «pueblo pequeño» a los posibles atropellos del «rico poderoso»; pero el desenfadado autor no intenta ir más allá. La pluma severa del canciller de Ayala describe en *Rimado de palacio* la codicia de los miembros de la jerarquía eclesiástica, por lo demás semejante a la del estamento nobiliario laico, y no postula ningún tipo de reajuste social propiamente dicho, limitándose únicamente a criticar las deficiencias de cada uno de los estamentos que componen la sociedad castellana de su tiempo. En la literatura catalana contemporánea ocurre algo parecido. A veces se ponen de relieve los abusos y las contradicciones de una sociedad organizada jerárquicamente. Es lo que hace, por ejemplo, Ramón Sevall, que escribe en Barcelona durante la segunda parte del siglo XIV. En *Del mal saber ab-verinos coratge,* el único poema suyo conocido, denuncia con amargura el lujo de los burgueses barceloneses, los desvaríos de los príncipes y prelados importantes y la despreocupación de los comerciantes y menestrales, lamentándose igualmente de los violentos desórdenes creados por las revueltas campesinas. Sin embargo, juzgará negativamente el que grupos deprimidos de población quisieran igualarse a los más elevados[43].

La denuncia de las contradicciones sociales, hecha siempre con cierta sordina, no implicaba, lógicamente, la crítica radical de una sociedad estructurada sobre el reconocimiento de una jerarquía de estamentos perfectamente definidos. Los autores de la época que se aventuraban por los caminos de la crítica social más o menos explícita seguían considerando dichos estamentos como realidades legítimas y en cierto modo inmutables a pesar de las profundas injusticias y desigualdades que comportaba su

---

[41] M. GONZÁLEZ JIMENEZ, *Nivel moral del clero...* p.203.
[42] «Onde dice gran verdad el rey sabio Salomón: / el siervo con su señor non andan bien a compañón, / nin el pobre con el rico non partirán bien quiñón, / nin será bien segurada oveja con el león» / (J. RODRÍGUEZ-PUÉRTOLAS, *Poesía de protesta en la Edad Media castellana* p.101).
[43] Cf. K. R. SCHOLBERG, *Sátira e invectiva en la España medieval* p.224ss.

existencia. Los mismos movimientos antiseñoriales, nacidos en el ambiente de las villas y concejos o en el campo, sólo perseguían el liberarse de las dependencias jurisdiccionales y económicas que pesaban sobre los componentes de los mismos; pero en ningún modo pretendían subvertir el orden social establecido. Cuando alguien quería introducir reformas, intentaba siempre llevarlas a cabo «sin mudar el estado en que Dios me puso», según las palabras de un personaje del *Libro de los Estados*, de D. Juan Manuel [44]. Con semejante cosmovisión no resultó excesivamente difícil para la nobleza eclesiástica superar los atentados de diversa índole que ponían en peligro su privilegiada situación. Para ello contaba además con las armas espirituales de la excomunión y del entredicho, sanciones canónicas que, a fuerza de ser usadas con prodigalidad, llegaron a convertirse en meras formalidades sin eficacia.

Es verdad que las enajenaciones y usurpaciones que sufrieron los dominios de las iglesias —los monásticos especialmente— a lo largo del siglo XIV fueron muy cuantiosos. Los abades de algunos monasterios se quejan de las grandes sumas de dinero que se ven obligados a invertir para sufragar los gastos originados por numerosos pleitos, en los que se veían embarcados frecuentemente por defender sus intereses. A veces no tenían más remedio que empeñar rentas o parte de los patrimonios para hacer frente a tales dispendios [45]. Pero, a pesar de todo, se puede afirmar que la nobleza eclesiástica salió bien parada de la crisis económico-social característica de la centuria. En Cataluña, por ejemplo, la Iglesia poseía a mediados de siglo 20.500 de los 77.000 hogares: una cuarta parte de la totalidad de los bienes fundiarios existentes [46]. La proporción de los dominios del clero de los distintos reinos de Castilla debía de ser incluso superior. A finales del siglo y durante el siguiente, algunas mitras castellanas —Toledo, Sevilla, Compostela— alcanzarán un poderío extraordinario. Sus titulares se alinearon y evolucionaron juntamente con esa «nobleza nueva», que había cristalizado y crecido en el transcurso de la revolución trastamara.

La situación religiosa del pueblo fiel en esta época de crisis generalizada no era nada halagüeña. En realidad, poca ayuda espiritual podía recibir de una jerarquía comprometida habitualmente en tareas políticas o cortesanas y luchando siempre por consolidar su rango nobiliario. La lacra del absentismo episcopal —menos extendida y frecuente de lo que suele afirmarse— influía también negativamente en el cumplimiento del ministerio pastoral de los prelados. Y, además, algunos de éstos, por su condición de extranjeros, tenían que encontrar serias dificultades para sintonizar con sus diocesanos. El clero medio y bajo, de costumbres poco edificantes con un nivel medio de formación deficiente y ávido siempre de bienestar material, tampoco era capaz de ejercer adecuadamente sus funciones es

---

[44] «El orden social se caracteriza por la inmutabilidad en la desigualdad de los hombres ya que era Dios quien lo había establecido. Un cambio social iría contra los designios divinos de ahí que durante la Edad Media toda sublevación revistiera carácter herético» (L. DE STEFANO, *La sociedad estamental de la baja Edad Media española...* p.52).

[45] J. A. CORTÁZAR, *La época medieval* p.398.

[46] J. VICENS VIVES, *Historia de España y América* vol.2 p.177.

pecíficas, aunque por condición económico-social y por estilo de vida estuviera muy cerca del pueblo. De los monjes puede decirse algo parecido. Hasta los mismos mendicantes, nacidos en ambientes urbanos y con una clara impronta pastoral, se vieron afectados también por la decadencia moral característica de la centuria.

Al leer las disposiciones conciliares y sinodales de la época se tiene la impresión de que los pecados más frecuentes de los laicos eran, aparte de los delitos contra la propiedad, los desórdenes en materia sexual y las supersticiones. La poca formación de las clases populares, la «simplizidat de los pueblos», en palabras de un prelado ovetense de finales de siglo, constituían, lógicamente, un terreno muy propicio para toda clase de aberraciones religiosas y morales.

Por otra parte, los sectores más bajos de la población sufrieron las terribles secuelas de la peste y de las mortandades con mayor rigor que los grupos mejor acomodados. En el ambiente de inquietud y de angustia que vivían, prendieron fácilmente las ideas apocalípticas, propaladas ya desde el siglo anterior por frailes exaltados o por los seguidores de Arnau de Vilanova (1238-1311), muy cercano al abad Joaquín de Fiore; a P. J. Olivi y a grupos de franciscanos radicales. El clima estaba preparado para aceptar cualquier clase de pseudoprofecías, sobre todo si éstas traían el refrendo de hombres tan prestigiosos como el catalán Eiximenis o el castellano García de Mármol, pensadores que veían en Pedro IV el Ceremonioso o en Pedro I de Castilla la imagen del monarca ideal, adornada de rasgos escatológicos. «No hay duda —dice un autor moderno— de que en los palacios y cortes merodean astrólogos, pseudoprofetas, adivinadores, alquimistas y nigromantes, y en ellos la coincidencia de las fechas del nacimiento con los astros y la relación de los sueños es una cosa corriente entre gentes de esta época» [47].

El singular estilo religioso propagado en Cataluña y Castilla por los begardos y las beguinas —a veces con claros ribetes de heterodoxia— contribuyó también a enrarecer el confuso panorama espiritual de la centuria. Un concilio de Tarragona (1318), haciéndose eco del general de Vienne, que había condenado el beguinismo, ponía en guardia ya a la «gente sencilla» contra los «errores y heregías» que solían atribuirse a begardos y beguinas y daba normas precisas sobre la forma de vida de esta clase de personas para evitar posibles desorientaciones en el pueblo fiel.

El miedo y los sufrimientos de la época debieron de ir creando paulatinamente un difuso sentimiento de pesimismo frente a los valores normales de la existencia. Aparece perfectamente reflejado en los *Proverbios de Salomón*, versión y resumen castellano de la idiosincrasia del Eclesiastés, el libro bíblico tan conocido por el tono de amargo desengaño con que el autor enjuicia la inconsistencia de los bienes terrenales [48].

---

[47] F. UDINA MARTORELL, *La mutación de la segunda mitad del siglo XIV en la corona de Aragón:* CH 8 (1977) 132.

[48] «En el nombre de Dios e de Santa María, quiero decir una razón / de las palabras que dijo Salomón; / fabla deste mundo e de las cosas que ahí son, / cómo son fallecederas a poca de sazón. // ¡Oh mezquino deste mundo, cómo es lleno de engaños! / En allegar riquezas e averes tamaños, / mulas e palafreses, vestiduras e paños, / para ser fallecederas en tan pocos

La ausencia de santos hispanos en el santoral del siglo XIV podría constituir, asimismo, otro síntoma de la decadencia de la Iglesia del trescientos. En realidad, el Beato Ramón Llull (1232-1316) y Santa Isabel de Aragón, reina de Portugal (1270-1326), son personajes forjados en el ambiente del siglo anterior. San Vicente Ferrer (1350-1419) traspasa ya los umbrales del XV.

IV. PROYECTOS DE REFORMA

La jerarquía hispana despliega una amplia actividad conciliar desde las primeras décadas del siglo para frenar la profunda crisis que padecía la Iglesia. El año 1310 se celebra en Salamanca un concilio que tiene carácter nacional. Asisten obispos de Portugal y de todos los reinos castellanos; pero se trata solamente de la problemática relacionada con las acusaciones contra los Templarios, sin hablar todavía de reforma. La provincia eclesiástica de Tarragona se reúne también varias veces aquellos años por el mismo asunto. El buen juicio de los prelados españoles sobre los miembros de esta Orden Militar no sirvió de nada, como ya indicamos. El concilio de Vienne publica la conocida sentencia de supresión *Vox in excelso* en marzo de 1311.

Las voces de reforma se hacen oír claramente unos años más tarde. Juan XXII, informado de la baja calidad ministerial y moral del episcopado de Castilla, escribe al arzobispo Gutierre Gómez de Toledo y a sus sufragáneos hacia el 1318 para echarles en cara una larga serie de defectos y exhortarles a cambiar de conducta [49]. El papa, no satisfecho con aquella dura requisitoria, envía dos años más tarde una legación, presidida por el cardenal Guillermo Peyre de Godin, para que tratara de poner paz y sosiego en el reino castellano, profundamente turbado por la derrota de las tropas cristianas en la vega de Granada (1319) y por los conflictos políticos surgidos durante la larga minoría de Alfonso XI, e intentará, a la vez, impulsar un programa serio de reforma de la vida eclesiástica.

El concilio que el cardenal legado clausura en Valladolid el 2 de agosto de 1322 tiene también rango de nacional o, por lo menos, de supraprovincial. Promulga 28 extensas constituciones, y en ellas urge la celebración de

años. // Comer e beber e cabalgar en mula gruesa, / non se le mimbra el tiempo que ha de yacer en la fuesa, / el cabello pelado e la calavera muesa. // El bien de aqueste mundo la muerte lo destaja, / fallecen los dineros, el otro e la plata, / el pres e la bruneta, verdescur e escarlata. // Morrán los poderosos, reyes e potestades, / obispos e arçobispos, clérigos e capellanes; / fincarán los averes e todas las cibdades, / las tierras e las viñas e todas las heredades» (J. RODRÍGUEZ-PUÉRTOLAS, *Poesía de protesta...* p.101-102).

[49] «Tenetis publicae concubinas, quibus ecclesiastica bona conceditis proli ex earum copula dampnata suscepte; de redditibus ecclesiarum vestrarum, que in ipsarum augmentum ac pauperum necessitates et usus et alia converti deberent opera pietatis, latas posessiones dampnabiliter acquirendo; ecclesias autem et personas ecclesiasticas vestre iurisdictioni subiectas iuxta debitum officii pastoralis visitare personaliter negligentes viros minus idoneos et ignaros ad impendendum eis visitationis officium destinatis, ab ipsis contra statuta canonica procurationes immoderatas exigitis in pecunia numerata, eas alias crebris et importabilibus exactionum talliis nulla suffulti causa legitima pergravando» (J. GOÑI GAZTAMBIDE, *La bula de Juan XXII,* a.c., p.413).

concilios provinciales cada dos años como máximo y anualmente la de los sínodos diocesanos. Insiste en la instrucción del pueblo fiel, disponiendo que los rectores de las iglesias parroquiales tuvieran «catecismos» en latín y en lengua vulgar con los rudimentos más imprescindibles de la fe y de la moral cristianas. Formula numerosas prescripciones sobre la disciplina de los clérigos y de los monjes y arbitra medidas encaminadas a defender la inmunidad de los bienes de la Iglesia y de las personas pertenecientes a la clerecía. Además, sale al paso de algunas aberraciones de los fieles que la costumbre había hecho ya comunes y pone en guardia, una vez más, a los cristianos de los peligros que comportaba la convivencia indiscriminada con sarracenos y judíos.

Resulta imposible evaluar la eficacia inmediata de esta asamblea conciliar. Por lo menos para la Iglesia castellana del siglo XIV fue importante desde el punto de vista legislativo-disciplinar. Los concilios que convoca el metropolitano de Toledo durante los años siguientes —siete hasta el cisma de Occidente— harán referencia frecuentemente a las constituciones del cardenal Godin. Por otra parte, los numerosos sínodos que muchos prelados irán celebrando a lo largo de la centuria en sus respectivas sedes constituirán otros tantos intentos de llevar a la práctica los proyectos reformatorios de la reunión conciliar vallisoletana.

Juan, infante de Aragón y arzobispo de Toledo desde 1319, se apresura a poner en práctica los planes reformadores del concilio de Valladolid. Reúne un sínodo en Toledo al año siguiente, que elabora ya el catecismo para uso de los párrocos de la diócesis, y celebra un concilio provincial en 1324 para hacer que se observaran los «cánones y el precepto del señor legado hasta donde fuera posible». El año 1326 volverá a convocar a sus sufragáneos en Alcalá con el mismo fin. Las malas relaciones con el infante D. Juan Manuel le obligan a dejar Toledo hacia 1327; pero continuará promoviendo concilios de idéntico signo en la metrópoli de Tarragona como administrador de esta sede catalana.

Gil Alvarez de Albornoz también se muestra muy diligente en la celebración de reuniones conciliares y sinodales. De los tres concilios provinciales que preside mientras regenta la archidiócesis de Toledo (1338-1350), destaca, sobre todo, el primero (1339). En él, los prelados asistentes intentan urgir las constituciones del cardenal Guillermo relativas a la promoción cultural de los aspirantes a las sagradas órdenes, prohibiendo que alguien recibiera el sacerdocio sin saber «explicarse por escrito» y comprometiéndose a elegir, en el plazo de seis meses, uno de cada diez beneficiados de catedrales y colegiatas para enviarlos a estudiar teología, cánones y artes liberales a una universidad. Don Gil había recibido buena formación jurídica en Toulouse, y el amor a las ciencias eclesiásticas, que le acompañó siempre, le moverá a fundar el Colegio de San Clemente de Bolonia, en los últimos años de su vida. El celo por elevar el nivel moral de la clerecía toledana no fue menor. El año 1342, haciéndose eco de una carta del papa Benedicto XII dirigida a los metropolitanos de Braga, Compostela y Toledo, que deploraba la incontinencia clerical, convocará un sínodo en la capital para combatir el concubinato de las gentes de la

Iglesia. El clima de reforma creado por este gran prelado no debió de sentar nada bien en ciertos ambientes de la diócesis. El autor del *Libro de buen amor,* que escribía por aquellos años, habla de la repulsa de los clérigos de Talavera a las constituciones reformistas del arzobispo [50]. Con todo, los prelados castellanos no estaban dispuestos a llevar demasiado lejos las exigencias de su reformismo. Vasco Fernández de Toledo, otro obispo que destaca en los episcopologios de la época como promotor de numerosos sínodos, primero en la diócesis de Palencia y posteriormente en la sede arzobispal de Toledo, escribe a Inocencio VI el año 1360 pidiéndole que suavizara las sanciones de las constituciones promulgadas por el concilio nacional de Valladolid cuarenta años antes. Se ve que celebrar sínodos y concilios anualmente o cada dos años resultaba una carga excesiva para los responsables de las iglesias. Y, si se toma al pie de la letra el texto de las constituciones publicadas por el concilio de Palencia, presidido por Pedro de Luna en 1388, todo parece indicar que las lacras disciplinares y morales de las iglesias de la corona castellana seguían siendo las mismas de las primeras décadas de la centuria.

El arzobispo de Santiago también convocó varios concilios de alcance provincial —cinco en total— antes del cisma. El reunido en Salamanca el año 1312 tuvo importancia para la historia de la Universidad de esta ciudad, que, al parecer, pasaba entonces por una situación económica difícil. Los obispos de la metrópoli compostelana concedieron al Estudio General salmantino la novena parte de los diezmos eclesiásticos, destinada a satisfacer el pago de sus doctores y a cubrir los gastos más perentorios. El concilio presidido por el titular compostelano un año más tarde en Zamora promulga varias disposiciones de carácter antijudaico, siguiendo el espíritu del concilio ecuménico de Vienne, en el que había tomado parte el metropolitano de Compostela. Desde el punto de vista reformador, la asamblea conciliar más significativa de esta archidiócesis fue la de Salamanca del 1335. Recuerda el ambiente y las disposiciones del concilio nacional de Valladolid del cardenal Guillermo de Godin, al que habían asistido varios prelados titulares de las sedes de la provincia eclesiástica gallega. En marzo de 1335, el papa Benedicto XII escribía a los responsables de las Iglesias de los reinos de Castilla y León y a Alfonso XI exhortándoles a corregir los abusos de todo tipo que se cometían contra la disciplina eclesiástica. Según el pontífice reformador, la situación había llegado a tal extremo, que los católicos trataban las cosas de su religión con menos respeto que los mismos musulmanes. Las diecisiete constituciones de este segundo concilio salmantino recogen las intenciones reformadoras de la cu-

---

[50] «Allá en Talavera, en las calendas de abril, / llegadas son las cartas del arçobispo D. Gil, / en las quales venía el mandado non vil, / tal que si plugo a uno, pesó más que a dos mill. // Aqueste açipreste, que traía el mandado, / bien creo que lo fizo más con midos que de grado; / mandó juntar cabildo, aprisa fue juntado, / cuidando que traía otro mejor mandado. // Cartas eran venidas dizen d'esta manera / que casado nin clérigo de toda Talavera / que non toviés mançeba, casada nin soltera: / qualquier que la toviese descomulgado era. // A do estavan juntados todos en la capilla, / levantóse el deán a mostrar su manzilla, / diz: 'Amigos, o querría que toda esta quadrilla, / apellásemos del papa ant'el rey de Catilla'» (estr.1.290-1.291 1.294 1.296). Cf. J. MENÉNDEZ PÉLAEZ, *El Libro de buen amor, ¿ficción literaria o reflejo de una realidad?* (Gijón ²1980) p.41s.

ria aviñonesa y afrontan los problemas fundamentales, a los que hacen referencia otros concilios contemporáneos. De ellas llama la atención la duodécima, que vuelve a insistir en la segregación de las minorías étnicas —«hebreos y sarracenos»—, prohibiendo a los miembros de la Iglesia, entre otras cosas, recibir medicinas de médicos pertenecientes a las mismas, porque la malicia de éstos, «oculta con el velo de la cirugía y medicina, pone astutas asechanzas y ocasiona daños al pueblo cristiano» [51].

La archidiócesis de Sevilla sólo celebró un concilio: el del año 1352. Los obispos sufragáneos no asistieron a la capital hispalense personalmente, y la reunión tampoco tuvo especial resonancia. Se limitó a denunciar y sancionar algunos abusos introducidos en las celebraciones del bautismo y del matrimonio.

Los arzobispos de Tarragona convocaron durante el siglo XIV veintitrés concilios provinciales: veintidós en la sede de la metrópoli y uno en Barcelona, sin contar las cuatro asambleas reunidas para tratar de los problemas suscitados por el cisma después de 1378. Entre los concilios de la primera parte de la centuria sobresale el de 1318, congregado en la capital tarraconense para examinar con especial cuidado el movimiento religioso del beguinismo, muy extendido entonces en Cataluña. Los prelados asistentes a esta asamblea, siguiendo el espíritu de Vienne, prohíben las casas de begardos y beguinas para evitar que se encubriera la «pravedad herética» al amparo de semejante denominación y que bajo «la máscara de santidad se apoderara de los corazones de la gente sencilla el veneno oculto de los áspides» [52]. En capítulo aparte prohíben también a las personas enroladas en dicha corriente ascética tener libros de teología en lengua vulgar, a no ser que fueran oracionales. Y regulan asimismo la vida de los fieles pertenecientes a la Tercera Orden de San Francisco, muy relacionadas con las tendencias del espiritualismo radical de aquella época.

El concilio de Tarragona de 1330, presidido por el celoso infante Juan de Aragón, a quien las circunstancias políticas habían apartado de su diócesis, como ya pusimos de relieve más arriba, lleva a cabo una importante labor de compilación, formando un *corpus* de 86 cánones a base de las constituciones promulgadas en su mayor parte por asambleas conciliares anteriores, que constituyen por sí mismos un «código particular de la provincia eclesiástica», que posteriormente completarán las colecciones del siglo XVI.

En 1318 se crea la provincia eclesiástica de Aragón. Desde entonces y hasta finales del siglo, los arzobispos de Zaragoza celebrarán seis concilios de rango provincial, con finalidades similares a las de los convocados por otros metropolitanos.

Los obispos que asistían a los concilios provinciales trataban de difundir las inquietudes reformistas de los mismos celebrando sínodos en sus respectivas diócesis con mucha frecuencia. La normativa canónica que preceptuaba esta clase de actividades pastorales con una frecuencia anual, ratificada por el Lateranense IV (1215), vuelve a ser urgida en el concilio

[51] J. TEJADA Y RAMIRO, o.c., vol.3 p.575.
[52] J. TEJADA Y RAMIRO, o.c., vol.3 p.474-475.

de Valladolid por el cardenal Guillermo de Godin. A lo largo del siglo XIV se produce una auténtica floración de reuniones sinodales en las Iglesias de todas las latitudes de la Península. Conservamos muchas de sus actas; pero es seguro que hubo bastantes más hoy desconocidos, de los que no tenemos noticias porque desaparecieron las actas correspondientes o porque no dejaron huellas documentales.

En la provincia compostelana destacan por este ministerio dos prelados de la primera parte de la centuria: Rodrigo de Padrón (1307-1316) y Berenguer de Landorra (1317-1325). Las actas sinodales redactadas bajo la presidencia del primero dedican especial atención a la situación moral de la clerecía compostelana. Las de 1309, por ejemplo, contienen una prolija normativa sobre la honestidad de los eclesiásticos, cuyo estilo de vida no era, a lo que parece, nada edificante[53]. Las del año 1310 se ocupan, primordialmente, de combatir el concubinato de los seculares y las del sínodo de 1313 tratan de erradicar de los monasterios el mismo vicio. El francés D. Berenguer, cuyo episcopado estuvo jalonado de graves turbulencias y revueltas provocadas por los vasallos de la mitra, conservó todavía arrestos para celebrar por lo menos cuatro sínodos diocesanos y asistió también al concilio nacional de Valladolid.

Los grandes prelados que gobernaron la metrópoli de Toledo durante este siglo, además de promover concilios provinciales importantes, destacan igualmente en el capítulo de las celebraciones sinodales. Tanto Juan de Aragón como sus sucesores Jimeno de Luna y Gil Alvarez de Albornoz convocaron varias veces su clerecía para asistir a las reuniones de sínodos destinados a completar la legislación conciliar de carácter más amplio. A mediados de siglo ocupa la sede arzobispal otra personalidad relevante: Blas Fernández de Toledo —D. Vasco— (1353-1362). Había estado al frente de la diócesis de Palencia los dos lustros anteriores, llevando a cabo en ella una notable labor de renovación y de reorganización. En tan corto período de tiempo pudo convocar cuatro sínodos y confeccionar una interesante estadística diocesana, que servirá de modelo para otras realizadas posteriormente. En Toledo sigue con los mismos proyectos de reforma, y, a pesar de las dificultades políticas de Castilla durante el reinado de Pedro I, el prelado toledano fue todavía capaz de celebrar un concilio y dos sínodos en los primeros años de su pontificado: uno de ellos en Alcalá (1354), y el otro, dos años más tarde, en la misma capital de la metrópoli. La segunda asamblea sinodal redactó un libro de constituciones a base de las promulgadas ya por el propio D. Vasco y por sus antecesores.

El concilio de Tarragona del año 1330 reafirma también la normativa general sobre la frecuencia de los sínodos diocesanos al determinar en el canon 63 que se celebraran anualmente. Y, a lo largo de toda esta época de crisis, los prelados catalanes reúnen su clero en infinidad de ocasiones, más que los de los reinos castellanos. El titular barcelonés Ponce de Gualba

---

[53] En el amplio elenco de pecados clericales destacan los que sanciona el can.20: «Item statuimus quod nullus clericus sit sortilegus, vel incantator, vel adivinator, vel augur; et si monitus super hoc non respuerit, beneficio suo privetur et est excomunicatus a canone» (A. LÓPEZ FERREIRO, V apénd. p.134).

(1303-1334), el dertusiense Berenguer Prats (1310-1340), el ilerdense Guillén de Aranyó (1314-1321) y el arzobispo tarraconense Pedro de Clasquerí (1357-1380) convocaron esta clase de asambleas en sus respectivas diócesis no menos de cuatro veces. En el episcopologio valentino sobresalen, asimismo, en este aspecto Vidal de Blanes (1356-1369) y el infante Jaime de Aragón (1369-1396).

En la nueva archidiócesis de Aragón, el arzobispo-canciller Pedro López de Luna (1317-1345), personaje central de la política de la corona aragonesa «por su noble y antigua prosapia, por su dignidad, ciencia y prudencia», como dice Zurita, convocó dos concilios provinciales y otros tantos sínodos. El de 1328 revisa la antigua ordenación disciplinar de Zaragoza, en la que había contradicciones y ambigüedades, para adaptarla a las exigencias de la sede renovada diez años antes. El segundo (1338) intenta, además, «extirpar los vicios de los clérigos, reformar las costumbres y aumentar el esplendor del culto divino»[54]. Lope Fernández de Luna (1351-1382), pariente y colaborador en las empresas italianas del cardenal Gil de Albornoz, tiene una ejecutoria política todavía más intensa que la del primer arzobispo zaragozano, afirmando de él Zurita que «era quien tenía más parte en los negocios del Estado». A pesar de todo, promueve y preside un concilio provincial y cuatro sínodos diocesanos, en los que persigue objetivos similares a los de su antecesor Pedro, cuyas disposiciones y sanciones corrige a veces. Arnalt de Barbazán, obispo de Pamplona, en el transcurso de su largo episcopado (1318-1355) llega a celebrar nada menos que seis sínodos. En el último de ellos (1354) ofrece a los párrocos un sencillo compendio de teología en lengua vulgar, que servirá de punto de partida para la formación clerical durante mucho tiempo.

¿En qué medida resultaron eficaces los programas de reformas que salieron de todas estas reuniones sinodales? ¿Contribuyeron de manera apreciable a la renovación de las personas y de las instituciones eclesiásticas? ¿Sirvieron para elevar el nivel moral del pueblo fiel? No parece que pueda darse una respuesta afirmativa sin más. El conjunto de la legislación conciliar y sinodal se resume básicamente en los capítulos siguientes: reforma de estructuras administrativas y pastorales, defensa de los bienes de las iglesias, renovación de la vida moral, espiritual y pastoral de los miembros de la clerecía y lucha contra la ignorancia y las aberraciones religioso-morales de los laicos. Las actas de las asambleas reformadoras celebradas a lo largo del siglo XIV promulgan disposiciones relacionadas siempre con alguno de estos capítulos o con todos ellos. Si se leen los documentos de cada diócesis siguiendo un orden cronológico, no se aprecia ningún tipo de innovación ni aparecen datos que pongan de manifiesto la realidad de una reforma efectiva en aquellas diócesis o provincias eclesiásticas estudiadas. Más bien se tiene la impresión de que los redactores de esta clase de actas se limitaban a copiar mecánicamente las constituciones para formar un ordenamiento disciplinar coherente, sin preocuparse demasiado de que las citadas constituciones respondieran o no a las necesi-

---

[54] J. M. OCHOA-M. DE SORIA, *Los dos sínodos de Zaragoza:* l.c., p.151.

dades concretas de los ambientes eclesiásticos a los que iban dirigidas. A veces, los obispos utilizan textos de constituciones redactadas años antes para diócesis distintas a las suyas propias, repitiéndolas íntegramente o contentándose con introducir modificaciones en las sanciones. Todo parece indicar que los proyectos de reforma promovidos en estas asambleas se situaban preferentemente en el plano de la pura formalidad jurídica. Y no tiene nada de extraño que fueran así las cosas. ¿Cómo podían los prelados del trescientos comprometerse en una reforma a fondo si ellos mismos, pertenecientes a la nobleza en su mayoría, encarnaban con frecuencia los defectos y vicios que trataban de erradicar?

Las Cortes, por su parte, intentaron también poner remedio a algunos de los males que padecía la Iglesia hispana de la época. Recuérdense, por ejemplo, las sanciones dictadas por las de Valladolid (1351), Soria (1380) y Briviesca (1387) contra la mancebía clerical, o las condenas de los abusos cometidos por los laicos contra los bienes eclesiásticos, repetidamente formuladas por estas asambleas a lo largo de toda la centuria. Pero tampoco debieron de obtener resultados brillantes.

Con todo, en la última parte del siglo, en pleno cisma de Occidente, se puede constatar ya la existencia de un clima nuevo de renovación, que va a tener efectos más profundos y duraderos, como constataremos más adelante.

V. LOS NUEVOS CATECISMOS

Una constante en los proyectos reformadores del siglo XIV es la preocupación de los prelados por elevar el nivel de instrucción religiosa de sus fieles con una formación catequética adecuada. No se trata de un intento novedoso. Las órdenes mendicantes había perseguido ya lo mismo con tenacidad al combatir la herejía, especialmente en los reinos orientales, a lo largo de la centuria anterior; pero ahora los obispos de muchas diócesis hispanas sienten la necesidad de afrontar el problema de la ignorancia de los laicos en materia religiosa de una manera radical, y para ello tratan de ofrecer a los sacerdotes pequeños catecismos, a ser posible en lengua vulgar, más comprensibles y fáciles de utilizar que los antiguos ejemplares latinos.

En la primera parte del siglo, por ejemplo, Gonzalo Osorio, obispo de León (1301-1313), manda a los rectores de las iglesias, en un sínodo celebrado el año 1303, que hagan saber a sus feligreses en la predicación «quáles son los peccados de que se deve guardar, e quáles son las obras buenas que deven osar, e quáles son los artículos de la fe que deven tener, e los mandamientos de la ley que deven guardar». Y para hacer más viable este precepto incluye en las mismas actas sinodales cuatro «moniciones», en las que enumera de forma muy escueta los artículos de la fe, los diez mandamientos y dos listas de pecados y virtudes [55].

[55] J. SÁNCHEZ HERRERO, Los sínodos de la diócesis de León en los siglos XIII al XV, en Fuentes estudios de historia leonesa vol.15 p.238-240. También tienen interés catequético el Libro de las tres creencias y la Expositio symboli, del converso Alfonso de Valladolid, muerto a mediados de siglo XIV.

Guillermo de Godin, en la segunda de las constituciones publicadas en Valladolid el 1322, establece «que todos los párrocos tengan escritos en su glesia, en lengua latina y vulgar, los artículos de la fe, los preceptos del decálogo, los sacramentos de la Iglesia y las especies de vicios y virtudes, y que además los inculquen al pueblo cuatro veces al año: en las festividades de Navidad, Resurrección, Pentecostés, Asunción de la gloriosa Virgen, y en los domingos de Cuaresma» [56]. El valor práctico de esta disposición conciliar del cardenal legado fue mportante. Desde entonces, en muchos sínodos celebrados durante la centuria comienzan a publicarse *Instrucciones* o *Catecismos breves* que sirvie-ran de base para la predicación y ia enseñanza de la fe y de la moral a los responsables de las distintas iglesias.

En 1323, el arzobispo de Toledo, Juan de Aragón, que convoca un sínodo en la capital de la metrópoli para poner en práctica los preceptos del concilio vallisoletano, recoge en el primer capítulo una instrucción ca-cequética estructurada sobre la base de lo previsto en las constituciones del cardenal. Por su brevedad, concisión y carencia de elementos explicativos probablemente no merece el nombre de catecismo. En realidad sólo se extiende un poco al hablar de los pecados correspondientes a cada uno de los mandamientos. Con todo, tiene la significación histórica de haber ser-vido de referencia para otros sínodos que afrontaron posteriormente la misma temática.

Pedro, obispo de Segovia (1324-1350), reúne una asamblea sinodal en Cuéllar, de donde era natural, el año 1325, para responder también a las disposiciones del concilio de Valladolid. En ella trata de corregir la «grand sinpliçidat» de la clerecía diocesana y redacta en romance un *Doctrinal docto para instruir la rudeza de los ministros,* mucho más amplio y expresivo que el de su metropolitano de Toledo [57].

Juan de Aragón, cuya formación teológica y celo pastoral le convierten en una de las personalidades eclesiásticas más relevantes de la Iglesia espa-ñola de la primera mitad del siglo XIV, compone a partir de 1328, cuando era ya patriarca de Alejandría y administrador de Tarragona, un *Tractatus brevis de articulis fidei, sacramentis ecclesie, preceptis decalogi, virtutibus et viciis,* destinado a clérigos de escasa formación. En esta obra desarrolla con cierta amplitud los temas de su sencilla instrucción del año 1323. Después de la exposición de los mandamientos intercala un resumen en verso de los mismos, como ayuda mnemotécnica para retener lo fundamental del decálogo.

Hacia 1340 se redacta otro texto catequético de interés: el llamado *Catecismo de Albornoz,* por atribuirse su autoría al conocido arzobispo y car-denal de ese nombre. Fue escrito en castellano, con versos latinos incorpo-rados al final de los distintos apartados para conseguir también efectos mnemotécnicos. Los cuatro capítulos dedicados a exponer los artículos de la fe, los preceptos de la ley de Dios, las virtudes y los pecados tienen como

---

[56] J. Tejada y Ramiro, o.c., vol.3 p.481.
[57] No tiene título propiamente dicho. Hemos utilizado la denominación de Colmenares: D. de Colmenares, *Historia de la insigne ciudad de Segovia,* nueva ed., vol.1 p.468.

punto de partida la *Instructio* de Juan de Aragón, pero amplían su contenido con variantes y digresiones encaminadas a aclarar y ampliar el sentido de la breve exposición sinodal. El último capítulo, que habla de las obras de misericordia, es nuevo.

El capítulo segundo del *Catecismo de Albornoz*, que analiza los siete sacramentos, es la parte más importante de la obra. Explica cada uno de ellos de manera clara y concisa, precisando la materia, la forma, el ministro y los efectos de los mismos, formando todo él un sumario de teología sacramental muy ajustado. Su autor pudo utilizar como fuente inmediata de la exposición catequética, especialmente para la parte de los sacramentos, el *Tractatus* de Juan de Aragón, aunque, leyendo simultáneamente ambos textos, se perciben en seguida numerosas diferencias entre ellos. Habida cuenta de las mismas, tampoco parece aventurado suponer que las dos obras pudieran depender de un ejemplar vernáculo que circulara por las sedes castellanas, como modelo de los distintos catecismos confeccionados por los prelados en los sínodos al tratar de cumplir las ordenaciones del cardenal Guillermo de Godin.

Blas Fernández de Toledo recoge al pie de la letra la breve instrucción de 1323 en las actas del segundo sínodo que presidió como titular de la archidiócesis toledana, celebrado en 1356. Un pariente de este prelado, Gutierre Gómez de Toledo, obispo de Oviedo (1377-1389), inaugura su ministerio pastoral en Asturias con una reunión sinodal, en la que redacta y entrega a los curas un cuaderno en romance con «los diez mandamientos de la ley et los artículos de la fed et los sacramentos de la sancta Iglesia et las maneras de las vertudes et de los pecados et de las obras de misericordia, spirituales et tenporales» [58]. El texto del *Catecismo de D. Gutierre* (1377) coincide en el contenido y en su estructuración con el atribuido a Albornoz. Y se puede decir otro tanto del *Catecismo de Villacreces,* ofrecido por Juan de Villacreces a los pastores de la Iglesia burgalesa en un sínodo convocado por él cuando presidía dicha sede episcopal (1394-1404).

Conocemos también el *Catecismo de Juan de Barcelona,* ordenado por este autor cuando era obispo de Segorbe-Castellón (1363-1370), para que sirviera de complemento a unas interesantes constituciones de carácter jurídico, litúrgico, disciplinar y doctrinal promulgadas en el sínodo de 1367 [59]. El cuaderno catequético incluye, además, el texto de las principales oraciones cristianas. El arzobispo hispalense Pedro Gómez Barroso (1369-1371) redacta, asimismo, un amplio catecismo en castellano «para hedificaçión de la vida e salud e provecho de las ánimas de los fieles cristianos», e ilustra las explicaciones «por dichos santíssimos de la santa Escriptura e de los Santos Padres». Algunas referencias de carácter localista que intercala en la exposición tienen un gran interés para conocer la situación social y religiosa de la archidiócesis a finales del trescientos [60].

[58] J. FERNÁNDEZ CONDE, o.c., p.451.
[59] Una referencia sobre este cuaderno: P. L. LLORÉNS RAGA, *Episcopologio de la diócesis de Segorbe-Castellón* vol.1 p.174.
[60] Este catecismo solía atribuirse a Pedro Alvarez de Albornoz, prelado que ocupó la sede hispalense unos años antes que Gómez Barroso. F. RUBIO, *Don Pedro Gómez Barroso, arzobispo de Sevilla, y su «Catecismo» en romance castellano:* Archivo Hispalense 27 (1957) 129-146 decide con claridad la autoría del *Catecismo* a favor de Gómez Barroso.

Y probablemente existen más catecismos incorporados a las compilaciones disciplinares que se van elaborando en otras diócesis a lo largo del siglo XIV, pero carecemos de noticias sobre ellos.

Hacia 1400, el toledano Pedro de Veragüe compone un tratado en verso titulado *Doctrina de la discreçión,* que puede relacionarse con este género de literatura didáctica. La primera parte del poema concretamente tiene una estructura que recuerda la de los catecismos de la centuria anterior, aunque el autor no dependa de ellos ni formal ni temáticamente. La segunda parte —*Trabajos mundanos* o *Tratado de moralidades*— expone una serie de sentencias formuladas desde la prudencia humana, que recuerdan la literatura de carácter sapiencial, y en particular algunos pasajes de los Proverbios de Salomón, libro, al parecer, muy popular en la baja Edad Media castellana. Veragüe se inspiró en una obra catalana de 1398: el *Libre de bons amonestements,* de Anselm de Turmeda, el famoso franciscano mallorquín, que reúne, en 428 versos llenos de ironía y de ingenio, un abigarrado conjunto de sentencias morales y religiosas [61].

Las instrucciones para párrocos y confesores, todavía sin estudiar ni sistematizar, constituyen, asimismo, otro capítulo importante de esta clase de tratados elaborados en la última época medieval con fines formativos.

La catequesis del XIV se efectuó, además, por medio de colecciones de máximas y ejemplos compuestos entonces, que continuaron la tradición moralizadora de la literatura gnómica, tan en boga durante la centuria anterior. Incluso obras de claro trasfondo histórico como el *Poema de Alfonso XI* se complacen en recoger aforismos con idénticos fines. Semejante preocupación tiene mucho que ver, evidentemente, con el clima de turbación que afectaba todos los estamentos de la sociedad en este siglo.

VI. *EL REFORMISMO DE JUAN I DE CASTILLA Y LA RENOVACION ECLESIASTICA POSTERIOR*

El proteccionismo eclesiástico desplegado por Enrique II durante todo su reinado fue continuado y potenciado por su hijo. Pero entre las actitudes de los dos soberanos existía una diferencia notable. El apoyo ofrecido por el primer Trastamara a la Iglesia respondía, primordialmente, a imperativos políticos. En Juan I, sin embargo, operaban también motivaciones específicamente religiosas. Sabemos que estaba dotado de una fina sensibilidad religiosa y que se tomó siempre muy en serio todo lo relacionado con

---

[61] F. Rico *(Pedro de Veragüe y fra Anselm de Turmeda:* Bulletin of Hispanic Studies 50 [1975] 224-236) propone el segundo tercio del siglo XV como fecha de composición de la obra de Veragüe. A R. A. DEL PIERO, *Dos escritores de la baja Edad Media castellana (Pedro de Veragüe y el arcipreste de Talavera, cronista real):* Anejos del BRAH n.23 [Madrid 1970] p.5-39) le parece anterior. Nicolás Eymerich redacta en 1393, poco antes de morir, el *Elucidarium elucidarii* (cf. Y. LEFÈVRE, *L'elucidarium et les lucidaires* p.483-521). Y en torno a 1400, el franciscano F. Eiximenis el *Cercapou,* un tratado de devoción —«Compendium salutis anime»—, compuesto a partir de la estructura temática de los catecismos tradicionales. Otro autor desconocido de la época describe los diez mandamientos del decálogo en un breve poema que comienza así: «Remiémbrense vuestros entendimientos. / que son diez los santos mandamientos. / El primero, no farás Dios estranno...» (MARÍA DEL CARMEN PESCADOR DEL HOYO, *Tres nuevos poemas medievales:* NRFH 14 [1960] 246-247). A lo largo del cuatrocientos se componen muchos más.

la reforma de la Iglesia en los distintos reinos dependientes de la corona castellana.

Desde los primeros años de reinado quiso rodearse de un grupo de destacadas personalidades eclesiásticas, que influirían decisivamente en la dirección de su ejecutoria política. Las voces de estos prelados se dejaron oír siempre con fuerza en el Consejo Real, y su sapiencia jurídica ejerció mucha influencia en la Audiencia, en las cancillerías y en los diversos organismos administrativos del Estado. Frecuentemente presidían o formaban parte de misiones diplomáticas delicadas. Alguno de ellos no rehusó ponerse al frente de las tropas en circunstancias difíciles para Castilla. Y sobre todo fue de este equipo de hombres de Iglesia cercanos a Juan I del que partió un poderoso movimiento de reforma del clero secular y regular que respondía perfectamente a las inquietudes religiosas del monarca.

En dicho equipo sobresalen de manera especial los nombres de Pedro Tenorio, arzobispo de Toledo (1377-1399); de Gutierre Gómez de Toledo, obispo de Oviedo (1377-1389); de Juan Serrano, prior de Guadalupe, obispo sucesivamente de Segovia y de Sigüenza (1388-1402), así como el de Fr. Fernando de Illescas, confesor mayor del rey.

Pedro Tenorio fue, sin duda, la cabeza visible de este grupo de consejeros. Con una formación jurídica solidísima adquirida en Francia y en Italia, adonde había tenido que emigrar en tiempos de Pedro I, retorna a la Península después de la caída de este soberano, y ocupa primero la sede de Coimbra, para hacerse después imprescindible desde la metropolitana de Toledo, aunque no gozó de las simpatías de Enrique II. Pero después de la muerte del primer Trastamara se convierte en pieza clave de los graves acontecimientos que jalonaron los reinados de Juan I y Enrique III. Sus opiniones pesaron mucho a la hora de decidirse la obediencia de los reinos castellanos en la compleja problemática de índole político-eclesiástica provocada por el cisma de Occidente. Durante la guerra de Castilla contra portugueses e ingleses (1383-1387) cumplió también funciones de protagonista. Además de intervenir personalmente en algunas operaciones militares, el año 1385 asume la responsabilidad de fortalecer la flota de Castilla, y construye con increíble rapidez una armada, participando al mismo tiempo en la puesta a punto del ejército que habría de asestar el golpe decisivo a Portugal. Después del desastre de los castellanos en Aljubarrota el mes de agosto del citado año, Tenorio fue uno de los encargados de la defensa de los territorios de la Corona, seriamente amenazados por la invasión del duque de Lancaster en unas circunstancias muy delicadas para Juan I, que había organizado la resistencia preocupado por las consecuencias de la derrota, porque, como dice Pérez de Ayala, «avía grand mengua de gentes de armas en el su Regno, ca los más e mejores capitanes avía perdido en la guerra de Portugal de pestilencia e de batallas» [62].

La principal aportación de Pedro Tenorio al movimiento de reforma eclesiástica fue, posiblemente, el sínodo que presidió en Alcalá de Henares el mes de mayo de 1379. En él urge a los sacerdotes la obligación de decir

---

[62] P. LÓPEZ DE AYALA, *Crónica del rey D. Juan I* p.110.

misa al menos cuatro veces al año, bajo pena de la pérdida de los correspondientes beneficios. Y dedica la mayor parte de las actas a formular una serie de disposiciones de carácter jurídico-económico, que constituyen por sí solas la prueba explícita de la exquisita formación del titular toledano en estas materias.

Con ellas regula el desarrollo de los procesos judiciales y fija con precisión las tasas de los notarios y de las distintas cancillerías de la administración diocesana, «para expulsar los excesos adulterinos de la insolentísima avaricia, por los que la fragilidad humana es arrebatada al vicio» [63]. Unos años más tarde, D. Pedro favorecerá, asimismo, la consolidación de la Orden de los Jerónimos, entregando la colegiata de San Blas de Villaviciosa (Guadalajara) a monjes jerónimos de Lupiana y preparando también para monjes de la misma Orden la de Santa Catalina de Talavera.

La dotación de la biblioteca capitular de Toledo y la construcción de varios monumentos públicos importantes constituyen otros dos capítulos de interés en el esbozo biográfico de este consejero de Juan I, que preludia, de algún modo, la personalidad de los grandes prelados reformadores de los siglos posteriores.

Gutierre Gómez de Toledo, pariente lejano de Pedro Tenorio, empezó la carrera política en los comienzos del reinado de Enrique II como capellán mayor y canciller de la reina Juana Manuel. Con Juan I llega a la Audiencia en calidad de auditor y forma parte también del Consejo Real. Al frente de los concejos asturianos, cuyas fuerzas consigue aglutinar, colabora estrechamente con la Corona en la erradicación de las sublevaciones provocadas por el conde Alfonso de Noreña, hermanastro del soberano reinante (1381-1383). Al estallar la guerra contra Portugal, ayuda al arzobispo de Toledo a consolidar la marina de guerra, y después de la derrota de Aljubarrota se encarga de la defensa del territorio asturiano, previniendo la posible y temida invasión de los ingleses desde el mar. Sus cargos cortesanos y los distintos compromisos políticos le obligaron a desplazarse frecuentemente a la corte; pero, a pesar de todo, tuvo tiempo para conocer la diócesis y emprender un ambicioso plan de reforma de la mayoría de las instituciones de la misma. Hasta 1384 celebra cinco sínodos, de los que se conservan las correspondientes actas; redacta tres largas constituciones capitulares y seis más para otros tantos cenobios benedictinos asturianos, y publica dos documentos similares destinados a los arcedianatos leoneses de Babia y Gordón, dependientes de Oviedo, con unas constituciones sencillas para dos arciprestazgos de este último arcedianato. Finalmente, manda componer una minuciosa estadística diocesana y ordena al mismo tiempo la redacción de tres códices que recogieran los documentos más representativos de los derechos de la sede episcopal. Por otra parte, preocupado del nivel cultural de la clerecía de Oviedo, Palencia y Toledo, diócesis estas dos últimas en las que había tenido beneficios, funda en Salamanca el colegio llamado de «Pan y Carbón», para estudian-

---

[63] J. SÁNCHEZ HERRERO, *Concilios provinciales y sínodos toledanos...* p.53. Las actas del de Pedro Tenorio, p.243-281.

tes de derecho canónico pertenecientes a las sedes citadas, que inaugura la serie de los colegios universitarios de la ciudad castellana.

Resulta difícil medir el alcance real del plan de reforma de D. Gutierre. A nivel teórico por lo menos, ningún prelado hispano bajomedieval puede presentar un *corpus* de constituciones reformadoras tan amplio y variado como el del ovetense. Lo que más llama la atención en la ejecutoria de este obispo del equipo de Juan I quizá sea «su capacidad de integrar cometidos difícilmente compaginables: ser un eficiente prelado cortesano y un perfecto obispo, atento a las necesidades espirituales y temporales de su sede, como señor de amplios territorios y como pastor solícito de una diócesis bastante dilatada» [64].

La trayectoria política de Juan Serrano resulta menos brillante que la de Tenorio y la de D. Gutierre. En 1386, prior todavía de Guadalupe, forma parte de la embajada que Juan I envía a Orense para negociar con el duque de Lancaster una paz que permitiera a Castilla frenar la invasión y recuperarse de las funestas consecuencias de Aljubarrota. Las negociaciones no dieron entonces los resultados apetecidos, pero sí más adelante. A finales de la década de 1380, Juan Serrano, nombrado ya obispo, llega a ostentar la presidencia del Consejo Real y se convierte en el principal mentor del monarca, que trataba de potenciar la nueva Orden de los Jerónimos y de implantar los cartujos en territorios castellanos, como tendremos ocasión de ver al analizar la política de renovación religiosa emprendida por este Trastamara.

Las actividades seculares del franciscano Fernando de Illescas tuvieron habitualmente carácter diplomático. Fue uno de los tres embajadores que Enrique II había enviado a Aviñón, Roma y Nápoles para hacerse luz en el pleito de las legitimidades suscitado por la doble elección papal. Los resultados aportados por aquella embajada en la asamblea de Medina del Campo no pudieron ofrecer criterios suficientemente clarificadores del conflicto planteado. En 1388 va a Bayona para concertar los esponsales de Catalina de Lancaster y del heredero de Castilla y en 1389 viaja a Portugal con el objeto de establecer las condiciones de una tregua entre el maestre de Avis y el rey castellano. Desempeñó también varias comisiones pontificias y fue hombre muy apreciado de Benedicto XIII. Siguió de cerca el movimiento de reforma que se estaba gestando en su Orden durante el último cuarto del siglo, siendo nombrado por el papa aviñonés visitador y reformador de varios conventos de clarisas, entre los que destaca el de Santa Clara de Valladolid. Parece que era hermano de Juan de Illescas, obispo de Sigüenza (1403-1415), y otro de los fieles de Pedro Tenorio.

Juan I manifiesta sus propósitos de reformismo religioso desde los primeros años de su reinado. El año 1380 solicita y obtiene ya de Clemente VII la autorización pontificia para crear tres casas de monjes cartujos en su reino. Las preocupaciones de la guerra contra Portugal retardaron probablemente el proyecto. Sin embargo, después de 1388, conseguida la paz con el duque de Lancaster y alejado el fantasma de la guerra, la influencia del grupo de consejeros eclesiásticos comienza a obtener resulta-

[64] J. FERNÁNDEZ CONDE, o.c., p.286.

dos efectivos importantes en las orientaciones políticas del soberano. Oficialmente aborda el problema de la reforma de la Iglesia en dos reuniones de Cortes: la de Palencia del año 1388 y la de Guadalajara de 1390.

En el transcurso de las Cortes de Palencia, Pedro de Luna, legado del papa de Aviñón, publica en la iglesia de los frailes menores de dicha ciudad, a ruegos del rey castellano, unas constituciones en presencia de éste, de los arzobispos de Toledo, Santiago y Sevilla y del episcopado de los distintos reinos, que asistía prácticamente en bloque a aquella reunión. En realidad, estas constituciones no ofrecen grandes novedades. Los siete capítulos disciplinares que las componen aluden varias veces a las promulgadas por Guillermo de Godin en Valladolid el año 1322 y espigan otras disposiciones conciliares o sinodales ya en vigor. El asunto principal, abordado en el capítulo segundo, se refiere a la moralidad de los clérigos. El cardenal De Luna sanciona con la pérdida de beneficios eclesiásticos a quienes persistan en la situación de concubinato público. En el capítulo tercero contempla la posición jurídica de los clérigos casados. Para que pudieran gozar de los privilegios propios de su estamento les urge la obligación de vestir traje talar y llevar corona abierta, cuyas dimensiones determina en un dibujo que incluye en el texto disciplinar. Los restantes apartados prohíben, una vez más, la enajenación de los bienes eclesiásticos e insisten de nuevo en la no comunicación de los cristianos con las otras dos minorías religiosas, disponiendo que «se designaran en las ciudades y lugares ciertos barrios para que los judíos y sarracenos construyeran sus casas» [65].

Las Cortes reunidas en Guadalajara el año 1390 redactan un *Ordenamiento de prelados,* en el que Juan I trata de proteger los bienes de la Iglesia y la situación económica de los miembros de la clerecía contra los abusos de los potentados laicos, reforzando a la vez la autoridad de la jerarquía, porque, «si los perlados con grant diligençia non corrigiesen los pecados de los súbditos, gran dannamiento nasçería dende a las almas christianas» [66]. Para ello, el piadoso soberano confirma una ley de Enrique II que dispensaba a los clérigos de pagar pechos a sus respectivos concejos, a no ser los destinados a expensas comunales. Prohíbe a los caballeros y escuderos del reino de Galicia, donde las tropelías contra el patrimonio eclesiástico eran mayores, tener beneficios y rentas propios de la Iglesia contra la voluntad de los respectivos prelados. Confirma y precisa el alcance de las leyes de sus antepasados que determinaban las sanciones económicas contraídas por los excomulgados, que eran también objeto de especulación. Y dispone que los laicos no se aprovechen indebidamente de los diezmos eclesiásticos, dejando al juicio de los obispos el dictamen sobre la legitimidad de los títulos que cada uno pudiera presentar al respecto. Finalmente, reasume las ordenaciones dadas durante su reinado contra la encomienda laica de los beneficios de la Iglesia, ordena perentoriamente a los falsos encomenderos abandonar sus encomiendas y establece de manera tajante que se formalicen otras nuevas para cortar de raíz los abusos que se come-

[65] J. TEJADA Y RAMIRO, o.c., vol.3 p.157.
[66] *Cortes* vol.2 p.456.

tían en este terreno. Según López de Ayala, los grandes del reino y los procuradores de las ciudades se querellaron también ante el rey, presentándole una vez más la vieja protesta de la Iglesia castellana, agobiada por las numerosas provisiones de beneficios eclesiásticos hechas por el papa a favor de clérigos extranjeros. «Decían que non sabían qué ome de los regnos de Castilla e de León fuese beneficiado de ningún beneficio grande nin menor en ningún otro regno de Italia, nin de Francia, nin de Inglaterra, nin de Portogal, nin de Aragón; e que de todos estos regnos e tierras eran muchos que avían beneficios e dignidades en los regnos de Castilla, e que desto rescebían el rey e el regno daño e pérdida e poca honra». En efecto, los clérigos foráneos no vivían casi nunca en el lugar del beneficio, cobraban las rentas que les correspondía, sacaban el oro y la plata de Castilla y no atendían ministerialmente sus iglesias. Tales desórdenes llegaban a provocar, al parecer, un descenso notable en las vocaciones de los autóctonos, hasta el punto de que «los naturales del regno no querían facer fijos nin parientes clérigos, pues non podían aver beneficios en Castilla, e por esta razón non curaban de aprender ciencia, e el regno perdía mucho en esto». Juan I se compromete a poner remedio a tales males recurriendo ante la Santa Sede con una embajada especial; pero «la vida del rey non duró tanto, e non se pudo complir» [67].

El movimiento de reforma de la vida monástica, que comienza a ponerse en marcha durante la última parte del siglo XIV, encuentra en Juan I un apoyo decidido. Las casas de jerónimos fueron las más beneficiadas del profundo espíritu religioso de este Trastamara.

San Jerónimo, el ermitaño del desierto de Chalcis, se convierte en ideal y modelo de vida anacorética para varias de las congregaciones que se crean en Italia a lo largo del trescientos. Con este espíritu nacieron los Jesuatos, fundados por el Beato Juan Colombini; la Congregación de Montebello (Urbino), del Beato Pedro Gambacorta de Pisa, o la de Fiésole, creada por Carlos de Montegranelli hacia 1360. La nueva corriente espiritual llega a España a mediados de la centuria. Grupos de ermitaños italianos y españoles, estimulados también por el anuncio profético de Tommasuccio de Siena, que hablaba de copiosas bendiciones del Espíritu Santo para una nueva orden que iba a fundarse en Castilla, se desparraman por varios lugares de Castilla y Portugal, imitando el estilo de vida del sabio ermitaño del siglo IV.

Dos personajes de cierto relieve en la corte castellana, el canónigo de Toledo Fernando Yáñez de Figueroa y Pedro Fernández Pecha, camarero de Pedro I, huyendo de las arbitrariedades del soberano, abrazaban también este género de ascetismo de cuño jeronimiano, primero en la ermita del Castañar y más tarde en Villaescusa. El año 1370, según refiere el cronista De Sigüenza, los dos ermitaños, poniendo a este santísimo Padre (San Jerónimo) delante de los ojos como patrón y amparo de su vida, retrajéronse a unos montes cerca de una aldea o lugar pequeño que se dice Lupiana (Guadalajara), de la diócesis de Toledo, y tenían por iglesia una

[67] P. LÓPEZ DE AYALA, Crónica del rey D. Juan I p.133-134.

ermita pequeña del gran apóstol San Bartolomé [68]. Les siguen otras personas que participaban en los mismos ideales de perfección.

Esta clase de anacoretas, a quienes el pueblo llamaba «beatos», queriendo evitar las suspicacias que comportaba semejante denominación —al igual que la de begardo o beguina— en el siglo XIV, deciden acudir al papa para organizar el nuevo estilo de vida religiosa dentro de una orden o congregación. Pedro Fernández Pecha y un compañero suyo viajan a Aviñón y obtienen de Gregorio XI el año 1373 la aprobación de la nueva Orden. Sus miembros se llamarían «hermanos o eremitas de San Jerónimo» y observarían la Regla de San Agustín y «el rito, constituciones, ceremonias y disciplina de los hermanos del monasterio de Santa María del Santo Sepulcro (Florencia)», sometido a la misma Regla. Les concede, además, facultades para fundar cuatro monasterios [69].

El prior del primer monasterio jerónimo, San Bartolomé de Lupiana (1373), fue el mismo Pedro Fernández Pecha, que en adelante se llamará Fr. Pedro de Guadalajara. El año siguiente fundan Santa María de Sisla en Toledo. En 1375, San Jerónimo de Guisando (Avila), y el 1384 San Jerónimo de Corral Rubio (Toledo). Durante los últimos años del siglo XIV y en los primeros del XV, las fundaciones se multiplican con rapidez. En 1414 existen ya veinticinco casas de jerónimos. Benedicto XIII les otorga entonces el privilegio de exención episcopal y la facultad de celebrar capítulos generales bajo la autoridad de un general propio, que residiría en Lupiana.

Juan I entra en seguida en relación con la Orden, prodigando toda clases de favores a las primeras casas castellanas. Autoriza a Lupiana para poseer y adquirir bienes de realengo y traer vino de Guadalajara libre de impuestos; le da un juro de cinco mil maravedís, le exime del préstamo de ganados para el servicio real y le regala la heredad de Ledanca. Concede a Sisla doce escusados, potestad para adquirir cualquier clase de propiedades y una espléndida finca en el valle del Tajo, la *Huerta del Rey,* junto a Toledo. Ayuda a San Jerónimo de Guisando, constituyendo su patrimonio en contra de la oposición del concejo de San Martín de Valdeiglesias [70].

El año 1389 se establecen los jerónimos en Santa María de Guadalupe por voluntad expresa de Juan I, que comenzaba así la serie de fundaciones monásticas planeadas para consolidar sus propósitos de reforma religiosa y eclesiástica. Las negociaciones fueron llevadas a cabo por Juan Serrano, recién nombrado obispo de Segovia y hasta entonces prior secular de aquel gran santuario mariano de Castilla. El prelado acude personalmente a Lupiana y, después de vencer la resistencia de esta comunidad, consigue de Fernando Yáñez —que había sucedido a Pedro Fernández Pecha en la dirección de dicha casa— una comunidad de 31 monjes para Guadalupe. El monarca, por su parte, anula el patronato regio del que

[68] J. DE SIGÜENZA, *Historia de la Orden de San Jerónimo* vol.1 c.5 p.19ss.

[69] El texto de la bula de Gregorio XI: I. DE MADRID, *La bula fundacional de la Orden de San Jerónimo:* Studia Hieronymiana vol.1 (Madrid 1973) p.62-67.

[70] L. Suárez Fernández *(Historia del reinado de Juan I de Castilla* p.367-368) ofrece las referencias archivísticas de los distintos privilegios.

dependía la abadía-santuario y concede a su abad el señorío sobre la puebla de Guadalupe, que confirma definitivamente a finales del mismo año.

Desde entonces, Santa María de Guadalupe se convierte en la casa más importante de la nueva Orden en los reinos castellanos.

Los primeros jerónimos no tuvieron una dedicación intensa a los estudios de las ciencias eclesiásticas, como podría hacer suponer la devoción que profesaban a San Jerónimo. Su espiritualidad era fundamentalmente contemplativa y litúrgica y se alimentaba de la lectura sencilla de la Sagrada Escritura. Los fundadores pensaron en una imagen de monje que no «fuese muy docto ni hiziesse gran ostentación de habilidad, memoria, ingenio, sino, como muy santo, se preciasse de callado, humilde, obediente y aun a vezes ignorante» [71]. De su primera andadura anacorética conservaron el gusto por la soledad, la austeridad y el silencio. Y sintonizaban con las corrientes espirituales de la época, reflejadas en la literatura moralizante y sentenciosa, partidaria de un tipo de religiosidad basada en un personalismo de carácter intimista. En los monjes jerónimos, el cristianismo se hace también más puro y sencillo, más interior, más personal, y más emotivo que intelectual.

Probablemente, el hecho de depender los jerónimos de una regla atribuida a San Agustín favoreció el acercamiento de muchos de ellos a las obras del Obispo de Hipona, o mejor, a las pseudoagustinianas. Esta clase de obras, debidas a la pluma de autores espirituales medievales como Hugo de San Víctor, por ejemplo, traducidas a la lengua vulgar durante el siglo XIV, tuvieron una amplia difusión en todas partes con el título de meditaciones o soliloquios.

La expresión literaria de esta corriente de inspiración agustiniana entre los jerónimos fue la obra de Pedro Fernández Pecha denominada *Soliloquios*. El fundador la compuso teniendo presentes las *Confesiones* de San Agustín, y posiblemente leyó también el *Rimado de palacio* de López de Ayala, amigo de la nueva Orden. Algunas expresiones del tratado espiritual de Pecha recuerdan el prólogo de la obra del Canciller.

Los dos breves libros de estos *Soliloquios* son una especie de recogido e íntimo desahogo del alma con Dios y del alma consigo misma. A través de numerosos pasajes, se van decantando dos sentimientos que podríamos considerar centrales en la experiencia religiosa del autor: la conciencia de pecado y de miseria personal y la extraordinaria confianza en el valor de la misericordia divina: «Perdona los mis pecados —afirma en la conclusión— por tu misericordia, encontrando la verdad de mi confesión. Enrrequesta la indignidad de los mios merescimientos por las obras de los misterios de tu nascimiento e de la tu pasión. E faz, Señor, que por la gracia de la liberalidad de la tu bondad e de la tu caridad, que me sea otorgado con efecto lo propuesto» [72]. No resulta difícil descubrir en los *Soliloquios* de Fernández Pecha rasgos anticipadores de otro movimiento posterior co-

---

[71] J. DE SIGÜENZA, o.c. vol.2 p.231.
[72] El texto citado: A. CUSTODIO VEGA, *Los «Soliloquios» de Fray Pedro Fernández Pecha...* p.763.

nocido con el nombre de *Devotio moderna*, característico de la espiritualidad del Renacimiento en muchas partes de la Iglesia [73].

Los jerónimos fue, sin duda, la Orden de más pujanza espiritual de los reinos peninsulares a finales del Medievo. En el siglo XV vivió la época de mayor esplendor monástico. La gran preocupación de sus miembros por la reforma de la vida religiosa contagiará también a órdenes más antiguas, e incluso asumirán la responsabilidad de reformar ellos mismos a los Premonstratenses y a algunas casas de la Orden Militar de Santiago —Uclés y San Marcos de León, por ejemplo— y a varias abadías regulares, como San Isidoro de León y Nuestra Señora de Parraces (Segovia).

Al mismo tiempo que nacía la Orden de San Jerónimo, se reunía en Toledo un grupo de mujeres piadosas dirigidas por D.ª María García para practicar una vida de recogimiento y de piedad. Pedro Fernández Pecha se hace cargo en seguida de la dirección espiritual de este beaterio de devotas del penitente de Belén. De él surgirá el monasterio de San Pablo de Toledo, que entrará a formar parte de la Orden jerónima a mediados del siglo siguiente.

El año 1390, Juan I realiza su segunda fundación monástica importante: la cartuja de Santa María del Paular, logrando así que la Orden de San Bruno, muy extendida ya en los reinos orientales, franqueara las fronteras castellanas por primera vez. El mes de julio, el soberano se entrevista en el monasterio cisterciense de Sotos Albos (Segovia) con Lope Martínez, un cartujo de Scala Dei (Tarragona), y ultima todos los detalles para la creación de «un monesterio de frailes de los Cartuxos, que es una orden que nunca comen carne, nin fablan, en el Val de Lozoya, cerca de un logar que llaman Rascafría (a cuatro leguas de Segovia), e dotóle muy bien» [74]. Efectivamente, concede a la fábrica del Paular la cantidad de 200.000 maravedís. El 29 de agosto de aquel mismo año, Juan Serrano, obispo ya de Sigüenza, comisionado por el arzobispo de Toledo, entrega a Lope Martínez la ermita y la localidad del Paular. Desde enntonces, los austeros monjes cartujos se van afincando paulatinamente en los distintos reinos de la corona de Castilla. El 1442, al fundarse la cartuja de Miraflores (Burgos), el capítulo general ordena la constitución de la provincia cartujana de Castilla, independiente de la catalana.

La última de las fundaciones del piadoso Trastamara fue el monasterio de San Benito de Valladolid, para benedictinos observantes. Hacía mucho tiempo que el problema de la decadencia generalizada de la Orden bene-

---

[73] No pretendemos terciar ni tomar partido en la vieja polémica sobre la significación de la Orden de los Jerónimos en la historia de la religiosidad de la España medieval entablada entre Américo Castro y Sánchez Albornoz. Para el primero, esta Orden constituye una verdadera anticipación de la *Devotio moderna* en los ambientes españoles. Destaca, además, la influencia que ejercieron en ella los judeoconversos al tomar su hábito casi masivamente a raíz de los «pogroms» de 1391 (cf. A. CASTRO, *España en su Historia* p.185, 244, 537ss). Sánchez Albornoz, por el contrario, redimensiona y recorta el alcance de dichos juicios. En el franciscanismo de los siglos XIII y XIV se pueden descubrir ya, según él, muchos indicios de esa nueva espiritualidad que practicarán los jerónimos. Por otra parte, la influencia de los judeoconversos en la Orden de San Jerónimo no le parece tan determinante como pretende Américo Castro (cf. C. SÁNCHEZ ALBORNOZ, *España, un enigma histórico* vol.I p.340-344).

[74] P. LÓPEZ DE AYALA, *Crónica del rey D. Juan I* p.143.

dictina preocupaba seriamente en la Iglesia. El papa Benedicto XII, haciéndose eco de varias disposiciones de predecesores suyos, establecía ya en la bula *Summi Magistri* (1336) una normativa precisa sobre la reforma de los «monjes negros». Dividía la Orden en 32 circunscripciones o provincias, regulaba el funcionamiento de los capítulos provinciales y de las visitas regulares y ordenaba que uno de cada veinte monjes cursara estudios superiores para elevar el nivel cultural de sus respectivos monasterios. Braga, Toledo, Sevilla-Santiago y Tarragona-Zaragoza eran las cuatro provincias que debían agrupar los cenobios de la Península. De ellas, sólo la última, denominada posteriormente Congregación claustral, conseguirá reunir con cierta periodicidad sus capítulos. Pero no fue capaz de afrontar airosamente el proceso de decadencia ni de llevar a los monjes de los monasterios de su circunscripción por caminos de observancia.

Con la fundación del monasterio de San Benito de Valladolid, Juan I asienta las bases de la futura Congregación castellana. En diciembre de 1389 recurre al papa solicitando autorización para fundar un monasterio en sus reinos. Clemente VII acoge favorablemente la petición, y nombra ejecutores del proyecto a Gil de Verdemonte, un curial aviñonés que acababa de obtener la sede episcopal de Oviedo, y al obispo de Segovia, Gonzalo de Bustamante. Al año siguiente, el 21 de septiembre concretamente, el rey extiende la carta fundacional del nuevo cenobio benedictino, que tendría como residencia el alcázar de Valladolid, donde desde hacía algún tiempo, y por voluntad expresa del propio soberano, se había formado ya una comunidad dependiente de Sahagún y bajo la presidencia de Fr. Antonio de Ceinos, que trataba de vivir la Regla de San Benito sin ningún tipo de mitigaciones. La dotación del nuevo monasterio fue espléndida: además del real alcázar, los monjes tendrían una renta de 600 fanegas de trigo, 1.200 cántaras de vino de las tercias de Valladolid y 15.000 maravedís de la moneda vieja sobre la contribución de los judíos de la aljama de la ciu dad castellana. Como contrapartida, la nueva comunidad se comprometía a guardar estrictamente la clausura monástica, viviendo «ençerrados en la manera e forma del ençerramiento de las monjas de Santa Clara» [75]. El énfasis que pone Juan I en este capítulo de la disciplina monacal resulta perfectamente explicable. La relajación que entonces se registraba en muchos monasterios comenzaba con frecuencia por los abusos de la clausura.

La ejecución jurídica de la fundación de San Benito de Valladolid tuvo lugar el 27 de septiembre de 1390, presidiendo las solemnidades el obispo de Oviedo, que se mostró también generoso con los monjes del nuevo monasterio [76]. Por desgracia, unos días después muere inesperadamente, en Alcalá de Henares, Juan I, dejando sin sellar el privilegio fundacional. La comunidad de San Benito quedaba sumida en el desamparo y en la mayor pobreza. Con todo, la diligencia de su prior, Antonio de Ceinos, y la fama de austeridad adquirida rápidamente por los monjes «clausurados» en el alcázar consiguieron sacar del atolladero aquel convento, que se convirtió en el monasterio benedictino más austero de Castilla. Durante el

---

[75] El texto completo: G. M. COLOMBÁS-M. M. GOST, *Estudios sobre el primer siglo de San Benito de Valladolid* Apénd. II p.106-110.

iglo XV le imitarán otros cenobios importantes y a partir de 1500 será la cabeza visible de la gran Congregación de San Benito de Valladolid.

Uno de los priores de San Benito de Valladolid, García Jiménez de Cisneros (1456-1510), emprenderá la reforma del monasterio de Montserrat a finales del siglo XV con un grupo de monjes observantes vallisoletanos. El año 1500 salen de la tipografía de este monasterio catalán dos obras suyas: el *Directorio de las horas canónicas* y el *Exercitatorio de la vida espiritual*. Este último tratado de iniciación a la vida interior, inspirado en el *Rosetum exercitiorum spiritualium*, de J. Mombaer, ejercerá una gran influencia en la ascética y en la mística del siglo de oro español.

No consta que Juan I participara activamente en la reforma de los franciscanos, a pesar de que su confesor, Fernando de Illescas, era un miembro destacado de esta Orden. En realidad, la reforma del franciscanismo español no comienza en Castilla hasta el último lustro del siglo XIV, muerto ya el religioso rey castellano.

El iniciador de la reforma franciscana en Castilla fue Pedro de Villacreces. Este fraile recibe en 1395 autorización de Benedicto XIII para retirarse a un lugar solitario, observar la Regla en toda su pureza y practicar la vida eremítica según el espíritu de los jerónimos. Se establece en seguida en una cueva de Arlanza, perteneciente al obispado de Burgos, cuya sede regentaba su hermano Juan de Villacreces. Poco tiempo después funda el eremitorio de Santa María de la Salceda, y más tarde, en 1404, el convento de la Aguilera, cerca de Aranda, que se convertirá en verdadero centro irradiador de los nuevos ideales franciscanos. A la Aguilera llegan muy pronto un grupo de jóvenes: Pedro de Santoyo, Lope de Salazar y Salinas, y Pedro Regalado, para ponerse bajo la dirección espiritual de Villacreces. Cristaliza así el grupo de los grandes propagadores del movimiento religioso observante, que fundará en los años siguientes nuevos conventos de la misma tendencia.

La vida de estos franciscanos se caracterizaba por un rigor extraordinario. Vivían en lugares solitarios, andaban descalzos, eran muy austeros en la comida y en la bebida y dedicaban mucho tiempo a la meditación y a la contemplación personales. Desde el punto de vista organizativo, reconocían tanto al general como a los provinciales de la Orden, cuya unidad no querían romper creando una congregación autónoma. Todos, a excepción de Pedro de Santoyo, rechazaron, mientras vivieron, la integración de sus casas en la observancia de origen italiano, que trató varias veces de absorberlos.

En Navarra y Aragón, a finales de este centuria, no existió un proyecto de reformismo eclesiástico similar al promovido por el segundo Trastamara. Sin embargo, en los territorios de la corona aragonesa emergen entonces varias figuras relevantes en los distintos campos de la organización y de la cultura eclesiásticas. De todas ellas destaca con luz propia la personalidad polivalente del dominico valenciano San Vicente Ferrer

76 Sobre este obispo curial de origen francés: J. FERNÁNDEZ CONDE, *Guillermo de Verdemonte: un curial aviñonés en la sede de San Salvador de Oviedo (1389-1412)*: Asturiensia Medievalia 3 (1978) 235-238.

(1350-1419) por su destacada participación en el cisma, por sus intervenciones en asuntos políticos muy graves, por sus campañas de predicación en España, Francia e Italia, y especialmente por su pensamiento espiritual y su vida admirable.

A lo largo del siglo XV, la mayoría de las grandes órdenes monásticas emprende en toda la Península caminos de reforma. Al mismo tiempo que la observancia franciscana se consolida, aparecen las congregaciones de observancia de los cistercienses, agustinos y dominicos en relación con otros movimientos semejantes de allende los Pirineos, y posiblemente estimulados también por el fenómeno de reformismo nacido en Castilla a finales del trescientos.

Capítulo IX

EL CISMA DE OCCIDENTE Y LOS REINOS PENINSULARES

Por Javier Fernández Conde y Antonio Oliver

BIBLIOGRAFIA

Las primeras reacciones de los reinos españoles ante las noticias de la doble elección

N. Valois, *La France et le grand schisme d'Occident* 4 vols. vol.1 p.198ss (París 896); M. Seidlmayer, *Peter de Luna (Benedikt XIII) und die Entstehung des Grossen Abendländischen Schismas: Gesammelte Aufsätze zur Kulturgeschichte Spaniens* 4 1933) 206-247; Id., *Die Anfänge des Grossen Abenländischen Schismas* (Münster 940); J. Zunzunegui Aramburu, *El reino de Navarra y su obispado de Pamplona urante la primera época del cisma de Occidente: pontificado de Clemente VII de Aviñón 1378-1394)* (San Sebastián 1942); W. Ullmann, *The origins of the Great Schism* Londres 1948); L. Suárez Fernández, *Notas acerca de la actitud de Castilla con especto al cisma de Occidente:* Rev. Univ. Oviedo (Facultad de Filosofía y Letras) /53-54 (1948) 91-116; Id., *Castilla, el cisma y la crisis conciliar (1378-1440)* (Madrid 960); J. C. Baptista, *Portugal e o cisma de Occidente:* LS 1 (1956) 65-203.

Para los problemas del cisma relacionados de manera especial con los dominios de la corona catalano-aragonesa: *El cisma d'Occident a Catalunya, les Illes i el País Valenciá. Repertori bibliogràfic,* publicado para conmemorar el VI centenario del isma, bajo el patrocinio del Institut d'Estudis Catalans (Barcelona 1979).

La asamblea de Medina del Campo (1380-1381)

N. Valois, *La France...* vol.2 p.201ss (París 1896); M. Seidlmayer, *Die Anänge...* p.41-59 (Münster 1940); L. Zunzunegui Aramburu, *La legación en España 'el cardenal Pedro de Luna (1379-1390):* Miscellanea H. Pontificiae 11 (1943) 83-37; L. Suárez Fernández, *Castilla, el cisma...* p.9-11 (Madrid 1960); R. García Villoslada-B. Llorca, *La Iglesia en la época del Renacimiento y de la Reforma cató-ica:* «Historia de la Iglesia católica» (BAC) vol.3 (Madrid 1960) p.200ss; F. J. Fernández Conde, *Gutierre de Toledo, obispo de Oviedo (1377-1389)* p.50-54 y 138-140 Oviedo 1978).

La obediencia aviñonesa gana terreno en la Península

S. Puig y Puig, *Pedro, de Luna, último papa de Aviñón (1387-1430* (Barcelona 920); J. Zunzunegui Aramburu, *El reino de Navarra...* p.101ss (San Sebastián 942); Id., *La legación en España del cardenal Pedro de Luna (1379-1390):* Miscellanea I. Pontificiae, 11 (1943) 83-137; cf. también el mismo trabajo en «Historia de la glesia», de Fliche-Martin, vol.13, trad. castellana, apénd., p.441-477; L. Suárez

FERNÁNDEZ, *Capitulaciones matrimoniales entre Castilla y Portugal en el siglo XIV (1373-1383)*: H 8 (1948) 532-561; ID., *Algunos datos sobre la política exterior de Enrique III:* H (1950) 539-593; ID., *Historia del reinado de Juan I de Castilla* vol.1: *Estudio* (Burgos 1977); L. SUÁREZ FERNÁNDEZ-J. REGLA, *España cristiana. Crisis de la Reconquista. Luchas civiles,* vol.14 de la «Historia de España», dirigida por R. MENÉNDEZ PIDAL (Madrid 1966); J. GOÑI GAZTAMBIDE, *Historia de los obispos de Pamplona* vol.2 p.266ss (Pamplona 1979).

EL PAPA LUNA. SAN VICENTE FERRER, DEFENSOR DE LA CAUSA DEL PONTÍFICE AVIÑONÉS

S. PUIG Y PUIG, *Pedro de Luna, último papa de Aviñón* (Barcelona 1920); J. A. BUBIO, *La política de Benedicto XIII desde la sustracción de Aragón* (Zamora 1926); G. MOLLAT, *Episodes du siège du palais des Papes au temps de Benoît XIII:* Revue d'Hist. Ecclés. 23 (1927) 489-501; J. ZUNZUNEGUI, *La legación en España del cardenal Pedro de Luna (1379-1390):* Miscellanea H. Pontificiae 11 (1943) 83-137; G. PILLEMENT, *Pedro de Luna, le dernier papa d'Avignon* (París 1955); J. GOÑI GAZTAMBIDE, *Los españoles en el concilio de Constanza,* en «Historia de la Iglesia» de FLICHE-MARTIN, vol.15: «El gran cisma de Occidente» (Valencia 1977) p.371-489; J. PÉREZ DE URBEL, *Un español universal: El papa Luna* (Castellón 1972).

I. *LAS PRIMERAS REACCIONES DE LOS REINOS ESPAÑOLES ANTE LAS NOTICIAS DE LA DOBLE ELECCION*

Por J. F. CONDE

El 8 de abril de 1378 es elegido en Roma el arzobispo de Bari, Bartolomé Prignano, para regir la Sede de San Pedro, que ocupará con el nombre de Urbano VI. Las circunstancias que rodearon el cónclave del cual salió aquella elección distaron bastante de la normlidad. Los romanos, cansados de experimentar las consecuencias negativas que comportaba para su ciudad la prolongada estancia de los papas en Aviñón, habían ejercido sobre los cardenales fuertes presiones, no exentas de violencia, a objeto de forzar la nómina de un sucesor de Gregorio XI que fuera «romano o al menos italiano».

Las intemperancias continuas del nuevo pontífice, sus intransigencias reformistas, de manera particular en relación con los cardenales, que a veces llegaron a verdaderas agresiones verbales; sus explosiones de orgullo y las arbitrariedades puestas de manifiesto durante los primeros meses de gobierno, hicieron pensar al Sacro Colegio «o que hasta entonces había disimulado su carácter, o que la inesperada elevación de la que había sido objeto y quizá las escenas tumultuosas que había presenciado le habían perturbado parcialmente la razón»[1]. Después de varias semanas, algunos cardenales, los franceses especialmente, al repasar el proceso del cónclave comenzaron a poner en tela de juicio la validez del mismo por falta de suficiente libertad. Es posible que en este replanteamiento hecho a *posteriori* obraran razones poderosas de índole extraeclesiástica, intereses políticos por ejemplo, pero ello no obsta para que todavía pueda plantearse

[1] F. ROCQUAIN, *La cour de Rome et l'esprit de réforme avant Luther* vol.3 p.5.

noy con justicia la duda sobre la validez de la elección del arzobispo de Bari. Como dice un historiador moderno, «la elección de Urbano VI no fue ni absolutamente válida ni absolutamente inválida, y los contemporáneos, entre ellos los que participaron de un modo más próximo en los acontecimientos, se encontraban en una *ignorantia invencibilis* [2].

A lo largo del verano de 1378 va ganando terreno la idea de proceder a una nueva elección. Los cardenales franceses y el aragonés Pedro de Luna, congregados en Anagni, hicieron el mes de agosto dos declaraciones, en las que ponían de relieve la coacción de la que habían sido objeto en Roma durante el cónclave y declaraban aquella elección inválida. El 20 de septiembre, reunidos en Fondi, eligen a Roberto de Ginebra, con el silencio aquiescente de los purpurados italianos. El nuevo pontífice tomó el nombre de Clemente VII y vuelve a sentar los reales en la curia papal de Aviñón. La legitimidad de esta segunda elección estaba condicionada, lógicamente, por la validez de la primera. Se pone así en marcha un cisma que iba a durar casi cuarenta años. La configuración del mapa de las distintas obediencias tiene mucho que ver con la posición de cada reino en el panorama político vertebrado en torno a Francia e Inglaterra, enfrentadas desde hacía mucho tiempo por la dura contienda de los Cien Años. Pero, además, la falta de evidencia a la hora de optar con ciertas garantías por uno de los pontífices provocó en la Iglesia universal lo que ha venido en llamarse el «cisma de las almas». En ambas obediencias militaban hombres de buena voluntad y personalidades religiosas de conocida solvencia e incluso aureoladas con la fama y el carisma de la santidad.

El rey de Castilla, Enrique II, reconoce en principio sin dificultad a Urbano VI. Pero pronto comenzaron a llegar noticias a la corte castellana sobre el clima enrarecido que había rodeado la elección del papa romano. Los cardenales reunidos en Anagni escriben el 11 de agosto —declarada ya la invalidez de la primera elección— al infante D. Juan, heredero de la corona de Castilla, para presentarle a dos embajadores: Nicolau Eimeric, inquisidor de Aragón, y Marcos Fernandi, canónigo de Palencia. En la carta le piden que los acoja y reciba de ellos la cumplida información de los acontecimientos relativos a la problemática planteada por el cónclave de abril [3]. Una vez elegido el papa aviñonés, empiezan a recalar en la corte castellana legados con el propósito de determinar la decisión oficial de Enrique II. Siguiendo al cronista Pérez de Ayala, parece que los primeros en llegar fueron los enviados de Urbano VI. Componían esta legación diplomática dos caballeros, un italiano y un francés, que expusieron al Trastamara el esbozo de los proyectos de gobierno del pontífice de Roma. Éste, según las referencias de Ayala en la *Crónica del rey D. Enrique*, tenía el propósito de «trabajar quanto pudiese por poner paz entre los reyes y príncipes christianos»; pretendía también «poner muy buena regla en la vida

---

[2] K. FINK, *Zur Beurteilung des grossen abendländischen Schismas:* ZKG 73 (1962) 338. Citado también por A. FRANZEN, *El concilio de Constanza. Problemas, tareas y estado actual de la investigación sobre el concilio:* Concilium 1/7 (1965) 40.
[3] Cf. el texto del mismo en L. SUÁREZ FERNÁNDEZ, *Castilla, el cisma...* apénd. n.1 p.145-46.

que él e los cardenales e perlados e clerecía avían de facer»; prometía asimismo, «dar las dignidades e beneficios de qualquier regno a los natura les de la tierra e non a otros extraños algunos», respondiendo así a una vieja reivindicación expresada de muchas maneras por los eclesiásticos y las autoridades laicas, y honraba a la familia real con distinciones honorífi cas. Enrique II, siguiendo las indicaciones de sus consejeros, quiso to marse tiempo antes de responder a la demanda de los enviados de Urba no VI, alegando que «el infante D. Juan estaba en la guerra de Navarra e eran con él todos los omes de su regno e de su Consejo, e que el infante avía de ser con él rey dende de pocos días en Toledo». Los invitó a aquella asamblea, que pensaba realizar muy pronto en la ciudad del Tajo, apla zando la respuesta hasta entonces [4].

El rey de Francia, Carlos V, antes de reconocer oficialmente a Cle mente VII, envía también sus embajadores a Castilla, ofreciendo a Enri que II una versión de los hechos proaviñonesa y contraria al pontífice romano, a la vez que solicitaba de él la adhesión para el segundo elegido. La corte francesa estaba preparando la proclamación oficial del papa aviñonés y quería comprometer en la misma a su poderoso aliado de la península Ibérica.

Durante el transcurso de los meses de noviembre y diciembre se cele bran en Toledo e Illescas asambleas, que fijaron ya las directrices de la política castellana sobre el problema de las obediencias [5]. Enrique II de cide mantener una actitud de neutralidad en aquel pleito de legitimidade hasta recabar informes más clarificadores sobre las elecciones de Roma y Aviñón, y responde a la corte francesa y a los embajadores de Urbano V en el mismo sentido. Las consecuencias de semejante decisión eran muy importantes. La Iglesia castellano-leonesa interrumpía de ese modo las re laciones con la Santa Sede y el rey pasaba, en cierta manera, a ocupar e puesto del papa. De hecho, probablemente en una de aquellas reuniones quizás en la de Illescas, tomó ya una decisión de notable importancia eco nómica al enviar «sus cartas a todos los perlados e por todas las iglesias de sus regnos» para ordenarles «que todos los maravedís que pertenescían a papa en qualquier manera, los pusiesen en tesoro a buen recabdo, para lo dar a aquel que fallasen todos los christianos que era el verdadero papa» [6]. Sin embargo, y a pesar del tajante planteamiento teórico de neutralidad las relaciones de las Iglesias de la corona castellana con Aviñón no queda ron completamente cortadas.

El arzobispo de Toledo, Pedro Tenorio, por su condición de cancille real, debió de jugar un papel importante en las asambleas de Toledo e Illescas. El metropolitano de Castilla al principio, y aun después de tener noticias de las irregularidades del cónclave que eligió al pontífice romano

[4] P. López de Ayala, *Crónica...*: BAE LXVIII p.34-35. La cronología de esta parte de l Crónica es poco precisa y el mismo orden de los acontecimientos resulta oscuro. N. Valois *(L France et le grand schisme d'Occident* vol.1 p.199) constata la existencia de varios anacronismos.
[5] No tenemos actas ni cronología exacta de estas asambleas. L. Suárez Fernández *(Casti lla, el cisma...* p.7 nt.16) opina que la primera asamblea había comenzado efectivamente en Toledo, terminando en Illescas.
[6] P. López de Ayala, o.c., p.35-36.

ostuvo su legitimidad, apoyándose en un argumento de indudable peso specífico: «aunque la elección de Urbano VI, llevada a cabo por los cardeales, estuviera viciada por el miedo que les habían inducido los romanos, emejante defecto quedaría subsanado por los mismos al asistir unánimenente a la coronación y al tributarle honores en numerosas ocasiones» [7]. or otra parte, el prelado canonista evolucionará hacia la actitud de neuralidad, acorde con la decisión oficial de la corte, comenzando más tarde pensar en el concilio general como medio idóneo para salir del atollaero. La mentalidad conciliarista de Pedro Tenorio no tiene nada de sinular. En definitiva fue una de las posibilidades que habían barajado los ardenales durante los primeros días de desconcierto en Anagni, después le las turbulencias del cónclave romano. Las obras de Conrado Gelnhauen y Enrique Langenstein —dos profesores alemanes que enseñaban en a Universidad de París—, escritas entre 1379 y 1381, alimentarán, asinismo, la esperanza de muchas personas en esta clase de vía de salida para l cisma. En una carta que la corte castellana dirige al rey francés a finales e 1379, se apela claramente al concilio general como solución del grave onflicto eclesiástico. Detrás de ella estaba la pluma y el pensamiento del rzobispo de Toledo [8].

En los primeros meses de 1379, Clemente VII y Urbano VI envían sus espectivos embajadores a la Península para atraer voluntades hacia sus espectivas obediencias. El legado aviñonés Pedro de Luna, el hábil e integente cardenal aragonés, cuya extraordinaria capacidad de negociación olítica quedará patente durante la siguiente década, fue nombrado para ste cargo el mes de diciembre de 1378, pero no pudo entrar en Castilla asta febrero de 1380. Enrique II primero y posteriormente Juan I manuvieron de manera escrupulosa la actitud de expectativa asumida en las sambleas de Toledo e Illescas. El legado de Urbano VI, un franciscano ombrado obispo de Córdoba por la curia romana, tuvo peor suerte: fue presado por un pirata catalán que probablemente obedecía órdenes de edro de Luna y trasladado a Fondi, donde permaneció prisionero del apa aviñonés once largos meses. En Castilla, la causa urbanista estaba ervorosamente sustentada por el infante Pedro de Aragón, un francisano fanático y visionario que trataba de conmover el ánimo del soberano aciendo referencia a prodigios y revelaciones extraordinarias.

Enrique II pretendía seguir el examen de los argumentos y testimonios del litigio en una asamblea que habría de celebrarse en Burgos du-

[7] Ibid., nt.3 publica la parte de una carta latina de Pedro Tenorio al cardenal de San ustaquio escrita a finales de 1379. El texto completo de la misma: E. MARTÈNE-U. DURAND, *hesaurus novus anecdotarum* vol.2 c.1099s. Allí se data el documento hacia 1381. Sobre te prelado: L. SUÁREZ FERNÁNDEZ, *Don Pedro Tenorio, arzobispo de Toledo (1375-1389): Estu-ios dedicados a Menéndez Pidal vol.4 (Madrid 1953) p.601-627.

[8] L. SUÁREZ FERNÁNDEZ, o.c., apénd. n.5 p.151-153. La carta tiene por autor a Juan I, que irma: «unicum iudicio nostro in hiis procellis celestis ille nauta portum salutis instruxit, ut delicet totius catholice plebis generalem Consilium congregetur, in quo circa haec et alia uid religioni inveniat, quid Ecclesie Dei expediat, et quid omnium saluti proficiat, statua-r». Un voto del cabildo de Toledo pone también de relieve la mentalidad conciliarista de su zobispo. Y postula además que, mientras no exista la decisión de un concilio general, se antenga la adhesión a Urbano VI (cf. F. J. FERNÁNDEZ CONDE, *Gutierre de Toledo...* p.138-9 nt.5).

rante la primavera del 1379, pero no pudo llevarla a cabo. Murió el mes d
mayo de aquel año, manteniendo la misma actitud de neutralidad. Entr
los consejos que manda dar a su hijo el infante D. Juan antes de mori
figura el siguiente: «en razón de la Iglesia e del cisma que hay en ella, qu
le ruego que haya buen consejo, e sepa bien cómo debe facer, ca es un cas
muy dubdoso e muy peligroso». Al parecer, su fuero interno se encon
traba más cerca de la obediencia romana que de la aviñonesa [9].

Durante las cortes celebradas en Burgos el mes de agosto de 1379 fu
tratado el tema del cisma una vez más; pero no hubo cambio de plantea
mientos respecto a la actitud de neutralidad adoptada anteriormente [10].

Carlos V de Francia aprovecha los primeros meses del reinado de Juan
para lanzar una verdadera ofensiva epistolar destinada a recabar de
joven soberano la anhelada obediencia al papa de Aviñón. Escribe perso
nalmente al rey castellano y a su mujer, Leonor de Aragón, uniendo ade
más a la misiva otro escrito del cardenal de Amiéns, Jean de la Grange
que abundaba ampliamente en argumentos favorables a la legitimidad d
Clemente VII. Este purpurado incluye entre sus razonamientos la senten
cia unánime de las Universidades de París, Orleáns, Angers, Toulouse
Montpellier a favor del pontífice elegido en Fondi y pone además much
cuidado en no omitir una motivación de mucho efecto en los círculos pol
ticos de los Trastamara: el acuerdo de Carlos V y Juan I sobre el negoci
del cisma constituiría un valioso refuerzo para la cooperación de ambos e
la lucha contra los planes de los enemigos comunes. El cardenal citado
juntamente con Pierre Flandrin, cardenal titular de San Eustaquio, envi
ron también dos tratados a Pedro Tenorio para probar, asimismo, la val
dez de la elección del papa aviñonés. Desde los comienzos del gobierno d
segundo Trastamara, el arzobispo de Toledo ejercía una influencia dec
siva en las orientaciones de la política religiosa de la corona castellan
leonesa [11].

A finales de año, el rey de Castilla y su canciller Pedro Tenorio die
ron respuesta a las demandas francesas, poniendo de manifiesto la cont
nuidad de la trayectoria eclesiástica de los reinos castellanos e insistiend
en la conveniencia de un concilio general que resolviera el pleito plan
teado entre Aviñón y Roma [12].

Juan I pretende además llevar adelante el proceso de clarificación d
conflicto eclesial, que ya había iniciado su padre, y organiza una investig
ción en toda regla para recoger el mayor número posible de testimoni
pertenecientes a personas relacionadas con las dos elecciones controvert
das. Para ello constituye una especie de comisión formada por dos segl

---

[9] Las recomendaciones de Enrique II a su hijo: P. LÓPEZ DE AYALA, o.c., p.37. La simpa
interna del soberano hacia la sede romana: E. BALUZIUS, *Vitae paparum avenionensium (Prir
Vita Clementis VII)* vol.1 p.475.
[10] M. SEIDLMAYER, *Die Anfänge...* p.34-35.
[11] N. VALOIS, *La France et le grand schisme...* p.202-205.
[12] Para la referencia a la carta de respuesta de Juan I cf. la nota 8 de este capítulo.
texto del documento, que transcribe el citado autor, es una copia tardía y lleva la fecha del
de diciembre. N. Valois (o.c., p.205) cree que la verdadera fecha es el 20 de septiembre.
carta de Pedro Tenorio tendría la misma data que la de Juan I.

:s: Ruy Bernal, experto en esta clase de menesteres, y Alvaro Meléndez, octor en leyes, junto con el franciscano Fernando de Illescas, que era onfesor real. Los tres embajadores llegan en mayo de 1380 a la corte de viñón, donde recogen respuestas de ocho cardenales que habían tomado arte en el cónclave y de veintitrés testigos. El mes de junio la misión iplomática, mermada por la muerte del jurista, comienza sus trabajos en oma, entrevistándose con Urbano VI y recibiendo declaraciones de veinocho testigos más. Con el viaje de Fernando de Illescas a Nápoles para itrevistar a los dos cardenales italianos supervivientes del controvertido onclave, se cierra la larga encuesta. Los dos embajadores castellanos uelven a España en septiembre y ofrecen su copioso material a la asamea general de Medina del Campo, la cual, convocada por Juan I, coiienza sus trabajos encaminados a la formulación de un juicio definitorio obre el conflicto eclesiástico a finales de noviembre de 1380.

El rey castellano, durante la primera etapa de gobierno, prosigue el stema de tratados con los restantes reinos peninsulares, puesto en prácta ya por Enrique II en los últimos tiempos de su reinado. Respecto a la roblemática planteada por el cisma, intenta también una política de cohencia con los demás reyes vecinos. De hecho, la actitud de neutralidad y solución del litigio por vía conciliar fueron al principio planteamientos omunes —salvo algunas diferencias que precisaremos más adelante— de astilla, Navarra, Aragón y Portugal. Pedro IV de Aragón también estaba uy interesado en esta política unitaria de neutralismo frente a Roma y viñón, que, aparte de otras ventajas, para la corona aragonesa suponía, ı principio, un alejamiento del conflicto anglo-francés. Por eso, este hábil •y, a finales de 1379, cuando dos embajadores castellanos pasaron por arcelona camino de Francia, quiso aprovechar la ocasión para tratar de oncertar una entrevista con Juan I, orientada a elaborar un plan de acıación bien definido sobre el grave conflicto que dividía a la cristiandad. or diversas circunstancias, la conferencia de los dos poderosos soberanos o pudo llevarse a efecto. En la última parte del año siguiente, los acontemientos se precipitaron por derroteros imprevistos, rompiéndose a la ·z el equilibrio político y eclesiástico que existía hasta entonces en la Península.

Las noticias del cisma llegaron a Navarra en circunstancias difíciles. ;te reino estaba empeñado en una guerra contra Castilla, cuyo desarrollo era francamente desfavorable. El mes de marzo de 1379, Carlos II se ve oligado a firmar la paz de Briones, que alejaba al pequeño reino pireiico de Inglaterra, su aliado hasta entonces, y le introducía a la fuerza en ámbito político de Castilla y, consiguientemente, de Francia. La nueva osición del soberano navarro iba a influir, juntamente con otros factores, ı su toma definitiva de postura ante la elección de obediencias.

El cónclave de abril, que terminó eligiendo y coronando a Bartolomé ·ignano, cogió en Roma a varios clérigos navarros. Entre ellos se enconaba el nuevo obispo de Pamplona, Martín de Zalba [13], consagrado poco

---

[13] J. Zunzunegui Aramburu (*El reino de Navarra...* p.84-88) hace varias precisiones relatis a dichos clérigos. Sobre Martín de Zalba: J. Goñi Gaztambide, *Historia de los obispos...*

antes de la muerte de Gregorio XI. Conocía perfectamente al nuevo pap;
con el cual había convivido en la corte aviñonesa, pero la amistad entr
ambos no iba a durar mucho. Martín de Zalba, que experimenta tambié
personalmente las intemperancias y recriminaciones del antiguo arzobisp
de Bari, se unió en seguida al grupo de los cardenales descontentos [14]. L
opción, por otra parte, resultaba bastante lógica. El prelado navarro habí
residido y enseñado largo tiempo en Aviñón, y toda su educación tení
marchamo netamente francés. Una vez elegido Clemente VII en Fondi, e
obispo de Pamplona será uno de los más decididos partidarios suyos. Lo
otros miembros de su clerecía residentes en Italia siguieron los mismo
derroteros.

La mayor parte del clero que vivía en Navarra se mantuvo a la expect;
tiva hasta que fueron clarificándose paulatinamente los problemas grave
creados por la doble elección. Con todo, un sector del mismo se inclin
muy pronto por Clemente VII, el cual, a lo largo de 1379, interviene e
varios asuntos eclesiásticos, especialmente provisiones de beneficios. L
posición de Carlos II no fue rectilínea. Al principio, enfrentado a Franci
y a Castilla, optó por la obediencia urbanista, siguiendo la política de Ir
glaterra, aliada de Navarra. Después de la paz de Briones, el soberan
navarro no tiene más remedio que sumarse a la neutralidad adoptada po
los restantes soberanos de la Península.

La llegada de Martín de Zalba a Pamplona en el otoño de 1379 n
cambió la decisión de Carlos II, a pesar de la manifiesta y firme actitu
proaviñonista de este influyente eclesiástico. El rey navarro esperaba cele
brar una conferencia internacional en Bayona para tratar del cisma, a l
que habría de asistir el rey de Inglaterra; pero todo quedó en un simpl
proyecto. Mientras tanto, Martín de Zalba, decidido a que la causa d
Clemente VII ganara terreno en la Península, asiste a la asamblea de Me
dina del Campo, alineándose siempre en el partido de los defensores d
papa aviñonés, aunque para ello tuviera que hacer caso omiso de la traye
toria de neutralidad asumida poco antes por su soberano. Los legados d
Urbano VI en aquella asamblea denunciarán más tarde la actuación de
obispo de Pamplona a Carlos II, y el propio Urbano VI lo incluirá, junt;
mente con el legado aviñonés, Pedro de Luna, en la bula de excomunió
lanzada contra Juan I el año 1382 [15].

Pedro IV de Aragón, a quien N. Valois califica de rey «astuto y calcul;
dor», protagonizó, con más claridad que ningún otro soberano de la P
nínsula, la actitud de «indiferencia» frente a los dos posibles papas legíti
mos, manteniendo esta línea política hasta los últimos días de su vida. ;
recibir las noticias sobre el conflicto por un enviado de los cardenales av

vol.2 p.266-382. En las p.376ss cita las obras de este gran canonista navarro relacionadas c
la historia del cisma; cf. también: M. SEIDLMAYER, *Die spanischen «Libri de Schismate» des Vatic
nischen Archivs*: Gesammelte Aufsätze zur Kulturgeschichte Spaniens 7 (1940) 199-262.
   [14] Parece que Martín de Zalba fue a Tívoli en nombre de los cardenales disidentes pa
notificarle a Urbano VI que su elección no había sido canónica. Irritado el papa por dich
embajada, planeó la muerte del prelado navarro, pero no pudo ver culminados sus crimin
les planes (M. SEIDLMAYER, *Die Anfänge...* p.246.337-338).
   [15] Sobre la presencia de Martín de Zalba en Medina del Campo: J. GOÑI GAZTAMBID
Historia de los obispos... vol.2 p.286-289; cf. también: J. ZUNZUNEGUI ARAMBURU, o.c., p.98ss

ioneses, manda a su representante en Roma que comunique a Urbano VI
a neutralidad aragonesa, y el mes de octubre del mismo año 1378 prohíbe
a los prelados de sus reinos la publicación del alegato redactado por los
purpurados de Clemente VII contra el pontífice aviñonés.

El Ceremonioso no permite tampoco que los legados de los dos papas
hagan propaganda en los dominios de la corona aragonesa. Si el primer
emisario de Urbano VI cayó en manos de un corsario catalán —a instancias de Pedro de Luna, según algunos autores— cuando pasaba por Perpiñán, Perfetto Malatesta, un nuevo legado romano, también fue hecho prisionero en aquel territorio, que estaba sometido al dominio de Aragón.
Este recupera pronto la libertad ante las protestas airadas del Ceremonioso, mas no podrá defender libre y públicamente la causa del papa Urbano. Pedro de Luna, el plenipotenciario de Clemente VII, logrará
entrar en tierras aragonesas, de donde era natural, sin que el rey le reco-
nozca su calidad de legado papal. Durante el verano de 1379, los dos representantes pontificios se enfrentan en un debate público ante la corte, pero
no conseguirán mover ni un ápice la decisión de neutralidad asumida ya
con firmeza por el soberano [16].

El viejo y sagaz monarca quiso, asimismo, poner los medios para recabar mayor información sobre la legitimidad de las partes en litigio. Al
igual que Juan I de Castilla, envía embajadores a Aviñón y a Roma con
este propósito, e incluso organiza una asamblea de obispos y letrados en
Barcelona durante el verano de 1379. Desconocemos el desarrollo de dicha reunión, pero sí sabemos que no obtuvo ningún resultado nuevo o
espectacular [17].

El soberano aragonés, al igual que los restantes reyes peninsulares,
cohonestaba las ventajas políticas de la neutralidad con el afán de conseguir mayor claridad en la legitimidad de cada uno de los papas; pero en él
se detecta mucho mejor lo prioritario de los intereses políticos sobre los
estrictamente eclesiásticos. Durante sus largos años de reinado había dado
ya muestras de oposición a la política seguida por la corte aviñonesa en
asuntos que afectaban al trono aragonés. La tutela de los papas de Aviñón
y de la misma Francia sobre el inestable reino de Mallorca constituía una
de las razones de esta actitud del rey aragonés; pero, cuando se produjo la
doble elección papal, tampoco se fiaba de Urbano VI, porque éste no veía
con buenos ojos el dominio de Aragón en Cerdeña y Sicilia. La indiferencia firmemente adoptada por Pedro IV le permite negociar con los dos
pontífices condiciones favorables a los propios objetivos políticos. Así, el
mes de septiembre de 1378 Francesc March, representante oficioso de

---

[16] El legado romano compuso un tratado en favor de Urbano VI titulado *De triumpho
Romano*, lleno de denuestos para Francia (cf. M. SEIDLMAYER, *Die Anfänge...* p.135).

[17] Cf. J. MIRALLES Y SBERT, *Carta del rey de Aragón al cabildo de Mallorca (1379) sobre envío
de doctores para deliberar acerca del verdadero papa:* Bol. Soc. Arqueol. Lul. 8 (1889-1900) 7;
A. IVARS, *La «indiferencia» de Pedro IV de Aragón en el gran cisma de Occidente (1378-1392):* Arch.
Ibero-Amer. 29 (1928) 21-97 y 181-186. Cf. también dicho trabajo en la «Historia de la
Iglesia» de FLICHE-MARTIN, vol.13, trad. castellana, apénd. p.395-440; J. ZUNZUNEGUI ARAM-
BURU, *La legación en España del cardenal Pedro de Luna (1379-1390):* Miscellanea H. Pontificiae
11 (1943) 106; la reunión de obispos fue convocada para el 15 de julio. Como no se presen-
tara casi nadie, el rey la trasladó a los primeros días de octubre.

Aragón en Roma, presentaba al nuevo papa las condiciones de la cort
aragonesa para decidirse por la obediencia romana: la concesión de Sicili
en calidad de feudo y la amortización de todas las deudas que el rey ara
gonés había contraído hasta entonces con la Santa Sede por el pago de
feudo de Cerdeña. Poco más tarde, el Ceremonioso hace los mismos plan
teamientos a Clemente VII, apurando la situación para sacar partido de l
difícil coyuntura que atravesaba el Papado y obtener, de hecho y de dere
cho, el dominio definitivo de las dos importantes islas mediterráneas [18].

Otras ventajas derivadas de la postura de indiferencia eran de índol
económica. Los ingresos papales provenientes de las rentas beneficiales n
saldrían de Aragón mientras no se solucionara el conflicto planteado. E
realidad, más tarde, cuando hubiera un papa legítimo indiscutible, esta
cantidades de dinero recaudadas tendrían que ir a parar a la Cámar
Apostólica pontificia; pero hasta entonces constituirían un importante re
curso para la deteriorada economía del reino, prácticamente exhausta po
la dura guerra contra Castilla y por la sangría humana que suponía par
los dominios de Aragón la peste a lo largo de la segunda parte del s
glo XIV. De hecho, Pedro IV, a comienzos de 1379, crea una cámara apo:
tólica propia que se hiciera cargo de la administración de los ingresos cc
rrespondientes a la Santa Sede [19].

Además, la neutralidad ofrecía al Ceremonioso la posibilidad de eje
cer el derecho de patronato, designando los titulares de aquellos benef
cios cuya nómina había ejercido hasta entonces la Santa Sede ante las pro
testas del propio soberano. Su política eclesiástica le permitió, asimismo
establecer negociaciones con los dos papas en otros terrenos. En 1379, po
ejemplo, solicita de Clemente VII la creación de la Universidad de Perp
ñán y demanda también a Urbano VI varias ventajas beneficiales [20].

Las actitudes de los súbditos de Pedro IV ante el conflicto provocad
por la doble elección pontificia estaban divididas, y esta división afectab
también a la misma familia del soberano. Sibila, su tercera mujer, y lo
infantes Juan y Martín eran partidarios de la obediencia aviñonesa. L
causa de Clemente VII la favorecían, asimismo, Pedro de Luna y el jove
predicador Vicente Ferrer, cuyo punto de vista no coincidía con el de mu
chos dominicos compañeros suyos de Orden [21]. El infante Pedro, el faná

---

[18] Un breve análisis de la actitud de Pedro IV: R. TASIS I MARCA, La «indiférence» «
Pere III en el gran cisma d'Occident: VII CHEMCA (Barcelona 1962) vol.3: Comunicacion
(Barcelona 1964) p.107-111; A. BOSCOLO, Isole Mediterranee, Chiesa e Aragone durante lo Scisn
d'Occidente (1378-1429): Medioevo Aragonese (Padua 1958) 69-97.

[19] J. VINCKE, Eine königliche Camera Apostolica: Römische Quartalschrift 41 (1933) 30(
310; ID., Der König von Aragón und die Camera Apostolica in den Anfängen des Grossen Schisma
Gesammelte Aufsätze zur Kulturgeschichte Spaniens 7 (1938) 84-126; ID., Die Berufung a
den Römischen Stuhl während der «Indifferenz» König Peters IV von Aragón: l.c., 8 (1940) 263-27
L. GREINER, Un représentant de la Chambre Apostolique de Clément VII en Aragon au début de gran
schisme: Mélanges d'Archéologie et d'Histoire de l'École Française de Rome 65 (1953) 19
213; J. FAVIER, Les finances pontificales à l'époque du grand schisme d'Occident, 1378-1409 (Par
1966).

[20] J. VINCKE, Auseinandersetzungen um das päspt liche Provisionswesens in den Länden der are
gonischen Krone: Römische Quartalschrift 53 (1958) 1-24.

[21] Una hija de Pedro IV, Juana, condesa de Ampurias, dirige un rótulo de súplicas
papa de Aviñón el mismo año 1378. María López de Luna, mujer del infante Martín, recib

tico y visionario franciscano, tío del rey aragonés, defendía ardorosamente la legitimidad del papa romano. De los dos partidos en liza, el clementista tenía muchos más simpatizantes; pero ni unos ni otros lograron doblegar la primera decisión del Ceremonioso, a pesar de las deserciones que fueron produciéndose en la neutralidad peninsular por las decisiones unilaterales de Portugal y Castilla.

Las diversas órdenes religiosas de la corona aragonesa, al igual que en otras latitudes peninsulares y foráneas, sufrieron también las consecuencias funestas de la división de obediencias papales, que conllevó, por lo general, la elección de dos generales, fieles, respectivamente, a cada uno de los pontífices enfrentados. Pedro IV de Aragón trató de imponer en ellas su decidida y sistemática actitud de indiferencia, sin conseguirlo. El soberano apoya con notable convencimiento al infante Pedro —«el campeón de la romanidad» en la Península—, como supuesto vicario general de la provincia franciscana de Aragón, hasta la muerte de éste (1381), para contrarrestar el proclementismo firme del vicario legítimo, Fr. Tomás Olzima, el cual gozaba del favor, no menos claro, del infante D. Juan.

Las comunidades dominicanas de Aragón y Navarra asumieron mayoritariamente la obediencia aviñonesa, a pesar de las presiones del Ceremonioso por mantenerlas en la neutralidad mediante la autoridad del provincial, Bernardo Ermengau, buen colaborador suyo, y de las rigurosas medidas desplegadas contra los frailes recalcitrantes, a quienes el rey conminaba con el destierro de los conventos propios. Pero éstos, además de no reconocer a dicho provincial, llegaron a celebrar capítulos provinciales independientes del resto de la provincia, haciendo caso omiso de la voluntad manifiesta de Pedro IV. Los mallorquines, por el contrario, sostenidos por el obispo Pedro de Cima, amigo del infante Fr. Pedro, estaban más cerca de Urbano VI. Entre los mendicantes de Valencia se produjeron enfrentamientos frecuentes debido a la misma dualidad de las posiciones que se iban perfilando. Los hijos de Santo Domingo, alimentados con el fervor clementista del prior de dicha ciudad, Vicente Ferrer, miraban con más simpatía hacia Aviñón, mientras que los franciscanos militaban preferentemente en las filas del partido urbanista. Nada tiene de extraño que se prodigaran conflictos frecuentes entre ambas facciones, originando el lógico escándalo del pueblo cristiano.

Fernando I de Portugal (1367-1383), que durante la primera etapa del cisma había adoptado la postura de neutralidad como los restantes reyes vecinos, a finales de 1379 o a comienzos de 1380, influido por el duque de Anjou y por los embajadores clementistas, abraza la obediencia de Aviñón. Año y medio más tarde, el mes de agosto de 1381, al alinearse al lado de

al año siguiente de Clemente VII varios favores previamente solicitados. Su marido hará lo mismo, siguiendo el ejemplo del infante Juan, duque de Gerona. Este estaba casado con Yolanda de Bar, hija de María, la hermana del rey francés y fervorosa clementista (cf. N. VALOIS, o.c., p.217ss). Sobre las incidencias del conflicto en la Orden dominicana: A. IVARS, *La «indiferencia...»* p.420s (del texto editado en la«Historia de la Iglesia» de FLICHE-MARTIN). Cf. también: G. G. MEERSSEMANN, *Études sur l'ordre des frères Prêcheurs au début du grand schisme:* Arch. Fratr. Praed. 26 (1956) 192-248, donde se analiza la posición del domínico Nicolau Eimeric.

Inglaterra en la guerra del duque de Lancaster contra Castilla, se ve ur gido a reconocer por papa legítimo a Urbano VI [22].

II. LA ASAMBLEA DE MEDINA DEL CAMPO (1380-1381)

Por J. F. Conde

Tan pronto como Pedro de Luna, legado de Clemente VII, entró er los dominios castellanos a comienzos de 1380, comienza a poner en juego toda su capacidad diplomática para ganar adeptos y forzar la decisión de Juan I en favor de Aviñón. Pero no consiguió cambiar la voluntad de joven rey de Castilla, que esperaba tomar una decisión ponderada a partir de la asamblea de prelados y expertos convocada por él mismo para finales de dicho año, porque «el fecho —en la mente del rey— era peligroso e muy dubdoso e non podía aina declarar» [23]. En el transcurso de dicho año llegaron a la corte castellana delegados de Roma, Aviñón y Francia, sir conseguir tampoco resultados positivos.

La conocida asamblea de Medina del Campo, que López de Ayala califica de «cónclave» y Seidlmayer considera como «uno de los más interesantes procesos de toda la Edad Media» [24], se abre el 23 de noviembre de 1380. Juan I, que asiste personalmente a los momentos importantes de la misma, «mandó venir allí todos los perlados e letrados del su regno» [25], e invitó también a los representantes de los dos papas. La causa urbanista iba a ser defendida por Francisco Uguccione de Urbino, obispo de Faenza; Francisco de Siclenis y un prelado español, Gutierre Gómez de Toledo, titular de la sede palentina, que había sido promovido al cardenalato por Urbano VI, sin duda con el propósito de contrarrestar la influencia y el prestigio del cardenal de Aragón, Pedro de Luna. La defensa de la causa clementista corría a cargo principalmente del purpurado aragonés. A su lado estaban, además, los embajadores del rey francés Carlos VI [26].

La reunión de prelados y juristas se prolongará durante más de cuatro meses, y los asistentes sobre quienes recayó la labor técnica parece que trabajaron de firme, hasta el punto de que «muchos días —según constatación de López de Ayala— ayuntábanse de cada día en un lugar apartado, que el rey ordenó para esto, e los más días allí comían». El informe sobre la encuesta realizada por Ruy Bernal y Fernando de Illescas en Aviñón,

---

[22] J. C. Baptista, *Portugal e o cisma do Occidente:* LS 1 (1956) 65-203.

[23] P. López de Ayala, *Crónica del rey D. Juan I:* BAE LXVIII p.70.

[24] M. Seidlmayer, *Die Anfänge...* p.42. El protocolo del proceso, muy bien escrito por Pedro Fernández de Pinna, notario apostólico y arcediano de Carrión, se encuentra perfectamente conservado en la Bib. Nac. de París, Ms. Lat., 11.745. M. Seidlmayer (o.c.) publica algunos fragmentos del mismo en el apéndice documental. Una segunda parte complementaria: Bib. Nac. de París, Ms. Lat., 1.469.

[25] P. López de Ayala, o.c., p.70.

[26] Una breve reseña biográfica del prelado palentino convertido en cardenal: F. J. Fernández Conde, *Gutierre de Toledo...* p.50-53. No debe confundirse al cardenal con el homónimo, obispo, sobrino y contemporáneo suyo, que entonces ocupaba la sede de San Salvador de Oviedo.

Roma y Nápoles, llamado en principio a constituir una pieza fundamental en aquel complejo proceso, no respondió a las esperanzas puestas en ella por los partidarios de ambas obediencias. Los dos diplomáticos castellanos confesaron que el cisma había creado una gran confusión en todas partes y que detrás de cada elección papal había razones de peso para avalar su legitimidad.

Las dos comisiones creadas para examinar la causa y los testimonios de los testigos procedieron con extraordinario orden y rigor, tratando de encontrar la verdad a partir del amplio conjunto de argumentos aportados; pero resultaba sumamente difícil ver con claridad. Las pruebas ofrecidas por cada una de las partes, examinadas hoy objetiva y conjuntamente, carecen de fuerza suficiente para determinar dónde estaba la razón [27]. Sin embargo, las opiniones comenzaron a decantarse poco a poco del lado del pontífice aviñonés. En este aspecto debió de ser decisiva la labor diplomática de Pedro de Luna. Las facultades casi omnímodas que le había concedido Clemente VII al nombrarlo legado a finales de 1378, acrecentadas más todavía posteriormente, le daban una enorme capacidad de maniobra, que supo aprovechar muy bien a la hora de repartir favores eclesiásticos, de manera especial entre los prelados más influyentes. El mes de octubre de 1379, el papa de Aviñón le otorga la facultad de fundar o ampliar estudios generales sin ninguna limitación. Por eso resulta bastante significativo el hecho de que Clemente VII y el cardenal de Aragón rivalicen durante la década del 80 en favorecer a la Universidad de Salamanca, cuyos letrados jugaron, a buen seguro, un papel importante en la asamblea de Medina del Campo. A lo largo de los tres primeros años de su legación, Pedro de Luna pudo disponer de importantes sumas de dinero, que gastó, lógicamente, en granjearse partidarios [28]. Antes de comenzar la asamblea de Medina compuso el *Tractatus de principali schismate*, que, si no destaca por sus novedades o por su profundidad teológica, serviría, al menos, para avivar el fervor de los clementistas y hacer la correspondiente propaganda. El discurso inaugural de la asamblea corrió a cargo de él, e intervino alguna vez más durante los trabajos de la misma, redactando también unas *Allegationes* a favor del pontífice francés [29].

La competencia de la legación urbanista era inferior y poseía menos medios que la de Clemente VII. El mismo Gutierre Gómez de Toledo dista mucho de la recia personalidad del cardenal aragonés. El 4 de marzo de 1380 fue sometido a un interrogatorio ante Juan I y su Consejo, y no hizo un papel demasiado lucido. Sabe poco del problema en cuestión y habla casi siempre de oídas. El tono de sus respuestas produce una impresión más pobre que las de sus compañeros de intervención. Al final de la asamblea se pasa a la obediencia de Aviñón, renunciando al capelo carde-

[27] N. VALOIS, o.c., vol.2 p.203.
[28] J. ZUNZUNEGUI ARAMBURU, *La legación...* p.111.
[29] *Allegationes solemnissime domini cardinalis de Luna coram rege et consilio Francie* (léase *Castelle*): N. VALOIS, o.c., vol.2 p.203; cf. también F. EHRLE, *Die Kirchenrechtlichen Schriften Peters von Luna (Benedikts XIII):* Archiv für Literatur- und Kirchengeschichte des Mittelalters 7 (1900) 515-575; y A. GARCÍA Y GARCÍA, *La Canonística ibérica medieval posterior al Decreto de Graciano:* RHCEE II (Salamanca 1971) p.206-207.

nalicio que le había otorgado Urbano VI. Las hábiles maniobras de Pedro de Luna tuvieron que influir, sin duda alguna, en tan llamativo cambio. De hecho, el representante de Clemente VII nombra en seguida a D. Gutierre cardenal, con el título de los Santos Juan y Pablo [30].

El mismo Pedro Tenorio, partidario decidido de la solución conciliar, no parece haber puesto una resistencia notable a la decisión proclementista, que iba abriéndose camino cada vez con más nitidez a medida que discurría la asamblea de Medina. Resulta también bastante razonable poner en relación la nueva actitud del arzobispo de Toledo con la política de reclamos beneficiales desplegada por Pedro de Luna. Finalizada ya la reunión de Medina del Campo, el mes de julio de 1381, Pedro Tenorio recibe la facultad de inspeccionar todas las súplicas que se dirigieran a la curia aviñonesa, lo que supondría, entre otras cosas, un importante capítulo de ingresos para las arcas del metropolitano de Castilla [31].

Quizás haya que poner en el capítulo de influencias determinantes del cambio experimentado por las dos personalidades más destacadas de la Iglesia castellana de aquellos años la adhesión a la obediencia aviñonesa de un sector clerical, cuya magnitud no estamos en condiciones de precisar. La curia episcopal de Oviedo, por ejemplo, reconocía públicamente a Clemente VII antes de que se publicara la declaración oficial elaborada en Medina del Campo. Curiosamente, esta sede tenía como titular a un pariente de los dos prelados citados más arriba [32].

Una comisión de juristas y obispos cerró las discusiones de la larga asamblea, pronunciándose sobre la amplia serie de proposiciones que resumían la problemática analizada. La decisión de la misma a favor de Clemente VI fue unánime. El reconocimiento oficial del papa aviñonés tuvo lugar en Salamanca el 19 de mayo de 1381 mediante la lectura de una carta de Juan I que resumía el camino recorrido para llegar a esta decisión. El soberano termina ordenando a todos sus súbditos que la acataran sin reservas. El argumento decisivo, según la citada declaración de Juan I, estribaba en la falta de libertad de los asistentes al cónclave de Roma, que viciaba la primera elección, por lo cual Urbano VI debía ser considerado como «forzador de la silla apostolical e en ella intruso» [33].

En realidad, las razones profundas que decidieron en el cambio de la corte castellana y de Juan I no fueron tan formalmente jurídicas y desinteresadas como pretende poner de manifiesto el largo documento del soberano. El propio López de Ayala menciona otra motivación de orden político que, sin duda, pesó decisivamente en la corte a la hora de abandonar la actitud de indiferencia, prácticamente consolidada por casi tres años de historia. El cronista alude a la guerra que se estaba preparando en Portugal contra Castilla durante la primavera de 1381. El promotor de la

---

[30] F. J. FERNÁNDEZ CONDE, o.c., p.52. En las notas se recogen textos relacionados con la presencia del legado de Urbano VI en Medina del Campo.
[31] Cf. Bib. Nac. de Madrid, ms.13.081, f.91r-92r.
[32] F. J. FERNÁNDEZ CONDE, o.c., p.140 y nt.12.
[33] P. LÓPEZ DE AYALA, o.c., p.74. El texto íntegro de la declaración: ibid., p.72-75. La carta de Juan I comunicando a todas las autoridades de su reino el reconocimiento oficial de Clemente VII (30-5-1381): L. SUÁREZ FERNÁNDEZ, *Castilla, el cisma...* apénd. n.8 p.155-156.

misma era el duque de Lancaster, el cual, casado con la hija mayor de Pedro I, encarnaba el legitimismo de los partidarios de este soberano, y pretendía ahora reivindicar sus derechos al trono de los Trastamara. La ratificación solemne de la alianza entre Inglaterra y Portugal el 14 de mayo de este año convertía la posibilidad de un ataque a los dominios castellanos por parte de las tropas inglesas, apoyadas por Fernando I de Portugal, en una realidad inminente. La tradicional amistad de Castilla con Francia resultaba ahora sumamente necesaria. El reconocimiento del papa aviñonés en Salamanca venía a estrechar los lazos de cooperación militar de las dos grandes potencias continentales.

La declaración solemne de Juan I en Salamanca no dejó satisfecho a todo el mundo. Un grupo hubiera preferido que la decisión de la asamblea de Medina y la proclamación oficial del 19 de mayo se expresaran en un tono menos definitorio y que tuvieran un carácter de cierta provisionalidad, haciendo referencia expresa a una posible y definitiva solución del concilio general. El cronista López de Ayala, al reflejar el sentir de esta opinión minoritaria, estaba aludiendo, probablemente, a los seguidores de Pedro Tenorio, o quizás se hacía eco de los últimos reparos expresados por el metropolitano de Toledo sobre este particular. Algunos otros, según el mismo historiador, seguían viendo en la indiferencia de los príncipes la única actitud válida para terminar con el cisma planteado. En cualquier caso, la declaración de Salamanca determina la política religiosa que seguirá habitualmente Castilla hasta la solución conciliar de Constanza, salvo el paréntesis de la retirada de la obediencia a Benedicto XIII desde finales de 1398 a abril de 1403.

III.   LA OBEDIENCIA AVIÑONESA GANA TERRENO EN LA PENINSULA. NAVARRA Y ARAGON RECONOCEN OFICIALMENTE A CLEMENTE VII

Por J. F. CONDE

La declaración de Salamanca fortaleció extraordinariamente al partido clementista en los reinos de la corona castellana. Los reductos de urbanistas convencidos que quedaban debían de ser muy escasos y prácticamente inoperantes. Sabemos que el papa romano proveyó algunas sedes episcopales, pero estas elecciones recayeron, probablemente, sobre clérigos de la curia pontificia, los cuales ni siquiera llegaron a poner los pies en sus respectivas sedes [34].

Durante la década de los años ochenta, Pedro de Luna, cada día con

---

[34]   Guillermo de Verdemonte fue designado por Clemente VII obispo de Oviedo en diciembre de 1389. Benedicto IX, el papa romano que sucede a Urbano VI (1389-1404), nombra titular de la sede ovetense a un partidario suyo cuatro años más tarde (cf. F. J. FERNÁNDEZ CONDE, *Guillermo de Verdemonte: un curial aviñonés en la sede de San Salvador de Oviedo (1389-1412)*: Asturiensia Medievalia 3 [1979] 233-35). Un fenómeno similar se registra también aquellos años en la sede de Astorga (cf. A. QUINTANA PRIETO, *La diócesis de Astorga durante el gran cisma de Occidente*: AA 20 [1973] 43 y 55).

mayor poder económico y jurídico en sus manos, trabaja incansablemente tratando de hacer más efectiva la influencia de Clemente VII en Castilla. Esta labor realizada en los dominios del rey castellano le servirá también de plataforma para extender la obediencia clementista a los reinos vecinos de la Península, utilizando los hilos de la política internacional en unas direcciones que coincidirán siempre con los intereses de la alianza franco-castellana.

El año 1382 Clemente VII formaliza un pacto con Juan I a fin de fortalecer la expedición del duque de Anjou a Nápoles y Sicilia contra Carlos de Durazzo, defensor de la causa urbanista en aquellos reinos [35]. El monarca castellano se comprometía a fletar seis naves bien pertrechadas de víveres y vituallas para combatir bajo la bandera de Clemente VII por un período de seis meses. La Cámara Apostólica aviñonesa se hacía cargo de los gastos de la empresa marinera castellana —cuyo importe ascendía a 43.000 francos de oro— comprometiendo una serie de rentas ligadas a la concesión de beneficios eclesiásticos en los dominios de Juan I [36]. Desconocemos la intervención del cardenal de Aragón en la gestación del acuerdo entre Castilla y Aviñón, pero parece bastante razonable suponer que su influencia, muy grande en aquellos momentos, sirviera para allanar las dificultades iniciales de las negociaciones bilaterales, si bien es verdad que Clemente VII podía utilizar, como de hecho utilizó, la concesión de la décima eclesiástica a la hora de mover la voluntad del soberano castellano, en el cual, al tratar con la Iglesia, no sólo pesaban las motivaciones de índole espiritual.

El enviado especial del papa aviñonés para ultimar y firmar dicho tratado fue el patriarca de Antioquía, Seguino d'Anton. El arzobispo de Toledo se convirtió en el verdadero ejecutor de los acuerdos estipulados. Este influyente prelado, en vez de esperar a reunir las rentas arbitradas para preparar la expedición marítima, consigue varios préstamos, que le permiten agilizar la operación y tener a punto las galeras —dos más de las demandadas por la Santa Sede— en la primavera de 1383. Desconocemos la suerte y las vicisitudes de la escuadra castellana en aquella expedición militar, nefasta para el duque de Anjou y sus tropas, pero sabemos que el año 1384 estaba ya de vuelta.

El citado acuerdo de ayuda naval de Juan I y Clemente VII tuvo secuelas económicas de importancia. Pedro Tenorio, encargado de percibir las rentas de la Cámara Apostólica para responder a los pagos de la expedición, conservará esta prerrogativa indebidamente hasta 1390. Guillermo de Verdemonte, un legado de Aviñón que llega a Castilla en 1385 con el objeto de poner claridad en las cuentas de la economía pontificia, tendrá que contar desde el principio de su misión con la influencia del metropoli-

---

[35] Las circunstancias de este tratado: J. ZUNZUNEGUI ARAMBURU, *Las cuentas de las galeras enviadas por Juan I de Castilla en favor de Clemente VII de Aviñón*: AA 5 (1957) 596-599; J. SUÁREZ FERNÁNDEZ, *Castilla, el cisma...* p.4 apénd. n.11 p.158-161. Ambos autores datan el citado tratado en 1383, pero todo parece indicar que debe adelantarse un año (cf. F. J. FERNÁNDEZ CONDE, a.c., p.220-221).

[36] Sobre las rentas pontificias comprometidas: F. J. FERNÁNDEZ CONDE, a.c., p.221.

tano de Toledo [37]. Este oficial de la curia aviñonesa, cuando vuelva a España el año 1390, trayendo ya el título de obispo de Oviedo en el bolsillo, para cumplir los menesteres de una nueva legación, orientada, entre otras cosas, a liquidar las anomalías económicas de Pedro Tenorio, se demostrará incapaz de llevar a buen término su cometido [38].

Entre las actuaciones estrictamente eclesiásticas de Pedro de Luna durante su ejecutoria como legado pontificio en Castilla, merece la pena destacar la creación de la facultad de teología de la Universidad de Salamanca (1381) y las constituciones de reforma que promulgó ante una reunión de obispos en el contexto de la celebración de las cortes de Palencia el año 1388. Los siete cánones de este documento disciplinar —el segundo de ellos dedicado a tratar sobre la vida y honestidad de los clérigos, casi tan largo como los seis restantes— constituye una buena síntesis de todos los capítulos reformistas, repetidos casi mecánicamente en los numerosos concilios y sínodos de la Iglesia castellana del siglo XIV. Desde el punto de vista práctico, no creemos que fueran más eficaces que aquéllos [39].

Después de la declaración oficial de Salamanca, Castilla era el único reino peninsular que obedecía formalmente al papa de Aviñón. Para los rectores de la política castellana, el apoyo de Navarra y Aragón tenía entonces suma importancia estratégica ante la siempre preocupante amenaza de una invasión inglesa, cuya causa secundaban los portugueses. La ayuda militar de navarros y aragoneses resultaría más fácil de conseguir si Carlos II y Pedro IV abandonaban su tradicional neutralidad en el conflicto del cisma y se adherían también a Clemente VII. Portugal e Inglaterra, apoyando el partido urbanista, marchaban unidos, asimismo, en el terreno eclesiástico. Pedro de Luna, solidario de los intereses políticos castellanos, que en buena parte coincidían con los de los franceses y los del pontífice aviñonés, puso en juego, una vez más, su inmensa capacidad negociadora en los restantes reinos de la Península.

Después de la asamblea de Medina del Campo, parece que el rey navarro estaba más inclinado hacia el papa de Aviñón, hasta el punto de que los legados urbanistas asistentes a la magna reunión castellana comunicaron a Urbano VI el temor de que dicho soberano cambiara la postura de indiferencia por la obediencia explícita al papa aviñonés. El cardenal Pedro de Luna trata de aprovechar la coyuntura favorable en Navarra para forzar en aquella dirección la voluntad de Carlos II. En los dominios del pequeño reino pirenaico contaba además con tres sólidas plataformas de influencia: la posibilidad de modificar las cláusulas del tratado de Briones, netamente desfavorable para Navarra, que se había visto obligada a entregar en cus-

---

[37] «Primo est loquendum cum domino archiepiscopo tholetano et eius notitia efficaci quo poterit animorum adquirenda, nam ab ipso dependeret circa facta Camere maiora»: *Memoriale pro domino Guillermo de Viridimonte ad partes Castelle:* ARCH. VAT., *Colect. 118* f.114r-v (cf. F. J. FERNÁNDEZ CONDE, a.c., p.222 nt.17). El análisis de esta legación de Guillermo de Verdemonte: ibid., p.220-230.

[38] La serie de documentos de esta nueva legación: L. SUÁREZ FERNÁNDEZ, *Castilla, el cisma...* apénd. n.24ss p.180ss. Un estudio sobre la misma: F. J. FERNÁNDEZ CONDE, a.c., p.238-240.

[39] J. TEJADA Y RAMIRO, o.c., vol.3 p.610-621; L. SUÁREZ FERNÁNDEZ, o.c., apénd. n.22 p.172-179.

todia varias plazas fuertes a Castilla; la clara actitud proclementista de D. Carlos, el infante heredero, casado con una hija del rey castellano, y la extraordinaria personalidad de Martín de Zalba, obispo de Pamplona, cuyo apoyo decidido al papa de Aviñón no había sido disimulado nunca. El mes de abril de 1382, el cardenal de Aragón llega a Pamplona para entablar conversaciones con Carlos II y el infante heredero. Todo transcurrió dentro de la mayor cordialidad, pero el legado no consigue modificar la decisión oficial del rey navarro respecto a la adopción de la obediencia aviñonesa. Este, mucho más cerca de Aviñón que de Roma, no quería romper con Urbano VI para mantener abierto el camino de las negociaciones en Inglaterra cuando trataba de recuperar la fortaleza de Cherbourg y, además, porque prefería estar a la espera de la evolución de los planes lancasterianos respecto a Castilla, que podrían ofrecer en bandeja a Navarra la posibilidad de jugar un papel ventajoso de mediación o de ayuda según fueran desarrollándose los acontecimientos. La actitud similar de Pedro IV el Ceremonioso le animaba también a prolongar la postura de neutralidad. De hecho, a lo largo de 1382-1383 seguirá manteniendo relaciones con Urbano VI [40].

La trayectoria política del infante D. Carlos es mucho más neta y definida que la de su padre. Entre 1382 y 1383 pasa casi un año en Castilla, ayuda a Juan I en el aniquilamiento de la revuelta provocada por el conde de Noreña, Alfonso, hermanastro del soberano, participando en una expedición marítima contra Gijón (1383), último baluarte del rebelde [41], y más tarde (1384) asiste al asedio de Lisboa, combatiendo al lado de las tropas castellanas. El acuerdo de Segovia pergeñado entre él y Juan I, por el que se rebajaban notablemente las onerosas condiciones del tratado de Briones, constituye uno de los efectos más espectaculares de esta política filocastellana del futuro rey de Navarra. El muñidor de dicho acuerdo fue precisamente el cardenal de Aragón; por eso nada tiene de extraño que en las cláusulas del mismo se incluyese una disposición secreta por la cual Carlos II, padre del infante negociador, quedaba obligado a reconocer la legitimidad de Clemente VII. Pero el rey de Navarra se negó a ratificar el acuerdo en cuestión, quizás para no comprometer todavía su neutralidad, de la que esperaba seguir sacando buenos dividendos políticos [42]. De hecho, continuará tratando con Clemente VII para mejorar sus relaciones en la corte francesa.

Pedro de Luna vuelve otra vez a la carga el año 1385 para tratar de ganar la adhesión de Carlos II. Este año permanece varios meses en Pamplona, y, aunque no conocemos la evolución de las gestiones realizadas entonces, todo hace suponer que el activo legado y los rectores políticos de

---

[40] J. ZUNZUNEGUI ARAMBURU, *El reino de Navarra...* p.111ss.119-120.

[41] Ibid., p.115ss. El autor atribuye al conde de Noreña el título de marqués de Villena equivocadamente. Sobre las rebeliones del conde D. Alfonso contra Juan I: F. J. FERNÁNDEZ CONDE, *Gutierre de Toledo...* p.114ss; J. URÍA MAQUA, *El conde D. Alfonso:* Asturiensia Medievalia 2 (1975) 177ss.

[42] J. ZUNZUNEGUI ARAMBURU, o.c., p.117-119, apénd.16 p.317-318: «entre las quales conditiones secretas es que vos me otorgastes lo que dicho es, como en los dichos tractos se contiene, mas otorgástelo con esta condición et manera, et conviene saber: el rey de Navarra mi padre, declarándose con su regno por el papa Clemente...»

Navarra perfilaron durante estos meses las bases de un tratado redactado a principios del año siguiente en Castilla. Los acuerdos adoptados por ambas partes el mes de febrero de 1386 en Estella —Pedro de Luna fue el principal representante castellano en la mesa de las negociaciones— resultaron netamente favorables al soberano navarro, porque anulaban casi en su totalidad los compromisos de Briones, que habían ligado el reino pirenaico a Castilla de una manera violenta.

La generosidad de Juan I en esta ocasión tampoco era totalmente desinteresada. En su ánimo y en el de sus consejeros pesaba de manera extraordinaria la derrota de Aljubarrota (1385), que dejaba momentáneamente el reino castellano a merced del duque de Lancaster y de sus aliados de Portugal. Todo parece indicar que Carlos II quedó satisfecho por lo pactado en este nuevo acuerdo navarro-castellano; pero, a pesar de ello, no se decide todavía a reconocer oficialmente a Clemente VII, condición no formulada de modo explícito en la convención de Estella, pero que estaba, sin duda, en la mente de todos los asistentes a las negociaciones. De hecho, el nuevo tratado venía a confirmar o a ratificar el estipulado tres años antes en Segovia.

Carlos II muere el año 1387, sin cambiar de actitud respecto al cisma. Corresponderá a su hijo dar el paso definitivo hacia Aviñón. Carlos III, continuando su política filocastellana, ayuda militar y económicamente a Juan I en la guerra emprendida por Castilla para frenar la invasión anglo-portuguesa; permite a los franceses, aliados de los castellanos, el paso libre por sus tierras camino del campo de batalla y expulsa del suelo navarro a los soldados ingleses fugitivos en demanda de asilo. El acercamiento a la corte francesa fue otro de los caminos que hubo de recorrer el nuevo rey para tratar de recuperar los territorios pertenecientes a Navarra en territorio francés, que habían sido enajenados durante los últimos años del reinado de Carlos II el Malo. La declaración de obediencia a Clemente VII efectuada por Carlos III, un prerrequisito normal de su coronación y la consecuencia lógica de la trayectoria política seguida por él hasta entonces, tuvo lugar en Pamplona el 6 de febrero de 1390. Durante la ceremonia pronunció Pedro de Luna un conocido sermón, donde incluía argumentos legitimadores del pontífice aviñonés utilizados en otras ocasiones solemnes [43]. Martín de Zalba, el obispo de Pamplona, una de las piezas clave de toda la actividad diplomática del legado de Aviñón en Navarra, recibe la dignidad cardenalicia el mes de julio de dicho año. En el acto de la imposición del birrete correspondiente a este rango eclesiástico, celebrado en la catedral de Pamplona el mes de septiembre, tuvo también un panegírico el cardenal de Aragón [44].

Las negociaciones del legado de Aviñón con Pedro IV el Ceremonioso después de la asamblea de Medina del Campo siguieron un proceso muy similar al desarrollado en Navarra. Este soberano mantuvo la actitud de

[43] H. LAPEYRE, Un sermón de Pedro de Luna: BH 49 (1947) 38-46; 50 (1948) 129-146; cf. también J. ZUNZUNEGUI ARAMBURU, El reino de Navarra... p.139-141 y en apénd.20 p.324-329 una parte interesante del mismo.
[44] J. GOÑI GAZTAMBIDE, Historia de los obispos... vol.2 p.311-313. Cf. asimismo: J. RIUS SERRA, El cardenal Zalba. Su elogio por el cardenal Pedro de Luna: H 4 (1944) 211-243.

indiferencia hasta el momento de su muerte, lo mismo que Carlos II. Pero el hábil cardenal de Aragón supo aprovechar también aquí el apoyo decidido del grupo proclementista, y especialmente la influencia del infante D. Juan, duque de Gerona y heredero de la corona, militante activo de la obediencia aviñonesa, sobre todo después de su matrimonio con Yolanda de Bar, sobrina del francés Carlos V. Pedro de Luna, que había tratado de casar al infante D. Juan con una hermana de Clemente VII, participó, asimismo, en los preparativos matrimoniales del futuro rey de Aragón con una dama tan cercana a los intereses franceses.

El año 1382, D. Juan envía una embajada secreta a la corte de Castilla demandando representantes para las cortes que su padre pensaba convocar al objeto de tratar, entre otras cosas, los problemas del cisma. Estos enviados castellanos habrían de ofrecer a la asamblea convocada por Pedro IV las conclusiones de los trabajos de Medina del Campo. Pero todo quedó en mero proyecto. El año 1386, el desconfiado y astuto rey aragonés envió dos juristas a la curia papal de Aviñón con el propósito de recabar de los cardenales una información más exhaustiva. Los emisarios Guillem de Valseca y Pedro Calvo «con gran diligencia examinaron el hecho deste negocio y recibieron diversas informaciones, y con ellas volvieron a Barcelona por el mes de setiembre passado, y con gran instancia se procuró que el rey, sin más dilación, se declarasse; pero sobrevino su muerte y quedó aquello por resolverse» [45].

En efecto, la muerte le llegó al monarca el día 5 de enero de 1387. Con la proclamación de Juan I, el reconocimiento de la obediencia a Clemente VII era ya sólo cuestión de días. Pedro de Luna se entrevista, sin pérdida de tiempo, con el nuevo rey en Barcelona, y el 24 de febrero, ante la presencia de la corte, de los prelados de sus reinos y del cardenal legado, que pronunció el acostumbrado discurso proclementista, el soberano de Aragón proclama al papa aviñonés como legítimo titular de la sede de San Pedro [46].

Las consecuencias político-eclesiásticas de la entrada de Aragón en la obediencia aviñonesa se sucederán de manera rápida. Juan I firma el mes de abril una alianza con Francia en presencia de Pedro de Luna. Poco después, encontrándose gravemente enfermo el rey aragonés, redacta su testamento y designa al cardenal legado entre los ejecutores del mismo. El mes de mayo, el activo prelado, en nombre de Clemente VII, confirma al titular de la corona aragonesa la investidura de las islas de Córcega y Cerdeña, dispensándole de prestar vasallaje por no encontrarse todavía restablecido [47]. La serie de favores que otorga el representante clementista para premiar la adhesión de Aragón al papa aviñonés alcanza su punto culminante en la concesión del capelo cardenalio al obispo de Valencia, Jaime, primo hermano de Pedro IV, a quien Clemente VII ya había ofrecido dicha dignidad seis años antes [48].

---

[45] J. ZURITA, Los «Anales»... l.10 c.42.
[46] S. PUIG Y PUIG, Pedro de Luna, último papa de Aviñón (1387-1430) p.10ss.
[47] J. ZUNZUNEGUI ARAMBURU, La legación... p.124.
[48] S. PUIG Y PUIG, Pedro de Luna, último papa de Aviñón (1387-1430) p.17-18. Sobre este obispo de Valencia cf. también: E. OLMOS Y CANALDA, Los prelados valentinos p.95-101.

Los esfuerzos llevados a cabo por Pedro de Luna para incluir a Portugal en el ámbito de la obediencia aviñonesa resultaron también complejos, tuvieron varias alternancias y terminaron en fracaso, debido fundamentalmente al enfrentamiento abierto entre Inglaterra y los portugueses con Castilla y Francia.

Los vaivenes políticos y la trayectoria de la guerra entre las dos partes contendientes irán marcando el rumbo de las distintas adhesiones de la corona portuguesa, cuyas referencias obligadas eran el firme urbanismo de la corte inglesa y el no menos decidido clementismo de Juan I y de los rectores de la política francesa.

El mes de marzo de 1381, el cardenal de Aragón, acompañado de Vicente Ferrer, se entrevistaba con Fernando I para evitar que el soberano portugués, presionado por Inglaterra, abandonara la obediencia aviñonesa y abrazara la de Urbano VI. Pero sus esfuerzos resultaron baldíos. La colaboración militar con Inglaterra llevaba aparejada la fidelidad al papa de Roma, según indicamos más arriba. Las tropas expedicionarias inglesas que desembarcaron en Lisboa el mes de julio de dicho año, mandadas por el conde de Cambridge, emprenden una guerra con todos los pronunciamientos de cruzada contra el «cismático» rey castellano, amparadas por el patrocinio espiritual de Urbano VI. Pero la campaña fue para ellas un fracaso rotundo. La superioridad de los castellanos, puesta especialmente de manifiesto en el mar, movió al rey de Portugal a firmar la paz con Juan I a espaldas de los ingleses (1382). Todo parece indicar que Pedro de Luna tomó parte en las negociaciones previas y que entre los acuerdos se incluía el reconocimiento de Clemente VII por parte de Fernando I, aunque no todos los juristas lusitanos estaban de acuerdo en ello [49].

La victoria completa del cardenal de Aragón tendrá que esperar todavía al año siguiente, y llegará por el camino de los compromisos matrimoniales que irán estableciéndose entre la corte castellana y la portuguesa durante dicho período, en los cuales él será una pieza importante. Con la muerte de Leonor, reina de Castilla, en el mes de septiembre de 1382, se abre para Juan I la posibilidad de un nuevo matrimonio, cuyas incidencias políticas dieran paso a un juego de alianzas favorables a los intereses castellanos. Después de diversas vicisitudes, la elección de la candidata para el segundo casamiento del Trastamara recayó sobre la infanta portuguesa Beatriz. El matrimonio proyectado llevaba aparejados riesgos graves, que trataron de obviarse teóricamente en las capitulaciones, excluyendo la eventualidad de que Portugal fuera gobernado por el monarca castellano después de la muerte de Fernando I. El nuevo rumbo de las relaciones lusocastellanas tenía, además, serias incidencias en el terreno social, en el económico [50] y también en el religioso, habida cuenta de la opción proaviño-

---

[49] «Em esto veosse el Rei a Rio mayor, e estamdo alli per spaço de dias, chegou a el o cardeal Dom Pedro de Luna, da parte daquel que se chamava Clemente, a pedir que lhe desse a obediemçia, e tevesse por sua parte, assi como amte que vehessem os Imgreses. El Rei mandou chamar a Lixboa alguuns leterados... e depois dalguuns dias que el Rei teve seu comsselho, tornou a obediemçia a aquel Papa Clemente, com que amte tevera; mujto porem comtra voomtade dalguuns...» (F. LOPES, *Crónica de D. Fernando* p.434-435).

[50] Sobre la problemática y las incidencias del matrimonio de Juan I con Beatriz de Portugal: L. SUÁREZ FERNÁNDEZ, *Historia del reinado de Juan I de Castilla* p.121ss.

nesa de Castilla y Francia frente al urbanismo persistente de los ingleses. Por eso, nada tiene de extraño que entre los representantes de Juan I figure Pedro de Luna, el legado de Clemente VII, al lado del arzobispo de Compostela Juan García Manrique. El 14 de mayo de 1383, el cardenal de Aragón, constituido en juez apostólico, declaraba en Ribera de Chinches (Evora) a Beatriz, que sólo contaba diez años, apta para consumar el matrimonio pactado. Portugal se ataba con mayor firmeza, al menos aparentemente, a la obediencia aviñonesa.

Pero el triunfo de Clemente VII en Portugal resultará tan efímero como el de Castilla. La muerte de Fernando I el mes de octubre del citado año precipitará los acontecimientos en otra dirección. Juan I, contraviniendo lo estipulado en las capitulaciones de su matrimonio con Beatriz pocos meses antes, penetra en tierras portuguesas para hacerse cargo del gobierno. Al mismo tiempo estalla una insurrección contra el partido filocastellano de Portugal, capitaneado por Juan, maestre de Avis. Una de las primeras víctimas fue el obispo de Lisboa, Martín, que muere a manos de la muchedumbre, partidaria del nuevo líder nacionalista [51]. La crisis degeneró en una guerra abierta entre las dos potencias peninsulares, detrás de las cuales se alinearon, lógicamente, Inglaterra y Francia, sus aliados tradicionales. Cada pontífice tomó también partido por uno de los contendientes. Urbano VI, que consideraba la guerra anglo-portuguesa contra Castilla como auténtica cruzada, otorga al duque de Lancaster las gracias espirituales características de esta clase de empresas y concede al maestre de Avis el beneficio económico de la décima. Clemente VII miraba prácticamente del mismo modo las campañas de Juan I en Portugal [52]. Aljubarrota (1385), la estrepitosa derrota de los castellanos frente al ejército portugués, apoyado por los ingleses, fue un acontecimiento cargado de importantes consecuencias históricas en el futuro de ambos reinos peninsulares, y supuso también para Clemente VII y para su legado, el cardenal de Aragón, el final de las esperanzas que habían concebido de ganar la partida a su rival de Roma mediante el recurso a las armas. El mes de julio de 1386, cuando el duque de Lancaster desembarca en La Coruña para tratar de derrocar definitivamente el dominio de los Trastamara, ostenta el título de rey de Castilla con el refrendo formal de Urbano VI [53]. Por su parte, la corte pontificia de Aviñón favorece de nuevo a Juan I, obligado entonces a sortear las mayores dificultades de su reinado [54]. El

---

[51] F. LOPES, *Crónica de D. João I* vol.1 p.19-30.

[52] El 21 de marzo de 1383, Urbano VI nombra confaloniero pontificio al duque de Lancaster, para que emprenda la lucha contra Juan I, «filius iniquitatis». El 8 de abril de 1383, en otra bula enumera una serie de beneficios espirituales para quienes siguieran al duque (cf. J. GOÑI GAZTAMBIDE, *Historia de la bula...* p.337-338 y nt.3). Sobre la concesión de la décima al maestre de Avis: L. SUÁREZ FERNÁNDEZ, *Castilla, el cisma...* p.20 nt.25. Sobre la cruzada de Clemente VII contra Portugal: F. LOPES, *Crónica de D. João I* vol.1 p.323.

[53] Sobre este personaje cf. S. ARMITAGE-SMITH, *John of Gaunt king of Castile* (Londres-Westminster 1904). Sobre las acciones de los ingleses en la Península: P. E. RUSSELL, *English intervention in Spain and Portugal in the time of Edward III and Richard II* (Oxford 1955); y L. SUÁREZ FERNÁNDEZ, *Historia del reinado...* p.241ss.

[54] Clemente VII consuela a Juan I del desastre de Aljubarrota y más tarde tratará de aliviar su maltrecha economía con la décima de diez años (cf. J. GOÑI GAZTAMBIDE, o.c., p.338).

tratado de Bayona (1388), que supondrá el final de aquella contienda peninsular y liquidará definitivamente las aspiraciones lancasterianas al trono castallano, significará, asimismo, la consolidación definitiva de la obediencia urbanista en los dominios portugueses hasta el final del cisma.

En 1390 el cardenal de Aragón, una vez conseguida la adhesión oficial de Navarra a la sede aviñonesa y después de haber consolidado notablemente el partido clementista en Castilla y Aragón, da por terminada su legación en la Península y emprende el camino de Aviñón. Antes de abandonar los reinos castellanos había entablado una polémica con Pedro Tenorio y los obispos de las distintas diócesis a causa de las cantidades que debían pagarle estos prelados por el derecho de procuración o de visita pastoral. Juan I liquidará la querella de Pedro de Luna adelantando las cantidades que adeudaban los obispos de sus dominios y exigiendo después a éstos el pago de la mitad de la suma desembolsada [55].

El mes de abril de 1390 Clemente VII envía a los distintos reinos peninsulares a Gil de Verdemonte, el nuevo nuncio, que había sido nombrado recientemente obispo de Oviedo, como ya indicamos más arriba. Su misión era de índole preferentemente económica, recibiendo facultades para regularizar las cuentas de la Cámara Apostólica en Castilla y León, exigir y agilizar el pago de los derechos fiscales pontificios anejos a los distintos beneficios eclesiásticos, y tratar de cobrar las sumas pendientes de las 20.000 doblas, impuestas por Clemente VII el año 1384 a las iglesias de estos reinos en concepto de subsidio «voluntario» para financiar las galeras que Juan I había fletado con destino a la guerra de Italia. La muerte inesperada del rey castellano (1390) y la crisis política de los primeros tiempos de regencia del reinado de Enrique III debieron de impedir o al menos dificultar al flamante obispo de Oviedo la ejecución de sus cometidos. Todo parece indicar que los resultados obtenidos por él fueron mínimos, si no totalmente nulos [56]. El año 1391 Clemente VII envía un nuevo nuncio a la Península —el obispo de San Ponce de Tomeras— para que continuara la empresa de Gil de Verdemonte. Pero sus logros tampoco resultarán espectaculares [57].

Este creciente interés de los miembros de la Cámara Apostólica por las finanzas pontificias de los reinos de la Península, paralelo también a las preocupaciones económicas de Pedro de Luna antes de abandonar los dominios castellanos, constituye, según algún autor, la prueba de un giro notorio en la orientación de la política aviñonesa respecto a los negocios españoles. Cuando las obediencias no estaban aún consolidadas y mientras la sumisión de Portugal y la derrota de Inglaterra eran todavía posibles, Clemente VII y sus oficiales se manifestaron magnánimos y desinteresados en el terreno económico. Al enfilar la década de los año noventa, con

---

[55] L. SUÁREZ FERNÁNDEZ, *Castilla, el cisma...* apénd. n.28-29 y p.186-189.
[56] Algunos documentos sobre esta misión diplomática: L. SUÁREZ FERNÁNDEZ, *Castilla, el cisma...* apénd. n.24-27 p.180ss. Un análisis de la misma: F. J. FERNÁNDEZ CONDE, *Guillermo de Verdemonte...*, a.c., p.238-240. El obispo de Oviedo recibe también autorización para revisar las cuentas de las rentas de la Cámara Apostólica percibidas por Pedro Tenorio por el subsidio de las 20.000 doblas y por otras rentas que él mismo seguía cobrando todavía.
[57] L. SUÁREZ FERNÁNDEZ, o.c., p.20-23, apénd. n.30 p.189-190.

las respectivas obediencias definidas en los distintos reinos hispanos, la atención de Aviñón se concentra, sobre todo, en Italia y en otras partes de la cristiandad. Y los administradores de la Cámara Apostólica empezarán a preocuparse por sanear su economía para llevar adelante futuras gestiones de política eclesiástica que propiciaran al papa de la ciudad del Ródano el triunfo definitivo de su legitimidad frente a Roma [58]. El mes de octubre de 1389 moría Urbano VI en Roma con más pena que gloria. Esta muerte abría para la Iglesia la posibilidad de solucionar el cisma; pero no ocurrió así. Los cardenales urbanistas designaron a Pedro Tomacelli como sucesor del papa difunto, con el nombre de Bonifacio IX (1389-1404). Los aviñoneses harán lo mismo cinco años más tarde, eligiendo un nuevo pontífice en la persona de Pedro de Luna, que se hará llamar Benedicto XIII, conocido vulgarmente por el papa Luna (1394-1423). La unificación de las obediencias, cuya división había sido, en buena parte, producto de un juego de alianzas políticas, y la solución del «cisma de las almas» quedaban aún muy lejos. La *via cessionis,* propuesta por la Universidad de París como primera posibilidad de arreglo y secundada de modo especial por Francia y Castilla, que llegaron a contar con el apoyo de Inglaterra; la sustracción de la obediencia a ambos pontífices, puesta en práctica de manera oficial por el soberano francés y el castellano (1398-1403); la *via iustitiae,* formulada por el propio Benedicto XIII, o la *via compromissi,* postulada, asimismo, en muchos ambientes políticos y eclesiásticos, fueron otros tantos fracasos. A la larga, la *via concilii,* en la que ya se había pensado desde el principio del cisma, se fue perfilando como la única salida válida para recuperar la unidad de la Iglesia, a pesar de algunos fracasos, como el de la reunión conciliar de Pisa (1409).

IV. EL PAPA LUNA. SAN VICENTE FERRER, DEFENSOR DE LA CAUSA DEL PONTIFICE AVIÑONES

Por A. OLIVER

Benedicto XIII, el papa Luna

Pedro Martínez de Luna nació en Illueca (Zaragoza), en 1328, hijo de Juan Martínez de Luna, señor de Luna y Mediana, y de María Pérez de Gotor, señora de Illueca y Gotor; pertenecía, pues, a la noble familia aragonesa de los Luna.

Muy joven emprendió la carrera eclesiástica y estudió derecho en la Universidad de Montpellier, en la que enseñó también. Como canonista, se mostró siempre decidido partidario de la supremacía del poder papal frente a las tesis conciliaristas que ya corrían. En un ejemplo característico de acumulación de beneficios muy propia de los tiempos del papado de Aviñón, se fueron reuniendo sobre él canonjías en Vich, Tarragona,

[58] ibid., p.21-22.

Huesca y Mallorca, los arcedianatos de Tarazona y Zaragoza, la prebostía de Valencia y la sacristanía de Tortosa.

En 1375, y en Aviñón, Gregorio XI le nombró cardenal del título de Santa María in Cosmedin, y cuando el papa decidió su regreso a Roma, Pedro era uno de sus acompañantes.

Desde entonces, su figura se sitúa en el primer rango entre los personajes de la Iglesia de su tiempo, y se señalan en él dos rasgos que le distinguirán siempre: la austeridad de su vida y la energía insobornable de su proceder.

Al morir Gregorio XI en 1378, participó en el cónclave que designó a Bartolomé Prignano papa con el nombre de Urbano VI. En aquella tumultuosa elección afirmó siempre no haber sentido miedo ni haber buscado refugio, como hicieron otros electores, en Castel Sant'Angelo. Pero su conocimiento del derecho y su honradez le hicieron ver que, a pesar de que él no tuvo miedo, aquella elección estaba viciada y era irregular. Por ello, aunque proclamaba que nadie había extorsionado su voto, entendió que no había sido así para la mayoría de los electores, que, a su vez, confesaban haber cedido ante los gritos y amenazas de los romanos, que exigían un papa romano. Y así, en junio de 1378, se unió al grupo de cardenales que en Anagni eligieron papa a Roberto de Ginebra, que se llamó Clemente VII, y con el que abrió el cisma de Occidente.

La división de la Iglesia entre dos obediencias, a Urbano VI y a Clemente VII, fue la ocasión para que Pedro de Luna mostrara otra de sus grandes cualidades: la diplomacia. Su inteligencia y el prestigio de su conducta insobornable, puestos al servicio de Aviñón, fueron ya de por sí una inestimable propaganda a favor de Clemente VII.

Su habilidad diplomática, que se desplegó especialmente como legado del papa aviñonés desde 1378 para la península Ibérica, recorriendo incansable sus reinos, en los que era conocido como *el cardenal de Aragón,* logró gran altura cuando fue nombrado legado *a latere* con igual misión en Francia, Países Bajos e Inglaterra en 1393. La campaña era ciertamente más difícil y ardua. Expuso sus puntos de vista en la Universidad de París, que llegaría a ser la que actuara como árbitro en la solución del cisma. Pedro expuso allí su parecer, consolidado después de tantos años de campañas: lo mejor sería que los dos papas se avinieran a renunciar. Más tarde se llamará la «vía de la renuncia», que fue la solución que adoptó el concilio de Constanza. Esa campaña, así como sus gestiones con el duque de Lancaster, no dio los resultados esperados.

Así las cosas, en 1394 fallecía Clemente VII. Los cardenales de Aviñón no vieron mejor sucesor que el propio Pedro de Luna. Parece que él no esperaba tal elección y que vaciló largamente antes de aceptarla. Aceptó al fin (28 de septiembre de 1394) y se llamó Benedicto XIII. Como no era más que diácono, fue rápidamente ordenado presbítero, consagrado obispo y coronado papa.

Su elección fue clamorosamente bien recibida en toda la corona de Aragón. Pero Francia le cogió de la palabra y le recordó sus opiniones de cuando era diácono y legado, expuestas en la Universidad de París. La

Iglesia francesa, aliada con el poder civil, reunida en numerosas asambleas, le instó en 1395, 1396 y 1398 a que pusiera en práctica su teoría de la cesión o renuncia.

Mas Benedicto XIII, dejando prevalecer su opinión de jurista, defendía entonces la *via iustitiae:* debe ser papa el que lo es por derecho. (Adviértase que ello demuestra la buena fe de Pedro de Luna cuando se unió a los cardenales en la elección de Clemente VII, pues los cardenales, decía él, son los únicos que pueden declarar si Urbano VI es o no papa, según fuera o no libre su elección.)

En 1397, los reyes de Francia, Inglaterra y Castilla enviaron una embajada conjunta a Benedicto XIII y a Bonifacio IX, de Roma, instándoles a que renunciaran. Ambos se mantuvieron en su puesto. Francia, exasperada, en la asamblea de 1398 mandó a sus cardenales que abandonaran Aviñón y los amenazó con la confiscación de bienes. Aquel mismo año, dos consejeros del rey anunciaron a Benedicto XIII que su país se separaba de su obediencia. Y lo mismo hacían Inglaterra y Castilla. Muchos curiales abandonaron Aviñón y se trasladaron a Villeneuve, ya en territorio francés. Sólo cinco cardenales y Martín el Humano de Aragón permanecieron fieles al papa.

En Francia se produjo una discordia entre Iglesia y Estado a la hora de enjuiciar e implantar aquellas medidas.

El papa y sus fieles quedaron sometidos a un verdadero cerco, prácticamente prisioneros en la inmensa fortaleza del palacio-castillo papal. La firmeza del carácter del pontífice le mantuvo tenaz hasta el fin. Ante aquella tenacidad invencible, su buen amigo San Vicente Ferrer, desconcertado, opinaba que el papa debería ceder, mientras que otros, como los aragoneses, aplaudían su resolución de no ceder y se apretaban en torno a él, de manera que el rey Martín llegó a organizar una flota que rompiera el cerco de los franceses. Finalmente, el papa logró escapar del palacio aviñonés vestido de cartujo y refugiarse en Castelrenard, en los dominios de Luis de Anjou. Era el año1403. El papa, tan inflexible, tuvo desde allí un gesto inesperado: escribió a Carlos VI de Francia, a sus consejeros y a la Universidad de París, comunicando su liberación; perdonó a los cardenales que le habían abandonado y ni siquiera echó en cara a los aviñoneses su defección. El generoso gesto tuvo el resultado que el papa debía pretender: los cardenales, los aviñoneses, el rey Enrique III de Castilla (1403) y Carlos VI de Francia (1403), a más de los aragoneses, siempre fieles, reconocen su autoridad.

Aprovechando aquella buena ocasión, Benedicto quiso intentar nuevamente la *via iustitiae* como solución al problema del cisma. Y con tal motivo envió al obispo de Saint Pons, Pedro Ravat, a Roma, cerca de Bonifacio IX. Pero sucedía que, apoyados en la justicia, ambos se sentían asistidos por el mejor derecho, y ello hizo fallar las buenas intenciones de resolución del cisma, que los dos pontífices abrigaban sinceramente.

A la muerte de Bonifacio, los cardenales romanos se apresuraron a elegirle sucesor, que fue Inocencio VII, en octubre de 1404.

Apoyado siempre por su fiel rey de Aragón, Martín I, Benedicto desplegaba una incansable actividad y veía aumentar cada día su prestigio. Se unían a su causa Córcega y Cerdeña, parte de Gascuña, el país de Gales y diócesis de los Países Bajos, Alemania, Hungría y Polonia. Carlos VI le ganó adeptos hasta en el Próximo Oriente e incluso algunas poblaciones de Italia se desentendieron del papa de Roma para sumarse a la causa de Aviñón.

Entendiendo que la discusión de la justicia se haría mejor en un encuentro cara a cara *(via conventionis)*, y aprovechando su racha de buena suerte, Benedicto, en un alarde de buena voluntad y seguro como nunca del derecho que le amparaba, decidió ir personalmente a Italia a entrevistarse con Inocencio VII. Salió de Marsella en diciembre de 1404 en una pequeña escuadrilla de bajeles catalanes. En Villefranche, junto a Niza, recibió la visita de Martín el Joven, que iba hacia Cataluña, y de Luis II de Anjou. Su viaje fue un triunfo: todos le ofrecían homenaje y ayuda. Delante de él, Vicente Ferrer y Pierre d'Ailly preparaban los sentimientos de las ciudades por las que iba a pasar. En mayo de 1405 se encontraba en Génova, que le recibió triunfalmente. Pero Inocencio VII no pasó más allá de Viterbo. El propio Benedicto se vio incomunicado en Savona por una epidemia de peste. Su intento de llegar a ocupar Roma con la ayuda de un ejército después de ganarse la alianza de algunos Estados italianos, tampoco dio resultado. Inocencio VII, convencido que se le tendía una emboscada, no quiso en realidad entrevistarse con Benedicto, quien al final de 1406 estaba de regreso hacia Marsella.

Tampoco llegó a buen puerto una entrevista concertada con el sucesor de Inocencio, Gregorio XII, en Roma, a pesar de que Benedicto se trasladara de nuevo a Italia en 1407. Siempre se encontraban excusas para retardar la entrevista. La cristiandad empezó a perder la paciencia y a sospechar malas intenciones. Carlos VI llegó a mandar a los dos papas un ultimátum: el 24 de mayo de 1408 debía haberse logrado la unidad. No se logró. Y Carlos cumplió su amenaza: Francia quedaba neutral, desligada de toda obediencia; lo que dañó sólo a Benedicto XIII, que perdió su mejor apoyo.

Algunos contactos con los cardenales de ambas obediencias hicieron apuntar la idea de abandonar a los dos papas y convocar un concilio, que debería deponer a ambos y escoger una sola cabeza para toda la cristiandad. Era la *via concilii,* la última de las soluciones propuestas por la Universidad de París.

Ante aquel hecho, Benedicto tomó la delantera y convocó un concilio en Perpiñán. El rey Martín, siempre fiel, ofreció el castillo real para albergar a los Padres conciliares. Las reuniones se tuvieron en la iglesia del castillo desde el mes de noviembre de 1408 al mes de marzo de 1409. Los más numerosos fueron los delegados de las Iglesias de los reinos de España, más los de Lorena y Provenza. Se concluyó con una declaración de la legitimidad de Benedicto XIII, pero se le aconsejó que renunciara a la tiara si hacía lo mismo su rival.

El descontento y desilusión de los demás llevó a la convocación del concilio de Pisa, que el 5 de junio de 1409 declaró cismáticos a Benedicto XIII y a Gregorio XII, y, en consecuencia, el 26 del mismo mes elegía a un nuevo papa: Alejandro V, el Pedro Philargis que había hecho todo lo posible para reunir aquel concilio.

Benedicto, fiel a sus principios y seguro de sus derechos, no aceptó la resolución del concilio de Pisa y protestó enérgicamente contra ella. Definitivamente abandonado por Francia y a fin de asegurarse contra futuras presiones, se refugió en tierras del rey de Aragón. En el palacio real mayor de Barcelona reunió algunos consistorios y desde allí lanzó la excomunión contra todos los que habían tomado parte en el concilio pisano. Los pormenores de aquel concilio y del de Constanza son expuestos en otra parte. Ahora interesa exponer la actividad de Benedicto en tierras de España, y concretamente en la resolución de la sucesión de su amigo el rey Martín el Humano en el compromiso de Caspe.

Benedicto XIII, San Vicente Ferrer y el compromiso de Caspe

El compromiso de Caspe y la elección de Fernando de Antequera, que nació de él, es el resultado de una trama de factores religiosos, políticos, sociales y económicos que afloran todos en la actuación de Benedicto XIII. El reino de Aragón había sido uno de los puntales más sólidos para el papa Luna. Martín el Humano lo apoyaba incondicional y cordialmente. Cuando el 25 de julio de 1409 moría en Cagliari y sin sucesión Martín el Joven, Pedro se vio obligado a preocuparse por la sucesión del rey su amigo, que significaba su propia seguridad. Recuérdese que el concilio de Pisa acababa de elegir a Alejandro V un mes antes, tras deponer a los papas de Roma y de Aviñón.

Empezó haciendo su propia defensa, y, ayudado por su consejero y asesor jurídico, el gran canonista Bonifacio Ferrer, cartujo y hermano de San Vicente, redactó el tratado *De novo schismate*.

Luego, en vistas a apoyar su propio trono, entró de lleno en el problema de la sucesión real: muerto Martín I en mayo de 1410 y convencido de la imposibilidad de entronizar a su pequeño nieto Federico —hijo natural de Martín el Joven, ya difunto—, una cosa era clara: ni el conde de Urgel ni Luis de Calabria podían llegar a ser reyes de Aragón; ambos eran partidarios del papa romano; el primero, como miembro de la familia de Montferrat, y el segundo, de la de Anjou. He aquí cómo el cisma influye en la política. Si cualquiera de los dos obtuviera el reino de Aragón, Benedicto perdería el terreno en que se apoyaba. Había que anular su candidatura. Zurita es tajante: «También se tuvo por cierto que el papa Benedicto, cuya casa era tan principal en este reino [de Aragón], no havía de dar favor a que prevaleciese el derecho del conde de Urgel, por convenirle que la sucesión destos reynos recayese en el infante D. Hernando de Castilla, porque con ella le parecía que fundaba su pontificado y tenía segura y muy cierta la obediencia de los reyes de Castilla, Aragón y Navarra».

Y se decidió por la causa de Fernando de Antequera, que era, a la vez, regente de Castilla.

A partir de aquel momento, la actividad del papa es constante y febril entre Aragón, Cataluña y Valencia, asistiendo a las tractativas, moviendo a los personajes de su confianza y usando todo el prestigio de su autoridad espiritual y moral. Fue él el que en carta de 1412 propuso la manera de resolver el problema de las irreductibles diferencias en los diversos parlamentos: *a)* la elección no debe hacerse en los diversos parlamentos, sino en uno solo; *b)* la elección no se hará por votación personal de todos los parlamentarios, sino de unos compromisarios; *c)* y que éstos sean gente de justicia y *temerosa de Dios* (característicamente se mezclan aquí los motivos políticos con los religiosos: «temerosa de Dios» significa gente de la parte del papa; no lo eran los partidarios de Roma, que eran considerados cismáticos).

En las dos reuniones, tenidas en la iglesia de Santa María, los delegados de los parlamentos llegaron a la concordia del 15 de febrero de 1412: elegirían a nueve compromisarios, tres por cada reino, y bastaría con el voto de seis de ellos para la elección. Esta tendría lugar en Caspe (Caspe sería lugar independiente si el papa transfiriera el dominio de la ciudad de la Orden de San Juan a los nueve compromisarios, ya que la Orden era favorable a la causa de Jaume de Urgel). El papa confía la ciudad a su amigo el obispo de Huesca, Domingo Ram, para que la entregue luego a los compromisarios.

La lista de los nueve compromisarios, impuesta por el parlamento de Alcañiz, está integrada por amigos del papa: Domingo Ram, obispo de Huesca, cubiculario y agente de Benedicto; Francisco de Aranda, cartujo de Porta Coeli, que dependía de Fr. Bonifacio Ferrer, que era su prior; Berenguer de Bardaxí, legista a sueldo de Fernando de Antequera; Fr. Bonifacio Ferrer, consejero y embajador de Benedicto XIII, su defensor ante Francia y en el concilio de Pisa; Fr. Vicente Ferrer, confesor y familiar del papa, agente suyo junto a Fernando de Antequera en Aillón; Bernat de Gualbes, legista y abogado de Benedicto XIII en Pisa, cuya familia se había mostrado decididamente hostil al pretendiente Jaume de Urgel; Pere Sagarriga, elevado por el papa a la sede arzobispal de Tarragona, y también cubiculario y embajador suyo ante el concilio de Pisa. Siete en total. El número de nueve se completaba con dos jurisconsultos: Gener Rabassa y Guillem de Vallseca. El primero, aun antes de tomar parte en las deliberaciones de Caspe, fue incapacitado; el segundo, hombre de conciencia y de una talla que admiraba a Lorenzo Valla, fue el único que otorgó su voto a Jaume de Urgel y el único que no recibió, después de la decisión de Caspe, ninguna merced del nuevo rey, escribe Soldevila.

La suerte estaba echada, y todo se desenvolvió como estaba previsto. «Havía tantos que eran familiares del papa, que todo el mundo conocía que aquel juicio estava del todo en sus manos». Sustituido Giner Rabassa por Pere Bertrán, los compromisarios entraron a deliberar. A la hora de la votación tomó la palabra San Vicente Ferrer, quien, tras largo sermón, señaló que votaba por Fernando. Como él votó la mayoría. El 29 de julio fue públicamente proclamada la votación. Celebró misa del Espíritu Santo el obispo de Huesca, y tras ella subió al púlpito San Vicente, quien, después de un prolijo sermón sobre las excelencias de los reyes y los deberes de los súbditos, dio a conocer la sentencia definitiva. Esta fue comunicada al papa incluso antes que a los parlamentarios.

Muy poco después, Fernando de Antequera acudía a Tortosa a fin de agradecer personalmente al papa su intervención, sabiendo muy bien, como añade Zurita, que él era «el principal autor y ministro de la declaración que se havía hecho de llamarle por legítimo sucesor».

Los años difíciles del pontificado del papa Luna

Fue en Tortosa donde Benedicto, preocupado desde hacía tiempo por el problema de los judíos y alentado por San Vicente Ferrer, reunió a los sabios judíos y cristianos para la famosa *Disputa,* que se abrió el 7 de febrero de 1413. La conversión aparatosa de varios rabinos y de comunidades enteras de judíos fue, de rechazo, una propaganda en pro de la ortodoxia de Benedicto XIII, al quedar bien claro que no tenía nada de hereje ni de cismático, como venían diciendo sus enemigos.

El testamento que redactó por entonces el papa es también un alegato de sinceridad de fe ante sus contemporáneos y ante la historia. En él, Benedicto reafirma su fe ortodoxa y desafía a sus detractores a probar que un papa es herético porque no quiera renunciar a un derecho legítimo, renuncia que sería, más bien, la infidelidad a un deber aceptado.

El nuevo emperador Segismundo, en fecha de 30 de octubre de 1413, convocaba un nuevo concilio en la ciudad de Constanza para poner fin al cisma. Ante ese anuncio, y con el fin de tomar decisiones comunes, Benedicto y el rey Fernando decidieron reunirse en Morella. El 14 de junio de 1414 llegaba el rey acompañado de sus nobles y de los obispos de Zamora, Segovia y Salamanca. El papa llegó de Peñíscola el 18, acompañado de sus cardenales. Dentro del más tradicional estilo medieval, el rey le hizo de palafrenero y llevó el palio junto con su hijo Federico, el conde de Trastamara, Enrique de Villena, el almirante de Castilla y el conde de Cardona. Una comisión creada por el rey se puso a estudiar la posible unión de la cristiandad escindida. La formaban los obispos de Segovia, Zamora y Salamanca, el almirante de Castilla, Fr. Diego, Berenguer de Bardaxí y Juan González de Acevedo. Las reuniones duraron cincuenta días. El papa tenía bien tomada su decisión: su causa era la justa; no había personas fiables para la elección de un papa; los legistas que sabían algo eran todos cismáticos; Constanza quedaba muy lejos y en territorio enemigo; era muy largo el viaje, y él de ninguna manera podría estar en la ciudad el día de Todos los Santos.

Ni las intervenciones de San Vicente Ferrer pudieron torcerlo. Morella fue un fracaso. El rey se fue descontento y cogido entre dos fuegos: por una parte, su deber de reconocimiento con el papa, a quien debía la corona; por otra, el hecho evidente de que la cristiandad iba poniendo su confianza en el concilio.

El rey y el papa mandaron legaciones a Constanza, que proponen al emperador una entrevista en Narbona o Perpiñán. Entre tanto, Juan XXIII

—segundo de la sucesión creada en Pisa— huye disfrazado; la cuarta sesión del concilio declara la superioridad de éste sobre el papa, y la quinta formula las cinco proposiciones que han sido llamadas conciliaristas. La duodécima sesión, 29 de mayo de 1414, condenó a Juan XXIII y le depuso, declarando, a la vez, que ni él, ni Benedicto XIII, ni Gregorio XII podrían ser elegidos por el concilio como papas. Juan XXIII aceptó la sentencia; Gregorio XII aceptó la superioridad del concilio, y renunció, a través de su representante Carlos Malatesta, en la sesión decimocuarta, el día 4 de julio.

El único que quedaba era Benedicto. El emperador, aceptando la proposición del encuentro, emprendió entonces el camino hacia Niza. Con él iba una comisión que representaba al concilio: el arzobispo de Tours, tres obispos, un abad y nueve doctores. En Niza se enteró el emperador que la reunión tendría lugar en Perpiñán, en donde, desde principios de junio, le esperaba ya Benedicto, instalado en el gran castillo, defendido por trescientos hombres de armas. Pero, cansado de esperar, se marchó.

Desde Narbona, el emperador mandóle una embajada, que, en nombre del concilio, le suplicó que renunciase. Benedicto respondió que, si el emperador y el rey le demostraban que era necesario, lo haría.

El rey, aconsejado por el emperador, nombró una comisión que, integrada por el arzobispo de Tarragona, los obispos de Burgos y León, Berenguer de Bardají y Juan González de Acevedo, estudiara los documentos de la deposición y renuncia de Juan XXIII y Gregorio XII. No se consiguió nada. Tampoco logró la meta otra comisión, que llegó a hacer tres requerimientos de renuncia a Benedicto, amenazando con retirarle la obediencia. El emperador está en Narbona y el papa en Peñíscola.

El rey decide una gran solemnidad para el día de Reyes de 1316, en la que predicará Vicente Ferrer. Se celebró misa solemne ante una inmensa muchedumbre, y San Vicente predicó el sermón, en el que explicó que, otra vez, tres reyes (los de Aragón, Castilla y Navarra) ofrecían ahora al Señor el don de la unión de la cristiandad. A continuación pronunció solemnemente la fórmula de sustracción de la obediencia al papa Benedicto. Esto sucedía en Perpiñán.

La respuesta fue fulminante. Benedicto renovó e hizo publicar en Barcelona, Zaragoza y Valencia la misma bula que escribiera en Marsella en 1407. Por ella se lanza la excomunión contra todos aquellos que nieguen la obediencia al papa; y, si se trata de un príncipe, se declara en entredicho su territorio y libra a sus súbditos del juramento de fidelidad. Los clérigos son privados de sus beneficios.

La medida tuvo poco éxito. De momento, los reinos de Fernando, así como el clero, permanecieron al lado de Benedicto. San Vicente dejó Perpiñán y se dedicó a trabajar por la unidad.

Por orden del rey, el acto de sustracción de obediencia fue justificado, a partir de entonces, por otro gran predicador: Felipe Malla. Bajo duras amenazas del gobernador, empezó a ceder Barcelona. Un mandato del rey lograba poco después el éxito en Valencia, haciendo que muchos adeptos del papa abandonaran Peñíscola. Poco después cedió Zaragoza.

El 2 de abril de 1416 moría el rey Fernando en Igualada. Su hijo, Alfonso V, tuvo la alegría de ver que Castilla negaba también la obediencia al papa, seguida pronto de Navarra y el condado de Foix, Benedicto tenía consigo sólo a Escocia y el condado de Armagnac, amén de algunas personas como los arzobispos de Zaragoza y Tarragona y los Ermitaños de San Agustín de España.

Benedicto había visto cómo le abandonaba su gran amigo y protegido Fernando I. Su hijo Alfonso no se sentía unido al papa por aquellos vínculos. El mismo día de la muerte de su padre, afianzó el cerco que mantenía aislada y controlada Peñíscola. Sin atender a los requerimientos de un concilio provincial convocado y celebrado en Barcelona, Alfonso se apresuró a mandar su embajada a Constanza. El 15 de septiembre de 1416, los enviados se incorporaron al concilio y fueron aceptados de forma solemne. En la sesión XXII se les concedió —así como después a los de Castilla y Navarra— que tuvieran como *nación* española tantas voces como obispos eran los de sus reinos, aunque éstos no estuvieran presentes en el concilio. Se nombró una comisión que estudiara el proceso de deposición de Benedicto. Se llevó, entre tanto, una citación al papa, quien, una vez más, se reafirmó en sus posiciones. Pasados los cien días que la citación concedía a Benedicto para presentarse ante el concilio, el 8 de marzo de 1417 fue leída otra vez la citación y Benedicto acusado de contumacia. Y finalmente, después de nuevas inquisiciones, el 26 de julio, en una fastuosa ceremonia conciliar, los Padres decretaron la deposición del papa Luna. Y una bula del concilio comunicaba el hecho a toda la cristiandad.

Para el cónclave que iba a elegir al nuevo papa, el concilio decidió que junto con los 23 cardenales entraran también 30 delegados de las *naciones*. Recordemos que por España entraron Diego de Amaya Maldonado, obispo de Cuenca; el P. Nicolás Divitis, OP; Juan, obispo de Badajoz; Gonzalo García, arcediano de Burgos; Velasco Pérez y Felipe Malla. El 11 de noviembre de 1417 era elegido Martín V. El 22 de noviembre fue clausurado el concilio de Constanza.

Al comunicar a Benedicto la decisión de Constanza, el rey Alfonso le pedía que dimitiera. El responde que quiere consultar con prelados y juristas. El rey accede, y deja entrar en Peñíscola a los arzobispos de Tarragona y Zaragoza, los obispos de Barcelona, Elna, Gerona, Huesca, Tarazona, Tortosa, Vich y los abades de Montserrat y Santes Creus. Otra vez Benedicto retardó la entrevista hasta el 26 de diciembre. Y se mantuvo irreductible. El era el verdadero papa. Alfonso mandó a todos que salieran de Peñíscola. Benedicto quedaba solo, encastillado en su seguridad.

Nadie fue capaz de hacerle bajar de su fortaleza. Hasta que la muerte se presentó el 23 de mayo de 1423. Todavía preocupado porque no muriera con él su postura, dos días antes de morir había nombrado cuatro cardenales: dos aragoneses, Julián de Loba y Ximeno Dahe, y dos franceses, el prior de la cartuja de Montealegre, Domingo Bonnefoi, y Jean Carrier. Estos, más tarde, y por consejo del sobrino del papa difunto, eligieron sucesor al mensajero del rey, Gil Muñoz, que se llamó Clemente VIII.

Una legación de Martín V y la presión de Alfonso lograron que el 26 de julio de 1429 Clemente renunciara al pontificado, anulara todas las sentencias lanzadas por Benedicto contra sus enemigos y, despojado de los paramentos pontificales, invitara a sus cardenales a proceder a la elección de un papa; todos unánimemente dieron su voto a Otón Colonna, el papa de Roma Martín V.

El gran cisma de Occidente había terminado.

CAPÍTULO X

LAS MINORIAS ETNICO-RELIGIOSAS EN LA EDAD MEDIA ESPAÑOLA

Por RAMÓN GONZÁLVEZ

BIBLIOGRAFIA

LOS MOZÁRABES

Historia mozárabe: A. GONZÁLEZ PALENCIA, Los mozárabes toledanos en los siglos XII y XIII 4 vols. (Madrid 1926-1930); F. J. SIMONET, Historia de los mozárabes de
España (Madrid 1903, reimpr. Amsterdam, Oriental Press, 1967); I. DE LAS CAGI-
GAS, Minorías étnico-religiosas de la Edad Media española. I: Los mozárabes (Madrid
1948); J. F. RIVERA RECIO, Reconquista y repobladores del antiguo reino de Toledo: Anales Toledanos I (Toledo 1967) 1-55; J. GONZÁLEZ, Repoblación de Castilla la Nueva
2 vols. (Madrid 1975); R. PASTOR DE TOGNERI, Problèmes d'assimilation d'une minorité:
es mozarabes de Tolède (de 1085 à la fin du XIIIe siècle): Annales ESC (París 1970);
rad. y reed. en Conflictos sociales y estancamiento económico en la España medieval (Barcelona, Ariel, 1973); ID., Del Islam al cristianismo. En las fronteras de dos formaciones
conómico-sociales (Barcelona, Península, 1975). El volumen Historia mozárabe (To-
edo 1978) recoge valiosos trabajos de JULIO GONZÁLEZ, P. FERNÁNDEZ RODRÍGUEZ
MESEGUER FERNÁNDEZ; R. HITCHCOCK, El supuesto mozarabismo andaluz: Andalu-
ía Medieval I (Córdoba 1978) 149-151.
Liturgia: Estudios sobre la liturgia mozárabe (Toledo 1965); J. PINELL, Liturgia
ispánica: DHEE 2 (Madrid 1972) 1303-1320; J. M. DE MORA ONTALVA, Nuevo
oletín de liturgia hispánica antigua: Hispania Sacra 26 (1973) 209-237. El vol. Lituria y música mozárabes (Toledo 1978) recoge varios trabajos sobre el tema; R. GON-
ÁLVEZ, La persistencia del rito hispánico en Toledo después de 1080: Spain in Europe.
ymposium on the 900th Anniversary of the Reception of the Roman Rite in
eón-Castile (New York 1981).
Instituciones: P. CAMINO Y VELASCO, Noticia histórico-cronológica de los privilegios
e las nobles familias mozárabes de la imperial ciudad de Toledo (sin l. ni a., pero 1740);
A. GARCÍA-GALLO, Los fueros de Toledo: AHDE 45 (1975) 341-488; M. L. ALONSO,
a perduración del «Fuero juzgo» y el derecho de los castellanos de Toledo: AHDE 48
1978) 335-377; J. GAUTIER DALCHÉ, Historia urbana de León y Castilla en la Edad
Media (siglos IX-XIII) (Madrid, Siglo XXI, 1979); R. RAMÍREZ DE ARELLANO, Las
arroquias de Toledo (Toledo 1921); R. GONZÁLVEZ RUIZ, El arcediano Joffré de Loaysa
las parroquias urbanas de Toledo en 1300, en Historia mozárabe (Toledo 1978).
Lengua: F. J. SIMONET, Glosario de voces latinas e ibéricas usadas por los mozárabes
spañoles (Madrid 1888); M. SANCHIS GUARNER, El mozárabe peninsular: Enciclope-
ia lingüística hispánica I (Madrid 1960); H. GOUSEN, Die christlich-arabische Litera-
ur der Mozaraber (Leipzig 1909); G. GRAF, Geschichte der christlichen arabischen Litera-
ur 5 vols. (Città del Vaticano 1944-1953, reimpr. Città del Vaticano 1965-1966);

P. SJ. VAN KONINGSVELD, *The Latin-Arabic Glossary of the Leiden University Library*. *A contribution to the study of Mozarabic Manuscripts and Literature* (Leiden 1977); A. GALMES DE FUENTES, *El dialecto mozárabe toledano*. Arte y música: E. GÓMEZ MORENO, *Iglesias mozárabes* (Madrid 1919, reimpr Granada 1975); J. FONTAINE, *L'art préroman hispanique*. *L'art mozarabe* (Zodiaque 1977); G. PRADO, *Estado actual de los estudios sobre música mozárabe:* Estudios sobre la liturgia mozárabe (Toledo 1965) 89-106; C. W. BROCKETT, *Antiphons, Responsories and other Chants of the Mozarabic Rite* (New York 1968); DON M. RANDEL, *The Responsorial Psalm Tones for the Mozarabic Office* (Princeton 1969); ID., *An Index to the Chant of the Mozarabic Rite* (Princeton 1973); J. M. LLORÉNS, *Música religiosa:* DHEE 3 (Madrid 1973) 1766-1767; J. MOLL, *La notación visigótico-mozárabe y el origen de las notaciones occidentales: Liturgia y música mozárabes* (Toledo 1978) 257-272.

Cultura: C. SÁNCHEZ ALBORNOZ, *El Islam de España y el Occidente:* L'Occidente e Islam nell'Alto Medioevo. Settimane di Studio del Centro Italiano di Stud sull'Alto Medioevo, 12 (1964) I (Spoleto 1965) 149-308; G. LEVI DELLA VIDA *I mozarabi tra Occidente e Islam:* Settimane... 12 (1964) II (Spoleto 1965) 667-695 S. VAN RIET, *De Bagdad à Tolède où la transmission de la culture arabe à l'Occident latin* Eglise et Enseignement. Actes du Colloque de X anniversaire de l'Institut d'Histoire du Christianisme de l'Université Libre de Bruxelles (Bruxelles 1977); A. MI LLARES CARLO, *Los códices visigóticos de la catedral toledana. Cuestiones cronológicas y de procedencia* (Madrid 1935); ID., *Manuscritos visigóticos. Notas bibliográficas:* Hispania Sacra 14 (1961) 337-444; A. M. MUNDÓ, *La datación de los códices litúrgicos visigótico. toledanos:* Hispania Sacra 18 (1965) 1-25; R. GONZÁLVEZ RUIZ, *Noticias sobre códices mozárabes en los antiguos inventarios de la biblioteca capitular de Toledo: Historia mozárabe* (Toledo 1979); 45-78; J. JANINI, *«Liber Misticus» de Cuaresma* (Toledo 1979) ID., *«Liber Misticus» de Cuaresma y Pascua* (Toledo 1980).

LOS JUDÍOS

Una bibliografía muy completa hasta la fecha de su aparición puede verse en R. SINGERMAN, *The Jews in Spain and Portugal: a bibliography* (New York 1975).

Las compilaciones documentales más importantes para la historia de los judío españoles en la Edad Media son las de F. BAER, *Die Juden im Christlichen Spanien. Urkunden und Regesten*. I: «Aragonien und Navarra». II: «Kastilien Inquisitions akten» (Berlín 1929-1936), y la obra de J. REGNE, nuevamente impresa bajo la dir del prof. H. BEINART, como vol.1 de la serie «Hispania Judaica», con el título de *History of the Jews in Aragón. Regesta and Document. 1213-1327*. Ed. and annotated by YOM TOV ASSIS and ADAM GUZMAN (Jerusalem 1978).

Historia en general: J. AMADOR DE LOS RÍOS, *Historia social, política y religiosa de los judíos de España y Portugal* (Madrid 1875, reimp. Madrid, Aguilar, 1973) A. NEUMAN, *The Jews in Spain. Their social, political and cultural life during the Middle Age* 2 vols. (Philadelphia 1944); B. BLUMENKRANZ, *Juifs et chrétiens dans le monde occiden tal* (París 1960); M. KRIEGEL, *Les juifs du Moyen Âge dans l'Europe Méditerranéenne* (París 1979); F. BAER, *Die Juden im Christlichen Spanien* 2 vols. (Berlín 1922-1936) de cuya trad. hebrea amplificada (Tel-Aviv 1944-1945) existe una versión inglesa con el título *A history of the Jews in Christian Spain* 2 vols. (Philadelphia 1961-1962) de ella se anuncia una versión castellana. J. LACALLE, *Los judíos españoles* (Barce lona 1964). Importante obra de consulta es la *Enciclopedia Judaica Castellana* 10 vols. (México 1948-1952); L. SUÁREZ FERNÁNDEZ, *Judíos españoles en la Edad Medic* (Madrid 1980).

Judíos en la España musulmana: R. DOZY, *Recherches sur l'histoire et la littératur de l'Espagne pendant le Moyen Âge* 2 vols. (1881); ID., *Histoire des musulmans d'Espagn (711-1110)*, ed. LÉVI-PROVENÇAL, 3 vols. (Leiden 1932); E. LÉVI-PROVENÇAL, *His toire de l'Espagne musulmane* 3 vols. (París 1950-1953); ID., *España musulmana hasta la caída del califato de Córdoba (711-1031)*, trad. en *Historia de España*, dir. por R. ME NÉNDEZ PIDAL, t.4 2.ª ed. (Madrid 1957) y en la misma *Historia:* «Instituciones *ida social e intelectual» vol.5 2.ª ed. (Madrid 1967); ANWAR G. CHESNE, *Historia de ispaña musulmana* (Madrid 1980).

Judíos en los reinos peninsulares: M. VALLECILLO AVILA, *Los judíos de Castilla en 1 Alta Edad Media:* CHE 14 (Buenos Aires 1950) 17-110; P. LEÓN TELLO, *Judíos en 1vila* (Avila 1963); ID., *Los judíos de Palencia* (Palencia 1967); J. RODRÍGUEZ FERNÁNDEZ, *La judería de la ciudad de León* (León 1969); ID., *Las juderías de la provincia 1e León* (León 1976); *Simposio Toledo judaico* 2 vols. (Toledo 1972-1973); F. CANTERA BURGOS, *Alvar García de Santa María. Historia de la judería de Burgos y de sus 1nversos más egregios* (Madrid 1952); J. VALDEÓN BARUQUE, *Los judíos de Castilla y la 1volución trastamara* (Valladolid 1968); P. LEÓN TELLO, *Judíos de Toledo* 2 vols. Madrid 1980); F. BOFARULL Y SANS, *Jaime I y los judíos* (Barcelona 1913); R. I. 1URNS, *Jaime I y los judíos de Valencia* (Zaragoza 1976); A. PONS, *Los judíos en el reino 1e Mallorca* I (Madrid 1956); II (Madrid 1960).

Sinagogas: F. CANTERA BURGOS, *Sinagogas españolas* (Madrid 1955); ID., *Sinagogas españolas:* DHEE 4 (Madrid 1975) 2482-2485; ID., *Sinagogas de Toledo, Sevilla Córdoba* (Madrid 1973); DON A. HALPERIN, *The ancient Synagogues of the Iberian 1eninsula* (Gainesville 1969).

Numerosos estudios han aparecido en *Sefarad,* revista del Instituto Arias Monano, de Estudios Hebraicos y Oriente Medio. Publ. en Madrid-Barcelona a partir 1e 1941; su consulta es imprescindible para quienes se interesan por la historia y ultura de los judíos españoles.

LA CULTURA JUDEOESPAÑOLA

Además de las obras citadas anteriormente, pueden consultarse las siguientes: Obras de carácter general: D. GONZALO MAESO, *Manual de historia de la litera-ra hebrea* (Madrid 1960); ID., *El legado del judaísmo español* (Madrid 1972); 1. STEINSCHNEIDER, *Die Hebräischen Übersetzungen des Mittelalters und die Juden als olmetscher* (Berlín 1893); J. M. MILLÁS VALLICROSA, *Estudios sobre la historia de la 1encia española* (Barcelona 1949); ID., *Nuevos estudios sobre la historia de la ciencia 1añola* (Barcelona 1960); J. VERNET, *La cultura hispano-árabe en Oriente y Occidente* 3arcelona 1978); D. C. LINDBERG, *Science in the Middle Ages* (Chicago 1979); J. M. 1LA-SOLÉ, *Hispania Judaica. Studies on the History, Language and Literature of the 1ws in Hispanic World.* I: *History* (Barcelona 1980).

Aspectos literarios: J. AMADOR DE LOS RÍOS, *Estudios históricos, políticos y literarios bre los judíos de España* (Madrid 1848); A. DÍEZ MACHO, *La novelística hebraica 1edieval* (Barcelona 1951); J. M. MILLÁS VALLICROSA, *La poesía sagrada hebraico-1añola* 2.ª ed. (Madrid-Barcelona 1948); ID., *La poesía hebraica posbíblica* (Madrid 953); ID., *Literatura hebraico-española* (Barcelona 1967).

Filosofía: G. VADJA, *Introduction à la pensée juive du Moyen Âge* (París 1947); . DEL VALLE RODRÍGUEZ, *Notas sobre la filosofía hispano-judía:* Repertorio de Historia e las Ciencias Eclesiásticas en España 7 (Salamanca 1979) 355-410.

Cultura bíblica: Rabí MOSE DE GUADALAJARA, *Biblia traducida del hebreo al caste-ino,* ed. DUQUE DE BERWICK y ALBA (Madrid 1920). J. LLAMAS, *Biblias medievales manceadas. Biblia medieval romanceada judío-cristiana* I (Madrid 1950); II (Madrid 955); M. BEIT-ARIE, *Hebrew Codicology* (París 1976); P. REINHART, *Die biblischen utoren Spaniens bis zum Konzil von Trient:* Repertorio de Historia de las Ciencias clesiásticas en España 5 (Salamanca 1976) 9-242.

ORÍGENES DEL PROBLEMA CONVERSO

Obras que encuadran el problema: *Historia de España,* dir. R. MENÉNDEZ PIDAL, 1l.14 y 15 (Madrid 1964 y 1966); E. BENITO RUANO, *Toledo en el siglo XV* (Madrid 961); J. VALDEÓN BARUQUE, *Historia general de la Edad Media (siglos XI al XV)* 1adrid 1972); P. LÓPEZ DE AYALA, *Libro de poemas o Rimado de palacio,* ed. crítica, intr. y notas de M. GARCÍA, 2 vols. (Madrid 1978); F. PÉREZ DE GUZMÁN, *Crónica de D. Juan II:* BAE 68 (Madrid); L. BARRIENTOS, *Refundición de la «Crónica del halconero»*, ed. J. DE LA MATA CARRIAZO (Madrid 1946); G. CHACÓN, *Crónica de D. Alvaro de Luna*, ed. J. DE LA MATA CARRIAZO (Madrid 1940); ALVAR GARCÍA DE SANTA MARÍA, *Crónica de D. Juan II*, ed. J. DE LA MATA CARRIAZO (Madrid 1946); J. SÁNCHEZ HERRERO, *Concilios provinciales y sínodos toledanos de los siglos XIV y XV* (La Laguna 1976).

Obras de historia judía en general: Y. BAER, *A History of the Jews in Christian Spain* II 1.ª ed. (Philadelphia 1966); ID., *Die Juden im Christlichen Spanien* (Berlín 1929-1936), with an introduction by the autor and select additional bibliography by H. BEINART (Wetmead, Farnborugh 1970); L. ALONSO GETINO, *Vida y obras de Fr. Lope de Barrientos:* Anales Salmantinos I (Salamanca 1927).

Sobre los conversos: E. BENITO RUANO, *Los orígenes del problema converso* (Barcelona 1976); J. VALDEÓN BARUQUE, *Los conflictos sociales en el reino de Castilla en los siglos XIV y XV* (Madrid 1975); ID., *Los judíos de Castilla y la revolución trastamara* (Valladolid 1968); F. CANTERA BURGOS, *Alvar García de Santa María y su familia de conversos. Historia de la judería de Burgos y sus conversos más egregios* (Madrid 1952); A. PACIOS, *La Disputa de Tortosa* 2 vols. (Madrid 1957); L. SERRANO, *Los conversos D. Pablo de Santa María y D. Alfonso de Cartagena* (Madrid 1942); ALONSO DE CARTAGENA, *Defensorium Unitatis Christianae*, ed. M. ALONSO (Madrid 1943); F. CANTERA BURGOS, *La familia judeoconversa de los Cota, de Toledo* (Madrid 1969); ID., *Pedrarias Dávila y Cota* (Madrid 1971); F. MÁRQUEZ VILLANUEVA, *Investigaciones sobre Juan Alvarez Gato* (Madrid 1960); ID., *Conversos y cargos concejiles en el siglo XV:* RABM 6: (1957); B. NATANYAHU, *The Marranos of Spain from the late 14th to the early 16th Century* (New York 1966); JUAN DE TORQUEMADA, *Tractatus contra madianitas et ismaelitas*, ed. N. LÓPEZ MARTÍNEZ y V. GIL PROAÑO (Burgos 1957); F. CANTERA BURGOS, *El poeta Ruy Sánchez Cota (Rodrigo Cota) y su familia de judíos conversos* (Madrid 1970); J. C. GÓMEZ MENOR, *Cristianos nuevos y mercaderes de Toledo* (Toledo 1971); M. FORTEZA, *Els descendents dels jueus conversos de Mallorca* (Palma de Mallorca 1966); K. MOORE, *Those of the Street. The Catholic-Jews of Mallorca* (Notre Dame, In. 1976); J. M. MADURELL MARIMÓN, *La contratación laboral judaica y conversa en Barcelona (1349-1416):* Sefarad 16 (1956); R. GONZÁLVEZ, *Limpieza de sangre:* DHEE 2 (Madrid 1972) 1297-1298; A. A. SICROFF, *Les controverses de «pureté de sang» en Espagne du XVᵉ au XVIIᵉ siècles* (París 1960); R. GONZÁLVEZ, *El bachiller Palma, autor de una obra desconocida en favor de los conversos:* Simposio Toledo Judaico II (Toledo 1972) 31-48; E. MITRE, *Judaísmo y cristianismo. Raíces de un gran conflicto histórico* (Madrid 1980).

LOS MUDÉJARES

Ofrecemos una bibliografía selectiva, prescindiendo de algunas obras ya mencionadas en los apartados anteriores y que también hacen referencias a los mudéjares. La bibliografía sobre el arte mudéjar es meramente indicativa, puesto que aquí omitimos este aspecto.

Sobre los mudéjares en general: I. DE LAS CAGIGAS, *Los mudéjares*, 2 vols. (Madrid 1948-1949); ACTAS DEL I SIMPOSIO INTERNACIONAL DE MUDEJARISMO (Madrid-Teruel 1981); en esta obra se hallarán importantes monografías de histo riadores actuales sobre el mudejarismo en Castilla y Aragón, de las cuales destacamos las más importantes: S. DE MOXÓ, *Repoblación y sociedad en la España cristian medieval* (Madrid 1979). Muchas precisiones sobre la minoría mudéjar están conte nidas en los Fueros y Cartas de Población, por lo que es necesario tener en cuent las obras de T. MUÑOZ Y ROMERO, *Colección de Fueros municipales y Cartas Pueblas d los Reinos de Castilla, León, Corona de Aragón y Navarra* (Madrid 1847; reimpr. Ma drid 1972); J. M. RAMOS Y LOSCERTALES, *Textos para el estudio del Derecho aragonés e la Edad Media: Recopilación de Fueros de Aragón:* AHDE II (1925) 491-523; G. T LANDER, *Los Fueros de Aragón según el Manuscrito 458 de la Biblioteca Nacional d*

Madrid (Lund 1937); M. DUALDE SERRANO, *Fori Antiqui Valentiae* (Madrid-Valencia 1950-1967); G. COLÓN y A. GARCÍA, *Furs de València* (Barcelona 1970). Mudéjares de la corona de Castilla: F. FERNÁNDEZ Y GONZÁLEZ, *Estado social y político de los mudéjares de Castilla* (Madrid 1866) es la obra más valiosa de las publicadas en el siglo pasado; N. ESTENAGA ECHEVARRÍA, *Condición social de los mudéjares e Toledo durante la Edad Media:* Boletín de la R. Academia de Bellas Artes y Cienias Históricas de Toledo V (1924); MARQUÉS DE LOZOYA, *La morería de Segovia* Madrid 1967), M. A. LADERO QUESADA, *Los mudéjares de Castilla en la Baja Edad 1edia:* Actas del I Simposio Internacional de Mudejarismo, cit., 349-390; J. GONÁLEZ, *Reconquista y repoblación de Castilla, León, Extremadura y Andalucía:* La Reconuista Española y la Repoblación del País (Madrid 1951); J. TORRES FONTES, *El lcalde mayor de las aljamas de moros en Castilla:* AHDE XXXII (1962) 131-182; ID., *1oros, judíos y conversos en la regencia de don Fernando de Antequera:* CHE XXXIXXII (1960) 60-97; M. GONZÁLEZ GIMÉNEZ, *La repoblación de la zona de Sevilla urante el siglo XIV. Estudio y documentación* (Sevilla 1975); A. COLLANTES DE TERÁN ÁNCHEZ, *Los mudéjares sevillanos:* Al-Andalus XLII (1978) 143-162; J. TORRES ONTES, *Repartimiento de Murcia* (Madrid 1960); ID., *Los mudéjares murcianos en el glo XIII:* Murgetana XVII (1961) 57-90; ID., *Repartimiento y Campo de Murcia en el glo XIII* (Murcia 1971); ID., *La reconquista de Murcia en 1266 por Jaime I de Aragón* Murcia 1967); ID., *La Hermandad de moros y cristianos para el rescate de cautivos:* Actas el I Simposio, cit., 499-508.

Corona de Aragón: F. MACHO Y ORTEGA, *Documentos relativos a la condición so-al y jurídica de los mudéjares aragoneses:* Revista de Ciencias Jurídicas y Sociales V 1922) 143-160, 444-464; ID., *Condición social de los mudéjares aragoneses (siglo XV):* 1emorias de la Facultad de Filosofía y Letras de la Universidad de Zaragoza I 1923) 137-319; J. M. LACARRA, *Documentos para el estudio de la reconquista y repobla-ón del Valle del Ebro:* Estudios de la Edad Media de la Corona de Aragón, vol.II 1946), III (1947-1948); ID., *La reconquista y repoblación del Valle del Ebro:* La Reconuista Española y la Repoblación del País (Zaragoza 1951); ID., *Vida de Alfonso el atallador* (Zaragoza 1971); ID., *Aragón en el pasado* (Madrid 1952); ID., *Introducción l estudio de los mudéjares aragoneses:* Actas del I Simposio, cit., 17-28. M. L. LEDESMA .UBIO, *La población mudéjar en la Vega del Jalón:* Miscelánea ofrecida al Ilmo. Sr. D. osé M. Lacarra y de Miguel (Zaragoza 1968) 339; J. BOSWELL, *The Royal Treasure. 1uslim Communities under the Crown of Aragon in the Fourteenth Century* (Yale Univer-ity Press 1977); este estudio se limita a los años 1355-1366, pero es una de las más nportantes contribuciones al estudio de los mudéjares de Aragón; J. M. FONT íUS, *Cartas de población y franquicia de Cataluña.* I, *Textos,* 2 vols. (Madrid-arcelona 1969); F. A. ROCA TRAVERA, *Un siglo de vida mudéjar en la Valencia medie-al (1238-1338):* Estudios de la Edad Media de la Corona de Aragón V (1952) 115-08; P. GUICHARD, *Le Peuplement de la region de Valence aux deux premiers siècles de la omination musulmane:* Mélanges de la Casa de Velázquez V (1969) 103-159; M. D. ABANES y R. FERRER NAVARRO, *Libre del Repartiment del Regne de València* (Zara-oza 1979); R. I. BURNS, *The Crusader's Kingdom of Valencia: Reconstruction on a hirteenth Century Frontier,* 2 vols. (Harvard University Press 1967); ID., *Islam under e Crusaders: Colonial Survival in the Thirteenth Century Kingdom of Valencia* (Prince-on University 1974); ID., *Medieval Colonialism: Post Crusade Exploitation of Islamic alencia* (Princeton University 1976); ID., *Los mudéjares de Valencia: Temas y metodo-gía:* Actas del I Simposio 453-497. El jesuita P. Burns es el mejor conocedor del 1udejarismo valenciano y autor de otros muchos trabajos en revistas de Historia. I. GRAU MONSERRAT, *Mudéjares castellonenses:* Boletín de la Real Academia de uenas Letras de Barcelona XXIX (1961-1962) 251-273; J. MASCARÓ, *Historia de 1allorca* (Palma de Mallorca 1972); E. LOURIE, *Free Moslems in the Balearics under hristian Rule in the Thirteenth Century:* Speculum XLV (1970) 624-649.

Arte mudéjar: L. TORRES BALBAS, *Arte almohade, Arte nazarí, Arte mudéjar:* Ars ispaniae IV (Madrid 1949); B. PAVÓN MALDONADO, *Arte toledano, islámico y mudéjar 1adrid* 1973); B. MARTÍNEZ CAVIRÓ, *Mudéjar toledano. Palacios y Conventos* (Ma-rid 1980); L. TORRES BALBAS, *Ciudades hispanomusulmanas,* 2 vols. (Madrid s.a.);

G. M. Borras Gualis, *Arte mudéjar aragonés* (Zaragoza 1978); M. C. Fraga Gon
zález, *Arquitectura mudéjar en la Baja Andalucía* (Santa Cruz de Tenerife 1977).

I. LOS MOZARABES

Los mozárabes en los siglos XII y XIII

En otro capítulo de este mismo volumen se ha tratado ya acerca de lo
mozárabes españoles en la alta Edad Media. Nosotros nos limitamos aqu
al período de su historia que se desarrolla fuera del medio musulmán
teniendo como epicentro, sobre todo, a la ciudad y al reino de Toledo.

Las mutaciones de toda índole ocurridas en Europa y España a fine
del siglo XI afectaron profundamente a la condición de los mozárabes pen
insulares. Por parte de los musulmanes, la intolerancia religiosa de lo
imperios africanos almorávide y almohade destruyó la frágil estabilida
de las comunidades cristianas de al-Andalus. Del lado de los cristianos d
los reinos del Norte, la guerra de la reconquista se fue convirtiendo, cad
vez más claramente, en una lucha contra el infiel, de modo que la confron
tación militar entre las dos formaciones por la hegemonía peninsular s
hizo inevitable.

A causa de la inseguridad, los mozárabes emigraron en masa durant
todo el siglo XII, dirigiéndose principalmente hacia Castilla la Nueva
atraídos por la acogida favorable de los reyes castellanos, que necesitaba
población para ocupar las amplias zonas desérticas. Hacia 1200, apena
existían mozárabes entre los musulmanes, al menos en forma organizad
Las guerras continuas habían deslindado definitivamente las posicione
entre cristianos y moros en la Península. Los mozárabes, por ser cristiano
sólo cabían en zona cristiana.

Un hecho que influyó poderosamente en el pueblo mozárabe vin
dado por los esfuerzos de la reforma gregoriana, la cual trascendió la sim
ple lucha de las investiduras para convertirse en un movimiento configu
rador del cristianismo occidental, tendente al uniformismo y centralisme
De él procedió la firme decisión de abolir la vieja liturgia hispana, qu
culminó en el concilio de Burgos de 1080 [1]. Cuando después los mozára
bes andaluces comenzaron a afluir a la meseta inferior, ellos, junto con lc
mozárabes toledanos, asumieron el mantenimiento de su rito no só
como una tradición heredada y peculiar, sino también como signo dif
renciador para expresar la supervivencia de la minoría como tal.

Estos cristianos entre cristianos se caracterizaban por unos rasgos esp
cíficos. Ellos o sus ascendientes habían vivido bajo los musulmanes en cal
dad de pactados-sometidos-protegidos. La calidad de mozárabe se tran
mite por linaje. Además hablan y escriben el árabe como lengua matern
Sus líderes religiosos conocen el latín, por ser el idioma de su liturgi
Todos saben expresarse en romance, necesario para relacionarse con
medio en que actúan. Por tanto, muchos de ellos son trilingües. Conti

---

[1] O de 1080, según la cronología establecida por dom Luciano Serrano, *El obispado
Burgos y Castilla primitiva* I (Madrid 1935) 287-321.

todas las presiones hacen valer su derecho a la práctica del propio rito [2] y a organizar comunidades parroquiales propias, si bien bajo la supervisión de instancias eclesiásticas superiores de rito latino o romano. De los monarcas castellanos reciben un fuero exclusivo, que los reconoce como grupo diferenciado y privilegiado. Se rigen por el *Fuero juzgo* visigodo. Tienen alcaldes y magistrados propios. Les son muy favorables las disposiciones forales en materia económica [3].

Los mozárabes toledanos en los siglos XIV y XV

En esta etapa de la historia mozárabe, los cambios generales afectan grandemente a esta minoría.

Por lo pronto, el fenómeno mozárabe queda virtualmente reducido a la ciudad de Toledo y sus contornos. Incluso los vecinos mozárabes de los lugares próximos no tienen otra vinculación con el grupo de origen que el pago de diezmos y rentas eclesiásticas a las parroquias urbanas, de las que, por una ficción de derecho, se consideran feligreses.

El estudio del derecho canónico y civil se convirtió en la carrera específica del clero no-religioso a causa de las grandes posibilidades de promoción social que ofrecía [4]. También el clero mozárabe sintió este irresistible atractivo. Muchos de sus mejores efectivos humanos abandonaron su adscripción al viejo rito y se pasaron al romano, con lo que se empobreció considerablemente la clerecía mozárabe, y, con ella, toda la minoría. No fueron menores las repercusiones de tal hecho en el terreno de la cultura, frenando el movimiento de la Escuela de Traductores.

Las catástrofes demográficas del siglo XIV incidieron en forma brutal sobre las comunidades mozárabes toledanas [5]. Desde entonces, la reducción de feligreses en las parroquias fue cuantiosa y progresiva, de modo que algunas iglesias habían llegado a tanta pobreza a comienzos del siglo XV, que no había clérigos que supiesen el oficio, y a finales del mismo, de las seis parroquias mozárabes, una no contaba más que con un solo feligrés, otra con dos y una tercera con tres, siendo así que todavía en 1300 los mozárabes de la ciudad no bajaban, según estimaciones probables, de la cifra total de 4.000 personas [6].

Poco después de comienzos del siglo XIV cesan los documentos escritos en árabe [7]. Con la pérdida de su idioma materno como lengua usual, los mozárabes rompen con su pasado, abandonan parte de su herencia cultural y dejan de ser puente entre el Islam y la cristiandad.

[2] R. GONZÁLVEZ, *La persistencia del rito hispánico en Toledo después de 1080:* Spain in Europe. Symposium on the 900th Anniversary of the Reception of the Roman Rite in León-Castile 1080-1980 (New York, october 10-11, 1980).
[3] A. GARCÍA-GALLO, *Los fueros de Toledo:* AHDE 45 (1975).
[4] V. BELTRÁN DE HEREDIA, *Cartulario de la Universidad de Salamanca* I (Salamanca 1970) 211-217.
[5] J. MESEGUER FERNÁNDEZ, *El cardenal Jiménez de Cisneros, fundador de la capilla mozárabe:* Historia mozárabe (Toledo 1978) 158.
[6] R. GONZÁLVEZ, *El arcediano Joffré de Loaysa y las parroquias urbanas de Toledo en 1300:* Historia mozárabe (Toledo 1978) p.140.
[7] A. GONZÁLEZ PALENCIA, *Los mozárabes de Toledo en los siglos XII y XIII* vol. prelim. (Madrid 1930) 42.

En estos siglos finales de la Edad Media, apenas se distinguen ya del resto de la población. Han adoptado definitivamente nombres castellanos. Pero todavía hacen gala de su ascendencia y continúan encuadrados eclesiásticamente en sus parroquias personales. Linaje y parroquialidad mozárabes son los caracteres distintivos, que se mantienen hasta hoy.

Con lo dicho se comprende que la edad de oro del mozarabismo, después que esta minoría se corrió a los reinos cristianos, hay que situarla entre 1085 y 1300.

Asentamiento de los mozárabes en la meseta sur

Todo el siglo XII fue una contienda ininterrumpida entre moros y cristianos. Unos y otros, con suerte variable, estuvieron ventilando militarmente el futuro del país.

La cerrada hostilidad entre los dos bloques de fuerzas tuvo consecuencias importantes en el reparto de la población, operándose grandes desplazamientos humanos. Normalmente, los musulmanes de las ciudades conquistadas por cristianos terminaban por abandonarlas, a pesar de las promesas de respetarles vidas y haciendas, suscritas a veces en pactos solemnes. Para llenar el vacío, se procuró atraer gentes de todas partes y de cualquier procedencia; a ser posible, cristianos, porque las conquistas no se consolidaban sin la subsiguiente repoblación. La minoría mozárabe, acosada por los nuevos invasores musulmanes, sirvió a los reyes cristianos para ocupar con efectividad las tierras y las ciudades desiertas.

Por lo que respecta a los mozárabes del reino de Toledo, es preciso distinguir dos grupos. Los nativos de la ciudad colaboraron en la rendición de la plaza al rey castellano. Aunque algunos marcharon de momento a Valencia, volvieron después con otros oriundos de la ciudad levantina cuando ésta cayó a la muerte del Cid. Hubo una disputa entre los habitantes de Toledo por causa de los bienes derelictos, y es muy probable que Alfonso VI temiera que los mozárabes abandonaran también la ciudad. Esto dio origen a un trato de especial benevolencia para con ellos. En ella se innovó lo menos posible, con la intención de convertirla en un receptáculo de libertad para los mozárabes. Pero fuera de Toledo hubo grupos de ellos en toda la vasta extensión de la meseta: Talavera, Maqueda, Alhamín, Madrid, Alcalá, Guadalajara, los cuales gozaron también de grandes privilegios[8].

El otro grupo es el constituido por mozárabes advenedizos, procedentes en su mayor parte de Andalucía y Levante, el cual debió, por lo menos, de duplicar el de los nativos. Un primer contingente llegó de Guadix con las tropas de Alfonso VI. En 1102 lo hicieron los mozárabes de Valencia, y algunos continuaron hasta Salamanca con su obispo D. Jerónimo, instalándose en un barrio propio. Sucesivamente fueron arribando a Toledo, en busca de un clima de libertad y tolerancia, los de Málaga, Badajoz, Mérida, Córdoba, Sevilla, Granada, Baeza, Alcaraz, Denia y Africa[9].

[8] J. GONZÁLEZ, *Repoblación de Castilla la Nueva* II (Madrid 1976) 67-94.
[9] ID., ibid., 70-73.

Los asentamientos se localizan en puntos distintos, pero la mayor parte de ellos buscaron la ciudad de Toledo y su alfoz. El último obispo de Sevilla, Clemente, fijó su residencia en Talavera, junto con su comunidad. En la segunda mitad del siglo XII, según el testimonio de Jiménez de Rada, vivían acogidos a la hospitalidad de Toledo los obispos de Ecija, Medina Sidonia, Niebla y probablemente Marchena o Málaga. Un santo arcediano llamado Archiquez, de quien se contaban milagros, terminó su vida en la misma ciudad [10]. Algunos lugares, como Ain, Valdemozárabes, la aldea de Pastor, junto a Valdecarábanos [11], y otros les fueron asignados por los reyes y señores en exclusiva para su repoblación.

La proveniencia de puntos geográficos tan distintos manifiesta la diversificación interna de los inmigrados. La minoría mozárabe, lejos de constituir un conjunto compacto y homogéneo, ofrecía una multiforme variedad regional, una rica gama de asimilación de la cultura musulmana.

Con los nativos y la suma de los refugiados, la ciudad de Toledo, que es el lugar de donde se conservan mayor número de noticias documentadas, llegó a contar con una cifra bastante alta de mozárabes. Estimaciones recientes han calculado que no bajarían de un 20 o un 22 por 100 del total. Quizás una proporción similar se diera en otras ciudades y lugares. La zona de la Sisla Mayor, que comprendía desde Toledo hasta los Montes, fue dada a poblar a mozárabes, con la intención de que sirvieran de defensa para el camino que unía Toledo a Córdoba por el puerto de El Milagro, vía preferida por los musulmanes en sus asaltos por sorpresa a la ciudad; pero esta repoblación estratégica no logró sus objetivos.

El número de mozárabes disminuyó a mediados del siglo XIII como consecuencia de la riada de gentes que marcharon a tomar posesión de casa y tierras en Andalucía. Pero los mozárabes que fueron a estos repartimientos se establecieron en calidad de castellanos, perdiendo pronto el recuerdo de su linaje. En las ciudades andaluzas no se crearon parroquias personales para atenderlos pastoralmente, y a esta causa hay que atribuir la desaparición de la minoría en el Sur.

La demografía mozárabe toledana probablemente subió de nuevo a fines del siglo XIII, hasta alcanzar los niveles anteriores. Pero la vitalidad de sus parroquias comenzó a declinar. Con motivo de una visita pastoral del arzobispo García Gudiel en 1285, se comprobaron serias deficiencias en la preparación de sus clérigos y en la celebración del culto según el rito propio.

En las ciudades donde se instalaron los mozárabes tuvo que haber parroquias, al menos en el siglo XII. También persistieron algunos monasterios, al parecer [12]. Algunas noticias sueltas y ciertos manuscritos tardíos inclinan a pensar en ello. En las villas o aldeas donde los mozárabes eran minoría, probablemente nunca se crearon parroquias especiales. Por el

---

[10] R. JIMÉNEZ DE RADA, *De rebus Hispaniae:* Patrum Toletanorum Opera, ed. Lorenzana, III (Madrid 1973) l.3 c.3; reed. facsimilar de M. D. CABANES PECOURT, en *Textos medievales* 22 (Valencia 1968).
[11] J. CEPEDA ADÁN, *Notas para el estudio de la repoblación en la zona del Tajo. Huerta de Valdecarábanos* (Valladolid 1955).
[12] J. F. RIVERA, *La iglesia de Toledo en el siglo XII* II (Toledo 1976) 147-148.

contrario, debieron de existir en los poblados dados a ellos en exclusiva
Pero ni de su institución ni de su posterior desaparición ha quedado constancia. Solamente se sabe que los mozárabes que residían en ellos aparecen
vinculados jurídicamente a algunas de las seis parroquias mozárabes de
Toledo en el siglo XIV. Esta situación se prolongó por siglos y dio origen a
numerosos conflictos jurisdiccionales entre los curas latinos que los atendían en sus aldeas y los titulares de las parroquias mozárabes urbanas.

El estatuto religioso de los mozárabes toledanos

Hasta la abolición del rito hispanico, todos los cristianos de la Península, vivieran en territorio musulmán o cristiano, seguían el mismo ordenamiento litúrgico, cuya estructura fundamental data por lo menos del
siglo V. El cambio se justificó por la pretendida contaminación del rito con
antiguas herejías, pero en realidad lo que buscó el papa Gregorio VII con
sus enérgicas medidas fue la incorporación de la Iglesia española, periférica y demasiado autónoma, al concierto de la cristiandad europea, presidida por Roma.

La introducción de costumbres litúrgicas foráneas encontró mucha resistencia en el clero y pueblo. Con la colaboración de las autoridades, se
forzó el cambio en los reinos cristianos, pero las órdenes de Roma, de
carácter necesariamente territorial, no tuvieron efecto entre los cristianos
de los reinos de taifas, entre otros motivos, porque no hubo mandatos de
Roma que les afectasen a ellos. Por consiguiente, los mozárabes de al-
Andalus continuaron en posesión pacífica de su vieja tradición ritual.
Cuando se celebró el concilio de Burgos (1080), que ejecutó la orden de
Roma, Toledo se hallaba todavía en poder de los musulmanes. Perdido el
texto del concilio de Burgos, es imposible saber si el rey y los obispos castellanos se comprometieron también para el futuro, es decir, a introducir el
rito romano en tierras musulmanas a medida que iban siendo reconquistadas. Toledo cayó en la misma fecha en que moría Gregorio VII. El rey
de Castilla se vio libre de interferencias de Roma. La urgencia de asegurar
la posesión de la ciudad mediante una intensa repoblación obligó a la búsqueda de una fórmula atractiva para los mozárabes del interior y para los
que fueran viniendo. Se llegó a un acuerdo, tal vez tácito, de tolerancia,
aunque es lícito sospechar que, si la ciudad se rindió *multis pactionibus inter-
positis* [13], no dejarían los mozárabes toledanos de asegurarse situaciones
ventajosas. De hecho, encontramos a los mozárabes practicando libremente su rito en parroquias personales. La no mención del derecho a su
peculiaridad litúrgica en el fuero otorgado a los mozárabes por Alfonso VI, parece indicar que se había llegado ya a un *modus vivendi* aceptable
para todos; pero de él no podía hacerse mención en un código legal que,
por otra parte, regulaba sólo la vida civil y económica. Lo más doloroso
para ellos fue, sin duda, la pérdida de la jerarquía episcopal propia, mantenida ininterrumpidamente bajo los árabes. El último arzobispo mozá-

[13] R. JIMÉNEZ DE RADA, o.c., l.6 c.23.

rabe conocido fue Pascual, que vivía en 1067, y cuya muerte hay que situar bastante próxima a la conquista de la ciudad [14]. Después de algunas vacilaciones sobre la persona del candidato más idóneo, fue elegido el cluniacense don Bernardo, abad de Sahagún, oriundo de Agen. Con él la diócesis y la catedral misma adquirieron una impronta romano-francesa, que se acentuó con la llegada de clérigos francos para ocupar los puestos directivos. Con el paso de la ciudad a manos cristianas, la iglesia mozárabe ganó estabilidad, pero perdió autonomía.

Un cargo de gran importancia en la administración eclesiástica era el de arcediano, colaborador inmediato del obispo y, con frecuencia, su sucesor. El arcedianato de Toledo abarcaba un amplio territorio dentro de la diócesis, constituyendo una pieza clave del gobierno pastoral. Los mozárabes se encuadraron en arcedianatos, regentados por latinos. A decir verdad, las dos instancias eclesiásticas más altas —arzobispo, arcediano— estuvieron ocupadas durante un siglo por clérigos francos, lo cual es una muestra de la tenacidad en implantar el espíritu de la reforma gregoriana y, al mismo tiempo, de la desconfianza respecto de los clérigos nativos fueran éstos mozárabes o latinos.

Los mozárabes tuvieron parroquias con clero propio. Las hubo en aquellos lugares que fueron dados a poblar a los mozárabes en exclusiva y quizás en aquellos en que alcanzasen un número elevado. Pero no existen noticias sobre su creación y desaparición. En cambio, en la ciudad arzobispal llegó a haber hasta seis parroquias mozárabes sin territorio: Santas Justa y Rufina, San Marcos, San Lucas, Santa Eulalia, San Sebastián y San Torcuato, algunas de las cuales venían funcionando como tales desde la época visigótica.

Los oficios litúrgicos que se celebraban en ellas, dentro siempre del antiguo rito hispano, ofrecían notables variantes entre sí. Las tres primeras parroquias mencionadas seguían la llamada tradición B, y las últimas, la tradición A, denominaciones introducidas modernamente para designar a cada una de las dos familias del mismo rito. La tradición A es considerada como propia de Toledo y de la España del Norte, mientras que la B lo sería de la zona bética [16], si bien no todos los historiadores de la liturgia explican el hecho de la misma manera. En el siglo XV, la parroquia de Todos los Santos, que era latina, al quedar sin feligreses pasó a ser la séptima mozárabe. En total, las parroquias urbanas fueron 26. Las latinas estaban servidas por 112 clérigos de misa, y las mozárabes por 30. El arzobispo García Gudiel redujo los beneficios curados a 57 y 18 respectivamente [17].

No es exacto pensar en los mozárabes como en una minoría discriminada ni eclesiástica ni civilmente. Con la salvedad expuesta anteriormente por lo que se refiere al arzobispo y al arcediano, situación que duró hasta

[14] J. F. RIVERA, *Los arzobispos de Toledo desde sus orígenes hasta fines del siglo XI* (Toledo 1973) 205-206.
[15] RIVERA, *La Iglesia...* I 87-90.
[16] J. PINELL, *Liturgia hispánica:* DHEE 3 (Madrid 1972) 1304-1306.
[17] R. GONZÁLVEZ, *El arcediano...* 123-134.

el 1180, comprobamos que el clero mozárabe no estuvo nunca vinculado de por vida a su rito, porque ya desde el primer tercio del siglo XII se encuentran mozárabes desempeñando cargos en la catedral. Como síntomas del clima de convivencia interritual pueden señalarse los casos en que clérigos con nombre mozárabe regentan parroquias latinas, mientras otros con nombre franco se encuentran al frente de parroquias mozárabes. Muchos mozárabes, después de servir más o menos tiempo en sus parroquias de origen, se pasaban al rito latino, atraídos quizás por las mejores dotaciones de los beneficios. Este trasiego de clero, ampliamente documentado, indica que parte de la clerecía mozárabe, probablemente la más culta, abandonó voluntariamente su rito de origen. Con ello perdían su calidad de mozárabes en el aspecto litúrgico. Y, abandonada la vinculación con el rito, bastaban muy pocas generaciones para sentirse también desligados del linaje y de la minoría mozárabes. Este fenómeno era mucho más frecuente entre los clérigos que entre los laicos.

Las parroquias mozárabes poseyeron sus propias escuelas para la formación de los aspirantes a la clerecía. En ellas se estudiaba el árabe y el latín y además la Biblia, los Santos Padres, las colecciones conciliares y el canto litúrgico. El aprendizaje escolar se simultaneaba con el adiestramiento en los distintos ministerios eclesiásticos. A fines del siglo XIII, la preparación de estos jóvenes o «moços» estaba bastante abandonada, según se pudo comprobar en una visita canónica. La intervención de D. Gonzalo García Gudiel, arzobispo de estirpe mozárabe, salvó por entonces al rito de una probable extinción hasta los tiempos de Cisneros.

El fuero de los mozárabes toledanos

Alfonso VI sintió una especial predilección por los mozárabes *quos in hac urbe semper amavi et delexi seu de alienis terris ad populandum adduxi,* y para ello les otorgó el 1101 un fuero que contenía notables privilegios. En él, además de mencionar los dos grupos de mozárabes, los nativos y los foráneos, hace una alusión explícita a su antigua condición de sometidos y a la nueva de hombres libres: *ideoque absolvo vos ab omni fece pristinae subiectionis et praescriptae libertati trado.*

En el fuero se les confirmó el derecho a la posesión pacífica de los bienes adquiridos por *pressura* o por compra de los moros que huyeron. Una comisión de hombres buenos, mozárabes y castellanos, presidida por el alcalde don Juan y el alguacil don Pedro, ajustó, según términos de equidad, el reparto de los bienes.

El punto capital en que el fuero privilegiaba a los mozárabes era el derecho a regirse por el *Liber iudiciorum,* quedando en lo demás equiparados a los castellanos. Con ello los mozárabes fueron más favorecidos, porque el fuero de los castellanos contenía importantes exenciones fiscales. El de los mozárabes reguló el derecho privado, judicial y procesal, excepto el penal, pero se observa con frecuencia cómo los moros, judíos, castellanos y francos aceptan negociar en sus asuntos conforme al derecho mozárabe. El *Liber iudiciorum* constituyó la base del posterior fuero refundido o general, el cual sirvió, a su vez, de modelo para los códigos forales que fueron otorgados a los pobladores de Andalucía occidental a mitad del siglo XIII.

Aun después de la unificación del derecho toledano, los mozárabes, al igual que las demás comunidades étnicas, tuvieron el privilegio de acogerse a una jurisdicción independiente, siendo ventiladas las causas ante jueces exclusivos de su propio grupo.

El texto mismo del fuero da a conocer que el 1101 ya existía entre los mozárabes la categoría de los *milites* o caballeros. Esta nobleza no era cerrada, y así a los peones mozárabes se les concedió el privilegio de acceder a esta misma condición, con tal de poseer un caballo pertrechado para la guerra. El fuero refundido posterior insistió de nuevo en este aspecto, ampliando los términos con objeto de que se constituyese con los mozárabes una clase privilegiada de la nobleza, que en otros lugares de Castilla eran denominados infanzones. Los que pudieran ingresar en esta escala social gozarían de especiales derechos, como el de compartir por igual con los demás los dones y beneficios que el rey concediera; el de la inmunidad, por el que se prohibía la entrada del merino y del sayón del rey en las heredades que tuviesen en cualquier punto de Castilla, y, finalmente, el de no perder los prestimonios recibidos del rey, siempre que quedasen en la ciudad la mujer, los hijos u otro caballero sustituto. En la segunda mitad del siglo XII, estos caballeros mozárabes quedaron exentos de la décima y del portazgo, de la posta y fazendera —importantísimos privilegios de orden económico—, con estas dos condiciones: ejercitar la milicia *secundum forum Toleti* y tener vecindad [18].

La presencia de los mozárabes en la ciudad impidió, de hecho, el desarrollo de las instituciones municipales, porque el cuadro administrativo musulmán fue mantenido por los monarcas sin alteraciones. De esta manera, en la Toledo cristiana continuó habiendo, como antes, los mismos magistrados: alcayd, aluacir o visir, qāḍī o alcalde, ṣāhib al-madīna, ṣāhib al-šurta, almojarifes, etc., además de otras muchas instituciones de origen islámico relacionadas con actividades mercantiles, como los zocos, las alcaicerías, las alhóndigas. Este caso único obedeció a razones de alta política. Se pretendió crear una ciudad que sirviera de receptáculo a los mozárabes, y para que éstos, intensamente arabizados, no se sintieran en un ámbito extraño, se alteró lo menos posible en las formas de la vida política y social [19].

Con estas disposiciones legales, los mozárabes, como minoría bien definida, mantuvieron su fisonomía propia y al mismo tiempo convivieron en un clima de amplia tolerancia con las demás comunidades étnicas del espectro social urbano, sin discriminaciones ni grupos dominantes. Ellos «conservan sus peculiaridades de fuero, liturgia y cultura, pero no se dan trabas en los estratos sociales. Durante todo el siglo XII, los cristianos (mozárabes, castellanos y francos) se ven mezclados en lo económico, en lo

---

[18] A. GARCÍA-GALLO, *Los fueros de Toledo.*
[19] J. GAUTIER DALCHÉ, *Historia urbana de León y Castilla en la Edad Media (siglos IX-XIII)* (Madrid 1979) 116.

militar y en lo religioso, en oficios, dignidades y noblezas, en casas y tierras, en fortunas y desgracias» [20].

La cultura mozárabe

Los mozárabes tomaron parte muy activa en el desarrollo de la cultura medieval. Por sus características propias, se constituyeron en puente natural entre el mundo musulmán y el mundo cristiano europeo. El acervo cultural mozárabe, integrado por su tradición hispano-visigótica, más la espléndida riqueza creada por los árabes, hizo que llegasen a gozar de un indiscutible prestigio sobre todo en el siglo XII, ya que atrajo a muchos europeos ansiosos de aprender la ciencia arábiga, que, por la lengua común, compartían con los musulmanes.

Lo que más llama la atención en la cultura mozárabe es su tenacidad en el mantenimiento de la lengua árabe, a la que consideraban como propia y de la que hacían uso en la vida diaria, en las relaciones económicas y en los contactos con los hombres doctos. Más de un millar de documentos escritos en esta lengua se han conservado gracias a su vinculación con instituciones eclesiásticas, pero es indudable que existieron muchos más. Fuera de la liturgia, el árabe era su modo normal de expresión, tanto oral como escrita. La necesidad de relacionarse con el resto de la población les imponía manejar también el romance. En el siglo XII, los mozárabes tenían dos nombres, uno latino y otro árabe. El primero era algo como pegadizo, puesto que en la vida familiar y social y en los momentos de solemnidad se hacía constar que aquella persona era llamada en otra forma, a la usanza árabe. Al escribir las filiaciones, se llega a veces a una antigua generación, donde se descubre la primitiva ascendencia no-arábiga. A las personas destacadas se les anteponía el título honorífico de *mair* o *maior* [21].

Los maestros gozaban de gran predicamento. Además de las escuelas clericales, existían otras privadas, que frecuentaban jóvenes de ambos sexos. El maestro convivía con los alumnos, y éstos tenían a quienes les enseñaban en tal veneración, que los consideraban como a sus padres, y en testimonio de gratitud se acordaban de ellos en sus testamentos para hacerles ricas donaciones. Quedan documentos en los que aparece este mismo sentido de respeto y agradecimiento a los maestros por parte de las mujeres mozárabes. Al igual que en las escuelas coránicas, la relación personal era el fundamento de toda educación. Es muy probable que los métodos didácticos fueran muy similares a los que estaban en uso entre los árabes [22].

Si la cultura se manifiesta principalmente por los libros, hay que decir que, no obstante el poco aprecio en que se tuvo a los libros mozárabes en la baja Edad Media y aun posteriormente por parte de los otros cristianos, un número elevado de ellos, escritos por y para mozárabes, ha llegado hasta nosotros. Fueron, sin duda, muchos más, pero sólo un número pequeño se

[20] J. GONZÁLEZ, *Repoblación de Castilla la Nueva* II 75.
[21] A. GONZÁLEZ PALENCIA, *Los mozárabes...* vol. prelim. 123-124.
[22] H. SCHIPPERGES, *Arabische Medizin im Lateinischen Mittelalter* (Berlín-Heidelberg-New York 1976) 17-18.

nos ha conservado. Bastantes fueron escritos antes del período que consideramos[23]. El aspecto arcaizante de la letra ha llevado a muchos paleógrafos a fecharlos en épocas remotas, pero una revisión del grupo litúrgico toledano ha alterado profundamente la cronología establecida, retrasando la redacción de varios manuscritos a los siglos XII y finales del XIII[24]. La conclusión más importante es que el *scriptorium* mozárabe toledano estuvo vivo más tiempo de lo que se pensaba.

Lo característico de estos códices es el tipo de escritura empleada, denominada modernamente visigótica y conocida en los inventarios antiguos como mozárabe. Esta escritura nacional, usada para fines documentales y librarios, estuvo vigente en buena parte de España hasta principios del siglo XII, a pesar de que don Rodrigo Jiménez de Rada asegura haber sido abolida oficialmente junto con la liturgia hispánica. Pero los mozárabes toledanos la utilizaron largamente hasta el siglo XIV como tradición propia. La pervivencia de esta escritura latina al par de la escritura árabe es uno de los rasgos más típicos de la cultura mozárabe y demuestra la perduración de sus instituciones de enseñanza hasta tiempos muy tardíos.

Es probable que el escritorio latino mozárabe conociera una cierta reactivación a fines del siglo XIII como consecuencia del mandato de García Gudiel acerca de la observancia del rito. El hecho de que no se conozca ningún libro litúrgico mozárabe escrito en otra letra más que en la visigótica, con exclusión de la carolina y la gótica, parece que debe interpretarse en el sentido de que dicha forma de escribir se había vinculado inseparablemente a la liturgia, y, por consiguiente, había asumido ya, a los ojos de los mozárabes, un tono de sacralidad.

En los códices tardíos imitaron las miniaturas de modelos anteriores, pero en ocasiones se dejaron influir por el arte decorativo románico, del que tomaron entrelazos y ornamentación geométrica. A pesar del carácter arcaico de todo lo mozárabe, nunca fueron una isla cultural.

Singular importancia reviste la escritura musical de los manuscritos. La notación de los antifonarios y otros libros litúrgicos sigue siendo, en buena parte, un enigma indescifrable. Los problemas que más preocupan a los historiadores de la música hispana se relacionan con los orígenes del canto y con la búsqueda de un sistema adecuado de lectura e interpretación. Los musicólogos habían distinguido dos tipos de notación musical: la llamada toledana, de neumas inclinados, y la leonesa, de estructura vertical, ambas sin ninguna clase de pautado y derivada la segunda de la primera; pero estas afirmaciones están hoy cuestionadas como consecuencia de los estudios sobre la cronología de los códices. Brockett piensa que los orígenes más remotos del canto mozárabe se hallan en Bizancio, de donde llegarían

[23] Una amplia descripción, puesta al día, de los códices escritos en letra visigótica —incluidos los *membra disiecta*— puede verse en A. MILLARES CARLO, *Manuscritos visigóticos. Notas bibliográficas:* Hispania Sacra 14 (1961) 337-444. Según este recuento, su número asciende a 241; con posterioridad a esta fecha han aparecido algunos fragmentos. No se ha hecho todavía un estudio de conjunto sobre las escuelas y centros escritorios de donde salieron, lo cual permitiría valorar la contribución de los mozárabes. Para la zona de la Rioja véase el magnífico estudio de D. M. C. DÍAZ Y DÍAZ, *Libros y librerías en la Rioja altomedieval* (Logroño 1979).

[24] A. M. MUNDO, *La datación de los códices litúrgicos visigóticos toledanos:* Hispania Sacra 18 (1965) 1-25.

a España a través del gregoriano. Mientras unos investigadores se pronuncian en contra de la teoría de la preexistencia de una notación musical en época visigótica, otros opinan que no es una derivación de sistema musical alguno conocido. Jaime Moll sostiene que hubo un orden coherente de notación musical antes de la caída del reino visigodo, pero después se fue degradando por la ignorancia de los copistas. Los mozárabes no se limitaron a escribir libros litúrgicos. Por el contrario, los manuscritos que han llegado a nosotros muestran una cultura amplia y plural. En numerosos códices se contiene la legislación canónica y civil: la *Collectio Hispana* y el *Fuero juzgo*. De la primera existe una versión íntegra al árabe en un manuscrito de El Escorial. La atención a la literatura jurídica debía de ser, en buena parte, reflejo del peculiar estatuto social del que gozaron los mozárabes, tanto en territorio musulmán como cristiano.

Toda la herencia de los Padres visigodos y de otros escritores eclesiásticos está recogida en sus libros. Un autor del máximo prestigio es San Isidoro de Sevilla, cuyas obras eran muy leídas, a juzgar por el número de códices que se conocen. Entre los Padres no españoles descuella, por su influjo, San Gregorio Magno, del que se conservan espléndidos manuscritos. La herejía adopcionista y la crisis martirial de Córdoba produjeron una copiosa literatura polémica, cuidadosamente recogida. Son abundantes las biblias, magníficos monumentos del arte del libro, algunas de ellas con acotaciones y notas arábigas, entre las cuales cabe destacar por su prestancia la *Biblia Hispalense* o *Codex Toletanus,* hoy en la Biblioteca Nacional de Madrid. Citemos asimismo los numerosos libros relacionados con la enseñanza: gramáticas, vocabularios, colecciones poéticas.

Los mozárabes y la Escuela de Traductores

En otro lugar de este mismo volumen se ha tratado especialmente de este hecho capital en la historia de la ciencia. Aquí sólo se quiere poner de relieve el protagonismo de los mozárabes en este acontecimiento.

El desarrollo intelectual de Europa no hubiera sido posible sin el hallazgo y recuperación de la ciencia griega, que llegó a través de España con la presencia del Islam. Este, por su parte, reelaboró y amplió con nuevos aportes originales el caudal de la información científica. El trasvase tuvo lugar en aquellos puntos geográficos en que la cristiandad y el islamismo se pusieron en contacto merced a unas particulares condiciones de convivencia.

Como factores que determinaron el encuentro puede señalarse, del lado de los europeos, la gran movilidad humana entre España y el continente, el espíritu de aventura, la búsqueda de libertades personales, las peregrinaciones y cruzadas y, sobre todo, el ansia de un nuevo horizonte en la sabiduría, que impulsó a la *iuventus mundi* a tomar el camino de Toledo [25].

[25] H. SCHIPPERGES, *Die Schulen von Toledo in ihrer Bedeutung für die abendländische Wissenschaft:* Marburger Sitzungsberichte 82 (1960) 3-18.

Por parte del mundo musulmán fue decisivo el hecho de que sus vastos dominios constituían una unidad cultural, basada en una lengua común.

El primer episodio de esta aventura científica se apoyó en una oleada de traducciones al árabe, mediante la cual los musulmanes captaron el legado cultural griego de la Escuela de Alejandría, además de los aportes de antiguas culturas orientales, como la siria, persa e hindú, con las que tomaron contacto gracias a su expansionismo militar. La capacidad de asimilación, el espíritu viajero y comercial y el insaciable deseo de saber de los árabes convirtieron a éstos en dueños de los conocimientos del Oriente sobre filosofía, literatura, ciencia y técnica.

El intercambio de información entre el mundo árabe y el cristiano tuvo lugar, principalmente en Toledo, en los siglos XII y XIII; se produjo en forma de corriente de sentido único —del Islam al Cristianismo—, y no se verificó en forma directa, sino a través de una mediación: la del pueblo mozárabe y, en parte también, la del judío [26].

No pudo ser de otra manera, porque en Toledo apenas quedaron musulmanes después de su incorporación al reino castellano. Huyeron, como se ha dicho, dejando las casas vacías, los campos desiertos y las mezquitas desoladas. Los que quedaron fueron escasos y de ínfima condición social. La colección documental de González Palencia, que abarca más de dos siglos, sólo menciona una treintena de moros, la mayor parte de ellos esclavos o antiguos esclavos. En estas condiciones, difícilmente pudieron los moros desempeñar un papel activo en la transmisión de su cultura a Occidente. No es conocido el nombre de ningún traductor musulmán. Entre los traductores de la corte de Alfonso X se menciona a don Bernaldo el Arábigo; pero, como lo indica su nombre cristiano, se trata de un converso o de un mozárabe.

Fueron los mozárabes —y, en buena medida, también los judíos— quienes sirvieron de eslabón o puente entre el Islamismo y la Cristiandad.

Una interpretación reciente de la historia mozárabe

La historiadora argentina Reyna Pastor de Togneri ha publicado algunos estudios sobre los mozárabes de Toledo partiendo de una óptica nueva. Se apoya casi exclusivamente sobre la documentación árabe publicada por González Palencia. El modelo de análisis escogido representa ya una opción de principio, porque obliga a clasificar los fenómenos históricos bien en la llamada estructura —los de naturaleza económica: modos de producción, etc.— o en la superestructura —hechos políticos, religiosos y culturales—, según los postulados del materialismo histórico.

Para la autora, el mundo musulmán en su totalidad, desde la India hasta Toledo, y el mundo cristiano europeo, desde el Báltico hasta el Tajo, son dos formaciones económico-sociales contrapuestas entre sí, caracterizadas cada una de ellas por un modo de producción diferente. En el proceso de desestructuración o paso de una formación a otra en Toledo, los mozárabes ocuparon el lugar de los musulmanes, pero después fueron despojados de sus bienes rústicos por los grupos

---

[26] Importante estudio de G. Levi della Vida, *I mozarabi tra Occidente e Islam:* Settimane di Studio del Centro Italiano di Studi sull'Alto Medioevo XII (1964) I (Spoleto 1965) 149-308.

dominantes eclesiásticos y laicos, algunos de ellos mozárabes, alterando su condición social de propietarios a la de dependientes, e imperando, a partir de fines del siglo XII, un clima de verdadero segregacionismo hacia esta minoría. A principios del siglo XIV, la masa de los mozárabes ha desaparecido como tal.

Prescindiendo de la bondad del método, creemos que las teorías de R. Pastor de Togneri son insostenibles por basarse en afirmaciones cuestionables, estar en contradicción con los hechos y apoyarse en un tratamiento metodológico inadecuado de las fuentes documentales.

La distinción entre los modos de producción musulmán y europeo está lejos de ser evidente. Que cada formación económico-social tan vasta constituyese una unidad homogénea donde imperaba un modo propio de producción, es una cuestión que está por probar.

El problema de la sustitución de la formación musulmana por la cristiana en Toledo está tratado en forma ahistórica, puramente mecanicista, sin relación con los datos históricos conocidos. El paso de la ciudad a manos del rey de Castilla no supuso una ruptura, sino una continuidad con el régimen anterior, ya que se mantuvieron intactos los cuadros administrativos y el sistema tributario y fiscal preexistentes. Fueron condiciones estas que se incorporaron a los pactos de rendición. Buena prueba de ello es que los reyes cristianos siguieron durante siglos cobrando el *alessor*, es decir, el diezmo de la limosna musulmana: *zaqāt*.

Los mozárabes no son cristianos viejos, como con cierta insistencia proclama la autora. Cualquier medievalista sabe que esta terminología fue introducida a fines del siglo XIV, con motivo de la aparición en escena de los conversos.

Según la historiadora argentina, la población mozárabe estaba compuesta, en su enorme mayoría, por campesinos, en favor de lo cual se aduce la autoridad de González Palencia, que habla de 249 lugares donde se documentan transacciones de fincas. Pero esto no supone la vecindad de sus propietarios, la mayor parte de los cuales se sabe que la tenían en la ciudad, como lo ha demostrado D. Julio González [27]. Durante el siglo XII, las condiciones eran muy poco propicias para los asentamientos en el campo, porque, fuera de las ciudades y villas amuralladas, la vida estaba en continuo peligro [28]. La vecindad en Toledo se veía estimulada por la exención del pago de muchos impuestos. Teniendo en cuenta que la mayoría de las fincas estaban muy próximas a la ciudad, su laboreo podía hacerse desde ésta o por medio de mano de obra asalariada. Por lo demás, muchos cultivos —viñas, olivares, prados, sotos, frutales— sólo requerían cuidados estacionales.

Las conclusiones de R. Pastor de Togneri respecto a la degradación del pueblo mozárabe de propietario a dependiente y de privilegiado a segregado carecen de apoyo documental, pues se fundamentan en un uso metodológico incorrecto de las fuentes. La documentación mozárabe publicada por González Palencia está constituida por dos grandes bloques, procedentes del archivo de la catedral y del monasterio de San Clemente. Ambos son válidos para reconstruir en parte la historia económica de dichas instituciones, únicas que han conservado sus títulos de posesión. Pero hay que tener en cuenta que dichas instituciones sólo conservan los títulos favorables, es decir, aquellos en que actúan como compradores. Por consiguiente, los documentos que han llegado a nosotros son los restos de un naufragio documental, sobre los cuales no se puede seguir paso a paso el movimiento global de los cambios de propiedad. Para describir la actividad económica de todo un pueblo, en nuestro caso el mozárabe, sólo disponemos de una base documental, que nos coloca desde el principio en una perspectiva unidimensional, que conduce, indefectiblemente, a aquellas instituciones con las cuales los mozárabes han entrado en relación siempre de vendedor a comprador, o, al menos, que desembocan en un acta final que es favorable, porque los documentos desfavorables son destruidos o invalidados. Los testimonios acerca de esta práctica son innumerables.

---

[27] J. GONZÁLEZ, *Repoblación de Castilla la Nueva* II 85-86.
[28] La carta-puebla de Alfonso VII de 1146 habla de «terras et villas desertas in territorio Toleti». Se encuentra en Toledo, Arch. Cap. Ō.2.L.1.4. La situación no mejoró en la segunda mitad del siglo XII.

Es preciso también apuntar que una de las lagunas más sensibles en los estudios de Pastor de Togneri es la desatención al ordenamiento legal que regulaba la vida mozárabe. En su fuero se permitía vender de poblador a poblador y de vecino a vecino, pero no a conde o persona poderosa. M. Luz Alonso ha señalado la fragilidad de los estudios de historia económica hechos al margen de las instituciones jurídicas [29].

II. LOS JUDIOS

Los judíos españoles en el mundo islámico

Los judíos eran ya numerosos en la época visigoda. A partir del tercer concilio de Toledo (589) se produjo una abundante legislación antijudía, inspirada en la de los emperadores cristianos orientales, pero en la práctica careció de efectividad, como lo demuestra la insistente reiteración de las asambleas conciliares. El problema judío llegó a ser casi una obsesión a fines del siglo VII. Con el advenimiento de los musulmanes, todas las trabas legales desaparecieron. Cuando éstos emprendieron la conquista decidida de la Península, viendo en ellos a unos libertadores, les abrieron las puertas de algunas ciudades fortificadas, colaborando a la ocupación militar. Las acusaciones de colaboracionismo han sido fuertemente rechazadas por Baer [30] como elementos de propaganda antijudía elaborados tardíamente por historiadores cristianos (siglo XII). Es difícil asumir en su integridad este punto de vista, porque no puede demostrarse un sentimiento generalizado de antisemitismo entre los cristianos españoles del siglo XII y porque las noticias proceden de la historiografía tanto cristiana como musulmana, anteriores a este siglo.

Los musulmanes, pocos en número, obligaron a pactar con ellos a los habitantes del territorio, y a cambio les concedieron amplias facultades de autogobierno en los casos en que el sometimiento se produjo sin resistencia armada. Se estableció como principio la tolerancia religiosa, que afectó por igual a cristianos y a judíos. Este clima estimuló pronto a grupos de judíos foráneos a buscar asentamiento en la Península. Como los musulmanes carecían de cuadros preparados para dominar administrativamente el país, los judíos les prestaron en este aspecto inestimables servicios. Muchos desempeñaron funciones de gobierno en las ciudades, en la organización del territorio y como agentes fiscales. Al amparo de este ambiente de tolerancia, las juderías crecieron en número, poder y libertad. Pero, una vez seguros en la conquista, los gobernadores musulmanes comenzaron a limitar la influencia judía. La minoría israelita hubo de someterse a las mismas normas que el grupo cristiano-mozárabe. Al igual que éstos, los judíos hubieron de comprar la libertad religiosa a cambio de impuestos especiales, pasando a la calidad de tributarios, y, como tales, se englobaron entre los *dhimmi*, es decir, entre aquellos a los que las leyes coránicas reser-

---

[29] M. L. ALONSO, *La perduración del «Fuero juzgo» y el derecho de los castellanos en Toledo:* AHDE (1978) 337.

[30] Y. BAER, *A History of the Jews in Christian Spain* I (Philadelphia 1961) 23.

vaban una forma de protección preferente como hombres que eran del Libro[31].

Los judíos de la época amaban las ciudades. En todos los centros urbanos de al-Andalus hubo comunidades hebreas. En algunas poblaciones, como Granada y, sobre todo, Lucena, eran incluso mayoría. A pesar de los tributos, las conversiones de judíos al islamismo fueron escasas. Algunos grupos emigraron a Oriente, atraídos por las noticias sobre la aparición del pseudomesías Serenus. Este personaje, que era enemigo del Talmud, fue desenmascarado, y los emigrantes retornaron, arrastrando consigo a la Península a otros correligionarios. Estos movimientos humanos enriquecieron considerablemente a las comunidades hebreas con nuevos aportes culturales.

Desde la creación del emirato (756), los judíos vivieron tolerados. La política de los primeros emires les fue favorable; pero, reinando Alhakam II (961-976), varios conatos de sublevación, alguno en connivencia con los mozárabes toledanos, fueron duramente reprimidos.

No es posible dar cifras sobre la población andaluza en el emirato y en el califato. Tampoco es posible evaluar, ni siquiera con aproximación, el volumen de las minorías tributarias —mozárabes y judíos—. El grupo cristiano estuvo en continuo descenso, pero las conversiones de judíos —que también las hubo— apenas pudieron repercutir en el conjunto. Con todo, llegaron a constituirse, según Lévi-Provençal, cuatro castas entre los seguidores del Profeta, diferenciadas por sus orígenes respectivos: musulmanes de estirpe árabe, los bereberes islamizados, los muladíes de origen cristiano y los musulmanes que antes habían sido judíos[32].

Es poco lo que se conoce sobre la organización interna de las comunidades judías en tierras del Islam español. La libertad para el culto era completa dentro de sus propios edificios religiosos; en las escuelas se impartían las enseñanzas talmúdicas y bíblicas sin restricción alguna. Cada comunidad disponía de autoridades propias no sólo en el ámbito religioso, sino también en el judicial y en el tributario. Un representante de cada comunidad servía de interlocutor ante las autoridades islámicas.

Solían agruparse dentro de un mismo barrio, según las noticias que se tienen. En Toledo, dicho barrio era llamado ciudad de los judíos y tenía acceso directo al paso del río por el puente inmediato de San Martín. En Córdoba y otras ciudades son conocidos también los arrabales judíos con puertas a las murallas. Los cementerios judíos son una fuente de hallazgos arqueológicos.

Algunos judíos tuvieron especial relevancia social y política en la corte califal. El más conocido fue Abu Yúsuf ibn Ishaq ibn Saprut (915-970), médico del califa Abd al-Rahman III (912-961), del que se hablará después.

Con la creación de los reinos de taifas musulmanes a principios del siglo XI se manifestó la debilidad política del islamismo peninsular; pero,

---

[31] E. Lévi-Provençal, *España musulmana hasta la caída del califato de Córdoba:* Historia de España, dir. R. Menéndez Pidal, t.4 (Madrid 1957) 48.
[32] Id., o.c., 97.

en cambio, adquirió un magnífico impulso el arco de todos los saberes. Amparados por los régulos musulmanes, los judíos brillaron, cada vez más, en el campo de la ciencia, la economía y la administración pública. Algunos reinos, como Sevilla y Toledo, practicaron una política de atracción. En ambas ciudades, polos neurálgicos del comercio entre Andalucía y la Meseta, las comunidades hebreas adquirieron un auge inusitado al amparo de la tolerancia religiosa y de la reactivación económica general.

Bajo el dominio de los almorávides pasaron por dos períodos diferentes: el primero (1086-1106) puede ser considerado como de intolerancia no violenta; el segundo, que llega aproximadamente hasta la mitad del siglo XII, coincidiendo con el reinado de Alí (1106-1143), los judíos recibieron un trato de benevolencia y algunos desempeñaron altas funciones del Estado. Las juderías andaluzas vivieron medio siglo de esplendor, produciendo muchos sabios y rabinos.

Todo cambió con la aparición sobre el suelo peninsular del brutal fanatismo de los almohades (1147), que se prolongó hasta bien entrado el siglo XIII. Estos nuevos amos, dispuestos a suprimir toda disidencia religiosa, persiguieron por igual a mozárabes y judíos. Se produjo la destrucción de todas las comunidades israelitas de al-Andalus. De los que no apostataron, unos emigraron al norte de África u Oriente y otros tomaron el camino de la meseta castellana. Las antiguas y florecientes juderías de Córdoba, Sevilla, Lucena y Granada dejaron literalmente de existir.

Conquistada para Castilla toda la Andalucía occidental y la región murciana en el siglo XIII, sólo quedó el reino musulmán de Granada como resto de la expansión del Islam en la Península. Muy pocas son las noticias que se tienen sobre la existencia de judíos en él. Lo poco que se sabe se refiere a prescripciones acerca de los distintivos en la indumentaria utilizada en la vida social para diferenciarlos de los musulmanes. La vida de las pocas comunidades judías fue difícil.

Asentamientos en los reinos cristianos: Estatuto social

Durante los siglos VIII al X, los reinos cristianos estuvieron muy por debajo del mundo musulmán en todos los órdenes. Los norteños llevaron una vida muy dura, con una economía básicamente agraria, un comercio reducido y una vida urbana apenas existente. No eran éstas las mejores condiciones para atraer a los judíos. Sin embargo, conocemos la presencia de alguna comunidad judaica en Barcelona en el siglo IX cuyos miembros se dedicaban a la pequeña artesanía, en tanto que otros ejercían actividades de prestamistas. Su estatuto jurídico no es conocido, pero sería muy similar al de los dominios musulmanes.

Con los cambios políticos del siglo XI, las monarquías y condados hispano-cristianos, libres de la pesadilla de Almanzor, pudieron levantar cabeza y rehacer su economía a expensas de las taifas musulmanas. En este siglo ya tenemos noticias de comunidades judías un poco dispersas en todas partes de dichos territorios. Hubo asentamiento en Navarra y Aragón,

Pamplona, Estella, Zaragoza, Huesca, Calatayud, Teruel y ciudades del Levante valenciano-catalán, movimiento que se intensificó en el siglo XII.

Colonias de judíos se encuentran en el norte de Castilla, principalmente en Burgos, Aranda y Nájera[33]. Focos muy importantes se localizan también en León, Palencia, Medina del Campo, Sepúlveda, Valladolid y en toda la zona de expansión de la Extremadura leonesa, desde Salamanca y Avila hasta Trujillo y Cáceres. Seguramente, la región más beneficiada por las migraciones judías a causa de la intransigencia almohade fue la meseta inferior de Castilla, donde, por las necesidades de ocupación de las tierras, los reyes, magnates e iglesias siguieron una política proteccionista con objeto de impulsar la labor repobladora. Los judíos, en general, fueron acogidos con complacencia, no sólo por el aporte demográfico, sino también por la calidad de las personas, espléndidamente dotadas para ciertas actividades, como la administración, los negocios, el ejercicio de la medicina. Siguiendo las mismas rutas que los mozárabes, muchos fueron a instalarse en Toledo y su contorno, así como en las ciudades de la cuenca del Tajo: Talavera, Maqueda, Santa Olalla, Escalona, Madrid, Guadalajara, Alcalá, Zorita, Calatrava. Hubo lugares que les fueron asignados como puntos de repoblación exclusiva. Así, Aldehuela de los Judíos[34], hoy despoblado; Tlascala[35], la aldea de Pastor, junto a Valdecarábanos[36].

El reino de Portugal también aceptó colonias judías, que imprimieron un notable dinamismo a la economía lusitana.

Como consecuencia de la incorporación de toda Andalucía occidental al reino de Castilla en tiempos de Fernando III (1217-1252), las juderías castellanas se proyectaron hacia el sur, y en las más importantes ciudades conquistadas se crearon aljamas, que adquirieron con rapidez un alto grado de prosperidad. Los grupos más numerosos se asentaron en Jaén, Ubeda, Baeza, Andújar, Córdoba, Sevilla, Ecija, Carmona, Alcalá de Guadaira y Jerez de la Frontera[37].

En Mallorca y el archipiélago balear, la presencia judía es antiquísima. Conquistada Mallorca para la corona de Aragón en 1229, después fue algún tiempo reino cristiano independiente y de nuevo fue anexionada a la misma Corona. Las islas desarrollaron un intenso comercio en todo el Mediterráneo. Este hecho atrajo a muchos judíos, los cuales, a su vez, contribuyeron al auge económico con su espíritu emprendedor y con sus conocimientos de náutica y cartografía.

Los dos siglos que transcurren entre 1148-1348 pueden considerarse como la edad de oro de los judíos en los reinos cristianos de España. La persecución de los judíos por los almohades y las catástrofes de la peste negra simbolizan los dos extremos de esta época, pues ambos aconteci-

---

[33] L. Suárez Fernández, *Judíos españoles en la Edad Media* (Madrid 1980) 73-74.
[34] Archivo cap. de Toledo, Z.4.B.13.
[35] J. F. Rivera Recio, *La iglesia de Toledo en el siglo XII (1085-1208)* I (Roma 1966) 59.
[36] J. Cepeda Adán, *Notas para el estudio de la repoblación de la zona del Tajo*. Huerta de Valdecarábanos (Valladolid 1955).
[37] J. González, *Repartimiento de Sevilla* (Madrid 1951); E. Muñoz Vázquez, *Notas sobre el repartimiento de tierras*: Bol. de la Real Acad. de Córdoba 25 (1954) 251-270.

mientos son puntos capitales del llamado período español en la historia de la diáspora.

El estado social de los judíos en la España cristiana, sin ser, en sentido estricto, privilegiado dentro del cuadro de la sociedad feudal, no estaba tampoco sometido a algunas de sus servidumbres. El judío es, por naturaleza, un hombre libre, en dependencia directa del rey —*homines regis* o *servi regis*—. Derivada de una consideración de tipo teológico, ya formulada por San Agustín, esta dependencia comportaba una especial protección regia, que sustraía la competencia sobre los asuntos judíos no estrictamente religiosos a cualquier otra jurisdicción inferior a la del rey. Este principio recibió ya una formulación muy clara en el fuero de Teruel de 1176 [38], que sirvió de modelo para otras ciudades de Aragón y Castilla: «Los judíos son esclavos de la Corona y pertenecen exclusivamente al tesoro real» [39]. Esta expresión nada tiene que ver con tipo alguno de esclavitud, sino que indica una peculiar forma de vasallaje directo a la Corona.

Esta dependencia, sin embargo, comportaba el riesgo de que la suerte de los judíos no estaba definida en normas claras y objetivas, sino que dependía de la predisposición personal adversa o favorable de cada monarca [40]. Ello fue causa de inseguridad y de bruscas alternativas aun dentro de un mismo reinado.

En muchas cartas-puebla se menciona a los judíos, equiparándolos, en ocasiones, a los demás pobladores, pero no se conocen fueros especiales para ellos. En dichas cartas se penaliza fuertemente todo atentado contra sus vidas, con multas elevadas a favor del fisco real, porque dicha institución real se consideraba agraviada en caso de homicidio. Con esta medida disuasoria se intentaba hacer respetar la vida de los judíos; pero el pueblo, cuando ocasionalmente quería mostrar su descontento contra el rey, descargaba su ira contra los judíos, es decir, contra los bienes e intereses de la Corona [41].

A veces, la legislación particular establecía limitaciones, como la invalidez del testimonio de un judío en las causas de los cristianos o la exigencia de que, entre litigios entre cristiano y judío, la causa fuera vista ante el juez de los cristianos. En ciertas ciudades como Teruel y Cuenca, el fuero preveía que las causas entre personas de ambas religiones se sustanciaran ante un tribunal mixto, compuesto por jueces de ambos credos.

En cuanto a la relación de los judíos con el fisco, se mantuvo la práctica heredada de los moros: el pago de impuestos fijos, personales, a los que se añadían, a veces, contribuciones extraordinarias, que se repartían por las aljamas. La protección de los reyes a esta minoría era, evidentemente, interesada.

Si exceptuamos a algunos que parece que combatieron en la batalla de Zalaca contra los moros y en alguna otra ocasión esporádica, puede afirmarse que los judíos no amaban la guerra, aunque contribuían a ella con

---

[38] Publ. por MAX GOROCH, *Fuero de Teruel* (Stockholm 1950).
[39] BAER, o.c., I 85.
[40] M. KRIEGEL, *Les juifs à la fin du Moyen Âge dans l'Europe méditerranéenne* (París 1979) 13-19.
[41] BAER, o.c., I 47-48.

su dinero. El hecho de no tomar parte activa en las luchas armadas de la Reconquista les hacía aparecer ante los cristianos como poco solidarios con el resto de la población y les perjudicó a la larga, cuando a fines de la Edad Media se fue extendiendo el sentimiento nacionalista. Mientras tanto tenían solamente obligaciones respecto al mantenimiento de las defensas amuralladas de las ciudades en que vivían y de prestar servicio de vigilancia.

La convivencia con los cristianos

En el régimen interno de las comunidades, los judíos se gobernaban por tradiciones y leyes propias, sin intervención de las autoridades. Por el contrario, existía una abundante legislación civil que regulaba las relaciones con los cristianos. La de Castilla se contiene principalmente en el *Fuero real* y en las *Siete Partidas*. Ambos cuerpos legales, de valor diferente, incluyeron parte de disposiciones anteriores, incluso elementos de procedencia visigótica y del ordenamiento canónico. Las *Partidas* ofrecen una perfecta sistematización, alcanzando reconocimiento oficial en 1348. Ofrecemos un breve resumen, apoyado en ellas principalmente.

Esta legislación se inspiraba en dos ejes fundamentales.

En primer lugar, se establecía un principio de tolerancia como norma general. A los judíos se les permite vivir entre los cristianos como práctica normal heredada de tiempos lejanos. El hecho se justificaba teóricamente, porque así había sido admitido por la Iglesia y los príncipes cristianos, los cuales «sufrieron a los judíos que bibiesen entre sí e entre los christianos», y esto por dos razones: para que «biviessen como en cativerio para siempre» y para que sirviesen a los cristianos como recuerdo de la redención de Jesucristo (VII,24,1). De este principio general de tolerancia se derivaban numerosos derechos.

En primer lugar, el derecho a practicar libremente su ley sin restricción alguna dentro de las sinagogas, a enseñar y adoctrinar a los adeptos en sus propias instituciones.

También existía un derecho a la inviolabilidad de los lugares de culto, «porque la synagoga es casa donde se loa el nome de Dios» (VII,24,4). Los cristianos no pueden perturbar el desarrollo de las ceremonias ni la oración, pero las sinagogas no gozan del derecho de asilo como las iglesias cristianas. Los judíos disponían también de cementerios propios, que eran inviolables.

Se les reconocía el derecho a que se les respetase su día de descanso semanal, que es el sábado, por lo cual no pueden ser emplazados a juicio en dicho día, ni ellos tienen obligación de responder en causas civiles. Una sentencia dada contra ellos en sábado es, por este mismo hecho, de valor nulo. Pero podían ser detenidos en dicho día por delitos que merecieran pena. Como norma general, los litigios mixtos entre cristianos y judíos se han de ver ante jueces reales locales.

Ningún cristiano, por propia autoridad, puede tomarles prendas, ni forzar a ningún judío ni a sus cosas, si no es ante los jueces puestos por el rey. Si algún cristiano quebrantare esta ley, robando o forzando algún bien de ellos, tendrá obligación de devolverlo doblado.

No se les puede hacer fuerza para convertirse al cristianismo. Esta libertad de conciencia comporta que los únicos medios que los cristianos pueden utilizar para atraerlos a su fe son «buenos exemplos, los dichos de las sanctas escripturas e falagos» (VII,24,6).

Tienen derecho a cambiar de religión —«se tornar christiano o christiana de su grado»—, sin que otros judíos se lo puedan impedir por violencia física —apedreamiento, heridas o muerte—, bajo penas severas, y derecho a ser acogidos por los cristianos en su comunidad, sin denostarlos —llamándolos tornadizos— y sin que la conversión implique la pérdida de sus bienes y de los que les correspondan por herencia. Los conversos pasan a gozar de todos los oficios y honras propias de los cristianos.

El segundo gran principio que inspira esta legislación es el de la prohibición del proselitismo entre los cristianos, que las *Partidas* enuncian así: «Se deuen mucho guardar de predicar nin conuertir ningún christiano que se torne judío alabando su ley e denostando la nuestra». El quebrantamiento de este principio lleva aparejada la pena capital (VII,24,2).

De esta norma general se derivan ciertas restricciones, tendentes a evitar la estrecha convivencia entre unos y otros.

Estaba prohibido que salieran de sus casas y de sus barrios el día del Viernes Santo, so pena de que, si los cristianos les hacen injurias en tal día, no puedan reclamar de ellas ante la justicia.

Sobre ellos pesaba la sospecha de comisión de crímenes rituales, practicados en niños cristianos o en imágenes de cera. Ningún caso, sin embargo, había sido comprobado, porque sólo se sabían cosas de oídas. Cuando se redactaron las *Partidas* debían de correr consejas populares o versiones deformadas del caso reciente de Dominguito del Val (1250). El párrafo, incorporado a las *Partidas* sobre la posibilidad de tales crímenes, produjo mucho daño a las comunidades judías, por cuanto contribuyó a difundir, incluso entre los letrados, sospechas en tal sentido.

Para evitar que los judíos se valiesen de su ascendiente para hacer proselitismo, se les prohibía ocupar lugar honrado u oficio público, «con que pudiesse apremiar a ningún christiano en ninguna manera» (VII,24,3). La ley misma especifica cuáles son estos cargos públicos vetados: papa, cardenal, patriarca, arzobispo, obispo y cualquier dignidad eclesiástica, y los de emperador, rey, duque o conde, así como cualquier oficio honrado de los que pertenecen al señorío seglar (VII,24,4). En virtud de esta prohibición contenida en las *Partidas,* observamos que no ocupan puestos en la jerarquía eclesiástica ni seglar, pero ello no les impide ascender a cargos altísimos en la administración del Estado y de la Iglesia, en especial el antipático cargo de recaudadores de impuestos.

Otras disposiciones tendentes a evitar el trato y proselitismo entre los cristianos se manifiestan en las prohibiciones de que los judíos tengan criados cristianos, de que inviten a cristianos a sus banquetes, de que se bañen juntos, de que reciban medicinas compuestas por farmacéuticos judíos, si su composición no está controlada por un perito cristiano. Debían también evitarse los matrimonios mixtos. Estaba condenado con la máxima pena el crimen de yacer judío con cristiana.

Los siervos eran las personas sobre las que se podía ejercer con más facilidad el proselitismo religioso, por los especiales vínculos de dependencia que tenían respecto de sus señores. Por ello, se vetaba que los judíos tuviesen siervos cristianos; podían tener siervos moros; pero, si ejercían propaganda sobre ellos o se convertían al cristianismo, recobraban la libertad (VII,21,8, repetida de nuevo en VII,24,10).

Mención especial merece el problema de las divisas judiegas y de la confusión en el vestir. El concilio IV de Letrán (1215) había mandado que los judíos de toda la cristiandad anduvieran con distintivos y señales en la indumentaria. «Muchos yerros e cosas desaguisadas acaescen entre los christianos, e los judíos, e las judías, e las christianas porque viven y moran de consuno en las villas e andan vestidos los unos assí como los otros» (VII,24,11). La disposición del concilio ecuménico no se cumplió en España.

Por lo que hace a la construcción de templos, la legislación aparece, a primera vista, restrictiva, en cuanto que no permitía construir ninguna sinagoga de nueva planta, sino solamente reconstruir las derribadas y renovar las antiguas, ocupando el mismo lugar exacto que las anteriores, sin alargarlas, ni elevarlas, ni decorarlas. Este tipo de disciplina fue usual entre los musulmanes para con las minorías religiosas, pero en los reinos cristianos se entendía con mucha benevolencia, porque el rey se reservaba el derecho a conceder el permiso de obra nueva. Los judíos no encontraron especiales dificultades para edificar nuevas casas de oración y ornamentarlas ricamente. El precepto se mantuvo, sin embargo, quizás como medida potencial para evitar el excesivo expansionismo de la presencia judía.

La situación legal de los judíos en la corona de Aragón fue muy similar a la de Castilla, como se desprende de la legislación contenida en los *Usatges* de Barcelona. Los judíos son también propiedad del príncipe, formando parte de su patrimonio, y se hallaban bajo su protección. En Cataluña, algunos señores territoriales, como las Ordenes del Temple y del Hospital, adquirieron este derecho sobre ellos. La sumisión cuasi vasallática, que se expresaba con la fórmula de «esclavos del rey», era una forma de señorío que constituía para ellos un verdadero privilegio si lo comparamos con la situación de las clases sometidas en el sistema feudal. Pero, al igual que en Castilla, esta dependencia excesiva podía ser peligrosa cuando el pueblo rompía las trabas de la autoridad y quería castigar al rey en sus intereses.

Judíos en los reinos cristianos (1100-1350)

La vida discurría por cauces diferentes a los marcados por las leyes. Los señores, laicos y eclesiásticos, no ocultaban, en general, sus simpatías por los judíos, en quienes encontraban unos leales y eficientes servidores. Con su especial capacidad de adaptación, los judíos dieron muestras de ser, en frase de Baer, unos valiosos colonizadores de tierras y unos excelentes colaboradores de los poderes públicos en la organización de las ciudades conquistadas. La población judía de al-Andalus era numéricamente la más importante de toda Europa y emigró en masa hacia la España cristiana, transfiriendo sus servicios a los nuevos señores, cuyos poder estaba en alza.

En el siglo XIII, los judíos se asocian a los acontecimientos de mayor relieve en la historia general: la repoblación de Andalucía y la empresa científica de Alfonso el Sabio. Los fines del siglo XIII marcan el momento culminante de su poder en Castilla. El siglo siguiente es, en cambio, de lenta decadencia, hasta el desenlace final.

Por lo que hace al reino de Castilla, puede decirse que todos los reyes practicaron una política favorable a los judíos.

Alfonso VI (1072-1109) es conocido como el rey de las tres religiones. El judío Aveb Xalib gozó de su confianza, sirviéndole de embajador en la corte musulmana de Sevilla. *Cidellus*, judío muy renombrado por sus conocimientos en el arte de la medicina, fue confidente íntimo del rey, apareciendo su nombre entre los firmantes de los diplomas reales. En recompensa obtuvo amplias heredades. Aunque el papa Gregorio VII amonestó al rey por su favoritismo en pro de los judíos, Alfonso VI mantuvo hacia ellos su actitud de benevolencia hasta el final de su reinado. A su muerte estallaron motines populares contra ellos en Toledo y otras poblaciones del reino, de que nos dan cuenta los *Anales toledanos* [42]. No debieron de ser muchas las muertes, pero sí grande el saqueo de las aljamas castellanas.

Alfonso VII (1126-1157) dio acogida en sus reinos a los judíos que huían de los almohades. Castilla se convirtió en la tierra de la libertad. En ciudades y villas construyeron sinagogas. El monarca prestó un notable servicio a la causa de la ortodoxia, reprimiendo duramente a la secta de los caraítas, que rechazaban el Talmud. El inspirador de estas medidas fue Yehudá ibn Ezra, almojarife de los impuestos reales, el cual estuvo también al frente de la fortaleza de Calatrava, lugar de paso por donde llegaban los judíos en busca de la libertad.

El largo reinado de Alfonso VIII (1158-1214) es un tiempo de reorganización interna de las comunidades castellanas. En las ciudades, muchos judíos amasaron notables fortunas, otros se dedicaron al préstamo. El rey les dispensó buen trato y tuvo amores con la bella judía toledana Raquel. Un pequeño brote de violencia surgido en 1180 costó la vida a Abraham ben David, autor del *Libro de la tradición*.

La actitud de Fernando III (1217-1252) no pudo ser más generosa para con ellos. Utilizó los buenos oficios de los hebreos en la administración. Premió con largueza a la población judía que acudió a repoblar las grandes ciudades andaluzas arrebatadas a los moros. En los repartos de casas, viñas, olivares, etc., no hubo distinción entre cristianos y judíos. En Córdoba y Sevilla volvieron a ocupar su antiguo barrio en el centro ur-

---

[42] «Mataron a los judíos en Toledo día de domingo, víspera de sancta María de Agosto, Era MCXLVI» *(Anales Toledanos* I: ES 23,386).

bano, transformando las mezquitas en sinagogas. Algunos recibieron las mismas casas que habían sido de sus antepasados. En Jerez de la Frontera les fueron asignadas noventa casas, y en esta ciudad se puso especial interés en no separar a los cristianos de los judíos. Ciertos avispados judíos acumularon grandes patrimonios rústicos. El abierto favoritismo real disgustó profundamente a los caballeros cristianos, los cuales trataron por todos los medios de disminuir las preeminencias de que gozaban.

Don Rodrigo Jiménez de Rada, amigo y consejero del rey, arzobispo de Toledo, consiguió que se dispensara a los judíos castellanos del cumplimiento de las disposiciones del concilio IV de Letrán referentes a la distinción indumentaria.

Con Alfonso X de Castilla (1252-1284) alcanzaron puestos de gran confianza y responsabilidad, sobre todo en los primeros veinte años de su reinado, cuando el rey aspiraba, con probabilidades de éxito, a la corona del Imperio. Con vistas a estos planes necesitó recaudar y gastar ingentes cantidades de dinero para comprar la voluntad de los príncipes electores, de los cardenales y del papa. La administración financiera conoció una gran expansión, y sobre esta base se configuró un Estado moderno centralista, obra de los consejeros judíos. Estos le ayudaron como administradores, diplomáticos, prestamistas y contribuyentes. Varios judíos actuaron como secretarios reales en la cancillería. Otros fueron médicos del palacio real, oficio cuya influencia sobre el ánimo del monarca era considerable. Los administradores introdujeron criterios modernos de racionalidad en las partidas de ingresos y gastos de los presupuestos. En 1276 contrató la recaudación de todos los impuestos no cobrados desde 1261 con cinco hombres de negocios. Cuatro de ellos eran judíos: el gran aristócrata y capitalista don Çag de la Maleha, don Abraham ibn Shoshan y dos hijos de don Mair ibn Shoshan. Al fin, la enorme presión fiscal arruinó al reino, y esto hizo muy impopulares al rey y a sus agentes.

Al final de su vida, el rey conoció el amargo fracaso de sus aspiraciones al Imperio y estuvo virtualmente destronado por su hijo. A don Çag de la Maleha le fue arrebatado en 1278 por el príncipe don Sancho el dinero destinado a los gastos del sitio de Algeciras. La reacción de don Alfonso, que sospechó negras traiciones, fue fulminante y brutal: encarcelar a todos los judíos arrendadores de impuestos. Don Çag fue ahorcado y otros fueron condenados a penas severas. Un sábado de enero de 1281, el rey mandó arrestar a todos los judíos de sus reinos en sus mismas sinagogas, no dejándolos libres hasta que se comprometieron a pagar la enorme suma de 4.380.000 maravedís de oro. Algunos pasaron varios meses en prisión y otros fueron torturados.

Con el advenimiento de Sancho IV (1284-1295), los judíos se rehicieron prontamente, apareciendo de nuevo en los oficios de la corte. El personaje central de este reinado es el judío toledano don Abraham el Barchilón, responsable de los gastos del personal cortesano y comprador de los mantenimientos a los proveedores. Bajo su inspección trabajaron otros en tareas administrativas, como el docto talmudista Abraham ibn Shoshan, almojarife mayor de la reina. El Barchilón recibió poderes suficientes para elaborar un vasto programa de reformas fiscales, con amplísimas facultades delegadas para cobrar, enajenar y cambiar los bienes de la Corona. Esta delegación no fue bien vista por las Cortes, que pidieron al rey la anulación de tales privilegios. Sancho IV mantuvo, sin embargo, su confianza en el judío y en el grupo de sus auxiliares. Se dictaron algunas medidas restrictivas, como la prohibición de adquirir tierras de los cristianos, alegando que con ello se eludía el pago de los diezmos. Los judíos obtuvieron con Sancho IV poderes casi ilimitados sobre las finanzas públicas. En opinión de Baer, ejercieron el control sobre la entera economía castellana [43]. Las comunidades judías, al igual que la Iglesia, parece que constituyeron las fuentes preferidas de las rentas reales; la Iglesia aportó el tercio de los diezmos, contribución ya plenamente afianzada con el consentimiento de los papas; las comunidades judías aportaron la carga de impuestos extraordinarios. Sólo en los años 1293-1294, las aljamas dieron la suma de 900.000 maravedís. En la intimidad de don Sancho vivieron otros, como los médicos Isaac y Abraham ibn Wakar y el delicado poeta toledano D. Todros ha-Leví.

En los reinados de Fernando IV y Alfonso XI, ya en el siglo XIV, las juderías castellanas decrecieron en vitalidad. Sobre ellas se abatió el espíritu de la discordia, que consiguió polarizar al judaísmo hispánico entre una aristocracia rica, escasamente religiosa, y un elevado número de gentes de clases medias y pobres, fieles observantes del mosaísmo tradicional.

A pesar de estas crisis, expertos judíos continuaron al lado de los reyes, desempeñando cargos públicos, en contra del deseo generalizado del pueblo y del bajo clero. Fernando IV (1295-1312) tuvo como almojarife a don Samuel, judío andaluz. En cuestiones financieras del reino estuvieron ocupados, asimismo, don Isaac ibn Yaish, don Judá Abravanel y Abraham ibn Shoshan.

Por su parte, Alfonso XI (1312-1350) tuvo como almojarife mayor a don Yuçaf de Ecija, el cual formó parte de su consejo privado junto con otros dos cristianos. Rival de don Yuçaf fue el médico y astrónomo toledano don Samuel ibn Wakar. Rabí Mosé Abzaradiel desempeñó los cargos de escribano real de la cancillería y juez de Toledo.

En los territorios que integraban la corona de Aragón, la presencia documentada de los judíos es muy antigua, y se conservan datos muy completos casi desde los orígenes de la confederación. Sobre la población judía indígena vino a añadirse la procedente de Andalucía; al parecer, en menor número que la acogida a Castilla.

Numerosos documentos hacen mención de los judíos de distintos lugares, de sus actividades económicas y culturales, de sus relaciones con los reyes y de su situación jurídica. Hubo comunidades que pasaron directamente del gobierno musulmán al cristiano. Mientras que los moros huían o eran expulsados hacia el campo en las ciudades recién conquistadas, los judíos permanecieron en ellas, con un estatuto jurídico mejorado respecto a su situación anterior. Alfonso I de Aragón conquistó Tudela en 1115 y Zaragoza en 1118, estableciendo pactos con los judíos residentes.

Hubo notables colonias judías en Huesca y Teruel, así como en Barcelona, Lérida y Gerona. Antes de unirse a Aragón, los condes de Cataluña se sirvieron, en gran medida, de expertos judíos. Con Ramón Berenguer III (1096-1131) encontramos al judío Perfect, profundo conocedor de la cultura árabe, enviado como embajador a los países musulmanes y administrador de las posesiones personales del rey. A las órdenes de Ramón Berenguer IV (1131-1162) aparecen muchos judíos que firman en los documentos oficiales; entre ellos, su médico, Abraham Alfaquim, que tuvo el monopolio de los baños públicos de Barcelona. En las ciudades de Tortosa y Lérida prosperaron con rapidez las aljamas.

Bajo Alfonso II de Aragón (1162-1196) se documenta un grupo muy activo, entre los que sobresalen el médico don Salomón Alfaol y don David ibn Aldaian, alfaquín del rey. Pero el más importante de todos fue Yahahia de Monzón, administrador del patrimonio real, que firmó en numerosos documentos. A su cargo estuvo la reorganización del territorio de Lérida, donde también recibió mercedes del rey.

Jaime I (1213-1276) protegió ampliamente al pueblo judío de sus reinos, el cual le ayudó en la conquista de las islas Baleares. A ellos y a otros que vinieron del sur de Francia les asignó lotes de tierras. Cuando fue conquistada Valencia, muchos judíos catalanes y aragoneses fueron invitados a repoblarla —se conocen nominalmente más de un centenar—. Muchos judíos se convirtieron en grandes terratenientes, los cuales empleaban mano de obra de moros cautivos. La llamada a la repoblación atrajo judíos del norte de Africa y se les exoneró del pago del impuesto de aduanas.

En la administración pública hubo muchos hebreos. Prácticamente tuvieron el monopolio en la administración del patrimonio real. El servidor real más destacado fue Jefudá de la Cavallería, fundador de una familia de aristócratas. En Barcelona actuó con grandes poderes Benveniste de Porta. Y en Valencia tuvo gran prestigio la familia de los Vives.

En este clima, los judíos aumentaron su riqueza, convirtiéndose algunos en usureros. Por decretos regios, a los préstamos les fue fijado el tope máximo de interés en un 30 por 100 anual, pero estas disposiciones no siempre fueron cumplidas.

El comportamiento de Jaime I no fue muy coherente. Desde 1254 en adelante, sobre todo con la expulsión de los judíos del vecino reino de Francia y la difusión de la leyenda del martirio de Dominguito del Val, la actitud real se fue tornando más severa.

Los dominicos de la corona de Aragón hicieron esfuerzos denodados por su conversión al cristianismo, con escaso éxito. Con ayuda de judíos conversos se intentó apartarlos de la lectura del Talmud. Fue convocada una disputa pública en Barcelona el 1263, presidida por el rey. A ella concurrieron los mejores teólogos de ambas religiones. Terminó sin vencedores ni vencidos. Se mandó que los judíos escucharan sermones de predicadores cristianos, se intentó suprimir del Talmud los pasajes que hacían referencias negativas a Jesús y al cristianismo, la Inquisición medieval actuó contra los judaizantes. Todas estas medidas fueron ineficaces. El apoyo real constituyó un fracaso. El monarca hubo de suavizar el empleo de sus medidas, pero continuó manteniendo en su favor a los judíos. En todo caso, después de tantos vaivenes, la convivencia se hizo un poco más difícil en la corona de Aragón.

Pedro III (1276-1285) mantuvo criterios de actuación similares a los de su padre. Los judíos ganaron su confianza, y obtuvieron cargos elevados Astrug y Josef Ravaya, padre e hijo, banqueros, arrendadores de impuestos, y el segundo de ellos tesorero de los ingresos de la Corona, que actuó como un verdadero ministro de Hacienda[44]. Pedro III vivió rodeado de funcionarios judíos, los cuales ocupaban puestos que los cristianos no sabían desempeñar. Llevó su protección hasta el extremo de mandar castigar al obispo de Gerona, cuyos criados habían arrojado piedras al cementerio y a los jardines de los judíos. Los intentos de conversión al cristianismo sin recurrir a la violencia continuaron bien vistos por la corte romana. El rey mandó que fueran obligados a oír en sus propias sinagogas los sermones de los dominicos, pero prohibió terminantemente que a nadie se le forzase a la conversión. Se produjeron algunos disturbios, aunque no derramamiento de sangre.

Muchas cosas cambiaron al advenimiento de Jaime II (1291-1327), porque en su reinado los judíos perdieron los altos puestos que ocupaban, si bien es cierto que la vida normal de las juderías de toda la Corona continuó sustancialmente como antes. Pero fueron objeto de una creciente presión fiscal, motivada por las perentorias necesidades del tesoro. Algunas juderías se arruinaron. Algunos intentaron huir más allá de las fronteras, llevando consigo sus bienes. La decadencia social y económica de los judíos se hizo inevitable por la mutación de los tiempos y por no contar con eficaces valedores de su religión ante la corte.

Los reyes de León se distinguieron por el empuje reconquistador dentro de su área de expansión. La repoblación de la tierra seguía inmediatamente a la reconquista. Fernando II (1137-1186) intentó asentar en sus tierras gentes de todo origen. Llegaron numerosos judíos andaluces, los cuales se integraron como piezas importantes de la vida colectiva en los concejos de León, Toro, Zamora, Salamanca, que se estaban constituyendo. Una política del todo semejante fue continuada por Alfonso IX (1188-1230), cuyo reinado de cuarenta y dos años concluyó con la reunificación de León y Castilla. A su muerte hubo una revuelta en el reino leonés, que produjo grandes devastaciones en las juderías, al parecer, en señal de descontento.

En el vecino reino de Portugal, los judíos fueron menos numerosos y no alcanzaron tanto ascendiente social en los siglos XII y XIII, pero su presencia se constata en numerosas ciudades. A partir del siglo siguiente, la población judeoportuguesa aumenta en número y en calidad.

[44] D. ROMANO, *Estudio histórico de la familia Ravaya, bailes de los reyes de Aragón en el siglo XIII:* Homenaje a Millás Vallicrosa II (Barcelona 1956).

No podemos dejar de mencionar al pequeño reino de Navarra, el cual contó con juderías verdaderamente poderosas en Tudela, Pamplona y Estella. Los judíos navarros poseían el estatuto legal más generoso de la Península, pero muchos de ellos, poco a poco, buscando horizontes más prósperos, se fueron corriendo hacia Castilla y la corona de Aragón. Entre 1320-1328, los judíos navarros fueron sometidos a duros castigos por las bandas incontroladas de los *pastoureaux*.

Hacia un desenlace violento

A fines del siglo XIV se produjeron grandes matanzas de judíos y conversiones no voluntarias al cristianismo como fenómeno generalizado en toda España. Pero a estos hechos no se llegó súbitamente, sino a través de un lento proceso, en cuyo seno actuaron numerosos factores. Los más importantes serían: la crisis interna del judaísmo hispano, el flagelo de la peste, la depresión económica, los sufrimientos de la guerra civil y la creciente hostilidad del medio cristiano.

La crisis del judaísmo se produjo en sintonía con los profundos cambios que se manifestaron en toda la sociedad en el tránsito hacia la Edad Moderna. El gobierno de las aljamas cayó en manos de la oligarquía judaica. La crisis interna tuvo su manifestación más clara en las banderías ideológicas, que marcaron a las tendencias opuestas entre pietistas, talmudistas y racionalistas. La inestabilidad de la fe se advierte también en las conversiones voluntarias de importantes personalidades que se pasaron al cristianismo, especialmente en Burgos. El médico judío don Abner de Burgos se hizo cristiano hacia 1321, adoptando el nombre de maestro Alfonso de Valladolid. Autor de numerosas obras en hebreo y castellano, atacó duramente a sus antiguos correligionarios e incluso se atrevió a proponer la absorción del judaísmo mediante el recurso a procedimientos de fuerza. Con ello, la presencia del pueblo de Israel en Castilla se planteó por vez primera como problema; así, se habló de expulsar a los judíos del país, como lo habían hecho ya Inglaterra, Francia y Alemania. Estas polémicas se mantuvieron de momento entre la gente docta.

La peste negra llegó a la Península en la primavera de 1348 y produjo un enorme estrago en la población. Atacó por igual a los habitantes del país. La peste se repitió en años sucesivos casi hasta finales de siglo. En las minorías, la tragedia, por fuerza, hubo de ser mucho más grave. Los grupos cristianos, en virtud de un oscuro fenómeno de rechazo, exasperados y sin remedio contra el mal, reaccionaron contra los judíos. Poco después de iniciada la peste se produjo en Barcelona el asalto al *call* de los judíos con robos y muertes. Desmanes similares tuvieron lugar en Tárrega y Cervera. En Murviedro, los enemigos del rey saquearon la judería. Los ataques se extendieron a muchos lugares de la corona de Aragón, donde el pueblo, desesperado y atizado en su fanatismo por gentes interesadas, acusaba a los judíos de ser los responsables del mal. El rey dictó medidas de protección, pero fueron ineficaces.

En Castilla, además de la peste[45], vino a añadirse el problema de la

---

[45] P. LEÓN TELLO, *Judíos toledanos víctimas de la peste negra*: Sefarad XXXVII (1977) 333-337.

guerra civil, que dividió al pueblo castellano en dos bandos irreconciliables. Al tomar parte en ella ejércitos extranjeros, la lucha vino a convertirse en una guerra internacional. Pedro el Cruel defendía, hasta cierto punto, los intereses del movimiento populista, mientras que su hermano defendía los de la aristocracia. Los judíos no pudieron dejar de tomar partido, y lo hicieron en favor del rey legítimo, el cual intentó protegerlos con las normas dictadas en las Cortes de Valladolid de 1351. La guerra civil no tuvo otra salida que el exterminio implacable del adversario. La convivencia se hizo imposible. Todo hacía prever un desenlace de sangre en las relaciones entre los judíos y cristianos españoles.

Las alternativas de la guerra causaron bajas entre los judíos. A mediados de mayo de 1355, la judería toledana, fiel a don Pedro, sufrió un severísimo castigo a manos del bando de los Trastamara. Pusieron cerco al barrio judío y murieron en la refriega más de mil personas. Pedro el Cruel mandó abrir una información y castigó a los culpables.

Asociado íntimamente con don Pedro, llamado «el rey de los judíos», hallamos a Samuel Leví, con el rango de tesorero mayor. Hombre opulento, que poseyó grandes tesoros en metales preciosos y extensas posesiones de tierras en los alrededores de Toledo y de Sevilla, edificó en 1357 la sinagoga del Tránsito, de Toledo. Después de haber prestado servicios inestimables a la causa de su señor como financiero y embajador, cayó en desgracia real hacia 1360, y, conducido a Sevilla, murió en prisión a consecuencia de los tormentos a que fue sometido.

En 1360, los trastamaristas saquearon las juderías de Nájera y Miranda de Ebro. En 1366, internacionalizado ya el conflicto, las compañías francesas hicieron otro tanto en la ciudad de Barcelona con la próspera colonia judía. El Príncipe Negro con sus tropas cometió brutales excesos en las juderías castellanas de Aguilar y de Villadiego.

Concluida la guerra civil con el triunfo de Enrique II (1369-1379), éste perdonó a los judíos que le habían sido adversos e impidió que prosiguieran los abusos, pero les impuso grandes tributos. Las aljamas de Toledo y Burgos hubieron de contribuir cada una de ellas con un millón de maravedís.

En su reinado tuvieron principio una serie de medidas legales contra los judíos. En las Cortes de Toro de 1371, los representantes de las ciudades presionaron para restringir su influencia. El rey accedió a que se les obligara a portar distintivos en la indumentaria y a que se les confinara dentro de sus barrios. En las Cortes de Burgos de 1377 se adoptaron disposiciones legales contra la usura. A pesar de estas leyes, Enrique II, por conveniencia, volvió a la tradicional protección a los judíos. Tuvo sus mejores colaboradores en don Yúsuf Pichón y don Yúsuf ibn Wakar, éste médico del rey y hombre muy ilustrado.

Por orden de Juan I de Castilla (1379-1390) fue ejecutado el rico don Yúsuf Pichón a raíz de la sentencia capital dictada por un tribunal judío. Los privilegios de autogobierno fueron suprimidos. Las Cortes de Soria de 380 reiteraron el mandato de que los judíos vivieran apartadamente, sustrajeron las causas criminales a la jurisdicción propia y con el máximo rigor prohibieron toda clase de proselitismo. Las restricciones legales iban en aumento, en paralelo con el creciente desafecto de la población cristiana. Al final del reinado, la economía cayó en una profunda crisis, motivada por las alzas de precios y las manipulaciones en la ley de la moneda. La inflación generó un enorme malestar social. Con la muerte inesperada del monarca se abrieron las puertas a la anarquía y al desorden del estamento nobiliario [46].

La Iglesia misma, atravesando la agudísima prueba del cisma, carecía de autoridad y de prestigio [47]. El resentimiento popular se desbordó, encontrando una fácil víctima en el pueblo judío.

Demasiada carga de sentimientos irracionales se conjuntaron a finales del siglo XIV sobre la población judía de la Península. En el estado de ánimo en que se hallaba el pueblo, cualquier chispa podía provocar el incendio [48]. Un fanático clérigo sevillano, don Ferrant Martínez, arcediano de Ecija, venía imprimiendo un tono violentamente antijudío a sus predicaciones. Fue severamente amonestado por el rey y por el arzobispo, sin que las amenazas surtieran efecto. Consecuencia inmediata de sus exhortaciones: ya a fines de 1390, las aljamas de Ecija y Alcalá de Guadaira fueron víctimas del odio popular.

Muerto el rey y el arzobispo, don Ferrant arreció en sus furibundas prédicas. Don Pedro Tenorio, arzobispo de Toledo, consiguió que el arcediano fuera destituido del alto cargo de provisor del arzobispado de Sevilla. El 15 de marzo de 1391, el pueblo sevillano se amotinó contra la justicia, que pretendía castigar a un cristiano culpable de vejaciones contra los judíos. Alertada la aljama de Toledo, pidió protección para sus hermanos de Sevilla. Pero en la ciudad andaluza, dividida en banderías y sin autoridad civil, el arcediano de Ecija continuaba excitando los ánimos. El 6 de junio se produjo el ataque a la judería de Sevilla. En el asalto, según parece, murieron unos cuatro mil judíos; otros evitaron la muerte pidiendo a gritos el bautismo. Pocos lograron escapar a esta tremenda disyuntiva.

La persecución se extendió con rapidez en los días siguientes a las ciudades y villas próximas a la capital, y poco después a las grandes ciudades del Sur. En Córdoba perdieron la vida unos dos mil judíos. Saqueos y muertes tuvieron lugar en Jaén, Ubeda, Baeza y Andújar. La extraña conjunción de fanatismo, de ansia de rapiña, de revancha contra los prestamistas y oscuras insatisfacciones del alma popular contagiaron también a Castilla, donde la persecución causó miles de muertos en Ciudad Real, Cuenca, Toledo, Madrid, Logroño y Burgos [49].

Por Levante, las matanzas de judíos se prolongaron con la misma rapidez. De Murcia pasaron a Valencia, donde fue asaltado el call; la sinagoga transformada en iglesia; muchos judíos, incluso rabinos, se hicieron cristianos. Los consellers de Barcelona, con autorización del rey, habían consti-

[46] J. VALDEÓN BARUQUE, Los judíos de Castilla y la revolución trastamara (Valladolid 1968).
[47] L. SUÁREZ FERNÁNDEZ, Castilla, el cisma y la crisis conciliar (1378-1440) (Madrid 1960)
[48] PH. WOLF, The 1391 Pogrom in Spain. Social crisis or not?: Past and Present 50 (febr 1971).
[49] A. MACKAY, Popular movements and pogrom in Fifteenth Century Castile: Past and Present 55 (may. 1972) 33-67.

tuido una milicia de mil hombres armados para atajar los excesos, pero no hubo fuerza humana capaz de detener al pueblo enfurecido, que inició con inusitada violencia la destrucción de la judería barcelonesa el 5 de agosto. En Lérida, Gerona, Teruel, Mallorca y ciudades del sur de Francia se repitieron las mismas bárbaras escenas. La persecución azotó también a la población judía del reino navarro, sobre todo en las ricas villas de la Baja Navarra.

Como consecuencia de estas persecuciones, los judíos españoles vieron mermados sus efectivos humanos y disminuido su poder económico. Algunas aljamas desaparecieron del todo. A principios del siglo XV hubo nuevos brotes de violencia. Las persecuciones no solucionaron nada; antes bien, se convirtieron en fuente de nuevos problemas y precipitaron la expulsión definitiva.

III. LA CULTURA DEL JUDAISMO HISPANOMEDIEVAL

La contribución del pueblo judío a la cultura española no guarda proporción con el peso demográfico que esta minoría representó en la Edad Media, sino que superó, con mucho, lo que podría esperarse del número relativamente pequeño de sus miembros. Se puede afirmar que la población judía fue la etnia más culta entre todos los grupos sociales presentes en la España medieval.

El judío, en términos generales, era un hombre cultivado, porque tenía a su alcance más medios que los demás y se dedicaba con preferencia a actividades que requerían mayor preparación cultural. Gustaba de asentarse en las ciudades, donde la facilidad para instruirse era muy superior. En ellas había, por lo general, sinagogas, según la densidad de la población judía y el nivel de bienestar económico de sus fieles. Era norma comúnmente admitida que para erigir un lugar de culto bastaba un grupo de diez judíos.

Es conocido el número de sinagogas de muchas ciudades en los siglos XIII-XIV. Doce están documentadas en Toledo, además de cinco madrisas o escuelas independientes. Sevilla llegó a contar con veintitrés, Avila con siete, Valladolid probablemente con ocho, Zaragoza con cuatro, Barcelona con tres, Palma de Mallorca y Huesca, con otras tres cada una, y así sucesivamente [50]. En todo núcleo de población de cierta relevancia con presencia de judíos aparecía muy pronto el templo correspondiente. La misión de la sinagoga era múltiple: además de casa de oración, desempeñaba las funciones de escuela rabínica para la enseñanza a la juventud y de lugar de reuniones de la comunidad para ventilar todo tipo de cuestiones de índole civil, judicial, tributaria, organizativa. Para el arraigo y la persistencia del grupo judío era tan importante la escuela como el lugar de culto. Por noticias de fuentes documentales, narrativas o por restos arqueológicos se tiene conocimiento de la existencia de sinagogas en más de cien ciudades y

[50] F. CANTERA, *Sinagogas españolas:* DHEE IV (Madrid 1975) 2482-2485.

villas de España. Teniendo en cuenta que el número de judíos era pequeño en comparación con la población cristiana, con estos datos podemos hacernos una idea aproximada de la elevada proporción de centros docentes con respecto al total de los judíos españoles.

Por otro lado, las profesiones en que por lo general se ocupaban les exigían ser personas no iletradas. Aunque parece que una pequeña parte de ellos se dedicaría en alguna región al cultivo directo de los campos [51], sin embargo, la mayoría estaban ocupados en diversos tipos de artesanías y pequeñas industrias, en el comercio y la venta de productos, actividades que requieren estar versados, al menos, en conocimientos elementales de escritura y contabilidad. A su lado hubo siempre un grupo que sintió fuerte atracción por el ejercicio de las profesiones liberales, como la medicina, en la que en ocasiones llegaron a tener el monopolio virtual. Otros personajes influyentes se movían en el terreno de la economía y de las altas finanzas: recaudación y administración de impuestos, préstamos de dinero, banca, transferencias internacionales de capital, de donde surgió una plutocracia judaica, muy bien preparada culturalmente. Por último, es necesario mencionar a la intelectualidad, constituida por rabinos, talmudistas, cabalistas, filósofos y escritores, cuya formación acredita la elevada calidad de la educación que se impartía en las sinagogas. Los judíos españoles —en territorio musulmán o en territorio cristiano— componían una vasta comunidad de unidad de fe y, al mismo tiempo, de pluralidad de culturas. Estos factores contribuyeron a hacer de ellos el grupo social más creativo de la Península.

Las personas más cultivadas dominaban tres lenguas: hebreo, árabe y romance. Algunos conocían también el latín. A la par de los mozárabes, los israelitas españoles desempeñaron un papel de mediación entre el Islam y la cristiandad. A él sumaron su rico patrimonio nacional, acrecentando notablemente los saberes y tomando parte activa en la empresa de las traducciones.

Por lo que hace a la producción literaria y científica del judaismo hispano, hay que advertir que no toda ella se ha conservado. En muchas obras anónimas o de colaboración, no siempre es discernible la parte que ha de atribuirse a los judíos. Los géneros literarios cultivados fueron todos los entonces conocidos. A veces no escribían directamente en su lengua materna, sino en árabe o romance. La variadísima producción de los hebreos puede dividirse en dos grandes grupos.

En primer lugar, el conjunto de obras escritas para las necesidades y el uso interno de las comunidades, redactadas casi siempre en hebreo. Su temática son los comentarios bíblicos, la teología, el derecho talmúdico y la polémica con los herejes del judaísmo o contra los cristianos y musulmanes. Incluimos aquí también la amplia producción poética hebraica de contenido religioso. Estas obras tenían una difusión muy restringida, pero fueron conocidas por las juderías de Europa y Oriente, con las cuales se mantenían intensas relaciones.

51 P. León Tello, *Judíos de Toledo* I (Madrid 1980) 35-36.65.

El segundo grupo lo forman las obras destinadas a los hombres doctos, con independencia de su fe religiosa. Estas, a veces, se escribían en hebreo, pero en seguida eran traducidas al árabe o al latín. Algunos judíos, como Maimónides, prefirieron escribir en árabe, lengua internacional, que aseguraba un amplio radio de lectores. A partir de la segunda mitad del siglo XIII se afirmó el castellano como vehículo literario. La filosofía, la medicina, la novelística, la poesía moral y otros varios géneros no específicamente religiosos entran en este apartado.

Considerada en su totalidad, la literatura hispano-hebrea puede dividirse en tres períodos: un período musulmán, entre los siglos X al XII (califato, taifas, invasiones africanas), época de gran esplendor, verdadera edad de oro, con epicentro en la España islámica; un período cristiano, entre los siglos XII al XIV, con desarrollo principal en los reinos cristianos y momentos de intensa actividad; una etapa de decadencia, que comprende la segunda mitad de los siglos XIV y XV, con personalidades y obras menos destacadas, si exceptuamos la interesante producción de los conversos del siglo XV.

En la exposición que sigue hacemos una selección de autores y obras de gran relieve, remitiendo a los lectores a las monografías y repertorios generales de consulta. No creemos necesario un desarrollo más amplio en una Historia de la Iglesia.

Los judíos en los dominios islámicos

El más importante y celebrado personaje judío de la corte califal cordobesa fue Abu Yúsuf Hasday ibn Saprut. Nacido en Jaén en 915, fue educado por un sabio rabino —Mosé ben Hanoj de Sura—, llegado a Córdoba como esclavo y redimido por la comunidad judía de la ciudad. Hasday alcanzó tales conocimientos en medicina y botánica, que le valieron ser nombrado médico de Abd al-Rahman III (915-961). Dominaba los idiomas hebreo, árabe y latino, por lo que el califa le encomendó delicadas misiones diplomáticas. En el año 944 arribó a Córdoba una embajada del emperador bizantino Constantino VII Porfirogéneta. Entre los regalos ofrecidos al monarca musulmán figuraba un códice de la *Materia médica,* de Dioscórides. En el 956, Hasday ibn Saprut, en nombre del califa, recibió a Juan, abad de Gorz, en Lorena, enviado del emperador germánico Otón I. Y en el 958, actuando ya como ministro de Abd al-Rahman III, intervino en los asuntos internos de Navarra y León a requerimiento de la reina doña Toda. El rey Sancho el Gordo, después de haber sido sometido en Córdoba a una cura de adelgazamiento por el insigne médico judío, fue reinstalado en su reino con intervención de un cuerpo de ejército musulmán. Hasday siguió prestando servicios al califa Alhaken II hasta su muerte, ocurrida en el 970.

En su tiempo, las juderías andaluzas alcanzaron gran prosperidad. Hasday ibn Saprut fue celebrado como un nuevo José bíblico por los poetas judíos contemporáneos. Por medio de Mosé ibn Hanok promovió los estudios talmúdicos en España. La astronomía, la farmacología y la medicina recibieron un notable impulso con la llegada de la ciencia griega. El monje griego Nicolás tradujo al latín la *Materia médica,* de Dioscórides, y el judío español la vertió al árabe. Se puede decir que con Hasday comienza el movimiento de las traducciones. Según Baer, su nombre va unido también a los comienzos de la literatura hebraica en España y a la fundación de centros de enseñanza independientes de los hasta entonces induscutibles maestros orientales. La comunidad judía adquirió conciencia desde entonces de la importante misión que estaba llamada a desempeñar, política y culturalmente, la España judaica en la historia del pueblo de Israel. A Hasday se le atribuye una carta al rey del imperio judío independiente de los kázaros, situado entre el mar Negro y el Caspio [52].

El más destacado escritor y político judío de la primera mitad del siglo XI fue Semuel ibn Nagrella, llamado Semuel ha-Nagid o el Príncipe, nacido en Córdoba, de una familia oriunda de Mérida. Recibió lecciones del talmudista Mosé ibn Hanok, a través del cual empalma espiritualmente con Hasday ibn Saprut. A los veintisiete años de edad aparece trabajando en Granada como secretario del rey musulmán, cargo que le fue confiado por su extraordinaria habilidad en la caligrafía árabe. En seguida inició una carrera rapidísima de ascensos: *nagid* o príncipe de todas las aljamas del reino, visir y jefe del ejército real. Hasta su muerte, ocurrida en 1056, dirigió continuas expediciones militares contra los vecinos reinos de Almería y Sevilla, de las que ha dejado puntual constancia en poemas dirigidos a su hijo Joseph. Con la misma soltura manejaba la espada, la pluma y la intriga. En algún momento se creyó predestinado a restaurar la soberanía de Israel.

En medio de sus ocupaciones públicas, Semuel ibn Nagrella tuvo tiempo de escribir una vastísima obra literaria. Hizo comentarios sobre el Talmud en arameo y en árabe, hoy perdidos. De su *Introducción al Talmud* no se ha conservado el original árabe, pero sí una versión hebrea. Polemizó con la religión islámica en una obra conocida fragmentariamente a través de la refutación de Ibn Hazm [53]. Su extensa producción poética ha tenido mejor suerte, porque ha llegado a nosotros en su *Divan,* vasta compilación de 1.742 poemas en hebreo. Otro *Divan* contiene poesías profanas. Además escribió *Nuevo Salterio,* perdido; *Nuevos Proverbios* y *Nuevo Eclesiastés.* En él es patente el influjo de la poesía árabe contemporánea.

Protegido de Semuel ibn Nagrella fue Selomó ibn Gabirol, más conocido como Avicebrón, la personalidad judía más notable del siglo XI [54]. Nacido en Málaga probablemente en 1020, de una familia originaria de Córdoba, se educó en Zaragoza, gran foco de cultura judía; residió en Granada desde 1046 y murió en Valencia hacia 1058. Dominando por igual el árabe y el hebreo, comenzó a escribir poesía a los dieciséis años. En sus *Azharot* (Exhortaciones) comentó los 613 preceptos del judaísmo. Sus desgracias personales y la poesía árabe se traslucen en sus poemas, plenos de hondura religiosa y pesimismo. Versificó temas profanos en todos los géneros conocidos: poesía amorosa, festiva, satírica, moral. Una gramática

[52] A. KOESTLER, *El imperio kázaro y su herencia* (Barcelona 1980).
[53] M. ASÍN PALACIOS, *Abenhazam de Córdoba y su historia crítica de las ideas religiosas* 5 vols. (Madrid 1927-1932).
[54] J. M. MILLÁS VALLICROSA, *Selomó ibn Gabirol como poeta y filósofo* (Madrid 1945).

hebrea, escrita en 400 versos, se conserva fragmentaria. En árabe redactó su *Kitab islah al-ajlaq* (Libro de la corrección de los caracteres), luego traducido al hebreo. En 64 capítulos escribió su *Selección de perlas,* vertida del árabe al hebreo con el nombre de *Mibhar hapeninim.*

Pero la obra que más fama le ha dado es el *Fons vitae,* conservada solamente en su traducción latina, hecha en Toledo por Juan Hispano y por Domingo Gundisalvi. En ella desarrolla su sistema filosófico de filiación neoplatónica con carácter emanatista.

Bellísimos son sus poemas sagrados, transidos de misticismo, parte de los cuales se incorporaron a los libros de plegarias que recitaban los judíos españoles en las celebraciones sinagogales. Su *Kéter Malkut* ha sido traducido al castellano por Millás Vallicrosa.

Mosé ibn Ezra es una notable figura judía del mundo de las letras, posterior a ibn Gabirol. Nació en Granada (c. 1055-1060), de familia relacionada con ibn Nagrella; se educó en la afamada escuela judaica de Lucena y volvió a su ciudad natal. Su juventud, pletórica de vida y alegría, está reflejada en su obra poética *Séfer ha-Anaq* (Libro del collar). La desgracia se abatió sobre él hacia 1090, arrastrando su amarga estrechez económica por ciudades de Castilla, Navarra y Cataluña, suspirando siempre por el retorno a la patria, sin conseguirlo. Por ello, en la producción poética de su madurez se muestra pesimista y atormentado. La temática penitencial, con ecos del Antiguo Testamento, vuelve de continuo en sus poesías religiosas. Como preceptista escribió en árabe una *Poética hebraica,* donde destaca apologéticamente los valores literarios de los Libros santos, da cuenta de la vida de los poetas sefardíes y comenta normas de retórica clásica, inspiradas en los griegos y en los árabes [55].

Unido al anterior por amistad y más joven que él fue Yehudá ha-Leví [56], natural de Tudela (c. 1075), emigrado siendo aún de pocos años al sur musulmán, tierras que recorrió varias veces con su espíritu inquieto. Después se instaló en Toledo, donde ejerció la medicina. Para Millás Vallicrosa, Yehudá ha-Leví es «un espíritu noble, dulce, delicado, abierto a los encantos de la belleza» [57]. Trabó amistad con multitud de literatos, científicos y poetas de su época. Entre 1130-1140 escribió su obra principal, en árabe, conocida como *Cuzary* [58], defensa teológica del judaísmo, dividido a la sazón por conflictos internos y por falsas expectativas mesiánicas. En la obra de Yehudá ha-Leví late un acento profético y tiene conciencia del destino universal del pueblo de Israel, por cuya restauración nacional suspiró toda su vida. Fue un verdadero precursor del sionismo moderno. Hizo una peregrinación a Tierra Santa y murió antes de 1161.

El más famoso hispano-hebreo de todos los tiempos es, sin duda, Maimónides o Mosé ibn Maimón, considerado como el mejor teólogo del ju-

[55] A. Díez Macho, *Mosé ibn 'Ezra como poeta y preceptista* (Madrid-Barcelona 1953).
[56] J. M. Millás Vallicrosa, *Yehudá ha-Leví como poeta y apologista* (Madrid-Barcelona 1947).
[57] J. M. Millás Vallicrosa, *La poesía sagrada hebraico-española* 2.ª ed. (Madrid-Barcelona 1948) 98.
[58] Jehudá ha-Leví, *Cuzary, libro de grande ciencia y mucha doctrina,* ed. de J. Imirizaldu (Madrid 1979).

daísmo medieval, superior a todos los maestros posbíblicos [59]. Nació en Córdoba en 1135, educándose en la escuela rabínica de su ciudad natal y en otros centros de al-Andalus. Por medio de las traducciones árabes de Aristóteles sufrió el poderoso influjo del filósofo griego. A la llegada de los fanáticos almohades a la Península, los judíos se vieron sometidos a dura persecución, y el joven Maimónides estuvo huido por varias ciudades andaluzas hasta que llegó a Almería, donde se convirtió o simuló convertirse al islamismo para salvar la vida; en el corazón, sin embargo, no abandonó la fe de sus mayores. Tomó el camino de Africa, visitó Palestina y se estableció en Egipto, donde llegó a ser médico del visir de Saladino. Allí murió en 1204.

Maimónides fue un hombre enciclopédico, que escribió mucho y de materias tan variadas como medicina, farmacología, astronomía, filosofía, física, etc. Compuso numerosos comentarios sobre obras de medicina clásica, como Hipócrates, Galeno y Avicena.

Como teólogo escribió: *Libro de la elucidación,* comentario a la Mishná, redactado en árabe; el *Libro de los preceptos,* glosando los 613 mandamientos bíblicos que distinguían los rabinos, y *La mano fuerte,* en hebreo, sobre textos del Talmud.

Pero la obra cumbre del judío cordobés es la *Guía de los perplejos,* escrita en árabe el 1190, traducida poco después al hebreo, al latín y, posteriormente, a lenguas romances. El autor se plantea en ella el problema capital de las relaciones entre la fe y la razón, intentando conciliar ambas fuentes de conocimiento mediante el uso de las distinciones de la filosofía aristotélica. Es el mismo método de armonización de contrarios que dio origen a la escolástica cristiana en el campo del derecho —Graciano— y de la teología —Pedro Abelardo—. La vasta compilación teológica de Maimónides responde a una problemática común que por entonces abordaban los ingenios más penetrantes de las tres grandes religiones monoteístas. Maimónides representa la escolástica judía, en un cierto paralelo con Averroes, por lo que hace a la teología musulmana, y Santo Tomás a la cristiana. La *Guía de los perplejos* es la *Suma teológica* del judaísmo. Pero la obra pronto despertó la desconfianza de los medios judíos ortodoxos por su clara tendencia racionalista, lo cual provocaría disensiones en el seno de las comunidades durante mucho tiempo.

Los judíos en los reinos cristianos

Del siglo XII vamos a destacar cuatro autores hispano-hebreos, de los que se darán breves referencias. El primero es Mosé Sefardí de Huesca, convertido al cristianismo el año 1106, del que se habla más ampliamente en otra parte de esta HISTORIA. Cambió su nombre por el de Pedro Alfonso. Era un hombre de gran erudición en literatura, ciencia y medicina. Su obra más conocida es la *Disciplina clericalis* [60], una regla de vida para los

[59] D. GONZALO MAESÓ, *Manual de historia de la literatura hebrea* (Madrid 1960) 511-527; L. JUJOVNE, *Maimónides* (Buenos Aires 1967).
[60] PEDRO ALFONSO, *Disciplina clericalis,* ed. y trad. de A. GONZÁLEZ PALENCIA (Madrid-Granada 1948). Otra ed. por M. J. LACARRA y E. DUCAY (Zaragoza 1980). Una ed. inglesa con el título de *The Scholar's Guide,* por J. R. JONES y J. E. KELLER (Toronto 1969).

estudiosos, desarrollada por medio de parábolas, cuentos, fábulas y apólogos, de origen oriental, con un fin moralizador. Al ser atacado por sus antiguos correligionarios judíos, respondió con unos ásperos *Dialogi contra Iudaeos*. Tradujo del árabe al latín obras de teología, astronomía y medicina. Viajó a Inglaterra, donde dejó con su magisterio honda influencia, principalmente sobre Walcher, prior de Malvern, al que dio a conocer las fuentes árabes de la astronomía.

Otro judío hispano del siglo XII es el barcelonés Abraham bar Hiyya, que vivió en el sur de Francia y en su ciudad natal, ocupado en la composición de numerosas obras matemáticas, astronómicas y filosóficas escritas en hebreo. Luego colaboró con Platón de Tívoli en traducciones latinas. Rabí Abraham ibn 'Ezra de Tudela, nacido en 1092, se convirtió en un verdadero judío errante, pues su vida fue un continuo desplazamiento a través de muchas ciudades de Italia, Francia, Inglaterra, viniendo a morir en Calahorra el 1167. La huella de sus trabajos matemáticos, filológicos y astronómicos en las comunidades judías europeas fue considerable. Además de en hebreo escribió en latín y tradujo del árabe. Redactó en latín el *Libro de los fundamentos de las tablas astronómicas* [61], un *Tratado sobre el astrolabio* y otros escritos sobre astrología y el almanaque. Varias obras suyas fueron conocidas en traducciones romances.

En el clima de efervescencia intelectual que se vivía en Toledo en el siglo XII no podía faltar la presencia activa de algún docto judío. Es conocido el nombre de Iohannes Avendauth o ibn Dawd, como se encuentra escrito en textos documentales. Millás Vallicrosa lo ha identificado con el traductor Iohannes Hispanus, pero esta identificación está lejos de ser segura [62]. Tradujo en colaboración con el arcediano Domingo Gundisalvi. Entre sus obras originales hay que mencionar el *Liber de causis* y un *Tractatus de anima*.

En la corte de Alfonso X el Sabio, y al servicio de sus planes de política científica, trabajó un grupo bastante numeroso de judíos, como puede comprobarse en otro capítulo de este mismo volumen [63].

En el siglo XIII, las juderías españolas sufrieron una honda crisis de identidad. El racionalismo de Maimónides, aceptado en general por los intelectuales y rechazado por los tradicionalistas, dio lugar a grandes controversias doctrinales. Se crearon dos tendencias muy marcadas entre los judíos; de un lado, la constituida por la aristocracia burguesa, librepensadora y un tanto libertina, y, de otro, la representada por elementos integristas, en cuyo seno se suscitó un movimiento de tipo místico y pietista, que tiene un parecido muy claro en la reacción pauperística de las órdenes mendicantes cristianas. Los grupos místicos lucharon contra la escuela de

---

[61] J. M. MILLÁS VALLICROSA, *El «Libro de los fundamentos de las tablas astronómicas», de R. Abraham ibn 'Ezra*, ed. crítica, intr. y notas (Madrid-Barcelona 1947).
[62] J. M. MILLÁS VALLICROSA, *Una obra desconocida de Iohannes Avendaut Hispanus:* Osiris 1 (1936) 451-475; M. T. D'ALVERNY, *Avendauth?:* Homenaje a Millás Vallicrosa. 1 (Barcelona 1954) 19-44.
[63] P. LEÓN TELLO, *Judíos de Toledo* I 67-74; G. BOSSONG, *Probleme der Übersetzung wissenschaftlicher Werke aus dem arabischen in das Altspanische zur Zeit Alfons des Weissen* (Tübingen 1979).

Maimónides y al mismo tiempo contra la plutocracia judía, asentada en tierras de Castilla la Nueva. La reacción procedió de las juderías alemanas y provenzales y, en parte, de las castellanas, donde se produjo el impulso definitivo con el movimiento de la Cábala.

Dentro de la tendencia tradicionalista apareció en España el *Séfer ha-Zohar* (Libro del esplendor) o simplemente *Zohar*, novela filosófica, compuesta entre 1280-1285 por el rabino Moisés de León, libro fundamental del movimiento cabalístico y punto de partida de una abundante literatura mística y ocultista posterior, que asumió el protagonismo en la lucha contra Maimónides. Respondieron los partidarios de las interpretaciones alegóricas de las leyendas talmúdicas, iniciadas por Maimónides. Esta lucha causó una situación de cisma en las comunidades y una verdadera guerra de escritos.

Pero otros escritores optaron por una vía media, independiente de todo partidismo religioso y aun alejados en buena parte de toda temática de fondo religioso. En este grupo debe ser incluido el poeta toledano Todros ben Yehudá Abulafia (1247-1306), en el cual es patente la influencia trovadoresca y, por supuesto, la creciente marea secularizadora, que se percibe tanto en ambientes judíos como cristianos. El poeta toledano experimentó una conversión religiosa al final de su vida y atacó en sus versos a los judíos de vida desarreglada y poco practicantes.

En la región catalana destacó Mosé ben Nahman o Nahmánides (1194-1270), judío de Gerona, en cuya obra confluyen, según Baer, el trasfondo español, el talmudismo francés, el pietismo germánico, el misticismo de la Cábala y el contacto con escritos teológicos cristianos. Compuso un famoso comentario al Pentateuco para contrarrestar la influencia de Maimónides. Tomó parte en la Disputa de Barcelona (1263) frente a los doctores cristianos en presencia de Jaime I. Escribió un bellísimo poema para la celebración del Año Nuevo, cuajado de metáforas de inspiración cabalística y de intensa emoción religiosa.

Importante es, asimismo, el judío catalán Solomó ben Abraham ibn Adret (1233-1310), natural de Barcelona. Era un experto en derecho judío y ha dejado escrita una extensa obra sobre temas legales. Con su conocimiento del latín tuvo acceso al derecho canónico y romano, así como a la legislación española. Su magisterio fue reconocido universalmente. Favoreció la renovación espiritual de las comunidades y, aunque pietista moderado, fue enemigo de todo fanatismo. Se opuso a la condenación de Maimónides. En una época de decadencia general de los valores religiosos y morales del judaísmo, ibn Adret ha de ser considerado como un reformador, no exento de cierto aire de modernidad. Tomó parte en forma muy enérgica contra los herejes judíos del sur de Francia, impregnados de averroísmo. Su correspondencia epistolar, escrita en hebreo, da respuesta a las cuestiones que le eran formuladas en materia de derecho. A través de ellas comprobamos hasta qué punto eran intensas las relaciones entre las juderías de Toledo, Barcelona y Montpellier. Un fenómeno similar es posible observar en los intercambios culturales y humanos de intelectuales cristianos de las mismas ciudades por aquellos años. Su actividad de escritor se proyecta hacia el medio judío, con escaso reflejo fuera de su mundo.

En estos siglos finales de la Edad Media, los judíos continuaron presentes en el mundo de la política y de la economía, pero la sociedad se había vuelto convulsa, y, por consiguiente, había menos posibilidades de dedicación a las creaciones literarias. En este aspecto, la decadencia del judaísmo español es manifiesta. Hay pocas personalidades sobresalientes. Las juderías españolas perdieron espíritu creador debido a una serie de factores convergentes: los conflictos internos, el abandono del sistema educativo, las pestes, las guerras civiles, la presión agobiante del entorno cristiano y, finalmente, los *pogroms* de 1391. Ya en el siglo XIV, y más aún en el XV, los personajes destacados son, en buena parte, conversos.

En el mundo de las letras debemos mencionar al rabí don Sem Tob de Carrión, poeta castellano, que compuso sus *Consejos y documentos al rey don Pedro,* obra conocida también con el nombre de *Proverbios morales.* Siguiendo la tendencia senequista del gusto del tiempo, versificó en redondillas consejos y máximas para el rey, los magnates y el pueblo, a cada uno de los cuales les recuerda sus deberes en estrofas populares, sentenciosas y fáciles de memorizar. Los judíos contemporáneos las vertieron al hebreo. Escribió una *Disputa entre el cálamo y las tijeras.* Baer lo ha identificado con Sem Tob ben Ishaq ibn Ardutiel, traductor del árabe al hebreo de los *Preceptos morales,* de Israel ben Israel.

Desde los tiempos de Alfonso el Sabio, los judíos españoles se ocuparon en poner en romance los textos de la Sagrada Escritura; pero la máxima difusión de este tipo de traducciones se alcanzó en los siglos XIV y XV tanto entre los judíos como entre los cristianos, a pesar de las prohibiciones eclesiásticas. Numerosos manuscritos son testigos de estas actividades. Los traductores son, indistintamente, de una u otra fe, así como los destinatarios. El que más renombre alcanzó fue Mosé Arragel de Guadalajara, a quien le solicitó una versión castellana el maestre de Calatrava, D. Luis de Guzmán, por los años de 1430. El judío alcarreño ejecutó una obra concienzuda, pues tradujo del original hebreo teniendo a la vista la Vulgata y las glosas, ya que al maestre «le era mucho necessaria la glossa para los passos obscuros». Versiones completas o fragmentarias hubo muchas, no siempre correctas. Esta oleada de traducciones castellanas es una clara muestra del advenimiento de los tiempos nuevos y de las tendencias biblistas, despertadas en España con la introducción del espíritu de la devoción moderna.

La figura más notable del judaísmo español en el campo de la filosofía a fines de la Edad Media es Hasday Crescas, nacido en Barcelona el 1340. Fue un hombre muy escuchado en la corte de los reyes de la corona de Aragón. En Zaragoza obtuvo el rabinato de la comunidad local. Un hijo suyo murió en la revuelta antijudía de Barcelona de 1391. Después de esta dura prueba, le fue encomendada, por encargo real, la tarea de la reconstrucción de las juderías de Barcelona y de Valencia, en la que chocó con grandes dificultades por el elevado número de conversos y por la crisis interna de las comunidades. Para fortalecer la fe de los vacilantes redactó en castellano una obra de polémica religiosa: *Refutación de los fundamentos religiosos de los cristianos*, conservada en su traducción hebrea. Pero la obra que más fama le ha dado es *Or Adonay* (Luz del Señor), escrita en hebreo hacia 1410, en la que hace una crítica profunda del racionalismo aristotélico tal como había sido formulado por Maimónides. Pensaba que una de las causas de la decadencia del judaísmo se hallaba en el escepticismo y en la ausencia de moralidad en la vida. El intento fundamental de Hasday Crescas fue el de desligar la teología judaica del aristotelismo, volviendo a la pureza bíblica y al voluntarismo, fenómeno igualmente perceptible en la escolástica cristiana tardía y en los movimientos de espiritualidad de su tiempo.

De un alto valor científico fue la aportación de los judíos mallorquines a la cosmografía y a las técnicas de la navegación. La marina se había desarrollado extraordinariamente en Mallorca, gracias a su posición estratégica en el Mediterráneo y a su activo comercio con Africa y Oriente. La navegación de altura requería información sobre las rutas marítimas y el uso de un complejo instrumental de observación astronómica. Por orden real, todos los buques debían llevar a bordo dos cartas de marear. Esto impulsó grandemente la cartografía, arte en que se distinguió el judío Abraham Cresques, autor de un portulano de 1375. Su hijo Yafuda Cresques, ya converso con el nombre cristiano de Jacme Ribas, fue llamado por D. Enrique el Navegante de Portugal para organizar la Escuela Náutica de Sagres, punto de partida de los grandes descubrimientos geográficos portugueses del siglo XV. Otros conversos mallorquines, como Viladestes y Vallseca, tuvieron en Palma escuelas propias de dibujar mapas. La proyección de la cartografía judaica mallorquina se extendió hasta el sur de Italia y está también en el origen de la escuela andaluza, de donde partieron los descubridores de América.

IV. ORIGENES DEL PROBLEMA CONVERSO

Conversiones de judíos antes de 1391

A pesar de ser la minoría religiosa socialmente más indefensa, los judíos españoles mantuvieron, en general, una tenaz adhesión a su fe debido a su mejor nivel de instrucción religiosa, a su conciencia nacional de pueblo y a un elevado grado de frecuentación de las prácticas religiosas. Siempre contaron con una cultísima porción de doctores y rabinos, cuyo liderazgo, mientras fue unánime, garantizaba la unidad doctrinal y la cohesión de los miembros de las aljamas. Los judíos, sin el apoyo de leyes civiles protectoras, fueron notablemente resistentes al cambio de religión. Es más, no dejaron de ejercer un discreto proselitismo sobre los cristianos, lo que provocó, por reacción, una abundante legislación que les prohibía la propaganda religiosa, lo cual es un indicio de vitalidad en el judaísmo peninsular.

Aun así, no se mostraron tampoco insensibles al atractivo de la fe cristiana, cuya masa los envolvía con un predominio numérico abrumador.

Mucho antes de los sucesos de fines del siglo XIV, que dieron origen al problema converso, había habido conversiones de judíos al cristianismo. El judío Habz, después de bautizado, hizo vida de monje en el monasterio de los Santos Cosme y Damián, en León, a principios del siglo X. Un converso insigne fue Mosé Sefardí o Pedro Alfonso, en el siglo XII. Las conversiones debieron de ser numerosas en el siglo XIII y se intensificaron en el siguiente, siendo los más conocidos don Abner de Burgos y don Pablo de Santa María. Otros de menor relieve pasaron a la fe católica. El concilio de Peñafiel de 1302 es testigo de la buena disposición de muchos «qui ad fidem converti desiderant ortodoxam» [64].

Estas conversiones se efectuaron en condiciones normales, es decir, sin coacción externa grave y como consecuencia de decisiones personales, de modo que dichos conversos se integraron sin grandes dificultades en un medio cristiano que oficialmente no les era hostil. A menos que se tratase de personas muy conocidas, el origen familiar de cada uno se olvidaba a las pocas generaciones. No hay motivos para dudar de la sinceridad de estas conversiones, aunque en algunos pudieron influir también razones no completamente exentas de miras materiales.

Las conversiones de estos siglos no fueron tan numerosas que sustrajesen un gran volumen de fieles a las comunidades judías. Algunas, sin embargo, fueron muy resonantes. Esta asimilación voluntaria y lenta no causó problemas de índole social entre los cristianos. Se puede afirmar que los conversos no fueron el resultado súbito y exclusivo de los *pogroms* de 1391. Todos estos cambios de religión son un itinerario que es preciso tener en cuenta para llegar a una explicación más coherente de la oleada de conversiones que hicieron presentes, como casta, a los cristianos nuevos en la escena de la vida pública española a partir del siglo XV.

Las causas de estas conversiones prematuras hay que buscarlas tanto dentro del propio judaísmo como en el entorno cristiano.

El descubrimiento de Aristóteles por los pensadores judíos les planteó el problema de las relaciones entre la fe y la razón. No podemos dejar de poner en relieve el papel que desempeñó Maimónides con su intento de dar una respuesta a los perplejos o indecisos, en un cuerpo de doctrina que conmovió las bases de la enseñanza tradicional. Es éste un hecho de suma transcendencia en la historia de la teología judaica. Como consecuencia se crearon dos tendencias que se anatematizaron mutuamente. El peligro de cisma fue tan real, que cundió el temor de una división de Israel en dos pueblos distintos, y, aunque se pudo conjurar la ruptura definitiva, el problema no había sido resuelto todavía en el siglo XV. A ello se añadía la fuerte tensión creada entre los judíos poderosos y la masa del pueblo llano, fervoroso seguidor de sus tradiciones.

Estas disensiones, producto de las luchas doctrinales, repercutieron en dos aspectos capitales de la vida judía. En primer lugar, en la decadencia

---

[64] J. SÁNCHEZ HERRERO, *Concilios provinciales y sínodos toledanos de los siglos XIV y XV* (La Laguna 1976) 168.

de las instituciones educativas, base fundamental del adoctrinamiento de la juventud. Los maestros se ocuparon más en la defensa de las opiniones escolásticas que en la transmisión de la revelación. Y, en segundo lugar, en el descenso del tenor de la vida moral, con la aparición de núcleos judíos impregnados de indiferentismo religioso, que en algunos llegaba a la pura y simple negación de la fe, actitudes que en la práctica se traducían en un amoralismo escandaloso.

Así, pues, los acontecimientos de 1391 sorprendieron al pueblo de Israel en España, trabajado por una profunda crisis interior. Es necesario tener muy en cuenta este aspecto para comprender la facilidad con que se pasaron al cristianismo. Este hecho viene confirmado por la reacción de los dirigentes judíos después de la catástrofe, porque entendieron que una restauración de las comunidades pasaba obligatoriamente por el rechazo 'del aristotelismo y por una vuelta a las puras fuentes del Talmud. El florecimiento en la Península de la Cábala, de signo espiritualista y conservador, es otro hecho que se inscribe dentro de la misma tendencia.

Los cristianos no presentaron unas actitudes uniformes respecto a los conversos. Las autoridades del Estado y el alto clero favorecían, sin duda, el cambio de fe, pero rechazando siempre los métodos violentos. Los frailes mendicantes, con la anuencia de dichos poderes, promovieron disputas teológicas de alto nivel, esperando que los opositores judíos salieran de ellas vencidos y convencidos. Utilizaron también el fervor de los neoconversos, los cuales pusieron todo su ardor al servicio del proselitismo cristiano. Cuando se comprobó que los resultados no eran tan espectaculares como se esperaba, indujeron a las autoridades a tomar medidas, poco acertadas, porque constituían formas de coacción moral, como fueron lá obligación de escuchar sermones y las limitaciones en la lectura de los libros talmúdicos.

El pueblo cristiano, en cambio, mantuvo posturas mucho más negativas frente a los conversos, hasta el punto de que se puede afirmar que el antijudaísmo popular se desplegó con más fuerza contra los conversos que contra los propios judíos. Este sentimiento se manifestaba en las palabras ofensivas con que motejaban a los conversos. Uno de los términos más utilizados fue el de *tornadizos*, y constituyó un obstáculo no pequeño para muchós que estaban decididos a dar el paso al cristianismo. He aquí un testimonio tomado de la obra legal de Alfonso el Sabio: «Biven e mueren muchos omes en las creencias estrañas, que amarían ser christianos si non por los abiltamientos e las deshonrras que veen resçebir de palabra e de obra a los otros que se tornan christianos, llamándolos tornadizos e profaçándolos en otras muchas maneras malas e denuestos» (VII,25,3).

En dicha ley se afirma que esta agresividad verbal de los cristianos contra los conversos era causa de que algunos se arrepintiesen, volviendo a sus antiguas creencias: «E por estas deshonrras que resçiben, tales y ha dellos que, después que han resçebido la nuestra fe e son fechos christianos, arrepiéntense e desampáranla, cerrándoseles los coraçones por los denuestos e abiltamientos que resçiben».

Disposiciones muy parecidas se encuentran en el *Fuero real* (4,3,2).

Alfonso X mandaba castigar duramente a los cristianos que tal hacían con penas de escarmiento, que deja al arbitrio de los jueces locales. Dificultades para la conversión procedían también de los otros judíos, los cuales intentaban impedir la conversión a toda costa. Echaban mano de medidas contundentes cuando les era posible: apedreamiento, heridas y muerte de los apóstatas. Las *Partidas* sancionan con pena capital por fuego a los matadores de los conversos y a sus cómplices (VII,24,6).

Los problemas relacionados con la transmisión de bienes patrimoniales eran una importante barrera psicológica y económica. El judío apóstata quedaba desvinculado de la comunidad nativa y de la propia familia. La pérdida de raíces con la parentela implicaba rupturas dolorosas. La conversión llevaba consigo, en ciertos casos, renuncias económicas, muy especialmente a la herencia paterna. En estas cuestiones, las aljamas se regían por leyes propias que caían dentro del ámbito de su autonomía. Las leyes de las *Partidas* establecían que los conversos «ayan sus bienes e de todas sus cosas partiendo con sus hermanos, heredando lo de sus padres, e de sus madres, e de los otros sus parientes bien assí como si fuessen judíos» (VII,24,6).

Es indudable que esto no se cumplía, porque el concilio de Peñafiel hubo de estatuir que no perdiesen los bienes que tenían ya antes del bautismo: «Statuimus et mandamus ut quicumque iudeus vel agarenus baptizari voluerit, propter baptismi sacramentum, bona quae ante habuit, ut iura praecipiunt, non amittant» [65].

A pesar de los amplios recortes a la autonomía de las comunidades judaicas operada en las Cortes castellanas por la dinastía trastamara, este punto seguía siendo controvertido, porque para regular la situación económica de los conversos después de 1391 hubo que hacer en algunas ciudades una minuciosa investigación testifical para averiguar cuál era la costumbre en esta materia entre judíos y moros. La inmensa mayoría de los testigos —ya convertidos— deponían en favor del derecho de sucesión de los hijos convertidos en la herencia paterna aunque sus padres no hubieran pasado a la nueva fe.

Las conversiones en masa (1391-1414)

Los judíos castellanos habían sido seguidores del partido de Pedro I durante la guerra civil que sostuvo con su hermano Enrique, y al resultar éste vencedor quedaron al descubierto. Muchos debieron de pensar en lavar sus culpas con el bautismo. De hecho, hubo un movimiento de conversiones en los años anteriores a 1391. O quizás preveían la tormenta y procuraron adelantarse con ventaja a los acontecimientos. No puede descartarse la sinceridad en ciertos casos, como el de don Pablo de Santa María y su familia. El sentimiento antijudío fue tenazmente explotado por Ferrán Martínez en Sevilla desde 1378. Pero es evidente que la revuelta desatada en la ciudad andaluza en 1391 halló un terreno abonado en todas partes, pues de lo contrario no podría explicarse el eco tan fulminante que

---

[65] ID., O.C.

la persecución encontró en casi todos los territorios de los reinos cristianos.

Muerto Juan I en 1390, en un clima de falta de autoridad real, el furor popular descargó sobre las aljamas españolas, como una riada de muerte, en el verano de 1391. Los judíos se enfrentaron súbitamente con la alternativa dramática de bautizarse o sucumbir. Hubo mártires; pero la mayor parte, sin vocación de héroes, prefirieron aceptar el bautismo, que los libraba de una muerte muy probable. Una minoría, mediante la huida o el dinero, pudo eludir, al mismo tiempo, la muerte y el bautismo, quedando como un resto de Israel.

Sería preciso analizar profundamente las causas del desastre. Parece seguro que en la población cristiana existían deseos de revancha, ansias por liquidar intereses contraídos con los usureros, violencia como manifestación del malestar social, motivos religiosos y un sentimiento de xenofobia, expresión del naciente espíritu nacionalista. Más difícil es su interpretación: parece claro que no fue un problema religioso o exclusivamente religioso, sino también social y nacionalista, porque la misma suerte que los judíos corrieron también los moros.

Con la revuelta popular, el judaísmo español quedó desintegrado. La minoría fiel fue sucesivamente objeto de nuevos intentos de absorción durante más de veinte años, hasta bien entrado el siglo XV, a base de varios procedimientos. Bajo la fuerte presión social, el número de judíos no cesó de disminuir, y de aumentar el de los conversos.

Entre los medios utilizados para atraerse a los judíos podemos mencionar los siguientes:

En primer lugar, las disputas doctrinales. La discusión pública más famosa es la conocida con el nombre de Disputa de Tortosa, habida en esta ciudad en presencia de Benedicto XIII desde el 7 de febrero de 1413 al 13 de noviembre de 1414. Todas las aljamas de Aragón fueron invitadas a tomar parte, enviando sus mejores doctores. El punto de vista católica fue mantenido por Joshua ha-Lorquí, convertido con el nombre de Jerónimo de Santa Fe. Se celebraron 69 sesiones, disputándose sobre la venida del Mesías, el valor del Talmud y otros artículos más controvertidos. Muchos rabinos se convirtieron, y con ellos numerosos judíos.

En Castilla, don Pablo de Santa María, antiguo rabino de Burgos y obispo sucesivamente de Cartagena y Burgos, que era un eximio escriturista, polemizó literariamente con Josef Albó, uno de los rabinos de la Disputa de Tortosa que no se habían convertido. Su *Scruptinium Scripturarum* es su obra más conocida, escrita en forma de diálogo, sostenido entre un judío fervoroso y un ardiente converso bajo los nombres tan significativos de Saulo y Pablo, respectivamente.

Otro medio utilizado fueron las misiones populares. La más importante fue la protagonizada por San Vicente Ferrer en los años 1411-1412. Llamado por don Pablo de Santa María para predicar en su obispado de Cartagena, recorrió las ciudades de Alicante, Orihuela, Elche, Murcia y Lorca, y desde allí se internó por las ciudades de Castilla, aclamado por el pueblo. En sus sermones, el santo valenciano abominaba de la sangre y rechazaba las conversiones forzadas. Sin embargo, no pudo evitarse que con motivo de sus predicaciones, en algunas ciudades, como en Toledo, el pueblo, lleno de fanatismo, atacara la judería y transformara las sinagogas en iglesias. También se reguló la vida judaica. Poco después de 1391 ya se tomaron las primeras medidas disciplinares. Se pretendía a toda costa evitar el contacto de los judíos con los conversos, pues se pensaba que con ello se defendía la constancia en la fe de los neófitos.

A esto fue encaminada la pragmática-ordenamiento de D.ª Catalina, gobernadora del reino de Castilla, sobre el «encerramiento de judíos e moros» (2 de enero de 1412), cuya finalidad fue «quitar e arredrar a los dichos christianos [= conversos] del mi pueblo de toda ocasión de herejía». Contenía 24 disposiciones. En ellas se mandaba que los judíos viviesen en las ciudades apartados en un barrio propio, cercado y con una sola puerta de acceso. Se prohibían los tratos mercantiles y comerciales entre judíos y cristianos. A los primeros se les vetaba tener servidores cristianos, ser arrendadores de las rentas, tener jueces, asistir a los cristianos como médicos. Se mandaba que vistieran en forma singular para que fueran conocidos de todos, portando señales bermejas en los vestidos. No podían cambiar de lugar de residencia ni emigrar [66].

En 1415, y después de la Disputa de Tortosa, Benedicto XIII publicó una constitución apostólica con disposiciones muy similares. Se prohibía que ningún «fiel o infiel» tenga, lea o enseñe el Talmud y que se recogieran en las catedrales todos los ejemplares de dicho libro. Se prohibía el libro judío llamado *Macellum* y cualquier escrito que contuviera maldiciones, blasfemias o menosprecios contra Cristo y las cosas sagradas. Los judíos carecerán de jueces propios. Las sinagogas quedarán cerradas y en los lugares donde haya judíos quedará una sola abierta, la menos suntuosa. No podrán ejercer los oficios de médico, boticario, cirujano, especiero; ni arrendar rentas ni formar sociedades mercantiles con cristianos. Portarán señales en el vestido, se abstendrán de la usura. Los convertidos o inclinados a la conversión no perderán el derecho a heredar de sus padres o parientes. Y tendrán obligación de oír tres sermones al año. Se manda rigurosamente que cesen las injustas persecuciones contra los judíos, que se les atraiga más con dulzura que con aspereza. Finalmente, que no sean agraviados ni vejados en sus personas o bienes [67].

Los conversos en la sociedad cristiana

La pragmática-ordenamiento de D.ª Catalina, inspirada por don Pablo de Santa María, que desde 1407 desempeñaba el cargo de canciller mayor de Castilla, se basaba en un profundo estudio de la nueva situación creada por las conversiones. Las disposiciones contenidas en la bula del papa Luna eran fruto de las deliberaciones de Tortosa. La pragmática era un

[66] J. Amador de los Ríos, *Historia social, política y religiosa de los judíos de España y Portugal* (Madrid 1973) 965-970.
[67] Id., o.c., p.970-985.

documento de carácter civil, válido para Castilla. La bula apostólica se dirigía principalmente a los prelados y aspiraba a ser aceptada en todos los reinos cristianos hispánicos.

Ambos documentos tuvieron una vigencia muy corta. Entre 1419 y 1422 se abolieron por órdenes de Roma, a petición de los judíos españoles, todos los edictos hostiles. Los libros del Talmud y las sinagogas les fueron devueltos. La bula benedictina fue suspendida y anuladas las disposiciones reales. Una nueva disciplina más liberal se contiene en la pragmática de Arévalo, de 1443, obra del valido don Alvaro de Luna.

La pragmática-ordenamiento de D.ª Catalina y la constitución apostólica de Benedicto XIII coinciden sustancialmente. No puede decirse que son fruto del sectarismo ni de la precipitación. No es fácil enjuiciar ambos documentos desde una óptica moderna. En todo caso, son la consecuencia de unos análisis del problema converso en dos reinos diferentes. Reflejan los remedios que las autoridades civiles y eclesiásticas creyeron entonces oportunas para hacer frente a la situación social creada por la masa de conversos en el seno de la cristiandad española.

La excepcionalidad de las medidas indica por sí misma lo extraordinario del problema. Conversiones había habido siempre, pero la sociedad cristiana había sido capaz de absorber a los conversos sin sobresaltos y sin riesgos de alterarse a sí misma. La dimensión nueva que aportan las conversiones masivas de este tiempo es que plantearon un problema social, y ello por las siguientes razones principales: por el ingente número de los venidos súbitamente a la sociedad cristiana; por la falta de voluntariedad al dar el paso al bautismo; por la impreparación doctrinal antes del sacramento; por el escaso nivel de cambio operado en los hábitos después del bautismo; por la enorme confusión y trastorno social creados en un mundo en que la pertenencia a las distintas comunidades religiosas estaba perfectamente delimitada.

Hubo muchas clases de conversos.

Unos aceptaron el cristianismo con sinceridad, rompiendo para siempre con el judaísmo y viviendo como buenos cristianos.

Otros fueron judaizantes, es decir, los que, aparentando un cristianismo exterior, siguieron practicando los ritos judíos, visitando secretamente las sinagogas, guardando los sábados, celebrando sus fiestas, observando las normas alimentarias, sin haber cambiado en el interior del corazón.

Hubo los acomodaticios, a veces sincretistas, que alternaban, en confusa mezcla, las prácticas judías y las cristianas, en mayor o menor grado según las conveniencias personales o los convencionalismos sociales.

También hay que mencionar a los simplemente increyentes, sin adhesión profunda a ningún credo religioso, pero gozando de las ventajas de «aparecer» más que ser verdaderamente cristianos.

Y, al lado de todos ellos, la siniestra figura de los *malsines*, mencionados ya en la bula de Benedicto XIII; nombre que daban los judíos a los hermanos suyos que, ejerciendo el oficio de delatores, procuraban conquistarse las simpatías de los cristianos.

No era fácil, en medio de aquella confusión, discernir entre los conversos sinceros y los falsos ni evaluar el número de unos y otros. La cantidad de criptojudíos debió de ser muy grande. Las autoridades pensaron que, aislándolos de los verdaderos judíos, perderían el atractivo de su antigua fe y terminarían integrándose con los cristianos.

Los cristianos nuevos, situados en las fronteras indecisas entre una y otra religión, ocuparon una posición ambigua, que desagradaba profundamente a unos y a otros.

Para las comunidades judías, los conversos eran vistos como apóstatas, averroístas, herejes y traidores. Los judaizantes eran aceptados no sin desconfianza, porque no estaba claro si los que volvían actuaban con sinceridad o con propósito de delación. El rechazo era general y lógico, como una reacción de autodefensa.

Algo similar ocurría con los cristianos viejos. Para ellos, todo bautizado era, jurídicamente, cristiano. Una vez recibido el bautismo, no había posibilidades de vuelta atrás. Dado el número de los judaizantes, el pueblo, no acostumbrado a hacer distinciones, consideraba a todos los conversos simplemente como judíos, o por lo menos como sospechosos y proclives a judaizar. Por consiguiente, también los rechazaban.

La tragedia de los conversos radicaba en que, siendo oficialmente cristianos, no encontraban su sitio ni entre los cristianos ni entre los judíos. No pudiendo externamente retornar, aunque lo deseasen, a su antigua fe, y fuesen cuales fuesen las creencias que profesaban en el interior de sus conciencias, se hallaban insertos legalmente en la sociedad cristiana. Esta, para defender su identidad, intentó distanciarse de ellos creando barreras entre cristianos viejos y nuevos. Vistos por unos como judíos infieles y por otros como cristianos inseguros, a veces fueron llamados *alborayques,* derivación, al parecer, del nombre del asno de Mahoma, que ni era macho ni hembra.

Precisemos todavía dos aspectos que añadieron aún mayor dramatismo al problema de los conversos.

Por una parte, el bautismo no alteró el sistema de creencias de muchos conversos por haberlo recibido sin catecumenado previo. Tampoco modificó sus hábitos externos y sus costumbres sociales. Por eso continuaron prestando dinero, arrendando las rentas eclesiásticas y reales, sirviendo en la burocracia de la administración pública, escalando puestos en los ayuntamientos y promocionándose a las más altas dignidades de la Iglesia. Muchos conversos asumieron el papel que habían desempeñado los judíos, con la ventaja de que ahora podían entrar libremente en todas las instituciones. Esta ambición desmesurada de algunos les hizo odiosos a todos ante el pueblo, el cual, donde antes había visto judíos, ahora seguía viendo judíos, pero con nombre cristiano.

Además hay que tener en cuenta que parte de los conversos era gente muy rica. Y durante la primera mitad del siglo XV enlazaron por matrimonio con una nobleza empobrecida y sin prejuicios. La mezcla de los linajes fue muy beneficiosa para los conversos y también para los nobles. Estos, con sus continuas banderías y luchas por el poder, tiranizaron al pueblo: todo el siglo XV, hasta la llegada de los Reyes Católicos, fue una época de desgobierno. El pueblo los odió por sus hechos y por su alianza con los conversos. Estos sentimientos se manifestaron en la fervorosa adhesión a la fuerte monarquía de los Reyes Católicos, como defensores de los intereses de las clases populares. Contra la oposición del Estado y del alto clero, el pueblo inventó un instrumento de lucha: los estatutos de limpieza de sangre. El primero de ellos fue el implantado en el ayuntamiento de Toledo en 1449, con el que expulsaron a los conversos de los cargos concejiles. Más adelante, los estatutos se convertirían en un arma en contra de la nobleza, pues hidalgo y converso vinieron a ser, un siglo más tarde, casi sinónimos para la mente popular. Pero esto cae ya fuera de nuestra época.

V. LOS MUDEJARES

El mudejarismo español

Las fuentes históricas de la Edad Media española abundan en referencias a los moros o sarracenos que vivían en los reinos cristianos de la Península. La denominación de mudéjares, poco utilizada entonces, aunque no del todo desconocida [1], ha sido adoptada con preferencia por los historiadores para designar al grupo étnico-religioso de los seguidores de la fe del Islam que estaban «autorizados para residir» en tierras bajo gobierno cristiano.

Esta minoría ya fue objeto de estudio por parte de algunos cultivadores de la historia en el siglo pasado. Ha vuelto de nuevo el interés por ella, como se echa de ver en la producción histórica moderna. Sin embargo, puede decirse que su conocimiento es todavía insatisfactorio, a pesar de los valiosos trabajos publicados o en curso de publicación. El cuadro de la historia medieval española no podrá considerarse completo mientras no se haga luz suficiente sobre la minoría mudéjar, cuya presencia destaca cada vez más como un componente fundamental, tanto desde el punto de vista demográfico como religioso.

De entrada puede sorprender el hecho de que los monarcas cristianos aceptasen de buen grado en sus dominios a parte de un pueblo hacia el que se mantenía una actitud cerradamente hostil, hasta el punto de que se hallaban en guerra casi continua contra él. Pero aún es más sorprendente la decidida protección que se dispensaba a los mudéjares habida cuenta de su condición jurídica y social, que llegaba a considerarlos a todos como patrimonio o tesoro real, es decir, súbditos directos de la Corona, acogidos al amparo de la suprema institución política, en medio de un mundo enteramente feudalizado.

La facilidad con que los moros se quedaban a vivir en las tierras con-

[1] J. TORRES FONTES, La Hermandad..., 507, por ejemplo, donde en una carta de Isabel la Católica de 1483 aparece una clara distinción entre los «moros almogávares del Regno de Granada» y los «moros mudéjares» de las ciudades y villas del reino de Murcia.

quistadas —cosa que les estaba vedada por su ley— y la peculiar protección de los reyes a estos enemigos de la fe de Cristo, como son designados con frecuencia en los·documentos oficiales de los mismos reyes y de Roma, pueden resultar inexplicables si no se buscan las causas más hondas que dieron origen al mudejarismo.

Es preciso afirmar, en primer lugar, que estos moros rezagados o pactados —si prescindimos de los esclavos— en modo alguno se encontraban a disgusto bajo el gobierno cristiano, y las condiciones sociales en que se movía su existencia no eran inferiores a las que disfrutaban bajo los señores musulmanes. Por otro lado, la particular benevolencia con que eran tratados por los reyes cristianos era debida tanto a un sentimiento generalizado de tolerancia como a urgencias y necesidades políticas. A partir del siglo XII los cristianos disponían de fuerzas militares para ensanchar sus fronteras a costa de los musulmanes, pero, en cambio, carecían de gentes con que repoblar el fruto de sus conquistas. El hecho de ocupar los territorios con los mismos moros vencidos no deja de ser un procedimiento extremadamente audaz.

La minoría musulmana asentada en tierras cristianas estaba constituida por personas industriosas que conocían oficios y técnicas en la agricultura, industria y construcción de gran valor para el desarrollo económico de los países cristianos, de modo que sus actividades rendían importantes beneficios a la sociedad, al mismo tiempo que aseguraban ingresos muy saneados al fisco real. Así que el estatuto de protección legal que los amparaba también tenía su origen en unos intereses a los que los reyes no estaban dispuestos a renunciar.

Por lo demás, en términos generales, parece que no hicieron otra cosa que imitar a los propios musulmanes en su política respecto a las minorías religiosas. Los moros habitantes en tierras cristianas recibieron un trato muy similar al que los musulmanes dispensaban a los mozárabes y judíos en las suyas. Los moros, incluso los esclavos, fueron tratados casi siempre con humanidad.

Política de capitulaciones

Todos los historiadores coinciden en afirmar que la forma en que se efectuó la rendición de Toledo (1085), mediante pactos y compromisos escritos con los vencidos, sirvió de modelo para los otros reyes cristianos en el tipo de condiciones que impusieron a los musulmanes cuyas ciudades iban cayendo. Según las fuentes narrativas, el tenor de las capitulaciones garantizaba a los moros que deseaban permanecer el respeto a vidas y haciendas, el mantenimiento del sistema tributario, la libertad religiosa, el uso de sus mezquitas y el derecho de las comunidades o aljamas a gobernarse como un cuerpo social autónomo de acuerdo con sus leyes, a cambio de un reconocimiento expreso de fidelidad al legítimo monarca cristiano.

Para la zona catalano-aragonesa es muy probable que influyera poderosamente el modelo seguido por el Cid en la toma de Valencia (1094).

Alfonso VI y el Cid, profundos conocedores de la mentalidad musulmana y conscientes de las limitaciones del arte de la guerra, se vieron obligados a adoptar, a un mismo tiempo, un sistema mixto de concesiones y firmeza, de protección y sometimiento, con lo cual se inauguró en los reinos crisitanos el interesante fenómeno del mudejarismo. Durante el siglo XII las conquistas de Castilla en el reino de Toledo se mantuvieron en una situación extremadamente precaria. Sólo la ciudad del Tajo resistió gracias a su privilegiada situación estratégica, quedando el resto del territorio expuesto a las continuas incursiones enemigas. Las villas-fortaleza de Castilla la Nueva se fueron consolidando en la segunda mitad del siglo, no sin experimentar frecuentes asaltos.

No fueron éstas circunstancias favorables para que los moros sintieran el atractivo de permanecer. Los de Toledo, a pesar de las garantías contenidas en los pactos, huyeron en masa muy pronto, empezando quizá por los aristócratas, los alfaquíes y los comprometidos políticamente, de modo que no se pudo retener más que a un escaso número, algunos de los cuales se convirtieron al cristianismo. Alfonso VI comenzó a llamarse rey de las dos religiones, con la pretensión de hacer patente su disposición personal a un gobierno de amplia tolerancia para con los musulmanes, pero su política de acercamiento fracasó, quizá debido a las esperanzas de inmediata liberación que suscitó la invasión almorávide.

El drenaje del pueblo mudéjar y el hecho de que fuera Castilla el reino cristiano que contara con una reserva más amplia de población dispuesta a colmar el vacío demográfico indujo muy pronto a los monarcas castellanos a introducir cambios sustanciales en el sistema de capitulaciones.

Este nuevo rumbo se advierte en la conquista de Oreja y su fuerte castillo, a cuyos pobladores dio fueros Alfonso VII en 1159, de donde salieron los moros —«e eché los moros dél, que lo mantenien e cuyo era»[2]—, y en las condiciones de rendición de la ciudad de Cuenca, tomada por Alfonso VIII en 1177, de donde los musulmanes fueron obligados a salir, siendo sustituidos por pobladores cristianos en su totalidad, entre los cuales se hizo el reparto del entero núcleo urbano[3]. También fueron desalojados de Uclés y en general de todas las poblaciones de importancia de la Alcarria y la Mancha. Al ser conquistada la ciudad de Alcaraz, en 1213, toda la población musulmana la abandonó, aunque parece que quedaría una débil presencia musulmana residual.

Cuando Castilla se apoderó de Andalucía occidental durante el siglo XIII, el sistema empleado en la ocupación de las grandes ciudades andaluzas, como Jaén, Córdoba, Sevilla y Cádiz, mediante el procedimiento de vaciar las ciudades, exigía el desplazamiento de la población musulmana y su sustitución por pobladores cristianos, si bien a los primeros se les respetaron vidas y haciendas, pudiendo emigrar libremente hacia el reino de Granada o establecerse en zonas rurales; no obstante, en Sevilla aparece un reducido núcleo mudéjar en el mismo repartimiento[4].

En cambio, la anexión del reino musulmán de Murcia a Castilla se produjo a la antigua usanza, mediante la fórmula de capitulaciones, que,

[2] MUÑOZ Y ROMERO, Colección de Fueros 525.
[3] J. GONZÁLEZ, El reino de Castilla en la época de Alfonso VIII vol.I 113-114.
[4] J. GONZÁLEZ, El repartimiento de Sevilla (Madrid 1951).

en este caso, fueron firmadas en Alcaraz, en 1243, entre los representantes del rey Ibn Hud y el infante don Alfonso. A cambio del reconocimiento de la soberanía castellana y la entrega de los alcázares de las ciudades y de las fortalezas, la inmensa mayoría de la población nativa fue autorizada a permanecer, desarrollando sus actividades normales y gozando de libertad religiosa y administrativa. Sólo algunas ciudades, como Lorca, Mula y Cartagena, que no aceptaron las capitulaciones, fueron tomadas por las armas y su población evacuada.

Por lo que hace al reino de León en su expansión natural hacia la actual Extremadura, que se llevó a cabo con la colaboración de las Ordenes Militares, hubo lugares en que los moros subsistieron, como en Magacela y Hornachos, y otros muchos en que fueron expulsados.

El sistema de capitulaciones que propiciaba la permanencia de la población musulmana originaria fue largamente utilizado por los príncipes de la confederación catalano-aragonesa en su expansión territorial. Esta se orientó en cuatro direcciones: hacia el valle del Ebro y al sur del mismo desde Aragón, hacia la zona costera de Tarragona-Tortosa desde Cataluña, hacia el reino de Valencia y hacia el archipiélago balear. En cada una de ellas los musulmanes recibieron un trato desigual, en función de las necesidades y posibilidades demográficas para la ocupación de los territorios.

Se ha conservado el texto de los pactos que los moros buenos de Tudela estipularon con Alfonso I el Batallador en 1115, antes de entregarle la ciudad, documento que puede considerarse como representativo de la política de los reyes aragoneses. La población mudéjar recibió un año de plazo para trasladarse desde el centro de la ciudad a los arrabales, garantizándoseles la seguridad en sus bienes muebles, esposas, hijos y heredades de fuera dando el diezmo de estas últimas. Podían venderlas y marchar a tierra de moros o a cualquier parte. Entre otras disposiciones se regulaban los pleitos mixtos entre moros y cristianos, respetando la jurisdicción de los alcaldes y las leyes propias de cada parte. Los moros no tendrían obligación de ir a la guerra por la fuerza, otorgándoseles, sin embargo, el derecho de portar armas[5].

Este sistema, con ciertas variantes, se aplicó en la conquista de las ciudades y campos de los valles del Ebro, Jalón y Jiloca, donde los musulmanes se sometieron al rey de Aragón y recibieron un trato de benevolencia, que les aseguró el derecho al disfrute de sus propiedades y libertades como grupo étnico-religioso. Así sucedió en la toma de núcleos urbanos tan importantes como Zaragoza, Calatayud y Daroca, donde las comunidades mudéjares, agrupadas en barrios, recibieron el nombre de morerías.

Ramón Berenguer IV (1131-1162), utilizando unos procedimientos semejantes, amplió el condado de Cataluña con la conquista de las ciudades de Tortosa en el delta del Ebro y de Lérida en el valle del Segre. En ambas ciudades y sus territorios la población musulmana fue retenida en su mayoría.

5 MUÑOZ Y ROMERO, *Colección de Fueros* 415-417.

La conquista del archipiélago balear fue obra de contingentes militares catalanes, comenzada con la ocupación de Mallorca (1229) y de Ibiza (1235) y culminada en 1287 con la de Menorca. Parece que la mayor parte de la población musulmana huyó hacia Africa, si bien pudo quedar un resto muy desorganizado. El caso de las islas no deja de ser sorprendente dentro de la política de la corona de Aragón. En cuanto al reino de Valencia, es preciso distinguir dos zonas: la castellonense y la valenciana. En la primera, cuya ocupación comenzó en 1232, se actuó en parte desplazando a la población musulmana y en parte manteniéndola, sin que consten con exactitud las razones de tal conducta. Por el contrario, en el territorio propiamente valenciano se creó un reino cristiano o cruzado, constituido por un reducido grupo dominante de cristianos que ocupó los puntos de interés militar y la misma ciudad de Valencia, desplazando a los sarracenos a los arrabales, mientras permanecía casi intacta la población mudéjar, dedicada a las faenas agrícolas.

Geografía del mudejarismo

La repartición de la población mudéjar en la Península no fue uniforme y se debió tanto al sistema de capitulaciones como a las variantes regionales y a las mutaciones introducidas con el tiempo.

Dada la escasa información que poseemos, sólo es posible trazar un mapa de contornos borrosos, más o menos aproximados, fundado a veces en estimaciones y datos sueltos tardíos.

En la corona de Castilla, la distribución de los mudéjares fue sumamente irregular. No parece que hubo grupos organizados en toda la zona cantábrica desde Galicia hasta Guipúzcoa ni en las montañas de León, que eran las regiones más deprimidas en la Edad Media. En el resto de Castilla la Vieja hubo morerías en numerosas ciudades de Burgos, Palencia, Avila, Segovia y Valladolid, al menos a fines del siglo XV, destacando el caso de Avila, donde las tres religiones —cristianos, moros y judíos— se hallaban casi igualadas en número. Los mudéjares castellanos eran principalmente moros libres, habitantes de las ciudades, pero su origen y crecimiento proceden de los últimos siglos de la Edad Media [6].

Poco e inseguro es lo que puede afirmarse acerca de los moros de La Rioja, Soria y Sigüenza, excepto que en el mismo siglo existían morerías en varios lugares, como Medinaceli, Molina, Agreda y Aranda de Duero, quizá influidas por la proximidad de las tierras de Aragón.

El centro principal del mudejarismo en Castilla la Nueva suele situarse en Toledo. Sin embargo, no parece que hubiera muchos moros en dicha ciudad durante los siglos XII y XIII. La documentación mozárabe publicada sólo cita una treintena de ellos, la mayor parte cautivos [7]. Los documentos latinos y romances añaden otros tantos más. La aljama de los mo-

---

[6] LADERO QUESADA, *Los mudéjares de Castilla en la Baja Edad Media:* Actas del I Simposio..., 352-356.
[7] A. GONZÁLEZ PALENCIA, *Los mozárabes de Toledo en los siglos XII y XIII,* vol. prelim., 243-246.

ros de Toledo es citada como tal sólo a principios del siglo XIV [8], y contaba con una pequeña mezquita junto al mercado [9]. Las menciones de moros toledanos son más abundantes en el siglo XIV, lo que debe interpretarse en el sentido de que el crecimiento de esta minoría era reciente, efecto de las frecuentes manumisiones de esclavos y del asentamiento de mercaderes y menestrales. Grupos de mudéjares aparecen también en otros lugares del reino, como Talavera, Santa Olalla, Illescas [10], Madrid, Alcalá de Henares [11], Guadalajara, Cuenca y Huete.

Extremadura, con sus grandes zonas dominadas por las Ordenes Militares, fue una región de gran densidad mudéjar, con contingentes repartidos en forma irregular, destacando la concentración de Hornachos, cuya población era enteramente mudéjar.

Los moros de Andalucía occidental parece que fueron numerosos a raíz de la conquista en el ámbito rural. Pero hubo una rebelión generalizada, que fue duramente reprimida en 1264; a consecuencia de ella, su número descendió tan bruscamente que los mudéjares andaluces de los siglos finales de la Edad Media representan la densidad más baja en toda la corona de Castilla. Las morerías que se constatan en Sevilla, Córdoba, Constantina, Ecija, etc., fueron extremadamente débiles, con escasa incidencia social. Su volumen sólo experimentó un crecimiento tardío con la deportación de los moriscos del reino de Granada [12].

En la región murciana, densamente poblada de mudéjares al comienzo de su incorporación al reino castellano, se produjo, ya en la segunda mitad del siglo XIII, un descenso rápido a causa de la marcha de muchos hacia Granada y Africa y a la conversión de algunos al cristianismo, mientras los cristianos fueron haciendo notar su presencia mediante la intensificación del ritmo repoblador, pues la revuelta mudéjar de 1264 afectó particularmente a este reino, con lo que esta especie de marca militar fronteriza se fue castellanizando más y más durante los últimos siglos de la Edad Media [13].

El profesor Ladero Quesada estima que en 1502 la entera población mudéjar de Castilla no alcanzaría las veinte mil personas, es decir, aproximadamente un 0,5 por 100 del total de habitantes, hallándose la mitad repartida entre Castilla la Nueva y Extremadura.

Los moros de Aragón ya venían cultivando las ricas vegas de los ríos en forma de agricultura hortícola de tipo intensivo. A lo largo de los cauces, fluviales, susceptibles de explotación, estaba asentada la inmensa mayoría

---

[8] ARCH. CAP. TOL., I.12.C.1.2., del año 1309.
[9] ARCH. CAP. TOL., O.12.B.1.2, del año 1305. Este edificio debe identificarse, a nuestro juicio, con la pequeña mezquita, todavía existente, de la calle de las Tornerías.
[10] Los mudéjares de Illescas estaban constituidos en aljama hacia mediados del siglo XIV. Para sus reuniones no disponían de otro lugar más que de un «almegid». ARCH. CAP. TOL., O.7.A.1.6.
[11] Debía de ser numerosa, pues Fernando IV dio al arzobispo Díaz Palomeque, en 1305, todos los maravedís que hubieran de dar al rey cien moros de Alcalá en razón de cualquier pecho. Publicado en F. FERNÁNDEZ Y GONZÁLEZ, *Estado social y político de los mudéjares de Castilla* (Madrid 1866) doc.LX. El orig. se encuentra en ARCH. CAT. TOL., A.3.A.1.11a.
[12] LADERO QUESADA, o.c., 361-365.
[13] J. TORRES FONTES, *Repartimiento de la huerta y campo de Murcia en el siglo XIII* (Murcia 1971).

del pueblo mudéjar rural. Con excepción de los puntos estratégicos de valor militar, que fueron ocupados por los cristianos, numerosos pueblos eran exclusivamente musulmanes en las riberas del Queile y del Huecha. En otras zonas alternaban poblados de gentes musulmanas y cristianas o asentamientos mixtos, sin que faltaran musulmanes en las montañas.

Hubo morerías en las ciudades, pero la documentación es mucho menos explícita con referencia a ellas, estando dedicados sus moradores al comercio y a la pequeña industria [14]. A este respecto son muy significativas de la población de cada aljama las tablas de las tasas pagadas por cada una de ellas para el período 1355-1366, que ha confeccionado Boswell [15], donde aparecen muy destacadas por sus contribuciones económicas las de Zaragoza, Borja, Huesca, Calatayud, Teruel y Ariza.

Los mudéjares de Cataluña eran escasos al norte de la desembocadura del Ebro. Los focos principales se localizaban en Lérida y, sobre todo, en Tortosa.

Donde la población mudéjar alcanzó cotas verdaderamente elevadas fue en el reino de Valencia. En muchos lugares la vida musulmana continuó casi intacta: no se alteraron las costumbres religiosas de la llamada pública a la oración en las mezquitas, no se paralizó la vida económica, el régimen administrativo de la justicia musulmana no conoció importantes innovaciones. Ello era debido a que comarcas enteras permanecieron íntegramente musulmanas. Los casos más notables fueron los de Játiva, Vall de Uxó y, en parte, la misma ciudad de Valencia.

Los mudéjares de Cataluña fueron una exigua minoría, confinada en la zona sur. Los de Aragón, en cambio, alcanzaban probablemente al 30 por 100 de la población, mientras que en Valencia eran los cristianos quienes se hallaban en minoría [16].

El estatuto jurídico de los mudéjares

Los mudéjares de los reinos cristianos, como minoría étnico-religiosa, no vivieron a merced de la arbitrariedad de los monarcas y señores, sino que se creó un cuadro legal que amparaba sus derechos. Tal ordenamiento jurídico se basaba fundamentalmente en el reconocimiento de las aljamas como cuerpos sociales, dotados de autonomía judicial y administrativa. En realidad, la aljama venía a ser el equivalente del consejo cristiano, gobernada por autoridades con jurisdicción propia y exclusiva, quedando siempre a salvo la suprema autoridad del rey, en cuyo nombre actuaban los funcionarios, musulmanes o cristianos, que tenían competencia en los asuntos de las comunidades.

El principio capital en que se inspiró la legislación podría sintetizarse en las palabras de las *Partidas* de Alfonso X el Sabio, cuando dice que los moros deben vivir entre los cristianos «guardando su Ley e non denostando la nuestra» (VII,25,1). Sobre esta base de tolerancia mutua se ar-

---

[14] J. M. LACARRA, *Introducción al estudio de los mudéjares aragoneses:* Actas del I Simposio..., 18-22.
[15] J. BOSWELL, *The Royal Treasure* 250-251.
[16] ID., ibid., 7.

ticuló un sistema de convivencia aceptable para unos y otros, aunque es evidente que la vida no siempre se acomodó a la ley. De esta situación quedaban excluidos los moros de condición servil.

El estatuto jurídico variaba de reino a reino y aun de comarca a comarca dentro de un mismo reino y, por supuesto, sufrió alteraciones de un siglo a otro, por lo cual es imposible describir un marco único que abarque toda la rica variedad de situaciones.

Todos los moros, excepto los esclavos, gozaban de consideración de propiedad o tesoro del rey, al cual estaban inmediatamente sujetos, fuera de las normales estructuras feudales, y al rey podían apelar en última instancia en los casos de violación de la justicia. Esto no era obstáculo para que los agricultores se hallaran sometidos, al mismo tiempo, a los señores seculares, a las Ordenes Militares o a la Iglesia, según en qué tierras —señorío o abadengo— se hallasen instalados, no siendo en todo caso segura la distinción de competencia en muchas materias. Menos confuso era el estatuto de los moros habitantes de las ciudades o de las tierras de realengo, entre los cuales y el monarca no solían existir instancias intermedias fuera de los oficiales reales, pero tal hecho no siempre les producía ventajas, porque, a veces, el monarca hacía donación de sus derechos sobre ellos para recompensar favores a magnates u otras instituciones. Parece cierto que los mudéjares preferían la jurisdicción real y la eclesiástica.

Los asuntos internos de las aljamas eran ventilados ante magistrados propios, tales como los *adelantados*, equivalentes a los jurados cristianos, que podían ser varios y tenían a sus órdenes una pequeña corte de empleados menores. El *qadí*, institución de raigambre coránica, era la autoridad central de las comunidades, porque como juez tenía competencia en todos los asuntos judiciales, religiosos, morales y administrativos, y, en último término, era el símbolo que vinculaba a los mudéjares con el resto del mundo musulmán. Otros empleados de gran prestigio eran el *zalmedina*, o encargado de la supervisión del mercado; el *amin*, o responsable de recoger y administrar los impuestos; el *alfaquí*, experto en leyes y quizá maestro de niños; el *escribano*, etc. En las aljamas menores varios de estos oficios se acumulaban en una misma persona. Sin embargo, las interferencias de los oficiales cristianos se hicieron frecuentes, especialmente a partir de la segunda mitad del siglo XIV.

Los mudéjares, además de hacer frente a tributos comunes con los cristianos, estaban sometidos a un régimen de exacciones, pechos y servicios, que variaban enormemente según las regiones. Pero, por otro lado, sus tierras estaban en general exentas de pagar diezmos y primicias a las iglesias cristianas. La fiscalidad, muy beneficiosa para la cámara real, fue haciéndose cada vez más pesada con el transcurso del tiempo [17].

Entre los derechos más importantes que las capitulaciones y las leyes reconocían a los mudéjares debe mencionarse el de la libre práctica de su religión, poseer y mantener abiertas sus mezquitas y disponer de lugares propios para su enterramiento. En Valencia y en extensas comarcas de la

---

[17] No nos es posible descender aquí a más detalles, dado que este aspecto requeriría un notable desarrollo.

corona de Aragón les estaba permitido el canto de la *ṣalāt* o convocatoria a la oración desde lo alto de los minaretes. No consta que esto se hiciera en Castilla de forma generalizada. La práctica, sostenida por los reyes, era muy mal vista por el pueblo cristiano y fue objeto de restricciones en los siglos XIV y XV.

Las morerías o barrios mudéjares —allí donde existían— constituían en muchas ciudades una parte acotada y vallada por altos muros, con una sola puerta de acceso que se cerraba de noche. Legalmente ningún cristiano podía entrar en ella a no ser acompañado de un notable musulmán. Pero en multitud de casos, ésta, como otras disposiciones legales de la Edad Media, se obedecía, pero no se cumplía. De hecho, las morerías eran frecuentadas por cristianos, entre otros motivos porque en ellas estaban instalados los centros de la vida bohemia de la época: los prostíbulos y las tafurerías, o casas de juego.

No podemos terminar este apartado sin hacer alusión al problema de la convivencia o, por el contrario, de la opresión de los mudéjares españoles, cuestión ampliamente debatida entre los historiadores y de nuevo suscitada, aunque con reservas, cautelas y conceptualizaciones, por Boswell [18], entendida por este autor como discriminación o desigualdad ante la ley.

Es preciso hacer algunas observaciones. La primera, de orden cronológico. Hemos de reconocer que las grandes convulsiones del siglo XIV influyeron seriamente en la degradación de la condición social de los mudéjares. La peste negra de 1348, la durísima guerra entre Castilla y Aragón, la tendencia hacia la unificación legal, el naciente sentimiento nacionalista y el *pogrom* de 1391 —que también les afectó en muchos lugares—, constituyen una frontera que divide en dos la historia de los mudéjares medievales. Esta minoría experimentó sustanciales limitaciones en sus libertades a partir de estos hechos.

En segundo lugar, la cuestión de la convivencia no puede extenderse a los moros esclavos. A pesar de que a éstos se les reconocía su condición humana [19], eran considerados como cosas y, por tanto, se compraban y vendían con las otras propiedades. Los esclavos fueron numerosos tanto en tierras cristianas como musulmanas a consecuencia de las leyes de la guerra, procedentes de la antigüedad, que persistían en la costumbre de que los combatientes enemigos hechos prisioneros quedaban reducidos a la condición de esclavos. Las leyes de *Partidas* aluden a ellos en estos términos: «Captivos son llamados por derecho aquellos que caen en prisión de omes de otra creencia. Ca estos los matan después que los tienen presos... o los tormentan con crueles penas o se sirven dellos como de siervos metiéndolos a tales servicios que querrían antes la muerte que la vida... o los venden quando quieren» (II,29,1). Este era el más grave riesgo que corrían las gentes de armas: pasar de una alta escala social a una servidumbre de infrahombres. Tampoco la población civil se veía exenta de este peligro a consecuencia de las expediciones militares de castigo. Mu-

---

[18] BOSWELL, 22-23 y 324-369.
[19] Cf. el conocido pasaje del Fuero de Jaca: «quia est homo et non debet jejunare sicuti bestia».

chos esclavos, sobre todo en poder de eclesiásticos, obtenían *cartas de aforría* y otros eran canjeados por prisioneros cristianos o rescatados por la limosna legal musulmana.

En Aragón existían numerosos *exáricos*, que cultivaban las tierras en régimen de aparcería.

Según Lacarra, el exárico no es un siervo adscrito a la tierra, sino un hombre libre al que no le interesa desprenderse de las excelentes tierras que cultiva y al que las leyes reconocen un derecho a transmitir a sus descendientes el derecho a cultivarlas en las mismas condiciones; el propietario no puede echarlo de ellas, incluso aunque encuentre otro cultivador que le ofrezca mejores condiciones[20].

Aunque los mudéjares tuvieron predilección por determinadas profesiones, como la agricultura y la construcción, todas las actividades económicas les estaban abiertas. Es más, algunos de ellos alcanzaron un alto grado de bienestar material. Tal es el caso, en Aragón, de Faraig de Belvis, aristócrata musulmán, favorito de la Corte, y el de otras varias familias mudéjares[21]. En' Toledo, la mora doña Fátima, persona muy apreciada por la reina, era propietaria de 84 tiendas en el alcaná, o barrio comercial del centro urbano, a comienzos del siglo XV[22]. También en la misma ciudad encontramos al maestro Çayde, un opulento terrateniente que tenía grandes heredades en Mazaraveda[23].

El problema de la convivencia o discriminación de los mudéjares españoles en los siglos centrales de la Edad Media no puede ser comprendido por referencias a un código de derechos humanos universalmente aceptado, ni siquiera a una legislación unitaria, que no existía de hecho, sino en relación a su propio estatuto legal —el cual tampoco era uniforme en todas partes— y a un sistema orgánico que garantizase el restablecimiento de la justicia en caso de vulneración de los derechos y costumbres, todo ello dentro del marco de la sociedad feudal. Con las salvedades apuntadas, y teniendo en cuenta que en el fondo de la convivencia latía un encuentro conflictivo de dos culturas, creemos que la sociedad medieval española configuró una arquitectura jurídico-social por muchos conceptos admirable, en la que a la minoría mudéjar le fue posible vivir en relativa armonía con la masa cristiana dominante.

[20] LACARRA, *Introducción al estudio de los mudéjares aragoneses:* Actas del I Simposio..., 23. BOSWELL, o.c., 41, sustenta la opinión tradicional.
[21] BOSWELL, 43-49.
[22] ARCH. CAP. TOL., E.6.A.2.2.
[23] ARCH. CAP. TOL., V.6.I.1.11.

HISTORIA DEL ARTE CRISTIANO EN ESPAÑA
(Siglos XIII y XIV)

Por

Isidro Bango Torviso

NOTA BIBLIOGRAFICA

I. Arte gótico

LAVEDAN, P., *L'architecture religieuse gothique en Catalogne, Valence et Baleares* (París 1935); FILANGIERI DI CANDIDA y otros, *L'architecture gothique civile en Catalogne: Mataró* (1935); TORRES BALBÁS, L., *Arquitectura gótica:* Ars Hispaniae 7 (Madrid 1952); AZCÁRATE, J. M., *Arquitectura gótica toledana del siglo XV* (Madrid 1958); CAAMAÑO, J. M., *Contribución al estudio del gótico en Galicia (diócesis de Santiago)* (Valladolid 1962); AZCÁRATE, J. M., *Sentido y significado de la arquitectura hispano-flamenca en la corte de Isabel la Católica:* Bol. Sem. Art. Arq. Un. Vall. (1971) p.201-224; IÑIGUEZ, F., y URANGA, E., *Arte medieval navarro* vol.1 t.4 y 5 (Pamplona 1973). FREIXAS I CAMPS, Pere, *La seo de Gerona. Antoni Canet, arquitecto de la nave:* A.C.I.A.Gr. (1973) I p.359; RODRÍGUEZ ALMELDA, E., *Ensayo sobre la evolución arquitectónica de la catedral de Avila* (Avila 1974); MERINO, W., *Arquitectura hispano-flamenca en León* (León 1974); GÓMEZ RAMOS, R., *Arquitectura alfonsí* (Sevilla 1974); AZCÁRATE, J. M., *El protogótico hispánico* (Madrid 1974); TRUJILLO RODRÍGUEZ, A., *Arte gótico en Canarias* (Santa Cruz de Tenerife 1976); CIRICI, A., *Arquitectura gótica catalana* (Barcelona 1976); BERMEJO DÍEZ, J., *La catedral de Cuenca* (Cuenca 1977); LAMBERT, E., *El arte gótico en España. Siglos XII y XIII* (ed. castellana) (Madrid 1977); SANCHIS RIVERA, J., *La escultura valenciana en la Edad Media:* Arch. Arte Valenciano (1924) p.3-29; DURÁN Y CAÑAMERAS, F., *La escultura medieval catalana* (Madrid 1927); WETHEY, H., *Gil de Siloé and his School* (Cambridge, Mass., 1936); PROSKE, B. G., *Castillian sculpture Gothic to Renaissance* (Nueva York 1951); DURÁN SAMPERE, A.-AINAUD, B., *Escultura gótica:* Ars Hispaniae 8 (Madrid 1922); SERRA Y VILARD, J., *El frontispicio de la catedral de Tarragona* (Tarragona 1960); MATEO, J., *El «Roman de Renar» y otros temas literarios tallados en las sillerías de coro góticas españolas:* Arch. Esp. Arte (1972) p.387-399; CAAMAÑO, J. M., *Los tableros de la sillería baja del coro de la catedral de Sevilla. Estudio iconográfico:* Rev. Univ. Complut. (1973) p.7-25; PÉREZ EMBID, F., *Pedro Millán y los orígenes de la escultura en Sevilla* (Madrid 1973); ARA GIL, C., *En torno al escultor Alejo de Vahía (1440-1510)* (Valladolid 1974); CID, C., *Las pinturas murales de la iglesia de Santo Domingo de Puigcerdá:* An. Est. Ger. 15 (1961-1962) p.5-97; KAUFFMANN, C. M., *Vidal Mayor. Ein Spanisches Gestzbuch aus dem 13. Jahrhundert in Aachener Privatbesitz* (Aachener Kunstbläter 1964) p.103-138; LLONCH PAUSAS, S., *Pintura ítalo-gótica valenciana:* Anales y Bolet. de los M. A. de Barcelona 16 (1967-1968); GUERRERO LOVILLO, J., *Las Cantigas* (Madrid 1949); AINAUD, J., *El maestro de Soriquerola y los inicios de la pintura gótica catalana:* Goya 2 (1954) 75-81; BOSQUE, A. de, *Artistes italiens en Espagne au XIVe siècle aux Rois Catholiques* (París 1965) (ed. italiana, Milán 1968); GUDIOL, J., *Pintura gótica:* Ars Hispaniae 9 (Madrid 1955); GUERRERO LOVILLO, J., *Miniatura gótica castellana.*

Siglos XIII-XIV (Madrid 1956); POST, H., *A history of Spanish painting* 14 vols. (Harvard Un. Cambridge, Mass., 1930-1966); LACARRA, M. C., *Aportación al estudio de la pintura mural gótica en Navarra* (Pamplona 1974); FRANCO MATA, *Escultura gótica en León* (León 1976); LIAÑO MARTÍNEZ, E., *Contribución al estudio del gótico en Tarragona* (Tarragona 1976); LLOMPART, G., *La pintura medieval mallorquina* (Palma de Mallorca 1977); GUITART APARICIO, C., *Arquitectura gótica en Aragón* (Zaragoza 1979).

VI. Arte mudéjar

LÓPEZ DE ARENAS, D., *Breve compendio de la carpintería de lo blanco y tratado de alarifes* (Sevilla 1727); GÓMEZ MORENO, M., *Arte mudéjar toledano* (Madrid 1916); PRIETO VIVES, A., y GÓMEZ MORENO, M., *El lazo, decoración geométrica musulmana* (Madrid 1921); ANGULO, D., *Arquitectura mudéjar sevillana de los siglos XIII, XIV y XV* (Sevilla 1932); PRIETO VIVES, A., *La carpintería hispano-musulmana:* Arquitectura 14 (1932); LAMBERT, E., *L'art mudéjar* Gaz. des Beaux Arts 9 (1933); SANZ, J. M., *Alarifes moros aragoneses:* Al-Andalus 3 (1935); TORRES BALBÁS, L., *Arte mudéjar:* Ars Hispaniae 4 (Madrid 1949); GIL FARRÉS, O., *Iglesias románicas de ladrillo en Segovia:* R. Arch., Bibl. y M. (1950) p.91ss; GALIAY, J., *Arte mudéjar aragonés* (Zaragoza 1950); RÁFOLS, J. F., *Techumbres y artesonados españoles* (Barcelona 1953) 4.ª ed.; TORRES BALBÁS, L., *Actividades de moros burgaleses en las artes y oficios de la construcción (siglos XIII-XV):* Al-Andalus (1954) p.201ss; PÉREZ EMBID, F., *El mudejarismo portugués* (Madrid 1955); NOVELLA MATEO, A., *El artesonado de la catedral de Teruel* (Teruel 1965); GÓMEZ MORENO, M., *Primera y segunda parte de las reglas de carpintería, hecho por Diego López de Arenas en el año MDCXXXIII* ed. facsímil (Madrid 1966); TERRASSE, H., *Formación y fuentes del arte mudéjar toledano:* Arch. Esp. Arte (1970) p.385-394; PAVÓN, B., *Arte toledano islámico y mudéjar* (Madrid 1973); TOMÁS LAGUÍA, C., y SEBASTIÁN, S., *Notas y documentos artístico-culturales sobre Teruel medieval:* Teruel 49-50 (1973) 67-109; BORRÁS, G., *Estructuras mudéjares aragonesas en Francisco Abbad. A su memoria* (Zaragoza 1973) p.131-134; SANTAMARÍA, J. M., *El románico de ladrillo en la villa de Cuéllar:* Est. Segov. (1973) p.443-462; GÓMEZ RAMOS, R., *Arquitectura alfonsí* (Sevilla 1974); *Symposium, Actas del primer Symp. Internacional de Mudejarismo* (Teruel 1975) (en prensa); PAVÓN MALDONADO, B., *Arte mudéjar en Castilla la Vieja y León* (Madrid 1975); MORALES MARTÍNEZ, A. J., *Arquitectura medieval en la sierra de Aracena* (Cádiz 1976); IÑIGUEZ, F., *Torres mudéjares aragonesas:* Arch. Esp. Arte y Arq. (1937) p.173-189; PAVÓN MALDONADO, B., *Arte mozárabe y arte mudéjar en Toledo: paralelismos* (Madrid 1971); BORRÁS, G., *Mudéjar aragonés* (Zaragoza 1978).

I. EL GOTICO DEL SIGLO XIII

Vamos a estudiar en los apartados que constituyen este capítulo las formas plásticas que definen el arte de nuestro país en el siglo XIII. La caracterización de cada una de las artes se verá en sus respectivos lugares; pero como idea fundamental señalemos ahora dos notas características que definen todas ellas: en la iconografía, el profundo humanismo que impera en toda manifestación historiada y la preponderancia de lo francés como fuente inspiradora de todo avance estilístico.

ARQUITECTURA

Factores y condicionamientos

En el siglo XIII, aquellos esbozos de arquitectura protogótica se convierten en arquitectura plenamente gótica; nos encontramos con lo que algunos historiadores llaman período clásico. Pero, realmente, ¿qué significa un edificio gótico? Comenzando por un simple nivel lexemático, diremos que hay dos elementos plenamente definitorios: arco apuntado y bóveda de crucería. El primero, formado por dos arcos de circunferencia, pero de distintos centros, equidistantes del punto central. Su forma confiere a los vanos la verticalidad y esbeltez que falta al arco semicircular, de acusada horizontalidad. La bóveda de crucería se compone de dos arcos —denominados nervios o cruceros— que se cruzan diagonalmente, con una clave común; el espacio entre nervios se cubre con una plementería sustentada [1]. Este sistema de bóveda permite aligerar los muros laterales al descansar el empuje tectónico sobre los nervios, y su apeo en columnas y contrafuertes. El muro se alivia abriendo grandes ventanales, que conferirán al espacio interno un aspecto luminoso nuevo.

Ambos elementos eran conocidos ya, como indicamos en capítulos anteriores, en el último tercio del siglo XII. Pero su uso en estructuras y planimetrías románicas no suponía la creación de espacio arquitectónico gótico, sino un elemento híbrido. El edificio gótico es, fundamentalmente, un espacio totalizador, que se puede ir subdividiendo en compartimentos no estancos, sino intercorrelativos, muy diferente del ideal espacial románico, que es meramente aditivo [2]. Para conseguir esta concepción espacial son necesarios la ojiva y el arco apuntado, así como su articulación debida desde la planta del edificio. Sin embargo, no podemos concebir plenamente esta idea si no aplicamos un elemento inmaterial de gran transcendencia: la luz. La luz gótica se consigue con la desmaterialización del muro; los pesados paramentos románicos desaparecen, para dejar su puesto a grandes ventanales con filtros policromos —las vidrieras—, que introducen, en esa red espacial que es ahora el edificio, la mística del color, que inclusive puede potenciar el *accesis* a la divinidad [3]. Sin embargo, todo lo que se haga en este sentido ha de ser en plan teórico, pues los ventanales y su respectivas vidrieras del siglo XIII han sufrido transformaciones de importancia, y el efecto lumínico que en la actualidad ofrecen estos edificios

---

[1] Partiendo de la idea de que las fuerzas tectónicas producen su dinamicidad sobre los cruceros, y éstos apean en columnas y contrarrestan en arbotantes, se crea la idea de una arquitectura elástica o dinámica, frente al aspecto estático de la arquitectura románica. Sin embargo, hoy día, la historiografía artística es más escéptica sobre este dinamismo, y hay muchos historiadores que piensan en una funcionalidad estática de la plementería. Sobre este tema ver L. TORRES BALBÁS, *Función de nervios y ojivas en las bóvedas góticas:* Investigación Progreso 16 (Madrid 1945).

[2] P. FRANKL, *Gothic architecture* (Harmondsworth 1962).

[3] La metafísica de la luz durante la Edad Media, remontándose a San Agustín, ha sido estudiada por WOLFGANG SCHÖNE, *Über das Licht in der Malerei* (Berlín 1954) p.55ss. La luz metafísica configurando la catedral gótica puede verse en OTTO V. SIMSON, *The Gothic Cathedral* (Nueva York 1956). Una buena obra de síntesis sobre la luz, VÍCTOR NIETO ALCAIDE, *La luz, símbolo y sistema visual* (Madrid 1978).

del clasicismo gótico pertenece a otros siglos —XIV o XV—, con sentimientos espirituales diferentes.

Acabamos de citar sentimientos espirituales, y son ellos, sin duda, también factor decisivo no sólo en la comprensión, sino en la interpretación del edificio. Unas veces, lo acabamos de ver en la iglesia cisterciense, el templo es simplemente arquitectura sin efectos ornamentales, ni siquiera lumínicos —solamente luz blanca—. Mientras que la concepción del templo, según Suger, es una explosión exuberante, barroca y desbordante de efectos ornamentales —desde los utensilios de culto hasta la luz tamizada por las vidrieras—. Sin duda, ambas tendencias constituyen, a pesar de su paradoja, edificios de este estilo clásico del siglo XIII.

Sin embargo, hay algo que perdura de la tradición arquitectónica: la concepción de la arquitectura como unificadora de las demás artes. Así, se ha dicho que la catedral, como ente arquitectónico, es la síntesis que asume las otras artes.

Pese a los tanteos del protogótico, habrá que esperar a este siglo XIII para que, en una segunda avalacha de influjos artísticos, se introduzca plenamente la arquitectura gótica clásica; no es, pues, como ocurrirá también en la escultura, una continuación de los primeros maestros, sino de nuevas cuadrillas de operarios. El mejor tratado de arquitectura gótica española, el de Leopoldo Torres Balbás, comienza así su introducción sobre el tema: «La historia de las importaciones de la arquitectura gótica francesa a España y de su aclimatación y desarrollo es el tema del presente volumen»[4]. Y es cierto; mientras que el origen del románico tiene una multiplicidad de focos germinales que tenderán a uniformarse y universalizarse durante el siglo XII, el gótico tiene un origen único, la Isla de Francia, y de aquí se extenderá por Europa. Los efectos difusores, como en el siglo anterior, son: el «camino de peregrinación», el alto clero, los monjes blancos, los matrimonios reales y la burguesía con sus especulaciones comerciales. Pese a todo, estos factores nada valdrían si no se diesen unos condicionamientos en la Península que permitiesen esta importación. El reinado de Fernando III había favorecido grandemente la reconquista, el territorio cristiano se había ampliado por el valle del Guadalquivir con sus importantes ciudades. En el oriente peninsular, Jaime I, en labor expansiva similar, había conquistado Mallorca y Valencia. Bajo la seguridad político-militar de estos dos monarcas, la prosperidad económica está asegurada, y, con ello, la explosión demográfica de los burgos. En la adición de todos estos sumandos está la justificación que hará posible la presencia de la arquitectura gótica clásica en España.

Los últimos arcaísmos

Denomino este apartado así porque en él vamos a analizar las últimas manifestaciones de importancia que todavía pueden incluirse en la nómina de los edificios de estructura románica. Sin embargo, en los monumentos menores se sigue construyendo en románico; y no sólo en los cen-

---

4 LEOPOLDO TORRES BALBÁS, *Arquitectura gótica* (Madrid 1952) p.11.

tros rurales, como se podría presumir, sino que los grandes obispos continúan apegados al románico de inercia, en el que sólo pequeños detalles denuncian el nuevo estilo: el obispo barcelonés Arnau de Gurb erigió, junto a la sede románica, la capilla de Santa Lucía, cubierta con bóveda de cañón, cuya obra daba fin nada menos que en 1277, y en la que la única huella de arte coetáneo es una pobrísima flora gótica.

En la mísma línea constructiva que indicábamos para el protogótico, nos encontramos con edificios como las catedrales de Mondoñedo y la de Ciudad Rodrigo. La sede mindoniense era de planta totalmente románica; cabecera formada por tres capillas semicirculares; la única conservada, la central, cubierta con bóveda nervada. Idéntico tipo de abovedamiento para las naves, pero el apeo es en pilares aún románicos. Lo mismo diré de la catedral de Ciudad Rodrigo, ya citada en su origen en el capítulo anterior; a sus comienzos románicos se le superpondrán unos abovedamientos góticos de un estilo regional arcaizante. La catedral de Sigüenza, comenzada a mediados del siglo XII, posee las partes bajas y exteriores aún románicas; hacia 1200 acusaba ya formas claramente protogóticas en el capítulo; pero los pilares interiores y las cubiertas abovedadas serán efecto de una construcción lenta que va a durar más de todo el siglo XIII.

Las grandes catedrales

Esta es la centuria de los grandes monasterios, a los que ya hemos aludido en el capítulo anterior, y la de las catedrales, que estudiaremos a continuación. El gótico no llega aún a la iglesia parroquial, salvo excepciones; para ella seguirá la inercia románica y las rudimentarias interpretaciones del léxico gótico, no del espacio. Son obras cuyos comitentes —reyes, nobles y prelados— van a traer de Francia a los maestros que trasplanten las maneras de las catedrales francesas a las hispanas que se reedifican ahora o se construyen de nuevo.

En estas catedrales —Cuenca, Burgos, León, Toledo...— será en las que triunfen las interpretaciones humanísticas de la arquitectura. El edificio no sólo va a simbolizar el hombre perfecto, Cristo, como ya se ha dicho, sino que se va a convertir, basándose en las interpretaciones espaciales de carácter lumínico que hemos referido, «en una custodia monumental, ante la que quedan arrobados todos los sentidos y sensaciones, y que exige al creyente que se coloque en el eje de la nave central a fin de participar del misterio en inmediata colocación» [5]. Las visiones poéticas de los coetáneos interpretaban estas catedrales góticas precisamente en este mismo sentido; así, la descripción del templo de Graal por Alberto Scharffenberg: «Las bóvedas son de zafiro azul, adornadas de estrellas, rojas como carbunclos; el suelo recuerda al mar; en las alturas se extiende el firmamento. Perlas y corales resaltan en las aristas y esmaragdos reemplazan a las columnas. Las puertas son de oro. Tan espléndidamente están pintadas las paredes, que apenas se las distingue de las vidrieras, compuestas de cristales brillantes como joyas. Los santos perecen entrar de fuera hacia dentro llevados por

---

[5] Hans Jantzen, *La arquitectura gótica* (Buenos Aires 1970) p.35.

los rayos del sol» [6]. No cabe duda que es una interpretación literaria, pero también es evidente que son muchos los textos que coinciden en estas visiones fantásticas, donde la catedral, como casa de Dios, ha de ser una joya en sí.

La catedral de Cuenca.—En torno al año 1200 se inicia su construcción; hacia 1225, la cabecera debía de estar muy avanzada; se debió de concluir poco después de 1250. El presbiterio era profundo, para colocar en él la sillería del coro; se terminaba en ábside poligonal; pudo tener cuatro capillas laterales, posiblemente en escalón. Luego se realiza un transepto y tres naves longitudinales. El único elemento de tradición hispánica, el cuerpo torreado sobre el crucero, fue de finales de siglo. El resto, cubierto con bóvedas sexpartitas, denuncia coetaneidad con obras de las regiones de Soissons y Laón.

La catedral de Burgos.—Se levanta con apoyo real, Fernando III, siendo el impulsor de las obras el obispo Mauricio. Este personaje se había dejado impresionar por los nuevos edificios que se construían por Europa siguiendo el modelo francés; los había conocido en el viaje que realizó para acompañar a Beatriz de Suabia a España. Posiblemente, trajo consigo maestros franceses.

Tal vez, la primera etapa constructiva se deba al maestro Ricardo, que también trabajó en las Huelgas. Este hecho puede justificar el que la catedral adoptase la forma de las iglesias cistercienses: cinco capillas rectangulares. Se completaba el proyecto con un amplio crucero y naves muy cortas. Sin embargo, entre 1235 y 1240 se produce un cambio importante: se va a actualizar el proyecto de cabecera algo arcaizante para las novedades francesas coetáneas, especialmente Bourges. Se dispone una amplia girola con cinco capillas poligonales, de las cuales sólo se conservan dos. Siguiendo el ejemplo de Cuenca y lo usual francés, salvo en los monasterios cistercienses, se amplía el presbiterio para dar cabida al coro de los canónigos. La originalidad burgalesa reside en el triforio, con arcos polilobulados bajo tracerías de cuatro o cinco lóbulos, donde resulta evidente la tradición hispano-morisca. En las fachadas de los extremos del transepto, el maestro Enrique, autor de esta segunda etapa, demuestra la dependencia del gótico de 1240 en Reims y París.

La catedral de Toledo.—Aunque teniendo como modelos Bourges y Le Mans, los asimila y pretende conseguir efectos de monumentalidad y originalidad. Dependen de Bourges el doble deambulatorio y las naves laterales decrecientes en altura. La parte más antigua es el coro. El deambulatorio, compuesto por tramos triangulares y rectangulares, según señaló hace muchos años C. Enlart, relacionable con dibujos del álbum de Villard de Honnecourt. El transepto y las cinco naves, totalmente rodeados de capillas entre los contrafuertes. Estas partes representan aspectos del gótico francés de la segunda mitad del siglo. La tradición local, hispano morisca, aparece en el tratamiento de los vanos de las ventanas de la gi

---

[6] H. SELDMAYR, *Die Entstehung der Katedrale* (Zürich 1950) p.85.91, cit. por EDGAR BRUYNE, *Historia de la estética* vol.2 p.548.

rola, ventanas superiores del coro y triforio: arcos polilobulados, con tres o cinco lóbulos agrupados sobre otros arcos.

Sabemos que las obras las inició un maestro llamado Martín, en el año 1226. Le sucede en la dirección un tal Petrus Petri, después del año 1234; cuando muere en 1291, se le considera como autor de la obra. No hay duda que los aspectos de mudejarismo tienen que deberse a él.

La catedral de León. —Si la catedral toledana parece ser la más hispánica, la leonesa es la más francesa. Sin embargo, como veremos, es arcaizante dentro de lo gótico; mientras que Toledo y Burgos siguen, con gran simultaneidad, los prototipos franceses, León reproducirá modelos de principios de siglo. La planta tiene forma de cruz latina, con tres naves, un coro pentagonal y cinco capillas absidales. Su planimetría está perfectamente emparentada con Chartres a través de Reims.

Se levantó bajo el patrocinio del obispo Martín Fernández; comenzada a mediados del siglo y concluida en 1288. En 1277 muere un maestro llamado Enrique, que algunos autores relacionan con el arquitecto que intervino en Burgos.

Lo más importante en León es la desmaterialización del muro. Triforio y ventanal forman una unidad; la búsqueda de la mayor luminosidad hace que el muro entre ventanales y pilares se sustituya por unos estrechos huecos alancetados; diríase que no tienen paredes, que solamente es una estructura de costillas para vidrieras. Aunque no es la misma solución, la diafanidad nos hace recordar la catedral de Beauvais.

La transcendencia local de las grandes catedrales

Durante la segunda mitad de este siglo comienzan a manifestarse las primeras influencias de estas catedrales en pequeñas construcciones de sus entornos geográficos.

El foco más transcendente es la catedral de Burgos. Las iglesias de Sasamón, Valpuesta y Castro Urdiales están en la estela burgalesa.

En la región andaluza, junto a los influjos de las catedrales del Norte —vienen a ser el símbolo cristiano frente a los monumentos musulmanes—, se manifiestan formas que abundan en los monasterios cistercienses. Las iglesias se configuran en fachada con rosetón, tres naves de arcos apuntados sobre pilares, cubiertas de madera y cabecera poligonal con sencilla bóveda de crucería. Así se puede apreciar en las iglesias cordobesas de Santa Marina y San Pablo y las sevillanas de San Gil y Santa Ana.

Las tierras catalano-aragonesas

Salvo la catedral de Tarazona, el gótico tuvo poco interés en esta zona de la Península.

La catedral de Tarazona ha sufrido transformaciones de importancia. Debió de ser edificio de gran purismo. Sabemos que el presbiterio fue consagrado en 1235. Del edificio del XIII podemos observar aún el presbiterio, girola y parte del crucero, que demuestran la elegancia de su arquitectura. El triforio, de arcos alancetados sobre columnillas; las obras del siglo XIV no lo respetaron y no continuó su construcción. En el último cuarto del XIII se inicia la catedral de Huesca, con formas no tanto clásicas como relacionables con el protogótico aragonés.

Por una lápida, hoy desaparecida, sabemos que la girola de la catedral de Valencia se inició en 1262 por el obispo F. Andrés Albalat, monje dominico aragonés, que había viajado por Francia e Italia. Las obras de la seo valenciana se van a prolongar por siglos.

El segundo rigorismo monástico: las órdenes mendicantes y el origen de su arquitectura en España

Mendicantes y bernardos coinciden en la concepción austera de su vida espiritual y material, y por las mismas circunstancias, con idénticas ideas de simplicidad arquitectónica, en la funcionalidad de sus edificios. Sin embargo, pese a estas afinidades, se diferencian radicalmente en cuanto a su relación con los hombres. Los monjes blancos se enquistaban en sus microcosmos monasteriales y permanecían aislados del resto de los mortales; por el contrario, los mendicantes no vivirán en valles solitarios, sino que se sumergirán en los núcleos urbanos para entrar en contacto directo con su preocupación básica: el hombre. Un dato más que nos demuestra la constante humanística por parte de la Iglesia y su relación, como veremos mas detenidamente, con las artes figurativas.

Ya hemos señalado cómo en las *Partidas* se indicaba que, a mediados del siglo XIII, la «orden del Cistel» había cambiado en sus concepciones de austeridad. En estos momentos serán los franciscanos y los dominicos los que recogerán las enseñanzas de San Bernardo.

En 1205 se fundará la Orden franciscana. En 1229 se construía la iglesia-madre en Asís, consagrándose en 1253. Paralelamente, en 1207, el español Domingo de Guzmán creaba la Orden de los frailes predicadores. En Toulouse, la iglesia de los Jacobinos fue su casa matriz.

La Regla de Santo Domingo impuso una sencillez espartana. Habíamos pensado que no se podría ir más allá de lo cisterciense por los caminos de la sencillez; no sólo se prohibían pinturas, mosaicos, esculturas, consideradas inútiles [7], sino que inclusive estaban vetadas las bóvedas, salvo en el presbiterio. Se limitaba incluso el alto de los muros y su grosor [8]. Los estatutos de los franciscamos no difieren de las características dominicas: prohíben dimensiones excesivas, las torres, las pinturas, las vidrieras historiadas en las ventanas, y sólo se permitía el abovedamiento en el presbiterio. Sin duda, vamos a tener aquí la manifestación de una arquitectura pura, desnuda de toda ornamentación. Incluso las limitaciones en tamaños y abovedamientos la hacen mucho más sencilla que la de las casas bernardas.

[7] Volvemos a encontrarnos la vieja diferenciación clásica del arte de lo superfluo y de lo útil, que Hugo de San Víctor había resucitado y que San Bernardo había impuesto en sus monasterios. Las Constituciones dominicas hablaban de la inutilidad de los «curiositates et superfluitates».

[8] Se cuenta que, cuando Santo Domingo volvió a España en 1218, hizo derribar el convento de Madrid por su suntuosidad (V. SAMPÉREZ Y ROMEA, *Historia de la arquitectura cristiana española* [Madrid 1930] 2.ª ed. vol.3 p.455).

Por sus contactos con Francia e Italia, las órdenes mendicantes van a tener en Cataluña un desarrollo muy temprano. Los dominicos se establecen en Barcelona en 1219; en Lérida, en 1227; en Tarragona y Gerona, en 1253, y en Seo de Urgel, en 1273. En el año 1232, Jaime I cedía a los franciscanos un pequeño hospital de peregrinos en Barcelona.

No conservamos nada de las fundaciones mendicantes del siglo XIII; pero Torres Balbás, utilizando material gráfico del siglo XIX, ha podido reconstruir el prototipo de templo de la primera época [9]. Estas iglesias eran de ancha nave, rectangular, cubierta por varios tramos de bóvedas de crucería; en los flancos, contrafuertes, entre los que se disponen capillas laterales, y en el testero, ábside poligonal. Fundamentalmente son tres templos los que confirman esta tipología: los dominicos de Santa Catalina (Barcelona) y la Asunción (Gerona) y la franciscana de San Nicolás de Bari.

La iglesia de Santa Catalina se inició hacia 1243, y su construcción fue muy lenta, pues en 1275 todavía faltaba el último tramo de la nave y el gran rosetón de la fachada. El templo gerundense de la Asunción es de cronología más problemática, pero posiblemente se iniciase en el siglo XIII.

La iglesia mayor franciscana en Barcelona fue consagrada en 1297 por San Luis, obispo de Tolosa y fraile franciscano, y por el obispo de Barcelona, Fr. Bernardo Peregrí, también franciscano.

Tenemos, pues, aquí, en estas construcciones, no sólo el germen de la tipología en España, sino, y esto es lo fundamental, que se configuran principios que luego van a ser elementos definitorios del gótico levantino.

Jesús Caamaño también ha rastreado sobre el origen de la arquitectura mendicante en Galicia, y considera que, al contrario que en Cataluña, serán los primeros los templos franciscanos; exactamente, el de Compostela, fundado por el Santo en 1214. La primera referencia documental que tenemos de su existencia data de 1228. Su aspecto era el de cruz latina, de una nave y otra de crucero, con cubierta de madera y una o tres capillas a la cabecera [10].

ARTES FIGURATIVAS

Condicionamientos de la nueva iconografía

La iconografía en las iglesias españolas del siglo XIII tiene un protagonista fundamental: el humanismo. Lo hemos venido anunciando durante el protogótico; pero lo que no es más que anuncio aislado en medio de una imaginería conservadora, se convierte ahora en una realidad constante.

Sin duda, debemos buscar el origen de este protagonismo en el siglo XII y en las figuras más significativas de la dialéctica teológica. Es San Pedro Damián (1007-1072) el primero en considerar la vida humana y el

---

[9] *Arquitectura gótica* p.123ss.
[10] JESÚS MARÍA CAAMAÑO MARTÍNEZ, *La primitiva iglesia de San Francisco de Santiago:* Bol. del Sem. Est. de Art. y Arq. (1957) p.91ss.

lugar humano de Jesús. Desde un punto de vista diferente, menos devocional, será Abelardo el que retomaría el tema en el siglo XII; en su *Historia de mis calamidades* y, sobre todo, en su correspondencia con Eloísa, nos muestra su interés por el hombre y los valores humanos; con sus propias palabras, podemos sintetizar el valor que concede a la persona: «La fe no tiene mérito ante Dios cuando no es el testimonio de la autoridad divina la que nos lleva a ésta, sino la evidencia de la razón humana». Su gran antagonista, San Bernardo, por distintos caminos y, sobre todo, con interpretaciones muy diferentes, terminará encabezando el movimiento teológico que ponía su énfasis en la relación de Dios con los hombres, su compasión divina, su proximidad al dolor y a la alegría de esa humanidad, cada vez más protagonista. Sin embargo, estos principios, sólo presentes en las mentes de círculos elitistas demasiado intelectualizados, no se popularizarán hasta finales del siglo, y fundamentalmente durante el XIII. Es en estos momentos cuando el monje ya no es el personaje contemplativo y aislado, sino que, por medio de los mendicantes, se sumerge en las miserias de los hombres, compartiendo con ellos su amor en Cristo. La literatura de principios de siglo también divulga lo que antes no era más que propio de mínimos cenáculos de teólogos. En este sentido, los escritos de Gonzalo de Berceo son harto significativos; se puede negar su originalidad, pero no su papel de difusor, de aproximar la nueva teología a las gentes [11].

Junto a estos factores esenciales religiosos se producen otros aspectos puramente históricos y sociales. El desarrollo de los burgos, configurándose en ellos comunidades constituidas por grupos sociales, va a conseguir, primero, una mayor seguridad para la vida del individuo y, después, la dignificación de su condición de hombres. A esto contribuye, sin duda, la serie de fueros que los monarcas peninsulares conceden en los últimos cuarenta años del siglo XII. Las *Partidas,* de Alfonso X, aunque no se pusieron en vigor en el XIII, son un paso decisivo en la constitución de un aparato jurídico que protege al ser humano y que responde a las aspiraciones de la sociedad del siglo XIII.

Todo lo que acabo de enumerar son componentes decisivos para la nueva interpretación iconográfica; se supera la imagen fría y distante de la divinidad y su entorno, para pasar a interpretarlos con un parámetro humano. Los protagonistas de la iconografía religiosa serán la Virgen, Dios, los santos y el hombre. A pesar de todo, lo característico en las cuatro representaciones es lo humano.

La Virgen alcanza ahora un protagonismo máximo. Cuantitativamente, su iconograma abunda más que el de la propia divinidad. Y precisamente la razón está en que ella es una mujer como las que viven en el siglo, y como Madre de Dios puede ser la mejor intercesora entre los hombres, de cuya naturaleza participa, y Jesucristo, su Hijo. ¡Qué diferencia con la Virgen del románico, que no era más que el instrumento del que se valía Dios! Ella era el trono viviente para el Niño, y en ella, lo podemos ver en toda la iconografía románica, no se manifiesta más que la soberanía y la

---

[11] Jesús María Caamaño Martínez, *Berceo como fuente de iconografía cristiano-medieval:* Bol. del Sem. Est. de Art. y Arq. (1969).

victoria. Ya en Honorio de Autún, en su *Speculum Ecclesiae*, se anuncia el valor de intercesora en la redención, aunque en un lenguaje aún románico: «La Virgen es, ante todo, el instrumento de la redención, el eterno pensamiento de Dios. Dios nos la muestra en el Antiguo Testamento; ella es la que anuncia la fosa de los leones de Daniel» (aquí Daniel es el símbolo del triunfo del cristiano sobre la muerte). Pero la Virgen va a dar un paso decisivo hacia la humanización: como mujer, no sólo es la que nos redima del pecado de Eva, sino que sustituirá a la misma Eva como símbolo de belleza. En este sentido producirá, como mujer, efectos amorosos similares a los amores cantados por los trovadores. San Bernardo, llamado por Dante caballero de la Virgen, se expresa en un lenguaje de poesía puramente lírica: «Yo he sido herida de amor [la Virgen]. La flecha del amor de Cristo no dejó en su corazón un átomo sin amor...; todo en ella era digno de admiración. Su cuerpo era tan bello como su alma, y es esta radiante belleza la que recibirá sobre ella las miradas del Eterno». En una de sus homilías había escrito: «No solamente ha borrado el defecto de Eva, sino que, en parte, la sustituye como ideal de belleza; y también es ideal de pureza, como la gran mediadora entre Dios y los hombres». No es necesario seguir, ni siquiera recoger fragmentos de San Francisco; aquí está la justificación plena de la nueva iconografía de la Virgen: sus manifestaciones maternales con el Niño, la elegancia y belleza de sus formas de mujer y su papel de intercesora entre las representaciones de lo terreno y de la Jerusalén celeste.

De la misma manera y por los mismos motivos, Cristo abandona la solemnidad del dios para recordarnos su dolor, y las causas del mismo, que como hombre padeció por nosotros. Así lo veíamos representado en el Pórtico de la Gloria, y a partir de aquí se hará constante iconográfica.

También observamos cómo los santos y los mártires iban cobrando gran protagonismo con la historia de su propia pasión, describiéndonos el artista los detalles más insignificantes de sus vidas. Los protagonistas son hombres, y, como tales, lo que realizan es más asimilable por los espectadores, que pueden tener en ellos el modelo de conducta.

Para que todo este mensaje se haga más natural, esté más en el nivel de quienes lo contemplan, es necesario salpicar sobre él escenas de la vida diaria. Los actores de todas las acciones visten con la indumentaria de la época y utilizan todo tipo de instrumentos coetáneos. Pero esto no bastaba; había que identificar a todos los personajes de los estamentos sociales viviendo ese cosmos que constituye la portada de una catedral gótica. Y aquí son representados desde el papa al acólito, desde el rey al ballestero, desde la dama a la prostituta. No faltando la simple anécdota intranscendente, como en la portada del Sarmental, de Burgos, donde no hay inconveniente en esculpir, junto al «mensaje» del Cristo doctor, a un obrero sacándose una espina de un pie con rictus doloroso.

Escultura

Estilos y maestros

Se puede considerar ya plenamente gótico el estilo de la portada del Juicio de la colegiata de Tudela. Pero por el empeño del programa iconográfico, su composición adecuando el primero al marco arquitectónico, el taller de escultores que trabaja en la portada occidental de la catedral de Tuy realiza, entre 1218 y 1236, la primera portada completa de carácter francés que aún conservamos. Nos resultaría imposible sintetizar aquí las múltiples tendencias que parecen reflejar las distintas manos que lo realizaron —Laón, Sens, Chartres—; pero que, sin duda, al interpretarse en el granito gallego, alcanza unas ciertas cotas de originalidad. Son de notar el primer «paisaje» y el primer «interior» del arte gallego [12].

Tras esta primera producción, tendremos que trasladarnos a Burgos y León para encontrar en estas dos catedrales los focos de introducción de la escultura gótica francesa en España.

Poco antes de mediar el siglo, el maestro Enrique adaptaba el estilo de Amiéns a las esculturas de la puerta del Sarmental, de la catedral burgalesa. Igual influjo se ha señalado para dos esculturas de la Virgen y Cristo del monasterio de San Benito de Sahagún, que Sauerländer, relacionándolas con las esculturas del portal oeste de Amiéns —exactamente, la Virgen del portal derecho— [13], sitúa a finales de la primera mitad del XIII. El escultor que realiza la portada de la Coronería debió de formarse con el anterior; el canon algo rechoncho contrasta con la elegancia de los modelos franceses utilizados por su maestro; posiblemente fuese un artista local. De hacia 1270 se considera la portada del claustro; aquí se hace patente la presencia de las formas elegantes del llamado «maestro de la sonrisa» de Reims. Como, cuando hablábamos de la arquitectura, la escultura de la catedral se reproduce por el entorno geográfico en esculturas de portadas y cenotafios: Sasamón, las Huelgas, Villalcázar de Sirga, etc.

Poco después de Burgos, hacia 1260, un taller de escultores relacionable con lo burgalés y posiblemente con nexo en lo más próximo geográficamente, el autor de las esculturas citadas de Sahagún, inicia la decoración escultórica de la «Pulchra leonina». La cantidad de obras aquí ejecutadas ha hecho que las especulaciones sobre talleres y aun maestros y su relación con lo francés sea algo tan complejo como a veces contradictorio [14]. Entre este bosque de autorías, destacamos la presencia de tres tendencias estilísticas que, por mor de personalizar, vamos a llamar maestros: maestro del *Juicio final,* maestro de la *Virgen Blanca* y maestro de la *Adoración de los reyes,* de la portada meridional.

El llamado maestro del *Juicio final* es el autor del Cristo, el ángel portador de lanza y las escenas maravillosas de bienaventurados y condena-

[12] SERAFÍN MORALEJO ALVAREZ, *Escultura gótica en Galicia (1200-1350)* (Universidad de Santiago, s.a.) p.7ss.
[13] WILLIBALD SAUERLÄNDER, *L'Europe gothique XIIe-XIVe siècles:* Revue de l'art 3 (1969) 87.
[14] MARÍA ANGELA FRANCO MATA, *Escultura gótica en León* (León 1976).

dos. Su estilo elegante lo relacionan con lo remense en general. La segunda tendencia, que por el canon de sus figuras parece una asimilación de lo francés por parte de artistas hispanos, se emparenta con el maestro burgalés de la puerta de la Coronería. A este taller es atribuible la Virgen del parteluz y las esculturas de los tímpanos laterales, dedicados a los ciclos de la natividad y la dormición de la Virgen. La influencia de Amiéns se manifiesta en la calidad y belleza de las esculturas de la epifanía a los Reyes, en la portada meridional.

La catedral de Avila, la colegiata de Toro y la de Toledo muestran también iguales manifestaciones de tipo francés, pero en menor cantidad y calidad (en el caso de Toro, el influjo es a través de lo leonés).

En los reinos de Navarra y Aragón, los talleres de escultura gótica de esta centuria son pocos, o por lo menos no ha llegado su obra hasta nosotros. Las obras de mayor interés se centran en las esculturas de carácter hagiográfico de San Saturnino, en Artajona, y en la *Santa cena* de la iglesia del Santo Sepulcro, en Estella.

Hacia 1278, el primer escultor gótico de Cataluña, el maestro Bertomeu, realiza unas esculturas —Virgen del parteluz, series de ángeles y las cuatro figuras de apóstoles más próximos, a cada lado de la puerta— que ejemplifican la calidad y el virtuosismo de su producción. La imagen de la Virgen, envuelta en un rico manto de gráciles y juveniles ondulaciones corpóreas, es la mejor representación de la nueva iconografía de la belleza de María. Su estilo, aunque dependiente de las elegantes formas del pleno clasicismo gótico francés, denuncia también contactos con Italia.

Las portadas góticas y su mensaje

Cristo doctor.—Así se le representa en la puerta del Sarmental, de Burgos. Con la innovación en lo hispánico de los evangelistas cogiendo, sobre sus pupitres, el dictado del Evangelio por parte del Señor. En las arquivoltas, reyes, músicos —son los del Apocalipsis, pero se ha perdido esa idea, y ya, por los instrumentos y su número, en nada lo recuerdan— y ángeles confirman la divinidad del Maestro. En el dintel, bajo el tímpano, el colegio apostólico sentado y con el tomo del Evangelio. La iconografía de los evangelistas escribientes, corriente en Francia hacia 1200, procedía de prototipos miniados. Igual connotación arcaizante denuncia la imagen de los apóstoles teniendo el libro en las manos. Antiguo y Nuevo Testamento son representados en las estatuas de las columnas: Moisés, Aarón, San Pedro y San Pablo, entre las esculturas reconocidas (las otras fueron puestas en traslados modernos). Podían referirse a teóricos de la Antigua y Nueva Ley, tan acorde con el carácter docético de la portada. El santo obispo del parteluz —sea el primer obispo burgalés o Mauricio, el impulsor de las obras góticas de la catedral— está en consonancia con la ubicación en igual puesto de santos —iniciado en España con Santiago— para dar la bienvenida a los fieles.

El juicio final y los intercesores.—La solemnidad del románico ha desaparecido. En el centro, la imagen del Eterno; en los lados extremos, ángeles con la lanza y la columna; arriba, ángeles portadores de la cruz, los símbolos de la redención. Los apóstoles, que antes eran consejeros del Juez, han dejado su lugar a los intercesores, la Virgen y San Juan, que suplican por los hombres, que están siendo sopesados en sus culpas por el arcángel Miguel, abajo, en el dintel. A un lado y otro del arcángel, bienaventurados y condenados. En las arquivoltas, los ángeles convocando al juicio y la resurrección de los muertos. Los apóstoles, como en Chartres, ocupan los laterales de la portada; han dejado sus libros, y ahora la mayoría llevan los símbolos de su propia pasión; la han padecido como el Maestro les enseñó —aquí se podría interpretar en sentido complementario de la portada del Sarmental—, y por su martirio se convierten también en intercesores de la humanidad. Así se concibió el tema en la puerta de la Coronería, de la sede burgalesa.

La exaltación de María. —En la misma catedral burgalesa existe una puerta, la del claustro, que, aunque el ciclo concluye en el bautismo de Cristo esculpido en el tímpano, tiende a resaltar la imagen de María. David e Isaías se representan en esculturas a la izquierda; son los anunciantes de la maternidad de la Virgen; a través de las arquivoltas, el pronóstico de los profetas se va haciendo realidad en el árbol de Jesé; concluyen las arquivoltas sobre dos esculturas, que confirman las palabras de David e Isaías: la anunciación.

Sin embargo, habrá que esperar a León para que la Virgen ocupe el lugar primerísimo que en la salvación del género humano tiene (es la misma idea de los escritos de Berceo sobre Nuestra Señora). La Virgen es representada en el parteluz de la puerta principal. El programa aquí es complejo, pues afecta nada menos que a tres puertas.

La puerta de la derecha narra cómo desde el Antiguo Testamento se va prefigurando, en jambas y arquivoltas, la llegada del Mesías. En una columna, la escultura de David, y en la arquivolta, Jesé (sobre él debía desarrollarse la genealogía de Cristo, pero sólo hay figuras de reyes que no corresponden a este lugar). Junto a David, San Juan Bautista; sobre él, la arquivolta, que desarrolla su vida. Es lógico: sirve de nexo entre la genealogía, representada por Jesé, y el desarrollo del tímpano, donde, presidido por la imagen de la Virgen, se desarrolla el ciclo de la encarnación. La lectura se hace desde abajo, a la izquierda: visitación, nacimiento, anuncio a los pastores, epifanía a los Magos, matanza de los inocentes[15].

La lectura se continuaría en la portada izquierda; en ésta se exalta la figura de la Virgen. En el dintel es enterrada por los apóstoles. Encima, María, bendecida por su Hijo y coronada por dos ángeles. Había surgido en el siglo XII su representación como *Regina caeli;* de este iconograma se pasa en la catedral de Senlis, donde es coronada por Jesucristo. Ya en el siglo XIII son ángeles voladores los que depositan la corona sobre su ca-

---

[15] La portada ha sido muy rehecha; posiblemente, ya en su origen. Falta la anunciación, que podría ir en las columnas. Sobran la arquivolta exterior —dignidades eclesiásticas y escenas de la vida de San Pablo, presididas por el Sumo Sacerdote, Cristo— y las dos figuras en las que descansa la Iglesia: San Pedro y San Pablo. Correspondería a otro proyecto iconográfico.

beza; exactamente igual que en León. En las arquivoltas, todas las dignidades angélicas, para simbolizar la Jerusalén celeste, y las vírgenes prudentes y necias, en contraposición y modelo de María.

La puerta central, en el tímpano, arquivoltas y apostolado de las columnas, con idéntica iconografía a la de la Coronería, de Burgos, aquí enriquecidas las arquivoltas con algunas escenas de santos y sus martirios. El colegio apostólico, con sus atributos pasionales, presididos por la Virgen coronada y con el Niño.

Reflejos de esta iconografía mariana leonesa pueden verse en la portada de la colegiata de Santa María la Mayor, de Toro. Con idéntica intencionalidad, las representaciones de Toledo y la de la misma catedral tarraconense.

Los santos. —Ya hemos hecho referencia a la aparición de los santos en los parteluces. Pero es que ahora —unas veces relacionándose con la presencia de sus reliquias en el templo; otras, como patronos del mismo— van a representarse en los tímpanos [16]. En este sentido, podemos citar aquí la representación del traslado de los restos mortales de San Froilán a la catedral de León, en una de las puertas de la misma. O escenas de la vida de San Saturnino, en la iglesia de su nombre en Artajona.

La escultura funeraria. —En las tumbas reales de Santiago de Compostela tenemos, aun en la estela de lo mateano, las representaciones de los difuntos recostados, ligeramente vueltos hacia el espectador. Cabeza de serie, según Moralejo, será la tumba de Alfonso IX; no sólo para las restantes de la catedral, sino para la difusión del tipo por Galicia y norte de Portugal [17].

En la catedral leonesa nos encontramos con el sepulcro del obispo D. Rodrigo (†1232), el primero con fecha cierta de una larga tipología que se extiende por tierras castellanas. Cajón fúnebre, con yacente, empotrado en el muro, bajo lucillo, es su forma. Se iconografía, en el fondo del arco, las exequias, y, sobre ellas, la crucifixión. La Virgen recoge en su copa la sangre redentora del Crucificado, símbolo evidente de vida eterna para el difunto —la misma idea del cáliz de la crucifixión del *Beato de Gerona,* en relación con el Adán muerto—. En el frontal del sepulcro, escenas de la caridad del difunto. El lenguaje formal es arcaico, pero su iconografía es acorde con el humanismo gótico —la caridad con los demás—. La misma temática fue empleada por un artista plenamente gótico en el sepulcro del obispo D. Martín, en la citada catedral leonesa.

En el monasterio de las Huelgas, los sepulcros de Alfonso VIII y su esposa marcan la transición entre la tumba totalmente decorada con motivos heráldicos y la historiada. Dos escenas se representan: el acto piadoso de la fundación del monasterio y el Calvario con los intercesores —la Virgen y San Juan—. Al comienzo del último cuarto de siglo, los maestros que trabajan en la catedral realizan un sepulcro, el de D.ª Berenguela

---

[16] En Amiéns, con motivo del traslado de las reliquias de San Fermín, éste se representa en el tímpano. En puerta secundaria, San Esteban, antiguo patrono de la catedral parisiense, también es reproducido.

[17] O.c., p.17ss.

(† 1279), en el que se programa todo un ciclo iconográfico de la redención de carácter mariológico —desde la anunciación hasta la coronación de Santa María [18]—. Paralelamente, se crea un tipo de sepulcro de carácter narrativo, pero de un marcado naturalismo, con escenas de actualidad; es decir, a las escenas de carácter escatológico se le añaden las de la muerte, colocación del cadáver en el féretro y ceremonia del entierro. Son ejemplos característicos los sepulcros de madera del monasterio de Vileña, el grupo de Carrión de los Condes y los soberbios de Villalcázar de Sirga.

La imaginería

Ya dijimos en el capítulo anterior cómo los prototipos románicos se van a mantener por inercia durante siglos. Sin duda, el naturalismo gótico se va a hacer patente; pero la producción de obras es tan artesanal, que su cronología resulta puramente convencional. Iconografías góticas son interpretadas con un léxico románico, y a veces viceversa.

La Virgen, con la afectividad de una madre, se relaciona con su Hijo. Por influencia de la escultura de carácter arquitectónico, en algunas ocasiones al conjunto se le añaden ángeles turiferarios o portadores de la corona: Virgen de Villalcázar de Sirga. Otras veces es portadora de una manzana o cualquier otro fruto, alusión directa a la antítesis con Eva, que ofrece al Niño como fruto de salvación (el de Eva fue la causa del pecado); aunque muy tardía, hacia 1300, y de manifiesto influjo francés, una de las más hermosas es la Virgen de Olite. En otras ocasiones, el fruto es sustituido por una rama o un cetro (referencias al anuncio profético o a su reino celeste: Virgen de Rocamador).

El Crucificado adopta la forma, cada vez más naturalista, del doliente. El Cristo de cuatro clavos es sustituido por el de tres; la anatomía intenta ser consecuente, y los brazos se flexionan y las piernas se doblan. Aunque superando el siglo, el Cristo de las Batallas, de la catedral palentina, bien pudiera ser una obra de calidad de un prototipo de inercia. Adjudicado al maestro Bertomeu, la catedral gerundense conserva un Crucificado pétreo de gran efecto. La adición de los intercesores podría tener un buen ejemplo en el sepulcro del infante D. Fernando de la Cerda († 1275), en el monasterio de las Huelgas. En el mismo monasterio se conserva un conjunto escultórico que representa el descendimiento; podría ser una dramatización, ya plenamente gótica, de algo que veíamos anunciado en Erill la Vall y San Juan de las Abadesas.

Pintura

Murales

Hemos citado, en el capítulo del protogótico, una serie de obras que entran dentro del siglo XIII, y que algunos autores estudian aún como

---

[18] En un sarcófago se sintetiza toda la iconología de la portada de una catedral.

románicas: Sigena o Uncastillo. En este período, la inercia del románico es muy evidente en lo catalán, donde los prototipos se mantienen durante toda la centuria. Las pinturas más novedosas no entran en el tema religioso; se refieren a las del Palacio Real Mayor, en Barcelona, y las del Palacio Aguilar, sobre la conquista de Palma.

En Aragón, junto a las obras ya citadas, debemos señalar, dentro de la tradición local, parte de un Pantocrátor, en Escó (Zaragoza). En Navarra serán las pinturas de Artaíz las que denuncien ese conservadurismo. En Castilla ya se han señalado el maestro del Cristo de la Luz o la serie de obras de Segovia capital.

Paralelamente a todas estas obras, al finalizar el siglo, las pinturas denuncian un cromatismo más suavizado, pero de una gran variedad merced a la combinación de los colores. Sin embargo, lo fundamental es la línea, que en ritmos suaves va diferenciando perfectamente el carácter narrativo de las figuras. Post llamó francogótica a esta pintura, con la misma intencionalidad de dependencia de lo galo que Torres Balbás señaló para la arquitectura. Otros autores, fijándose en lo meramente formal, la denominarán gótico lineal.

Para Fabián Mañas, uno de los conjuntos murales más antiguos del francogótico aragonés es el de San Fructuoso de Bierge, la mayor parte en el Museo Provincial de Huesca [19]. La iconografía de la época queda confirmada en el desarrollo narrativo de San Juan Evangelista, San Nicolás de Bari, San Fructuoso, San Auguro y San Eulogio. Lo mismo denuncia la interpretación del Calvario. La coronación de María es el tema de la ermita de la Virgen del Rosario, de Osia, hoy en el Museo de Jaca. Aunque muy estropeados, pueden ser de finales del XIII. Sin embargo, el conjunto más grandioso de la región está fechado en 1302: las pinturas, de carácter escatológico, de las tumbas de los fundadores de la iglesia de San Miguel de Foces.

En Navarra, las pinturas de Artajona conservan en su temática, muy mutilada, el viejo motivo apocalíptico; pero en su interpretación plástica se yuxtaponen formas góticas ultrapirenaicas a lo tradicional románico. Aunque muy estropeados, en el claustro de la catedral de Pamplona se pintan unas escenas que, arrancando en Jesé, terminan, tras las imágenes de la Virgen y la crucifixión, en la representación de la Trinidad. María del Carmen Lacarra las data entre 1290 y 1315 [20]. Temática y factura plástica denuncian la dependencia de un modelo miniado.

En Castilla, el estilo puede estar representado por el mural de una capilla de la catedral de Salamanca. La obra aparece firmada: Martín Sánchez de Segovia, y datada en la era 1300, que Gómez Moreno identifica con el año 1300 y no 1262 si se refiere a la era hispánica. El conjunto se dispone como si fuese un retablo, distribuyéndose figuras de santos y ángeles por hornacinas.

---

[19] *Pintura gótica aragonesa* (Zaragoza 1979) p.51ss.
[20] *Aportación al estudio de la pintura mural gótica en Navarra* (Pamplona 1974) p.154. La autora las considera una ilustración del *Himno de la cruz*, de Venancio Fortunato.

Pintura sobre tabla

Los frontales de Valltarga y Avía han marcado la transformación del románico. El esquema se va a mantener: imagen central y una narración muy prolija en las escenas laterales. El maestro que pinta el frontal de Suriguerola, dedicado a San Miguel, con un carácter ingenuo, nos muestra el espíritu narrativo del gótico con un tono arcaizante. Se puede emparentar su estilo con las pinturas murales de Bierge y Foces.

Junto a la inercia de frontales románicos aragoneses, eran ya francogóticos los dedicados a las vidas de Santa Eulalia y San Martín, en Javierre y Val de Osera respectivamente. Desaparecieron en 1936.

En Castilla, el sepulcro de D. Sancho Sainz de Carrillo desarrolla el tema ya visto en la escultura de las plañideras. Su factura caligráfica manifiesta cierta calidad en la definición de gestos y actitudes. Bien pudiera corresponder a fines del XIII.

La miniatura

No vamos a insistir aquí del paso de lo mayestático al naturalismo narrativo, todas esas características que han venido definiendo al gótico. La miniatura no se sustrae a todas esas peculiaridades. Y, concretándonos en su carácter pictórico, tendremos que hablar de una miniatura francogótica. El influjo de la miniatura francesa queda patente en la abundancia de modelos galos, tal como se desprende del testamento de Alfonso X, quien entre sus joyas destaca «los cuatro libros que llaman *Espejo historial,* que mandó facer el rey Luis de Francia», y «las dos biblias et tres libros de letra gruesa, cubiertos de plata, e la otra en tres libros hestoriada que nos dio el rey Luis de Francia». Sin embargo, el rasgo más significativo de la miniatura es la importancia de los *scriptoria* reales, el de Alfonso X y el de la casa real aragonesa. Los libros de temas profanos abundan, y el mayor número de obras de calidad corresponde a ellos.

Pero, sin duda, la producción excepcional son las *Cantigas,* de Alfonso X, realizadas por artistas hispanos formados en la miniatura francesa. De la obra conservamos cuatro manuscritos (Biblioteca Nacional de Madrid, dos en El Escorial y el cuarto en la Nacional de Florencia). El de mayor interés es el T.I.1 de El Escorial, considerado la obra maestra de la ministura medieval española. El contenido de la obra es la ilustración de uno de los temas básicos de la iconografía gótica: los milagros de Santa María.

Las biblias historiadas francesas no tuvieron eco en lo hispánico. De las romanceadas en época de Alfonso X, sólo una corresponde al siglo XIII, y ésta es muy parca en miniaturas: tan sólo trece (profetas y evangelistas). En el escritorio real de Cataluña, Berenguer Fullit, iluminador de origen catalán, concluyó, en el reinado de Jaime II, la ilustración de una biblia.

La única obra religiosa de interés es una Regla de San Benito, procedente de las Huelgas, depositada en el Museo Arqueológico Nacional. Su riqueza plástica reside en el carácter ornamental; lo historiado es muy breve.

Metalistería, telas y bordados

Las obras de metalistería siguen en la estela constituida por las señaladas en el capítulo del protogótico; muchas de ellas están dentro de este pleno siglo XIII. Su cronología es tan conflictiva por lo artesanal de su factura, que resulta más que problemática. La invasión de esmaltería lemosina es absoluta: arquetas de reliquias, cruces, etc.

La obra más importante del arte del metal de este período es, sin duda, la estatua funeraria del obispo burgalés D. Mauricio († 1238). Es de cobre dorado y esmaltado sobre un alma de madera. Sus formas algo toscas han sido consideradas por Sauerländer como el ejemplo de este prototipo de la toréutica lemosina [21], datando de los años cuarenta del siglo XIII. ¿Fue importada por el obispo durante su viaje europeo?

El bordado vuelve a tener en la catedral gerundense la obra de más categoría: un frontal dividido en tres registros de escenas cuadradas, donde se desarrolla un ciclo cristológico desde la anunciación a Pentecostés. Otros fragmentos bordados proceden de la catedral barcelonesa: mitra de San Olegario y cenefa de una casulla con figuras de santos en hornacinas. Serie de calidad corresponde a los bordados y telas procedentes de las tumbas reales de las Huelgas [22] y a los pendones regios.

II. EL GOTICO DEL SIGLO XIV

Algunos historiadores han denominado manierista al gótico de esta centuria. La intención es marcadamente peyorativa: quiere confirmarse en lo artístico la crisis social, humana, económica, que caracteriza el siglo. Sin embargo, como veremos, en la expresión hay algo de tópico. Ni artísticamente es negativa ni la crisis afectó a toda Europa, ni siquiera a la totalidad de la Península.

Históricamente, sabemos que es una etapa en la que la autoridad regia se pone en entredicho por problemas dinásticos: Francia e Inglaterra, en crisis continuada; Alemania, sumida en la anarquía política; Italia, convulsionada por las guerras civiles. En este torturado ambiente hace estragos la peste negra y el hambre producida por las malas cosechas. El problema se agudiza a nivel europeo por la presión, cada vez más acusada, de los pueblos orientales, tártaros y turcos. España no es ajena a todas estas vicisitudes: Castilla no escapa ni a las hambres, ni a la peste, ni al peligro de pueblos foráneos —los benimerines—; ni siquiera se libra de la crisis de la monarquía —las minorías reales y sus consiguientes referencias—. Pero en este mar de desolación existen islas donde la prosperidad permite no sólo conservadurismos culturales, sino auténticos florecimientos: la Alemania renana, Bohemia y Lombardía. Nuestra «isla» es Cataluña, y su vocación, mediterránea.

La dignificación de la vida humana y la autoridad real habían permi-

[21] SAUERLÄNDER, o.c., p.87.
[22] MANUEL GÓMEZ MORENO, *El panteón real de las Huelgas de Burgos* (Madrid 1946).

tido el desarrollo del gótico clásico. Otra vez, el hombre ve cómo el valor de su vida disminuye, y eso le lleva a una nueva mística; su vida religiosa se centra más y más en la devoción individual, en el contacto del hombre que reza con Dios y en la contemplación de la imagen del santo protector, que, como intercesor suyo —así se configuró en la iconografía del XIII—, le incita a la plegaria. Ese interés de unirse individualmente con lo sagrado lleva consigo la creación de miniespacios en el templo, las pequeñas capillas, donde pueda existir un mayor intimismo religioso.

Sin duda, uno de los fenómenos artísticos más definitorios de la centuria es la desaparición de la supremacía de la arquitectura como arte unificador de los demás. Pintura y escultura adquieren ahora su independencia definitiva del soporte mural, aunque esto no quiere decir que el antiguo concepto no se siga manteniendo, como inercia, paralelamente, pero en regresión. El retablo pintado o esculpido, partiendo de los antipendios románicos, adquiere un gran desarrollo, que va a tener su lugar en esas capillas, servirá de encuadre a la imagen aislada, provocadora de la devoción.

Se ha señalado que las publicaciones del *Romance de la rosa,* en torno a 1300, y la *Divina comedia* son hechos que han sido interpretados como factores vulgarizadores de la literatura. Análogamente, se ha indicado que en las artes plásticas se produce un fenómeno similar. Nuestro país manifiesta en el campo literario idénticas tendencias: *El libro de Patronio, El libro de buen amor,* la formación de los romanceros... Todas estas obras son, evidentemente,«populares» en cuanto al contenido y en cuanto a la aceptación lectiva. Ese mismo criterio va a imperar en muchas parcelas del arte; las formas del gótico clásico se van a recrear ahora por maestros de categorías inferiores, y la arquitectura gótica empieza a emplearse, aunque rústicamente, en la construcción de templos rurales. Y es precisamente en el siglo XIV, cuando el núcleo emisor —Francia— se ha paralizado, cuando se inicia la interpretación de las formas importadas y su adaptación a las tradiciones locales. Es, pues, para nuestro país, el momento de los casticismos; hay quien lo ha llamado de los cantonalismos artísticos. Sin embargo, no puede haber el más mínimo sentido despreciativo hacia un arte que comprende el gótico catalán o todas las interpretaciones castizas que se denominan mudéjares.

ARQUITECTURA

Conservadurismos, popularización y nuevas tendencias

Desde luego es evidente que en el campo de la arquitectura se van a recrear los logros del período clásico. Tal como se acaba de decir, aplicando a nivel de construcción popular lo que había sido exclusivo de las grandes catedrales, es precisamente ahora cuando se pone fin a la inercia románica. Y se inicia el lenguaje arquitectónico, que no ha sido experimentado a nivel popular, y que, cuando se aplica, ya es, en cierta manera, también arte de inercia. El léxico empleado en estos edificios es rudo en lo popular y amanerado en lo selecto. Lo novedoso a este nivel es el empleo de bóvedas de múltiples nervios, cuya difusión favoreció la tendencia a complicar y enriquecer las formas puramente arquitectónicas con fines decorativos. De esta tendencia surgirá la bóveda estrellada; una de las más antiguas existentes cubre la sala capitular de la catedral de Burgos, construida entre 1316-1354. Otros lexemas de este lenguaje arquitectónico: los arcos aumentan su apuntamiento; el gablete describe un triángulo isósceles; los elementos sustentantes, como los pilares, se estructuran, en función de su vertebración, en un sinnúmero de columnillas, aunque también hay tendencia a adelgazarlos en busca de una estética de una mayor altura, acentuando la sensación visual de la verticalidad; los vanos se complican en sus tracerías; los elementos definidores se van haciendo cada vez más estrechos y se difunden triángulos curvilíneos y trifoliados (ya habían aparecido a finales del XIII).

Afectando no a elementos concretos, sino a espacios y efectos lumínicos, hemos de analizar brevemente la proliferación de capillas laterales y el problema de la desmaterialización del muro.

Aludíamos antes a la necesidad espiritual de un espacio más «intimista» para escapar del «tráfago» que empieza a haber en las grandes iglesias —las gentes comienzan a acudir a todas las horas y hay múltiples funciones litúrgicas, a veces simultáneas— e inclusive un progresivo uso social del templo. El templo ha dejado de ser sólo la *ecclesia,* es decir, el lugar de la asamblea de los cristianos, y comienza a manifestarse en una doble dimensión: la nave central, para la reunión eclesial —limitada en las iglesias españolas por la ubicación del coro—, y las naves laterales, con sentido itinerante, no litúrgico, como en el período carolingio, sino de distribución de ese «tráfago», del que se puede salir para aislarse en la capilla donde se encuentra el intercesor de nuestra devoción —Jesucristo, María o cualquier santo—. Otras veces, la capilla a la que acude el fiel del siglo XIV responde a necesidades funerarias. La historia del enterramiento de los cristianos españoles nos dice cómo, a partir de finales del XII, se empieza a enterrar en el interior de los templos. En el XIII aún era excepcional; lo normal es el pórtico o el claustro, en las personas de calidad espiritual o material; el resto, en el atrio. Durante el siglo XIV, el alto clero, la nobleza y la burguesía consiguen, cuando ya todos los fieles han logrado enterrarse en el interior del símbolo material de la Jerusalén celeste, ocupar puesto de excepción en el templo. Los antiguos lucillos funerarios se abren en capillas particulares de igual índole. Entonces hay parte de esos fieles que acuden a su propia capilla, en la que tienen enterrados a sus seres queridos y sus imágenes devocionales. Pero también se podía llegar al uso de una de estas capillas formando parte de una corporación, gremio o cofradía. Artesanos, cofrades, etc., dedicaban a su santo patrono una capilla, que era de su uso exclusivo. Como acabamos de ver, su funcionalismo era muy variado; pero ¿cuál fue su origen? Realmente, la respuesta ha de ser compleja, pues las justificaciones dadas pueden ser muy diversas. Limitándonos a los precedentes inmediatos [1], veremos en las órdenes rigoristas del XII y el XIII sus primeras manifestaciones. Los cistercienses, necesitados de lugares para que celebrasen sus numerosos monjes, colocan altares en los muros laterales, y éstos originaron el desarrollo de capillas. En los templos mendicantes del XIII, ya vimos cómo cada tramo del templo conlleva la presencia de capillas laterales. Se ha dicho que las primeras capillas con carácter funerario en el gótico español arrancan del período de Jiménez de Rada. Sea lo que fuere, en ellas está el germen que terminará arruinando la visión de las fachadas unitarias de los templos.

Otro problema es un movimiento paradójico que se produce ahora en la interpretación del muro. Una serie de edificios vuelven al tratamiento preferencial del paramento sobre el vano. Por el contrario, arrancando de la catedral de León, otro grupo de iglesias prosigue en la tendencia desmaterializadora del muro, fundiendo ventanas y triforio, duplicando de esta manera la diafanidad del templo. En este sentido, los vanos se van alargando desmesuradamente.

Problema importante supone la creación de los llamados templos representativos de una etnia —la iglesia mudéjar— de un contexto geográfico-cultural: la llamada iglesia catalana. Sobre la primera se hablará en capítulo aparte, de la segunda intentaré responder en el apartado siguiente.

Cataluña

La arquitectura gótica catalana tiene su esplendor durante el siglo XIV; ya hemos hecho referencia a esa situación económica, que va a permitir el desarrollo de la mejor arquitectura hispana del siglo. Los templos catalanes responden, fundamentalmente, a una tendencia inexplicable hasta el momento, pues las razones de pervivencia en el área mediterránea de esta característica no resulta convincente del todo: la diafanidad espacial. Sea cual fuere la planimetría del edificio, se procurará por todos los medios la tendencia al espacio unitario y etéreo. Cuando responde a unos condicionamientos basilicales, al aligeramiento de los soportes, de tal manera que a veces el pilar ocupa el espacio de un fuste, la inclinación a igualar casi en alturas las tres naves confiere al espacio interior la unidad citada. Esta concepción espacial no es una exclusiva de lo catalán, ni siquiera de lo mediterráneo; por la misma época, y con antecedentes en los primeros años del siglo XI [2], Alemania desarrolla las *hallenkirchen*, de idéntica intencionalidad de espacio único.

La planta basilical y las grandes catedrales

Lo normal era el templo de nave única; pero, como se ha dicho repetidas veces, el orgullo de la poderosa burguesía catalana quería tener gran-

---

[1] El origen de capillas laterales con respecto a las naves habría que remontarlo a funciones martiriales de época paleocristiana. Durante el período carolingio su desarrollo en torno a las criptas anulares fue importante, y su transcendencia en los primeros deambulatorios del primer románico, más que evidente.

[2] San Bartolomé de Paderborn.

des templos de tres naves y girola con capillas, como en Castilla, y, sobre todo, según el uso de lo francés. Para ello importa, para las catedrales de las principales ciudades, prototipos basilicales languedocianos y provenzales. Pese a la extranjería de estos modelos, se irá imponiendo esa interpretación de lo basilical que acabamos de señalar, aproximándolo a la tradición local.

La catedral de Barcelona.—Se comenzó en el año 1298 por un maestro llamado Beltrán Riquer. En el año 1317 dirigía las obras Jaime Fabre, a quien se debe la cabecera con girola y capillas y el crucero —dependiente de lo francés—. Se dispusieron después las naves en el sentido de planta de salón y seis tramos, conforme a la tendencia *hallenkirchen* antes indicada. Su arquitecto debió de ser Bernardo Roquer, que comenzó el claustro en 1382. A él se debe la idea de colocar tribunas encima de las capillas laterales de las naves, con lo que oscurece el interior. El «fetichismo por lo francés», indicado por Chueca, les llevó a colocar un «desdichado triforio, que corre agobiado por las bóvedas» [3], por cuya causa se reducen las luces de la nave.

La catedral de Gerona.—Comenzada en 1312 por un maestro Enrique. En 1321 fue sustituido por Jacques Favran, «magistrum operis ecclesiae narbonensis». Pese a su titulación, realiza para la sede gerundense una cabecera gemela a la barcelonesa. A fines de siglo se interrumpen las obras. Ya en el siglo X, tras una larga deliberación entre distintos criterios, triunfa la idea de continuar la cabecera del templo con nave única, por ser no sólo más económica, sino más *solemnior*. Podría interpretarse esta medida como el triunfo de la nave única del templo típico catalán.

Pero ya la tradición catalana había asimilado esta planimetría basilical en la iglesia de Santa María del Mar un siglo antes. Se comenzó el templo, según inscripción, en 1328; cincuenta y cinco años después se abovedaba en su totalidad. La iglesia era de planta de salón, de tres naves; las laterales, rodeando el presbiterio a modo de girola. Por cada tramo, tres capillas laterales. Triunfa en este templo la idea del espacio unitario. Las torres corresponden al siglo siguiente. Relacionable con la solución de las naves y cabecera de esta iglesia son las catedrales de Manresa y Tortosa, comenzadas en esta centuria, pero de prolongadísima construcción; no se concluyeron hasta el XVI y XVII respectivamente, lo que ocasionó grandes diferencias en las superestructuras.

La catedral de Palma.—Comenzada a construir en los primeros años del siglo XIV, en 1348 se consagró el altar mayor. Casi cuarenta años después se comenzaron a cimentar los pilares de la nave. La última consagración es del siglo XVII. Por su tamaño sólo es superada en dos metros por la altura del coro de Beauvais. Planta rectangular de salón, con tres naves, pilares octogonales y dos capillas laterales muy altas por tramo. Cabecera en tres escalones de planos rectos. La cubierta muestra las típicas terrazas provenzales.

---

[3] FERNANDO CHUECA GOITIA, *Historia de la arquitectura...* p.395.

Iglesias de una nave

Son las que mejor definen el espíritu de diafanidad del gótico mediterráneo. Enlazando con los templos mendicantes del siglo anterior, la capilla de Santa Agueda, en el Palacio Real barcelonés, es el ejemplo más antiguo del siglo. Nave única, con arcos diafragmas para sostener la cubierta de madera. Presbiterio poligonal de cinco paños, con bóveda de seis nervios.

Superado el primer cuarto del siglo (1326), se funda, por Elisenda de Moncada, la obra más importante de esta tipología: la iglesia del monasterio de Pedralbes. Tiene siete tramos y ábside heptagonal, constante numérica en lo catalán. Se cubre totalmente con crucería —como será usual a partir de ahora— y se le añaden capillas laterales en los tres primeros tramos, no a los pies, pues está destinado a coro de las monjas. Del mismo tipo son las iglesias de Nuestra Señora del Pino y Santos Justo y Pastor, de siete tramos y ábside heptagonal y cinco y pentagonal respectivamente.

Navarra

El templo gótico en Navarra adopta tres prototipos bien definidos.

Iglesia de una nave, dependiente de Tolosa.—Siguen el modelo de la nave de la catedral de Tolosa. La más antigua del grupo, Santa María la Real, de Olite. Consta de cuatro tramos de una nave única y ábside poligonal más estrecho. Con cinco tramos, se repite el modelo en Artajona. En San Saturnino, de Pamplona, varía la cabecera, que está constituida por tres ábsides poligonales. En este templo existen dos capillas a modo de transepto.

Planta cruciforme.—Partiendo de un modelo afrancesado, se crea un tipo que va a arraigar en la tierra durante siglos. Inspirándose en las capillas a modo de transepto de San Saturnino, se configura en iglesia de una nave; el crucero, el ya señalado; con gran frecuencia, dedicado a sacristía y coro; rara vez torre. Suelen tener cabecera plana, como San Martín de Itoíz y de Orbaíz, en el valle de Longuida; o cabecera poligonal, iglesia de Muñárriz. Son estos ejemplos cabeza de serie [4].

Planta basilical.—En 1367 se inician las obras de la iglesia de Santa María de Viana; como la catedral pamplonesa, será de tres naves, con capillas laterales y cabecera poligonal, después transformada en girola.

El País Vasco

La dependencia de Vitoria de la monarquía navarra, y en período de formación los principales edificios de la región, hace que éstos denuncien analogías con lo navarro.

Santa María de La Guardia pertenecía a Navarra desde su fundación y fuero en 1169; en 1461 pasa a Castilla y en 1486 es incluida en la hermandad alavesa. Sin duda, esto justifica la identidad con el templo de Viana, en Navarra.

---

[4] José Uranga Galdeano y Francisco Iñiguez Almech, *Arte medieval navarro* vol.4 p.174ss.

Vitoria había estado bajo la hegemonía navarra entre 1366 y 1413, justamente cuando se debió de iniciar la catedral, según Lampérez. Aunque en la actualidad se prefiere adelantar su construcción a principios de siglo [5]. Iglesia de tres naves, de cinco tramos desiguales. Crucero de una nave, a la que se abrían dos capillas a cada brazo. Cabecera con girola y corona de tres capillas. La cabecera y el triforio, estrecho como ándito —0,56 m. de anchura—, recuerdan las formas navarras. Este tipo de triforio caracterizará lo vasco, y su precedente hay que buscarlo en los pasados de la arquitectura civil de la Navarra del siglo XIV.

El mismo triforio aparece en la iglesia de San Pedro de Vitoria y en la colegiata de Santiago de Bilbao. Esta última levantada a finales del XIV; de planta de salón de tres naves y girola con capillas.

Castilla

Se continúan las obras iniciadas en el siglo XIII. Las grandes catedrales van concluyéndose lentamente. En Avila se terminan las obras catedralicias; la desmaterialización del muro es muy acusada. La torre de la catedral toledana debió de comenzarse antes del año 1379.

La importancia que tuvo la catedral burgalesa se puede percibir todavía en la secuela de edificios que están en su secuencia. La más importante, sin duda, la cabecera de la catedral de Palencia, comenzada en 1321. El prototipo, de tres naves, con tres capillas poligonales paralelas en la cabecera, siguiendo forma híbrida entre la sede burgalesa y lo cisterciense: Santa María la Antigua de Valladolid y San Hipólito de Támara.

Las iglesias mendicantes

Anunciadas sus características al tratar de sus orígenes en el capítulo anterior, hablaremos ahora de su dispersión geográfica [6].

Salvo Galicia y Cataluña, la ruina de los edificios de franciscanos y dominicos del XIV es generalizada: San Francisco, de Atienza; Santo Domingo, en Estella; San Francisco, de Palencia; San Francisco y San Pablo (dominico), de Sevilla.

El tipo de iglesia franciscana gallega, adoptado también por los dominicos, es, pues, de planta de cruz latina —nave de crucero y otra longitudinal—, totalmente cubierta de madera, salvo bóvedas, de crucería sobre los ábsides poligonales de la cabecera. Siguen esta forma: la desaparecida iglesia de San Francisco, de Santiago; las de San Francisco, de La Coruña, Betanzos, Lugo, Pontevedra, Orense, Vivero y Ribadeo; y las de Santo Domingo, de Lugo, Pontevedra y Tuy. Dentro de esta tipología general, acusan mínimas variaciones: cimborrio central, cubierto con madera, las iglesias de San Francisco, de Betanzos; San Francisco y Santo Domingo, de Lugo, y San Francisco, de Pontevedra y Orense; una sola capilla: San

---

[5] *Catálogo monumental de la diócesis de Vitoria* t.3 (Vitoria 1970) p.81ss.
[6] MARÍA JOSÉ DEL CASTILLO UTRILLA, *Tipología de la arquitectura franciscana española desde la Edad Media al Renacimiento:* Act. del Congr. Int. de Hist. del Arte (Granada 1973) I p.323-327.

Francisco, de Vivero; por el contrario, cinco capillas, Santo Domingo, de Pontevedra[7]. Claustros y dependencias conservadas corresponden al siglo XV.

En Cataluña, la iglesia de nave única que vimos surgir en el XIII, que ahora es adoptada por el clero regular, es la utilizada en San Francisco, de Palma de Mallorca. La novedad, de cabecera heptagonal y cinco capillas radiales. Posee uno de los claustros góticos en galería más hermoso de España. Comenzóse, como la iglesia, a fines del siglo XIII. El mismo modelo de iglesia de nave única con capillas, San Francisco, de Villafranca del Panadés.

ARTES FIGURATIVAS

Nuevos planteamientos

En la introducción hemos apuntado la importancia decisiva que va a tener la aparición de la capilla lateral por efecto de las manifestaciones devocionales del individuo. La transcendencia de este fenómeno es fundamental para comprender la revolución que va a sufrir no sólo la iconografía en sí, sino el propio acto de su lectura. La capilla conlleva la creación o adaptación para ella de una imagen concreta —Cristo, María o cualquier santo—; es ésta una de las causas del gran desarrollo de la imaginería; sobre todo, adquiere plena carta de naturaleza el santo, que hasta ahora era, como imagen aislada, bastante secundaria (podría decirse que su gran relevancia arranca de su papel de intercesor en la portada gótica del XIII). La desaparición del sentido unitario de la arquitectura produce el desarrollo del retablo, tanto pictórico como escultórico. Sin embargo, pienso que la crisis de la portada exterior y la importancia de la visualización interior de los mensajes iconográficos reside en el nuevo funcionalismo del templo. El entorno pierde carácter con relación del uso interior; me refiero a esa nueva ambulación que se produce por dentro: las gentes en busca de su capilla, donde cofrades o asociados gremiales llegan incluso a tener reuniones de carácter no estrictamente religioso. Aquí puede estar la causa de que ahora los mensajes se adecúen a los trascoros, por ser éstos lugares de tránsito.

La nueva mística implica un mayor naturalismo, que, en líneas generales, comienza a alcanzar un gran dramatismo en las imágenes del Crucificado según avanza el siglo. El lenguaje formal del resto de los iconogramas debe ser lo suficientemente elocuente para que provoque en sí mismo la devoción de las gentes. Paralelamente, la imagen de la Virgen representa —salvo en la pasión, ya mediado el siglo— todo lo contrario; sobre todo cuando se efigia con el Niño o sola, se la dota de unas formas suaves y elegantes, que le confieren un aspecto sereno y agradable, que resulta, por camino distinto al dramatismo, de un gran atractivo piadoso.

---

[7] J. María Caamaño, *Contribución...* p.16.

Hablemos ahora algo sobre los artistas. Estos se habían ido introduciendo en sus propias obras: Mateo se efigiaba y firmaba su producción como algo casi excepcional. A partir de los últimos años del siglo XIII, el artista ha tomado tal carta de naturaleza, que su figura ha quedado perfectamente definida. El análisis de una obra artística se enriquece con el conocimiento directo del autor y su personalidad. Este ocupa un lugar en la sociedad según su capacidad no ya artesanal, sino como productor de un fenómeno estético. Ha dejado de pulular fundamentalmente en el entorno eclesiástico, y sus talleres se aproximan a los nobles y burgueses, que ya no sólo le encargan obras de finalidad religiosa, sino que ahora el uso laico ha progresado. No son ya los artistas que trabajan para el rey, como los de los escritorios reales del XIII, sino que también las clases altas se van beneficiando para su provecho particular. A nivel anecdótico, diré que nos encontramos con la segunda mujer en la nómina de los pintores españoles: Teresa Díaz firma las pinturas del convento de clarisas de Toro, en los primeros años del siglo XIV.

El retablo y la pintura mural

La desmaterialización del muro había asestado un duro golpe a la decoración con murales. Vamos a ver en este siglo su progresiva decadencia en favor del retablo. Este alcanza tal importancia, que cuando, por cuestiones económicas, se realizan murales, reproducen las formas estructurales del retablo. Lo acabamos de ver en las pinturas de Antón Sánchez de Segovia en la catedral de Salamanca (1262-1300).

El retablo gótico tiene su origen inmediato en los frontales románicos en cuanto a su forma, pero no se relaciona con ellos en la disposición de su iconografía. Tenemos que diferenciar dos tipos fundamentales de retablos: el llamado mayor y el retablo secundario.

El primero tiene toda la importancia iconográfica que en el siglo XIII tuvo la portada de la catedral, salvo matizaciones temáticas que caracterizan el siglo XIV: desaparición progresiva de la idea de juicio, sustituida por la redención en la plenitud de la eucaristía; presencia del Crucificado y dualidad icónica de María.

En la tabla principal —por su tamaño y colocación central, la misma del parteluz—, la Virgen en Pentecostés —la mejor imagen que puede resumir la idea del XIII de María presidiendo el colegio apostólico—; otras veces, simplemente como Madre de Dios. Sobre esta tabla, otra con su coronación; en la cumbrera, la crucifixión. Sustituye al Cristo mostrando sus heridas y juzgando a los hombres; en el Calvario puede haber varios personajes, pero no faltan María ni Juan; siguen siendo los intercesores, pero han perdido la actitud de súplica de la Coronería, por ejemplo. Decíamos que generalmente desaparecen las escenas del juicio, condenados, ángeles trompeteros convocando a la resurrección, etc. La sangre de Cristo, a veces recogida en un cáliz, como la vimos aparecer en la miniatura del X, y que se va a difundir en la iconografía funeraria del XIII, ahora sirve de nexo en la narración con distintas escenas de carácter eucarístico [8]. Según avanza el siglo y la narrativa plástica se va dramatizando, abajo, en la predela, se representa el santo entierro o la *Piedad* —uno de los ejemplos más hermosos es la tabla de la *Piedad* de Luis Borrasá (1411), en el retablo de Pedro Serra, en la colegiata de Manresa (1394)—. La imagen sustituye al Varón de dolores, flanqueado por mártires y apóstoles con la palma del martirio o el símbolo de su pasión —recogiéndose aquí otro de los motivos de la interpretación iconológica de la portada—. En los retablos más antiguos conservados y después en cualquier cronología, la predela puede estar ocupada por bustos de personajes del Antiguo o del Nuevo Testamento relacionados con las escenas recogidas en las calles superiores —profetas, mártires, apóstoles, etc.—. En los registros laterales, el desarrollo de la redención. Generalmente, las escenas del Antiguo Testamento han desaparecido, salvo las alusiones a las figuras en retrato de los profetas; la historia de la redención comienza con la anunciación. La progresiva desaparición de los prototipos veterotestamentarios [9] va a ser sustituida por el desarrollo del ciclo cristológico y motivos posteriores de la difusión del mensaje de la redención diaria por la eucaristía —escenas de la pasión de los apóstoles, santos, milagros relacionados con la hostia, etcétera—. Parece lógico pensar que el sustituir el juicio final por el valor eucarístico está plenamente justificado, porque el retablo se convierte en el gran marco de la mesa del altar, donde la redención se renueva diariamente en la eucaristía.

La imagen de María que preside el retablo corresponde siempre a una manifestación idealizada de su belleza, inclusive en su juventud; sería lógica ésta si aparece con el Niño en brazos, pero también se da en Pentecostés. Todo lo contrario cuando se la representa en la *Piedad,* donde se cargan las notas de patetismo. Empezándose a manifestar ahora la Virgen dolorosa: pinturas del claustro de Pamplona, realizadas por Juan Oliver.

Hemos hecho referencia a la importancia intercesora de los santos a partir del siglo XIII. Al igual que alcanzan el mainel de una portada, llegan a ocupar la tabla principal de un retablo. En muchas ocasiones se reproduce la imagen del patrono del templo. Salvo que se le añaden escenas propias de la vida de ese santo, el resto de las imágenes no suelen cambiar.

Los retablos secundarios varían sobre la ubicación a la que van a ser destinados. Por ejemplo: si un gremio encarga un retablo de su santo patrono, generalmente éste ocupa la tabla central, y, a los lados, escenas de su vida. El carácter narrativo puede llevar a que entre estas escenas se representen alusiones directas o la relación, generalmente fabulosa, del santo con el oficio. Pero lo normal es que desaparezcan escenas evangélicas de toda índole. Así en el retablo de San Pedro Mártir, procedente de Sigena. Si el retablo secundario va a servir para capilla de un santo deter-

---

[8] Los retablos del XIII con características góticas volvían a dar importancia a la santa cena como institución eucarística. El retablo de Vallbona de las Monjas (1300) nos muestra un ciclo mariano relacionado con la eucaristía.

[9] En el siglo XV se volverá a ellos, pero generalmente se transmiten en un lenguaje plástico convencional —grisallas por ejemplo—, para indicar que corresponde a otro tiempo.

minado, pero sigue relacionado con un altar de uso general, se mantiene siempre la Crucifixión en la espina [10].

A continuación haré unas breves referencias a los dos estilos pictóricos que caracterizan el siglo y su difusión geográfica.

El gótico lineal o francogótico

Ya lo definimos en el capítulo anterior: tiene un carácter rigurosamente bidimensional, conseguido mediante una factura puramente califráfica.

En Cataluña, las pinturas murales de un refectorio de la catedral leridana representan lo más significativo del estilo. Se reproduce un banquete a pobres y peregrinos. En el apartado de los frontales, procedente del monasterio de Vallbona de las Monjas, se conserva uno que, aunque en la forma de distribución de sus escenas es aún románico, denuncia una factura francogótica, datable hacia 1300.

En Aragón ya hicimos referencia a murales como los de Foces u Osia. Conjunto importante lo constituyen las iglesias de San Miguel y San Juan de Daroca —en la primera, el tema principal es eucarístico—. La pintura sobre tabla tiene su primera obra fechada en 1325; la silla abacial de Sigena, con representaciones de dos santas de ademanes sueltos y elegantes. Pero la obra más importante es la techumbre de la catedral turolense, en torno a 1300; aunque hay escenas referentes a la pasión, los aspectos laicos abundan.

Navarra tiene, en las dependencias del claustro de su catedral, la obra firmada por Juan Oliverio en 1330. Se representan escenas de la vida pública de Jesús y de la pasión. Como indicamos, es uno de los casos en que se imita la distribución en espacios propios de retablo. El estilo, aunque dentro de la más pura forma linealista, denuncia dependencia de lo inglés. Es importante la caracterización de actitudes dramáticas, como el grupo de las santas mujeres en el Calvario. El arte de este artista se extiende en posibles discípulos, como el maestro de Olite o el maestro Roque, que firma unas escenas hagiográficas en la iglesia de San Saturnino, de Artajona. La pintura sobre tabla navarro-alavesa tiene su obra más importante, y, a su vez, confirma la pervivencia del estilo a fines del XIV, en el encantador retablo de D. Pedro López de Ayala y su mujer, donado al monasterio de Quejana en 1396.

Castilla concluía el siglo XIII con uno de los murales más definidores del francogótico: el de la capilla de San Martín, de la catedral de Salamanca. Ya hemos aludido a Teresa Díaz, que pinta unos murales de motivos hagiográficos y eucarísticos para las clarisas de Toro. Relacionables con ellas, las pinturas de la iglesia de San Pablo de Peñafiel, que forman un retablo en el que se exponen episodios de Santa María Magdalena.

---

[10] Los donantes suelen aparecer representados en estado devocional ante la escena principal o el intercesor.

Los maestros italogóticos

A mediados del siglo se inicia por toda España una nueva tendencia pictórica que corre paralela a la anterior y que terminará con ella: la pintura de influjo italiano. Está justificado este influjo por el traslado de la corte de los papas a Aviñón, con la consiguiente irrupción en Francia de pintores italianos. Desde lo francés, se expande por Europa. Sin embargo, en España el camino de penetración más directo es Cataluña, que de manera multisecular está vinculada a lo italiano. Se inicia en lo catalán muy pronto, hacia 1330, y se mantendrá hasta mediar el XV. Se caracteriza esta pintura por la valorización de los efectos especiales mediante la aplicación de rudimentarios principios de perspectiva y un mayor conocimiento anatómico en lo plástico, conseguido por medios coloristas mejor que lineales.

La mera nómina de artistas conocidos y con obras firmadas superaría la extensión de este trabajo; por ello voy a intentar sintetizar en varios maestros representativos las tendencias más importantes.

Reino catalano-aragonés. —Se justifica la influencia italiana no ya por los factores indicados, sino por la presencia de pintores catalanes formados en Italia. El influjo sienés es evidente en todo lo catalán. Ferrer Bassa decora, entre 1345-1346, una capilla del monasterio de Pedralbes, en la que se manifiestan estas influencias italianas —dramatismo giottesco, ciertas notas paisajísticas— por primera vez. Ramón Destorrents es el maestro más importante de la segunda mitad del siglo. La influencia sienesa en su obra se hace patente en la bella figura de Santa Ana, del retablo de la Almudaina, de Palma. Los Serra, discípulos del anterior, especializados en pinturas para retablos, muestran en sus figuras unas actitudes dramáticas, tiernas y contemplativas, muy distintas a las de Bassa. En la Virgen de Tobed, con los retratos de Enrique de Trastamara y su familia, pintado por Jaime Serra hacia 1373, se muestran sus dotes realistas.

Baleares. —En sus contactos con Italia se separa de la vía indirecta de lo catalán; los nexos comerciales son continuos. La familia de los Mayol constituyen el taller más destacado de las islas. Con ellos se relaciona la obra de Santa Margarita de Muro, con referencias sienesas.

Valencia. —La influencia de los Serra se hace manifiesta en obras de maestros secundarios. A finales de siglo se documenta la presencia de pintores italianos como el Starnina. Una de las obras más significativas será el maestro de Villahermosa, de fines del XIV, que en el retablo de la Virgen nos muestra la iconografía de la Virgen de la Leche.

Castilla. —Predomina la influencia florentina merced a la actividad de Gerardo Starnina (1374-1386). Con su estilo se han relacionado las pinturas del retablo de la capilla de San Eugenio, procedentes del antiguo retablo mayor de la catedral toledana. La citada influencia italiana la denuncian los murales de la capilla de San Blas, de la misma catedral, con cuyo autor se relaciona uno de los más importantes retablos de Castilla: el de D. Sancho de Rojas[11]. El influjo florentino, siguiendo la expansión natural del arte castellano, se prolonga por Andalucía.

[11] MARÍA DE LOS ÁNGELES PIQUERO, *Relación del retablo del arzobispo D. Sancho de Rojas con la capilla de San Blas, de la catedral de Toledo, y sus influencias italianas;* Act. del Congr. Inter. de Hist. del Arte (1973) I p.441ss.

Navarra. —A mediados del XIV comienzan a llegar a Navarra las primeras corrientes italianas, venidas no de lo catalán, sino de Aviñón. Como siempre, se inician en las obras del claustro pamplonés; la producción más importante será el monumento sepulcral del obispo Miguel Sánchez de Asiaín. La miniatura de este período se manifiesta bajo las dos tendencias pictóricas que acabamos de referir. Pintores como Ferrer Bassa ilustraron libros de horas. Las principales catedrales mantienen sus *escriptoria,* pero la producción de carácter religioso conservada no es de importancia. Es el apogeo de la miniatura, realizada por talleres reales y, sobre todo, de temática profana, aunque en alguna ocasión entre estos iconogramas aparezcan imágenes cristianas.

ESCULTURA

Maestros y tendencias estilísticas

Ya hemos ido anunciando una serie de características del estilo que definen el siglo XIV que son aplicables también a la escultura. Precisaremos que los conjuntos esculpidos tienden a hacerse más expresivos; tratamiento especial para las actitudes, acentuándose los diferentes estados emocionales. Desde el siglo XIII, el influjo de las obras de eboraria va haciendo que las figuras adquieran unas formas incurvadas, gráciles y elegantes.

En los reinos occidentales destaca el foco toledano, donde se aprecian todavía influjos de lo francés a través de Burgos; por ejemplo: se imita las esculturas de la pareja real del claustro burgalés en las figuras del trascoro toledano. Un arte de síntesis que participa de lo italiano —los Pisano— y aun de la estela del «estilo sonriente» remense, se aprecia en la puerta del Perdón, ya próxima al estilo del gótico internacional.

Mientras que Galicia tiende hacia arcaísmos rayanos con lo primitivo —sepulcro de Fernán Pérez de Andrade—, Burgos y León se mantienen en la inercia de los grandes talleres escultóricos del XIII. En Alava florece una escultura de cierta calidad en las portadas de los templos catedralicio y de San Pedro. Hay una cierta tendencia a considerar estas obras como influjo germánico.

Navarra inicia la escultura de este siglo con una obra de marcado carácter arcaizante, inclusive reminiscencias románicas: la portada de Santa María de Olite, datable hacia 1300. En el claustro pamplonés se desarrollará durante todo el siglo una escultura de un acusadísimo sentido naturalista en capiteles y claves. Las puertas que se abren a sus pandas denuncian diferentes influencias, siendo la más significativa la germánica, en la llamada puerta del Amparo; concebida con una talla más profunda, buscando un fuerte claroscurismo, puede iniciarse aquí el paso a la escultura del XV. Este estilo de acusado bulto se manifiesta en la epifanía a los Magos, del mismo claustro, del escultor Jacques Perut.

En el reino catalano-aragonés nos encontramos con una larga nómina de escultores. La influencia italiana se hace patente en el movimiento estilístico, paralelo al de la pintura: la urna de Santa Eulalia, de la catedral barcelonesa, fue importada de Italia y acusa el arte de los Pisano; obra peninsular, pero denunciando italianismos, es el sepulcro del arzobispo Juan de Aragón, en la catedral tarraconense. Relacionados con los retablos pintados en torno a Lérida y Gerona se crean dos talleres de escultores, que los harán pétreos: estatua del titular exenta y registros relicarios para las escenas. Surge de estos talleres el nombre de Jaime Cascalls, autor del retablo de Cornellá de Conflent. Participó con el maestro Aloy en los supulcros de Pedro IV el Ceremonioso y sus tres esposas. Su estilo, próximo a las formas del gótico internacional, viene a ser una síntesis de la elegancia francesa, la monumentalidad italiana y el dramatismo germánico. En este último sentido, el Museo de Arte de Cataluña conserva una cabeza de Cristo del más encendido patetismo. En el citado Museo hay un supuesto retrato de Pedro el Ceremonioso, con caracteres de individualización. El maestro Aloy realiza el retablo de la llamada capilla de los Sastres, por el que se le pagaron 60 libras barcelonesas en el año 1368, donde se muestra la dependencia de la obra de Cascalls. Ya a fines del XIV, Pere Moragues es el autor del sepulcro del arzobispo Fernández de Luna, en la parroquieta de la seo de Zaragoza.

Algunos aspectos iconográficos

Serán válidas para la escultura todas las referencias iconográficas que hemos hecho para las restantes artes figurativas. Señalaremos aquí algunas tendencias particulares de la escultura.

El conservadurismo iconográfico se manifiesta en los focos toledano, vitoriano y pamplonés: la portada del XIII sigue realizándose. Tiene como protagonista fundamental la Virgen, pero el programa no manifiesta ya la claridad del siglo anterior. Se aprecia que es un tema que en conjunto está perdiendo vigencia. En las puertas occidentales de la catedral vitoriana se ha trastocado la ordenación clásica. La puerta central aún conserva en el mainel, presidiendo el colegio apostólico, la Virgen con el Niño. Pero en el tímpano no se desarrolla la escena del juicio, sino la glorificación de María en toda una confusa sucesión de imágenes: primera faja: anunciación, visitación, anuncio a los pastores y epifanía a los Magos; segunda faja: Pentecostés y escenas de la muerte de María; tercera faja: Cristo recibe a la Virgen y entrega del cíngulo a Santo Tomás; cuarta faja: coronación de la Virgen. Vemos aquí cómo se confunden los temas de la encarnación con los simplemente de la glorificación, y en los que se incluye temática nueva, como la de Santo Tomás. El tema del juicio, que tendría que ir en la central, pasa a una puerta lateral, y en ella se introduce la iconografía de San Ildefonso, mientras que la puerta izquierda es utilizada para escenas hagiográficas.

La iconografía de los sepulcros, siguiendo en la línea naturalista iniciada a finales del XIII, llega a insistir en temas de gran dramatismo, como es la cada vez más reiterada presencia de los monjes plañendo. Las escenas exequiales adquieren un gran desarrollo, introduciéndose la temática de la consolación de los deudos. En cuanto al tema tan tradicional de la ascensión del alma a los cielos, alcanza notas de gran originalidad compositiva en el sepulcro de infanta del claustro pamplonés. La presencia de leones y perros se hace generalizada en multitud de sepulcros.

Imaginería

La Virgen Madre de Sallent, en el Museo de Arte de Cataluña, representa el prototipo gótico de elegancia y belleza. Donde el escultor se detiene en detalles puramente anecdóticos, sin romper el equilibrio del conjunto: la Madre coge delicadamente el pie del Niño; éste sostiene en la mano un pájaro que le picotea el dedo. También de gran hermosura y con detalles de elegancia, acusada por la incurvación del cuerpo, es la Virgen Blanca, de la catedral toledana. En Palencia se conserva otra similar. Igual incurvación empiezan a mostrar las vírgenes sedentes, como la Virgen de la Calva, de la catedral de Zamora.

El Crucificado de la catedral de Toledo sirve de nexo con el XIII en una cronología muy similar a la del Cristo de las Batallas, de la catedral palentina. La tendencia a dramatizarlo hasta lo patético tiene un buen modelo en el ejemplar de la iglesia de San Pedro de Sanlúcar la Mayor (Sevilla).

Grupos iconográficos como Santa Ana con la Virgen y la Trinidad empiezan a ser legión.

La orfebrería alcanza durante el siglo XIV un extraordinario desarrollo: cruces, relicarios, cálices, frontales, baldaquinos, etc. Responden a las formas de la plástica general. Sin embargo, la falta de estudios sistemáticos hacen muy problemática su síntesis. Posiblemente, lo más novedoso sea la técnica del esmalte translúcido, que tuvo amplio desarrollo en el área levantina, con obras tan magníficas como la cruz de esmaltes y el frontal de la catedral gerundense.

III. ARQUITECTURA MUDEJAR

EL MUDEJARISMO

En la bibliografía artística, el término *mudéjar* ha sufrido distintas y matizadas acepciones, que conviene analizar antes de pasar a estudiar las obras más significativas.

En el año 1857, el 8 de noviembre, Manuel Assas utilizaba por primera vez la palabra *mudéjar* en sentido artístico. La paternidad de la nomenclatura le fue discutida por José Amador de los Ríos, quien el 19 de julio de

1859 pronunciaba su discurso de ingreso a la plaza de académico de número de la Real Academia de Bellas Artes de San Fernando sobre *El estilo mudéjar en arquitectura*. A pesar de la intención de este discurso, ya en 1862, Fernández Giménez negaba la existencia de un estilo mudéjar [1]. En el primer año del presente siglo, Demetrio de los Ríos, en conferencia pronunciada en el Ateneo madrileño, ahondaba en este carácter negativo al proponer la siguiente clasificación: románico-mudéjar, gótico-mudéjar, plateresco-mudéjar y barroco-mudéjar. Esta periodización sería divulgada por Vicente Lampérez y Romea en las dos ediciones (1906-1930) de su obra *Historia de la arquitectura cristiana española en la Edad Media*. En 1934, cuando Juan de Contreras publicaba su síntesis del arte hispánico, proponía el término de *arte morisco* para definir el fenómeno mudéjar, por considerarlo más enraizado en la cultura española.

Todos estos autores coinciden en el sentido de que lo mudéjar es, fundamentalmente, decorativo. Siguiendo sus ideas, diríamos que los distintos estilos occidentales se engalanan con decoración de abolengo musulmán, produciendo, si no un estilo, sí una interpretación castiza y autóctona de los mismos. Leopoldo Torres Balbás, uno de nuestros mejores especialistas en el arte hispano-árabe, insistiendo en la línea de lo ornamental, veía en el mudejarismo un factor anticlásico de la arquitectura hispana, y en 1949 escribía: «Aceptamos, pues, el nombre consagrado de mudéjar para todas las obras realizadas en el territorio cristiano peninsular en las que hay influencia del arte islámico y para las del mismo carácter de otros países, como Berbería y la América española, derivadas de las mudéjares hispánicas» [2]. Años más tarde, Fernando Chueca Goitia, en su *Historia de la arquitectura española: Edad Antigua, Edad Media*, después de referirse al mudéjar como algo entrañablemente nuestro, como anclado en las peculiaridades de nuestra historia, escribía: «Existen muchos estilos mudéjares, aunque sólo exista una actitud mudéjar, un 'metaestilo' mudéjar. Esto es lo único que nos autoriza a tratar del arte mudéjar como un todo; pero un todo, como digo, más intencional que formal. A veces existe un estilo mudéjar por cada región, es decir, estilos geográficos; uno por cada época, estilos cronológicos; otros que dependen de su relación con el arte cristiano coetáneo; tenemos entonces el románico mudéjar, el gótico mudéjar, el plateresco mudéjar, etc.»

Frente a todas estas interpretaciones que tienen lo mudéjar como algo ornamental, dependiente en lo esencial de los estilos cristianos coetáneos, recientemente Gonzalo Borrás, considerando estas valoraciones epidérmicas e inexactas, juzga necesaria una interpretación más profunda, en la que se ahonde en lo fundamental del fenómeno. Piensa el historiador aragonés que el «arte mudéjar no es otra cosa que la pervivencia del arte musulmán en el mundo hispánico una vez desaparecido el poder político musulmán» [3]. Para afirmar esto, no duda en señalar «errores de análisis al

[1] JOSÉ FERNÁNDEZ GIMÉNEZ, *De la arquitectura cristiano-mahometana*, en *El arte en España* I (Madrid 1862) p.11-26.21-23 y 274-280.
[2] LEOPOLDO TORRES BALBÁS, *Arte almohade, arte nazarí, arte mudéjar*: Ars Hispaniae vol.4 (Madrid 1949) p.238.
[3] GONZALO BORRÁS GUALIS, *Arte mudéjar aragonés* (Zaragoza 1978) p.20.

considerar como estructuras occidentales lo que no eran sino estructuras musulmanas».

Tras este pequeño devenir por la bibliografía, pienso que mudéjar es el nombre de una minoría étnica de nuestra Edad Media que sirve para denominar un fenómeno artístico realizado por hispanos —ya musulmanes, ya cristianos—, considerado desde Menéndez Pelayo y aceptado por todos los historiadores como el arte genuino hispánico. Sería conveniente precisar varios factores del mudejarismo previamente al estudio detallado de los principales monumentos: los constructores, las formas, las estructuras, la geografía y la cronología.

Para algunos historiadores, el conocer la etnia de los constructores resulta definitivo para definir un estilo; sin embargo, hay numerosos ejemplos harto significativos: Lambert nos recuerda que la capilla mozárabe de la catedral de Toledo, a cuya erección cooperaron a comienzos del XVI los musulmanes Faradj y Mohamed, no ofrece en su arquitectura y decoración ningún elemento de origen árabe, mientras que la puerta y el techo de la sala capitular de dicho templo, ejecutados en la misma época por artistas cristianos, son obras mudéjares destacadas. Es, pues, evidente que tanto cristianos como mudéjares llegan a asumir, indistintamente, unas formas similares, genuinamente enraizadas en la tradición hispánica.

No pretendo volver a plantear la problemática de si el mudejarismo es ornamentación o estructuras y espacio, o la síntesis de ambos, pero sí creo conveniente matizar alguna de estas afirmaciones y señalar en la arquitectura religiosa la intencionalidad de la misma. Resulta claro que muchas de las formas decorativas son de origen musulmán, pero no lo es menos que estas mismas formas han podido ser asimiladas por el arte tradicional cristiano; incluso siglos antes que su aparición en los monumentos mudéjares. Y aún podemos ir más lejos, afirmando que algunos de estos motivos son propios de lo hispano-visigodo y se continúan en las dos Españas, la cristiana y la musulmana, volviéndose a juntar ambas ramas, paralelamente a la Reconquista, en el arte de la décima centuria primero, en lo mudéjar después. En cuanto a las estructuras, es más clara la supremacía cristiana, como veremos más adelante; frente a la pervivencia de la forma «alminar» o de algún tipo de bóveda muy concreta, la existencia cuantitativa de los estilos tradicionales cristianos es abrumadora. Cuando se construye un templo cristiano, se toman como modelos los existentes; la nueva liturgia que a partir de la undécima centuria se implanta en España hace que ni siquiera los templos de los mozárabes puedan servir de modelo espacial. El rito romano requiere una estructura determinada, que interpretan perfectamente románico y gótico. Cuando los conquistadores construyen nuevos templos, pretenden celosamente que éstos imiten los cristianos en sus formas, aunque se realicen condicionados por los materiales y las técnicas del medio geográfico. Podemos ver cómo en Toledo los templos mudéjares se acaban en su interior con pinturas murales, cuya iconografía y técnica en nada varían de las realizadas en templos pétreos más septentrionales, y no olvidemos que, a la hora de la concepción espacial interna, la luz y la decoración de las paredes es decisiva. Como dice el proverbio popular, hay una excepción que confirma esta regla: las capillas de arte hispano-musulmán. Ellas sí que son un claro continuismo del arte musulmán: la capilla de la Asunción, en el monasterio cisterciense de las Huelgas de Burgos, ha sido considerada por los especialistas como la construcción de mayor carácter almohade de la Península.

Hemos hecho varias veces referencia a la Reconquista; ésta ha mediatizado nuestra historia, y la arquitectura no se sustrae del mismo fenómeno. A excepción del grupo de la Meseta septentrional, Castilla la Nueva, Andalucía y Aragón desarrollan unas fluctuaciones artísticas similares.

Cuando se reconquista el valle del Duero, los repobladores no encuentran un *habitat* musulmán con unas construcciones que condicionen su arquitectura. Son las ruinas de ciudades y templos hispano-visigodos los que servirán de modelo. Por influjo geográfico, la construcción en ladrillo se hace necesaria, y este tipo de obra será intérprete paralelo al pétreo de los nuevos edificios adaptados a la liturgia romana. A partir de la segunda mitad del siglo XIV, la influencia de la ornamentación islámica se hará muy patente.

Tras las conquistas de Toledo (1085), las ciudades principales de Aragón (primer cuarto del siglo XII) y el valle del Guadalquivir (siglo XIII), se produce primero una crisis demográfica, que hace que en todo el espectro geográfico las nuevas construcciones sean pocas; la conversión de mezquitas en templos es prácticamente suficiente. Los escasos edificios que se levantan, se procura, celosamente diría yo, que no adopten estructuras arquitectónicas equívocas; esta arquitectura de los primeros momentos será un símbolo de victoria del cristianismo sobre el Islam; por ello no se debe imitar la arquitectura del vencido; después de las crisis del último tercio del siglo XIII, los edificios reaprovechados se restauran a fondo en el XIV o se derriban para hacerlos de nuevo. Estos edificios del XIV siguen interpretando las formas góticas; pero la ornamentación mudéjar es ahora desbordante desde el norte de la Meseta a las tierras del Guadalquivir o del Ebro; es la «edad de oro» del mudéjar. Pero ¿por qué? Sencillamente, el paso de los años ha asentado con fuerza el dominio cristiano, los conquistadores han sido seducidos por las formas locales, y ahora ya vencedores y vencidos gozan de un patrimonio artístico cultural y común.

León y Castilla la Vieja: Sahagún

Al norte del sistema central, en la llamada Tierra de Campos y en su prolongación natural meridional, donde la piedra apta para la construcción escasea, los constructores de templos se ven forzados al empleo del ladrillo. Aquí surgen con gran pujanza villas como Sahagún, La Bañeza, Valencia de Don Juan, Toro, Villalpando, Mayorga de Campos, Alba de Tormes, Ciudad Rodrigo, Béjar, Olmedo, Medina del Campo, Cuéllar, Coca, Arévalo, Madrigal...

Son villas que habían permanecido durante más de un siglo aletargadas, y que en el último tercio del XII, por influencia de la expansión municipal auspiciada por Fernando II, Alfonso IX y Alfonso VIII, consiguen una explosión demográfica, que se traduce en un ansia constructiva: los viejos templos se amplían y aun se construyen otros para albergar a los nuevos habitantes.

León, Palencia, Valladolid, Salamanca, Avila, Segovia, son provincias que poseen un número importante de edificios románicos pétreos; pero junto a ellos se van a levantar también románicos de ladrillo. Hay una tendencia, no expresa en muchas ocasiones, a señalar a los primeros como obra de cristianos, mientras que los últimos serían producto de los mudéjares. Resulta problemático, como ya señalábamos anteriormente, que hubiese dos técnicas constructivas condicionadas por *etnias* distintas y tan radicalmente opuestas. La importancia del elemento musulmán en la zona queda probada por referencias históricas concretas que se han citado reiteradamente: una colonia de mazarifes (ladrilleros) pobló en el siglo X el lugar de Quintana, cerca de León; Fernando I, según cuenta la *Historia silense*, después de sus victorias en Portugal, mandó decapitar a parte de los moros vencidos, y al resto lo envió para que trabajase en las obras de las iglesias; Alfonso el Batallador llevó a Sahagún gran número de moros. Los datos históricos corresponden a los siglos X, XI y principios del XII, y los edificios conservados son del último tercio de la duodécima centuria; después, la presencia de esclavos moros en los monasterios es también muy conocida, pero no puede ser una prueba decisiva que sirva para supervalorar la influencia musulmana.

¿Por qué una construcción en ladrillo? Hemos hablado en un capítulo anterior cómo el hombre medieval quiere dotar a sus construcciones de «durabilidad»; la cubierta en madera se incendiaba continuamente, y su anhelo era abovedar con piedra la iglesia; pero esto era muy caro, y debía contentarse, en la mayoría de las ocasiones, con la cubierta lígnea. Entre la piedra y el ladrillo existe el mismo problema económico. Las viviendas son de adobe; las gentes quieren que la iglesia, el edificio más importante de la colectividad, sea de piedra. En el primer entusiasmo constructivo, así la inician; pero pronto los medios económicos se debilitan, y la realidad material se impone: el ladrillo.

Los ejemplos son numerosos; recojamos aquí como muestra dos: los vecinos de Fresno el Viejo, en Valladolid, comenzaron el ábside de su iglesia en piedra con fustes entregos, y continuaron así su obra hasta más de media altura, para concluir las partes altas en ladrillo, imitando con este material las formas inferiores; los medios económicos de los vecinos de Paradinas les permiten casi concluir su empeño: ábsides y nave de la epístola se levantan en pétreo material, mientras que la conclusión se realiza en ladrillo. Otras veces, las comunidades vecinales son más realistas, y proyectan su obra en ladrillo, avalorándola con algunos detalles pétreos: alguna portada, columnas adosadas en el interior de los ábsides, o molduras y capiteles de las ventanas. Sirvan de ejemplo: San Andrés de Cuéllar, que conserva, empotradas en su fábrica de mampostería y ladrillo, dos portadas románicas de piedra; el pórtico pétreo que se adosa a la iglesia de San Martín, en Arévalo, etc. Por último, se proyectarían las iglesias enteramente de ladrillo, y no faltarían las de adobe, que no han dejado huella. Una vez visto cómo el condicionamiento económico es decisivo para la elección del material, veamos a continuación cuál es la técnica empleada y las formas estructurales conseguidas. Tierra de Campos es una región arcillosa de aluvión, y por el resto del área aquí estudiada abundan las tierras sueltas arenosas, de pinares. El condicionamiento del medio geográfico conduce al constructor, de manera tradicional, al empleo del adobe en las obras pobres, al ladrillo como mejora cualitativa. Los hombres que repueblan estas zonas a partir de la décima centuria se encontrarían con abundantes monumentos, que reparan, y, a su vez, asimilan su técnica arquitectónica. Estas gentes, cristianos del Norte, mozárabes y mudéjares del Sur, aportan sus conocimientos constructivos y se adaptan al nuevo medio. Los primeros ejemplos conservados corresponden al último tercio del siglo XII, y en ellos observamos una identidad constructiva, donde se yuxtaponen algunos elementos decorativos islámicos y aun algún recurso arquitectónico; pero todo ello muy subordinado a un fin concreto: conseguir un templo cristiano de una estructura similar a uno románico pétreo. Debemos afirmar rotundamente que estas construcciones son una traducción en ladrillo del románico; para comprobarlo basta observar las plantas de estos edificios o el recorte de los ladrillos para imitar mejor las formas en piedra. Inclusive, los monjes blancos supieron conseguir la magnífica sobriedad de su arquitectura realizándola en ladrillo: el monasterio palentino de Santa María de Vega, de triple ábside, se levantaría hacia la conclusión del primer tercio del siglo XIII; el monasterio de Santa María de Nogales tenía cabecera de cinco capillas y fue consagrada poco antes de 1266.

De esta área geográfica, el mayor interés se centra en el núcleo leonés de Sahagún, de importancia capital por el cenobio cluniacense de San Facundo. San Tirso, con tres naves, tres ábsides y hermosa torre sobre el crucero. En San Lorenzo se repite idéntica disposición planimétrica y de volúmenes. Para Chueca Goitia, en San Lorenzo y la iglesia de la Lugareja, de Arévalo, «la cabecera triabsidal acusa perfectamente jerarquizados sus tres cilindros; pero el centro de gravedad de la composición adonde se va la vista, lo que nos embarga con su soberano poder, son las grandes torres cúbicas de sus cimborrios». Un crítico de pluma fácil diría que ésta es una nueva concepción espacial que podría configurar un supuesto «estilo mudéjar»; sin embargo, este juego de volúmenes es tradicional a nuestra arquitectura, por lo menos, desde las torres-cimborrios del mundo hispano-visigodo.

La gran escuela sahaguntina podríamos decir que tiene su expansión geográfica en tres zonas: tierras de Toro, el entorno de Medina y el grupo salmantino, centrado en Alba de Tormes.

De Toro conocemos noticias ciertas de algunos monumentos de época del prelado Martín de Zamora: en 1191, este obispo donaba la iglesia, hoy desaparecida, de Santa Marina del Mercado; hacia 1208 consagraba la ermita de Santa María de la Vega, conocida popularmente por Cristo de las Batallas. Ya sobrepasada la mitad de la centuria, se cita en 1261 la también desaparecida ermita de San Pedro del Olmo. Coetánea a éstas sería la iglesia del Salvador, de tres airosos ábsides. En San Lorenzo se conservan las fachadas laterales de la nave, con dos frisos de altos arquillos semicirculares, manteniendo la misma estructura que el ábside.

Las tierras de Medina poseen el grupo más numeroso de templos de este estilo, con abundantes cabezas de serie geográfica. Olmedo tiene en San Miguel el templo más importante: iglesia de tres naves y ábside único, de gran anchura, totalmente abovedada. Arévalo posee un ejemplo excepcional: la cabecera de la Lugareja, con cúpula sobre pechinas en el tramo central, produciendo al exterior un interesante juego de volúmenes ocasionados por los ábsides y la cúpula. El estilo se expande por Madrigal de las Altas Torres, Coca, Cuéllar..., alcanzando la zona norte de Madrid, donde la repoblación segoviana produce obras como la iglesia de Talamanca, de clara raigambre leonesa, frente a otros ejemplares madrileños ya manifiestamente toledanos.

En el grupo salmantino son características: la iglesia de Santiago, de Alba de Tormes, con ábside redondo por dentro y ocho paños por fuera; la cabecera de la iglesia parroquial de Rágama, con tres filas de arcos, y la ya citada de Paradinas.

En líneas generales, todas estas obras son modestos ejemplares que intentan reproducir prioritariamente estructuras templarias románicas, aunque haya algunas formas ornamentales o estructurales moriscas; la mayoría, de un solo ábside; excepcionalmente, tres; la cabecera, abovedada, y la nave, con armadura de madera. La cronología, problemática, abarca desde los últimos decenios del siglo XII y todo el siglo XIII; en el XIV aún mantienen ejemplos de inercia.

Para concluir este grupo geográfico, quisiera recoger aquí unos cuantos edificios de indudable autoría mora, y cuyo efecto plástico en lo ornamental y espacial confirman pertenecer no a un arte occidental o su interpretación, sino que son productos del arte islámico con finalidad cristiana. Este hecho es básico, pues nos demuestra que el arte hispano-musulmán puede tener un continuismo puro en territorio cristiano diferente de lo mudéjar, que, sin dudar, debemos dejar de circunscribir mayoritariamente a la etnia musulmana. En este grupo incluimos la capilla de la Asunción, en el monasterio cisterciense de las Huelgas de Burgos; tal vez fue oratorio del palacio de Alfonso VIII. El presbiterio se cubre con una cúpula de planta octogonal, a la que se llega mediante grandes trompas de semibóvedas de aristas; refuérzanla cuatro pares de arcos lisos, que se entrecruzan, dibujando en el centro una pequeña estrella de 16 lados. Torres Balbás la ha considerado como la construcción de mayor carácter almohade de la Península.

El foco toledano y su expansión geográfica

En 1085, cuando Alfonso VI conquista Toledo, la España cristiana recupera la vieja capital de la monarquía visigoda, con toda la carga política y emocional que los monarcas astur-leoneses concedieron a la *Salus Hispaniae* y la restauración del viejo reino visigodo. Pero no es una conquista importante por el hecho en sí, sino por la transcendencia sociocultural que tuvo. Por primera vez, los cristianos se enfrentan en su conquista con unos habitantes que se quedan y una ciudad que ha sedimentado en su arquitectura y su arte, que es lo que aquí nos interesa ahora, las formas islámicas.

Los nuevos dueños de la ciudad no necesitaron de grandes obras para adecuarla a su uso; por otro lado, la situación política, y, por ende, la economía, tampoco lo permitieron; el peligro almorávide sólo les dejaba tiempo para aferrarse en la resistencia. La mezquita-aliama, convertida en catedral por el obispo Bernardo, y las seis iqlesias mozárabes fueron más que suficientes para sus necesidades cultuales.

Hacia 1162 se construía la iglesia de Santa Leocadia, hoy conocida por Cristo de la Vega, según Sixto Parro; pero el templo ha sufrido nuevas reconstrucciones, de tal manera que el edificio actual será por lo menos de cien años después. Más suerte tenemos con la adaptación en iglesia de la mezquita de Bad-al-Mardum, autorizada por el arzobispo Gonzalo Pérez en 1187, dedicándose por sus poseedores, los caballeros hospitalarios, a ermita del Cristo de la Luz. El edificio nos resulta de gran utilidad, pues nos demuestra materialmente cómo las técnicas constructivas utilizadas por los autores de la mezquita en torno al año 1000 —éstas ya eran entonces tradicionales en la ciudad— se continuaban realizando al final de la duodécima centuria. El antiguo *haram* quedaría convertido en naves, a las que se le añadiría al nordeste, buscando la ubicación lo más parecida a la ritual posible, un ábside, que imita en ladrillo los románicos. Junto a este ejemplo son numerosos los templos que podemos citar: San Román, en 1221; y posteriores: San Justo, San Vicente, San Bartolomé, etc.

En general, estas iglesias tienen un ábside único, cerrado por una línea poligonal de once lados, evidente adaptación del semicircular románico de piedra o mampuesto cuando la nave es única; si son tres naves, las laterales terminan en testeros —San Román, Santa Úrsula, San Bartolomé—. Se cubre el ábside con una bóveda de horno; el tramo recto, con un cañón, y las naves, con armadura de madera de par y nudillo y dobles tirantes en la nave única o en la central, mientras que, si existen laterales, la armadura es de colgadizo. La decoración de los paramentos exteriores se compone de distintos órdenes de arcos —semicirculares, apuntados, herradura y lobulados—, encajados en alfices, impostas de ladrillo a sardinel o en esquinillas; coronándolo todo, un cornisamiento con canecillos de ladrillos superpuestos y recortados en nacela. La decoración interior se reduce a las formas de los templos románicos: la pintura mural. Algunos autores piensan que los templos mudéjares irían interiormente enlucidos, siguiendo un viejo procedimiento islámico, lo que permitiría una mayor luminosidad en estas iglesias, normalmente mal iluminadas. Este factor les ha permitido marcar diferencias con los templos cristianos tradicionales y supervalorar el influjo musulmán. De esto carecemos de ejemplos concretos que nos lo confirmen, mientras que los restos conservados nos demuestran todo lo contrario: pinturas murales de tipo románico —en técnica e iconografía— se conservan en el Cristo de la Luz, San Román, San Martín de Valdilecha (Madrid), etc.

Antes de seguir con el análisis de los monumentos del foco toledano, conviene plantear un problema que no podemos dilatar más: prioridad en el origen de las formas mudéjares. ¿Toledo o Sahagún? Manuel Gómez Moreno escribía en 1916: «Tres fases son reconocibles en el proceso de lo mudéjar toledano; la primera vive de reminiscencias y tradiciones locales, independientemente de lo andaluz coetáneo, y con su área de expansión hacia el Norte»[4]. Leopoldo Torres Balbás es de idéntico parecer al afirmar «que estaba ya formado en Toledo, en la segunda mitad del siglo XII»[5]. Henri Terrasse aceptaba todavía en 1970 este aserto[6]. Sin embargo, Basilio Pavón en 1973, al publicar su tesis doctoral, escribía: «Las fábricas de ladrillo debieron de generalizarse en las dos mesetas durante el siglo X, siendo una construcción, según se vio, de fundación bajorromana. En la Meseta Alta, liberada antes que Toledo de la dominación musulmana, nacería la adaptación del ladrillo a estructuras arquitecturales de iglesias románicas del XII, las que luego, al ser imitadas en Toledo, se hicieron aquí con mayor refinamiento»[7]. Creemos con Pavón en la prioridad de lo septentrional, porque la cronología de lo conservado parece indicarlo así, pero fundamentalmente porque en estos monumentos norteños la técnica del ladrillo debió de estar presente desde los primeros edificios románicos y se desarrolló paralelamente al estilo. Después de la conquista de Toledo, las técnicas y las formas islamizadas se adoptan en la construcción de los templos; pero el problema de las estructuras que condicionaba el espacio cristiano estaba ya resuelto en el Norte. Quien pudiese contemplar el interior del ábside del Cristo de la Luz, con su Pantocrátor en el cascarón y el apostolado en los arcos, no apreciaría diferencia alguna con otro ábside pétreo: espacio y ambiente de ambos presbiterios sería idéntico. Sin embargo, sí hay algo que Toledo, aparte elementos decorativos y mínimos detalles estructurales, ofrece como novedoso: el campanario *(al-minar)*. Todas las torres mudéjares de Toledo tienen su origen en los alminares almohades del último cuarto del siglo XII; según Henri Terrasse, proceden de los tipos más antiguos y más sencillos, sin admitir nunca la rica decoración de azulejos de los alminares meriníes de los siglos XIII y XIV; es decir, la escuela toledana es arcaizante. Se adornan con ventanas distribuidas en las cuatro fachadas; siendo también de tradición almohade el piso de arquillos lobulados que cubre toda la parte alta de la torre. En cuanto a su estructura arquitectónica, tienen planta y núcleo central cuadrados, y alrededor de este último se desarrolla la escalera, sostenida en bovedillas formadas por ladrillos en voladizo. Ejemplares significativos son los campanarios de Santiago del Arrabal, San Román, Santa Leocadia, etc. Du-

[4] MANUEL GÓMEZ MORENO, *Arte mudéjar toledano* (Madrid 1916) p.4.
[5] LEOPOLDO TORRES BALBÁS, *Por el Toledo mudéjar: el Toledo aparente y el oculto*: Al-Andalus (1958) p.430.
[6] HENRI TERRASSE, *Formación y fuentes del arte mudéjar toledano*: Archivo Español de Arte (1970) p.387 y 388.
[7] BASILIO PAVÓN MALDONADO, *Arte toledano: islámico y mudéjar* (Madrid 1973) p.74.

rante el siglo XIV, la decoración de arquillos se hace muy profusa; tal vez sea la torre de Illescas uno de los ejemplos más hermosos. Pero el fenómeno del mudéjar no se estanca en la interpretación del románico, y el gótico, que en nuestro país tarda en difundirse plenamente, empieza a producir su influjo en las obras mudéjares. Primero es tan sólo la aparición de elementos aislados del protogótico, como pueden ser los arcos apuntados. Pero a mediados del siglo XIII encontramos en Santiago del Arrabal un principio estético nuevo: la horizontalidad de la arquitectura islámica y aun de la románica es sustituida por el de la verticalidad, tan característica del gótico; incluso se adopta claramente el abovedamiento de ojivas en el crucero. En esta segunda mitad del XIII se configura el nuevo tipo de cabecera, que, según Gómez Moreno, denuncia un influjo gótico más vivo aún que en Santiago del Arrabal: el ábside de siete paños y esbeltos estribos en las esquinas. El primer templo del que tenemos noticias en Toledo es el de Santa Fe, del que se sabe que en 1266 se conceden indulgencias a los que contribuyesen con sus limosnas a la edificación de la iglesia de este monasterio. Curiosamente, los estribos en las esquinas aparecen años antes, en 1257, en el ábside de la iglesia de Peregina, de Sahagún.

La importancia de Toledo se manifiesta en la proyección de sus formas arquitectónicas por todas las tierras de su señorío político-religioso. Talavera de la Reina conserva aún restos de su gran importancia mudéjar, que demuestran las dos etapas que acabamos de ver desarrollarse en la capital: la iglesia del hospital de Santiago sigue los modelos del románico-mudéjar, con una cronología de primera mitad del XIII; el templo de Santiago, construido a comienzos del XIV, reproduce las formas denunciadas en su homónima de Toledo [8]. La huella toledana aún la podemos seguir, concluyendo el siglo XIV, en el monasterio de Guadalupe. Comenzado en 1389 por encargo de Juan I, terminóse veintitrés años más tarde; su constructor fue Rodrigo Alfonso, maestro de la catedral de Toledo. La iglesia es gótica, pero con bastantes resabios mudéjares. Lo más importante del monasterio es el claustro mayor, uno de los mejores del estilo mudéjar, obra ya de los primeros años del XV.

Al norte de la actual provincia de Toledo vemos arquitectura mudéjar de claro sabor toledano en la provincia de Madrid: el hermoso ábside de San Martín de Valdilecha, de hemiciclo y tramo recto, de mediados del siglo XIII; de cronología similar, aunque más modestas, las de Santa María la Antigua, en Carabanchel; Móstoles... Las formas del gótico mudéjar aparecen en Santa Clara de Guadalajara (parroquia de Santiago desde 1912), fechada en torno a 1306; es de ladrillo, con el presbiterio semicircular en la parte baja y poligonal en la superior, cubierto por bóveda nervada.

---

[8] MICHEL TERRASSE, *Talavera hispano-musulmana. Notes historique-archéologiques:* Mélanges de la Casa de Velázquez t.4 (1970) p.79-112.

Andalucía

En el siglo XIII, la Reconquista alcanza el valle del Guadalquivir: Fernando III conquista Córdoba en 1236; doce años después entraba en Sevilla. Andalucía, la parte de la Península donde florecieron los más importantes edificios almohades, pasaba a poder cristiano; podría pensarse que una fiebre constructiva de edificios para el culto cristiano se iba a apoderar de los conquistadores. Sin embargo, una vez más en la historia de la Reconquista, tras el avance geográfico se produce una crisis interna, que paraliza el empuje reconquistador y empobrece el país.

La población musulmana permaneció en la tierra conquistada; los repobladores cristianos no fueron muchos; la crisis demográfica se fue acentuando. Un siglo después de la conquista, en 1351, Pedro I calificaba a Sevilla de «ciudad mucho yerma y despoblada».

La situación económica, unida a la ley del vencedor: la mezquita del vencido se transforma en iglesia —al igual que, cuando la invasión, las iglesias se convirtieron en mezquitas—, hace que el espíritu constructivo fuese muy moderado. Las viejas mezquitas se utilizaron como iglesias durante mucho tiempo: la mezquita mayor sevillana, convertida en catedral, subsistió hasta el año 1400; la de Carmona fue demolida en 1424.

Aunque poco, en el siglo XIII se construyó. Eran edificios que denunciaban claramente las formas del gótico castellano. Algún autor, como Chueca, nos señalaba, acertadamente, cómo los cristianos quieren reaccionar, a modo de símbolo contra las construcciones de los «paganos», realizando obras que no fuesen de dudosa ortodoxia. Las iglesias que se edifican en Córdoba desde la segunda mitad de siglo XIII hasta el XV son góticas: ábsides poligonales cubiertos con bóvedas de nervios, tres naves y escasa decoración. Resulta significativo, para la interpretación de la sobriedad de estos primeros edificios cordobeses, que el primer obispo de la Córdoba reconquistada fue el monje cisterciense Lope de Fitero. Idéntica estructura tuvieron los primeros templos que se construyeron en Sevilla tras la conquista de Fernando III: Santa Ana de Triana, el presbiterio de San Gil. Sin embargo, la pujanza de la arquitectura islámica conservada se hace pronto patente en estas construcciones. La capilla Real de la mezquita de Córdoba, atribuida a la época de Alfonso X, con reformas en el reino de Enrique II, está cubierta con una magnífica bóveda de crucería califal, inspirada en la próxima islámica de la capilla de Villaviciosa.

Carácter excepcional tiene la gran iglesia de Santa María de Lebrija. Nada se conserva de su cabecera; las naves son tres, divididas en cuatro tramos; el carácter musulmán que éstas poseen es manifiesto: arcos de herradura y bóvedas independientes para cada uno de sus tramos: cupuliformes.

Las mezquitas, que han sido transformadas en iglesias, servirán de prototipo para los nuevos templos que se construyan: son edificios de tres naves, separadas por pilares rectangulares de ladrillo, sobre los que apoyan arcos de herradura aguda, recuadrados por un alfiz. La nave mayor se cubre con armadura de par y nudillo, y de colgadizo los laterales. La influencia del *haram* de las mezquitas almohades es evidente, de tal modo que muchas de estas naves han sido confundidas con auténticos edificios musulmanes. La única parte del edificio que no podía ser imitada del mundo islámico era el presbiterio, y éste reproduce las formas de las iglesias góticas. Ejemplos ilustrativos de esta tipología, arrancando de finales del XIII y prolongándose durante toda la Edad Media: la iglesia del Castillo, de Lebrija (1293-1294), y la iglesia de Santa María de Sanlúcar la Mayor.

Tras el terremoto de 1356, los viejos edificios son profundamente renovados. Como en la segunda mitad del siglo XIV se produce una explosión demográfica, se hace necesario construir nuevos edificios de culto. Se crea entonces un nuevo modelo, que no presta grandes concesiones a lo cristiano norteño; ya hasta el presbiterio tradicional es sustituido por edículos que imitan las formas de las *qubbas* islámicas. Este prototipo se desarrolla, al menos por los ejemplos conservados, durante la segunda mitad del XIV y todo el XV en torno a la ciudad de Sevilla, en el Aljarafe. Según Diego Angulo, «deben considerarse como las creaciones más originales de la arquitectura religiosa sevillana de estilo mudéjar». Uno de los ejemplos más hermosos es el de la capilla de Nuestra Señora del Valle, de la Palma del Condado.

Aragón

Siglos XII y XIII

Aunque gran parte del actual Aragón fue reconquistado en el siglo XII y en este territorio se conservaban obras de arte islámico de gran importancia como la Aljafería, las construcciones de esta centuria, y aun de toda la siguiente, no denuncian el fuerte islamismo que surgirá en el siglo XIV.

Como en el foco toledano y en el andaluz, las mezquitas se transforman en edificios de culto cristiano, la aljama se convierte en catedral: Huesca, Zaragoza... Inmediatamente después de la conquista sólo se realizó una simple adaptación para la realización de la liturgia cristiana, es decir, se le añaden ábsides, que en nada denuncian formas que puedan recordar la ornamentación pagana. Zaragoza, reconquistada en 1118, no realiza la catedral románica hasta los últimos decenios de la centuria. En Huesca ocurre algo similar: la mezquita seguirá utilizándose hasta 1274, año en el que se inician las obras de la catedral.

En líneas generales, durante el siglo XII no se realizan grandes obras en la zona del valle del Ebro; y, si se levantan edificios, éstos son de estilo románico, que, como ya hemos dicho, serán un claro símbolo del triunfo de la cruz sobre el Islam.

En el siglo XIII, las cosas han variado; por desgracia son pocos los edificios conservados, y aun de cronología muy problemática. Vemos cómo la tradición local, islamizada, se va imponiendo en las construcciones cristianas; unas veces, por cuestiones económicas; otras, por el apego a las formas castizas y consuetudinarias a la etnia; pero siempre con la intención de interpretar esencialmente el edificio de culto cristiano, que en estos momentos son de la inercia románica o gótica.

Como vimos en los templos de Fresno el Viejo y Paradinas, las iglesias de San Juan y Santo Domingo, en la ciudad de Daroca, y el templo de Tosas abandonan el inicio de obra pétrea para concluirse en ladrillo. Pero la sustitución de un material por otro no comporta un cambio de estilo, sino que el nuevo material se adapta a las formas góticas y románicas. No creo que estos cambios supusiesen una variación importante de mano de obra, como piensa Borrás: los primeros constructores serían cristianos; los segundos, mudéjares. El tiempo transcurrido desde la conquista hasta el siglo XIII, creo que es suficiente para una unificación de las técnicas constructivas; los cambios de materiales en la obra no comportan más que un ahorro.

En la ciudad de Teruel, durante el siglo XIII, los antiguos edificios musulmanes reaprovechados se han quedado viejos o no son suficientes para la población, y en la segunda mitad de la centuria se levantan iglesias como Santa María de Mediavilla, la actual catedral y San Pedro.

El 28 de enero de 1258, el papa Alejandro VI concedía determinadas indulgencias a los fieles de las diócesis de Zaragoza, Sigüenza y Cuenca que diesen limosnas para la reparación del templo de Santa María de Teruel. Todos los autores coinciden en creer que se refiere a la torre, la parte más antigua conservada. Las tres naves son de la segunda mitad del siglo XIII y están separadas por arcuaciones apuntadas sobre pilares. Cubiertas las naves por una magnífica armadura de par y nudillo, decorada en su totalidad no sólo con temas ornamentales, sino con escenas y grandes figuras. La cabecera, compuesta de una nave de crucero y una capilla mayor poligonal, fue realizada por Yuzaf, moro de Zaragoza, que la concluyó en 1335; obra clara del gótico mediterráneo interpretada en ladrillo.

La torre-campanario de la catedral y la de San Pedro, muy similares y posiblemente de análoga cronología, son torres-puerta de planta cuadrada, que dejan paso, bajo una bóveda de cañón apuntado, sostenida por perpiaños. El origen de este curioso pasadizo parece estar en la arquitectura hispano-musulmana. La estructura de las torres es de planta cuadrada, interior totalmente hueco, dividido posiblemente en pisos de madera, a los que se subiría por escaleras de mano. Salvo el hecho del paso inferior, los vanos y el volumen parecen depender de las formas cristianas catalanas; no así la decoración de los paramentos, sobre la que la historiografía está claramente dividida. Hasta hace poco se consideraba que, salvo el alfiz que enmarca las ventanas y la ornamentación cerámica, los restantes motivos eran románicos. Los arcos, de medio punto entrecruzados, tan característicos de ambas torres, según Borrás [9], ya eran conocidos en el arte de taifas zaragozano, y de aquí, sin duda, procede el motivo. Realmente, este tema ha sido adoptado en el arte románico ya en el siglo XII, y bien pudo llegar a Teruel por tradición islámica directa o a través de otros ejemplos cristianos con más de un siglo de tradición en la Península.

[9] G. BORRÁS, *El arte mudéjar...* p.173.

El siglo XIV: el apogeo

Durante esta centuria, a pesar de ciertas referencias a la peste negra —con menores consecuencias que en los reinos vecinos— y la guerra de los Padros (1356-1369), vemos cómo la población va aumentando fundamentalmente en Zaragoza. Las edificaciones que se levantan ahora tienen un claro sabor ornamental musulmán e inclusive habrá ciertas partes de edificios enteramente islámicos, aunque no locales, sino importados de Andalucía. Pero, a pesar de esto, salvo los campanarios, inspirados en los alminares almohades, la esencia de la tectonia sigue siendo gótica; son interpretaciones en ladrillo del espacio gótico mediterráneo, pese a que parte de la proporción sea distinta [10].

¿Por qué esa abundante decoración de origen islámico? Pedro IV realiza obras en el palacio de la Aljafería, de Zaragoza, y en este edificio tenemos uno de los mejores ejemplos de la arquitectura de taifas; la influencia del monumento en sus entornos ha sido considerable. A este hecho hemos de añadir un fenómeno que ya hemos observado en otras partes del país: se pierde el celo religioso frente a lo musulmán y la nueva población siente como suya los elementos ornamentales de tradición local. A estas justificaciones hay que sumar un hecho que ha tenido una gran importancia, y sin el cual no se justificaría la presencia de torres de tipo almohade o decoraciones andaluzas: la inmigración de mudéjares procedentes de Andalucía. El arzobispo D. Lope Fernández de Luna hace traer maestros azulejeros sevillanos para la parroquieta de San Miguel, en la seo zaragozana, documentados desde agosto de 1378.

A continuación descubriremos unos cuantos tipos de templos y torres que, aunque de cronología difícil, podrían corresponder a series que se desarrollaron en esta centuria.

Iglesias de una nave. —Constituyen el grupo más importante; poseen un ábside poligonal de la misma anchura y altura que la nave; generalmente tienen siete paños, aunque los hay también de cinco. En las esquinas de los paños no hay contrafuertes, lo que permite una uniformidad decorativa para el conjunto de la cabecera con lacería en losanges e impostas en esquinillas. La nave, cubierta con bóveda de crucería en cada uno de sus tramos; en éstos se abre una capilla, flanqueada por los contrafuertes de la nave, cubierta por cañón apuntado. El modelo parece ser el tipo catalán y del mediodía de Francia. Se ha señalado la iglesia de los dominicos de Magallón, en estado ruinoso en la actualidad, para valorar el papel que las órdenes mendicantes de dominicos y franciscanos —dado su pronta ubicación en la ciudad de Zaragoza— tendrían en la difusión de este prototipo por Aragón. Entre otros ejemplos, las parroquias zaragozanas de San Pablo antes de su ampliación a tres naves, San Gil, la Magdalena y San Miguel de los Navarros. Las tres iglesias de Maluenda, Santa María, Santas Justa y Rufina y San Miguel, responden a idéntica planta.

Una variante de este tipo de iglesia de nave única lo constituye un

---

[10] G. Borrás (en *El arte mudéjar...* p.77ss) afirma que el mudéjar aragonés asimila las formas góticas levantinas, obteniendo un resultado distinto.

grupo de templos denominados iglesia-fortaleza, que poseen un paso sobre las capillas laterales; en la mayoría de ellas, prolongado por todo el edificio. Es una herencia más del gótico mediterráneo, en el que son frecuentes los caminos de ronda, abiertos en los estribos. El carácter militar de este elemento parece indudable; por un lado, el prototipo surge al mediar la centuria, coincidiendo con la citada guerra de los Padros; y, por otro, algunas de estas iglesias pertenecen precisamente al señorío de las órdenes militares —la iglesia de Montalbán, a la Orden de Santiago, o la iglesia de la Virgen de Tobed, a los canónigos del Santo Sepulcro de Calatayud—. Las iglesias-fortalezas suelen tener una cabecera recta.

Iglesias de tres naves

El ejemplo más antiguo conservado lo hemos estudiado ya en Teruel. Correspondientes al siglo XIV son pocas. En Calatayud, San Pedro de los Francos y San Andrés; parroquiales de Miedes y de Paracuellos de la Ribera. Una vez más, el modelo está en la arquitectura levantina. Son tres naves, casi de igual altura, sin crucero, terminadas en ábsides poligonales. Como en las anteriores, la decoración mudéjar se concentra, al interior, en las yeserías, que guarnecen jambas y chambranas de arcos y ventanas, las celosías de los vanos y las maderas talladas y pintadas del coro y artesonados. Al exterior, son el entorno de las puertas, paños de los ábsides y partes altas de los muros los que se cubren con motivos variados, hechos con ladrillo y cerámica: fajas horizontales de esquinillas, arquillos ciegos mixtilíneos y entrecruzados, paños con ornamentos geométricos: rombos y cintas enlazados.

Las torres

Perfectamente estudiadas por Iñiguez Almech, constituyen un elemento básico no sólo para el estudio del mudéjar en particular, sino para la fisonomía del urbanismo aragonés.

Ya hemos hablado cómo los ejemplos turolenses del siglo XIII reproducían volúmenes y formas arquitectónicas catalanas. A éstos debemos añadir la torre de Santo Domingo, en Daroca, de cronología similar a las anteriores. Es de planta cuadrada, iniciada en piedra y concluida en ladrillo. Interiormente hueca, dividida en dos estancias, que se cubren con ojivas sencillas. La comunicación entre ambas plantas se realiza por una escalera de caracol alojada en un ángulo. La decoración exterior, al igual que las turolenses, denuncia motivos islámicos de ladrillo y cerámica.

En el siglo XIV nos encontramos con torres que reproducen alminares musulmanes, fundamentalmente almohades. Aquí sí tenemos un espacio islámico, y podemos hablar de un continuismo de la arquitectura musulmana. Adoptan dos tipos de planta, cuadrada u octogonal, al exterior. El interior es ocupado por un machón central, en torno al cual se desarrolla la rampa de la escalera; este machón puede ser macizo o hueco. Esta estructura corresponde a los alminares hispano-musulmanes. Entre los ejemplos más significativos: colegiata de Daroca, San Pedro de los Francos, en Calatayud...

Las torres inspiradas en los alminares almohades son en realidad dos torres, una envolviendo a la otra; en medio, la rampa de escaleras. La torre interior está dividida en altura en diversas estancias abovedades, a las que se accede e ilumina desde las escaleras. Entre los más importantes destacamos: la de Santa María de Ateca, las del Salvador y San Martín, en Teruel, entre las de planta cuadrada; la de San Pablo de Zaragoza y la de Tauste, entre las octogonales.

Algunos autores han considerado que algunas de estas torres han sido primitivos alminares; no hay razones concretas y materiales que lo justifiquen. La adaptación de la forma alminar a campanario cristiano requiere, en los dos tipos ya citados, que se interrumpan sus estructuras y el último piso se convierta en una estancia hueca para las campanas.

Carecemos de datos para la cronología original de estas torres. La que reproduce la forma de alminar hispano-musulmán tradicional sería una continuidad de los alminares de las mezquitas transformadas en basílicas; cuando se demolieron para su ampliación, el prototipo se mantendría. Las de origen almohade son de la segunda mitad del siglo XIII; después de la conquista del valle del Guadalquivir, cuando la llegada de emigrados andaluces, éstos reproducirían en tierras aragonesas los alminares almohades de al-Andalus. La única referencia cronológica concreta que poseemos así parece indicarlo: el 11 de abril de 1277, el obispo de Zaragoza, D. Pedro Garcés, autoriza a mosén Jaime Navarrete para recoger limosnas destinadas a la fábrica del Salvador de Teruel.

PANORAMA HISTORICO-GEOGRAFICO DE LA IGLESIA ESPAÑOLA
(Siglos VIII al XIV)

Por

Mons. DEMETRIO MANSILLA

INTRODUCCION

La invasión musulmana afectó profundamente la recia organización eclesiástica de la Hispania romano-visigoda. La metrópoli emeritense, cabeza de la antigua provincia Lusitana, es suplantada canónicamente por Santiago de Compostela; la Narbonense, parte integrante de la España visigoda, se incorpora definitivamente al reino franco, y otras sufren profundas transformaciones, como veremos.

Por otra parte, la Reconquista, llevada a cabo a través de varios siglos y por fuerzas de diversos reinos, creó nuevas realidades políticas, que habían de repercutir necesariamente en las tradicionales divisiones eclesiásticas de la época visigoda. Es verdad que, en la restauración eclesiástica de la Reconquista, la antigua división hispano-visigótica supervive; más aún, la aspiración por querer ajustar las diócesis reconquistadas o creadas de nuevo a las antiguas demarcaciones, produce un verdadero duelo entre muchas diócesis o provincias eclesiásticas. Hay ciudades episcopales que desaparecen o se abandonan; otras son trasladadas a lugares distintos; los nuevos reinos hispanos imponen una nueva configuración civil, con repercusiones inevitables en lo eclesiástico.

Por otra parte, no tenemos para la Edad Media un documento geográfico propio que sirva de base para fijar límites de sedes o circunscripciones eclesiásticas antiguas. La llamada *Hitación de Wamba* fue fruto de la agitada discusión que sobre límites diocesanos se planteó, a partir del siglo XI, ante la carencia de un antiguo documento; pero, como engendro de principios del siglo XII, no merece ningún crédito. Aunque falsa, la *Hitación* no dejó de tener su influencia en algunos casos; pero lo difícil era identificar los lugares señalados como mojones, ya que muchas veces se trata de lugares totalmente imaginarios. Las fuentes principales para precisar la geografía eclesiástica medieval son, sin duda, los documentos pontificios, reales y episcopales, aunque algunos de estos documentos, principalmente reales, sufrieron falsificaciones y adulteraciones.

A partir del siglo XII aparecen perfectamente deslindadas cuatro provincias eclesiásticas, calcadas sobre los cuatro reinos de la España libre: Santiago, Toledo, Tarragona y Braga, que corresponden, respectivamente, a los reinos de León, Castilla, Aragón-Cataluña y Portugal. A finales del siglo XIII se agrega la provincia eclesiástica de Sevilla, que nace no como exigencia de un nuevo reino político, sino, más bien, obedeciendo a principios tradicionales de restauración de la antigua Bética, integrada ahora en el reino de Castilla.

I. RESTAURACION ECLESIASTICA EN LOS REINOS DE ASTURIAS, GALICIA, LEON Y CASTILLA

A s t u r i a s

Son muy escasos los datos que tenemos de la penetración del cristianismo en la región asturiana durante la época romana y visigoda, pudiendo afirmar que la verdadera historia de la Iglesia en Asturias comienza con la monarquía asturiana de don Pelayo (718-737)[1]. Los cronistas de los primeros siglos de la Reconquista están concordes en señalar la batalla de Covadonga (722) como punto de partida de un progresivo florecimiento del cristianismo en Asturias, que se va consolidando paulatinamente merced a la llegada de numerosos cristianos, procedentes del Sur y del interior de la Península, y a las conquistas de los reyes asturianos en los siglos VIII y IX[2]. Estos mismos cronistas, y de una manera especial el Albeldense, destacan con marcado relieve el ideal político-religioso, que resume en estas palabras: «*omnemque gotorum ordinem, sicuti Toleto fuerat, tam in ecclesia quam palatio in Obeto cuncta statuit*»[3], es decir, restaurar toda la grandeza de la monarquía visigoda tanto en lo político como en lo religioso. Este será el ideal que informará la prolongada lucha contra el Islam hasta el término de la Reconquista y la restauración religiosa que entraña esa misma lucha.

Erección de la diócesis de Oviedo

La doble circunstancia de haber sido elevada la ciudad de Oviedo a capital del reino asturiano (791), por una parte, y la necesidad de atender, por otra, la vida religiosa de la población cristiana, aumentada considerablemente con los cristianos huidos del Sur, planteó inmediatamente el

---

[1] F. J. FERNÁNDEZ CONDE, *La iglesia de Asturias en la alta Edad Media:* Instituto de Estudios Asturianos (Oviedo 1972) p.27-54. Aquí podrá encontrarse una buena síntesis histórica y abundante bibliografía.

[2] *Crónica Albeldense*, ed. FLÓREZ, ES 13,433-64; ID., ed. M. GÓMEZ MORENO, *Las primeras crónicas de la Reconquista. El ciclo de Alfonso III:* BAH 100 (1932) 600-609; *Crónica rotense:* ibid., p.615; *Crónica de Sebastián*, ed. FLÓREZ, ES 13,481 y ed. Z. GARCÍA VILLADA, la *Crónica de Alfonso III* (Madrid 1918); *Historia Silense*, ed. FLÓREZ, ES 17,270-330 y ed. crítica, J. PÉREZ DE URBEL y A. GONZÁLEZ R. ZORRILLA (Madrid 1959).

[3] *Crónica Albeldense*, ed. M. GÓMEZ MORENO, l.c., p.602. Sobre el alcance de esta frase, cf. C. SÁNCHEZ ALBORNOZ, *Orígenes de la nación española. El reino de Asturias* (Oviedo 1974) 2,623-639.

problema de la erección del obispado ovetense. El hecho se llevó a cabo en el reinado de Alfonso II (791-842). No se nos conserva el documento fundacional de la erección, pero ha llegado a nosotros el documento de dotación (16-11-812), que, a pesar de los reparos que paleográfica y diplomáticamente se le han hecho, tiene todos los síntomas de evidente autenticidad [4]. La fundación de la sede ovetense no puede ser posterior a esa fecha, ya que en él suscribe como primer confirmante, después del rey, el obispo Adulfo, que encabeza el catálogo del episcopologio de Oviedo, figurando también a la cabeza del *Liber Testamentorum* [5]. Las actas de los concilios ovetenses (808-814?), tal como han llegado a nosotros [6], están adulteradas [7], y de su ampulosa narración, tal vez el único dato aceptable sea el que la erección de la sede ovetense se llevó a cabo en un concilio, como era norma general de la época visigoda, pero sin poder precisar fechas [8].

La supuesta metrópoli ovetense

Otro asunto relacionado con la iglesia asturiana es si consiguió o no el rango de metropolitana. Prestigiosos historiadores, como Risco [9], Fita [10] y García Villada [11], así lo creyeron, pero su tesis es hoy insostenible [12]. No conocemos un solo documento auténtico en que al obispo de Oviedo se le dé el título de metropolitano en los siglos X al XII. Además, por este tiempo existía en el territorio libre astur-galaico un metropolitano, que era el de Braga, aunque residente en Lugo, y obispo, a la vez, de esta misma ciudad y diócesis [13]. Por otra parte, la metrópoli ovetense mantenida en los supuestos concilios de Oviedo no responde a ninguna realidad histórica de los reinados de Alfonso II o III.

La metrópoli de Oviedo fue pura invención del obispo don Pelayo (1098-1129) y del círculo eclesiástico lucense para oponerse a las pretensiones del arzobispo don Bernardo de Toledo (1086-1124), que pretendía incorporar Oviedo a su provincia eclesiástica. Lo consiguió del papa Urbano II (4-5-1099) [14]; pero la reacción de Oviedo fue inmediata, y éste fue, sin duda, el momento de la manipulación de don Pelayo en la *Crónica de Sampiro,* proponiendo la peregrina teoría de que a Oviedo se había trasladado toda la grandeza de Toledo de la época de los godos, y no sólo en el

---

[4] A. FLORIANO, *Diplomática española del período astur. Estudio de las fuentes documentales del reino de Asturias (718-910). Cartulario crítico. Primera parte: Desde Pelayo a Ordoño I* p.118-122.
[5] F. J. FERNÁNDEZ CONDE, *El libro de los testamentos de la catedral de Oviedo* p.390.
[6] J. SÁENZ DE AGUIRRE, *Collectio maxima* 4,358-361; M. RISCO, ES 37,295-301 y FLÓREZ, ES 14,438-447.
[7] V. DE LA FUENTE, *Historia eclesiástica de España* 3,123-129 y 484-487; B. GAMS, *Die Kirchengeschichte von Spanien* 2,347-349; L. BARRAU-DIHIGO, *Études sur les actes des rois asturiens (718-910):* Revue hispanique 46 (1916) 50ss.
[8] Z. GARCÍA VILLADA, *Historia eclesiástica de España* 3,191-192; A. PALOMEQUE, *Episcopologio de las sedes del reino de León* (León 1966) p.12-51.
[9] ES 37,249-251.
[10] *El concilio ovetense:* BAH 38 (1901) 121-123.
[11] *Historia eclesiástica* 3,192-193.
[12] D. MANSILLA, *La supuesta metrópoli de Oviedo:* Hispania Sacra 8 (1955) 259-274.
[13] P. DAVID, *Études historiques sur la Galice et le Portugal du VIᵉ au XIIᵉ siècles* p.131-142; A. DA COSTA, *Obispo Pedro e a organização da diocese de Braga* 1,7-24.
[14] J. L., n.5.801.

orden político, sino también en el religioso [15]. Cierto que don Pelayo no logró convencer a sus contemporáneos. Tal vez no entraba en sus planes una ambición tan desmedida; consiguió, sin embargo, sustraerse a la sujeción de Toledo, y esto sí que lo pretendía. No estaba dispuesto a que su iglesia reconociera otra autoridad y sujeción que la de Roma, y esto lo obtuvo por bula de Pascual II (30-9-1105), con lo que automáticamente quedaba anulada la de Urbano II, que sometía Oviedo a Toledo.

Límites de la diócesis de Oviedo

La nueva diócesis ovetense, enclavada en la antigua asturicense, fue incorporando a su jurisdicción territorios arrebatados al Islam y extendió considerablemente sus límites en tres direcciones: oriente, occidente y sur. Por la parte oriental, y apoyado en la falsa división de Wamba, manipulada por don Pelayo [16], quería incorporar a su sede todo el territorio enclavado desde el río Deva hasta Vizcaya, incluyendo el territorio de Santillana del Mar, Campoo, Reinosa, Mena y Pozazal, es decir, toda la actual provincia de Santander. Por su parte, el obispo de Burgos mantenía sus derechos sobre estos territorios, que, después de prolongadas discusiones, fueron adjudicados a la diócesis burgense en la concordia de Sahagún (4-7-1184), si bien las parroquias de San Vicente de Panés, Cilergio, Merorvio y Bielva quedaban incorporadas a la sede de Oviedo [17]. Prácticamente, el río Deva quedó siendo la línea divisoria con Burgos, como lo había determinado la bula de Urbano II [18].

La línea divisoria occidental con Mondoñedo la constituía el río Eo, punto señalado por la división de Wamba a la antigua Britonia [19], y a la que don Pelayo, con sus habituales interpolaciones, quería presentar como continuación canónica de la sede ovetense [20]. De hecho, en adelante, el río Eo constituye el límite entre las sedes de Oviedo y Mondoñedo [21]. Con la diócesis de Lugo sus límites quedaron fijados en el siglo XII, después de un ruidoso y prolongado pleito. El prelado de Oviedo don Pelayo, en su afán de extender su jurisdicción al territorio gallego, sostenía, apoyado en documentos apócrifos de los años 812 y 857 [22], que la sede de Lugo de las Asturias había sido trasladada a Oviedo, según lo cual su sede se extendía hasta los ríos Miño y Sil. Las pretensiones del obispo ovetense, por atrevidas y desorbitadas, no prosperaron. Después de largas discusiones, se puso fin a la contienda en el concilio salmantino (1154), que resolvió a favor del obispo de Lugo [23]. Por la parte sur extendió considerablemente sus límites,

[15] J. Pérez de Urbel, *Sampiro, su crónica* p.286-287; cf. ES 37,295.
[16] F. J. Fernández Conde, *El libro de los testamentos* p.379 y L. Vázquez de Parga, *La división de Wamba* p.101.
[17] L. Serrano, *El obispado de Burgos* 3,280; F. J. Fernández Conde, *El libro de los testamentos* p.343-344.
[18] Ibid., 3,105 y F. J. Fernández Conde, l.c., p.343-344.
[19] L. Vázquez de Parga, *La división de Wamba* p.119.
[20] A. Floriano, *Diplomática española del período astur* p.188-192.
[21] D. Mansilla, *Iglesia castellano-leonesa* p.114.
[22] L. Barrau-Dihigo, *Études sur les actes des rois asturiens:* Revue hispanique 46 (1919) 150ss.
[23] ES 41,312-315; Fita, en BAH 24 (1894) 454ss y S. A. García Larragueta, *Colección de los documentos de la catedral de Oviedo* p.409-414.

internándose en tierras de León por Riaño, Liébana y el Bierzo y por los nacimientos de los ríos Luna y Sil[24]. Asimismo, se internaba por tierras de Zamora y Astorga, poseyendo varios arciprestazgos en las mencionadas diócesis hasta el año 1954.

Galicia

Una vez consolidado el reino asturiano, los reyes de Oviedo pensaron extender la Reconquista por tierras de Galicia, que también sufrió los efectos de la invasión musulmana a partir del 716. Alfonso I (739-757) entró vencedor —dice el Albeldense— en las ciudades de León y Astorga, yermó los campos góticos hasta el río Duero y amplió los límites del reino cristiano. La *Crónica de Alfonso III*, por su parte, añade que ocupó muchas ciudades, enumerando Lugo, Tuy, Oporto, Anegia, Braga, Viseo, Chaves, Ledesma, Salamanca, Zamora, Avila, Astorga, León y otras muchas villas y fortalezas[25]. No todos estos avances de las fuerzas cristianas se consolidaron, pero permitieron la restauración de antiguas sedes episcopales y hasta la creación de algunas nuevas. La invasión había producido un verdadero colapso en la parte noroeste de la Península.

El obispado de Lugo

Desde mediados del siglo VIII tenemos noticias de obispos que huyen de la España ocupada y se dirigen hacia el Norte, como lugar más seguro. Uno de estos prelados es Odoario, al que la leyenda hace originario de Africa[26], y del que ciertamente sabemos que ocupó la sede de Braga, pero con residencia en Lugo, donde murió (786)[27]. A partir de esta fecha, los obispos de Braga se suceden sin interrupción, pero residen en Lugo, siendo, al mismo tiempo, prelados de esta sede y conservando el rango de metropolitanos, si bien es verdad que su dignidad era más honorífica que real por no haberse restaurado todavía Braga[28].

Según esto, la primera sede de la que tenemos noticias ciertas después de la invasión es Lugo, al frente de la cual está su obispo Odoario. Cierto que figura como metropolitano de Braga, cuyos territorios poco poblados e inseguros administra, pero con residencia en Lugo. El episcopologio de Lugo, por tanto, se identifica con el de Braga desde Odoario (786) hasta el 1070, en que comienzan las primeras tentativas por restaurar la antigua metrópoli de Galicia en torno a Braga, separándose así los dos obispados. Conviene tener en cuenta este hecho para explicar satisfactoriamente los derechos temporales de la iglesia de Lugo sobre el territorio de Braga, que no son sino consecuencia de una administración moral ejercida ininte-

---

[24] D. Mansilla, *Iglesia castellano-leonesa* p.114-115.
[25] Ed. M. Gómez Moreno, *Las primeras crónicas de la Reconquista:* BAH 100 (1932) 602 y Z. García Villada, *Crónica de Alfonso III* p.68 y 116.
[26] M. Risco, ES 40,364; P. David, *Etudes historiques* p.134ss.
[27] Ibid., 40,104.
[28] P. David, *Études historiques* p.131-168.

rrumpidamente por el obispo de Braga, residente en Lugo desde mediados del siglo VIII [29].

La diócesis de Lugo, por tanto, nunca fue metrópoli después de la Reconquista, pero en Lugo residió, durante más de tres siglos, el metropolitano de Braga. Tampoco hubo traslación de la dignidad metropolitana de Lugo a Oviedo, como pretendía el prelado ovetense don Pelayo. No podía haberla porque Braga jamás renunció a su categoría metropolitana, ni pensaron de otra manera los hombres, tanto eclesiásticos como seglares, de este tiempo [30]. Lo que hubo ciertamente fue rectificación de *límites* por haber nacido dos nuevas diócesis vecinas a Lugo, que fueron Oviedo y León, y haberse normalizado la sede de Britonia (Mondoñedo), que durante la época visigoda mantuvo un carácter fluctuante, propio de las cristiandades eclesiásticas célticas [31]. Los límites con Oviedo quedaron ya señalados, como dijimos, en el concilio salmantino (1154). La divisoria con Orense la constituía el río Sil y el territorio de Asma, partido judicial de Chantada, ayuntamiento de Carvalleda, según constitución dada por el cardenal Jacinto a la iglesia de Lugo (1073) [32]. Con la sede mindoniense venía a encontrarse por el territorio de Montenegro y los pueblos de Santiago de Celleira, San Juan de Sistallo, San Salvador de Ladra, Pino y algunos otros que quedaban para Mondoñedo [33].

El obispado de Mondoñedo

Es también muy probable que a mediados del siglo VIII se remonte el traslado de la sede de San Martín de Dumio a Mondoñedo. Las circunstancias son muy similares a las que concurrían en Braga, y si el prelado de esta sede no podía residir en su diócesis, es de suponer que el obispo de Dumio, situado a las puertas mismas de Braga, no tendría más facilidades para ello. La primera noticia cierta de la existencia del obispado de Mondoñedo después de la invasión musulmana se la debemos al Albeldense, que dice: *«Rudesindus Dumio Mindunieto degens»* [34]. La afirmación no puede ser más categórica. El año 881 ya se había trasladado a Mondoñedo, que, a su vez, reemplazaba canónicamente a Britonia, ya que San Martín de Mondoñedo se hallaba en las proximidades de Santa María de Britonia. Con el establecimiento de la sede en Mondoñedo, el antiguo obispado de Britonia perdió, sin duda, el carácter nómada y peregrinante mantenido durante la época visigoda, y se hace más estable, hasta normalizarse plenamente.

La sede mindoniense, sin embargo, sufrió varios traslados a lo largo de los siglos XII y XIII. En primer lugar, hacia el 1112, y, al parecer, por deseos de la reina doña Urraca, se trasladó a Villamayor de Brea con el

[29] A. DA COSTA, *Obispo D. Pedro e a organização da diocese de Braga* 1,109-110 y 242-252.
[30] D. MANSILLA, *Restauración de las sufragáneas de Braga:* Revista Portuguesa de Historia 6 (1964) 11ss.
[31] P. DAVID, *Études historiques* p.57 y 144-150.
[32] M. RISCO, ES 41,328.
[33] P. RASSOW, *Die Urkunden Kaiser Alfons VII von Spanien* p.419 y FLÓREZ, 18,345.
[34] M. GÓMEZ MORENO, *Las primeras crónicas...:* BAH 100 (1932) 605.

consentimiento de Pascual II y del arzobispo don Bernardo de Toledo; decisión confirmada por el concilio palentino (1112?)[35]; de ahí su título de *valibriense*. El 1182, por iniciativa del rey Fernando II de León, se trasladó a Ribadeo. El obispo don Pelayo (1199-1218) mostró marcado interés en fijar de nuevo la sede en Mondoñedo, encontrando decidido apoyo en el rey leonés Alfonso IX (1188-1229)[36]. No obstante, se entabló un prolongado pleito entre Mondoñedo y Ribadeo, en el que los jueces apostólicos don Lorenzo de Orense y don Miguel de Lugo dictaron sentencia favorable a Mondoñedo; sentencia que fue confirmada por Gregorio IX (20-6-1239)[37].

En cuanto a *límites*, ya quedan señalados con la diócesis de Oviedo, también quedan fijados con la de Lugo. Para designarlos con la diócesis de Santiago ayuda considerablemente la disputa sostenida a principios del siglo XII entre ambos obispados sobre los arciprestazgos de Trasancos, Labacengos, Besoucos, Pruzos, Arros y Seaya. Después de una larga discusión, se llegó a un acuerdo (28-8-1122), por el que los arciprestazgos de Seaya y Besoucos se adjudicaron a Compostela, mientras los restantes quedaron para Mondoñedo. Con ello, el límite entre una y otra diócesis lo venía a constituir la parte superior del partido judicial de Puentedeume[38].

Restauración de la diócesis de Orense

La diócesis de Orense, ocupada por los musulmanes, como el resto de Galicia, el 716 y destruida por Abb-al-Aziz ben Musa, no se repuso de aquel estado de postración hasta la época de Alfonso III (866-910). El 881 se hallaba al frente de la sede de Orense el obispo Sebastián, según testimonio del Albeldense[39], y todavía se puede anticipar en algunos años el pontificado del obispo Sebastián, que suscribe en un privilegio de Alfonso III (10-2-877)[40]. Los obispos anteriores a don Sebastián mencionados por Flórez[41] son pura fantasía. La sede de Orense se mantuvo en pie a lo largo del siglo IX y bien entrado el X, pero no pudo sobrevivir después debido a las devastaciones provocadas por la invasión de los normandos y de Almanzor[42]. La *Historia compostelana*, lo mismo que las crónicas de *Sampiro* y *el Silense*[43], hablan de los saqueos y rapiñas cometidos en las ciudades de Galicia. Sin duda, las más afectadas fueron Tuy y Orense, ya que no hay noticias de sus prelados a partir del 974, y hay que esperar hasta su restauración definitiva (1071)[44]. Durante ese siglo de orfandad,

[35] Flórez, ES 18,127 y 342.
[36] J. González, *Regesta de Fernando II* p.486.
[37] L. Auvray, *Les registres de Grégoire IX* 2 n.2655.
[38] D. Mansilla, *Iglesia castellano-leonesa* p.112-113.
[39] ES 13,437 y M. Gómez Moreno, *Las primeras crónicas...*: BAH 100 (1932) 605ss.
[40] ES 18,313. El documento, aunque interpolado, es sustancialmente auténtico; cf. P. David, *Études historiques* p.163.
[41] ES 17,49ss.
[42] J. Pérez de Urbel, *España cristiana*: Historia de España dirigida por Menéndez Pidal, 6,152-164.
[43] ES 20,13; *Crónica de Sampiro*, ed. J. Pérez de Urbel, p.340; *Crónica Silense*, ed. Santos Coco, p.56.
[44] Flórez, ES 17,248.

la iglesia de Orense estuvo administrada por los obispos de Lugo, según el documento de restauración otorgado por Sancho II (1-7-1071)[45].

Después de la segunda restauración de la sede (1071) fue tarea primordial de sus prelados recuperar los territorios que habían sido administrados por las vecinas diócesis de Astorga y Lugo durante un siglo de orfandad. El obispo de Astorga no se mostraba favorable a la restitución, y para hacer valer sus derechos falsificó o adulteró un buen número de documentos, según costumbre general de la época[46]. Se llegó a una concordia (1150), en la que se determinó que el obispo de Orense poseyera el distrito de Castro-Caldelas por las márgenes del Naviola hasta entrar en el Sil y Puebla de Trives, mientras que Robleda (Zamora) y las iglesias de San Juan de Camba, San Pedro de Naviola y San Pedro de Caldelas quedaban para Astorga[47]. Con la diócesis de Tuy, el límite iba por los términos de Ribadavia, que quedaba para la sede de Tuy[48]. La diócesis de Braga se internaba en territorio gallego, y así continuaron las cosas hasta el cisma de Occidente[49]. Los límites con la diócesis de Lugo ya quedan señalados.

Restauración de la diócesis de Tuy

Una trayectoria similar a Orense siguió la diócesis de Tuy, que quedó destruida por la invasión musulmana, como recuerda el documento de restauración de doña Urraca (1071)[50]. Conquistada por Alfonso I (739-757), no se restaura su sede hasta el reinado de Ordoño II (910-923). El 912 había ya obispo en Tuy, y, a partir de esa fecha, la lista aparece ininterrumpida hasta el pontificado de Viliulfo (952-973)[51]. Los saqueos producidos en Tuy por los normandos y más tarde por Almanzor produjeron una larga vacante en la iglesia tudense (973-1071). La restauración definitiva llegó el 1071. En el privilegio de restauración otorgado por doña Urraca (13-6-1071), se consignan muchos territorios, a los que se fueron añadiendo otros muchos[52], formando buena parte de la diócesis pueblos y villas del reino portugués que se desmembraron de Tuy en el pontificado de Eugenio IV (1444), fecha en que también dejó de pertenecer a la metrópoli de Braga. Los pueblos desmembrados fueron 192[53] y se hallaban comprendidos entre el Miño y el Lima, siendo este último río la línea divisoria con la diócesis de Braga. Por la parte norte, la divisoria con Compos-

---

[45] Ibid., y D. MANSILLA, *Restauración de las sufragáneas de Braga a través de la Reconquista:* Revista Portuguesa de Historia 6 (1964) 16-19.

[46] P. RODRÍGUEZ LÓPEZ, *Episcopologio asturicense* 2,445. Este autor los edita como auténticos, pero no lo son; cf. L. BARRAU DIHIGO, *Études sur les actes des rois asturiens:* Revue hispanique 46 (1919) 22 y 144.

[47] ES 16,483; P. RASSOW, *Die Urkunden Kaiser Alfons VII* p.449.

[48] ES 22,24ss.

[49] D. MANSILLA, *Iglesia castellano-leonesa* p.117.

[50] ES 22,246-247.

[51] Ibid., 22,41 55-58.

[52] 22,245-250; P. GALINDO, *Tuy en la baja Edad Media. Siglos XII-XV* p.139-142.

[53] F. DE ALMEIDA, *História da Igreja en Portugal* 2,651-656, de donde lo toma P. GALINDO, *Tuy en la Edad Media* p.139-142.

tela la constituían los arciprestazgos de Morrazo, Cotovad y Montes (Pontevedra), que quedaban para Santiago.

Restauración de la diócesis de Astorga

Otra sufragánea de Braga era Astorga, que, ocupada por los árabes (716), no se repobló hasta Ordoño I (850-866). A la repoblación siguió la restauración religiosa, que A. Quintana ha podido fijar entre los años 852-853 [54], siendo su primer obispo Indisclo (852-879). Después de él sigue ininterrumpida la sucesión de prelados.

Una de las diócesis que vio más recortados sus límites después de la Reconquista fue Astorga, por haber surgido dentro de su amplio territorio las nuevas diócesis de Oviedo, León y Zamora. Con tal motivo fueron muchos los documentos que se falsificaron o adulteraron. Es posible que la pasajera diócesis de Simancas (953-974), defendida por Flórez [55], Risco [56] y Sánchez Albornoz [57], sea una pura invención del siglo XII para justificar supuestos derechos sobre territorios discutidos entre Astorga, León y Zamora. El documento de Ramiro III fechado el 974, sobre el que se apoya la erección de Simancas, está falsificado [58]. Por eso, pienso que el obispado de Simancas ha de someterse a nueva revisión. Los *límites* de Astorga con las diócesis vecinas de Orense y Oviedo ya quedan fijados; con Zamora lindaba por el territorio de Tábara, y con León, por el término de Castrogonzalo, cerca de Benavente [59].

Restauración de la metrópoli de Braga

La capital de la provincia Bracarense fue la última en restaurarse. Efectivamente, la restauración de la sede de Braga se remonta al 1070, y fue iniciada a ruegos de los obispos Vestrio de Lugo y Cresconio de Compostela, quienes recabaron la ayuda de los reyes don García (1065-1070) y de su hermano Sancho II (1070-1072) [60]. Por iniciativa de éste fue elegido don Pedro (1073-1093) [61] primer obispo de Braga. Pronto se dejó sentir la influencia del primado de Toledo, que se vio obligado a lanzar la excomunión contra el obispo de Braga por haber recibido el palio, símbolo de la dignidad metropolitana (1091), del antipapa de Rávena (Clemente III). Depuesto don Pedro, fue elegido para obispo de Braga el cluniacense don Geraldo (1095-1108). Uno de sus primeros objetivos fue obtener para su

---

[54] A. QUINTANA, *El obispado de Astorga en los siglos IX y X* p.17-21.
[55] ES 16,160 y 316.
[56] ES 34,245.283 y 316.
[57] *El obispado de Simancas:* Homenaje a Menéndez Pidal, 3,331-340.
[58] A. QUINTANA, *El obispado de Astorga* p.13-14.
[59] D. MANSILLA, *Iglesia castellano-leonesa* p.116-120.
[60] C. ERDMANN, *Das Papsttum und Portugal in ersten Jahrhundert der portugiesischen Geschichte. Abhandlungen der preusischen Akademie der Wissenschafts:* Phil. hist. Klasse p.6-11; A. DE JESÚS DA COSTA, *A restauração da diocese de Braga en 1070:* Lusitania Sacra 1 (1956) 17-28; D. MANSILLA, *Formación de la provincia Bracarense después de la invasión árabe:* Hispania Sacra 14 (1961) 5-21; FLÓREZ, ES 15,178-182; A. FERREIRA, *Fastos episcopaes da igrejía primacial de Braga* 1,188ss.
[61] Sobre este obispo cf. A. DE JESÚS DA COSTA, *Obispo D. Pedro e a organização da diocese de Braga* (Coimbra 1959) 2 vols.

sede la antigua dignidad metropolitana, que consiguió de Pascual II el 1099 [62]. Restaurada la dignidad metropolitana de Braga, fue tarea preferente de sus arzobispos recuperar, por una parte, los territorios que habían formado parte de la diócesis bracarense, y, por otra, incorporar a la provincia eclesiástica de Galicia sus antiguas sufragáneas.

La lucha sostenida por este doble objetivo constituye uno de los capítulos más apasionados de la historia eclesiástica de Braga, con inevitables repercusiones en las diócesis españolas de Galicia. Braga, por su largo cautiverio, no pudo evitar que ciertos territorios fueran a parar a manos de los obispos vecinos por imperativo de las circunstancias políticas y eclesiásticas de la Reconquista. Un enclave enojoso para Braga era el hecho de poseer el prelado compostelano la mitad de la ciudad de Braga y las parroquias de San Víctor y San Fructuoso, que no pasaron al bracarense hasta que fue concertada una concordia en tiempos de Inocencio III (12-7-1199); y otro tanto sucedía con las diócesis de Orense y Astorga [63].

En cuanto a la recuperación de las sufragáneas, ya no fue posible recuperar la antigua Iria. La rápida preponderancia lograda por la sede de Iria, trasladada a Santiago, consiguiendo primero la exención (1095) y más tarde la dignidad metropolitana (1104), cerró a Braga todos los caminos para restaurar plenamente su antigua provincia eclesiástica y además planteó inevitables discusiones sobre sedes antiguas o de nueva creación, como sucedió con León, Oviedo y Zamora. El bracarense intentó compensar la pérdida de Iria con la incorporación de León y Oviedo a su provincia eclesiástica, pero encontró la fuerte oposición del arzobispo de Toledo, don Bernardo, que también quería incorporar a su provincia eclesiástica los mencionados obispados [64]. Braga, sin embargo, se esforzó, a lo largo de los siglos XII y XIII, por incorporar a su provincia eclesiástica los obispados de Lamego, Coimbra, Viseo, Idaña y Zamora; pero no lo logró más que en parte, ya que solamente Coimbra y Viseo pasaron a ser sufragáneas suyas, y Zamora lo fue pasajeramente. Cuando se restauró el obispado de Silves (1189) (la antigua Ossonoba), también se agregó a Braga hasta el 1252, que pasó a depender de Sevilla [65].

Por tanto, la metrópoli de Braga quedó constituida, desde principios del siglo XIII, de la forma siguiente: *Metrópoli:* Braga (1095). *Sufragáneas:* Astorga (852-853), Lugo (c. 850), Mondoñedo (881), Orense (881 y 1071), Tuy (912 y 1071), Oporto (881 y 1112), Coimbra (867 y 1064), Viseo (889 y 1058), Zamora (desde 1153 al 1199) y Silves (desde 1189-1252). Total: 11; en la época visigoda, 9.

[62] *Portugaliae Monumenta historica. Diplomata et chartae* 1,461; E. BALUZE, *Miscelanea* 1,122 y 132.

[63] D. MANSILLA, *La documentación pontificia* 1,240 y C. ERDMANN, *Papsturkunden in Portugal* p.160.

[64] J. F. RIVERA, *La provincia eclesiástica de Toledo en el siglo XII:* Anthologica Annua 7 (1959) 103-105.

[65] D. MANSILLA, *Disputas diocesanas entre Toledo, Braga y Compostela:* Anthologica Annua 3 (1955) 89-143.

Creación de la metrópoli de Compostela

La sede de Iria, probablemente, no sufrió interrupción con la invasión musulmana, a juzgar por la lista de prelados traída por la *Crónica iriense* [66] y la *Historia compostelana* [67]. Bajo el pontificado del obispo Teodomiro (847) tuvo lugar el descubrimiento del sepulcro del apóstol Santiago en Compostela, «Campus stellae» (680), que repercutió, inevitablemente, en el obispado de Iria. Este fue el primer paso hacia la catedralidad de la sede compostelana; pero no fue fácil ni rápido el traslado, porque romper una tradición secular es siempre costoso. Fue el cluniacense don Dalmacio el que obtuvo de Urbano II no sólo la traslación definitiva a Compostela, sino la exención de todo metropolitano y sujeción inmediata a la Santa Sede [69].

Esta singular prerrogativa suponía para Santiago una liberación de caer bajo la jurisdicción del metropolitano de Braga, que trabajaba febrilmente durante estos años por restaurar su antigua provincia eclesiástica, y además un triunfo en sus crecientes y nunca satisfechas aspiraciones de encumbramiento. Por eso, la *Historia compostelana* no puede menos de consignar con singular complacencia el doble privilegio de traslación y exención al decir «que consiguió lo que ninguno de sus predecesores había podido obtener» [70]. La obtención de la exención no era más que una etapa preliminar hacia objetivos más altos. La *Historia compostelana,* valiosa fuente de información para estos años, descubre plenamente las intenciones de Gelmírez sobre este particular y narra con toda minuciosidad el viaje que el prelado compostelano emprendió a Roma con la finalidad concreta de obtener para su iglesia el privilegio del palio, símbolo de la dignidad metropolitana. Los sabios consejos de Cluny y la proverbial habilidad de Gelmírez triunfaron en Roma con plenitud [71].

Efectivamente, Pascual II satisfizo sus deseos al otorgarle el ansiado privilegio (31-10-1104), por el que su iglesia quedaba aureolada con la dignidad arzobispal, aunque sin sufragáneas [72]. Los ambiciosos planes de don Diego Gelmírez no se habían logrado más que en parte, ya que él pretendía conseguir categoría de metrópoli con todos sus derechos, aunque fuera a costa de Braga. Sabemos por la *Historia compostelana* que el prelado de Santiago intentó este camino. Pero desposeer a Braga de su dignidad metropolitana era, en aquellas circunstancias, una medida impolítica e inviable. Sin duda que habría sido la solución más fácil y cómoda para Compostela, porque centraba su metrópoli en las sufragáneas de Galicia; pero este camino se hallaba cerrado por la oposición manifiesta de Calixto II. Había que buscar otra solución, y se pensó en Mérida, metró-

---

[66] Flórez, ES 20,600-601.
[67] Ibid., 20,7.
[68] Ibid., 20,8ss y 16,64ss; A. López Ferreiro, *Historia de la santa iglesia de Santiago* 2,7ss y Z. García Villada, *Historia eclesiástica* I 1,79ss.
[69] J. L., n.5.601: ES 20,21 (5-12-1095).
[70] ES 20,21.
[71] Ibid., 20,25.
[72] J. L., n.6.823: ES 20,48-50.

poli de la época romano-visigoda y ahora ocupada por los musulmanes [73]. Calixto II no se resignaba fácilmente a ceder.

Fueron necesarios todo el tesón de Gelmírez, la habilidad del obispo de Oporto, la insistencia de los cardenales, del abad de Cluny y la influencia del rey Alfonso VII de Castilla para que Calixto II otorgara al fin la gracia solicitada (27-2-1120) [74]. Según el mencionado privilegio, Compostela viene a reemplazar canónicamente a la antigua Mérida. El papa alega como principales causas de su decisión la de estar todavía ocupada por los musulmanes la metrópoli emeritense, mientras ya están restauradas algunas de sus sufragáneas, como Avila, Salamanca y Coimbra, que difícilmente podrán conservar su unidad si les falta la cabeza. Asimismo, señala y destaca la relevante fama de la iglesia compostelana, el destacado prestigio de Gelmírez y las insistentes súplicas del rey de Castilla, del abad de Cluny y de otros eclesiásticos y laicos [75]. Ciertamente que el documento pontificio, tal como ha llegado a nosotros, no contiene restricciones, pero la circunstancia de encontrarse Mérida bajo el dominio del Islam y señalarse como poderosa razón en la bula de Calixto II parecía indicar que, una vez reconquistada Mérida, habría de restaurarse en esta iglesia la dignidad metropolitana, que había pasado a Compostela. Tal era, ciertamente, el pensamiento del papa, a juzgar por el contexto del documento pontificio, que señala el carácter transitorio de la dignidad metropolitana asignada a Santiago cuando dice: «quia ei [Compostela] ad tempus concesseramus, donec Emerita civitas christianorum dominio redderetur» [76]. El arzobispo de Compostela quiso asegurar definitivamente para su iglesia una dignidad que tanto dinero y sudores había costado. Lo intentó y lo consiguió de Calixto por bula del 23 de junio de 1124, que reconoce ser definitiva y permanente la dignidad metropolitana concedida a Santiago, y declara terminantemente que la ciudad de Mérida, una vez reconquistada, ha de quedar sometida a Compostela [77].

Restauración de la provincia compostelana

A don Diego Gelmírez y sucesores les quedaba la ardua y difícil tarea de restaurar e incorporar a su provincia las sufragáneas de la antigua Emeritense, que había de encontrar la oposición principalmente de Braga y del nuevo reino portugués, donde tenía la mayoría de sus sufragáneas [78]. Según las numerosas listas de la época visigoda, las sufragáneas asignadas a Mérida eran: Beja, Coimbra, Evora, Idaña (Guarda), Lamego, Lisboa, Ossonoba (Faro), Viseo, Avila, Caliabria (Ciudad Rodrigo), Coria y Salamanca [79].

[73] ES 20,280.
[74] J. L., n.6.823: ES 20,292; cf. FLÓREZ, ES 19,215ss; A. LÓPEZ FERREIRO, Historia de la santa iglesia de Santiago 3,249ss; J. CAMPELO, Origen del arzobispado de Santiago y evolución histórica de sus sufragáneas: Compostellanum 10 (1965) 485-505.
[75] J. L., n.6.823-6.827: ES 20,292-296.
[76] ES 20,402-403.
[77] J. L., n.7.160-7.162: ES 20,402-410.
[78] D. MANSILLA, Disputas diocesanas entre Toledo, Braga y Compostela: Anthologica Annua 3 (1955) 485-505; J. CAMPELO, Origen del arzobispado de Santiago y evolución histórica de sus sufragáneas: Compostellanum 10 (1965) 485-505.
[79] L. VÁZQUEZ DE PARGA, La división de Wamba p.22ss.

A Compostela le costó mucho tiempo y dinero incorporar a su provincia eclesiástica el obispado de Zamora, primero, y los obispados de Lisboa, Evora, Lamego e Idaña, más tarde. En otro trabajo queda estudiado detenidamente el proceso de incorporación de estas sedes, así como la pérdida definitiva de los obispados de Coimbra y Viseo[80]. Por eso me limitaré a resumir lo que allí fue expuesto con más extensión. El obispado de Zamora, surgido en la época medieval y ubicado en una encrucijada geográfica, fue objeto de apetencias por parte de Toledo y Braga, primero, y de Compostela y Braga, después, hasta que fue incorporado definitivamente a Compostela (1199)[81]. En cuanto a las sedes postuguesas de Lisboa, Evora, Viseo, Coimbra, Lamego e Idaña, la solución fue también muy difícil, porque, dada la acusada personalidad del reino portugués y la irregular configuración de la nueva provincia compostelana, con la mayoría de sufragáneas en Portugal, no era fácil encontrar una fórmula de compromiso aceptable.

Los monarcas portugueses, a su vez, alegaban el derecho de conquista sobre varias de estas diócesis, y deseaban, naturalmente, incorporarlas a Braga, por ser su arzobispo la primera autoridad eclesiástica del reino portugués. Las razones históricas y canónicas eran tan claras, que no podían menos de impresionar a los jueces apostólicos, y habían de tenerlas muy en cuenta a la hora de decidir. Sin embargo, la curia romana se esforzaba por encontrar una fórmula de compromiso. No sólo quería una solución, sino cortar toda fuente de discordias, porque la pacificación de los reinos hispanos era uno de los principales objetivos para llevar a cabo la Reconquista. A la luz de estas ideas hay que juzgar y valorar la solución dada por Inocencio III (1199), que terminó por agregar Lisboa, Evora, Lamego e Idaña a la metrópoli de Compostela, mientras Coimbra y Viseo quedaron incorporadas a Braga. Es verdad que esta solución no era la ideal, pero sí la única posible. Incorporar Coimbra a Santiago habría sido fomentar las diferencias entre Portugal y el reino de León, lo que el papa quería evitar a toda costa, máxime sabiendo que Coimbra era entonces la capital de la nueva nación portuguesa. Por lo que se refiere a las diócesis del reino leonés y castellano, no hubo problema, y se fueron incorporando a Compostela a medida que se restauraban.

León

La diócesis de *León* fue creación de la Reconquista. Su obispado aparece mencionado por primera vez en un privilegio de Ordoño I (26-5-860) al obispo Fruminio[82]. El arzobispo de Toledo, don Bernardo, obtuvo de Urbano II (4-5-1099) la incorporación de León y Oviedo a su metrópoli como sufragáneas[83]. Pero la reacción fue inmediata, obteniendo el obispo

---

[80] Cf. nt.78.
[81] D. MANSILLA, *La documentación pontificia* 1,220-226.
[82] Z. GARCÍA VILLADA, *Historia eclesiástica* 3,223; A. PALOMEQUE, *Episcopologio de las sedes del reino de León* p.51ss.   [83] J. L., n.8.501.

de León de Pascual II que su sede fuese declarada exenta (15-4-1104)[84].
Calixto II, al confirmar los privilegios al toledano (3-11-1121), vuelve a
enumerar a León y a Oviedo entre sus sufragáneas[85]; pero, en el pontificado de Inocencio II (1130-1143), León aparece de nuevo como sede
exenta. Sobre su extensión y límites hay que tener en cuenta la división de
arcedianatos y arciprestazgos en los siglos XIII y XIV (ES 36,197-199). Por
el sur, el término de Castrogonzalo era, a su vez, línea divisoria con Zamora y Astorga; seguía después la línea por los términos de Villalobos,
Villalpando, Villafrechós, siguiendo después por Medina de Rioseco y Vi-
llalón, para internarse en la actual provincia de Palencia, cuya parte norte
quedaba en buena medida para León, hasta internarse en tierras de Liébana, por donde lindaba, a su vez, con las diócesis de Burgos y Oviedo[86].

Erección de la diócesis de Zamora

La diócesis de Zamora fue también creación medieval, remontándose
sus orígenes al final del reinado de Alfonso III el Magno (866-910). Pero
esta primera creación no se estabilizó. Su erección surgió al amparo de la
sede salmantina, que permaneció sin restaurarse hasta principios del siglo XII. Restaurada Salamanca (1102), estuvo amenazada de muerte la
existencia de Zamora, porque su territorio se agregó a la sede salmantina.
Pero se salvó gracias a la habilidad del arzobispo de Toledo, don Bernardo, quien a la muerte de don Jerónimo de Périgord (1120), primer
obispo de Salamanca después de la Reconquista, consiguió que el obispado
de Zamora, formado con territorios de Astorga, Salamanca y probablemente de León, quedase desglosado de Salamanca, siendo su primer
obispo don Bernardo de Périgord (1121-1149). Gracias al arzobispo de
Toledo, Zamora, como diócesis, pudo sobrevivir, pero no consiguió que
llegara a ser sufragánea de su provincia eclesiástica, como eran sus deseos[87]. También hubo de luchar durante los siglos XII y XIII por precisar
sus territorios[88].

Restauración de la diócesis de Salamanca

Restaurada (1102) y dotada por los condes don Raimundo y doña
Urraca, su primer obispo, don Jerónimo de Périgord (1102-1120), trabajó
incansablemente por restablecer el culto y la vida religiosa, así como recu-
perar sus territorios con las diócesis vecinas de *Zamora* y *Ciudad Rodrigo*.
Con *la primera* se llegó a una concordia (3-2-1185) de suma importancia.
Por ella, Zamora cedía al obispo de Salamanca siete iglesias en el valle del
Canedo: Aldearrodrigo, Aldea del Arco y otras que estaban más allá del
Tormes; Encinasola, Barruecopardo y Saldeana. Asimismo renunciaba a
todo derecho episcopal en Aldea de Martín Yustiz, Martín Téllez, Siete-

---

[84] J. L., n.6.058.
[85] J. F. RIVERA, *La iglesia de Toledo en el siglo XII* p.253-255.
[86] D. MANSILLA, *Iglesia castellano-leonesa* p.119.
[87] D. MANSILLA, *Disputas diocesanas...*: Anthologica Annua 3 (1955) 91-113.
[88] Ibid.

iglesias, Alaejos, Penela y al Castro de Ledesma. El obispo de Salamanca renunciaba a las iglesias de Santiz, Aldeanueva, Espino, Zamayón, Valdelosa, Asamara, Zorita, Aldea de Don Bruno y Fuentesaúco [89]. Con *Ciudad Rodrigo* se hicieron dos concordias, una en 1173 y otra en 1174, haciendo pasar la línea divisoria entre los ríos Yeltes y Huebra, quedando para Ciudad Rodrigo los pueblos de Abusejo, Cabrillas, Bobadilla, Soutel de León y Soutel de Arroyo [90].

Creación de la diócesis de Ciudad Rodrigo

Conquistada la plaza (1102) por el conde Rodrigo González Girón, el rey leonés Fernando II (1157-1188) pensó fundar en ella un obispado, que fue respaldado por el título canónico de *Caliabria*, una antigua diócesis visigótica ubicada cerca de Castello Rodrigo (Portugal). La creación de diócesis era un hecho el 1168, año en que suscribe su primer obispo, don Domingo (1168-1172), y fue confirmada por Alejandro III (25-5-1175). Los *límites* con Salamanca quedan ya señalados. Por la parte occidental se internaba en tierras portuguesas hasta el río Cõa, donde poseía un centenar de parroquias, que perdió en el siglo XV. Con la diócesis de Coria lindaba por los pueblos de San Martín de Trevejo, Villamiel, Eljas y sierra de Gata. Por la parta norte, la línea iba por los pueblos de Hinojosa de Duero, Fregeneda, etc. [91]

La provincia eclesiástica de *Compostela* quedaba constituida ya en el siglo XIII de la siguiente forma: *Metrópoli:* Santiago. *Sufragáneas:* Avila (1087?), Salamanca (1102), Zamora (953? y 1121), Ciudad Rodrigo (1168), Coria (1142), Plasencia (1189), Badajoz (1255) *(en los reinos de León y Castilla)*, Lamego, Idaña (Guarda), Lisboa y Evora *(en Portugal).* Total: 12. En la época visigoda, 13.

Reajuste definitivo de las provincias de Braga y Compostela

Las prolongadas discusiones entre Braga y Santiago a lo largo de los siglos XII al XIV eran razón más que suficiente para demostrar la inestabilidad e irregularidad de las mencionadas provincias. Por eso, necesariamente tenía que llegarse a un nuevo reajuste, más en consonancia con la realidad política de los reinos hispanos. Esto tuvo lugar dos siglos más tarde de la decisión de Inocencio III (1199). La ocasión se presentó con motivo del gran cisma de Occidente, en el que Castilla y Portugal siguieron distintas obediencias, lo que dio lugar a que aumentase el confusionismo en las provincias de Braga y Santiago. Por otra parte, la rivalidad política entre Castilla y Portugal, que se acentuó en los años del cisma, aumentó la tirantez entre los obispados portugueses y el metropolitano de

---

[89] F. MARCOS, *Los documentos del archivo catedralicio de Salamanca del siglo XII:* Salmanticensis 7 (1960) 467-496 n.88; J. L. MARTÍN MARTÍN y F. MARCOS, *Documentos de los archivos catedralicio y diocesano de Salamanca (siglos XII-XIII)* (Salamanca 1977) p.175-177.

[90] F. MARCOS, *Los documentos del archivo catedralicio:* Salmanticensis 7 (1960) n.59 y 61 y J. GONZÁLEZ, *Regesta de Fernando II* p.437.

[91] D. MANSILLA, *Ciudad Rodrigo:* Diccionario de historia eclesiástica de España, CSIC 1,420-429.

Compostela, y, asimismo, entre los obispados gallegos y el arzobispado de Braga, precipitando así el desgajamiento definitivo de dichos obispados de sus obediencias respectivas. Esto llegó al ser creada la metrópoli de Lisboa por bula de Bonifacio IX, del 10 de noviembre de 1393. Con tal motivo, el metropolitano de Santiago perdía las sedes portuguesas; pero, al año siguiente (1394), Compostela recibía las sufragáneas de Galicia más Astorga, quedando constituida definitivamente la provincia compostelana de la siguiente forma: *Metrópoli:* Santiago. *Sufragáneas:* Orense, Tuy, Lugo, Mondoñedo, Astorga, Zamora, Salamanca, Ciudad Rodrigo, Avila, Coria, Plasencia y Badajoz[92].

Castilla

Restauración de la provincia eclesiástica de Toledo

El desconcierto que la invasión árabe produjo en la península Ibérica afectó no sólo a los límites diocesanos, sino a las mismas provincias eclesiásticas. Todas ellas quedaron durante muchos años bajo el dominio musulmán. La primera en ser restaurada fue Toledo, ya que la titulación metropolitana bracarense ostentada por el obispo de Lugo era más honorífica que real[93]. La conquista de Toledo (1085) tuvo su gran repercusión no sólo en España, sino también en Roma. La capital de la España visigoda, por cuya restauración tanto se había suspirado, volvía a adquirir su preponderancia político-religiosa. Urbano II anunciaba (15-10-1088), en varias cartas dirigidas a toda España libre, el restablecimiento del primado de Toledo en la persona del arzobispo don Bernardo[94].

La capital de la Cartaginense visigoda quedaba restaurada. Le esperaba ahora al prelado toledano la ardua y difícil tarea de restaurar y recuperar las antiguas sufragáneas, así como aclarar la situación canónico-jurídica de las nuevas sedes creadas por necesidad de la Reconquista[95]. *Palencia* restaurada (1035) era la única sufragánea de Toledo cuando don Bernardo recibió el nombramiento arzobispal de la sede primada, y como tal aparece ya en la bula de Urbano II (4-5-1099)[96]. *Osma* restaurada (1101) no encomtró ninguna dificultad para ser reintegrada a la provincia toledana[97]. La diócesis de *Sigüenza*, enclavada en una zona fronteriza con Aragón, corría peligro de ser incorporada a la Tarraconense, pero se pudo evitar por la rápida intervención de Toledo en la sede seguntina y por haber sido conquistada Sigüenza por el rey castellano Alfonso VII el Emperador. Efectivamente, el 1121 fue consagrado obispo de Sigüenza don

[92] D. MANSILLA, *Disputas diocesanas...:* Anthologica Annua 3 (1955) 130-143.
[93] P. DAVID, *Études historiques* p.119-184.
[94] J. L., n.5.366-5.371; cf. D. MANSILLA, *La documentación pontificia hasta Inocencio III* p.39-45.
[95] Sobre esta cuestión cf. J. F. RIVERA, *La provincia eclesiástica de Toledo en el siglo XII:* Anthologica Annua 7 (1959) 95-147; ID., *La iglesia de Toledo en el siglo XII (1086-1208)* (Roma-Madrid 1966) 1,245-294.
[96] J. L., n.5.801.
[97] J. L., n.5.653.

Pedro de Agen, chantre de Toledo, y tres años más tarde (22-1-1124) era conquistada la ciudad por Alfonso VII, a quien acompañaba el prelado seguntino, que comenzó a restaurar con gran celo su diócesis tanto en lo espiritual como en lo temporal[98]. La diócesis de *Segovia,* reconquistada por Alfonso VI (1079) y repoblada por don Raimundo de Borgoña, fue considerada en sus primeros momentos como una prolongación de la diócesis de Toledo, y sus territorios eran gobernados eclesiástica y señorialmente desde la ciudad imperial hasta que don Pedro de Agen fue nombrado obispo de Segovia (1119). Su elección fue confirmada por Calixto II (9-4-1123), y en la misma bula se determinan los límites diocesanos, enumerando los pueblos de Coca, Iscar, Cuéllar, Portilla, Peñafiel, Castrillo de Lácer, Cuevas, Sacramenia, Bebigure, Bernoie, Maderol, Fraxinum, Alchite, Sepúlveda, Pedraza...[99]

El obispado de Albarracín-Segorbe

Los orígenes del obispado de Albarracín se remontan al año 1172[100]. Don Pedro Ruiz de Azagra vio que la mejor manera de asegurar su independencia política frente a los poderosos reyes de Aragón y Castilla era fundar allí una sede episcopal. Para ello, y a pesar de la oposición del obispo de Zaragoza, a cuya jurisdicción pertenecía Albarracín, buscó el apoyo de Castilla a través del arzobispo de Toledo, don Cerebrún (1167-1180). Con el apoyo de éste y del cardenal Jacinto consiguió que Santa María de Albarracín fuera obispado. El obispo elegido fue el canónigo de Toledo don Martín (1173). Su creación fue avalada con el antiguo título canónico de *Arcávica,* una diócesis visigoda ubicada dentro de la metrópoli cartaginense. Al descubrirse el 1176 que el emplazamiento de *Arcávica* en Albarracín no era correcto, se cambió el título por el de *Segobricensis,* con lo que se aseguraba canónicamente la existencia del nuevo obispado. Roma ni aprobó ni desautorizó la nueva erección a lo largo del siglo XII. Inocencio III reconoció por primera vez la sufraganeidad de Segorbe, respecto de Toledo, el 28 de noviembre de 1213. Pero la sede no fue confirmada propiamente hasta el pontificado de Inocencio IV (12-4-1247), es decir, dos años después de la conquista de Segorbe (1245). El papa reconocía un hecho consumado y al mismo tiempo procuraba, con muy buen acuerdo, que las dos iglesias de Segorbe y Albarracín formasen un solo obispado en previsión de futuros litigios[101]. Así continuaron las cosas hasta el 21 de julio de 1577, en que fue creado el obispado de Teruel-Albarracín, desmembrado de Segorbe.

---

[98] T. MINGUELA, *Historia de la diócesis de Sigüenza* 1,61 y 347; J. F. RIVERA, *La iglesia de Toledo* 1,268-75.

[99] D. DE COLMENARES, *Historia de Segovia* p.187-196 y J. F. RIVERA, *La iglesia de Toledo* 1,278-280.

[100] J. F. RIVERA, *La creación del obispado de Albarracín:* Hispania 14 (1954) 27-52; C. TOMÁS LAGUÍA, *La creación de la diócesis de Albarracín:* Teruel 10 (1953) 203-230.

[101] D. MANSILLA, *Iglesia castellano-leonesa* p.70-71.

El obispado de Cuenca

Reconquistada (1177) por Alfonso VIII de Castilla, se pensó establecer allí una sede episcopal. El nuevo obispo fue un canónigo de Toledo, don Juan Ibáñez o Yáñez, que figura ya como electo el año 1179. Tanto el monarca castellano como el nuevo electo acudieron al papa Lucio III, manifestándole sus deseos de erigir en Cuenca un obispado formado con territorios de las antiguas sedes visigóticas: *Arcávica* (Cabeza de Griego) y *Valeria* (Cuenca). Lucio III accedió gustoso a sus deseos, quedando constituido el obispado (1-6-1182) [102]. El prelado conquense comenzó a trabajar en la ordenación canónica de la catedral y demás iglesias, así como en el establecimiento del cabildo y recuperación de sus territorios diocesanos [103]. La erección de la diócesis fue confirmada oficialmente por Lucio III (5-7-1183) [104].

Alejandro III, en un privilegio a la diócesis de Toledo (11-12-1166), enumera entre sus sufragáneas: Palencia, Segovia, Osma y Sigüenza. En los privilegios confirmatorios de sus sucesores Urbano III, Celestino III e Inocencio III se añade la de Cuenca. Por bula de Inocencio III (8-4-1219), la diócesis de Albarracín-Segorbe, disputada por Tarragona, quedó incorporada a Toledo. A estas seis hay que añadir Baeza (1228), trasladada a Jaén (1246), y Córdoba, restaurada (1236-37), que perteneció a la antigua provincia de la Bética.

Sedes episcopales objeto de discusión por parte de Toledo: Burgos, León, Oviedo, Zamora, Plasencia, Valencia y Cartagena

El arzobispo de Toledo, don Bernardo, no pudo conseguir que *Burgos*, dependiente de la Tarraconense en la época visigoda, pasara a depender de Toledo, siendo declarada sede exenta por Urbano II (15-7-1096) para poner fin a las discusiones entre Toledo y Tarragona. Por otra parte, Alfonso VI tampoco estaba dispuesto a tolerar que la sede de la cabeza de Castilla dependiese eclesiásticamente de una metrópoli que políticamente pertenecía al condado de Cataluña. Una solución similar se encontró para los obispados de *León* y *Oviedo*. Estas dos sedes, de nueva creación en la Reconquista, nunca pertenecieron a la Cartaginense visigoda, ni pudieron pertenecer, porque no existieron. Pero el arzobispo de Toledo obtuvo de Urbano II (4-5-1099) incorporarlas a su provincia eclesiástica. Los dos prelados protestaron por esta decisión en los concilios de Palencia (1100) y de Carrión (1103), y apelaron a Pascual II, que decidió declarar sedes exentas a León (15-4-1104) y a Oviedo (30-9-1105) [105].

Por lo que a *Zamora* se refiere, nadie podrá negar que el verdadero artífice de la diócesis zamorana y el que salvó su vida, amenazada a princi-

---

[102] J. L., n.14.796 y 14.797 = MONDÉJAR, MARQUÉS DE, *Memorias históricas de Cuenca y su obispado:* Biblioteca Conquense V (Madrid 1949) 141-142.
[103] J. L., n.14.774.
[104] J. L., n.14.895; cf. T. MUÑOZ Y SOLIVA, *Noticias de los obispos que han regido la diócesis de Cuenca* p.6.
[105] J. L., n.6.058 y 6.059.

pios del siglo XII, separándola de Salamanca, fue el arzobispo de Toledo, don Bernardo. Pero no pudo lograr que fuera incorporada definitivamente a su provincia eclesiástica. No obstante, durante la primera mitad del siglo XII, el obispo de Zamora estuvo *de facto* obedeciendo al toledano. Por sentencia de Eugenio III (13-6-1153) quedó incorporada a Braga, y a principios del siglo XIII, a Santiago [106]. *Plasencia,* conquistada (1180) por Alfonso VIII de Castilla, fue elevada a categoría episcopal (1189) a petición del monarca castellano. El papa Clemente III confirmó la fundación (1189) [107]. Como fundación de la Reconquista, no estaba enmarcada en ninguna provincia eclesiástica, aunque por la geografía correspondía a la Emeritense (ahora Compostelana). Sin embargo, a principios del siglo XIII fue objeto de discusión entre Toledo y Compostela [108], quedando incorporada a Santiago [109].

Durante la pasajera restauración de la diócesis de Valencia en tiempos del Cid (1094-1102), el arzobispo de Toledo ejerció allí su jurisdicción a través del obispo, don Jerónimo de Périgord, que era hechura suya, y que pasó a ser, al morir el Cid, obispo de Salamanca. Pero cuando llegó la toma definitiva de Valencia (1238) por las armas del rey Jaime I de Aragón, se planteó una enconada lucha entre Toledo y Tarragona sobre la sufraganeidad de la sede valentina. Las razones históricas y jurídicas estaban a favor de Toledo, porque Valencia estuvo siempre integrada en la provincia Cartaginense, según las antiguas listas de las sedes visigodas. Sin embargo, y a pesar de que el toledano mandó al obispo don Pedro de Albarracín tomar posesión, en su nombre, de la diócesis de Valencia, no consiguió sus objetivos. Una vez más, las razones políticas prevalecieron sobre las viejas y tradicionales de la división romano-visigoda, y Valencia, después de una prolongada disputa, quedó incorporada a Tarragona (1239) [110].

Otra diócesis objeto de discusión fue *Cartagena*. La conquista del reino de Murcia (1243) planteó inmediatamente el problema de la restauración de la antigua sede cartaginense. Así lo hizo saber al papa Inocencio IV el infante don Alfonso, y sus deseos tuvieron favorable acogida en Roma. Pero la diócesis de Cartagena fue objeto de discusión y apetencia por parte de Toledo y Tarragona. Ante las reiteradas instancias del infante don Alfonso, Inocencio IV se decidió por el restablecimiento de la sede cartaginense (31-7-1250) [111]; pero la cuestión de la sufraganeidad no quiso resolverla de una manera definitiva. Una vez más, se buscó y encontró una fórmula de compromiso, que fue declarar sede exenta a Cartagena (6-8-1250) [112].

---

[106] D. MANSILLA, *Disputas diocesanas entre Toledo, Braga y Compostela en los siglos XII al XV:* Anthologica Annua 3 (1955) 91-113.
[107] J. L., n.10.221.
[108] D. MANSILLA, *La documentación pontificia de Honorio III (1216-1227)* p.105-106.
[109] Ibid., p.51 y D. MANSILLA, *Iglesia castellano-leonesa* p.107.
[110] R. CHABÁS, *Episcopologio valentino* 1,375-397; F. MARTORELL, *Fragmentos inéditos de la «ordinatio ecclesiae valentinae»:* Escuela Española de Arqueología e Historia 1 (Madrid 1912); J. SANCHIS SIVERA, *La diócesis valentina* 2,191-412.
[111] POTTHAST, 13,145-13,148.
[112] Ibid., 14.032.

Al estudiar la restauración de la antigua provincia Cartaginense o Toledana, se ve, por una parte, el celo e interés de los arzobispos de Toledo por incorporar a su provincia no sólo aquellos obispados que con toda justicia le pertenecían, sino también los que pudieran pertenecerle por haber surgido como consecuencia de la Reconquista o por otros motivos de carácter político. Pero esta celosa conducta de los prelados de Toledo contrasta con la desconcertante actitud observada en la restauración de la antigua organización eclesiástica visigoda, que era norma directriz durante la Reconquista.

Así, por ejemplo, la diócesis de *Compluto* (Alcalá) no se restaura, sino que su territorio se agrega a Toledo por bula de Urbano II (4-5-1099) [113]. Tampoco quiso restaurar la antigua *Oreto* (Granatula), en Ciudad Real, con el deseo de ensanchar su ya dilatada diócesis [114]. Tampoco se restauran las sedes de *Mentesa* (La Guardia, Jaén), ni *Castulo* (Cazlona, Jaén), ni *Elo* (Montealegre), ni *Setabi* (Játiva), ni *Diania* (Denia), ni *Illichi* (Elche), a pesar de haberse reconquistado ya sus territorios. Otras, como *Acci* (Guadix), *Basti* (Baza), *Urci* (Almería), estaban aún en poder de los árabes. *Bigastro* (Cehegín) bien puede considerarse como continuación canónica de Cartagena. Sin embargo, el arzobispo don Rodrigo (1208-1247) mostró gran empeño en dividir el obispado de Cuenca; pero sus propósitos, aunque apoyados por Roma, no prosperaron [115].

Según lo expuesto, la provincia eclesiástica de Toledo después de la Reconquista quedó formada así: *Metrópoli:* Toledo. *Sufragáneas:* Palencia (1035), Osma (1088), Segovia (1119), Sigüenza (1124), Cuenca (1179), Albarracín-Segorbe (1219), Baeza (1228), trasladada a Jaén (1246), y Córdoba (1236). Temporalmente (1102-1153), Zamora. Total: 9; en la época visigoda, 22.

Otras sedes de Castilla: Valpuesta, Sasamón y Burgos

La diócesis de *Burgos* es continuación canónica de Oca y fue ocupada por los árabes (715 al 717). Sus obispos y muchos cristianos se vieron obligados a refugiarse en el noroeste de la Península. Al repoblarse el antiguo territorio de la sede aucense en los siglos IX y X, vemos surgir dos centros episcopales, que son *Valpuesta* y *Sasamón*, y otro itinerante: *Muñó*, que se unifican en un solo obispado: el de Burgos, a finales del siglo XI. El de *Valpuesta*, situado en la parte nordeste de la provincia de Burgos, fue creado por el obispo Juan, de acuerdo con el rey Alfonso II el Casto (792-842), según consta por el documento fundacional (21-12-804). La necesidad de atender a una población ubicada en la cuenca alta del Ebro, desde Miranda de Ebro y Sobrón al valle de Manzanedo, obligó a pensar en un obispado, que duró desde el 804 al 1087. No consta si la nueva diócesis fue una nueva creación o una continuación canónica de Calahorra o de Oca.

---

[113] J. L., n.5.801.
[114] D. MANSILLA, *La documentación pontificia de Honorio III* p.117.
[115] Ibid., p.118 y 134; D. MANSILLA, *Iglesia castellano-leonesa* p.71.

De hecho, su territorio se incorporó a esta última el año 1087 [116]. El obispado de *Sasamón* existía ya el 23 de noviembre de 1071 a juzgar por la donación que la condesa doña Mamadona hace al obispo Muño *«in episcopali ecclesia, que dicitur Sancta Maria in Samonensi fundata»* [117]. Tal vez, su creación tuvo lugar hacia el 1060 o antes; pero, restaurada la sede de Oca (1068), la de Sasamón estaba llamada a desaparecer, como así sucedió (1087).

Burgos.—A medida que se afianza la autonomía e independencia del condado castellano, se destaca también la existencia de un obispado castellano sin sede fija, apareciendo unas veces en Muñó y otras en Sasamón. De lo que no cabe dudar es que se considera como continuación canónica de Oca a partir del gobierno del conde Fernán González (920-970), puesto que le vemos suscribir con el título de *Aucensis* a lo largo del siglo X. Realizada la unidad política de Castilla con Sancho II (1065-1072), se procedió también a la unidad religiosa, restaurando la antigua diócesis de Oca (18-3-1068), pero fijando su sede en Burgos. La decisión fue confirmada por Gregorio VII (1074) y más tarde por Alfonso VI y sus hermanas doña Urraca y doña Elvira (8-7-1075) [118].

Para la iglesia de Burgos, cabeza de Castilla, comenzaba una nueva etapa; una etapa de consolidación y crecimiento. Se organiza la vida común de los canónigos y clérigos, se impulsa la construcción de la primera catedral románica y se trata de precisar y defender los *límites* diocesanos. La diócesis de Burgos comprendía una gran extensión: por el norte se extendía desde Portugalete hasta San Vicente de la Barquera, comprendiendo toda la provincia de Santander, siendo el río Deva la línea divisoria con Oviedo. Seguía después en dirección sur a buscar el curso del río Pisuerga, siendo éste la línea divisoria con Palencia hasta su desembocadura por Quintana del Puente. Continuaba después por la parte oriental hasta llegar al Esgueva por Castrillo de Don Juan. El Esgueva era la línea divisoria con Osma, que seguía después por el término municipal de Silos, Peñas de Carazo y Salas de los Infantes, donde el río Arlanza, en su curso superior, marca el límite de ambas diócesis, siguiendo después la trayectoria en dirección norte hasta los Picos de Urbión y tierras de Santo Domingo de la Calzada, por donde venía a encontrarse con Calahorra [119]. Estos límites permanecieron inmutables hasta el año 1956, si exceptuamos la erección de la diócesis de Santander (12-12-1754), que supuso para Burgos la pérdida de una buena parte de la actual provincia de Santander, es decir, lo que se llamaba de «Peñas para abajo».

---

[116] FLÓREZ, ES 26,2; GARCÍA VILLADA, *Valpuesta: una diócesis desaparecida:* Spanische Forschungen der Görresgesellschaft. Gesammelte Aufsätze, 5,190-218; L. BARRAU DIHIGO, *Chartes de l'Eglise de Valpuesta:* Revue hispanique 7 (1900) 273-280.

[117] ES 26,157-165; L. SERRANO, *El obispado de Burgos* 3,35.

[118] ES 26 y L. SERRANO, *El obispado de Burgos* 1,231; 3,15,44 y 61-62; J. PÉREZ DE URBEL, *Historia del condado de Castilla* 1,345ss y 417-495.

[119] D. MANSILLA, *Iglesia castellano-leonesa* p.126-127.

Traslación de la sede de Calahorra a Santo Domingo de la Calzada

Otro hecho de singular importancia en la vida eclesiástica de la España del siglo XIII fue la traslación de la sede de Calahorra a Santo Domingo de la Calzada. La situación periférica de Calahorra, su proximidad al territorio musulmán y la enconada lucha entre los obispos y los cluniacenses por la posesión de Nájera, sostenida durante más de un siglo, obligaron a sus prelados a buscar un lugar más tranquilo y adecuado dentro de la diócesis. El proyecto se venía acariciando ya desde mediados del siglo XII y contaba con el apoyo de los reyes de Castilla, que querían asegurar y afianzar la influencia castellana frente a Aragón y Navarra. Efectivamente, la sede calagurritana giraba ya en la órbita castellana desde finales del siglo XI, como decimos al hablar de Navarra y Aragón. El proyecto de traslado encontró oposición por parte del obispo de Burgos, que reclamaba para sí la iglesia de Santo Domingo de la Calzada[120], pero sus pretensiones no prevalecieron[121].

Honorio III facultó la traslación (5-11-1224), que reiteró Gregorio IX (17-11-1228), autorizando al legado pontificio, Juan Sabienense, la realización del traslado[122]. Vencidas algunas dificultades surgidas por parte del cabildo de Santo Domingo y de Fernando III, rey de Castilla[123], se hizo el traslado de la sede por el obispo, don Juan Pérez, de acuerdo con el cabildo (1230); decisión que fue confirmada por Gregorio IX (14-4-1231)[124]. La iglesia de Santo Domingo de la Calzada gozaría del mismo rango de catedralidad que Calahorra, denominándose *«Calagurritana et Calceatensis»*.

Restauración religiosa en Andalucía, Extremadura, reino de Murcia y Marruecos (siglos XIII-XIV)

Baeza-Jaén.—Conquistada Baeza (1227), se planteó inmediatamente el problema de la restauración religiosa, que corrió a cargo del arzobispo de Toledo, don Rodrigo Jiménez de Rada. Este nombró para obispo de Baeza al dominico fray Domingo, quedando así restaurada la sede (1229). Como integrada en la antigua Cartaginense, el obispo fray Domingo prestó juramento de fidelidad y obediencia a don Rodrigo, como metropolitano[125]. Al ser reconquistada Jaén (1246) por Fernando III, éste pensó en estable-

---

[120] L. SERRANO, *Don Mauricio, obispo de Burgos* p.142-143; ID., *El obispado de Burgos* 1,419-420 y 3,188.
[121] P. KEHR, *Papsturkunden in Spanien. Navarra und Aragón* p.392.
[122] D. MANSILLA, *La documentación pontificia de Honorio III* p.389-390 y 468; L. AUVRAY, *Les registres de Grégoire IX* 1,151-152; I. RODRÍGUEZ R. DE LOMA, *Colección diplomática medieval de la Rioja.* T.3: Documentos (1168-1225) (Logroño 1979) 3,297-301.
[123] J. GONZÁLEZ TEJADA, *Historia de Santo Domingo* p.210; D. MANSILLA, *Iglesia castellano-leonesa* p.300-302 y M. LECUONA, *Los sucesos calceatenses de 1224-1234:* Scriptorium Victoriense 1 (1954) 134-146.
[124] L. AUVRAY, *Les registres de Grégoire IX* 1 n.616; J. GONZÁLEZ TEJADA, *Historia de Santo Domingo* p.204-210.
[125] D. MANSILLA, *Iglesia castellano-leonesa* p.76.

cer allí una sede episcopal; pero Inocencio IV optó por trasladar allí la diócesis de Baeza más que por una nueva creación (14-5-1249) [126]. Fue tarea difícil y ardua la que se le presentó al nuevo prelado en lo tocante a la restauración de la vida religiosa en la diócesis y en precisar los *límites* de la misma. La dificultad se hallaba en el hecho de que el arzobispo de Toledo había conquistado muchos lugares de la diócesis de Baeza, de los que no quería desprenderse. La lucha por recuperarlos duró varios años, hasta que, por mediación de San Fernando y su madre, doña Berenguela, se llegó a una concordia (1234), por la que se precisaron con bastante detalle los límites [127].

Mérida.—Conquistada Mérida (1230) por el rey leonés Alfonso IX, el papa Gregorio IX ordenó al arzobispo de Compostela, como metropolitano de estas tierras, se encargase de la restauración religiosa de Mérida y Badajoz; encargo que fue reiterado ante la negligencia del de Santiago, celoso, sin duda, de su dignidad metropolitana. Ante la insistencia del papa, el arzobispo compostelano, don Bernardo II, puso en práctica los mandatos pontificios, y Mérida fue restaurada (1234), eligiendo como obispo al maestro don Alfonso, porcionario de Santiago [128]. Pero el prelado compostelano, al darse cuenta del peligro que dicha restauración podía suponer para su dignidad metropolitana, destituyó de su cargo al obispo que había nombrado dos meses antes. Para evitar en lo sucesivo una nueva restauración, cedió Mérida y su territorio a la Orden de Santiago. Con ello resultaban irrealizables los propósitos de Gregorio IX, y Mérida quedó sin restaurar por culpa del arzobispo de Santiago [129].

Córdoba.—Reconquistada (29-6-1236), se procedió a la purificación de la mezquita, que quedó transformada en catedral por don Juan, obispo de Osma, canciller del rey San Fernando, en ausencia del arzobispo de Toledo, quien más tarde (9-5-1237) nombró y consagró obispo a don Lope de Fitero. Con la espléndida dotación hecha por San Fernando, la sede quedó restaurada e incorporada a la metrópoli Toledana a pesar de haber pertenecido antiguamente a la Bética [130]. Sus límites se fueron precisando a lo largo de los siglos XII y XIV, siendo la línea divisoria entre Córdoba y Sevilla el río Genil hasta desembocar en el Guadalquivir [131].

Cartagena.—Después de la toma de Córdoba, los objetivos militares de San Fernando se dirigieron sobre la España oriental con miras a la ocupación del reino de Murcia. Esta empresa tenía un carácter marcadamente político, y era cortar el paso al rey de Aragón, que desde la toma de Valencia (1238) amenazaba apoderarse de este reino. La empresa corrió a cargo del infante don Alfonso, quien se apoderó de Murcia el 1243 y de Carta-

[126] Ibid., p.77-78.
[127] Ibid., p.135-136.
[128] Ibid., p.79-80.
[129] Ibid., p.78-81 y 303-304; ID., *La curia romana y la restauración eclesiástica española en el reinado de San Fernando:* Revista Española de Teología 4 (1944) 127-164.
[130] D. MANSILLA, *Iglesia castellano-leonesa* p.81-82 y 100; J. GÓMEZ BRAVO, *Catálogo de los obispos de Córdoba* p.248.
[131] D. MANSILLA, *Iglesia castellano-leonesa* p.136-137. M. NIETO CUMPLIDO, *Corpus medievale cordubense* (Córdoba 1979) s.n. 361-420.

gena al año siguiente. Como ya se indicó más arriba[132], se procedió a la restauración de la sede cartaginense, y, para acortar apetencias y discusiones entre Toledo y Tarragona, fue declarado obispado exento[133]. El nuevo obispo, el franciscano Pedro Gallegos, fue nombrado y consagrado por el papa (1250)[134]. Con ello quedaba restaurada la diócesis de Cartagena. Una de sus principales tareas, además de la organización de la vida religiosa tanto en el clero como en el pueblo, fue fijar los límites de su sede. La empresa fue objeto de largas y difíciles negociaciones. Por fin, quedaron precisados el 11 de diciembre de 1266 por un privilegio real de Alfonso X[135]. Con la diócesis de Valencia, la divisoria era la misma que la que dividía los reinos de Aragón y Castilla, fijada en el tratado de Almizra, según el cual se hacía pasar la línea entre Játiva y Enguera, continuándola hasta Denia por el puerto de Biar (Alicante). Por el norte, los puntos señalados son Cofrentes, Jorguera, Chinchilla, siguiendo después hacia el sur por Letur, Calasparra, Caravaca, Lorca, y, atravesando el río Nogalte, la línea se internaba en el Mediterráneo por el puerto de Aguilas. Los límites con el reino moro de Granada aumentaron a medida que avanzó la Reconquista[136].

Badajoz.—A pesar de que la ciudad de *Badajoz* fue conquistada en 1230, no se restauró hasta el 1255. Su retraso se debió, en primer lugar, a que Badajoz no había gozado jamás de dignidad episcopal. La antigua *Beja* no estuvo en Badajoz, sino en Beja (Portugal). En segundo lugar, la frontera portuguesa era objeto de discusión durante estos años por parte de Alfonso X (1252-1284) frente a Alfonso III de Portugal, que intentaba apoderarse del Algarve, sobre cuyo territorio el monarca castellano mantenía fundadas pretensiones. Alfonso X el Sabio pensó entonces seriamente en la restauración de Badajoz y Silves. Inocencio IV encargó (1253) al obispo de Cartagena, fray Pedro Gallegos, la restauración de tres obispados que el rey de Castilla había reconquistado o pensaba reconquistar. La misma encomienda hace Alejandro IV, dos años después, al obispo de Marruecos, que dio por resultado la erección de Badajoz (1255)[137]. Téngase en cuenta que la sede pacense, título a base del cual se la quería restaurar, no se encontraba en territorio castellano, sino portugués, y, por tanto, en peligro de ser incorporada a la metrópoli de Braga, según normas que iba imponiendo la Reconquista.

Restauración de la provincia eclesiástica de Sevilla

De las metrópolis en que estuvo dividida la España romana, la última en restaurarse fue Sevilla. Reconquistada por Fernando III (23-11-1248), fue restaurada su sede al año siguiente (24-6-1249) y espléndidamente

[132] Cf. arriba p.629.
[133] POTTHAST, n.14.032.
[134] POTTHAST, n.13,144.
[135] *Memorial histórico español* 1,233-234.
[136] D. MANSILLA, *Iglesia castellano-leonesa* p.81-84 y 137-138.
[137] POTTHAST, n.14,814. Las sedes no se nombran, pero se referían, probablemente, a Badajoz, Silves y Medina Sidonia.

dotada por el monarca castellano [138]. El arzobispo de Toledo, que restableció el culto cristiano, nunca puso en tela de juicio los derechos metropolitanos de Sevilla; pero ya el año 1218, o sea, treinta años antes de su reconquista, quiso hacer constar su supremacía primacial sobre esta provincia [139]. Inocencio IV (22-3-1250) comisionaba a los arcedianos de Palenzuela y Valpuesta que precisaran los límites entre Sevilla y Córdoba; comisión que dio por resultado el que Ecija quedara para Sevilla. Pero un importante documento para precisar los límites de la diócesis de Sevilla es un estatuto del arzobispo de Losana (1259-1286), que enumera detalladamente los arcedianatos con sus términos [140].

Restaurada la capital de la antigua Bética, correspondía a sus metropolitanos rehacer la provincia, que había contado en la época con nueve sufragáneas: *Italica* (Santiponce), *Assidona* (Medina Sidonia), *Elepla* (Niebla, Huelva), Málaga, *Illiberi* (Granada), *Astigi* (Ecija), Córdoba, *Egabro* (Cabra), *Tucci* (Martos). La tarea se presentaba muy difícil. Por lo menos, una de sus más importantes sufragáneas, Córdoba, ya se había agregado a Toledo. El primer documento conocido, y en el que se concede al arzobispo don García (1289-1294) el palio, símbolo de la dignidad metropolitana, es un privilegio de Nicolás IV (20-3-1289), en que sólo aparece como recuperada una de las antiguas sufragáneas: *Medina Sidonia,* restaurada (1266) y trasladada a *Cádiz.* Efectivamente, se trata de la diócesis de Cádiz, continuación canónica de Medina Sidonia, pero cuyo traslado a Cádiz había encontrado una fuerte oposición en el arzobispo y cabildo sevillanos, aunque al fin triunfó la decidida voluntad de Alfonso X el Sabio. A la diócesis de Cádiz se añadió la de *Algeciras,* reconquistada (1344) y elevada a categoría de catedral por Clemente VI (30-4-1344), si bien unida canónicamente a Cádiz. Uno mismo había de ser el obispo de las dos diócesis, y, lo mismo que Cádiz, Algeciras había de estar sometida a la metrópoli de Sevilla. Su vida fue de muy corta duración por haber pasado de nuevo la plaza de Algeciras a poder del rey moro de Granada [141].

Otra diócesis sufragánea de Sevilla fue *Silves,* la antigua Ossonoba, situada en la provincia Lusitana o Emeritense. Este obispado no tenía tradición canónica alguna, porque con tal denominación no existió en la época romano-visigoda. Pero las conquistas de los reyes portugueses por el sur, y concretamente en el Algarve, presentaron el problema de la restauración religiosa en esas tierras. Conquistada Silves (1189) por el rey portugués Sancho I, nada tiene de extraño que el arzobispo de Braga tratara de intervenir en la restauración de la diócesis en orden a incorporarla a su metrópoli. Se creó un obispado, adjudicándole el título de la antigua Ossonoba, pero fijando la residencia de la sede en Silves. La decisión fue llevada a cabo por el arzobispo de Braga (1189) y confirmada por Cle-

---

[138] D. Ortiz de Zúñiga, *Anales eclesiásticos ad a.1249* 50 y 407-410; D. Mansilla, *Iglesia castellano-leonesa* 84.
[139] Potthast, n.5.683.
[140] D. Mansilla, *Iglesia castellano-leonesa* p.136-137; A. Ballesteros, *Sevilla en el siglo XIII* ap.8.
[141] D. Mansilla, *Creación de los obispados de Cádiz y Algeciras:* Hispania Sacra 10 (1957) 243-271.

mente III (1190), mandando a su obispo que obedeciera al arzobispo de Braga como metropolitano [142]. Pero la antigua Ossonoba pertenecía a la provincia Emeritense y no a la Bracarense; por eso Compostela entró en litigio con Braga, pero sin resultado. Silves volvió de nuevo a manos musulmanas hacia el 1220 y no fue conquistada de nuevo hasta el 1249 por Alfonso X de Castilla. Restaurada de nuevo la diócesis hacia el 1255, quedó incorporada a la metrópoli de Sevilla, a la que perteneció hasta el año 1393, que pasó a depender de la nueva provincia eclesiástica de Lisboa fundada en ese año [143].

Otra nueva sufragánea adquiere Sevilla en el siglo XIV, la de Canarias, creada el 7 de noviembre de 1351, con sede en San Marcial de Rubicón (Lanzarote), pero no se consolidó hasta principios del siglo XV (1406) [144].

Otro obispado íntimamente relacionado con Sevilla es el de *Marruecos*. A lo largo de los siglos XIII y XIV, sus obispos residen frecuentemente en Sevilla [145], ciudad que sirve de centro de operaciones para la labor misional en Marruecos. Consta claramente que fue obispado exento del 1246 al 1353, a juzgar por las bulas de elección de sus prelados [146]. El P. López cree que a partir del 1353 pasó a ser sufragáneo de Sevilla, pero no consta con certeza, ya que, al querer Felipe II incorporar la diócesis de Córdoba a la metrópoli de Sevilla en el siglo XVI, la razón que daba es que Sevilla no tenía más que tres sufragáneas: Málaga, Canarias y Cádiz, sin mencionar para nada a Marruecos [148]. Por tanto, de las nueve sufragáneas existentes en la época visigoda, solamente se restaura una: Medina Sidonia (Cádiz), ya que Silves perteneció a la Emeritense y Canarias fue de nueva creación. Es verdad que algunas sedes estaban todavía en poder de los árabes; pero no se restauraron ni *Italica* (Santiponce), ni *Elepla* (Niebla), ni *Astigi* (Ecija), ni *Egabro* (Cabra), ni *Tucci* (Martos), mientras que perdía Córdoba, incorporada a Toledo.

La provincia eclesiástica de Sevilla, a partir de la segunda mitad del siglo XIII, quedó constituida así: *Metrópoli:* Sevilla. *Sufragáneas:* Medina Sidonia, trasladada a Cádiz (1267); Algeciras, unida a Cádiz (1344-1364), Silves (1255) y Canarias (1351). A partir de la segunda mitad del siglo XIV, probablemente *Marruecos*.

[142] C. Erdmann, *Papsturkunden in Portugal* 1,330-340.
[143] D. Mansilla, *Formación de la provincia Bracarense después de la invasión árabe:* Hispania Sacra 14 (1961) 21-23.
[144] A. Rumeu de Armas, *El obispado de Toledo* (Las Palmas 1960); J. Vincke, *Primeras tentativas misionales en Canarias (siglo XIV):* Analecta Sacra Tarraconensia 15 (1942) 291-301; D. Mansilla, *Panorama histórico-geográfico de la Iglesia española en los siglos XV y XVI*, en *Historia de la Iglesia en España* (BAC Maior) III 1.º p.1-7.
[145] A. López, *Obispos en Africa septentrional* p.59-116.
[146] J. Sbaralea, *Bullarium Franciscanum* 1,439ss y A. López, *Obispos en Africa septentrional* p.76ss.
[147] Ibid.
[148] D. Mansilla, *La reorganización eclesiástica española del siglo XV:* Anthologica Annua 4 (1956) 129.

FRANCIA

Mapa eclesiástico de
España al finalizar
el siglo XIII

SIMBOLOS

LIMITE INTERDIOCE-
SANO · · · · · · · · · · · · · · · · T: TRASLADO
F: FUNDACION · · · · · · · · · EX: EXENCION
R: RESTAURACION · · · · · · ( ) SUPRESION

PROVª
ECLCª
DE
SANTIAGO

PROVª
ECL.
DE
BRAGA

PROVINCIA
ECLESIASTICA DE SANTIAGO

PROVINCIA
ECLESIASTICA
DE
SEVILLA

PROVINCIA
ECLESIASTICA
DE
TOLEDO

PROVINCIA
DE
TARRAGONA

PROVª ECLª

DIOCESIS EXENTAS

DIOCESIS EXENTAS

REINO MORO
DE GRANADA

Mondoñedo
F:C 880

Ribadeo
(1206-33)

Santiago
T:899
T:899

Iria

Lugo
R:C 745

Orense
*R:880
2R:1071

Tuy
*R:855-915
2R:1070

Braga
*R:880
2R:1070

Oporto
*R:C 880
2R:1144

Lamego
R:C 850

Viseo
R:1119

Coimbra
R:1080

Idaña
C:R:C 850

Guarda
R:T:1199-1215

Coria
R:1142

Ciudad
Rodrigo
R:1161

Plasencia
F:1189

Zamora
F:C 905
R:1123-34

Salamanca
R:1102

Avila
R:C 1087

Astorga
R:C 855

León
F:850-60
Ext1105

Palencia
R:C 1021

Simancas
(953-974)

Burgos
R:1068
T:1075

Calzada
Muñó

Gamonal
(1074-75)

Valpuesta
(804-1086)

Armentia

San Sebastián

Oviedo
F:C 802-12
Ext1105

St.Domingo
R:T:1023
(970-1088)

Nájera
T:1231

Oca

Osma
2R:1101

Sigüenza
R:12>24

Segovia
R:C 1115>20

Toledo
R:18-XII-1086

Pamplona
R:T:1023 (860-1023)

Jaca
F:1005
T:1096

Leire

Huesca
T:1096

Calahorra
R:T:XI-1045

Tarazona
R:1119

Zaragoza
R:1118

Albarracín
F:1172

Cuenca
R:1182-83

Segorbe
1258

Roda
(842-1101)

Barbastro
(1101-1149)

Lérida
R:T:1149

Urgel
R:s.VIII

Besalú
(1117-1128)

Vich
R:886

Gerona
R:C 785

Barcelona
R:1089>1118
R:Siglo IX

Tarragona
R:1089>1118

Tortosa
R:1155

Valencia
*R:1098-102
2R:1238

Palma
R:1300-02
Ext1232

Cartagena
R:1250
Ext1250

Mérida
R:1234

Badajoz
R:1255

Evora
R:1166

Silves
1R:1189
2R:1253

Lisboa
R:1147

Baeza
R:1228

Córdoba
R:1237

Jaén
T:1249-50

Sevilla
R:24-VI-1249

(Medina
Sidonia)

Cádiz
T:1266-67

R:1261

II. RESTAURACION ECLESIASTICA EN LOS REINOS DE NAVARRA Y ARAGON

Navarra

En torno a la ciudad de Pamplona surgió el reino de Navarra, cuyos orígenes todavía no han quedado perfectamente esclarecidos por falta de documentación. Sometida la plaza de Pamplona a los musulmanes entre los años 716 al 719, no logró su independencia hasta la primera mitad del siglo IX, figurando Iñigo Arista como primer rey de Navarra (840-859). Pamplona, con la misma energía con que defendió su independencia frente al Islam, lo hizo también frente a los francos y asturianos. Una política de más estrecha colaboración entre Asturias y Pamplona se inaugura con Alfonso III el Magno (866-909) al contraer éste matrimonio con una princesa navarra. Con Sancho Garcés I (905-925) se consolida y robustece el poder de los reyes de Navarra, que llega a su punto culminante con Sancho el Mayor (1000-1035)[1].

La diócesis de Pamplona

Perteneciente a la metrópoli tarraconense, sobrevivió a la invasión árabe. Las primeras noticias que conservamos del obispado pamplonés después de la invasión se remontan al año 829, en el que el obispo Opilano consagraba la iglesia de San Pedro de Usún[2]. Datos más abundantes nos ofrece la carta dirigida por San Eulogio, el 851, al obispo de Pamplona Wilesindo (848-860), dándole gracias por las atenciones recibidas en su viaje con dirección a Centroeuropa, deteniéndose a visitar los monasterios de Leire, Igal, Urdaspal, Cillas y San Zacarías de Siresa[3]. A partir de este tiempo es ya más fácil tejer el episcopologio de Pamplona. No existió, por tanto, restauración de la diócesis iruñesa en un supuesto concilio legerense (1022), como afirman tres documentos falsificados de Sancho el Mayor[4].

En los primeros años del siglo X, el reino navarro extendió extraordinariamente sus fronteras, debido principalmente a las conquistas de Sancho Garcés I (905-925), que conquistó, por la parte occidental, Monjardín, Estella, la cuenca del río Ega, Nájera y una buena parte de la provincia de Logroño. Esto no sólo produjo un engrandecimiento territorial de la diócesis de Pamplona, sino que hizo pensar pronto en la reorganización eclesiástica de las tierras anexionadas al reino navarro. En efecto, se pensó primero en restaurar el antiguo obispado de Calahorra; pero como esta

---

[1] E. IBARRA RODRÍGUEZ, *La reconquista de los Estados pirenaicos hasta la muerte de Sancho el Mayor (1035):* Hispania 2 (1942) 3-63.

[2] A. UBIETO ARTETA, *Las diócesis navarro-aragonesas durante los siglos IX-X:* Pirineos 10 (1954) 180ss.

[3] J. MADOZ, *El viaje de San Eulogio de Córdoba a Navarra y la cronología en el epistolario de Alvaro de Córdoba:* Príncipe de Viana 8 (1945) 415-423; E. LAMBERT. *Le voyage de Saint Euloge dans les Pyrénées en 848:* Estudios dedicados a Menéndez Pidal 4 (1953) 557-567.

[4] S. SANDOVAL, *Catálogo* p.34; RAMÓN DE HUESCA, *Teatro histórico* 8.184 n.12; P. KEHR, *Papsturkunden in Spanien. Navarra und Aragón* p.34.

ciudad se hallaba bajo el dominio musulmán y no había esperanzas de restaurarla pronto, se fijó la residencia en Nájera el 925, como veremos más tarde[5].

Los obispados de Tobía y Sasave

Hacia el año 922 encontramos un obispo llamado Teodorico, a quien se le ha hecho obispo de Tobía, en la región montañosa de San Millán de la Cogolla, regada por el Najerilla. Bien podría tratarse de un obispo residente allí de una forma incidental y pasajera, como era frecuente en estos tiempos. Si llegó a ser una realidad independiente de Pamplona, lo fue por muy poco tiempo, ya que en adelante no figura más obispado que el de Nájera-Calahorra, que absorbió, sin duda, el de Tobía. Algo similar ocurrió en el obispado de Sasave (Huesca), surgido, tal vez, para atender la vida religiosa de los territorios conquistados en Aragón por Sancho Garcés (905-925). El nuevo obispado, que se tituló *«in Aragonia, in Soprarbe et in Sasave»*, terminó por incorporarse a Jaca[6].

Extensión territorial de la diócesis de Pamplona

Antes de Sancho el Mayor (1000-1035), la diócesis de Pamplona había extendido sus territorios, sobre todo por la parte oriental. Sabemos que el 944, la Valdonsella pertenecía a Pamplona, así como Navardún y Apardués y la merindad de Estella[7]. Por la parte noroeste, Pamplona tenía una aspiración muy concreta, y era la de arrebatar a Bayona el arcedianato de Baztán y el arciprestazgo de Fuenterrabía, enclavados en territorio español. Esto no se consiguió hasta la época de Felipe II (3-4-1566), pero las aspiraciones expansionistas de la diócesis de Pamplona dieron origen a la falsificación de varios documentos atribuidos a Sancho el Mayor (1000-1035), que, aunque falsos o adulterados, influyeron no poco en posteriores documentos pontificios que respaldaban, en parte, las aspiraciones de Pamplona. Esto provocó una serie de pleitos con las diócesis de Huesca y Zaragoza, que no terminaron hasta finales del siglo XII[8].

A partir de esta época, podemos decir que la línea divisoria de la diócesis de Pamplona iba desde Roncesvalles hasta la desembocadura del río Oyarzun en Pasajes; más al occidente quedaba para Pamplona la provincia de Guipúzcoa en casi su totalidad hasta Motrico, siguiendo después hacia el sur por las poblaciones de Alzola, Azcoitia, Villarreal, Legazpia, Alsasua y Peña de Marañón. Corría después la línea por la división actual de las provincias de Alava y Navarra hasta llegar al Ebro, siguiendo su curso hasta encontrarse con el Gállego, cuyo curso seguía contra corriente hasta Santa Engracia. Según esto, la diócesis de Pamplona había extendido extraordinariamente sus territorios por la parte oriental apoyándose en las

---

[5] J. M. LACARRA, *Expediciones musulmanas contra Sancho Garcés (905-925):* Príncipe de Viana 1 (1940) 41-70.
[6] A. UBIETO, *Las diócesis navarro-aragonesas:* Pirineos 10 (1954) 179-199.
[7] Ibid., p.191.
[8] P. KEHR, *Papsturkunden in Spanien. Navarra* n.16, 27, 50, 79 y 119.

conquistas de Sancho el Mayor. Aparte de la Valdonsella, que siempre estuvo más vinculada a Navarra que a Aragón, la diócesis de Pamplona llegó a poseer, en territorio aragonés, las villas de Uncastillo, Sádaba, Biel, Luesia, Argüero y Murillo del Gállego, que, conquistadas por Sancho el Mayor[9], las consideró como una prolongación de su diócesis. Estos territorios, juntamente con otros, fueron reclamados por Huesca y Zaragoza; pero solamente pasaron a Zaragoza las iglesias de Egea de los Caballeros, Tauste, Luna y Supercesaraugusta, mientras Pamplona siguió en posesión de Uncastillo, Sádaba, Biel, Luesia, Pratel, Pola y Alcalá[10]. Las discusiones y reclamaciones continuaron todavía en los siglos XIII y XIV, particularmente sobre Valdonsella, apetecida por Huesca[11].

Exención de la diócesis de Pamplona (23-9-1385)

Pamplona había pertenecido siempre a la antigua Tarraconense hasta que el 1318 fue creada la nueva metrópoli de Zaragoza, como decimos más adelante. Pamplona fue una de sus sufragáneas, juntamente con Huesca, Calahorra y Tarazona. Jamás había soñado el obispo de Pamplona con la exención si no se la hubiese brindado en bandeja de plata el papa aviñonés Clemente VII (1378-1394). No existía ninguna causa razonable y justificada para tal decisión, como no fuera el deseo de halagar el amor propio de los navarros e inclinar la vacilante voluntad de su rey Carlos II (1349-1387), que permanecía todavía indeciso y sin determinarse por el partido del antipapa. Efectivamente, no había mediado litigio o discusión alguna con el metropolitano de Zaragoza o con otros prelados vecinos.

La prestancia de la ciudad y sede de Pamplona, así como la gloria de haber sido convertida por el mártir San Saturnino, son las únicas razones aducidas por Clemente VII[12]; razones que bien hubieran valido para otras diócesis de España. En realidad no las tenía mejores; por otra parte, no había tiempo que perder; urgía buscar apoyos y ganarse partidarios; la triste situación del cisma así lo exigía, y no había más remedio que utilizar la manoseada arma de la adulación y de los privilegios. Entre éstos, uno, y no pequeño, era hacer exento el obispado de San Fermín. Al monarca Carlos II y a su pueblo había de agradar que la iglesia de la capital del reino estuviera exenta y libre de la jurisdicción metropolitana de Zaragoza; tanto más que tan singular gracia era inesperada, por no haber sido solicitada. Así lo hacía saber Clemente VII en un solemne documento (23-9-1385). Por su parte, el obispo don Martín de Pamplona y sus sucesores habían de pagar a la Cámara Apostólica un florín de oro anual como reconocimiento de la libertad concedida[13].

---

[9] MAGALLÓN, Colección diplomática n.28 y 38 y R. DEL ARCO, Huesca en el siglo XII p.123 n.3.
[10] P. KEHR, Papsturkunden in Spanien. Navarra n.79 y 86.
[11] J. GOÑI, Los obispos de Pamplona del siglo XIII: Príncipe de Viana 18 (1957) 89-90 y 1,204; ID., Los obispos de Pamplona del siglo XIV: Príncipe de Viana 23 (1962) 30 y 131.
[12] El documento pontificio lo edita J. ZUNZUNEGUI, El reino de Navarra y su obispado de Pamplona durante la primera época del cisma de Occidente (San Sebastián 1942) p.345-347.
[13] Ibid.

La decisión de Clemente VII, tomada en unas circunstancias anormales como eran las del cisma, no podía ser duradera y estable. Por eso, una vez terminado el cisma, la exención de Pamplona fue sometida a revisión por el papa Martín V a petición del arzobispo de Zaragoza. Con sobrada razón pedía el prelado cesaraugustano la anulación de la bula de Clemente VII. Aparte de que la decisión había sido tomada por el antipapa, éste lo había hecho sin obtener el consentimiento previo del metropolitano y del cabildo de Zaragoza, que ni siquiera fue solicitado. Por todo lo cual, Martín V anuló el privilegio e incorporó de nuevo el obispado de Pamplona a Zaragoza (17-2-1418) [14]. La revocación de la exención desagradó a Pamplona, como era de esperar, y hasta hubo resistencia, al menos pasiva, ya que el ejercicio de la jurisdicción metropolitana se hacía difícil y hasta se dudaba del poder jurisdiccional del arzobispo de Zaragoza, por lo que éste se vio obligado a recabar auxilio del papa Martín V. El pontífice, al mismo tiempo que remitía a don Alfonso, arzobispo de Zaragoza, la bula por la que anulaba la exención concedida por Clemente VII, mandaba al obispo de Alet (Francia), al abad de Veruela y al oficial de Huesca defender el poder metropolitano del prelado cesaraugustano en la diócesis de Pamplona [15].

La exención del obispado pamplonés suscitó aspiraciones todavía mayores, y pronto soñó Pamplona con la dignidad metropolitana. Fue también en la época del cisma y en el pontificado del papa Luna (1394-1423) cuando se dieron los primeros pasos en este sentido. El rey Carlos III el Noble (1387-1425) propuso a Benedicto XIII (1405) la creación de los obispados de Irache, Roncesvalles y Tudela y la elevación de Pamplona a rango de metrópoli, plan que no prosperó, pero revela lo que suponía como aspiración y consecuencia del privilegio de exención; pero esto pertenece al siglo XV [16].

Proyecto de erección del obispado de Tudela

La ciudad de Tudela, reconquistada el 22-2-1119, quedó desde el primer momento dependiendo eclesiásticamente de Tarazona, aunque políticamente pertenecía a Navarra [17]. Su deanato consiguió tener un amplio distrito territorial, que fue, al mismo tiempo, la base de su gran poder [18]. Asimismo, la amplia jurisdicción de que gozaba su deán dio ocasión a frecuentes litigios con el obispo de Tarazona [19]. Nada tiene de extraño que Tudela, ya por la importancia de su población, ya también por el poder extraordinario de su deanato, soñara con la dignidad catedralicia. El rey

[14] *Reg. Lat.* 222 fol.174v-175.
[15] Ibid.
[16] D. MANSILLA, *Panorama histórico-geográfico de la Iglesia española en los siglos XV y XVI*, en *Historia de la Iglesia en España* (BAC Maior) III 1.º 17ss.
[17] J. M. LACARRA, *La iglesia de Tudela, entre Tarazona y Pamplona:* Estudios de la Edad Media de la Corona de Aragón 5 (1952) 419-423.
[18] Ibid., p.420-421; F. FUENTES, *Abades y priores de la iglesia de Santa María de Tudela:* Hispania Sacra 3 (1950) 361; ES 50,288ss.
[19] Ibid.; ES 49,238-239 y 50,329; F. FUENTES, *Catálogo de los archivos eclesiásticos de Tudela* n.1000.1192.1214 al 1221.

de Navarra Felipe III el Sabio (1329-1343) se dirigió en 1330 al papa aviñonés Juan XXII para que elevara a categoría de catedral la iglesia de Santa María de Tudela, y ofreció poner a disposición de la mencionada iglesia todas las rentas que el obispo y cabildo de Tarazona recibían y tenían en Navarra. La intención del monarca navarro era clara. A toda costa quería que la jurisdicción eclesiástica se ajustara a la política de su reino, y con ese fin hacía la súplica al pontífice [20].

Tan pronto como se informó de la propuesta, el rey aragonés Alfonso IV (1328-1336) acudió también a Roma e hizo saber al papa que los planes del monarca navarro no podían prosperar, porque entrañaban un grave perjuicio y suponían un fuerte contratiempo para el obispo y cabildo de Tarazona, ya que solamente disponían de una renta anual de 1.400 libras turonenses. Al mismo tiempo escribió a su amigo el cardenal Napoleón Orsini recomendándole el asunto. La intervención del monarca aragonés fue rápida y eficaz. El asunto quedó zanjado y las cosas siguieron inmutables [21]. Los intentos reiterados en el siglo XV no obtuvieron mejores resultados por la oposición siempre cerrada de Aragón.

El antiguo obispado de Alava

No aparecen todavía claros los orígenes de la diócesis de Alava, con sede en Armentía (cerca de Vitoria), a pesar de los estudios antiguos y modernos [22]. Probablemente, se remonta al siglo IX. La *Crónica albeldense* da testimonio, el año 881, del obispo de Velegia [23], que unos identifican con Valpuesta y otros con Alava, sin quedar dilucidada la cuestión con claridad [24]. La diócesis alavesa, con sede en Armentía, se prolongó hasta el año 1087, en que fue absorbida por Calahorra [25]; pero no es seguro que fuera aquélla una sustitución o prolongación de ésta, ni tampoco se ha podido todavía resolver si en un principio fue o no obispado distinto del de Valpuesta. Cierto que nos encontramos con obispos en Valpuesta y obispos en Alava, pero nótese que hasta el pontificado de don Munio (1034-1037) no aparece clara ni la terminología ni la cronología del episcopado alavés [26]. Esta incertidumbre ha dado lugar a divagaciones sobre diversas hipótesis y sugerencias. Se ha apuntado la idea de que los obispos de Alava han de identificarse con los de Valpuesta en el siglo X y principios del XI,

[20] J. VINCKE, *Staat und Kirche in Katalonien und Aragón während des Mittelalters* I 390.
[21] Ibid.
[22] M. RISCO, ES 33,231-271; R. DE FLORANES, *La supresión del obispado de Alava y sus derivaciones en la historia del País Vasco* (Madrid 1919); D. PÉREZ DE ARILUCEA, *El obispado alavés, ¿en qué época fue creado?:* Euskalerriaren-alde 17 (1927) 123-147; J. J. DE LANDÁZURI, *Historia eclesiástica de la provincia de Alava* (Vitoria 1928); L. SERRANO, *Orígenes del señorío de Vizcaya* (Bilbao 1941) p.11-12; A. UBIETO ARTETA, *Episcopologio de Alava:* Hispania Sacra 6 (1953) 37-55; D. MANSILLA, *Antecedentes históricos de la diócesis de Vitoria:* Victoriensia 19,185-288; A. E. DE MAÑARICÚA, *Obispados de Alava, Guipúzcoa y Vizcaya hasta fines del siglo XI:* Victoriensia 19. Publicaciones del seminario de Vitoria (1964) p.1-183.
[23] M. GÓMEZ MORENO, *Las primeras crónicas de la Reconquista. Ciclo de Alfonso III:* BAH 111 (1932) 603.
[24] G. BALPARDA, *Historia crítica de Vizcaya* 1,183-184; L. SERRANO, *El obispado de Burgos y Castilla primitiva* 1,97.
[25] A. UBIETO, *Episcopologio de Alava*, l.c., p.17.
[26] Ibid., p.37-44.

atribuyendo la creación del obispado alavés a Sancho el Mayor de Navarra como medio de asentar su hegemonía política sobre los territorios de Alava, la Rioja, la Bureba y Castilla la Vieja al anexionarse estas tierras por los años 1024-1025 [27].

También se ha sugerido la hipótesis de si el obispado de Alava fue el mismo que el de Pamplona y que sólo temporalmente fueron distintos [28]. Esta hipótesis podía tener algún fundamento si se demostrara que la antigua Vasconia, es decir, la Berrueza, Alava, Vizcaya y parte de Guipúzcoa, formaron parte del obispado de Pamplona en la época romano-visigoda. Pero esto no parece probable, porque la diócesis de Pamplona, que no sufrió interrupción con la invasión árabe, jamás reclamó estos territorios en las discusiones que sobre límites se plantearon, durante los siglos XI y XII, con las diócesis vecinas. Reclamó Guipúzcoa, con el deseo de incorporar también los valles de Oyarzun y Lerín, pertenecientes a Bayona; pero Alava y Vizcaya aparecen como territorios indiscutibles de la diócesis de Calahorra en los grandes privilegios pontificios para la sede calagurritana [29].

Sin embargo, el caso de la diócesis de Alava, con sede en Armentía, no es el único a que dio origen la Reconquista. El fenómeno se repite en Valpuesta, Roda, Barbastro, Jaca, etc., si bien es verdad que estas sedes, surgidas en unas circunstancias extraordinarias y anormales, tenían amenazada su existencia y difícilmente podrían subsistir una vez normalizadas o restauradas las antiguas sedes a que pertenecían sus territorios. No debe olvidarse nunca, a través de la Reconquista, que la restauración de las antiguas diócesis obedece a una norma, que era volver a la tradicional división de la época romano-visigoda. La falta de un antiguo título canónico era un grave contratiempo para asegurar la estabilidad y permanencia de las mencionadas sedes, y por eso vemos que desaparecen o caen por falta de sólidos fundamentos a medida que la Reconquista avanza y las sedes titulares se restauran. Respecto de la sede de Alava, no sabemos ni cómo ni cuándo surge, ni tampoco conocemos el título canónico con que se la respaldó al ser creada; es decir, si era una continuación canónica de Calahorra o de Pamplona o se trataba de una nueva fundación. Lo más probable parece que fuera una prolongación de la sede calagurritana, que, ocupada en gran parte por los árabes, había de pensar en atender religiosamente a un territorio que no estaba ni fue nunca dominado por los invasores [30].

Un hecho parece claro, y es que el obispado alavés coincide con la expansión de Sancho el Mayor de Navarra por tierras de Alava, quien, al parecer, tuvo marcado interés en incorporar eclesiásticamente a su reino las comarcas de lengua vasca, separándolas de Castilla la Vieja [31], amenazando con ello la existencia del obispado de Valpuesta.

[27] J. PÉREZ DE URBEL, Sancho el Mayor de Navarra p.115ss.
[28] L. SERRANO, El obispado de Burgos 1,30.
[29] P. KEHR, Papsturkunden in Spanien. Navarra n.26.44.59.98.172 y 174.
[30] G. BALPARDA, Historia crítica de Vizcaya 1.171ss; J. PÉREZ DE URBEL, España cristiana. Comienzos de la Reconquista (711-1038): Historia de España dirigida por R. Menéndez Pidal, 6,250ss.   [31] J. PÉREZ DE URBEL, Sancho el Mayor de Navarra p.279-285.

La tendencia a fundir los obispados de Alava y Valpuesta en el de Nájera-Calahorra es una aspiración de los reyes de Navarra a partir del año 1052. Pero no paraban ahí las aspiraciones de los monarcas navarros; pretendían además incorporar a su reino los viejos límites de la Tarraconense visigoda, que comprendía toda la Bureba y llegaba hasta las mismas puertas de Burgos. Esto provocó una fuerte reacción por parte de los reyes de Castilla, que no sólo conquistaron la Bureba y los montes de Oca, sino que Alfonso VI (1072-1109), con mejor fortuna, anexiona la Rioja, Alava y Guipúzcoa a la muerte de Sancho Garcés IV de Navarra en Peñalén (1076). Ocupado el territorio de Oca, faltó tiempo a los reyes de Castilla para pensar en la restauración de su antiguo obispado. Restaurada la sede de Oca (1068) y reconquistada Calahorra, los días del obispado de Alava estaban contados. Efectivamente, a la muerte del obispo Gómez de Calahorra (1065) pasó don Muño, obispo de Alava, a ocupar la silla de Nájera-Calahorra, quedando unidos los dos obispados, para fundirse definitivamente a la muerte del último obispo de Alava, don Fortunio (1067-1087).

Por lo que a los límites del obispado se refiere, comprendía las tierras de Alava y Vizcaya, a juzgar por las suscripciones de sus obispos: *«in Alava et in Vizcahia»*. Estas denominaciones, que he procurado precisar en otro trabajo, abarcaban, prácticamente, la provincia de Alava con el condado de Treviño, casi toda la provincia de Vizcaya, a excepción de las Encartaciones, es decir, Carranza y Sopuerta; Somorrostro, Baracaldo, los siete Concejos, Portugalete y Santurce. También comprendía la parte occidental de Guipúzcoa hasta el Deva [32].

Las aspiraciones de Navarra sobre la Rioja y el obispado de Nájera-Calahorra

Conquistada Calahorra por los árabes entre los años 715-718, parece haber conservado su culto en un principio, y también sus obispos, aunque desconocemos sus nombres en el siglo VIII [33]. Del siglo IX se nos han conservado los nombres de Teodomiro, que figura en una donación a la iglesia de Oviedo (802), y de Recaredo, en el documento fundacional de Alfonso II (792-842) a la sede de San Salvador, de Oviedo (16-11-812) [34]. En adelante no vemos figurar más el nombre de Calahorra, que queda, en cuanto diócesis, suplantada canónicamente por Nájera hasta que por el año 1045-1052 llega la restauración definitiva de la diócesis. También sus prelados se titulan, al mismo tiempo, «albeldenses», por el hecho de residir, a veces, en el monasterio riojano de Albelda y ser abades del mismo.

El obispado de Nájera, o, mejor, de Calahorra, con residencia en Nájera, fue también una consecuencia de la Reconquista, y obedecía al deseo de los reyes de Navarra por asentar su dominio en la Rioja. Nájera, pobla-

---

[32] D. Mansilla, *Antecedentes históricos de la diócesis de Vitoria:* Victoriensia 19 (1964) 202-238.

[33] F. Simonet, *Historia de los mozárabes* p.185ss.

[34] L. Barrau Dihigo, *Étude sur les actes des rois asturiens (718-910):* Revue hispanique 46 (1919) 21ss y A. C. Floriano, *Diplomática española del período astur.* I. *Cartulario crítico* p.130.

ción de origen árabe (Naxara), fue objeto de grandes luchas entre cristianos y moros en el siglo IX, pasando frecuentemente de unos a otros en esa centuria, según testimonio del Albeldense [35]. Por estas circunstancias tan desfavorables para la vida de la diócesis, no encontramos testimonios claros alusivos a la sede najerense hasta el 925, en que aparece el obispo Sesuldo, y, más explícito, otro documento del año 950, en que aparece *«Tudemirus Naierensis ep.»* [36]. Los reyes de Navarra le prestaron cada vez más ayuda y protección, hasta el punto que fue su residencia preferida; y su iglesia, Santa María la Real de Nájera, construida el 1052 por el rey García Sánchez de Navarra (1035-1054), fue el panteón de los monarcas navarros. También fue dotada espléndidamente su iglesia catedral, así como su cabildo, por el mencionado monarca (12-12-1052) [37].

La preponderancia navarra sobre la Rioja no se afianzó, porque Alfonso VI de Castilla (1065-1109), al ocupar estas tierras el 1079, cedió Santa María la Real de Nájera a los cluniacenses, transformando así su cabildo en priorato cluniacense [38]. Con esta decisión, el rey de Castilla pretendía extender su influencia castellana en Nájera y en las demás tierras por él conquistadas, y ciertamente lo consiguió; pero esta decisión fue la manzana de la discordia durante dos siglos entre los obispos de Calahorra y los cluniacenses de Nájera [39]. Cierto que los obispos continuaron titulándose najerenses más frecuentemente que calagurritanos a lo largo del siglo XII, pero ya no pudieron lograr que Nájera fuera su residencia habitual y favorita. Tuvieron que decidirse por Calahorra, de la que Nájera era continuación canónica.

En cuanto a los límites de la diócesis de Calahorra-Nájera, quedaron señalados en el ya citado documento de García Sánchez III de Navarra del 12 de diciembre de 1052, que indica, por otra parte, las desmesuradas ambiciones del monarca navarro no sólo sobre la Rioja, sino también sobre Castilla. Efectivamente, según el citado documento, la diócesis calagurritana comprendía San Martín de Laharra, cerca de Haro; parte de Oca, la Bureba, Poza de la Sal, Villarcayo, Espinosa de los Monteros, Valle de Arreba, Hoz de Arreba y Valpuesta, llegando hasta el Arlanzón. Más al norte, hasta las Asturias de Trasmiera y Cudeyo, cerca de Santander, sin excluir, naturalmente, la Rioja [40]. Según estas disposiciones del rey navarro, el obispado de Calahorra sustraía una parte importante de la diócesis de Oca y anexionaba a Calahorra la Valpuesta. Los límites asignados a la diócesis calagurritana por el monarca navarro no duraron más de veinte años (1052-1072) y las desorbitadas apetencias que ellos encerraban provocaron una fuerte reacción en Castilla. Por una parte, aceleró la restau-

[35] M. GÓMEZ MORENO, *Las primeras crónicas de la Reconquista:* BAH 100 (1932) 608 y SAMPIRO, *Chronicon:* ES 14,450 y J. PÉREZ DE URBEL, *Crónica de Sampiro* p.275ss.

[36] T. GONZÁLEZ, *Colección de privilegios de las provincias vascongadas y de Castilla* 6 n.198 y A. YEPES, *Crónica general de la Orden de San Benito* 5,437.

[37] T. GONZÁLEZ, *Colección de privilegios* 6,52-59ss; F. FITA, *Santa María la Real de Nájera:* BAH 26 (1895) 157-181.

[38] F. FITA, *Santa María la Real de Nájera,* l.c., 155-195 y 222-275.

[39] Ibid. y P. KEHR, *Papsturkunden in Spanien. Navarra und Aragón* n.44 y p.341ss.

[40] T. GONZÁLEZ, *Colección de privilegios* 6,57ss; cf. L. SERRANO, *El obispado de Burgos* 1,246-247.

ración de la diócesis de Oca, que absorbió, a su vez, a la de Valpuesta (1087), y, por otra, la sede de Alava también quedaba anexionada a Calahorra.

Con estas dos importantes decisiones, las desbordadas apetencias de Navarra quedaban cortadas, mientras la preponderancia y dominio de Castilla se afianzaba en Alava, Vizcaya, Nájera y la Rioja. Este era un hecho de capital importancia, porque la diócesis de Calahorra, que hasta ahora había gravitado en la órbita de Navarra, en adelante lo hará en la de Castilla, como veremos. También tuvo su repercusión en el orden eclesiástico, porque ya el papa Pascual II, en un documento del 3 de noviembre de 1109, confirma a la diócesis de Calahorra los términos de Alava, Vizcaya, Nájera y ambos Cameros[41]; confirmación que será reiterada por Lucio III (20-3-1144), Eugenio III (7-4-1148), Adriano IV, Urbano III (1186), Clemente III (17-3-1188) y Celestino III (22-4-1192)[42]. En los dos últimos documentos, además de señalar los territorios de Alava, Vizcaya, Nájera y ambos Cameros, añaden otros nombres, que ayudan a precisar los límites de la diócesis calagurritana.

Según esto, la diócesis de Calahorra comprendía parte de la provincia de Guipúzcoa, siguiendo la línea de Oñate, Mondragón, Vergara, Placencia y Marquina; casi toda la provincia de Vizcaya hasta Portugalete y Orduña, con los arciprestazgos de Orozco, Bzturia, Tavira de Durango, Uribe, Bermeo, Arratia, Bilbao, Lequeitio, Durango, Elorrio y Zornosa. Toda la provincia actual de Alava con el condado de Treviño. Por el sur llegaba hasta el río Alhama en su desembocadura en el Ebro. Con la diócesis de Burgos limitaba por los pueblos de Carranza, Lajezoharra, Miranda de Ebro, Pontacre, La Morcuera y Galbárruli, según arreglo que sobre límites hicieron los obispos don Mauricio de Burgos y don Juan Pérez de Calahorra el 1229[43]. De la traslación de la sede calagurritana a Santo Domingo de la Calzada tratamos al hablar de la iglesia de Castilla en el siglo XIII, cuando Calahorra gravitaba políticamente en la órbita del reino castellano.

Aragón

El condado de Aragón y el obispado de Jaca-Huesca

Los cristianos comprendidos entre el Pirineo y las tierras de Jaca, denominados también de Aragón por el río que los cruza de norte a sur, se resistieron a someterse a los musulmanes. En torno a esas tierras surge la formación del condado de Aragón, de forma análoga a como surgieron otros condados pirenaicos, como Sobrarbe, Ribagorza y Pallars, que acataron la soberanía franca en los comienzos del siglo IX, pero fueron acen-

---

[41] P. KEHR, *Papsturkunden in Spanien. Navarra* n.26,310-311.
[42] Ibid., n.44.59.98.172.194.
[43] L. SERRANO, *Don Mauricio, obispo de Burgos* p.112 y 142-143.

tuando su independencia respecto de la monarquía carolingia, dando origen a las dinastías condales autónomas del siglo X. Estos condados se transformaron en reino con Ramiro I (1035-1063), que incorporó otros territorios montañosos situados al este en Sobrarbe y Ribagorza; pero el reino conservó siempre el nombre de Aragón, correspondiendo a los Estados patrimoniales de su primer monarca[44].

En estos territorios encontramos obispos desde los primeros años del siglo X, que se denominan *«Episcopus in Aragonia, in Superarvi [Sobrarbe], Serrault [Serrablo], Sasabiensis [Sasave]»*, y, más tarde, *«in Iacca, Iaccensis»* (Jaca)[45]. Denominaciones todas que equivalían a decir «Oscensis», ya que en torno a Huesca se había de hacer la fusión en el momento de la reconquista de esta ciudad (1096). Los prelados de estas tierras, juntamente con los numerosos monasterios que aquí existían, fueron los encargados de atender la vida religiosa de los cristianos.

Cuando se reconquistó Jaca, hacia el 1035[46], se instaló allí la capital del pequeño reino de Aragón, por ser Jaca su principal ciudad. El obispado de Aragón, que se sentía algún tanto fluctuante, con residencia unas veces en Sasave, otras en Sobrarbe, Serrablo, etc., se fijó definitivamente en Jaca el año 1076. El rey Sancho Ramírez (1063-1094) eligió para obispo de la mencionada sede a su hermano el infante García Ramírez (1076-1086), que se titula obispo de Aragón el 1076; pero, a partir de marzo de 1077, su nombre va unido constantemente al obispado de Jaca, titulándose *«Episcopus Iacensis»*[47]. No consta con certeza si la sede aragonesa, con residencia en Sasave, se consideró desde un principio como fundación independiente o como un traslado de la de Huesca, que pasaría luego a Jaca (1076). Lo que no puede ponerse en duda es que desde finales del siglo XII era creencia general que el obispado de Aragón-Jaca había sido una etapa previa hasta la restauración definitiva de Huesca.

Esta llegó al ser reconquistada la ciudad el 1096 por el rey de Aragón Pedro I. Las seis mezquitas quedaron convertidas en iglesias, y la mayor de ellas, en catedral. El obispo don Pedro de Jaca desplegó una gran actividad en orden a conseguir que la ciudad quedara plenamente sujeta a su jurisdicción. Esto lo consiguió, y rápidamente, ya que en el año 1097 figura como obispo de Jaca y de Huesca[48]. Las dos diócesis quedaron unidas, aunque piensa A. Durán que cada una siguió conservando sus características propias, con sus posesiones y límites bien definidos, con su catedral, sus canónigos, su curia, etc.[49] Parece que Jaca había adquirido plena conciencia de su dignidad episcopal cuando la ciudad pasaba por un momento de gran desarrollo urbano.

---

[44] J. M. LACARRA, *Orígenes del condado de Aragón*, en *Actas de la I Reunión del Patronato de la Estación de Estudios Pirenaicos* (Zaragoza 1952) p.75-88.
[45] A. DURÁN, *La iglesia de Aragón durante los reinados de Sancho Ramírez y Pedro I (1062-1104)* (Roma 1962) p.9-14.
[46] J. M. LACARRA, *Desarrollo urbano de Jaca en la Edad Media:* Estudios de la Edad Media de la Corona de Aragón 4 (1951) 139-155.
[47] A. DURÁN, *La iglesia de Aragón* p.105.
[48] A. UBIETO, *Colección diplomática de Pedro I de Aragón y Navarra* (Zaragoza 1951) p.275.281.283.290ss.
[49] A. DURÁN, *La iglesia de Aragón* p.37.

Sin embargo, pienso que no era ésa la idea del obispo don Pedro al reconquistarse Huesca, sino, más bien, restaurar la antigua sede visigoda y unificar en ella todos los territorios que poseía la diócesis de Jaca. Con gran claridad lo indica el solemne documento de Urbano II del 11 de mayo de 1098, que determina sea la iglesia de Huesca cabeza de toda la diócesis, incluido también el territorio perteneciente a la iglesia de Jaca, y que como tal cabeza sea reconocida siempre: «_statuimus ut eadem Oscitana ecclesia totius parrokie [diócesis] quae nunc Iacensi ecclesiee subdita est et ipsius Iacensis ecclesie caput deinceps temporibus perpetuis habeatur_» [50].

Además de que todo el documento pontificio está concebido en la línea de unificación y unidad de los dos obispados, está también más en consonancia con lo que ya era norma habitual en la restauración religiosa después de la Reconquista, es decir, en respaldar siempre una diócesis con un título canónico antiguo, y, en el caso concreto que nos ocupa, no había otro que Huesca de tradición visigoda. Tal vez, a Jaca no le agradaba la unificación, porque, a plazo más o menos largo, ponía en peligro su personalidad e independencia, pero los vientos iban en esa dirección. Nos hallamos en unos tiempos en que la creación de nuevas diócesis no prosperaba si no existía un precedente canónico que le avalara.

Por otra parte, Huesca nunca entendió de dos obispados unidos, sino de un solo obispo, que con su restauración había conseguido integrar todos los territorios de la vieja diócesis de Huesca. Así se desprende también de la dirección o titulación con que van dirigidos los documentos pontificios, que dicen solamente: «_episcopo Oscensi_». Hasta tal punto lo entendió así Huesca, que, cuando recibió de la curia romana algún documento con el doble título de «_Oscensis et Iaconensis_», fue protestado, como atentatorio y lesivo de la unidad episcopal de su diócesis [51]. Tal vez para contrarrestar esta idea de la unificación de la diócesis oscense, se falsificó el supuesto concilio de Jaca del 1063, en el que se decretó la restauración del antiguo obispado de Huesca, que debía ser cabeza y formar una sola unidad, pero en torno a Jaca [52].

Límites del obispado de Aragón

En cuanto a los límites del obispado de Aragón en los primeros años de su existencia, no es posible fijarlos con precisión, pero podemos asegurar con bastante probabilidad que se ajustarían a los límites del condado aragonés. Esta era norma bastante general en los comienzos de la Reconquista mientras no se restauraran las diócesis respectivas. El condado aragonés comprendía desde el valle de Ansó hasta el río Cinca aproximadamente, quedando dentro el valle del Hecho y la parte montañosa bañada por los ríos de Aragón: el Subordán o menor, que riega el citado valle de Hecho, y el mayor o Aragón propiamente dicho, que baja desde Canfranc y tiene a la ciudad de Jaca como una de sus principales poblaciones. La

[50] Ibid., n.20 p.192-195 y J. L., n.5.703.
[51] D. Mansilla, _La reorganización eclesiástica española. Aragón y Cataluña_ 165-168.
[52] F. Balaguer, _El obispado de Aragón y el concilio de Jaca de 1063:_ Estudios de la Edad Media de la Corona de Aragón 4 (1951) 69-138.

Valdonsella quedaba para Pamplona, dividiendo, por tanto, el valle del Roncal y Ansó, que fue la línea mojonera entre las diócesis de Pamplona y Jaca-Huesca hasta el siglo XVIII, coincidiendo, a la vez, con las fronteras del reino de Navarra[53].

Sin duda que los límites de Aragón se ensancharon a medida que se arrebataron nuevos territorios a los árabes de los condados de Sobrarbe y Ribagorza. Pero fue aquí, en la parte oriental, donde se presentó y libró la gran batalla sobre límites al surgir la nueva sede de Roda-Barbastro, que por exigencia vital pretendía llevar los límites occidentales de su obispado hasta el río Alcanadre, mientras Huesca reclamaba todos los territorios hasta el río Cinca, y particularmente la región barbutana (Barbastro). Pocas veces estuvieron tan fuertemente encontrados y mezclados intereses políticos y eclesiásticos, lo que provocó un largo pleito, que duró todo el siglo XII[54] y no terminó hasta el pontificado de Inocencio III[55]. Como se verá más adelante[56], el obispado Roda-Barbastro, al querer asegurar la existencia de su sede amenazada a principios del siglo XII, tuvo la idea poco feliz de presentarla como continuación canónica de «Hictosa», que es una corrupción de Tortosa; pero esta ingeniosa maniobra no prosperó, como veremos más tarde, porque, una vez reconquistada Lérida (1149), fue ésta la que sobrevivió, mientras Barbastro desaparecía.

El obispado de Pallars y de Roda-Barbastro

La diócesis de Roda, trasladada más tarde a Barbastro, fue una creación de la Reconquista. Muchas veces no era posible mantener o restaurar las antiguas estructuras visigodas, tan arraigadas siempre en la organización eclesiástica española, porque las necesidades o circunstancias de la nueva geografía política exigía otras soluciones de momento. Este fue el caso de Roda, que no deja de tener su relación con el obispado de Pallars, que no prosperó, como vamos a ver.

Cuando los territorios de Pallars y Ribagorza fueron arrebatados a los árabes hacia el año 800 por Carlomagno, éste optó por agregarlos a la diócesis de Urgel, ya liberada[57]; decisión que fue confirmada por Luis el Piadoso y Carlos II el Calvo[58]. Estos territorios permanecieron en manos del obispo de Urgel durante más de ochenta años; pero a principios del siglo X, concretamente el año 911, hay constancia de la existencia de un obispo en Pallars, según consta por las actas del concilio de Fontcuberta (Francia), presidido por el metropolitano de Narbona. En él se quejó el obispo Nantigiso de Urgel de que el obispo Adulfo de Pallars le había arrebatado parte de su obispado, concretamente la tierra del condado de

[53] A. UBIETO, *Las fronteras de Navarra:* Príncipe de Viana 14 (1953) 86ss.
[54] A. UBIETO, *Disputas entre los obispados de Huesca y Lérida en el siglo XII:* Estudios de la Edad Media de la Corona de Aragón 2 (1946) 181-238.
[55] La decisión de Inocencio III (27-5-1203), en D. MANSILLA, *La documentación pontificia hasta Inocencio III* n.271 p.292-300 y n.282 p.300-302.
[56] Véase p.651ss.
[57] R. DE ABADAL, *Els diplomes carolingis a Catalunya* 1,279.
[58] Ibid., 1,281.282 y 286.

Pallars, y que la seguía reteniendo hacía ya veintitrés años [59]. Según esto, tenemos que el obispado de Pallars era una realidad desde el año 888, cuando la sede de Urgel pasaba por una grave crisis [60]. En el mencionado concilio de Fontcuberta se determinó suprimir el obispado de Pallars; pero, en vista de que el obispo Adulfo había procedido de buena fe, se le permitía tener de por vida el obispado de Pallars, pero a su muerte habían de volver nuevamente dichos territorios a Urgel [61]. Nos hallamos, una vez más, ante la creación de una sede que no prosperó; más que por anticanónica, pienso que fue por haberle faltado un título antiguo que la respaldara. Su vida duró del 888 al 913 [62].

Los territorios de Pallars y Ribagorza pasaron a la sede de Urgel [63]. Pero el año 939 ya figura en estas regiones un nuevo obispo, llamado Atón, cuya jurisdicción se extendió a los condados de Pallars, Ribagorza, Sobrarbe y valle de Arán [64]. A la muerte de este prelado (950), el obispo de Urgel reivindicó nuevamente los territorios de Pallars, y en ellos ejerce su jurisdicción desde el año 950 [65]. Si el condado de Pallars se inclinó e incorporó definitivamente a favor de la diócesis de Urgel, no ocurrió así en Ribagorza, que, enmarcada en una órbita política distinta, continuó manteniendo también su independencia eclesiástica. Efectivamente, al obispo Atón le sucede Oriulfo (950-956), y a éste Odesindo (956-975), quien, de acuerdo con el arzobispo de Narbona, eligió la iglesia de Roda para residencia de su sede, corriendo la dotación por cuenta del conde Ramón de Ribagorza [66].

Con esta decisión, el obispado trashumante de Pallars-Roda entraba en vías de consolidación y normalidad. Es verdad que le faltaba un antiguo título canónico en que apoyarse, pero la aprobación metropolitana del arzobispo de Narbona aseguraba la amenazada existencia de la sede rotense y cortaba las aspiraciones y antiguos derechos que Urgel podía reclamar sobre la región de Ribagorza, por lo que con razón fue considerado más tarde el obispo Odesindo como fundador de la sede de Roda o Ribagorza [67]. El obispado de Roda ya no desaparece en adelante, y, aunque se vieron obligados a cambiar interinamente la residencia, su situación se va consolidando. Más aún, cuando Sancho el Mayor de Navarra se apodera del condado de Ribagorza (1017), la sede de Roda rompe los lazos que la ligaban al obispo de Urgel y metropolitano de Narbona para gravitar en la órbita política del reino navarro.

Es muy significativo el hecho de que la elección y consagración del

[59] LABBE, Sacrosancta concilia 11,778 y R. DE ABADAL, Els comtats de Pallars y Ribagorza. Diplomatori n.117.
[60] J. VILLANUEVA, Viaje 10,69-72 y R. DE ABADAL, Origen y proceso de la consolidación de la sede ribagorzana de Roda: Estudios de la Edad Media de la Corona de Aragón 5 (1952) 10-22.
[61] R. DE ABADAL, Els comtats de Pallars n.117.
[62] Después del año 913 no se tienen noticias del obispo Adulfo.
[63] R. DE ABADAL, Els comtats. Diplomatori n.131.
[64] Chronicon II de Alaón, ed. VALLS TABERNER, Una antiga relació histórica ribargorzana: Etudis Universitaris catalans 12 (1927) 458.
[65] R. DE ABADAL, Els comtats. Diplomatori n.164.
[66] Ibid., n.171 y J. VILLANUEVA, Viaje 15,293.
[67] R. DE ABADAL, Origen y proceso de la consolidación de la sede ribagorzana de Roda, l.c., p.37-38.

nuevo obispo, Arnulfo (1026-1063), se hiciera en Burdeos (*«apud Burdegalem»*), lo que significaba una ruptura con las sedes de Urgel y Narbona al mismo tiempo que una vinculación y sujeción a los dominios políticos de Sancho el Mayor de Navarra. La orientación occidentalista, aunque protestada por Urgel, se consolidó principalmente con Sancho Ramírez (1063-1094) y con el obispo Raimundo Dalmacio (1076-1095), hechura suya, quienes, acudiendo a las jerarquías del sudeste francés y contando con la aprobación de Roma, lograron la total independencia de la sede rotense. Efectivamente, el nuevo obispo Raimundo obtuvo de Gregorio VII un privilegio por el que, a la vez que confirmaba los bienes y posesiones de su iglesia, aseguraba y legalizaba la situación de la sede de Roda contra cualquier usurpación y pretensión que pudiera surgir por parte de la autoridad laical y eclesiástica [68].

La sede de Roda y su traslado a Barbastro

La preponderancia que iba tomando la sede rotense encontró, como era de esperar, una fuerte oposición por parte de Jaca-Huesca. Esta no se resignaba a que la región barbutana, es decir, Barbastro y su comarca, quedara incorporada a la diócesis de Roda, como así sucedió el año 1080 [69]. El obispo de Jaca, don García (1076-1086), pensó que el recurso a Roma era el camino más acertado para encontrar una solución a la difícil situación creada para su diócesis por el acuerdo hecho el año 1080. Se desplazó a la Ciudad Eterna hacia el 1084 y consiguió de Gregorio VII un célebre privilegio, en el que no se contenta con señalar el río Cinca como límite oriental de la sede oscense, sino que expresamente subraya que tanto la iglesia de Barbastro como la de Jaca han de someterse a la de Huesca como las hijas a la madre [70]. Este documento de Gregorio VII, que desautorizaba la concordia sobre límites hecha entre los obispos de Jaca y de Roda el 1080, fue confirmado por Urbano II a petición del obispo don Pedro de Jaca-Huesca (1086-1099) [71], con lo que éste tenía en su mano una nueva y poderosa arma para frenar las ambiciones de expansión territorial del obispo de Roda.

Los obispos de Roda, por su parte, vivían intensamente el momento histórico, y sabían que las circunstancias podían ser decisivas para la supervivencia de su diócesis; por eso, ante la inminente caída de la ciudad de Barbastro, que pasó a manos cristianas (18-10-1100), era necesario y urgente tomar posiciones. El obispo Poncio (1097-1104) y el rey Pedro I de Aragón juzgaron necesario e indispensable el apoyo de Roma, tanto más cuanto que los obispos de Huesca habían obtenido de Gregorio VII y Ur-

---

[68] P. KEHR, *Papsturkunden in Spanien. Katalonien* n.14 p.272; ID., *El papado y los reinos de Navarra y Aragón:* Estudios de la Edad Media de la Corona de Aragón 2 (1946) 112-113.
[69] J. VILLANUEVA, *Viaje literario* 15,283 n.36; Cf. R. DE ABADAL, *Origen:* Estudios de la Edad Media de la Corona de Aragón (1952) 75 nt.152.
[70] P. KEHR, *Wie und wann wurde das Reich Aragón ein Lehen der römischen Kirche:* Sitzungsberichte der Preussischen Akademie, Phil. Hist. Klasse (Berlín 1928) p.215 n.1 al año 1084-1085.
[71] P. KEHR, *Papsturkunden in Spanien. Navarra und Aragón* p.285-286.

bano II dos privilegios por los que Barbastro quedaba incluida dentro de la órbita de la diócesis de Huesca.

Para cambiar el parecer de Roma eran necesarias fuertes y sólidas razones. Parece que el obispo Poncio, excelente canonista y hábil diplomático, las encontró, ya que obtuvo del papa Urbano II plena satisfacción a sus deseos, que coincidían también con los del monarca aragonés Pedro I. El papa concedió que la sede del obispado de Roda quedara fijada en Barbastro y que los territorios de la diócesis de Lérida ya reconquistados por el rey de Aragón quedaran sometidos a su jurisdicción[72]. Urbano II no tuvo reparo alguno en conceder que Barbastro fuera la nueva sede de la errante diócesis de Roda[73]. Asegurar Barbastro como sede episcopal y constituirla cabeza *«omnium ecclesiarum sibi commisarum Illerdensis civitatis»*[74] era, por este tiempo, la gran preocupación del monarca aragonés y del obispo Poncio, ayudados en esta tarea por los consejos del abad Frotardo de Thomières y del arzobispo de Toledo, don Bernardo[75]. Para más garantía pidieron una confirmación a Urbano II (1099), aunque no fue éste, sino su sucesor, Pascual II, el que la otorgó, juntamente con otros privilegios[76].

Con estas concesiones pontificias, el obispo don Poncio lograba uno de los objetivos más acariciados, cual era incorporar y asegurar para su diócesis todo el territorio de la región barbutana, que había de ser durante muchos años el caballo de batalla con la vecina diócesis de Huesca. Al mismo tiempo conseguía este incansable prelado independizarse totalmente de la diócesis de Urgel[77], dando a su obispado un aire de total autonomía e independencia. El establecimiento de la sede en Barbastro era ya una realidad el 1099, un año antes de su conquista (1100). Sus prelados se titulaban ya *«episcopi Barbastrenses»* a partir de esa fecha, y como tales siguieron figurando hasta el año 1140 aproximadamente[78]. En cierto sentido, este prelado podía considerarse como unificador de dos diócesis: la antigua de Roda, que ahora se trasladaba a Barbastro, y la de Lérida, que se encontraba en vías de restauración; pero sus territorios ya conquistados y por conquistar habían de quedar sujetos y sometidos a la jurisdicción del obispo de Barbastro, formando las dos diócesis una unidad[79].

Todo parecía sonreír la situación del obispo de Barbastro; pero la sede de Huesca no podía resignarse a perder unos territorios que los consideraba como parte integrante de su diócesis y que, sin duda, tenían más probabilidades de haber pertenecido a Huesca que a Lérida en la lejana

---

[72] ID., *Papsturkunden in Spanien. Katalonien* p.298 n.31.
[73] Ibid.
[74] A. UBIETO, *Colección diplomática de Pedro I* 346; J. VILLANUEVA, *Viaje literario* 15,363 n.69.
[75] D. MANSILLA, *La documentación pontificia* p.59 n.39 y F. RIVERA, *La iglesia de Toledo en el siglo XII (1086-1208)* 1,148.
[76] Ibid., p.61 n.42; J. L., n.6.273 = J. VILLANUEVA, *Viaje* 15,288 y ES 46,326.
[77] D. MANSILLA, *La documentación pontificia* p.58 n.37 y R. DE ABADAL, *Origen y proceso de la consolidación de la sede ribagorzana de Roda:* Estudios... 5 (1952) 79-82.
[78] A. UBIETO, *Colección diplomática* n.74 al 132.
[79] D. MANSILLA, *La documentación pontificia* p.62 n.42.

época visigoda. Por eso, al abrirse camino la teoría de que el obispado de Roda-Barbastro era continuación canónica de Lérida, la sede de Barbastro quedaba amenazada de muerte. Esto aparece claramente a raíz del año 1110 en un privilegio de Pascual II (2-5-1110) dirigido al obispo don Raimundo de Barbastro (1104-1126), en el que el papa afirma que la sede episcopal de Lérida, por la invasión de los musulmanes, se trasladó a Roda y más tarde a Barbastro hasta que fuera recuperada Lérida del poder del Islam. Por lo que *«praesenti decreto statuimus episcopalem cathedram, quae hactenus Rotae vel Barbastrae habita est, ad Illerdae urbem in posterum referendam, cum eam Omnipotens Dominus christianorum restituerit potestati»* [80].

Defensa de Barbastro

La nueva teoría, respaldada por la suprema autoridad pontificia, tuvo que producir una desagradable y profunda impresión en Barbastro. ¿Cómo se decidió Pascual II a lanzar esa teoría? ¿Qué fuentes de información tenía para ello? Desde luego, la teoría no tenía ningún fundamento histórico, y pensamos que tal teoría procedía de las informaciones que el papa recibió de las diócesis afectadas, y concretamente de Huesca. Como insinúa R. de Abadal [81], la nueva teoría era lógica y con una trabazón perfecta para explicar el pasado y justificar el proyecto futuro de traslado de la sede a Lérida. Pero lo que no era cierto es que esta diócesis se hubiera trasladado a Roda. Por otra parte, sabemos que desde que el papado intervenía en los asuntos españoles, no se decidía fácilmente a legitimar la existencia de una diócesis si no tenía a su favor un antiguo título canónico. Si ahora se daba por cierto que la diócesis de Roda-Barbastro era continuación canónica de Lérida, aquélla había de desaparecer desde el momento en que se restaurara la sede leridana, como así sucedió.

Pero Barbastro no se resignaba a desaparecer; más bien había dado pruebas de todo lo contrario al quererse constituir en sede autónoma e independiente. Por eso, la lucha se entabló entre Huesca y Barbastro.

La nueva teoría encontró una adecuada contrarréplica en Barbastro al responder también con una teoría muy peregrina, según la cual la diócesis barbastrense era continuación canónica de la antigua diócesis de Hictosa. Esta sede nunca existió, pero la división de Wamba recientemente aparecida la situaba entre los obispados de Lérida y Tortosa [82]. Mas aún, los defensores de Barbastro llegaron incluso a sostener que la antigua Hictosa se hallaba enclavada en el mismo suburbio de la ciudad de Barbastro [83]. Cierto que los documentos en que se apoyan están adulterados, pero reflejan claramente la mentalidad de la iglesia barbastrense en el siglo XII.

Cuando, a lo largo del siglo XII, la discusión entre los obispados de Barbastro-Lérida y Huesca se hace cada vez más violenta y difícil para Barbastro, se apela o inventa otra teoría, y es que la ciudad del Vero gozó

[80] J. L., n.6.273 = ES 46,329; J. VILLANUEVA, *Viaje* 15,289.
[81] R. DE ABADAL, *Origen y proceso* p.79.
[82] L. VÁZQUEZ DE PARGA, *La división de Wamba. Contribución al estudio de la historia y geografía eclesiástica de la Edad Media* (Madrid 1943) p.16.18 y 68.
[83] J. VILLANUEVA, *Viaje* 15,283-84 n.36.

de dignidad episcopal en la época visigoda. Tampoco esta teoría logró imponerse, y por eso la suerte fue adversa a Barbastro, que pasó a depender de Huesca por decisión de Inocencio III (27-5-1203)[84]. El fatal desenlace era de prever desde el momento en que la sede de Roda-Barbastro se consideró como etapa previa para la reconquista de Lérida, donde había de trasladarse. Es verdad que, cuando Lérida se conquistó (24-10-1149), hacía ya cinco años que Barbastro se había agregado a Huesca por una sentencia de Eugenio III[85], pero la lucha continuó entre ambas diócesis.

Nuevas aspiraciones de Barbastro

No cabe dudar de la íntima convicción que Barbastro se había formado de su dignidad episcopal, a cuyo rango había sido elevada —según su creencia— desde los lejanos días del monarca aragonés Sancho Ramírez (1076-1094). Para mantener ese rango había de librarse una verdadera batalla diplomática a lo largo de todo el siglo XIII, y, a pesar de serle adversa la sentencia arbitral de Inocencio III (1203), para Barbastro no era ya problema si había de incorporarse a Lérida o a Huesca, sino, más bien, si había de ser o no obispado independiente. Por eso, las aspiraciones de Barbastro continuaron.

La cuestión fue vivamente agitada en el otoño de 1317, cuando Jaime II presentó al papa Juan XXII (1316-1334) un amplio proyecto relacionado con la desmembración de la metrópoli de Tarragona, de la que hablamos más adelante[86]. Los planes del rey aragonés fueron conocidos por las fuerzas vivas de la ciudad de Barbastro, que hicieron una petición formal a Juan XXII. Este mandó hacer una información detallada al prior y cabildo de Roda para proceder en consecuencia. A pesar del apoyo y favor prestados por el rey Jaime II de Aragón a Barbastro, el proyecto no prosperó, porque la decisión de Roma fue contraria a los deseos de Barbastro.

Juan XXII hace saber al rey aragonés que el principal argumento utilizado por los procuradores de Barbastro no tiene fundamento. Alegan que Barbastro fue cabeza de obispado desde finales del siglo XI y que tuvo obispos que llevaron el título de *barbastrenses*. Barbastro —dice el papa— no fue nunca sede episcopal ni tuvo obispos propios. Si en dicha ciudad residieron obispos durante algún tiempo, esto fue una cosa accidental y pasajera, ya que dichos obispos lo eran, más bien, de Huesca o Lérida, aunque residieran en Barbastro, y a ello se veían obligados por la necesidad de los tiempos a consecuencia de la Reconquista[87]. El papa tenía toda la razón. La información confiada a los comisarios de Roda había aclarado a Juan XXII un enigma histórico que los barbastrenses no se resignaban a reconocer. Las aspiraciones de Barbastro no cesaron, pero tuvieron que pasar más de dos siglos hasta que lograron ver satisfechos sus deseos (18-6-1581)[88].

---

[84] D. MANSILLA, *La documentación pontificia* p.292 n.271.
[85] P. KEHR, *Papsturkunden in Spanien. Navarra und Aragón* p.345-350 n.46-48.
[86] Véase p.659ss.
[87] D. MANSILLA, *La reorganización eclesiástica española del siglo XVI. I. Aragón y Calaluña:* Anthologica Annua 4 (1956) 148 y 200-203.
[88] Ibid., p.149-165.

Restauración religiosa de la diócesis de Tarazona

La conquista de Zaragoza (10-12-1118) tuvo una gran repercusión en las demás plazas que integraban el sistema defensivo del Estado musulmán de Zaragoza. Así, vemos que el 22 de febrero de 1119 se tomó Tudela, y en ese mismo año, Alfonso I el Batallador (1104-1134), Tarazona. Al año siguiente (1120) pasaban a manos de los cristianos las importantes plazas de Calatayud y Daroca como consecuencia de la batalla de Cutanda[89].

La restauración religiosa de la sede tarazonense se hizo inmediatamente después de la Reconquista, ya que en el mes de diciembre de 1119 estaba elegido el obispo don Miguel (1119-1159)[90]. De los obispos posteriores a la invasión hasta la restauración no tenemos noticias. Realizada la Reconquista, el obispo don Miguel procedió a la restauración del culto cristiano, convirtiendo las mezquitas en iglesias, como era norma corriente entonces. De hecho, sabemos que la mezquita mayor de Tudela quedó transformada en iglesia, dedicada a Santa María, y el hecho de que lo hiciera el prelado de Tarazona era una prueba clara de que Tudela dependió eclesiásticamente de Tarazona desde el comienzo de la restauración de esta diócesis[91]. Pero Tudela formaba parte del reino de Navarra, por lo que fue apetecida varias veces por Pamplona[92], aunque sin resultado. Por otra parte, no era tarea fácil para Tarazona deslindar sus antiguos límites después de la prolongada invasión musulmana. La primera en litigar con Tarazona fue Zaragoza, que pretendía llevar los límites de su obispado por esta parte hasta Borja. Después de varias discusiones, que duraron buena parte del siglo XII, se convino en Borja (1139-1140) que Tarazona quedara con las parroquias de Albeta y Ribas y todo cuanto hay desde estas parroquias hasta el Moncayo[93], mientras el de Zaragoza tendría las parroquias de Magallón y Croch, y desde allí seguiría la línea hasta el Ebro[94]. El obispo de Zaragoza insistió y trabajó por llevar todavía más al norte la línea divisoria y apoderarse de Borja, pero no lo consiguió[95].

Para precisar la línea divisoria por la parte sur, tenemos como punto de referencia Calatayud. Reconquistada esta plaza (1120), tomó posesión de su iglesia el obispo de Zaragoza por injerencia de Ramón Berenguer IV, conde de Barcelona (1135)[96]. En este mismo año llegaron a un acuerdo los obispos Guillermo de Zaragoza y Bernardo de Sigüenza, consistente en que Calatayud con sus términos, Villafeliche hasta Aranda de Moncayo (Zaragoza) y Peña de Chodes hasta Ariza habían de pertenecer a Sigüenza,

---

[89] J. M. LACARRA, *Restauración eclesiástica en las tierras conquistadas por Alfonso el Batallador (1118-1134):* Revista Portuguesa de Historia 4 (1947) 212ss.

[90] Ibid., y del mismo autor: *La iglesia de Tudela, entre Tarazona y Pamplona (1119-1143):* Estudios de la Edad Media de la Corona de Aragón 5 (1952) 419ss y V. DE LA FUENTE, ES 49,128.

[91] ES 49,334.

[92] D. MANSILLA, *La reorganización eclesiástica española. Navarra y Castilla:* Anthologica Annua 5 (1957) 38-41.

[93] P. KEHR, *Papsturkunden in Spanien. Navarra und Aragón* p.329 n.37.

[94] Ibid.

[95] Ibid., p.449 n.116 y p.457-458 n.123.

[96] Ibid., p.337 n.40.

mientras Daroca con sus términos quedaba reservada a Zaragoza[97]. No obstante, el año 1141, el obispo de Tarazona ejercía jurisdicción en Calatayud al firmar en una donación hecha por Ramón Berenguer con estas palabras: *«Episcopo Michaele in Tarazona et in Calataiub»* [98]. A pesar de las reiteradas reclamaciones hechas por Zaragoza, la decisión definitiva fue favorable a Tarazona, y en los grandes privilegios pontificios concedidos a favor de Zaragoza nunca aparece Calatayud. Por el concilio de Burgos (1136), presidido por el legado pontificio Guido, nos consta que Tarazona rebasó la línea del Jalón por la parte sur, ya que Villafeliche, situada entre Calatayud y Daroca, quedó adjudicada a la sede tirasonense[99], con lo que Tarazona vino a tener por esta parte, desde entonces, los límites que ha conservado hasta nuestros días.

Para precisar los límites por la parte norte ayudan no poco los documentos conservados con ocasión de la disputa que hubo que sostener con Calahorra por la posesión de Fitero y Corella, que, después de prolongadas discusiones, quedaron incorporados a Tarazona[100], siendo el río Alhama, prácticamente, la línea divisoria. Asimismo sabemos que Tarazona tuvo pretensiones sobre el arcedianato de Valdonsella, perteneciente a Pamplona, y sobre las iglesias de Sos, Luesia, Argüero y Murillo; pero tales pretensiones no prosperaron[101], con lo que a Tarazona se le cortó el paso del Ebro por la parte norte.

Por lo que se refiere a sus límites orientales, sabemos que la diócesis de Tarazona llegaba hasta el Duero por el territorio de Garraz o Numancia, que era, por otra parte, línea divisoria entre los reinos de Aragón y Castilla desde Sancho el Mayor de Navarra[102]. Más aún, la jurisdicción del obispo de Tarazona se extendió a la misma ciudad de Soria. Así consta en varias donaciones de Alfonso I el Batallador entre los años 1128 y 1132[103]. La penetración de Castilla en Aragón después de la muerte de Alfonso el Batallador (1134) había de provocar necesariamente una rectificación o reajuste de límites diocesanos. Efectivamente, en el concilio de Burgos (1136) se abordó, en primer lugar, la pertenencia de la ciudad de Soria, que había sido adjudicada a Sigüenza el 1127 por Alfonso VII el Emperador[104]. Tarazona protestó enérgicamente, y su protesta es recogida en las suscripciones de documentos al reafirmar su condición de *«episcopus in Tarazona et in Soria»* [105]. En el concilio de Burgos (1136) media un nuevo contrincante: Osma.

Esta diócesis había tenido que ceder en el concilio de Husillos (1088) varios territorios a favor de Burgos[106], aunque se recompensó a Osma con

[97] T. MINGUELA, *Historia de la diócesis de Sigüenza* 1,356-357.
[98] J. M. LACARRA, *Documentos para el estudio de la reconquista y repoblación del valle del Ebro: Estudios...* 3 (1947-1948) p.605 n.223. [99] V. DE LA FUENTE, ES 49,343.
[100] P. KEHR, *Papsturkunden. Navarra und Aragón* p.513-514 n.166.
[101] Ibid., p.395 n.79; p.581-583 n.224-225 y p.590-591 n.229.
[102] L. SERRANO, *Cartulario de San Millán de la Cogolla* p.99 n.86.
[103] J. M. LACARRA, *Documentos para el estudio de la reconquista: Estudios...* 3 (1947-1948) 563 n.167 y 5 (1952) 547.553 n.324 y 330.
[104] T. MINGUELA, *Historia* 1,351 y ES 49,339-340.
[105] J. M. LACARRA, *Documentos: Estudios...* 3 (1947-1948) 563 y 5 (1952) 547 y 553.
[106] J. LOPERRÁEZ, *Descripción histórica del obispado de Osma* 1,70 y 3,7; L. SERRANO, *El obispado de Burgos* 1,336-337.

otros situados al sur del Duero, cuando Sigüenza no estaba todavía restaurada. Pero, restaurada la sede seguntina (1124), ésta reclamó, en el concilio de Burgos, las iglesias de Ayllón, Castro de Gálvez, Caracena, Aguilera, Berlanga con sus aldeas y monasterios, así como los lugares de Vado de Rey, Velamazán, Barca y Almazán [107]. Para compensar a Osma se le dio la ciudad de Soria, con lo que la sede oxomense extendió considerablemente sus territorios por la parte oriental, llegando hasta Borovia y sierra de Tablado, con lo que dejó de ser el Duero y el Tera el límite occidental de la diócesis de Tarazona, como lo había venido siendo hasta ahora [108]. En este mismo concilio de Burgos se determinó que Calatayud, Borovia, Alcacer, Olvega, Villafeliche y Salas, pertenecientes hasta ahora a Sigüenza, pasaran a depender de Tarazona, dejando a la sede seguntina los castillos de Deza, ubicados entre Calatayud y Almazán, y Ariza, entre Calatayud y Medina [109]. Con ello quedaba fijada la línea divisoria entre Tarazona y Sigüenza por debajo del río Jalón.

Restauración eclesiástica de Zaragoza

Después de la invasión musulmana, una numerosa población mozárabe continuó viviendo en la opulenta Zaragoza [110], conservándose los nombres de algunos obispos de los siglos IX y XI. A la reconquista de la ciudad (18-12-1118) siguió la restauración religiosa de la sede, transformando la mezquita en catedral, dedicada al Salvador, y restaurando también la iglesia, dedicada a la Virgen María [111].

Una de las principales tareas que aguardaba al obispo cesaraugustano era la de precisar los límites con las diócesis vecinas, a las que se habían incorporado territorios arrebatados al Islam antes de ser restaurada la sede de Zaragoza; territorios que se consideraban como derecho de conquista y era difícil rescatar. Tal ocurrió con los pueblos de Egea de los Caballeros, Tauste, Luna, Supercesaraugusta (El Castelar), Sola y Uncastillo. Después de una larga disputa entre Zaragoza y Pamplona, se llegó a una concordia en Calahorra (1155), según la cual el prelado de Zaragoza había de poseer las iglesias de Egea de los Caballeros, Tauste, Luna y El Castelar, mientras que a Pamplona se le adjudicaban las de Uncastillo, Pradilla, Pola y Alcalá [112], pertenecientes al arciprestazgo de la Valdonsella, que siguió dependiendo de Pamplona hasta el siglo XVIII. La concordia de Calahorra fue mantenida constantemente por los papas del siglo XII: Alejandro III, Clemente III y Celestino III [113].

Ya queda dicho que Calatayud, aunque incorporada a Zaragoza al ser

---

[107] J. LOPERRÁEZ, *Descripción* 3,18 n.16.

[108] Ibid. y J. L., n.7.952.

[109] Ibid. y T. MINGUELA, *Historia* 358-363 y ES 49,343.

[110] F. SIMONET, *Historia de los mozárabes* 187-188 y 660-661; ES 30,206-207 y ES 47,227.

[111] Así consta de una carta-encíclica dirigida por el obispo Pedro de Librane (1118-1127) a todos los arzobispos, obispos, abades y presbíteros de la Iglesia; cf. J. L., n.6.665; P. AGUIRRE, *Collectio conciliorum* 5,43 y J. M. LACARRA, *Documentos para la conquista del valle del Ebro: Estudios...* 2 (1946) 482-484.

[112] P. KEHR, *Papsturkunden. Navarra und Aragón* p.395-396.

[113] Ibid., p.430-432.437-439.529.583.

reconquistada por Alfonso el Batallador (1120), pasó a depender de Sigüenza (1135), y en el concilio de Burgos (1136) pasó definitivamente a Tarazona [114]. Si a Zaragoza no le fue posible extender sus territorios por el Norte ni por el Oeste, consiguió en cambio adentrarse al sur del Ebro en las provincias de Teruel, de Castellón y parte de Cuenca, contando entre sus principales poblaciones Híjar, Alcañiz, Castellot, Montalbán, Aliaga, Teruel, Santa María de Albarracín y Peñagolosa (Castellón) [115]. La apócrifa división de Wamba a la que aluden algunos documentos pontificios no ofrecía ninguna garantía ni seguridad para fijar los límites de Zaragoza.

Creación de la provincia eclesiástica de Zaragoza (18-7-1318)

Uno de los hechos más salientes e importantes de la historia eclesiástica de España en el siglo XIV fue la creación de la provincia eclesiástica de Zaragoza [116]. La iniciativa partió del rey don Jaime II de Aragón (1291-1336) y no del papa Juan XXII, como afirma Vincke [117]. El rey de Aragón, en carta dirigida al papa aviñonés (22-11-1317), le decía que era sumamente conveniente crear en Aragón una nueva metrópoli, y la elección de la ciudad de Zaragoza no podía ser dudosa, ya que se halla en medio del reino aragonés y, por otra parte, es la mayor y más noble de las ciudades del reino [118]. Al mismo tiempo le proponía la creación de los nuevos obispados de Jaca, Teruel, al que se había de unir Santa María de Albarracín, en el reino de Aragón; Játiva, en el reino de Valencia; Cervera y Besalú, en Cataluña. La nueva metrópoli de *Zaragoza* tendría como sufragáneas Huesca, Tarazona, Calahorra, Pamplona, Jaca, Teruel y Játiva. A *Tarragona* pertenecerían Gerona, Vich, Barcelona, Urgel, Lérida, Tortosa, Valencia, Besalú y Cervera [119].

El ambicioso proyecto del rey aragonés obedecía a un doble objetivo: primero, prestigiar a las iglesias de Aragón al mismo tiempo que honrar a su reino, y segundo, ajustar los límites eclesiásticos con los civiles. Efectivamente, el proyectado obispado de Jaca había de formarse con territorios de la diócesis de Huesca, Lérida y Pamplona. De esta última se habían de segregar los pueblos que tenía en el reino de Aragón, y de Lérida, la parte que ésta poseía más allá del Cinca. La misma finalidad perseguía al proponer la creación de la diócesis de Játiva, a la que se habían de incorporar los territorios que el obispado de Cartagena, perteneciente al reino de Casti-

---

[114] Cf. arriba p.655s.
[115] P. KEHR, *Papsturkunden. Navarra und Aragón* p.405-407 y J. L., n.9.096 y 10.416.
[116] Sobre esta cuestión véanse: V. DE LA FUENTE, *Historia eclesiástica de España* 4,355-357, que sigue a J. ZURITA, *Anales de Aragón* VI 27,B; GAMS, *Die Kirchengeschichte von Spanien* 3,1 p.311-312 (habla de los arzobispos de Zaragoza, pero nada dice de la creación de la provincia); J. VINCKE, *Die Errichtung des Erzbistums Saragosa:* Spanische, Forschungen der Görresgesellschaft: Gesammmelte Aufsätze zur Kulturgeschichte Spaniens. Erste Reihe 2,19.114ss; D. MANSILLA, *Formación de la provincia eclesiástica de Zaragoza (18-7-1318):* Hispania Sacra 18 (1965) 249-263; J. GOÑI, *Una bula de Juan XXII sobre la división de la provincia de Tarragona (24-4-1318):* Hispania Sacra 7 (1954) 87-92.
[117] *Die Errichtung des Erzbistums Saragosa* p.114-120.
[118] J. VINCKE, *Documenta selecta* p.216.
[119] *Ibid.*

lla, poseía en el reino de Aragón [120]. Del proyecto acariciado por Jaime II sólo prosperó la parte referente a la división de la provincia Tarraconense. La creación de nuevos obispados no llegó a cuajar. Y no fue porque se encontrara oposición en el rey de Aragón ni en el papa; la oposición se encontró en los prelados y cabildos de las diócesis, que no querían perder parte de sus territorios para crear nuevas diócesis.

Dalmacio de Pons, vicecanciller de Jaime II, fue el encargado de realizar las gestiones en la curia de Aviñón. El 26 de enero de 1318 ya podía comunicar al rey aragonés que el papa Juan XXII había decidido dividir en dos la provincia Tarraconense. Cabeza del nuevo arzobispado sería *Zaragoza*, con las siguientes sufragáneas: Valencia, Calahorra, Santa María de Albarracín-Segorbe, Pamplona, Tarazona y Huesca. Otra sufragánea podría ser Barbastro, si llegase a conseguir categoría episcopal, como pretende. *Tarragona* tendría las siguientes sufragáneas: Barcelona, Gerona, Lérida, Tortosa, Urgel, Vich y Mallorca, hasta entonces obispado exento [121].

El proyecto mereció juicio favorable en el consistorio tenido a mediados de febrero de 1318, pero encontró una doble oposición. La primera, en Pamplona, o mejor dicho, en el rey de Francia, Felipe II, que era también de Navarra. Este deseaba que Pamplona pasara a depender de una provincia eclesiástica francesa o, al menos, se la declarase sede exenta. La otra oposición procedía, como era de esperar, del cabildo de Tarragona, que consideraba la división como un atentado contra la gloria de la metrópoli más antigua de España. Las dificultades, no pequeñas, pudieron superarse gracias a la tenacidad del monarca aragonés y a la habilidad de sus diplomáticos en la curia de Aviñón.

La bula de erección fue expedida, por fin, el 18 de julio de 1318, siendo nombrado como primer arzobispo don Pedro López de Luna (23-7-1318). En ella se recogen las razones de orden pastoral, que indudablemente existían (gran extensión de la Tarraconense, dificultad de ser visitada por el metropolitano y de acudir a los sínodos provinciales), aunque tampoco faltaban otras de carácter político, ya que Zaragoza era centro y cabeza de los reinos y condados de la Corona de Aragón. Asimismo, en la bula de erección se introdujeron tres modificaciones importantes sobre el borrador propuesto a principios del 1318. Eran las siguientes: la diócesis de Valencia, que en el primer proyecto se incorporaba a Zaragoza, permanecía siendo sufragánea de Tarragona. En cambio, la sede de Santa María de Albarracín, unida a Segorbe y disputada durante mucho tiempo por Toledo y Tarragona, quedaba incorporada a Zaragoza por hallarse dentro del reino de Aragón y más próxima a su capital, cortando así la vieja discusión entre las metrópolis rivales de Tarragona y Toledo. Tampoco se incorporó Mallorca, obispado exento, a la nueva metrópoli, como quería Jaime II, por no entrar en el reconocimiento de derechos que vindicaba para sí la sede de Barcelona. Por tanto, las provincias eclesiásticas después de la división quedaron constituidas de la forma siguiente:

---

[120] Ibid., 6,216-217.
[121] D. Mansilla, *Formación de la provincia:* Hispania Sacra 18 (1965) 255.

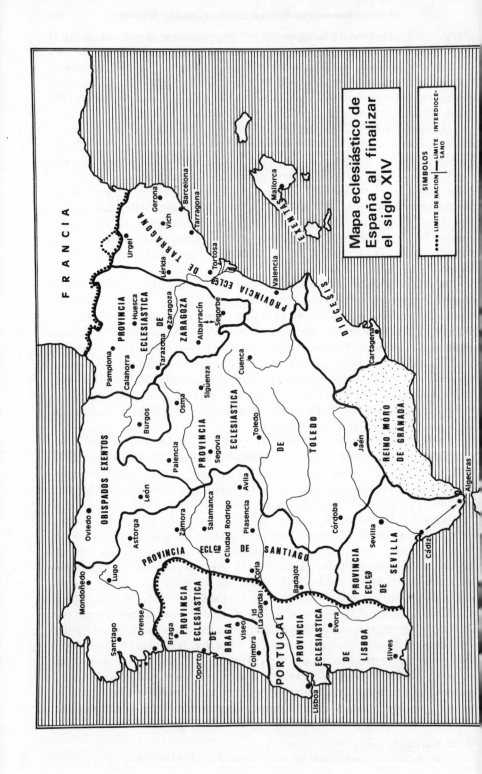

Mapa eclesiástico de
España al finalizar
el siglo XIV

Metrópoli: Tarragona. *Sufragáneas:* Barcelona, Gerona, Lérida, Tortosa, Urgel, Valencia y Vich.

Metrópoli: Zaragoza. *Sufragáneas:* Calahorra-La Calzada, Huesca, Pamplona, Tarazona y Albarracín-Segorbe.

III. RESTAURACION ECLESIASTICA DE LA PROVINCIA TARRACONENSE

Los condados catalanes

Situación panorámica después de la invasión musulmana

La provincia eclesiástica de Tarragona había llegado a tener quince obispados en la época visigoda. Sus *sufragáneas eran:* Barcelona, Egara (Tarrasa), Gerona, Ampurias, Urgel, Lérida, Tortosa, Vich, Zaragoza, Huesca, Pamplona, Oca (Burgos), Calahorra y Tarazona. A éstas habría que añadir *Alesanco* o *Alisana* (en la Rioja), *Amaia* (noroeste de Burgos) y *Segía* (en el valle del Ebro, de duración incierta)[1]. La sede de Hictosa, que aparece situada en la Tarraconense según los *Nomina sedium episcopalium,* probablemente es una confusión con la *Dertosa* (Tortosa).

La invasión árabe, por una parte, y los diversos centros de reconquista surgidos dentro de su amplio territorio, por otra, no hicieron posible ya la restauración, en toda su integridad, según el modelo hispano-visigodo. Pero éste fue siempre el ideal que impulsó la restauración eclesiástica a través de la Reconquista, y la metrópoli tarraconense no fue una excepción, como veremos.

Los árabes atravesaron el Ebro entre los años 713 y 717, apoderándose de las ciudades de Tarazona (713), Zaragoza (714), Lérida (714), Vich (714), Barcelona (715) y Gerona (713-715). En torno a esas mismas fechas fueron ocupadas las ciudades de Calahorra, Pamplona y Huesca[2]. Los cronistas árabes sitúan la toma de Narbona en la misma fecha que la de Barcelona y Gerona; pero la ocupación de la plaza franca parece haber sido efímera, ya que el año 719 fue tomada o recobrada de nuevo por el gobernador al Samk ben Malik al-Jawlani, que desde allí se dirigió contra Toulouse, para continuar más tarde hasta Poitiers (732)[3].

La reacción franca no se hizo esperar, y la nueva dinastía inaugurada por los reyes carolingios, consciente del peligro que la invasión mulsumana significaba para el reino franco y también para la cristiandad, se decidió a dar la batalla al Islam, apoderándose de las plazas de

---

[1] C. SÁNCHEZ ALBORNOZ, *Fuentes para el estudio de las divisiones eclesiásticas visigodas:* Boletín de la Universidad de Santiago 2 (1930) 29-83; L. VÁZQUEZ DE PARGA, *La división de Wamba. Contribución al estudio de la historia y geografía eclesiásticas de la Edad Media española* (Madrid 1943).
[2] E. LEVI-PROVENZAL, *España musulmana hasta la caída del califato de Córdoba (711-1031):* Historia de España, dirigida por R. Menéndez Pidal (Madrid 1950) 4,15-21.
[3] Ibid., 4,35-36.

Arlés, Aviñón y Narbona (737), situadas en las regiones de Aquitania y Septimania.

Carlomagno, siguiendo la trayectoria de sus predecesores, proyectó un plan más ambicioso el año 778, acariciando, tal vez, la idea de expulsar a los musulmanes de España. Pero el proyecto terminó en un rotundo fracaso al no poder tomar las poderosas e importantes plazas de Pamplona y Zaragoza[4]. El fracaso experimentado por Carlomagno en su campaña de 778 le enseñó, por una parte, que las alianzas concertadas con algunos jefes árabes no ofrecían ninguna base sólida para sus planes, y al mismo tiempo aprendió, por otra, que en adelante lo importante no era tanto tomar la ofensiva contra los musulmanes en España cuanto afianzar, a lo largo de los Pirineos, la seguridad del reino franco y del mismo Occidente cristiano. Esto llevó a Carlomagno a la conquista de varias plazas en territorio catalán. Para ello se valió de la ayuda de su hijo Ludovico Pío y del duque Guillermo de Aquitania, quienes en diversas expediciones tomaron las ciudades de Gerona (785), Cardona y Vich (795), Manresa (797), Barcelona (801), Tarragona (809) y Tortosa (811), que con otros territorios y condados dieron origen a la Marca Hispánica *(limes hispanicus),* que será regida por condes francos o hispano-visigodos[5].

Restauración eclesiástica de los obispados catalanes

Al tratar de puntualizar la restauración eclesiástica de los obispados catalanes, observamos que la vida religiosa fue muy accidentada a lo largo del siglo VIII, hecho que no debe extrañar, por estar sometidos constantemente a los vaivenes de los ataques musulmanes.

Barcelona. A pesar de haber sido liberada por los francos el 801 y restaurada su vida religiosa, sin embargo, no tenemos noticias de los nombres de sus obispos hasta el año 850. La sede de *Egara* (Tarrasa) no se restauró, sino que sus territorios se incorporaron a la diócesis de Barcelona (ES 29,457), aunque parece haber intentado su restauración el abad Cesáreo de Montserrat cuando ostentaba el título de metropolitano de Tarragona (958-962), pero sin éxito[6].

Gerona fue liberada por los francos el año 785, y a partir de esa fecha hay ya constancia de sus obispos, que se suceden de una manera ininterrumpida e impulsan la vida religiosa a través de las diversas canónicas o cabildos que se fundaron en la diócesis. Una diócesis nueva y de fugaz duración fue la de *Besalú,* fundada dentro del obispado de Gerona el año 1017 por Benedicto VIII a instancias del conde Bernardo Tallaferro. El obispado, sometido directamente a Roma, no duró más que

---

[4] VITA KAROLI, 9, ed. G. WAITZ, MGH, *Scriptores* (Leipzig 1911-1940) p.12-13; E. LÉVI-PROVENÇAL, *España musulmana* 4,77-85.
[5] L. AUZIAS, *L'Aquitaine carolingienne* p.91-96.
[6] D. MANSILLA, *Egara:* Dictionnaire d'histoire et de géographie ecclésiastiques (París 1960) 14,1462-1468.

tres años (1017-1020), y su obispo, Guifredo, pasó a ser abad de San Juan de las Abadesas y más tarde obispo de Carcasona[7]. Ampurias desapareció con la invasión árabe y su territorio pasó a depender de Gerona. La diócesis comprendía los condados de Gerona, Besalú, Ampurias y Peralada. Sus posesiones fueron confirmadas por Pascual II (22-1-1115) (J. L., 6.446), donde quedan señalados sus límites.

Vich sobrevivió después de la invasión árabe (714), pero quedó abandonada y sin organización eclesiástica a raíz del fracaso de la expedición de Carlomagno (785). Un siglo después se inició la repoblación por el conde Wifredo el Velloso (874-898); al mismo tiempo comenzó la restauración de la diócesis en tiempo del obispo Godemaro (886-899); más tarde llegó a conseguir un prestigio extraordinario al obtener su obispo Atón el rango de metropolitano de la Tarraconense por bula del papa Juan XIII (971). La diócesis estaba estructurada en grandes distritos, llamados deanatos, que en el siglo XIII eran Osona, Llusanés, Ripoll, Moyó, Bages, Segarra y Urgel. En el siglo XIV se modificaron, quedando los del oficialato Manresa y Bages, Segarra, Igualada, Ripoll, Cervera y Tárrega. Al ser creada la diócesis de Solsona (1593), perdió los deanatos de Cervera y Tárrega.

Lérida tampoco vio interrumpida la serie de sus obispos después de la invasión (714), aunque la capital de la diócesis no se reconquistó hasta el año 1149. Sus obispos ejercieron su jurisdicción en Pallars, Sobrarbe y Ribagorza, perteneciente el primero a la región catalana; los dos restantes, al naciente reino de Aragón. De ahí que sus obispos se denominaran, a veces, según esos nombres. El obispo Atón (923-955) comenzó la construcción de la catedral de Roda, que fue consagrada el 957, allí se estableció la sede. Más tarde fue trasladada a Barbastro (1101), encontrando mucha resistencia en el obispo de Huesca, y, finalmente, a Lérida (1149).

Los límites occidentales, que serán objeto de prolongados litigios a lo largo de los siglos XII y XIII, fueron fijados por el obispo Salomón (1078-1085) de la siguiente manera: por el norte, Benascue; por el sur, Benabarre; por el este, el río Noguera Pallaresa, y al oeste, el río Cinca. Por el acuerdo del año 1080 se le agregó el territorio comprendido entre el Cinca y el Alcanadre; pero esta decisión encontró una fuerte resistencia en el obispo de Huesca, lo que provocó una larga discusión hasta que el papa Inocencio III rectificó los límites occidentales, de forma que el río Cinca, hasta la iglesia de Fornillos, fuera la línea divisoria, enlazando después con las iglesias de Pertusa, Presinec, Torre de Alcanadre, Peralta de Alcalea, La Perdiguera, Monte Rubeo y Almerque.

A Huesca se le habrían de agregar las iglesias de Barbegal, Lagunarota, Jubero y Cixcorba, mientras que las de Azlor, Alberuela de la Liena, Adahuesca y Colungo pertenecerían a Lérida, según bula de

---

[7] GARCÍA VILLADA, Historia eclesiástica 3,290-296; J. VILLANUEVA, Viaje literario 15,53ss; D. MANSILLA, Geografía eclesiástica: Dic. de hist. ecles. de España 2,998-1000.

Inocencio III, de 27 de mayo de 1203 [8]. Poco después de conquistada Lérida fue instituido el cabildo (1168), que aceptó la regla de San Agustín, y unos años más tarde (1203) comenzó la construcción de la catedral vieja, que fue consagrada el 1278. Por su parte, el conde Ramón Berenguer IV (1131-1162) la dotó ampliamente, concediéndole todas las mezquitas con sus bienes, así como todas las iglesias de territorio conquistado o por conquistar.

Tortosa. No se conocen los nombres de los obispos después de la invasión hasta el 1058, en que el obispo Paterno asiste a la consagración de la catedral de Barcelona. La ciudad, verdadera clave del Ebro, fue conquistada por el conde Ramón Berenguer IV el 1148. A la conquista siguió la restauración religiosa por obra del arzobispo de Tarragona, don Bernardo Tort (1146-1163), quien nombró y consagró para obispo de la mencionada sede a Gofredo, abad de San Rufo de Aviñón. El nuevo obispo estableció el cabildo, que adoptó la vida común de la regla de San Rufo de Aviñón; obtuvo de Ramón Berenguer IV una espléndida dotación y se esforzó por recuperar los antiguos territorios y posesiones de la diócesis [9]. La diócesis de Hictosa, que aparece entre las *Nomina sedium episcopalium* de la Tarraconense, es, probablemente, una corrupción de la palabra *Dertusa* (Tortosa).

En las sedes de los condados catalanes, la vida fue impulsada a base de la vida regular o canónica establecida en todas las catedrales. Además de las canónicas catedralicias, existían también en otras poblaciones importantes. Tal sucedía en Gerona, Lérida, Tortosa, Urgel, Vich. En torno a ellas giró y se organizó la vida parroquial.

Dependencia eclesiástica del metropolitano de Narbona

Los condados catalanes de la Marca Hispánica no pudieron sustraerse a la influencia francesa, no sólo política, sino también eclesiástica y culturalmente. A todos ellos se les consideraba como una parte integrante del reino carolingio. Por lo que a lo eclesiástico se refiere, los obispos pasaron a depender del metropolitano de Narbona, aunque en ellos pervivía y permanecía muy viva la idea de la metrópoli tarraconense, ahora en poder de los musulmanes.

A lo largo de los siglos VIII y IX no dejaron de brotar movimientos de independencia política frente a los francos por parte de los hispanos godos, como fue el caso de un noble de origen godo llamado Aizón, que en el año 886 se posesionó de varios castillos, como Ausona (Vich) y Roda, intentando luego apoderarse de Barcelona, pero sin éxito [10]. La misma controversia en torno a la herejía adopcionista, cuyo protago-

[8] D. MANSILLA, *Documentación pontificia* 1 n.271-272 p.292-302.
[9] J. VILLANUEVA, *Viaje* 5,29-31 y 250-265; ES 42,298-306; E. BAYERRI, *Historia de Tortosa y su comarca, Tortosa cristiana y libre desde fines de 1148 hasta la muerte del rey don Fernando el Católico (1516)* (Tortosa 1957) 7,68-77.
[10] L. AUZIAS, *L'Aquitaine carolingienne* p.91-96; ID., *Les Sièges de Barcelone, de Tortose et d'Huesca (801-811):* Annales du Midi 48 (1936) 5,28.

nista en la Marca Hispánica fue el obispo Félix de Urgel (783-799), tiene un marcado sello de oposición frente a Alcuino y a la nueva cultura carolingia, que se quiere implantar en los condados catalanes. La unión o coincidencia doctrinal entre Félix de Urgel y Elipando de Toledo no fue meramente casual; fue, más bien, la resistencia de las formas hispánicas latentes en la Marca Hispánica frente a los francos. Litúrgicamente, en el siglo IX se nota una persistencia de la liturgia visigoda, y lo mismo ha de decirse de las leyes godas o *Liber iudiciorum,* conforme a las cuales han de sentenciar los pleitos [11].

Intentos de los obispos catalanes por independizarse de Narbona

Lo que en siglo VIII y primera mitad del IX fueron brotes esporádicos de independencia, se hacen cada vez más frecuentes desde la segunda mitad del siglo IX. Las causas no son siempre muy claras, pero es fácil adivinar que se debía unas veces a diferencias nacionales y otras a intereses de orden político o religioso. Por lo que al aspecto eclesiástico se refiere, es indudable que en los obispados catalanes aparecen tendencias y aspiraciones de independizarse del metropolitano de Narbona.

El primer brote de autonomía se remonta al pontificado del papa Esteban V (885-891), donde encontramos a Sclua, obispo de Urgel, intentando suplantar la antigua dignidad metropolitana de Tarragona contra el arzobispo de Narbona. El documento que nos ha transmitido la noticia va sin fecha y está ciertamente falsificado, pero encierra un fondo de verdad del que no cabe dudar [12]. Efectivamente, en la diócesis de Urgel nos encontramos con un obispo intruso llamado Sclua, que estuvo al frente de la sede por los años 890-891; fue depuesto finalmente e hizo la debida penitencia por su culpa al fracasar sus planes metropolitanos [13].

El apoyo prestado por los obispos de Gerona y Barcelona está respaldado por el aval de diversos documentos pontificios [14], que confirman en lo sustancial el fondo de verdad existente en el documento pontificio de Esteban VI respecto de las pretensiones metropolitanas de Tarragona. La natural reacción de Narbona no se hizo esperar, y había de repetirse en años sucesivos ante hechos similares. En este primer momento, el papa Esteban VI salió en defensa de los derechos de la Narbonense, no ciertamente con la abundancia de pruebas que aporta el documento pontificio, pero sí con la autoridad suficiente para cortar aquellas tendencias separatistas. El pontífice de Roma termina con la amenaza de la excomunión y el anatema para los

[11] L. SERDA, *Seo de Urgel:* Dic. de hist. ecles. de España 4,2430-2433; R. DE ABADAL, *La batalla del adopcionismo en la desintegración de la iglesia visigoda* (Barcelona 1949).
[12] P. KEHR, *Das Papsttum und Katalonische Prinzipat bis zur Vereinigung mit Aragón:* Phil. hist. Klasse (Berlín 1926) p.6-7.
[13] J. VILLANUEVA, *Viaje* 10,76-79.
[14] J. L., n.3.484, 3.515 y 3.516.

obispos de Urgel, Gerona y Barcelona si no deponen su actitud de franca rebeldía y se someten al metropolitano de Narbona [15].

El abad Cesáreo de Santa Cecilia de Montserrat

Nuevos intentos de independizarse de Narbona se dieron en la segunda mitad del siglo X. También ahora el brote separatista procede de los territorios catalanes. El abad Cesáreo de Santa Cecilia de Montserrat ha levantado bandera de independencia metropolitana, y —cosa chocante— ha acudido nada nenos que a Santiago de Compostela a recibir la consagración episcopal. El hecho, que no ha podido menos de sorprender a los historiadores, deja abierto el camino a variadas hipótesis e interpretaciones. La documentación llegada hasta nosotros no nos permite ahondar en las causas y motivos políticos que pudo tener el abad de Montserrat para dirigirse hasta el extremo occidental de la Península, aunque es posible que los hubiese. Tal vez, como sospecha Fita [16], la ida de Cesáreo a la España atlántica estaba planeada y patrocinada por el poderoso conde catalán Borrell I (954-966), que buscaba el apoyo y alianza del rey Sancho I de León (958-960) ante posibles ataques personales, que no tardaron en llegar. Por otra parte, estaban además las intenciones autonomistas que él mismo abrigaba en el campo eclesiástico, como veremos inmediatamente. También se puede pensar que en la España del Norte había solamente un metropolitano, que era el de Braga, con residencia en Lugo [17], y una decisión de tal magnitud y trascendencia debía respaldarse y llevarse a cabo con la anuencia y visto bueno de la mayor autoridad eclesiástica de la España libre.

El abad de Montserrat se puso en camino hacia Compostela, cuya iglesia comenzaba a ser objeto de frecuentes peregrinaciones, y en una asamblea conciliar, que Fita ha fijado entre los años 958-959 [18], tuvo lugar la consagración del abad de Santa Cecilia de Montserrat para arzobispo de Tarragona. El documento que nos ha transmitido el hecho es una carta enviada por el mencionado abad monserratense al papa Juan XIII (965-972). Es verdad que sobre ella se han puesto muchos reparos y hasta se ha intentado relegar al mundo de las leyendas el mencionado concilio compostelano, pero de lo que nunca podrá dudarse es de la verdad sustancial del hecho ni de su autenticidad [19].

---

[15] P. DE MARCA, *Marca Hispánica* p.814-816.

[16] F. FITA, *La reacción metropolitana de Tarragona y el concilio compostelano:* BAH 38 (1901) 217-222.

[17] S. DAVID, *Études historiques sur la Galice et le Portugal du VIᵉ au XIᵉ siècles* p.127-142.

[18] F. FITA, *La reacción metropolitana:* BAH 38 (1901) 222.

[19] V. DE LA FUENTE, *Historia eclesiástica* 3,254-256; S. F. MASLEU, *Historia crítica de España* 15,206-210; P. KEHR, *Das Papsttum und Katalonische Prinzipat* p.12-14; J. M. MARTÍ BONET, *Las pretensiones metropolitanas de Cesáreo, abad de Santa Cecilia de Montserrat:* Anthologica Annua 21 (1974) 157-182. El autor cree que la carta es de principios del siglo XI y que está adulterada; pero sus argumentos no invalidan lo sustancial de las afirmaciones contenidas en la carta.

El abad Cesáreo de Montserrat fue consagrado obispo de Tarragona, y con el título de «*archipraesul Tarraconensis*» figura en muchos documentos posteriores al año 960 [20], y que, sin duda, conservó hasta la muerte. No es tampoco inverosímil que tal decisión se tomara en un concilio. Nada más obvio y natural; además estaba muy de acuerdo con las normas canónicas de la época que el metropolitano de Braga, residente en Lugo, llevara la iniciativa al recordar las disposiciones del canon noveno del concilio de Antioquía sobre la necesidad de la existencia del metropolitano en cada provincia con sus funciones respectivas [21].

La provincia Tarraconense, de tan gloriosa tradición romana y visigoda —dice el documento al que nos venimos refiriendo—, no tiene metropolitano propio, y es muy justo que recobre tal prerrogativa. Los Padres reunidos en el concilio compostelano, en número de once, asistidos y prestigiados con la presencia del rey Sancho I de León y de otros magnates de su reino, acordaron elegir y consagrar al abad Cesáreo para la dignidad metropolitana de Tarragona [22].

La decisión de Compostela respecto del abad Cesáreo fue recibida entre los obispos catalanes con una general repulsa, y no tanto por el hecho en sí, como luego diremos, sino, tal vez, porque se hizo sin conocimiento y a espaldas de los prelados de la Cataluña libre [23]. También parece que los prelados catalanes ponían en tela de juicio la legitimidad del poder y autoridad de la asamblea compostelana por el título de iglesia apostólica alegada por Cesáreo, título que no le correspondía, ya que Santiago el Mayor no había venido a España vivo, sino después de muerto [24].

Independizarse de Narbona halagaba, sin duda, a los obispos de la Marca Hispánica; pero que la dignidad metropolitana hubiera venido a manos de un monasterio incipiente y sin ningún relieve, como era entonces Montserrat, no podía ser de su agrado. A la oposición y repulsa de los obispos Pedro de Barcelona (957-973), Arnulfo de Gerona (954-970), Atón de Vich (957-971) y Wisado de Urgel (942-978) había que añadir la del metropolitano de Narbona, Armerico (928-977), que no podía consentir la separación y pérdida de sus sufragáneas. Este cerrado frente eclesiástico obligó a Cesáreo a acudir a Roma; pero tampoco aquí vio apoyadas sus pretensiones. El papa difícilmente podía amparar o confirmar una causa que contaba con una oposición tan cerrada; por eso fue desestimada la petición presentada por el monje Galindo, encargado de negociar en Roma el éxito de las aspiraciones metropolitanas del abad Cesáreo [25].

---

[20] J. Villanueva, *Viaje* 7,166-167.
[21] A. López Ferreiro, *Historia de la santa iglesia de Santiago* 2,173.
[22] Ibid., 2,174 y ES 19,371.
[23] F. Fita, *La reacción metropolitana*: BAH 38 (1901) 217; R. d'Abadal i de Vinyals, *L'abat Cesari, fundador de Santa Cecília de Montserrat i pretés arquebisbe de Tarragona. La falsa butlla de Santa Cecília*: Dels visigots als catalans. La formació de la Catalunya independent (Barcelona 1974) 2,25-56.
[24] A. López Ferreiro, *Historia* 2,174-175.
[25] J. Villanueva, *Viaje* 7,166-167.

El papa Juan XIII no quiso, sin embargo, privar al abad de Santa Cecilia de Montserrat del título de arzobispo, y así le vemos firmar en varios documentos entre los años 960 y 982. Mas aún: el necrologio del monasterio de Montserrat consigna, con motivo de su muerte, la dignidad metropolitana con que estuvo investido el segundo abad del monasterio [26].

En los planes del abad Cesáreo entraba la restauración de toda la antigua metrópoli de Tarragona con todas las sufragáneas que había tenido en la época visigoda, y que enumera en la forma siguiente: «Barquinona, Egara (Tarrasa), Gerunda, Impurias, Ausona (Vich), Urgello, Hilerta (Lérida), Hictosa (probablemente, confusión de Tortosa), Tortosa Caesaraugusta, Oscha, Pamplona Aucha (Burgos), Calahorra, Tirasona» [27]. Si se confirmara como obispo de Egara el nombre de Emerigo que aparece en una escritura del 2 de enero del año cuarto del rey Hugo Capeto de Francia (991), tendríamos que Cesáreo llegó de hecho a restablecer la antigua sede egarense; pero la falta de documentos no nos permite un conocimiento más completo y acabado de estos hechos [28].

El intento del abad Cesáreo merece tenerse muy en cuenta y valorarse debidamente, porque encierra un gran significado político-eclesiástico; pero sus aspiraciones eran prematuras, y no podían tener éxito por no encontrar todavía ambiente favorable en el campo político ni eclesiástico. La iglesia catalana gravitaba excesivamente en la órbita de la iglesia franca, y toda innovación que viniera de otra parte encontraría la natural oposición y repulsa; por eso, creemos que los prelados catalanes llegaron hasta dudar de las decisiones tomadas en el concilio compostelano; pero la protesta catalana tuvo una contestación en la suscripción de San Rosendo al titularse el año 974 «*Apostolicae cathedrae et sedis episcopus cum omnibus collegis et coepiscopis simul tractavimus*»... [29]

Intento de crear la metrópoli tarraconense en torno a Vich

Las aspiraciones metropolitanas del abad Cesáreo no llegaron a triunfar; sería, sin embargo, pueril negar a este hecho la importancia y significación debidas. En el mundo catalán de entonces flotaba ya la idea de reunir todos los obispados catalanes bajo la égida de un metropolitano propio, y el intento de Cesáreo lo veremos repetirse poco después. Efectivamente, la idea surge con todo su ímpetu en el último tercio del siglo X, y más concretamente durante el gobierno político del conde Borrell de Barcelona (966-993), que reúne en su mano los

---

[26] J. VILLANUEVA, *Viaje* 7,162 y 8,73-74.
[27] H. FLÓREZ, ES 19,370 y A. LÓPEZ FERREIRO, *Historia* 2,174; L. VÁZQUEZ DE PARGA, *La división de Wamba* p.23ss.
[28] F. TORRES AMAT, *Egara y su monasterio de San Rufo:* BAH 33 (1898) 24; J. VILLANUEVA, *Viaje* 15,183; B. GAMS, *Series episcoporum* p.43.
[29] H. FLÓREZ, ES 19,164; A. LÓPEZ FERREIRO, *Historia* 2 p.366.

condados de Barcelona, Vich, Gerona y Urgel. Tal vez su poderío político le animó a dar a sus extensos territorios una base eclesiástica fuerte y robusta con la formación de una metrópoli propia en Cataluña. La ciudad elegida para esto no es Barcelona, sino Vich, y la persona, su obispo Atón (957-971)[30].

Para el conocimiento de estos hechos disponemos de cinco documentos pontificios, fechados en enero del 971, de gran interés y de una autenticidad indiscutible[31]. Por el primero sabemos que el conde Borrell ha estado personalmente en Roma, acompañado de Atón, obispo de Vich, y de Gerberto, el futuro Silvestre II, con quienes ha presentado al papa sus planes y peticiones. Ha hecho ver a Juan XIII la triste situación de la iglesia de Tarragona, sometida al poder de los árabes y con pocas esperanzas de recuperación, por lo que es conveniente trasladar a la iglesia de Vich todas las prerrogativas metropolitanas de la antigua provincia Tarraconense. El pontífice, accediendo a sus deseos, concedió que la iglesia ausonense asumiera la posición primacial de la provincia Tarraconense y que todas sus sufragáneas acudieran al obispo de Vich a recibir la debida confirmación y consagración, siempre que se tratara de una nueva elección. Con esta decisión pontificia quedaba encumbrada la iglesia de Vich a categoría de metropolitana y su obispo Atón recibía, al mismo tiempo, el nombramiento de arzobispo[32].

Por el segundo documento concede al obispo Atón de Vich el palio, símbolo de la dignidad metropolitana, con cuyo motivo le recuerda las obligaciones inherentes a su cargo. En el tercero, dirigido a los obispos Guisardo de Urgel, Pedro de Barcelona y Soniario de Elna, les comunica el papa la decisión tomada sobre la traslación de la metrópoli de Tarragona a la iglesia de Vich, y recaba de ellos la debida sumisión y obediencia para el nuevo arzobispo, de la misma manera que sus antecesores se la prestaron a los arzobispos tarraconenses. Para el sufragáneo de Gerona hay un documento especial, por exigirlo así las circunstancias de la iglesia gerundense, la cual, mediante una elección anticanónica, ha pasado a manos de un neófito, lo que obliga a Juan XIII a nombrar provisionalmente gobernador de la iglesia de Gerona al arzobispo de Vich[33].

El último de los documentos, dirigido al obispo Soniario de Elna, a su padre, Gaufredo, conde de Ampurias y Rosellón; al arcediano, canónigos y pueblo de Gerona, tiene una directa relación con la iglesia gerundense, y es comunicarles la unión que ha hecho de la iglesia de Tarragona con la de Vich, que ha sido sublimada a la dignidad

---

[30] J. VILLANUEVA, Viaje 6,152-156; FLÓREZ, ES 28,92-98; J. L. MONCADA, Episcopologio de Vich 1,159-170.
[31] J. L., n.3.746; FLÓREZ, ES 25,102ss; J. L., n.3.747 = J. VILLANUEVA, Viaje 6,27; J. L., n.3.748 = FLÓREZ, ES 28,96; J. L., n.3.749 = J. VILLANUEVA, Viaje 6,276; J. L., n.3.750 = FLÓREZ, ES 28,252; cf. P. KEHR, Papsturkunden. Katalonien 1,116.
[32] ES 25,102.
[33] Ibid., 28,253 y J. VILLANUEVA, Viaje 13,64.
[34] J. L., n.3.749 = J. VILLANUEVA, Viaje 6,277.

metropolitana, concediendo el palio a su prelado Atón, nombrándole, al mismo tiempo, provisor de la iglesia de Gerona y recabando para él la debida obediencia y reverencia[34].

Por el detenido análisis de los documentos se ve que no se trata propiamente de una restauración, como eran los planes del abad Cesáreo, sino, más bien, de una nueva creación vinculada en torno a la sede de Vich, que, sin duda, pasaba entonces por uno de los centros culturales de Europa más destacados. Es algo similar a lo que va a ocurrir más tarde en Compostela respecto de Mérida, si bien aquí con mayor fortuna. Es cierto que no se trata de un nuevo título, ya que la provincia seguirá denominándose Tarraconense; pero sí de una nueva localización de la metrópoli, y no con carácter provisional, sino definitivo. Vich suplanta a Tarragona, como Compostela suplantó a Mérida en el siglo XI. Por tanto, nos hallamos ante una nueva creación de metrópoli, si bien, es cierto, con título canónico antiguo.

Tanto el conde Borrell de Barcelona como el obispo Atón de Vich podían fundadamente presumir que sus planes y decisiones habían de encontrar oposición en otros territorios catalanes, donde Borrell no tenía poder tan directo como era en los condados de Besalú, Rosellón, Ampurias y Cerdaña. Pero la oposición había que esperarla, sobre todo, de Narbona; por eso, sin duda, quisieron prevenir el golpe respaldados por la autoridad máxima del papa de Roma. Todas sus precauciones fueron pocas y además ineficaces; pero estaban lejos de sospechar que la causa de la metrópoli tarraconense fundada en torno a Vich iba a terminar en una verdadera catástrofe. El necrologio de la iglesia de Vich traído por Flórez, con un lenguaje lacónico, dice que el arzobispo Atón fue asesinado el 22 de agosto del 971[35].

Este dato tan descarnado como elocuente es revelador de un hecho, y es que la formación de la nueva metrópoli levantó una verdadera tempestad. Lo confirma, además, el hecho de haberse producido en la misma sede de Vich un cisma poco tiempo después de sentarse en la silla ausonense Fruciano (972-992), sucesor de Atón. La sede de Vich ya tenía obispo el 11 de diciembre del 972[36], pero al mismo tiempo había un intruso en la persona de Guadallo, que recibió la consagración del arzobispo de Auch, mientras Fruciano la había recibido de su antiguo metropolitano narbonense[37].

No es posible comprobar si estos hechos fueron o no motivados por los intentos de la restauración metropolitana de Vich; pero no es aventurado presumir que fueron consecuencia, más o menos directa, de aquella situación tensa y borrascosa, cuyos detalles no podremos conocer mientras no dispongamos de nuevos documentos. En adelante no se vuelve a decir una palabra del arzobispado de Vich. El cisma, sin embargo, continuó hasta el año 998; tampoco sabemos nada de la reacción operada en el conde Borrell de Barcelona. Lo único que nos

[35] ES 28,314-317.
[36] Ibid., 28,101 y J. VILLANUEVA, *Viaje* 6,156.
[37] ES 28,105 y J. VILLANUEVA, *Viaje* 6,157.

consta con certeza es que el obispo Fruciano se reconoce sufragáneo de Narbona y, sin pretensiones de metropolitano, trata de restaurar la paz en su iglesia y recuperar todos sus bienes y posesiones [38].

Hacia la restauración definitiva de la metrópoli de Tarragona

Los dos intentos por restaurar y crear la metrópoli tarraconense en la segunda mitad del siglo X han sido un rotundo fracaso, y el último terminó trágicamente. Estos episodios son reveladores de cuán arraigada estaba en el corazón de los catalanes el recuerdo de la antigua Tarraconense. Los intentos van a repetirse a un siglo de distancia, pero de una manera muy distinta, como diversos eran los tiempos de un Juan XIII (965-972) a los de Gregorio VII (1073-1085) o de Benedicto VI (973-974) a los de Urbano II (1088-1099). Como ya queda indicado, la iglesia catalana estaba encuadrada en el área de la iglesia franca, y, aunque políticamente la Marca Hispánica se había independizado de los reyes de Francia, la influencia carolingia se dejaba sentir muy fuertemente en el campo eclesiástico y aun político. Asimismo, la cultura carolingia en Cataluña se manifiesta en el variado campo del arte, de la liturgia, del monacato, de la organización feudal e instituciones similares. Un estudio detenido de las instituciones de la época da la impresión de que el núcleo oriental y occidental de la Península son dos mundos diferentes, y la misma diversidad está acusada por la documentación eclesiástica y pontificia de la época. Así, la carta del papa Juan XIII expedida en el 971 con motivo de la restauración de la metrópoli de Tarragona en la persona de Atón, obispo de Vich, va dirigida a todos nuestros amadísimos hermanos arzobispos y obispos *«in Galliarum partibus commorantibus»*, fórmula que refleja claramente la mentalidad de la curia romana respecto de la iglesia catalana. Esta gravita dentro de la órbita de la iglesia francesa, y sus adherencias e influencias serán tan hondas y fuertes, que sólo el tiempo y los hechos se encargaron de cambiar el rumbo de las cosas.

Los tiempos de Gregorio VII y Urbano II son muy distintos y el siglo XI ha sido profundamente renovador para España en el campo no sólo político, sino también eclesiástico. Por lo que se refiere a las relaciones con Roma, se ha operado un cambio radical en la Península dentro del siglo XI. Hasta la segunda mitad del mencionado siglo, los condados catalanes primero, Aragón y Navarra más tarde, fueron objeto de atención preferente y casi exclusiva por parte de Roma. Desde el pontificado de Gregorio VII (1073-1085), las miras principales se dirigen a Castilla, pasando los demás reinos peninsulares a un segundo plano. Esto es muy digno de tenerse en cuenta, porque en la mente del gran Hildebrando y de Urbano II entra la preocupación por vigorizar y fortalecer el poder del monarca castellano y

[38] J. VILLANUEVA, *Viaje* 6,281; J. L., n.3.794 = FLÓREZ, ES 28,254.

centrar en torno a su reino las diversas fuerzas peninsulares, con una preferente preocupación de conseguir la reforma en la Iglesia española y quebrantar el poder de Islam [39].

Urbano II y la restauración de la metrópoli tarraconense

Al llegar al tercer intento de restaurar la antigua provincia Tarraconense encontramos dos novedades muy dignas de atención. La primera, que el movimiento no parte de Cataluña, sino de Toledo, y la segunda, que a Tarragona se la quiere integrar en la órbita de los reinos hispanos, tendencia esta que es también fomentada por la curia romana. Si prestamos una atención, aunque no sea más que ligera, a la dirección de los documentos pontificios, encontramos una diferencia, y no pequeña, respecto a los papas del siglo X. Así, vemos que Urbano II, al anunciar el nombramiento de primado de Toledo en la persona de don Bernardo, no sólo recalca la frase *«in totis Hispaniarum regnis»*, sino que considera a Tarragona encuadrada en la serie de metropolitanos españoles al nombrarle expresamente con estas palabras: *«Tarraconensi et caeteris Hispaniarum archiepiscopis»* [40].

La autenticidad del documento que hace alusión a Tarragona sin estar reconquistada indica claramente que Tarragona había de integrarse entre los reinos de la Hispania. Hemos indicado que la iniciativa partió de Toledo, y más concretamente de su prelado, don Bernardo. Es el arzobispo don Rodrigo, el gran defensor de los derechos primaciales de Toledo en el siglo XIII, quien tuvo buen cuidado de consignarlo en su obra *De rebus Hispaniae,* recogiendo la noticia del registro de Urbano II [41].

En efecto, sabemos por el registro de Urbano II que don Bernardo se desplazó a la curia romana y en Anagni informó detalladamente a Urbano II sobre la situación de la iglesia española. Entre los varios asuntos allí tratados, fueron dos los que ocuparon preferentemente la atención de la curia: el restablecimiento del primado toledano y la restauración de la metrópoli tarraconense. Urbano II captó inmediatamente la importancia de ambos problemas, y tanto le preocupa la solución de uno y otro, que expidió a continuación diversos correos encargados de llevar la noticia al rey Alfonso VI de Castilla (1065-1109), a todos los arzobispos y obispos de España y a Cluny, aduana normal por la que pasaban frecuentemente los asuntos españoles [42].

Por lo que a la restauración de la metrópoli de Tarragona se refiere, Urbano II comenzó a actuar rápidamente, y sus primeras actuaciones repercutieron inmediatamente en Cataluña y Narbona. Uno de los más afectados por el proyecto fue el obispo de Vich, quien acudió apresura-

[39] D. MANSILLA, *La curia romana y el reino de Castilla en un momento decisivo de su historia* (Burgos 1945) p.19-30.
[40] J. L., n.5.370.
[41] *De rebus hispaniae* l.4 c.11.
[42] J. L., n.5.366, 5.367, 5.370 y 5.371.

damente a Roma para informar y recibir, a la vez, consignas de Urbano II. Sabemos, en efecto, que el obispo Berenguer de Vich estuvo en la Ciudad Eterna el 1089, o sea, al año siguiente del informe presentado por el arzobispo don Bernardo de Toledo, y es allí donde hizo ver a Urbano II los derechos que le asistían sobre la sede tarraconense. Casi al mismo tiempo llegaron también quejas y protestas por parte de Narbona, como era de esperar, pero que además estaban respaldados y amparados por el legado, cardenal Ricardo, abad de San Víctor de Marsella [43]. Las informaciones recibidas por Urbano II de una y otra parte produjeron en el papa cierta desorientación y hasta confusión; por eso no pudo menos de escribir al arzobispo de Toledo pidiendo nueva información sobre el asunto. Igualmente escribió al arzobispo de Narbona para que se desplazara a Roma y alegara allí las razones que le asistían [44].

Para el papa seguía siendo preocupación preferente por este tiempo la reconquista de Tarragona, tanto más cuanto que el desembarco de los almorávides en Algeciras (1086) y su avance arrollador hacia el Norte había creado una situación grave en los reinos cristianos. Urbano II se dio cuenta de la gravedad del momento, según informa el cronista de las cruzadas, Guibert de Nogount [45], y hasta del peligro que podía suponer para Europa aquella nueva invasión musulmana. Tarragona, situada en territorio fronterizo del rieno moro de Lérida, Tortosa y Denia, ocupaba una posición estratégica y hasta podía convertirse en una fortaleza de primer orden; pero para ello era de todo punto necesario reconquistarla primero y después hacer una reconstrucción total, ya que no era más que un montón de ruinas.

Urbano II trató de movilizar todas las fuerzas vivas de Cataluña, y también las del dinámico arzobispo de Toledo. En el escrito dirigido el 1 de julio de 1089 a los condes Berenguer Ramón de Barcelona, Ermengaldo de Urgel, Bernardo de Besalú, obispos, nobles, clérigos y laicos de la provincia Tarraconense, hace un apremiante llamamiento para que con todas sus fuerzas y dinero se empleen a fondo en la restauración de Tarragona, a fin de que allí pueda establecerse la sede arzobispal. Urbano II estimula el espíritu y buena voluntad de los cruzados con la concesión de la indulgencia, que ganarían yendo a los Santos Lugares de Jerusalén, siendo ésta la primera vez en que la Santa Sede equipara la participación de la cruzada española con la peregrinación a Tierra Santa y del rescate de ese viaje por dinero a invertir a favor de la Reconquista [46]. El papa está profundamente preocupado y deseoso de restaurar toda la antigua grandeza de Tarragona, y no tiene el menor inconveniente en conceder al obispo Berenguer de Vich todos los privilegios y prerrogativas inherentes a la dignidad metropolitana

---

[43] P. DE MARCA, *Marca Hispánica* p.1184 y J. L., n.5.401; D. MANSILLA, *La documentación pontificia* 1,47-48.
[44] Ibid., 1,48.
[45] GUIBERT DE NOGENT, *Gesta Dei per Francos: Recueil des historiens des croisades* 4,135.
[46] J. L., n.5.401; J. GOÑI, *Historia de la bula de la cruzada en España* p.57.

«*salva tamen Narbonensis ecclesiae iustitia*». Con la restauración religiosa de Tarragona pretendía el papa crear, en esta parte oriental de la Península, un fuerte baluarte contra el Islam, y por eso no puede menos de terminar su carta con una calurosa exhortación para asegurar el triunfo de la causa que tanto le preocupa [47].

En el documento dirigido al arzobispo de Toledo repite fundamentalmente las mismas ideas, y quiere que, de acuerdo con su dignidad primacial, entre cuyas incumbencias entra el restablecimiento de la dignidad metropolitana en cada provincia eclesiástica, se ha de esforzar por hacer que la restauración de Tarragona sea una realidad [48]. Pero las cosas no marchaban tan aprisa como Urbano II deseaba. Entre las causas entorpecedoras estaba, entre otras, la actitud favorable a Narbona adoptada por el legado Ricardo y la oposición o falta de acuerdo existente entre el mencionado legado y don Bernardo de Toledo, según referencias de la *Historia compostelana* y el arzobispo don Rodrigo [49]. Esto y algunas arbitrariedades cometidas por el cardenal Ricardo obligaron a Urbano II a retirarle su confianza y privarle de su legacía en España, con lo que don Bernardo quedó con las manos libres para actuar en los asuntos de la iglesia española.

Mientras Urbano II buscaba sucesor a Ricardo, recomienda al arzobispo de Toledo máxima prudencia en la actuación de los negocios de España, al mismo tiempo que le pide información y parecer sobre la persona que ha de elegir para sustituir al cardenal Ricardo en la legación española. No sabemos la parte que el prelado de Toledo pudo tener en el nombramiento del cardenal Rainerio como legado de España, pero es de presumir que, tal como se desarrollaron los acontecimientos, no fue pequeña. Urbano II se decidió a confiar la legación en España al futuro Pascual II, y en el documento pontificio dirigido al legado (8-1-1090) le señala, como uno de los principales objetivos de su misión diplomática, la restauración de Tarragona, a la vez que le advierte sobre los posibles derechos del arzobispo de Narbona, quien se siente ofendido y perjudicado al querer sustraerle unos sufragáneos que han permanecido bajo su jurisdicción durante cuatrocientos años. La solución ideada y propuesta por el papa respecto de este asunto no deja de ser ingeniosa y sutil al mandar, por una parte, que los obispos catalanes obedezcan al metropolitano de Narbona mientras llega la restauración de Tarragona, y, por otra, han de obedecer como primado al arzobispo de Toledo hasta que el narbonense demuestre sus derechos primaciales [50].

[47] J. L., n.5.401 = P. DE MARCA, *Marca Hispánica* p.1184-1185.
[48] J. L., n.5.366 = ES 6,347-348.
[49] *Historia compostelana* l.1 c.3; ed. ES 20,17-18. *De rebus hispaniae* l.6 c.26, ed. SCHOTTUS, *Hispania illustrata* 2,107.
[50] D. MANSILLA, *La documentación pontificia* 1,49.

El legado Rainerio y la restauración de Tarragona

La preocupación que Urbano II tiene por aunar fuerzas en orden a la lucha contra el Islam y por la restauración de Tarragona le obligan a proponer soluciones de compromiso. El legado, de acuerdo con las instrucciones recibidas del papa y en íntima relación con don Bernardo de Toledo, convocó un concilio en Toulouse (1090), donde se abordó el tema de la restauración de Tarragona. Desgraciadamente, no se nos conservan las actas del concilio tolosano; solamente tenemos una pequeña referencia del cronista Bertoldo de Suabia; pero en él se produjo una fuerte reacción por parte del arzobispo Dalmacio de Narbona. Este veía con profundo dolor que los sufragáneos de la antigua Tarraconense se le escapaban. Al concilio de Narbona del 1090 no asistió más que Bertrand de Barcelona, y por propio interés[51]; ahora, en Toulouse se le obligaba a presentar pruebas concretas y fehacientes sobre los derechos metropolitanos respecto de los obispos catalanes. El arzobispo de Narbona no encontró los privilegios de que le habló al papa Urbano II durante su estancia en Roma (1089), ni podía hallarlos, y fue probablemente entonces cuando se falsificó o adulteró el privilegio de Esteban VI. Según este documento, fue el mismo San Pablo quien ordenó el sometimiento de todas las iglesias a la Narbonense[52].

Los amaños de la bula de Esteban VI manipulados por algún clérigo de Narbona eran tan burdos, que no llegaron a convencer a nadie, y menos al legado. Este, siguiendo las instrucciones de Urbano II, comenzó a preocuparse de la restauración de Tarragona. Inmediatamente se puso en contacto con los condes catalanes, y de una manera especial con Berenguer Ramón II, sin duda el más poderoso, que hizo suyos íntegramente los planes del papa y del legado[53]. Por su parte, los nobles y magnates que habían de acompañar al conde barcelonés se comprometieron solemnemente y por escrito ante el legado a contribuir con sus bienes y personas, y hasta habían fijado la fecha de su entrada en la ciudad para el 1 de noviembre de 1090. Más aún: en un segundo documento, que, sin duda, pertenece también al 1090, llegan los nobles a imponerse la obligación y aceptar el compromiso de repoblar la ciudad para el comienzo de cuaresma del 1091 como plazo máximo[54].

Por su parte, don Berenguer, obispo de Vich, y electo de Tarragona, quiso también interesar e informar del asunto al mismo rey de Castilla, Alfonso VI, y creemos que el viaje realizado a sus reinos en la primavera del año 1090 está relacionado con este asunto. Había, sin duda, otros negocios que tenían necesidad de ser tratados con el legado

[51] D. Mansi, *Concilia* 20,730-734.
[52] J. L., n.3.462; cf. Flórez, ES 3,33ss; F. Fita, *Sobre un texto del arzobispo don Rodrigo:* BAH 4 (1884) 277 y P. Kehr, *Dos Papsttum und Katalonische Prinzipat* p.47.
[53] D. Mansilla, *La documentación pontificia* 1,49; J. Villanueva, *Viaje* 6,326-327; L. Fabre-Duchesne, *Le «Liber censuum» de l'Eglise romaine* p.468-469.
[54] J. Villanueva, *Viaje* 6,326-328.

o el arzobispo de Toledo, como era, por ejemplo, la incorporación o no de la diócesis de Burgos, la antigua Oca, que en la época romano-visigoda había pertenecido a la Tarraconense. Por ahora era objeto de discusión por parte de Toledo, que la quería incorporar a su provincia eclesiástica. El futuro arzobispo de Tarragona, que tanto venía trabajando por la restauración de su provincia, podía sentirse satisfecho por los preparativos, y parece que todo hacía presagiar un venturoso desenlace. A él no le quedaba sino conseguir de Roma la confirmación de sus poderes metropolitanos, y con tal fin se dirigió a la Ciudad Eterna antes del mes de julio del 1091 [55].

Allí informó detenidamente a Urbano II de los preparativos de la cruzada sobre Tarragona; informe que no pudo menos de llenar de alegría el corazón del pontífice, que con tanto interés seguía los asuntos de España. El papa aprobó plenamente todo cuanto hasta el presente se había hecho; confirmó las amplias y generosas donaciones hechas por el conde barcelonés; reiteró a favor del obispo de Vich los privilegios metropolitanos ya hechos por Juan XIII el 971; vinculó, aunque con alguna salvedad y reserva, la perpetua posesión de la iglesia tarraconense a la de Vich y le otorgó el palio, símbolo de la dignidad arzobispal [56].

Relacionado íntimamente con este documento dirigido a don Berenguer, obispo de Vich, envió Urbano II otros documentos a los condes Ermengaldo de Urgel, Bernardo de Besalú, Hugo de Ampurias, Guisberto de Rosellón y Guillermo de Cerdaña recabando de ellos apoyo o ayuda para el obispo Berenguer de Vich y otorgándoles, como cruzados, la indulgencia y remisión de sus pecados en orden a la conquista y restauración de la ciudad e iglesia de Tarragona [57].

Parece extraño que una expedición tan aparatosamente preparada no tuviera el éxito que se esperaba. La expedición sobre Tarragona no pasó de tanteos y escaramuzas. Al tratar de averiguar las causas del fracaso, hemos de reconocer en primer lugar que el poder de los árabes era todavía muy fuerte y vigoroso en las márgenes al norte del Ebro, y ahora se veía reforzado por las invasiones de los almorávides. Por otra parte, tampoco el conde de Barcelona tenía la fuerza y la autoridad suficientes para una empresa de tal envergadura [58].

Pero pasemos a otras causas estrictamente eclesiásticas. El arzobispo Dalmacio de Narbona (1081-1096) nunca perdonó al obispo de Vich la actividad desplegada para independizar los obispados catalanes del arzobispado de Narbona, y la primera ocasión que se le presentó, que fue al volver de Roma por el mes de julio del 1091, la aprovechó para meterle en la cárcel y exigir una elevada suma de dinero por su rescate. Es verdad que en el concilio de Saint Gilles (1092) se desagravió al obispo de Vich por los vejámenes y malos tratos recibidos. Más aún: el mencionado concilio, presidido por el legado Guartero, cardenal-obispo

---

[55] L. FABRE-DUCHESNE, *Le «Liber censuum»* p.469; D. MANSILLA, *La documentación pontificia* 1,51.
[56] Ibid.
[57] P. KEHR, *Papsturkunden. Katalonien* 1,286-288.
[58] S. BOFARULL, *Los condes de Barcelona* 2,137ss.

de Albano, confirmó la autoridad metropolitana del arzobispo-obispo de Vich; pero éste, cansado de batallar y con gran sorpresa de toda la asamblea, renunció al arzobispado tarraconense[59]. El concilio de Saint Gilles no contaba con este golpe de escena, pero no quiso darse por enterado, y, por tanto, no aceptó la renuncia. Mas aún: notificó al arzobispo de Narbona, don Dalmacio, que renunciara a sus pretensiones sobre Tarragona, lo que hizo con gran aplauso y contento de todos los concurrentes. Aquella magna asamblea, a la que asistieron cuatro arzobispos con sus sufragáneos además del cardenal legado Gualter, reconoció solemnemente la superioridad que en otros tiempos había tenido Tarragona sobre los demás metropolitanos españoles, y, a tenor con esta grandeza, justo es reconocer que el territorio de la diócesis tarraconense sea mayor que el de los territorios de los sufragáneos. Por eso, el mismo legado pontificio llegó a señalar los límites del arzobispado tarraconense y aún dejaba la puerta abierta ante posibles incorporaciones de antiguos territorios[60].

Como se ve por estos hechos, el concilio de Saint Gilles procuró cicatrizar sensibles heridas y cortar los gérmenes de desunión y discordia, tan peligrosos en aquellos momentos, en que toda unión de fuerzas era tan necesaria para llevar a feliz término la reconquista de Tarragona y la restauración de su sede. Pocas veces, ni antes ni después, se llegó a encaminar y encumbrar tanto la grandeza de la antigua Tarraconense y se hizo un reconocimiento tan explícito de su neta superioridad sobre las demás metrópolis españolas en la antigüedad.

Sin embargo, estos mismos episodios demuestran que en el fondo había mucha lucha y no faltaban fuerzas desintegradoras. La empresa, pues, de Tarragona seguía teniendo obstáculos y dificultades grandes, pero lo más doloroso era que el desaliento cundía en el que había sido hasta ahora el defensor más activo y entusiasta de la causa: el arzobispo-obispo de Vich. Así se desprende de la bula dirigida por Urbano II a este prelado (25-4-1093), en la que lamenta su decaimiento de ánimo por la reconquista de Tarragona. Al mismo tiempo le anima a que continúe trabajando con el mayor celo posible por la empresa tarraconense, anunciándole el nombramiento del arzobispo de Toledo como legado en todos los territorios hispanos[61].

Legación de don Bernardo de Toledo

El sesgo poco halagüeño que tomaban los acontecimientos de España y la fidelidad de Urbano II a reforzar la suprema autoridad del primado de Toledo, movieron al papa a nombrar a don Bernardo legado pontificio en toda España y en la provincia Narbonense. El primado toledano, tal vez, no veía con agrado aquellas manifestaciones

[59] FLÓREZ, ES 28,295-296.
[60] Ibid.
[61] D. MANSILLA, *La documentación pontificia* 1,52.

de supremacía tarraconense apuntadas en el concilio de Saint Gilles. Conocemos perfectamente el nombramiento de don Bernardo como legado y las atribuciones de su misión merced a un documento de Urbano II del 25 de abril del 1093. Geográficamente, su legacía se extendía *«per Hispaniam et Narbonensem provintiam»* y en sus manos ponía el papa los más graves problemas referentes a la Iglesia española[62].

Tampoco esta decisión de Urbano II agradó al arzobispo-obispo de Vich, don Berenguer, que tuvo su correspondiente réplica en la convocación de un concilio sin previa autorización del arzobispo de Toledo, y que éste le prohibió terminantemente, citándole, además, a comparecer en su presencia para el 29 de septiembre del 1094 con el fin de dar razón de su proceder[63]. El arzobispo de Toledo intervino activamente en consolidar y mejorar el estado de las iglesias catalanas, según aparece por los sínodos celebrados en Gerona y por otros documentos de carácter eclesiástico[64]; pero no pudo lograr que la restauración de Tarragona hiciera progresos. Más aún: su situación, por una serie de acontecimientos, vino a empeorar en los comienzos del siglo XII, debido principalmente a la llegada de los almorávides. En esta misma idea nos confirma don Rodrigo cuando dice que la metrópoli de Tarragona fue destruida en tiempos de don Bernardo, primado de Toledo; alusión clara a la invasión almorávide, que penetró hasta las mismas puertas de Barcelona[65].

Cierto que la intervención de don Bernardo en los territorios catalanes no logró ningún progreso en la reconquista de Tarragona ni cambió la situación jurídica respecto de la metrópoli tarraconense, pero sirvió para cortar las apetencias y pretensiones del arzobispo de Narbona. De hecho, éste no formuló reclamaciones sobre los obispados de la Tarraconense, y *de iure* el obispo de Vich siguió siendo, a la vez, arzobispo de Tarragona, y así continuaron las cosas hasta su muerte (11-1-1099)[66]. En adelante, ya no se habla para nada de la dignidad metropolitana tarraconense, y hay que esperar unos años hasta que se despeje o cambie el panorama político.

Restauración definitiva de Tarragona

Efectivamente, a partir del 1111, el poder político del conde Ramón Berenguer III de Barcelona aumentó extraordinariamente con la anexión de los condados de Besalú (1111) y Cerdaña (1111). La preocupación por la lucha antiislámica se despertó pujante en el mundo catalán, y solamente así se explica la expedición organizada para la conquista de las Baleares. Al lado de este ambiente de guerra contra el

---

[62] F. Fita, *Bula inédita de Urbano II (25-4-1093):* BAH 5 (1884) 97-103.
[63] *Sobre un texto del arzobispo don Rodrigo:* BAH 4 (1884) 383.
[64] Ibid., 366ss; P. de Marca, *Marca Hispánica* p.318 y ES 28,297-300.
[65] *De rebus Hispaniae* l.6 c.11; R. Dozy, *Histoire des musulmans d'Espagne jusqu'à la conquête de l'Andalousie par les almoravides (711-1110)* p.131ss.
[66] J. Villanueva, *Viaje* 6,216-218.

Islam está un hecho que tuvo capital importancia en la restauración metropolitana de Tarragona. Fue la elección de San Olegario para obispo de Barcelona (1116) y, dos años más tarde (1118), su nombramiento y elevación a la dignidad arzobispal de Tarragona, continuando, al mismo tiempo, al frente de aquella sede [67]. Esta gran figura catalana, de la que Pascual II y Gelasio II se deshacen en elogios, fue el hombre providencial para la restauración de la antigua metrópoli tarraconense.

La pasajera conquista de Mallorca e Ibiza por Ramón Berenguer III, conde de Barcelona, ayudado por pisanos y genoveses (1114-1115), preparó el camino para la reconquista de Tarragona y su territorio. El papa Pascual II, por bula (23-5-1116), a la vez que felicita al conde de Barcelona por el éxito obtenido en las Baleares, no puede menos de bendecir los proyectos y preparativos que hace para la conquista de Tortosa, verdadera cabeza de puente para asegurar la toma y posesión de Tarragona con su campo. En el ánimo del conde entraba la restauración material y espiritual de Tarragona, y vio que la persona más apropiada para ello era el santo obispo de Barcelona Olegario. A este fin va encaminada la donación hecha por el conde barcelonés al obispo Olegario (23-1-1117). La ciudad, que yace desolada y destruida durante tantos años, se la entrega al obispo de Barcelona «para su restauración» y para poblarla con toda clase de fueros y libertades, según costumbre de la época [68].

Cuando se hizo esta donación ya estaba planeado el nombramiento de don Olegario para arzobispo de Tarragona, y, si no lo realizó Pascual II, es porque le sorprendió la muerte (21-1-1118). Fue, sin embargo, una de las primeras decisiones de Gelasio II (1118-1119). En efecto, por bula de mayo de 1118 era Olegario nombrado arzobispo de Tarragona y le confería el palio, símbolo de la dignidad metropolitana. Este documento, que señala el comienzo de una nueva etapa en la historia de la sede tarraconense, revela las preocupaciones preferentes de la curia romana sobre la obra restauradora de Tarragona. El papa recuerda sumariamente los esfuerzos hechos por sus predecesores respecto de esta empresa, y con este mismo deseo y pensamiento quiere que el nuevo electo se entregue, de lleno y con todas sus fuerzas, a esta obra restauradora [69].

Gelasio II, por su parte, confirma la donación de la ciudad hecha por el conde barcelonés; le otorga todos los derechos metropolitanos respecto de su provincia y sufragáneas y, como la toma de Tortosa se da por inminente, le autoriza a encargarse provisionalmente de esta sede [70]. A partir de este momento, podemos decir que comienza propiamente la restauración de Tarragona, aunque todavía pasaron varios años hasta que su situación quedó completamente despejada y consolidada. Era muy difícil y precaria la situación de Tarragona

---

[67] F. Fita, *Patrología latina. Renallo gramático y la conquista de Mallorca por el conde de Barcelona don Ramón Berenguer III:* BAH 40 (1902) 50ss; J. L., n.6.523 y 6.636.

[68] ES 25,219-221 y P. de Marca, *Marca Hispánica* p.1247.

[69] ES 25,221-222.

[70] Ibid.

mientras no avanzara la Reconquista en la parte alta del Ebro; sin embargo, merecen consignarse los esfuerzos realizados después de haber sido nombrado San Olegario arzobispo de Tarragona. El fue el alma de los concilios de Letrán I (1123) y de Clermont (1130), que dieron disposiciones tan sabias e importantes a favor de los cruzados que habían hecho voto de ir a Jerusalén o a España[71]. Por otra parte, no cesó de estimular a Ramón Berenguer III de Barcelona para que llevara sus avances hacia la desembocadura del Ebro con el fin de arrancar al Islam las plazas fuertes de Lérida y de otras poblaciones que permitieran la restauración plena de la metrópoli tarraconense.

Efectivamente, la reconquista del valle del Ebro atraía las preocupaciones preferentes de la curia por este tiempo. Calixto II (1119-1124), fiel al pensamiento de su predecesor, estimuló a los cruzados españoles concediéndoles la misma indulgencia que a los cruzados de los Santos Lugares, amenazando con la excomunión a los que no cumplieran con el voto de cruzados. Deseo del papa era tomar parte en esta empresa; pero no siéndole esto posible, nombró legado *a latere* a Olegario, arzobispo de Tarragona[72].

Por inspiración de San Olegario, se formó la confraternidad de Narbona en la semana de Pasión del 1128, integrada por numerosos prelados, abades y eclesiásticos del mediodía de Francia y Cataluña para contribuir cada año, según la medida de sus fuerzas, a la restauración de la sede tarraconense y cumplir puntualmente dicho voto todos los años. Iniciativa también del prelado de Tarragona fue el nombramiento del señor y príncipe de Tarragona hecho a favor del caballero normando Roberto Burdet o de Aquilo (1128) con el fin de atender mejor al gobierno y repoblación material de la ciudad[73].

Todos estos hechos sirven para demostrar el interés y actividad desplegada por el dinámico arzobispo de Tarragona en orden a conseguir la restauración completa y total de la antigua metrópoli tarraconense. Verdad es que no lo logró, y San Olegario murió (1137) sin poder residir todavía en Tarragona, pero nadie le podrá regatear los muchos esfuerzos realizados ni el título de verdadero arzobispo tarraconense. En este sentido existe una profunda diferencia respecto a sus predecesores Atón y Berenguer de Vich, que fueron más bien nominales que efectivos. Olegario no se titula «*Tarraconensis archiepiscopus*», pero ejerce funciones metropolitanas. Si la restauración espiritual y religiosa no siguió más adelante, fue debido, en gran parte, a que la reconquista de Tortosa y Lérida, verdaderas cabezas de puente y claves para el dominio del valle del Ebro, no pasaron a manos de los cristianos hasta el año 1148 y 1149 respectivamente[74].

Por eso, la recuperación plena de todas las facultades y atribuciones metropolitanas, y de una manera especial el dominio y control sobre los

---

[71] F. FITA, *Actos del concilio de Clermont. Revisión crítica:* BAH 4 (1884) 365.

[72] J. L., n.7.116 = ES 25,223-225.

[73] FLÓREZ, ES 28,303-304; J. VILLANUEVA, *Viaje* 6,338.

[74] ES 28,304 y 29,471; D. MANSILLA, *La documentación pontificia* 1,83; D. MANSI, *Concilia* 21,230.

obispados de la Tarraconense, no fue posible hasta el pontificado de Anastasio IV (1153-1154). En el primer privilegio de Lucio II (25-3-1144) para el arzobispo Gregorio no se detallan todavía, las sufragáneas, ni lo hace tampoco el de Eugenio III (27-5-1146), expedido a favor del arzobispo Bernardo Tort. Lo hace plenamente el de Anastasio IV (25-3-1154) al enumerar las sedes de *Gerona, Barcelona, Urgel, Vich, Lérida, Tortosa, Zaragoza, Huesca, Pamplona, Tarazona y Calahorra.* Este privilegio fue confirmado por Celestino III e Inocencio IV[75]. El documento de Anastasio IV reconoce que la metrópoli tarraconense se ha restaurado por el esfuerzo y colaboración de los reyes de Aragón y de los condes de Barcelona: *«per studium et laborem illustrium Aragonen sium regum et Barchinonensium comitum»,* habiendo contribuido con elllo no sólo a consolidar y robustecer la unidad eclesiástica de la provincia Tarraconense, sino también la unidad política después de su unión con Aragón (1137). Ya no fue posible la incorporación de la antigua Oca, trasladada a Burgos (1068), que pasó a ser diócesis exenta (1096).

Conclusión

Los reiterados intentos hechos a lo largo de los siglos X y XI por restaurar la antigua metrópoli tarraconense prueban el vivo recuerdo de la gloriosa tradición romana y visigoda que latía en el corazón de Cataluña medieval. Había, sin embargo, que romper los fuertes lazos que la ligaban con Narbona por la obligada sumisión de cuatrocientos años, motivada, fundamentalmente, por la invasión árabe. Urbano II, que tanto interés mostró por la restauración metropolitana de Tarragona, dio un paso decisivo en este sentido al precisar exactamente los límites de la provincia eclesiástica de Narbona y señalar también sus sufragáneas en un privilegio del 6 de noviembre del 1097. En él se enumeran Toulouse, Carcasona, Elna, Béziers, Agde, Magulone, Nimes, Uzès y Lodève, pero no se incluye ninguno de la antigua Tarraconense[76]. Tampoco fue acertada la tentativa de restaurar la metrópoli en torno al obispo de Vich, porque, aunque su obispo Berenguer (1078-1100) tenía una gran personalidad, sin embargo, la vida cultural y política se había descentrado hacia Barcelona en la undécima centuria, y en este sentido tuvo una visión mucho más clara de las cosas Pascual II que Urbano II al confiar la restauración de Tarragona al obispo Olegario de Barcelona y nombrarle poco después arzobispo de Tarragona; a él se debe, en gran parte, la restauración de la antigua metrópoli, aunque los sufragáneos no aparecen puntualmente señalados hasta el pontificado de Anastasio IV (1153-1154), como queda dicho.

[75] J. L., n.8.546; D. MANSILLA, *La documentación* 1,92; F. FITA, *Doce bulas inéditas de Lucio II, Alejandro III, Lucio III, Celestino III, Inocencio IV y Alejandro IV históricas de Tarragona:* BAH 29 (1896) 94-96.
[76] J. L., n.5.688.

La antigua provincia Tarraconense fue profundamente modificada con ocasión de la Reconquista. Los reinos de Aragón y Navarra, y sobre todo Castilla, núcleo central de lucha contra el Islam desde el siglo XI, cambiaron sensiblemente la fisonomía de la antigua Tarraconense, que en la época visigoda tenía por límites el Pisuerga. El cambio no fue tan rápido como podía esperarse, ya que de momento sólo perdió la antigua Oca (Burgos); pero las modificaciones tenían que llegar, como efectivamente sucedió.

Un ejemplo claro lo tenemos con ocasión de la conquista de Valencia (1238), que, a pesar de haber pertenecido a la antigua Cartaginense, fue incorporada a Tarragona (1239) después de un ruidoso pleito, triunfando, una vez más, las razones políticas sobre las histórico-jurídicas. Otra diócesis que el arzobispo de Tarragona quiso incorporar a su metrópoli fue Mallorca al ser reconquistada (1229) por el rey aragonés Jaime I. Ante los derechos alegados por los obispos de Gerona y Barcelona, Gregorio IX decidió declarar a Mallorca obispado exento (1232), Inocencio IV (1245) unió Ibiza a Mallorca y Bonifacio VIII incorporó Menorca a Mallorca, continuando así las cosas hasta el siglo XVIII, en que fueron de nuevo elevadas a categoría de diócesis.

La provincia Tarraconense, después de la Reconquista, quedó formada así: *Metrópoli:* Tarragona. *Sufragáneas:* Urgel (no se interrumpió la sucesión episcopal), Gerona (785), Barcelona (850), Vich (886), Tortosa (1118 y 1148), Lérida (1149), Zaragoza (1118), Pamplona (829), Huesca (1096), Tarazona (1120), Calahorra (1045), trasladada a Santo Domingo de la Calzada (1231) y Valencia (1239). Total: 13; en la época visigoda, 15. No se restauraron Egara (Tarragona) ni Ampurias. Oca (Burgos) fue declarado obispado exento.

Nótese que los obispados de Roda (888-1101) y Barbastro (1097-1149) fueron lugares de residencia de los obispos de Lérida hasta su reconquista. Lo mismo ha de decirse de Jaca (1005-1063) respecto de Huesca y de Nájera (950-1045) respecto de Calahorra.

Al ser creada la metrópoli de Zaragoza (18-7-1318), desmembrada de la metrópoli de Tarragona, la provincia Tarraconense quedó así constituida:

A) *Metrópoli:* Tarragona. *Sufragáneas:* Barcelona, Gerona, Lérida, Tortosa, Urgel, Vich y Valencia.

B) *Metrópoli:* Zaragoza. *Sufragáneas:* Calahorra-La Calzada, Huesca, Pamplona, Tarazona y Albarracín-Segorbe.

Cuadro sinóptico de las circunscripciones eclesiásticas y de los obispados hispanos (siglos VIII-XIV)

Provincia eclesiástica de Toledo.—*Metrópoli:* Toledo. *Sufragáneas:* Palencia (1035), Osma (1088), Segovia (1119), Sigüenza (1124), Cuenca (1179), Albarracín-Segorbe (1219), Baeza (1228), trasladada a Jaén (1246), y Córdoba (1236). Temporalmente (1102-1153), Zamora. Total: 9; en la época visigoda, 22.

Provincia eclesiástica de Braga.—*Metrópoli:* Braga (1095). *Sufragáneas:* Astorga (852-853), Lugo (850), Mondoñedo (881), Orense (881 y 1071), Tuy (912-1071), Oporto (881 y 1112), Coimbra (867-1064), Viseo (889-1058), Zamora (desde el 1153 al 1199) y Silves (desde el 1189 al 1252). Total: 11; en la época visigoda, 9.

Provincia eclesiástica de Compostela.—*Metrópoli:* Santiago. *Sufragáneas:* Avila (1087), Salamanca (1102), Zamora (953 y 1121), Ciudad Rodrigo (1168), Coria (1142), Plasencia (1189), Badajoz (1255) *(en los reinos de León y Castilla).* Lamego, Idaña (Guarda), Lisboa y Evora *(en Portugal).* Total 12; en la época visigoda, 13.

Reajuste definitivo de la provincia de Compostela (1393-1394).—*Metrópoli:* Santiago. *Sufragáneas:* Orense, Tuy, Lugo, Mondoñedo, Astorga, Zamora, Salamanca, Ciudad Rodrigo, Avila, Coria, Plasencia y Badajoz.

Provincia eclesiástica de Tarragona.—*Metrópoli:* Tarragona. *Sufragáneas:* Urgel (no se interrumpió la sucesión episcopal), Gerona (785), Barcelona (850), Vich (886), Tortosa (1118 y 1148), Lérida (1149), Zaragoza (1118), Pamplona (829), Huesca (1096), Tarazona (1120), Calahorra (1045), trasladada a Santo Domingo de la Calzada (1231), y Valencia (1239). Total: 13; en la época visigoda, 15. No se restauraron Egara (Tarrasa) ni Ampurias. Oca (Burgos) fue declarado obispado exento.

Provincia eclesiástica de Sevilla.—*Metrópoli:* Sevilla. *Sufragáneas:* Medina Sidonia, trasladada a Cádiz (1267); Algeciras, unida a Cádiz (1344-1364); Silves (1255) y Canarias (1351). A partir de la segunda mitad del siglo XIV, probablemente *Marruecos.*

Provincia eclesiástica de Tarragona después de la creación de la provincia de Zaragoza (1318).—*Metrópoli:* Tarragona. *Sufragáneas:* Barcelona, Gerona, Lérida, Tortosa, Urgel, Valencia y Vich.

Provincia eclesiástica de Zaragoza (1318).—*Metrópoli:* Zaragoza. *Sufragáneas:* Calahorra-La Calzada, Huesca, Pamplona, Tarazona y Albarracín-Segorbe.

Obispados exentos.—Compostela (5-12-1085), Burgos (15-7-1096), León (15-4-1104-1105), Oviedo (30-9-1105), Besalú (26-1-1017), Mallorca (31-7-1232), Cartagena (6-8-1250), Pamplona (23-9-1385), Marruecos (1246-1353) y Canarias (1351-1393); proyecto de exención de la diócesis de Almería (11-9-1309).

Otros obispados de duración incierta o pasajera.—Valpuesta (804-1086), Sasomón (1071-1087), Muñó (de forma itinerante, siglo X), Alava (Armentía) (970-1087), Tobía (922?), Sasave (Huesca) (siglo X), Nájera (Calahorra) (950-1045). Simancas (953-974) (dudoso), Roda (808-1101), Barbastro (1097-1149) y Jaca (1063-1096).

INDICE DE NOMBRES

Alvarez de las Asturias, Rodrigo, 2.º 401.
Alvarez-Coca González, M. J., 1.º 501.
Alvarez Delgado, J., 2.º 360.
Alvarez Morales, A., 2.º 290.
Alvarez Palenzuela, V. A., 1.º 340 363; 2.º 61 75.
Alvaro, hermano de san Eulogio, 1.º 161.
Alvaro, vizconde, 1.º 423.
Alvaro, Díaz, conde, 1.º 424.
Alvaro de Luna, 2.º 267.
Alvaro de Oviedo, 2.º 201.
Al-Waqasi, 1.º 454.
Al-Zarkali, 2.º 202.
Alzina, Jaime, 2.º 411.
Aller, D., 2.º 123.
Amades, J., 2.º 190 290 306 308 319 320 321 331.
Amado, ob., 1.º 262 444.
Amado de Oloron, ab. (= ¿Amat d'Oléron?) 1.º 433.
Amador de los Ríos, J., 2.º 252 498 499 545 593.
Amador, san, 2.º 318.
Amalric de Chartres, 2.º 110.
Amando, san, 1.º 68 116.
Amanieu, A. 1.º 437.
Amann, E., 1.º 22 45 62 89 90 91 92.
Amaro, A., 2.º 381.
Amat d'Oléron, 1.º 232.
Amaya Maldonado, Diego de, 2.º 494.
Ambrosio, san, 1.º 78.
Ambrosio de Santa Teresa, 2.º 123.
Amer, P. de, 2.º 179.
Amete, 1.º 361.
Amícola, J., 2.º 347.
Amorós Payá, L., 2.º 125 178.
Ampurias, Hugo de, 2.º 676.
Amr ibn al-As, 1.º 450 451.
Amrus, 1.º 27.
Anacleto, papa, 1.º 430.
Anasagasti, P. de, 2.º 124.
Anastasio IV, papa, 1.º 317 416; 2.º 681.
Anatolio, 1.º 513.
Andregot, 1.º 84.
Andrés, A., 1.º 61 147.
Andrés, G., 1.º 61.
Andrés de Albalat, fray, arz., 1.º 374; 2.º 16 55 56 57 139 195 216.
Andrés de Hungría, 2.º 6.
Andrés Martín, M., 2.º 176.
Andrónico Paleólogo, emp., 2.º 278 284.
Anelier de Tolosa, 2.º 207.
Anjou (familia), 2.º 141.
Angel, mr., 2.º 158.
Angel Clareno, fray, 2.º 162 168 170.
Angelo Maltraverso, patriarca, 2.º 44.
Angles, H., 1.º 145 341; 2.º 179 245 247 248.
Anglesa, ab., 1.º 367.
Anglesia de Anglesola, 2.º 130.
Anglesola (familia), 1.º 423.
Angosto, 1.º 371.
Angulo, D., 2.º 562 604.
An-Nasir, 1.º 490 492 494.
Anselmo, san, 1.º 372 455 456; 2.º 226.
Anselmo. ob. de Havelberg. 1.º 419.
Ansúrez (familia), 1.º 424.
Ansúrez, Pedro, 1.º 191.
Antequera, Fernando de, 2.º 400 491 492.
Antillón, J. de, 2.º 121.
Antolín, G., 1.º 81 144.
Antón, F., 1.º 404 419.
Antonino ab Assumptione, 2.º 117.
Antonio, san, ab., 2.º 319.
Antonio Andrés de Tauste, 2.º 210.
Antonio de Galiana, ob., 2.º 125.
Antonio de Gerona, 2.º 210.

Antonio de Padua, san, 2.º 134 158.
Antonio de Verjús, ermitaño, 2.º 155.
Antuña, M., 1.º 463.
Anyeto, J., 1.º 344.
Apolonio de Tiro, rey, 2.º 356.
Aquilino, ab., 1.º 260.
Ara, Gil, 2.º 561.
Aragón, Juan de, 2.º 449 592.
Aragonenses, banda, 2.º 95 110.
Aramón J. Serra, R., 2.º 155 331.
Aranda, Francisco de, 2.º 491.
Aranyó, Guillén de, 2.º 447.
Arberto, ab., 1.º 413.
Arcelín, A., 1.º 343.
Arco y Garay, R. del, 2.º 307.
Archiquez, 2.º 505.
Arderin, E., 2.º 422.
Argáiz, G. de, 1.º 106 143.
Argentina, doña, 1.º 105.
Argilo, 1.º 101.
Arias, ob., 1.º 391.
Arias, arcediano, 1.º 385.
Arias Pérez, 1.º 392.
Arias, M., 1.º 143 148.
Arista (familia), 1.º 129.
Arista, Iñigo de, 1.º 132 162.
Aristóteles, 1.º 454 462; 2.º 201 227 266.
Armanda, 1.º 372.
Armengol VII, 1.º 360 423 424 366.
Armiche, rey de Hierro, 2.º 414.
Armitage-Smith, S., 2.º 484.
Arnaldel de Guardiola, 2.º 127.
Arnaldo, ob. de León, 1.º 421; 2.º 107.
Arnaldo de Brescia, 2.º 82.
Arnaldo de Cabrera, 1.º 362.
Arnaldo de Castelvell, 1.º 397.
Arnaldo Mir de Tost, 1.º 178.
Arnaldo de Narbona, 2.º 33 103 106 107 108 232.
Arnaldo Novelli, cardenal, 2.º 168.
Arnaldo Pons, 2.º 211 218.
Arnaldo de Sagarra, fray, 2.º 139.
Arnaldo de Segarra, 2.º 214.
Arnaldo de Vilanova, 1.º 374; 2.º 17 22 27 163 164 165 171 172 177 206 213 225 228 229 230 231 232 233 284.
Arnalt de Barbazan, ob., 2.º 287 335.
Arnau, ab., 1.º 253 255.
Arnau Almarich, arz., 1.º 480; 2.º 100.
Arnau Burguet, 2.º 163.
Arnau de Campranya, 2.º 97.
Arnau, vizc. de Castellbó, 2.º 88 95.
Arnau Catell, 1.º 559.
Arnau Gili, 2.º 96.
Arnau de Malla, ob. 1.º 313.
Arnau Mir de Tost, 1.º 408.
Arnau Mir, vizc., 1.º 310.
Arnau Mir, conde de Pallars, 1.º 466.
Arnau de Mudahons, 2.º 87.
Arnau Muntaner, 2.º 162.
Arnau de Muro, 2.º 115.
Arnau Oliver, 2.º 162.
Arnau de Peralta, ob., 2.º 16.
Arnau Ponç, ob., 2.º 14.
Arnau de Querol, 2.º 114.
Arnoldo, monje, 1.º 365.
Arnulfo, ob., 1.º 98 228; 2.º 651.
Arnust, arz., 1.º 224 225.
Arquillière, H. X., 1.º 257 263 264 339.
Arribas Palau, a., 2.º 379 380.
Aschbach, J., 1.º 235.
Asensio. E., 2.º 352 353.
Asín Palacios, M., 1.º 15 452 453 454 455 458; 2.º 124 534.

ACABOSE DE IMPRIMIR ESTE VOLUMEN SEGUNDO (2.º)
DE LA «HISTORIA DE LA IGLESIA EN ESPAÑA», DE LA
BIBLIOTECA DE AUTORES CRISTIANOS, EL DIA 8
DE MARZO DE 1982, FESTIVIDAD DE SAN JUAN
DE DIOS, RELIGIOSO Y FUNDADOR, EN
LOS TALLERES DE LA IMPRENTA FA-
RESO, S.A., PASEO DE LA DIREC-
CION, 5, MADRID

LAUS DEO VIRGINIQUE MATRI